Millennium

STIEG LARSSON
Tidligere utgitt på Gyldendal:

Millennium – Menn som hater kvinner, 2006
Millennium – Jenta som lekte med ilden, 2007

STIEG LARSSON

LUFTSLOTTET SOM SPRENGTES

Oversatt fra svensk av
Elisabeth Bjørnson

GYLDENDAL

Originaltittel: *Luftslottet som sprängdes*

Copyright © Stieg Larsson 2006
Norsk utgave © Gyldendal Norsk Forlag AS 2007

2. opplag 2007
3.–5. opplag 2009

Første gang utgitt av Norstedts Förlag, Stockholm 2007

Published by agreement with Pan Agency

Printed in Sweden
Trykk/innbinding: ScandBook AB, Falun 2009
Sats: Type-it AS, Trondheim 2009
Papir: Holmen Book Cream 70 g (1,8)
Boken er satt med 10,5/12 p. Sabon
Omslagsdesign: Norma Communication/www.norma.se

Oversetter Elisabeth Bjørnson er medlem av Norsk Oversetterforening

ISBN 978-82-05-34704-5
ISBN 978-82-525-6660-4 (Bokklubben)
ISBN 978-82-02-27767-3 (Cappelens Bokklubb)

Del 1

INTERMEZZO I EN KORRIDOR

8.–12. april

Det er anslått at omkring seks hundre kvinner tjenestegjorde i den amerikanske borgerkrigen. De hadde kledd seg ut som menn og latt seg verve. Her har Hollywood oversett et stykke kulturhistorie – eller er denne historien muligens for problematisk ideologisk sett? Historiebøkene har alltid hatt problemer med å håndtere kvinner som ikke respekterer kjønnsgrensene, og ingen steder er den grensen så skarp som i forbindelse med krig og våpenbruk.

Historien fra antikken til moderne tid inneholder imidlertid bevis på en hel rekke beretninger om kvinnelige krigere – amasoner. De mest kjente eksemplene får plass i historiebøkene ettersom de opptrer som «dronninger», det vil si representanter for den herskende klassen. Den politiske tronfølgen plasserer nemlig, hvor ubehagelig det enn måtte være, med jevne mellomrom en kvinne på tronen. Siden krig ikke lar seg påvirke av genus, men også forekommer når det tilfeldigvis er en kvinne som er landets overhode, får det som konsekvens at historiebøkene blir nødt til å omtale en del krigerdronninger som dermed tvinges til å opptre som en hvilken som helst Churchill, Stalin eller Roosevelt. Semiramis fra Ninive, som skapte det assyriske riket, og Boadicea, som ledet et av de blodigste britiske opprørene mot Romerriket, for eksempel. Den sistnevnte står det for øvrig en statue av ved brofestet ved Themsen, vis-à-vis Big Ben. Gå gjerne og hils på henne hvis du tilfeldigvis skulle være i nærheten.

Derimot er historiebøkene generelt meget ordknappe om kvinnelige krigere som vanlige, våpenføre soldater som inngikk i regimenter og deltok i slag mot fiendtlige styrker på samme vilkår som mennene. Likevel har de alltid eksistert. Knapt noen krig har utspilt seg uten kvinnelig deltagelse.

KAPITTEL 1

Fredag 8. april

Doktor Anders Jonasson ble vekket av søster Hanna Nicander, litt før klokken halv to om natten.

«Hva er det?» spurte han forvirret.

«Helikopter på vei inn. To pasienter. En eldre mann og en ung kvinne. Hun har skuddskader.»

«Jaha,» sa Anders Jonasson trett.

Han følte seg søvndrukken til tross for at han hadde sovet bare en drøy halvtime. Han hadde nattevakt på akuttavdelingen på Sahlgrenska sjukhuset i Göteborg. Det hadde vært en uhyggelig slitsom kveld. Siden han hadde gått på vakt klokken 18.00, hadde sykehuset tatt imot fire personer fra en frontkollisjon like utenfor Lindome i Halland. Av disse var én livstruende skadet, og én ble erklært død ved ankomst. Han hadde også behandlet en kvinnelig servitør som hadde fått bena skåldet ved en kjøkkenulykke i en restaurant på Avenyn, og reddet livet til en fire år gammel gutt som hadde kommet til sykehuset med pustestans etter å ha svelget en lekebil. Han hadde dessuten rukket å plastre en tenåringsjente som hadde syklet ned i et hull i gaten. Veivesenet hadde vært så omtenksomme å plassere hullet ved avkjørselen fra en sykkelsti, og noen hadde i tillegg slengt varselsbukkene ned i hullet. Hun var blitt sydd fjorten sting i ansiktet og ville komme til å trenge to nye fortenner. Jonasson hadde også sydd fast en bit av en tommel som en entusiastisk hobbysnekker hadde klart å høvle av seg.

Ved ellevetiden hadde antallet akuttpasienter minket. Han hadde gått en visittrunde og sjekket tilstanden til de pasientene som hadde kommet inn, og så trukket seg tilbake til et hvilerom for å forsøke å koble av en stund. Han hadde vakt frem til

7

klokken 06.00 og pleide sjelden å sove selv om det ikke kom inn noen akuttpasienter, men akkurat denne natten hadde han sovnet nesten umiddelbart.

Søster Hanna Nicander ga ham en kopp te. Hun hadde ikke rukket å innhente noen detaljer om tilfellene som var på vei inn.

Anders Jonasson kikket ut gjennom vinduet og så at det lynte voldsomt ute ved havet. Helikopteret var virkelig ute i siste øyeblikk. Plutselig begynte det å regne kraftig. Uværet hadde kommet inn over Göteborg.

Mens han sto ved vinduet, hørte han motorlyden og så helikopteret vingle seg frem mot helikopterplattformen gjennom vindkastene. Han holdt pusten da det så ut som om helikopterføreren fikk problemer med å beholde kontrollen. Deretter forsvant det ut av synsfeltet hans, og han hørte at motoren gikk ned på lavere turtall. Han tok en slurk og satte fra seg tekoppen.

Anders Jonasson møtte bårene ved inngangen til akuttmottaket. Den andre legen på vakt, Katarina Holm, tok seg av den første pasienten som ble trillet inn – en eldre mann med store ansiktsskader. Det falt i doktor Jonassons lodd å ta hånd om den andre pasienten, den skuddskadede kvinnen. Han tok et raskt overblikk og konstaterte at det så ut til å være en tenåringsjente, temmelig full av jord og skitt og blod, og med alvorlige skader. Han løftet opp teppet som sykepleierne i ambulansehelikopteret hadde pakket rundt henne, og registrerte at noen hadde teipet igjen skuddskadene i hoften og skulderen med bred, sølvfarget teip, noe han vurderte som et uvanlig smart påfunn. Teipen holdt bakteriene ute og blodet inne. En kule hadde truffet utsiden av hoften og gått rett gjennom muskelvevet. Deretter løftet han på skulderen hennes og fant inngangshullet i ryggen. Det var ikke noe utgangshull, noe som betydde at kulen fortsatt satt et sted inne i skulderen. Han håpet at den ikke hadde penetrert lungen, og siden han ikke kunne oppdage noe blod i munnhulen hennes, trakk han den slutning at det sannsynligvis ikke hadde skjedd.

«Røntgen,» sa han til den assisterende sykepleieren. Mer behøvde han ikke forklare.

Til slutt klippet han opp bandasjen som ambulansefolkene hadde surret rundt hodet hennes. Han ble iskald da han kjente inngangshullet med fingeren og skjønte at hun var blitt skutt i hodet. Heller ikke der var det noe utgangshull.

Anders Jonasson stoppet opp noen sekunder og betraktet den unge jenta. Han var plutselig blitt mismodig. Han hadde ofte sammenlignet arbeidet sitt med det å være målvakt. Til arbeidsplassen hans kom det daglig mennesker i all slags forfatning, med én eneste hensikt: å få hjelp. Det var 74-årige damer som hadde falt om med hjertestans i Nordstan kjøpesenter, 14 år gamle gutter som hadde fått et skrujern stukket gjennom den venstre lungen, og 16 år gamle jenter som hadde knasket ecstasytabletter og danset i atten timer og deretter falt om, blå i ansiktet. Det var mennesker som var blitt utsatt for mishandling og for ulykker på arbeidsplassen. Det var småbarn som var blitt angrepet av kamphunder på Vasaplatsen, og nevenyttige karer som bare skulle sage til noen planker med en Black & Decker, og som hadde klart å skjære helt inn til margen på sitt eget håndledd.

Anders Jonasson var målvakten som sto mellom pasienten og begravelsesbyrået. Hans jobb besto i å være den som besluttet hvilke tiltak som skulle iverksettes. Hvis han tok en gal beslutning, kunne pasienten dø eller kanskje våkne opp til livslang invaliditet. Han tok som oftest riktig beslutning, noe som kom av at de aller fleste skadede hadde et åpenbart, spesifikt problem. En knivstukket lunge eller bruddskader etter en bilulykke var forståelige og overskuelige. Om pasienten overlevde, var avhengig av skadens beskaffenhet og hvor dyktig han var.

Det var to typer skader som Anders Jonasson hatet. Den ene var alvorlige brannskader, som nesten uansett hvilke tiltak han iverksatte, ville føre til livsvarige plager. Den andre var skader i hodet.

Jenta foran ham kunne leve med en kule i hoften og en kule i skulderen. Men en kule et eller annet sted inne i hjernen var et problem av en helt annen størrelsesorden. Plutselig hørte han at søster Hanna sa noe.

«Unnskyld, jeg hørte ikke?»

«Det er henne.»

«Hva mener du?»

«Lisbeth Salander. Hun som de har jaktet på i flere uker for trippeldrapet i Stockholm.»

Anders Jonasson så på pasientens ansikt. Søster Hanna hadde rett. Det var hennes passfoto han og alle andre i Sverige hadde sett tapetsert på avisenes salgsplakater utenfor hver eneste tobakksforretning siden påske. Og nå var morderen selv skutt, hvilket vel måtte sies å være en form for poetisk rettferdighet.

Men det angikk ikke ham. Jobben hans var å redde livet til pasienten, enten hun var trippelmorder eller nobelprisvinner. Eller til og med begge deler.

Deretter brøt det effektive kaoset som preger et akuttmottak, løs. Personalet på Jonassons vakt gikk rutinert til verks. Det som var igjen av Lisbeth Salanders klær ble klippet opp. En sykepleier rapporterte blodtrykket – 100/70 – mens han selv satte stetoskopet mot pasientens bryst og lyttet til hjerteslagene, som virket forholdsvis regelmessige, og åndedrettet, som ikke var fullt så regelmessig.

Doktor Jonasson nølte ikke et øyeblikk med å klassifisere Lisbeth Salanders tilstand som kritisk. Såret i skulderen og hoften kunne bero inntil videre, med et par kompresser eller til og med de teipbitene som en eller annen inspirert person hadde klistret på. Det viktigste var hodet. Doktor Jonasson beordret en computertomografi i den computertomografen som sykehuset hadde investert folkets skattepenger i.

Anders Jonasson var blond og blåøyd, opprinnelig fra Umeå. Han hadde arbeidet på Sahlgrenska og Östra sjukhuset i tyve år som henholdsvis forsker, patolog og akuttlege. Han hadde en særegenhet som forbløffet kollegene og som gjorde personalet stolt av å arbeide sammen med ham: Han hadde den innstilling at ingen pasient skulle dø på hans vakt, og på et eller eller

10

annet mirakuløst vis hadde han klart å holde antallet på null. Riktignok hadde noen av pasientene hans dødd, men det hadde skjedd under etterbehandlingen eller av helt andre årsaker enn hans innsats.

Jonasson hadde også et til tider uortodokst syn på legekunsten. Han mente at leger av og til hadde en tendens til å trekke slutninger som de ikke hadde grunnlag for og dermed oppga folk litt for raskt, eller brukte for mye tid på å forsøke å finne ut nøyaktig hva som feilte pasienten, så de kunne sette i gang korrekt behandling. Det var riktignok slik det skulle gjøres ifølge instruksjonsboken. Problemet var bare at pasienten risikerte å avgå ved døden mens legen grublet. I verste fall kunne legen komme frem til den konklusjonen at det var et håpløst tilfelle, og avbryte behandlingen.

Anders Jonasson hadde imidlertid aldri før fått inn en pasient med en kule i hodet. Her trengtes det formodentlig en nevrokirurg. Han følte seg utilstrekkelig, men plutselig gikk det opp for ham at han muligens hadde mer flaks enn han fortjente. Før han begynte å skrubbe seg og ta på seg operasjonsdrakten, ropte han til Hanna Nicander.

«Det er en amerikansk professor som heter Frank Ellis som arbeider på Karolinska i Stockholm, men som akkurat nå befinner seg i Göteborg. Han er en kjent hjerneforsker og dessuten en god venn av meg. Han bor på Hotel Radisson på Avenyn. Kan du finne telefonnummeret?»

Mens Anders Jonasson fortsatt ventet på røntgenbildene, kom Hanna Nicander tilbake med telefonnummeret til Hotel Radisson. Anders Jonasson kastet et blikk på klokken – 01.42 – og løftet av telefonrøret. Nattportieren på Radisson var svært lite villig til å sette over noen telefon på denne tiden av døgnet, og *doktor* Jonasson måtte ty til meget skarpe uttrykk om nødssituasjonen før han ble satt over.

«God morgen, Frank,» sa Anders Jonasson da noen endelig tok telefonen. «Det er Anders. Jeg hørte du var i Göteborg. Har du lyst til å komme opp til Sahlgrenska og assistere ved en hjerneoperasjon?»

«*Are you bullshitting me?*» lød den tvilende stemmen i den

andre enden av røret. Til tross for at Frank Ellis hadde bodd i Sverige i så mange år og snakket flytende svensk – riktignok med amerikansk aksent – var og ble grunnspråket hans engelsk. Anders Jonasson snakket svensk, og Ellis svarte på engelsk.

«Frank, jeg er lei for at jeg ikke fikk med meg forelesningen din, men jeg tenkte du kunne gi meg privatundervisning. Jeg har en ung kvinne som er blitt skutt i hodet. Inngangshull like over venstre øre. Jeg ville ikke ringt deg om jeg ikke hadde trengt en second opinion. Og jeg har vanskelig for å tenke meg en bedre person å spørre.»

«Er det alvor?» spurte Frank Ellis.

«Det er en ung kvinne i 25-årsalderen.»

«Og hun er blitt skutt i hodet?»

«Inngangshull, ikke noe utgangshull.»

«Men hun lever?»

«Svak, men regelmessig puls, mindre regelmessig åndedrett, blodtrykket er 100/70. Hun har dessuten en kule i skulderen og et skuddsår i hoften. Det er to problemer jeg kan takle.»

«Det høres jo lovende ut,» sa professor Ellis.

«Lovende?»

«Hvis en person har et kulehull i hodet og fremdeles er i live, må situasjonen anses som oppmuntrende.»

«Kan du assistere meg?»

«Jeg må tilstå at jeg har tilbragt kvelden i gode venners selskap. Jeg kom i seng klokken ett, og har sannsynligvis et imponerende høyt promilleinnhold i blodet ...»

«Jeg kommer til å ta avgjørelsene og gjøre inngrepene. Men jeg trenger en som kan assistere meg, og som sier fra om jeg gjør noe feil. Og, ærlig talt, en sørpe full professor Ellis er antagelig flere hakk bedre enn meg når det gjelder å vurdere hjerneskader.»

«Greit. Jeg kommer. Men da skylder du meg en tjeneste.»

«Det står en drosje og venter utenfor hotellet.»

Professor Frank Ellis skjøv brillene opp i pannen og klødde seg i nakken. Han stirret konsentrert på dataskjermen som viste alle kriker og kroker i Lisbeth Salanders hjerne. Ellis var 53 år

12

gammel, hadde ravnsvart hår med gråstenk, mørk skjeggvekst og så ut som en eller annen bifigur i *Akutten*. Kroppen antydet at han tilbragte en del timer hver uke på treningsstudio.

Frank Ellis trivdes i Sverige. Han hadde kommet dit som ung utvekslingsforsker i slutten av 1970-årene og blitt værende i to år. Deretter hadde han kommet tilbake gjentatte ganger, og til slutt var han blitt tilbudt et professorat ved Karolinska. På det tidspunktet var han et internasjonalt anerkjent navn.

Anders Jonasson hadde kjent Frank Ellis i fjorten år. De hadde truffet hverandre for første gang på et seminar i Stockholm og oppdaget at begge var entusiastiske fluefiskere, og Anders hadde invitert ham med på en fisketur til Norge. De hadde holdt kontakten opp gjennom årene, og det var blitt flere fisketurer. Derimot hadde de aldri arbeidet sammen.

«Hjerner er et mysterium,» sa professor Ellis. «Jeg har drevet med hjerneforskning i tyve år. Faktisk enda lengre.»

«Jeg vet det. Jeg beklager at jeg jaget deg opp, men ...»

«Tøv.» Frank Ellis viftet avvergende. «Dette kommer til å koste deg en flaske Cragganmore neste gang vi drar og fisker.»

«Greit. Det var billig.»

«Jeg hadde en pasient for noen år siden da jeg jobbet i Boston – jeg skrev om det i *New England Journal of Medicine*. Det var en jente på samme alder som din pasient. Hun var på vei til universitetet da noen skjøt henne med en armbrøst. Pilen gikk inn i ytterkanten av venstre øyenbryn, rett gjennom hodet og kom ut nesten midt i nakken.»

«Og hun overlevde?» spurte Jonasson forbløffet.

«Det så for jævlig ut da hun kom til akutten. Vi klippet av pilen og kjørte hodet hennes inn i en computertomograf. Pilen gikk rett gjennom hjernen. Etter alle rimelige vurderinger burde hun vært død eller i hvert fall hatt et så massivt traume at hun befant seg i koma.»

«Hvordan var tilstanden hennes?»

«Hun var ved bevissthet hele tiden. Ikke bare det, hun var naturligvis forferdelig redd, men hun var helt rasjonell. Hennes eneste problem var at hun hadde en pil gjennom hodet.»

«Hva gjorde du?»

13

«Tja, jeg hentet en tang, dro pilen ut og satte plaster på såret. Sånn omtrent.»

«Klarte hun seg?»

«Tilstanden var naturligvis kritisk en lang stund før vi kunne skrive henne ut, men ærlig talt – vi kunne ha sendt henne hjem samme dag som hun kom inn. Jeg har aldri hatt en friskere pasient.»

Anders Jonasson lurte på om professor Ellis spøkte med ham.

«På den annen side,» fortsatte Ellis, «så hadde jeg en 42 år gammel mannlig pasient i Stockholm for noen dager siden som hadde falt mot en vinduskarm og fått et lett slag i hodet. Han ble kvalm og plutselig så syk at han ble kjørt til akutten med ambulanse. Han var bevisstløs da jeg fikk ham inn. Han hadde en liten kul og en veldig liten blødning. Men han kom aldri til seg selv og døde etter ni døgn på intensivavdelingen. Jeg vet ennå ikke hvorfor han døde. I obduksjonsprotokollen skrev vi hjerneblødning som følge av en ulykke, men ingen av oss var tilfreds med den analysen. Blødningen var så ekstremt liten og satt på et sted hvor den ikke burde ha påvirket noe som helst. Likevel sluttet lever, nyrer, hjerte og lunger etter hvert å fungere. Jo eldre jeg blir, desto mer opplever jeg det som en rulett. Personlig tror jeg ikke vi noensinne kommer til å finne ut nøyaktig hvordan hjernen fungerer. Hva har du tenkt å gjøre?»

Han kakket på skjermen med en penn.

«Det håpet jeg at du kunne fortelle meg.»

«Få høre din vurdering.»

«Tja, for det første ser det ut til å være en kule av mindre kaliber. Den har gått inn ved tinningen og stoppet omtrent fire centimeter inn i hjernen. Den hviler mot den laterale ventrikkelen, og det er en blødning der.»

«Tiltak?»

«For å bruke din terminologi: hente en tang og trekke kulen ut samme vei som den gikk inn.»

«Et utmerket forslag. Men jeg ville nok brukt den tynneste pinsetten du har.»

«Så enkelt?»

«I dette tilfellet, hva annet kan vi gjøre? Vi kan la kulen bli der den er, og kanskje hun lever til hun blir hundre, men det er en sjanse å ta. Hun kan utvikle epilepsi, migrene, alle mulige slags problemer. Og noe man nødig vil gjøre, er å bore opp skallen og operere henne om et år, når selve såret er leget. Kulen ligger et stykke fra de store blodårene. I dette tilfellet ville jeg anbefale at du plukker den ut, men ...»

«Men hva da?»

«Kulen bekymrer meg egentlig ikke så veldig. Det er det fascinerende med hjerneskader – hvis hun har overlevd å få kulen inn i hodet, er det et tegn på at hun kommer til å overleve at den blir tatt ut også. Problemet er snarere her.» Han pekte på skjermen. «Rundt inngangshullet er det en masse beinsplinter. Jeg kan se minst et dusin fragmenter som er noen millimeter lange. Noen av dem har sunket inn i hjernevevet. Der har du det som kommer til å ta livet av henne hvis du ikke er forsiktig.»

«Denne delen av hjernen assosieres med tall og numeriske evner.»

Ellis trakk på skuldrene.

«Abra kadabra. Jeg har ingen anelse om hva akkurat disse grå cellene er til for. Du kan bare gjøre ditt beste. Det er du som opererer. Jeg skal henge over skulderen på deg. Kan jeg låne klær og vaske meg noe sted?»

Mikael Blomkvist kikket på klokken og konstaterte at den var litt over tre om natten. Han var utstyrt med håndjern. Han lukket øynene et øyeblikk. Han var dødstrett, men gikk på adrenalin. Han åpnet øynene og stirret rasende på førstebetjent Thomas Paulsson, som stirret tilbake med sjokk i blikket. De satt ved et kjøkkenbord i et hvitt våningshus på en gård et sted i nærheten av Nossebro som ble kalt Gosseberga, og som Mikael hadde hørt om for første gang i sitt liv mindre enn tolv timer tidligere.

Katastrofen var et faktum.

«Idiot,» sa Mikael.

«Hør nå her ...»

«Idiot,» gjentok Mikael. «Jeg sa jo for faen fra om at han var livsfarlig. Jeg sa at dere måtte håndtere ham som en usikret håndgranat. Han har drept minst tre personer, er bygget som en panservogn og dreper med bare nevene. Og så sendte du to landsens konstabler for å arrestere ham, som om han skulle vært en vanlig lørdagsfyllik.»

Mikael lukket øynene igjen. Han lurte på hva mer som kom til å gå galt i løpet av natten.

Han hadde funnet Lisbeth Salander like over midnatt, hardt skadet. Han hadde varslet politiet og klarte å overtale redningstjenesten til å sende et helikopter for å frakte Lisbeth til Sahlgrenska sjukhuset. Han hadde beskrevet skadene hennes og kulehullet i hodet inngående og fått medhold fra en klok og forstandig person som hadde innsett at hun trengte øyeblikkelig hjelp.

Det hadde likevel tatt over en halvtime før helikopteret kom. Mikael hadde gått ut og hentet to biler fra låven, som også fungerte som garasje, tent frontlyktene og markert landingsfeltet ved å belyse åkeren foran huset.

Helikopterbesetningen og de to sykepleierne som var med, hadde opptrådt rutinert og profesjonelt. En av sykepleierne hadde gitt Lisbeth Salander førstehjelp, mens den andre tok seg av Aleksandr Zalatsjenko, også kjent som Karl Axel Bodin. Zalatsjenko var Lisbeth Salanders far og hennes verste fiende. Han hadde forsøkt å drepe henne, men mislyktes. Mikael hadde funnet ham hardt skadet i vedskjulet på den ensomt beliggende bondegården, med et illevarslende øksehugg i ansiktet og en komplisert bruddskade i benet.

Mens Mikael ventet på helikopteret, hadde han gjort det han kunne for Lisbeth. Han hadde hentet et rent laken fra et lintøyskap, skåret det opp og lagt på en førstehjelpsforbinding. Han hadde konstatert at blodet hadde koagulert som en propp i inngangshullet, og ikke riktig visst om han skulle legge på noen forbinding eller ikke. Til slutt hadde han knyttet lakenet svært løst rundt hodet hennes, mest for at såret ikke skulle bli eksponert for bakterier og skitt. Derimot hadde han stanset blødningen fra kulehullet i hoften og skulderen på den enklest mulige måten. I et skap hadde han funnet en rull med bred, sølvfarget gaffateip, og hadde ganske enkelt teipet igjen sårene. Han hadde vasket ansiktet hennes med et fuktet håndkle og forsøkt å tørke vekk den verste skitten.

Han hadde ikke gått ut i vedskjulet for å hjelpe Zalatsjenko. I sitt stille sinn konstaterte han at han oppriktig talt overhodet ikke brydde seg noe om ham.

Mens han ventet på redningstjenesten, hadde han også ringt Erika Berger og forklart situasjonen.

«Er du uskadet?» spurte Erika.

«Det er bra med meg,» svarte Mikael. «Det er Lisbeth som er skadet.»

«Stakkars jente,» sa Erika Berger. «Jeg har lest Björcks Säporapport i løpet av kvelden. Hvordan vil du håndtere dette?»

«Det orker jeg ikke tenke på engang,» sa Mikael.

Mens han snakket med Erika, satt han på gulvet ved siden av slagbenken og holdt et våkent øye med Lisbeth Salander. Han hadde dradd av henne sko og bukser for å kunne komme til og legge forbinding på hoften, og plutselig kom han til å legge hånden på klesplagget som han hadde slengt på gulvet ved siden av benken. Han kjente at det var noe i en av lommene, og trakk frem en Palm Tungsten T3.

Han rynket øyenbrynene og betraktet den lille datamaskinen ettertenksomt. Da han hørte lyden av helikopteret, puttet han den i innerlommen på jakken sin. Deretter – mens han fortsatt var alene – bøyde han seg frem og lette igjennom alle Lisbeth Salanders lommer. Han fant enda et nøkkelsett til leiligheten ved Mosebacke og et pass i navnet Irene Nesser. Han puttet tingene raskt ned i en lomme i databagen sin.

Den første politibilen med Fredrik Torstensson og Gunnar Andersson fra politiet i Trollhättan kom noen minutter etter at helikopteret hadde landet. De ble etterfulgt av førstebetjenten for utrykningstjenesten, Thomas Paulsson, som umiddelbart hadde tatt kommandoen. Mikael hadde gått bort til ham og forklart hva som hadde skjedd. Han opplevde Paulsson som en oppblåst og firkantet sersjant. Det var da han dukket opp at ting begynte å gå galt.

Paulsson viste ingen tegn til å forstå hva Mikael snakket om. Han virket merkverdig skjelven, og det eneste faktum han tok inn, var at den hardt skadede jenta på gulvet foran slagbenken var den ettersøkte trippelmorderen Lisbeth Salander, hvilket var et særdeles prestisjefylt kupp. Paulsson hadde tre ganger spurt den svært opptatte sykepleieren fra redningstjenesten om hun kunne pågripes på stedet. Til slutt hadde sykepleieren reist seg og brølt til Paulsson at han skulle holde seg på armlengdes avstand.

Deretter hadde Paulsson konsentrert seg om den maltrakterte Aleksandr Zalatsjenko i vedboden, og Mikael hadde hørt ham melde over radioen at Salander åpenbart hadde forsøkt å drepe enda en person.

På det tidspunktet var Mikael så irritert på Paulsson, som åpenbart ikke hørte på et ord av det han forsøkte å si, at han hevet stemmen og oppfordret Paulsson til umiddelbart å ringe kriminalbetjent Jan Bublanski i Stockholm. Han fant frem sin egen mobiltelefon og tilbød seg å slå nummeret. Det var Paulsson ikke interessert i.

Deretter hadde Mikael begått to feil.

Han hadde besluttsomt forklart at den virkelige trippelmorderen var en mann ved navn Ronald Niedermann som var bygget som en panserbrytende rakett, led av sykdommen congenital analgesia og for øyeblikket lå bastet og bundet i en grøft på veien mot Nossebro. Mikael beskrev hvor Niedermann befant seg, og anbefalte at politiet mobiliserte en infanteritropp med ekstra våpenforsterkninger for å hente ham. Paulsson hadde spurt hvordan Niedermann hadde havnet i grøfta, og Mikael hadde åpenhjertig tilstått at det var han som hadde forårsaket denne plasseringen, ved å true med skytevåpen.

«Våpentrusler?» sa førstebetjent Paulsson.

På det tidspunktet burde Mikael ha innsett at Paulsson var en fiasko. Han burde ha tatt mobilen, ringt Jan Bublanski selv og bedt ham gripe inn for å skjære gjennom den tåken som det virket som om Paulsson var innhyllet i. Isteden hadde Mikael begått feil nummer to ved å forsøke å overlevere våpenet han hadde i jakkelommen – en Colt 1911 Government som han

18

hadde funnet i Lisbeth Salanders leilighet tidligere på dagen, og som han hadde brukt overfor Ronald Niedermann.

Dette hadde imidlertid ført til at Paulsson på stående fot pågrep Mikael Blomkvist for ulovlig våpenbesittelse. Deretter hadde Paulsson beordret politifolkene Torstensson og Andersson til å begi seg av gårde til det stedet på veien mot Nossebro som Mikael hadde angitt, for å finne ut om det var noe sant i Mikaels historie om at en person satt bundet til et elgskilt i veikanten. I så fall skulle politifolkene utstyre vedkommende person med håndjern og føre ham til gården i Gosseberga.

Mikael hadde umiddelbart protestert og forklart at Ronald Niedermann ikke var en person som enkelt og greit kunne pågripes og settes håndjern på – han var en livsfarlig drapsmann. Da Paulsson valgte å ignorere Mikaels protester, hadde trettheten krevd sin rett. Mikael hadde kalt Paulsson en inkompetent jævel og brølt at Torstensson og Andersson skulle gi faen i å slippe Ronald Niedermann løs uten først å tilkalle forsterkninger.

Resultatet av utbruddet hadde blitt at Mikael ble utstyrt med håndjern og plassert i baksetet på Paulssons tjenestebil, hvorfra han hadde sett Torstensson og Andersson forsvinne i patruljebilen sin. Det eneste lysglimt i mørket var at Lisbeth Salander var blitt trillet ut til helikopteret og hadde forsvunnet over tretoppene i retning Sahlgrenska. Mikael følte seg fullstendig hjelpeløs og utenfor informasjonsstrømmen og kunne bare håpe at Lisbeth ville komme under kyndig behandling.

Doktor Anders Jonasson la to dype snitt helt inn til skallebeinet og brettet huden rundt inngangshullet til side. Så satte han på klemmer for å holde det åpent. En operasjonssykepleier førte forsiktig inn et sug for å fjerne blod. Deretter kom den skumle delen da doktor Jonasson måtte bruke et bor for å utvide hullet. Prosedyren gikk uhyggelig langsomt.

Til slutt hadde han et hull som var stort nok til at Lisbeth Salanders hjerne skulle være tilgjengelig. Han førte en sonde forsiktig inn i hjernen og utvidet sårkanalen noen millimeter. Deretter førte han inn en tynnere sonde og lokaliserte kulen. På røntgenbildene av hodet kunne han konstatere at kulen hadde vridd seg og lå i femogførtigraders vinkel mot sårkanalen. Han brukte sonden for å pirke forsiktig på kanten av kulen, og klarte etter en rekke mislykkede forsøk å løfte den ørlite grann så han kunne vri den rett.

Til slutt førte han inn en tynn pinsett med riflete gripeklo. Han klemte den hardt sammen rundt basen på kulen og fikk tak i den. Så trakk han pinsetten rett opp. Kulen fulgte med nesten helt uten motstand. Han holdt den opp mot lyset et øyeblikk, konstaterte at den virket intakt og slapp den deretter ned i en skål.

«Svabb,» sa han, og ordren ble utført umiddelbart.

Han kastet et blikk på EKG-en, som viste at hjertet til pasienten hans fremdeles slo regelmessig.

«Pinsett.»

Han trakk ned et kraftig forstørrelsesglass fra et hengestativ og rettet det mot det blottlagte området.

«Forsiktig,» sa professor Frank Ellis.

I løpet av de neste femogførti minuttene plukket Anders Jonasson ut ikke mindre enn toogtredve små beinfliser rundt inngangshullet. Den minste av flisene kunne knapt ses med det blotte øye.

Mens Mikael Blomkvist frustrert forsøkte å lirke opp mobiltelefonen sin fra brystlommen i jakken – noe som viste seg å være en umulig oppgave med håndjern på – ankom flere biler med politifolk og teknikere til Gosseberga. Førstebetjent Paulsson kommanderte dem i gang med å sikre tekniske bevis i vedskjulet og foreta en grundig undersøkelse av våningshuset, hvor flere våpen var blitt beslaglagt. Mikael betraktet aktivitetene resignert fra sitt utkikkspunkt i baksetet på Paulssons bil.

Det var først etter en drøy time at Paulsson så ut til å bli klar over at politikonstablene Torstensson og Andersson ennå ikke hadde kommet tilbake fra oppdraget med å hente Ronald Niedermann. Han begynte plutselig å se bekymret ut og hentet Mikael Blomkvist inn på kjøkkenet hvor han igjen ble bedt om å gi en veibeskrivelse.

Mikael lukket øynene.

Han satt fortsatt på kjøkkenet sammen med Paulsson da utrykningspatruljen som ble sendt ut for å komme Torstensson og Andersson til unnsetning, avla rapport. Politikonstabel Gunnar Andersson var blitt funnet død med brukket nakke. Hans kollega Fredrik Torstensson var fremdeles i live, men alvorlig lemlestet. Begge ble funnet ved elgskiltet i veikanten. Tjenestevåpnene deres og den uniformerte politibilen var borte.

Fra å ha vært i en noenlunde oversiktlig situasjon hadde førstebetjent Thomas Paulsson nå plutselig fått et politidrap og en væpnet desperado på flukt på nakken.

«Idiot,» gjentok Mikael Blomkvist.

«Det hjelper ikke å forulempe politiet.»

«På det punktet er vi enige. Men jeg skal få deg i klisteret for tjenestefeil så det suser. Før jeg er ferdig med deg, kommer du til å være utpekt som Sveriges dummeste politimann på hver eneste avisplakat i landet.»

Trusselen om bli å gjort offentlig til latter var tydeligvis det eneste som bet på Thomas Paulsson. Han så bekymret ut.

«Hva foreslår du?»

«Jeg forlanger at du ringer kriminalbetjent Jan Bublanski i Stockholm. Nå.»

Kriminalbetjent Sonja Modig våknet med et rykk da mobiltelefonen hennes, som lå til lading, ringte i den andre enden av soverommet. Hun så på klokken på nattbordet og konstaterte til sin fortvilelse at den var litt på fire om morgenen. Deretter så hun på sin mann, som lå og snorket fredelig videre. Han kunne sikkert sove gjennom et artilleriangrep uten å våkne. Hun vaklet ut av sengen og fant svartasten på mobilen.

Jan Bublanski, tenkte hun, *hvem ellers.*

«Nå er helvete løs nede i Trollhättan-området,» hilste sjefen hennes uten andre formaliteter. «X2000 til Göteborg går ti over fem.»

«Hva har skjedd?»

«Blomkvist har funnet Salander og Niedermann og Zalatsjenko. Blomkvist er pågrepet for forulempning av polititjenestemann, for å ha satt seg til motverge, og for ulovlig besittelse av våpen. Salander er fraktet til Sahlgrenska med en kule i hodet. Zalatsjenko er på Sahlgrenska med en øks i hodet. Niedermann er på frifot. Han har tatt livet av en politimann i løpet av natten.»

Sonja Modig blunket to ganger og kjente hvor trett hun var. Hun ville aller helst krype ned i sengen igjen og ta en måneds ferie.

«X2000 ti over fem. OK. Hva skal jeg gjøre?»

«Ta en drosje til sentralstasjonen. Du får følge av Jerker Holmberg. Dere skal ta kontakt med en førstebetjent Thomas Paulsson ved politikammeret i Trollhättan, som tydeligvis er ansvarlig for mye av nattens tumulter, og som ifølge Blomkvist er en, sitat: fiasko av store dimensjoner, sitat slutt.»

«Har du snakket med Blomkvist?»

«Han er tydeligvis pågrepet og lagt i håndjern. Jeg klarte å overtale Paulsson til å holde opp røret en liten stund. Jeg er på vei inn til Kungsholmen akkurat nå og skal forsøke å få klarhet i hva det er som foregår. Vi holder kontakt på mobilen.»

Sonja Modig så på klokken enda en gang. Så ringte hun etter en drosje og gikk og stilte seg i dusjen i ett minutt. Hun pusset tennene, dro en kam gjennom håret, tok på seg svarte langbukser, svart T-skjorte og grå jakke. Hun puttet tjenestevåpenet i skuldervesken og valgte en mørkerød skinnjakke som ytterplagg. Deretter rusket hun liv i mannen sin og forklarte at hun var på vei ut, og at han måtte ta seg av ungene om morgenen. Hun gikk ut gjennom ytterdøren i samme øyeblikk som drosjen stanset utenfor på gaten.

Hun behøvde ikke lete etter sin kollega, kriminalbetjent Jerker Holmberg. Hun gikk ut fra at han ville befinne seg i restaurantvognen, og kunne raskt konstatere at det stemte. Han hadde allerede kjøpt kaffe og smørbrød til henne. De satt tause i fem minutter og spiste frokost. Til slutt skjøv Holmberg kaffekoppen til side.

«Kanskje man burde omskolere seg,» sa han.

Klokken fire om morgenen hadde kriminalbetjent Marcus Erlander fra voldsavsnittet i Göteborg ankommet Gosseberga og overtatt ledelsen fra den hardt pressede Thomas Paulsson. Erlander var en tykkfallen, gråhåret mann i 50-årsalderen. Noe av det første han gjorde, var å befri Mikael Blomkvist fra håndjernene og servere boller og varm kaffe fra en termos. De satte seg i stuen for å kunne snakke uforstyrret sammen.

«Jeg har snakket med Bublanski i Stockholm,» sa Erlander. «Vi har kjent hverandre i mange år. Både han og jeg beklager Paulssons opptreden.»

«Han klarte å ta livet av en politimann i natt,» sa Mikael.

Erlander nikket. «Jeg kjente politikonstabel Gunnar Andersson personlig. Han tjenestegjorde i Göteborg før han flyttet til Trollhättan. Han hadde en datter på tre år.»

«Jeg beklager. Jeg forsøkte å advare ...»

Erlander nikket.

«Jeg har forstått det. Du brukte store bokstaver, og derfor ble du lagt i håndjern. Det var du som avslørte Wennerström. Bublanski sier at du er en frekk journalistjævel og gæren privatetterforsker, men at du muligens vet hva du snakker om. Kan du sette meg inn i situasjonen på en forståelig måte?»

«Dette er altså oppklaringen av drapet på mine venner Dag Svensson og Mia Bergman i Enskede, og drapet på en person som ikke er min venn ... advokat Nils Bjurman, som var Lisbeth Salanders hjelpeverge.»

Erlander nikket.

«Som du vet, har politiet jaktet på Lisbeth Salander siden påske. Hun har vært mistenkt for trippeldrap. For det første må du ha klart for deg at Lisbeth Salander er uskyldig i disse drapene. Hun er, om noe, et offer i denne sammenhengen.»

«Jeg har overhodet ikke hatt noe med Salander-saken å gjøre, men etter alt som har vært skrevet i mediene, er det litt vanskelig å svelge at hun skulle være helt uskyldig.»

«Ikke desto mindre er det slik det er. Hun er uskyldig. Punktum. Den virkelige drapsmannen er Ronald Niedermann, som drepte din kollega Gunnar Andersson i natt. Han arbeider for Karl Axel Bodin.»

«Den samme Bodin som ligger på Sahlgrenska med en øks i skallen?»

23

«Rent teknisk sett sitter ikke øksa i hodet lenger. Jeg går ut fra at det er Lisbeth Salander som har kvestet ham. Hans virkelige navn er Aleksandr Zalatsjenko. Han er Lisbeths far og en forhenværende yrkesmorder fra den russiske militære etterretningstjenesten. Han hoppet av i 1970-årene og arbeidet deretter for Säpo frem til Sovjetunionens fall. Deretter har han vært frilansgangster.»

Erlander studerte ettertenksomt skikkelsen i sofaen foran seg. Mikael Blomkvist var blank av svette og så både frossen og dødssliten ut. Til nå hadde han argumentert rasjonelt og sammenhengende, men førstebetjent Thomas Paulsson – hvis ord Erlander ikke hadde noen videre tiltro til – hadde advart ham om at Blomkvist fantaserte om russiske agenter og tyske snikmordere, noe som på ingen måte var vanlig forekommende i svenske kriminalsaker. Blomkvist hadde åpenbart kommet til det punktet i historien som Paulsson hadde avfeid. Men det lå en død og en alvorlig skadet politimann i veikanten på veien til Nossebro, og Erlander var villig til å lytte. Han kunne imidlertid ikke forhindre at stemmen fikk en snev av mistro.

«Greit. En russisk agent.»

Blomkvist smilte matt, åpenbart klar over hvor vanvittig historien hans lød.

«En forhenværende russisk agent. Jeg kan dokumentere alle påstandene.»

«Fortsett.»

«Zalatsjenko var toppspion i 1970-årene. Han hoppet av, og Säpo skaffet ham et fristed. Det var, så vidt jeg kan forstå, ikke noen unik situasjon under den kalde krigen.»

«Greit.»

«Jeg vet ikke nøyaktig hva som har skjedd her i natt, men Lisbeth har klart å oppspore sin far, som hun ikke har møtt på femten år. Han mishandlet moren hennes så alvorlig at hun senere døde. Han forsøkte å ta livet av Lisbeth, og gjennom Ronald Niedermann sto han bak drapene på Dag Svensson og Mia Bergman. Dessuten hadde han ansvar for kidnappingen av Lisbeths venninne Miriam Wu – Paolo Robertos meget omtalte tittelmatch i Nykvarn.»

«Hvis Lisbeth Salander har hugget sin far i hodet med en øks, så er hun ikke akkurat uskyldig.»

«Lisbeth Salander har selv tre kulehull i kroppen. Jeg tror det vil bli mulig å hevde en viss grad av selvforsvar. Jeg lurer på ...»

«Ja?»

«Lisbeth var så tilgriset av jord og leire at håret hennes bare var en eneste, steinhard sølekake. Hun hadde fullt av sand innenfor klærne. Det ser ut som om hun har vært begravd. Og Niedermann har åpenbart for vane å grave ned folk. Politiet i Södertälje har funnet to graver ved det lageret utenfor Nykvarn som Svavelsjö MC eier.»

«Tre, faktisk. De fant enda en grav sent i går kveld. Men hvis Lisbeth Salander faktisk er blitt skutt og begravd – hva gjør hun i så fall oppe med en øks i hånden?»

«Jeg vet altså ikke hva som har skjedd, men Lisbeth er merkverdig ressurssterk. Jeg forsøkte å overtale Paulsson til å hente inn en hundepatrulje ...»

«Den er på vei.»

«Bra.»

«Paulsson pågrep deg for forulempning.»

«Det bestrider jeg. Jeg kalte ham en idiot, en inkompetent idiot og en fiasko. Ingen av disse betegnelsene er forulempninger i denne sammenhengen.»

«Hmm. Men du er også pågrepet for ulovlig våpenbesittelse.»

«Jeg gjorde den feilen å forsøke å overlevere et våpen til ham. For øvrig vil jeg ikke uttale meg om de tingene før jeg har fått rådføre meg med min advokat.»

«Greit. Da legger vi det til side. Vi har alvorligere ting å snakke om. Hva vet du om denne Niedermann?»

«Han er drapsmann. Det er noe i veien med ham; han er over to meter høy og bygget som en panserbrytende rakett. Spør Paolo Roberto, som har bokset med ham. Han lider av congenital analgesia. Det er en sykdom som innebærer at transmittorsubstansen i nervebanene ikke fungerer, slik at han ikke kan føle smerte. Han er tysk, født i Hamburg, og var snauskalle i tenårene. Han er livsfarlig og på frifot.»

«Har du noen anelse om hvor han kan tenkes å flykte?»

«Nei. Jeg vet bare at jeg hadde ham klar til avhenting da fiaskoen fra Trollhättan fikk kommandoen over situasjonen.»

Like før klokken fem om morgenen dro doktor Anders Jonasson av seg de tilsølte latekshanskene sine og kastet dem i søppelbøtta. En operasjonssykepleier la kompresser over skuddsåret i hoften. Operasjonen hadde vart i tre timer. Han så på Lisbeth Salanders barberte og stygt skamferte hode, som allerede var innhyllet i bandasjer.

Han følte en plutselig ømhet av den typen som han ofte følte for pasienter han hadde operert. Ifølge avisene var Lisbeth Salander en psykopatisk massemorder, men i hans øyne så hun mest ut som en skadeskutt spurv. Han ristet på hodet og kikket deretter bort på doktor Frank Ellis, som betraktet ham med et humoristisk uttrykk i ansiktet.

«Du er en utmerket kirurg,» sa Ellis.

«Kan jeg få invitere deg på frokost?»

«Er det mulig å få pannekaker med syltetøy noe sted her?»

«Vafler,» sa Anders Jonasson. «Hjemme hos meg. Jeg skal bare ringe og vekke min kone først, så tar vi en drosje.» Han stoppet opp og så på klokken. «Ved nærmere ettertanke tror jeg det er like bra at vi lar være å ringe.»

Advokat Annika Giannini våknet med et rykk. Hun snudde hodet mot høyre og konstaterte at klokken var to minutter på seks. Hun hadde et første møte med en klient allerede klokken åtte. Hun snudde hodet mot venstre og skottet bort på ektemannen, Enrico Giannini, som sov fredelig og som i beste fall våknet ved åttetiden. Hun blunket hardt noen ganger og sto opp og satte på kaffetrakteren før hun gikk i dusjen. Hun tok seg god tid på badet og kledde seg i svarte bukser, hvit pologenser og rød jakke. Hun ristet to skiver brød og la på ost og appelsinmarmelade og en oppskåret avocado, og tok frokosten med seg inn i stuen, i akkurat passe tid til nyhetssendingen klokken halv syv på TV. Hun tok en slurk kaffe og hadde nettopp åpnet munnen for å ta en bit av brødet da hun hørte innannonseringen.

Én politimann drept og én alvorlig skadet. Dramatikk i natt da den ettersøkte trippelmorderen Lisbeth Salander ble tatt.

Hun hadde først litt vanskelig for å forstå sammenhengen, siden hennes første inntrykk var at Lisbeth Salander hadde drept en politimann. Nyhetsrapporten var knapp, men etter hvert gikk det opp for henne at det var en mann som var ettersøkt for politidrapet. Det hadde gått ut en landsomfattende etterlysning etter en ennå ikke navngitt 37 år gammel mann. Lisbeth Salander lå tydeligvis alvorlig skadet på Sahlgrenska sjukhuset i Göteborg.

Annika slo over på den andre kanalen, men fikk ikke noen bedre forståelse av hva som hadde skjedd. Hun hentet mobiltelefonen og slo nummeret til sin bror, Mikael Blomkvist. Hun ble møtt av en beskjed om at abonnenten ikke kunne nås. Hun kjente et stikk av redsel. Mikael hadde ringt henne kvelden før, på vei til Göteborg. Han hadde vært på jakt etter Lisbeth Salander. Og en drapsmann ved navn Ronald Niedermann.

Da det lysnet, fant en observant politimann blodspor i terrenget bak vedskjulet. En politihund fulgte sporet frem til en grop i bakken i en liten lysning i skogen, omtrent fire hundre meter nordøst for gården i Gosseberga.

Mikael slo følge med kriminalbetjent Erlander. De studerte stedet ettertenksomt. De hadde ingen problemer med å oppdage store mengder blod i og rundt gropen.

De fant også et temmelig maltraktert sigarettetui som åpenbart var blitt brukt til å grave med. Erlander la sigarettetuiet i en bevispose og merket funnet. Han tok også prøver av blodfargede jordklumper. En uniformert politimann gjorde ham oppmerksom på en sigarettsneip av merket Pall Mall uten filter noen meter fra gropen. Også denne ble lagt i en bevispose og fikk etikett på seg. Mikael kom på at han hadde sett en pakke Pall Mall på kjøkkenbenken i huset til Zalatsjenko.

Erlander skottet opp mot himmelen og fikk øye på tunge regnskyer. Stormen som hadde herjet i Göteborg tidligere på natten, fortsatte tydeligvis sør for Nossebro-området, men det var bare et tidsspørsmål før det ville begynne å regne. Han vendte seg til en av de uniformerte og ba vedkommende fremskaffe en presenning som kunne dekke gropen.

«Jeg tror du har rett,» sa Erlander til slutt til Mikael. «En analyse av blodet kommer nok til å fastslå at Lisbeth Salander har ligget her, og jeg vil gjette på at vi kommer til å finne finger-avtrykkene hennes på sigarettetuiet. Hun ble skutt og begravd, men må på en eller annen måte ha overlevd og klart å grave seg opp og …»

«… og gått tilbake til gården og smelt øksa i hodet på Zalatsjenko,» avsluttet Mikael. «Hun er en ganske langsint jævel.»

«Men hvordan i helvete taklet hun Niedermann?»

Mikael trakk på skuldrene. Når det gjaldt det, skjønte han akkurat like lite som Erlander.

KAPITTEL 2

Fredag 8. april

Sonja Modig og Jerker Holmberg ankom Göteborg sentral-
stasjon litt over åtte om morgenen. Bublanski hadde ringt og
gitt nye instrukser: De skulle droppe å dra ut til Gosseberga
og isteden ta en drosje til politihuset ved Ernst Fontells plass
ved Nya Ullevi, som var hovedsete for fylkeskriminalpolitiet i
Västra Götaland. De ventet nesten en time før kriminalbetjent
Erlander kom tilbake fra Gosseberga med Mikael Blomkvist.
Mikael hilste på Sonja Modig, som han hadde truffet før, og
håndhilste på Jerker Holmberg. Deretter sluttet en kollega av
Erlander seg til dem med en oppdatering om jakten på Ronald
Niedermann. Det var en kort rapport.

«Vi har en spaningsgruppe under ledelse av fylkeskrimina-
len. Det har naturligvis gått ut en landsdekkende etterlysning.
Vi fant politibilen i Alingsås klokken seks i morges. Der slutter
sporene for øyeblikket. Vi har en mistanke om at han har byttet
kjøretøy, men vi har ikke fått noen anmeldelse av biltyveri.»

«Mediene?» spurte Modig og skottet unnskyldende bort på
Mikael Blomkvist.

«Dette er et politidrap og full mobilisering. Vi kommer til å
holde en pressekonferanse klokken ti.»

«Er det noen som vet noe om tilstanden til Lisbeth Salan-
der?» spurte Mikael. Han følte seg merkverdig lite interessert i
alt som hadde med jakten på Niedermann å gjøre.

«Hun er blitt operert i løpet av natten. De har fjernet en kule
fra hodet hennes. Hun har ikke våknet ennå.»

«Foreligger det noen prognose?»

«Så vidt jeg forstår, vet vi ingenting før hun har våknet.
Men legen som opererte, sier at han har godt håp om at hun

kommer til å overleve hvis det ikke oppstår noen komplikasjoner.»

«Og Zalatsjenko?» spurte Mikael.

«Hvem?» spurte Erlanders kollega, som ennå ikke var orientert om de intrikate detaljene i historien.

«Karl Axel Bodin.»

«Jaså, ja, han er også blitt operert i løpet av natten. Han har fått et stygt hugg over ansiktet og et annet like under kneskålen. Han er ille tilredt, men det er ikke snakk om livstruende skader.»

Mikael nikket.

«Du ser trett ut,» sa Sonja Modig.

«Nå ja. Jeg er inne i mitt tredje døgn nesten uten søvn.»

«Han sovnet faktisk i bilen nedover fra Nossebro,» sa Erlander.

«Orker du å ta hele historien fra begynnelsen?» spurte Holmberg. «Det føles som om stillingen mellom privatetterforskerne og politiet er omtrent 3–0.»

Mikael smilte matt.

«Den replikken skulle jeg gjerne hørt fra Bublanski,» sa han.

De satte seg i politihusets kafeteria for å spise frokost. Mikael brukte en halvtime på å forklare, trinn for trinn, hvordan han hadde klart å sette sammen historien om Zalatsjenko. Da han var ferdig, ble politifolkene sittende tause og ettertenksomme.

«Det er noen hull i historie din,» sa Jerker Holmberg til slutt.

«Høyst sannsynlig,» sa Mikael.

«Du forklarer ikke hvordan du kom i besittelse av den hemmeligstemplede Säpo-rapporten om Zalatsjenko.»

Mikael nikket.

«Jeg fant den hjemme hos Lisbeth Salander da jeg endelig hadde funnet ut hvor hun gjemte seg. Sannsynligvis fant hun den i sin tur i hytta til advokat Nils Bjurman.»

«Du har altså funnet Salanders gjemmested?» sa Sonja Modig.

Mikael nikket.

«Og?»

«Den adressen får dere finne ut selv. Lisbeth har gjort store anstrengelser for å skaffe seg en hemmelig adresse, og jeg har ikke tenkt å være den som lekker.»

Modig og Holmberg surnet litt.

«Mikael ... dette er faktisk en drapsetterforskning,» sa Sonja Modig.

«Og du har ennå ikke helt skjønt at Lisbeth Salander er uskyldig, og at politiet har krenket hennes integritet på en måte som mangler sidestykke. Lesbisk satanistliga, hvor får dere det fra, alt sammen? Hvis hun vil fortelle dere hvor hun er bosatt, er jeg overbevist om at hun kommer til å gjøre det.»

«Men det er en ting til jeg ikke helt skjønner,» insisterte Holmberg. «Hvordan kommer Bjurman overhodet inn i historien? Du sier at det var han som satte det hele i gang ved å ta kontakt med Zalatsjenko og be ham om å ta livet av Salander ... men hvorfor skulle han gjøre det?»

Mikael nølte en lang stund.

«Jeg gjetter på at han engasjerte Zalatsjenko for å rydde Lisbeth Salander av veien. Meningen var at hun skulle havne ved det lageret ute i Nykvarn.»

«Men han var vergen hennes. Hvilket motiv skulle han ha for å rydde henne av veien?»

«Det er komplisert.»

«Forklar.»

«Han hadde et jævlig godt motiv. Han hadde gjort noe som Lisbeth Salander visste om. Hun var en trussel mot hele hans fremtid og velstand.»

«Hva hadde han gjort?»

«Jeg tror det er best at Lisbeth får forklare bakgrunnen selv.»

Han møtte Holmbergs blikk.

«La meg gjette,» sa Sonja Modig. «Bjurman hadde gjort noe mot myndlingen sin.»

Mikael nikket.

«Skal jeg gjette på at han utsatte henne for en form for seksuelle overgrep?»

Mikael trakk på skuldrene og avsto fra å kommentere.

«Du vet ikke om tatoveringen på magen til Bjurman?»

«Tatovering?»

31

«En amatørmessig tatovering med et budskap tvers over hele magen ... *Jeg er et sadistisk svin, et krek og en voldtektsmann.* Vi har grublet en del over hva det dreide seg om.»

Plutselig begynte Mikael å skoggerle.

«Hva er det?»

«Jeg har lurt på hva Lisbeth gjorde for å hevne seg. Men hør her ... dette vil jeg ikke diskutere med dere, av samme grunn som tidligere. Det dreier seg om hennes integritet. Det er Lisbeth som er blitt utsatt for en forbrytelse. Det er hun som er offeret. Det er hun som skal avgjøre hva hun vil fortelle dere. Sorry.»

Han så nesten unnskyldende ut.

«Voldtekter skal politianmeldes,» sa Sonja Modig.

«Det er jeg enig i. Men denne voldtekten fant sted for to år siden, og Lisbeth har ennå ikke snakket med politiet om den. Noe som antyder at hun heller ikke har tenkt å gjøre det. Jeg kan være så uenig jeg bare vil med henne i det spørsmålet, men det er hun som bestemmer. Dessuten ...»

«Ja?»

«Hun har ingen særlig grunn til å betro seg til politiet. Sist hun forsøkte å forklare hvilket svin Zalatsjenko var, ble hun sperret inne på mentalsykehus.»

Påtalemyndighetens ansvarlige i saken, statsadvokat Richard Ekström, hadde sommerfugler i magen da han litt før ni fredag morgen ba etterforskningsleder Jan Bublanski om å slå seg ned på den andre siden av skrivebordet. Ekström rettet på brillene og strøk seg over det velpleide hakeskjegget. Han opplevde situasjonen som kaotisk og truende. I en måned hadde han som påtalemyndighetens etterforskningsleder jaktet på Lisbeth Salander. Han hadde beskrevet henne i det vide og det brede som sinnssyk og som en farlig psykopat. Han hadde lekket opplysninger som ville ha vært til hans fordel i en fremtidig rettssak. Alt hadde sett så bra ut.

Det hadde ikke vært tvil i hans sjel om at Lisbeth Salander virkelig var skyldig i trippeldrap, og at rettssaken ville blitt en seiersgang, en ren propagandaforestilling med ham selv i hovedrollen. Deretter hadde alt gått helt skeis, og plutselig satt han med en helt annen drapsmann og et kaos som det ikke så ut til å være noen ende på. *Fordømte Salander.*

«Ja, dette er jo litt av en suppe vi har havnet i,» sa han. «Hva har du fått frem nå i morges?»

«Det har gått ut en landsomfattende etterlysning av Ronald Niedermann, men han er fortsatt på frifot. For øyeblikket er han bare etterlyst for drapet på polititjenestemannen Gunnar Andersson, men jeg går ut fra at vi også bør etterlyse ham for de tre drapene her i Stockholm. Du kan kanskje ta deg av det på en pressekonferanse.»

Bublanski tok med forslaget om en pressekonferanse på pur faenskap. Ekström hatet pressekonferanser.

«Jeg tror vi drøyer litt med en pressekonferanse akkurat nå,» sa Ekström fort.

Bublanski passet nøye på ikke å smile.

«Dette er jo først og fremst en sak for politiet i Göteborg,» forklarte Ekström.

«Nå ja, vi har Sonja Modig og Jerker Holmberg på plass i Göteborg og har innledet et samarbeid ...»

«Vi venter med pressekonferansen til vi vet mer,» avgjorde Ekström skarpt. «Det jeg vil vite, er hvor sikker du er på at Niedermann virkelig er innblandet i drapene her i Stockholm.»

«Som politimann er jeg overbevist. Derimot ligger vi ikke så godt an når det gjelder bevis. Vi har ingen vitner til drapene, og det finnes ingen virkelig gode tekniske bevis. Magge Lundin og Sonny Nieminen fra Svavelsjö MC nekter å uttale seg, og later som om de aldri har hørt om Niedermann. Derimot vil han utvilsomt bli felt for drapet på politimannen Gunnar Andersson.»

«Nettopp,» sa Ekström. «Det er politidrapet som er interessant akkurat nå. Men si meg ... finnes det noe som tyder på at Salander likevel er involvert i drapene på en eller annen måte? Kan det tenkes at hun og Niedermann har begått dem sammen?»

«Det tviler jeg på. Og jeg ville nok ikke luftet den teorien offentlig.»

33

«Men hvordan er hun da involvert?»

«Dette er en ekstremt komplisert historie. Akkurat som Mikael Blomkvist påsto helt fra starten av, handler det om denne Zala-typen ... Aleksandr Zalatsjenko.»

Statsadvokat Ekström grøsset påtagelig ved navnet Mikael Blomkvist.

«Zala er en avhoppet og åpenbart helt samvittighetsløs russisk snikmorder fra den kalde krigen,» fortsatte Bublanski. «Han kom hit i 1970-årene og ble far til Lisbeth Salander. Han har blitt beskyttet av en egen fraksjon innen Säpo, som også har feid lovbrudd han har begått, under teppet. En politimann ved Säpo sørget også for at Lisbeth Salander ble sperret inne på en barnepsykiatrisk klinikk da hun var tretten år og truet med å avsløre hemmeligheten om Zalatsjenko.»

«Du skjønner at dette er litt vanskelig å svelge? Det er neppe en historie vi kan gå ut med. Hvis jeg har oppfattet riktig, så er alt dette om Zalatsjenko kvalifisert hemmelige opplysninger.»

«Ikke desto mindre er det sannheten. Jeg har dokumentasjon.»

«Kan jeg få se på den?»

Bublanski skjøv mappen med politirapporten fra 1991 over til ham. Ekström betraktet ettertenksomt stempelet som anga at dokumentet var kvalifisert hemmelig, og journalnummeret som han umiddelbart identifiserte som tilhørende sikkerhetspolitiet. Han bladde raskt igjennom den nærmere hundre sider tykke papirbunken og leste noen avsnitt på måfå. Til slutt la han rapporten til side.

«Vi må forsøke å tone dette ned en smule, så situasjonen ikke glir helt ut av hendene på oss. Lisbeth Salander ble altså sperret inne på galehus fordi hun hadde forsøkt å drepe sin far ... denne Zalatsjenko. Og nå har hun kjørt en øks i hodet på ham. Det må uansett klassifiseres som drapsforsøk. Og hun må pågripes for å ha skutt Magge Lundin i Stallarholmen.»

«Du får pågripe hvem du vil, men jeg ville gå forsiktig frem hvis jeg var deg.»

«Det kommer jo til å bli en skandale av enorme dimensjoner hvis hele denne historien med Säpo lekker ut.»

Bublanski trakk på skuldrene. Arbeidsinstruksen hans gikk ut på å etterforske lovbrudd, ikke å håndtere skandaler.

«Denne helvetes fyren fra Säpo, Gunnar Björck. Hva vet vi om hans rolle?»

«Han er en av hovedaktørene. Han er sykmeldt for prolaps i ryggen og bor for tiden nede i Smådalarö.»

«Greit ... vi holder kjeft om Säpo foreløpig. Nå dreier det seg om et politidrap og ingenting annet. Vår oppgave er ikke å skape forvirring.»

«Det blir nok vanskelig å dysse ned.»

«Hva mener du?»

«Jeg har sendt Curt Svensson for å hente Björck inn til avhør.» Bublanski så på klokken. «Det burde skje omtrent akkurat nå.»

«Hva?»

«Jeg hadde egentlig planlagt selv å få gleden av å reise ned til Smådalarö, men dette politidrapet kom i veien.»

«Jeg har ikke gitt noen tillatelse til å pågripe Björck.»

«Det stemmer. Men dette er ikke noen pågripelse. Jeg tar ham inn for avhør.»

«Jeg liker ikke dette her.»

Bublanski lente seg frem og så nesten fortrolig ut.

«Richard ... nå skal du høre her. Lisbeth Salander er blitt utsatt for en rekke rettslige overgrep som begynte allerede da hun var barn. Jeg har ikke tenkt å la dette fortsette. Du kan velge å fjerne meg som etterforskningsleder, men i så fall blir jeg nødt til å skrive et skarpt notat om saken.»

Richard Ekström så ut som om han hadde svelget noe surt.

Gunnar Björck, sykmeldt fra stillingen som nestleder for utlendingsavdelingen ved sikkerhetspolitiet, åpnet døren til sommerhuset i Smådalarö og så opp på en kraftig, blond og snauklippet mann i svart skinnjakke.

«Jeg skulle snakke med Gunnar Björck.»

«Det er meg.»

«Curt Svensson, fylkeskriminalen.»

Mannen holdt frem legitimasjonen.

«Ja?»

«Du er anmodet om å bli med inn til Kungsholmen for å bistå politiet i etterforskningen omkring Lisbeth Salander.»

«Eh ... her må det foreligge en misforståelse.»

«Det er ingen misforståelse,» sa Curt Svensson.

«Du forstår ikke. Jeg er også politimann. Jeg tror du bør sjekke denne saken med din overordnede.»

«Det er min overordnende som vil snakke med deg.»

«Jeg må ringe og ...»

«Du kan ringe fra Kungsholmen.»

Gunnar Björck merket plutselig at han resignerte.

Det har skjedd. Jeg kommer til å bli trukket inn. Jævla fordømte Blomkvist. Fordømte Salander.

«Er jeg arrestert?» spurte han.

«Ikke for øyeblikket. Men vi kan nok ordne den saken hvis du vil.»

«Nei ... nei, jeg skal selvsagt bli med. Det er klart jeg vil bistå mine kolleger i den alminnelige tjenesten.»

«Bra,» sa Curt Svensson og fulgte med ham inn. Han holdt et våkent øye på Gunnar Björck mens han hentet yttertøy og slo av kaffetrakteren.

Klokken elleve om formiddagen kunne Mikael Blomkvist konstatere at leiebilen hans fortsatt sto parkert bak en låve ved innkjørselen til Gosseberga, men at han var så utmattet at han ikke orket å dra og hente den, og enda mindre kjøre den trafikksikkert noen lengre strekning. Han ba kriminalbetjent Marcus Erlander om råd, og Erlander ordnet det generøst slik at en kriminaltekniker fra Göteborg tok med seg bilen hans ned på hjemveien.

«Se det som en kompensasjon for måten du ble behandlet på i natt.»

Mikael nikket og tok en drosje til City Hotel i Lorensbergsgatan like ved Avenyn. Han bestilte et enkeltrom for en natt til 800 kroner og gikk umiddelbart opp og kledde av seg. Han satte seg naken på sengeteppet og fant frem Lisbeth Salanders Palm Tungsten T3 fra innerlommen på jakken og veide den i hånden. Han var fremdeles forbløffet over at hånddatamaskinen ikke var blitt beslaglagt da førstebetjent Thomas Paulsson kroppsvisiterte ham, men Paulsson hadde gått ut fra at det var Mikaels datamaskin, og i praktisk forstand var han aldri blitt ført til arresten og hadde ikke måttet gi fra seg alle personlige eiendeler. Han tenkte seg om en liten stund og plasserte den deretter i den lommen i databagen hvor han oppbevarte Lisbeths CD merket *Bjurman*, som Paulsson også hadde oversett. Han var klar over at han rent lovteknisk holdt tilbake bevismateriale, men dette var ting som Lisbeth høyst sannsynlig ikke ville skulle havne i gale hender.

Han slo på mobiltelefonen, konstaterte at batteriet var på vei til å bli tomt og plugget inn laderen. Så ringte han til sin søster, advokat Annika Giannini.

«Hei, lillesøster.»

«Hva har du med politidrapet i natt å gjøre?» spurte hun umiddelbart.

Han forklarte kort hva som hadde skjedd.

«Greit. Salander ligger altså på intensivavdelingen.»

«Det stemmer. Vi vet ikke hvor alvorlig skadet hun er før hun våkner, men hun kommer til å trenge en advokat.»

Annika Giannini tenkte en stund.

«Tror du hun vil ha meg?»

«Sannsynligvis vil hun ikke ha noen advokat i det hele tatt. Hun er ikke den typen som ber andre om hjelp.»

«Det høres ut som om hun vil trenge en strafferettsadvokat. La meg se på den dokumentasjonen du har.»

«Snakk med Erika Berger og be henne om en kopi.»

Straks Mikael hadde avsluttet samtalen med Annika Giannini, ringte han Erika Berger. Hun svarte ikke på mobilen, så han slo nummeret til Millenniums redaksjon isteden. Det var Henry Cortez som svarte.

«Erika er ute et eller annet sted,» sa Henry.

Mikael forklarte i kortversjon hva som hadde skjedd, og ba Henry Cortez formidle opplysningene videre til Millenniums sjefredaktør.

«Greit. Hva skal vi gjøre?» sa Henry.

«Ingenting i dag,» sa Mikael. «Jeg må sove. Jeg kommer opp til Stockholm i morgen, hvis ikke noe uforutsett inntreffer. Millennium kommer til å gi sin versjon i neste nummer, og det er nesten en måned til.»

Han avsluttet samtalen, krøp opp i sengen og sovnet i løpet av tredve sekunder.

Visefylkespolitimester Moncia Spångberg banket med pennen mot kanten på glasset sitt med Ramlösa og ba om stillhet. Ti personer var samlet rundt konferansebordet på kontoret hennes i politihuset. Det var tre kvinner og syv menn. Forsamlingen besto av lederen for voldsavsnittet, nestlederen for voldsavsnittet, tre kriminalbetjenter, deriblant Marcus Erlander, og presseansvarlig for göteborgspolitet. Til møtet var også innkalt juridisk etterforskningsleder Agneta Jervas fra påtalemyndigheten og kriminalbetjentene Sonja Modig og Jerker Holmberg fra stockholmspolitiet. De sistnevnte var tatt med for å vise god samarbeidsvilje overfor kollegene fra hovedstaden, og muligens for å vise hvordan en skikkelig politietterforskning foregikk.

Spångberg, som ofte var eneste kvinne i et mannlig miljø, hadde ikke ord på seg for å sløse bort tid på formaliteter og høflighetsfraser. Hun fortalte at fylkespolitimesteren befant seg på en tjenestereise til en EuroPol-konferanse i Madrid, at han hadde avbrutt oppholdet da han fikk melding om at en politimann var blitt drept, men at han ikke var ventet tilbake før sent på kvelden. Deretter vendte hun seg til lederen for voldsavsnittet, Anders Pehrzon, og ba ham oppsummere situasjonen.

«Det er nå drøyt ti timer siden vår kollega Gunnar Andersson ble drept på Nossebrovägen. Vi vet navnet på drapsmannen – Ronald Niedermann – men vi har ennå ikke noe bilde av vedkommende.»

«Vi har et drøyt tyve år gammelt bilde av ham i Stockholm. Vi har fått det av Paolo Roberto, men det er nesten ubrukelig,» sa Jerker Holmberg.

«Greit. Den politibilen som han tok, ble som kjent funnet i Alingsås i morges. Den sto parkert i en tverrgate omtrent 350 meter fra jernbanestasjonen. Vi har ikke fått inn noen melding om biltyveri i dette området i løpet av morgenen.»

«Spaningsarbeidet?»

«Vi overvåker tog som går til Stockholm og Malmö. Vi har gått ut med en landsomfattende etterlysning, og vi har informert politiet i Norge og Danmark. I øyeblikket har vi omkring tredve politifolk som er direkte involvert i etterforskningen, og hele politikorpset holder naturligvis øynene åpne.»

«Ingen spor?»

«Nei. Ikke ennå. Men en person med Niedermanns særpregede utseende burde ikke være umulig å få øye på.»

«Er det noen som vet hvordan det står til med Fredrik Thorstensson?» spurte en av kriminalbetjentene fra voldsavsnittet.

«Han ligger på Sahlgrenska. Han er alvorlig skadet, omtrent som etter en bilulykke. Det er vanskelig å tro at et menneske har kunnet påføre ham disse skadene med bare nevene. I tillegg til benbrudd og brukne ribben har han også fått skadet en nakkehvirvel, og det er en viss risiko for at han kan bli delvis lam.»

Alle tenkte på kollegaens situasjon noen sekunder før Spångberg tok ordet igjen. Hun vendte seg til Erlander.

«Hva skjedde egentlig i Gosseberga?»

«Det som skjedde i Gosseberga, var Thomas Paulsson.»

Et unisont stønn lød fra flere av møtedeltagerne.

«Kan ingen pensjonere ham. Han er jo en jævla vandrende katastrofe.»

«Jeg kjenner utmerket godt til Paulsson,» sa Monica Spångberg skarpt. «Men jeg har ikke hørt noen klager på ham i det siste … nja, ikke på to år.»

«Politimesteren der oppe er jo en gammel bekjent av Paulsson og har vel i alle år forsøkt å hjelpe ham ved å holde en beskyttende hånd over ham. Sikkert i beste mening, og det er ingen kritikk mot ham. Men i natt oppførte Paulsson seg så besynderlig at flere kolleger har rapportert saken.»

«På hvilken måte?»

Marcus Erlander skottet bort på Sonja Modig og Jerker Holmberg. Han var åpenbart beklemt over å måtte blottlegge mangler i organisasjonen overfor kollegene fra Stockholm.

«Det mest besynderlige var vel at han satte en kollega fra teknisk avdeling til å lage en fortegnelse over hva som fantes i vedskjulet hvor de fant denne Zalatsjenko.»

«Fortegnelse over alt i skjulet?» spurte Spångberg.

«Ja ... altså ... han ville vite nøyaktig hvor mange vedkubber som var der. For at rapporten skulle bli korrekt.»

En talende taushet bredte seg rundt konferansebordet før Erlander skyndte seg å fortsette.

«Nå i morges har det kommet frem at Paulsson går på minst to typer psykofarmaka som heter Xanor og Efexor. Han burde egentlig ha vært sykmeldt, men han har klart å skjule sin tilstand for kollegene.»

«Hvilken tilstand?» spurte Spångberg skarpt.

«Nøyaktig hva han lider av, vet jeg naturligvis ikke – legen har jo taushetsplikt – men de medisinene han tar, er dels sterkt angstdempende og dels oppkvikkende. Han var rett og slett ruset i natt.»

«Herregud,» sa Spångberg tungt. Hun så ut som det tordenværet som hadde gått over Göteborg i løpet av morgentimene. «Jeg vil ha Paulsson hit til en samtale. Nå.»

«Det blir nok litt vanskelig. Han klappet sammen utpå morgenkvisten og er blitt lagt inn på sykehus for overanstrengelse. Vi hadde rett og slett maksimal uflaks med at det tilfeldigvis var hans tur til å ha vakt.»

«Kan jeg spørre om noe?» sa lederen for voldsavsnittet. «Paulsson pågrep altså Mikael Blomkvist i løpet av natten?»

«Han har levert inn en rapport og anmeldt ham for forulempning, voldelig motstand mot offentlig tjenestemann og ulovlig våpenbesittelse.»

«Hva sier Blomkvist?»

«Han innrømmer forulempningen, men påberoper seg nødverge. Han mener at motstanden besto i et skarpt verbalt forsøk på hindre Torstensson og Andersson i å dra for å taue inn Niedermann på egen hånd, uten forsterkninger.»

«Vitner?»

«Det er jo politifolkene Torstensson og Andersson. La meg si at jeg ikke tror en døyt på Paulssons anmeldelse for voldelig motstand. Det er en typisk motanmeldelse for å avverge fremtidige klager fra Blomkvist.»

«Men Blomkvist hadde altså overmannet Niedermann på egen hånd?» spurte Agneta Jervas.

«Ved hjelp av våpentrusler.»

«Så Blomkvist hadde våpen. Da burde pågripelsen av Blomkvist i alle fall inneholde en viss substans. Hvor fikk han våpenet fra?»

«Det vil ikke Blomkvist uttale seg om uten først å ha snakket med en advokat. Men Paulsson pågrep Blomkvist da han forsøkte å *overlevere* våpenet til politiet.»

«Kan jeg få komme med et uformelt forslag?» sa Sonja Modig forsiktig.

Alle så på henne.

«Jeg har truffet Mikael Blomkvist ved flere anledninger i løpet av denne etterforskningen, og etter mitt syn er han en person med ganske god vurderingsevne, til tross for at han er journalist. Jeg går ut fra at det er du som skal ta beslutning om en eventuell siktelse ...» Hun så på Agneta Jervas, som nikket. «I så fall – dette med forulempning og motstand er jo bare sludder, så det antar jeg at du automatisk kommer til å avskrive.»

«Sannsynligvis. Men ulovlig våpenbesittelse er litt alvorligere.»

«Jeg vil foreslå at du ikke trykker på avtrekkeren riktig ennå. Blomkvist har satt hele denne historien sammen på egen hånd, og ligger langt foran oss i politiet. Vi har større nytte av å ha et godt forhold til ham og samarbeide med ham, enn å gi ham en grunn til å henrette hele politikorpset i massemediene.»

Hun tidde. Etter noen sekunder kremtet Marcus Erlander. Hvis Sonja Modig kunne stikke hodet frem, ville ikke han være dårligere.

«Jeg er faktisk enig. Jeg oppfatter også Blomkvist som en person med god dømmekraft. Jeg har til og med bedt ham om unnskyldning for den behandlingen han ble utsatt for i natt. Det virker som om han er villig til å la nåde gå for rett.

Dessuten har han integritet. Han har sporet opp Lisbeth Salanders bolig, men nekter å oppgi hvor den er. Han er ikke redd for å ta en offentlig diskusjon med politiet ... og han befinner seg i en posisjon hvor stemmen hans vil veie minst like tungt i massemediene som en anmeldelse fra Paulsson.»

«Men han nekter å gi opplysninger om Salander til politiet?»

«Han sier at det må vi spørre Lisbeth om.»

«Hva slags våpen er det?» spurte Jervas.

«Det var en Colt 1911 Government. Serienummer ukjent. Jeg har sendt våpenet til teknisk avdeling, og vi vet ennå ikke om det er brukt i noen kriminell forbindelse i Sverige. Hvis det skulle være tilfellet, kommer jo saken i et litt annet lys.»

Monica Spångberg hevet pennen.

«Agneta, du avgjør selv om du vil sette i gang etterforskning av Blomkvist. Jeg forslår imidlertid at du avventer rapporten fra teknisk avdeling. La oss gå videre. Denne Zalatsjenko ... hva kan dere fra Stockholm fortelle om ham?»

«Saken er at så sent som i går ettermiddag hadde vi aldri hørt om hverken Zalatsjenko eller Niedermann,» svarte Sonja Modig.

«Jeg trodde dere var på jakt etter en lesbisk satanistliga i Stockholm,» sa en av politifolkene fra Göteborg. Noen av de andre trakk på smilebåndet. Jerker Holmberg studerte neglene sine. Det ble Sonja Modig som måtte svare på spørsmålet.

«Oss imellom kan jeg vel avsløre at vi har vår egen 'Thomas Paulsson' i avdelingen, og dette med en lesbisk satanistliga er snarere et sidespor som stammer fra den kanten.»

Sonja Modig og Jerker Holmberg brukte deretter en drøy halvtime på å fortelle hva som hadde kommet frem under etterforskningen.

Da de var ferdig, ble det stille rundt bordet en lang stund.

«Hvis dette med Gunnar Björck stemmer, kommer det til å bli varmt rundt ørene på Säpo,» fastslo nestlederen for voldsavsnittet.

Alle nikket. Agneta Jervas løftet hånden.

«Hvis jeg har forstått saken riktig, bygger mistankene deres i stor grad på antagelser og indisier. Som statsadvokat er jeg litt bekymret over den faktiske bevissituasjonen.»

«Vi er klar over det,» sa Jerker Holmberg. «Vi tror at vi i store trekk vet hva som skjedde, men det er en god del spørsmål som ikke er avklart.»

«Jeg har forstått at dere er opptatt med utgravninger i Nykvarn utenfor Södertälje,» sa Spångberg. «Hvor mange drap dreier denne historien seg egentlig om?»

Jerker Holmberg blunket oppgitt.

«Vi begynte med tre drap i Stockholm – det er de tre drapene som Lisbeth Salander har vært ettersøkt for, altså advokat Bjurman, journalist Dag Svensson og doktorgradskandidat Mia Bergman. I tilknytning til lageret i Nykvarn har vi hittil funnet tre graver. Vi har identifisert en kjent langer og en småtjuv som lå partert i én grav. Vi har funnet en ennå uidentifisert kvinne i grav nummer to. Og vi har ikke rukket å grave ut den tredje ennå. Den ser ut til å være av noe eldre dato. Dessuten har Mikael Blomkvist antydet en forbindelse til drapet på en prostituert kvinne i Södertälje for noen måneder siden.»

«Så med politikonstabel Gunnar Andersson i Gosseberga dreier det seg om minst åtte drap ... det er jo en helt uhyggelig statistikk. Mistenker vi denne Niedermann for samtlige? I så fall må han være en fullstendig sinnssyk massemorder.»

Sonja Modig og Jerker Holmberg vekslet blikk. Nå dreide det seg om i hvilken grad de skulle binde seg til disse påstandene. Til slutt tok Sonja Modig ordet.

«Selv om vi mangler bevis, er nok jeg og sjefen min, altså kriminalbetjent Jan Bublanski, tilbøyelige til å tro at Blomkvist har helt rett når han påstår at de tre første drapene ble utført av Niedermann. Det innebærer i så fall at Salander er uskyldig. Når det gjelder gravene ved Nykvarn, er Niedermann knyttet til stedet gjennom kidnappingen av Salanders venninne Miriam Wu. Det er ingen tvil om at hun sto for tur til å havne i en fjerde grav. Men den aktuelle lagerbygningen eies av en slektning av lederen for Svavelsjö MC, og siden vi ennå ikke engang har rukket å identifisere levningene, bør vi nok vente med å trekke noen konklusjoner.»

«Den småtjuven som dere har identifisert ...»

«Kenneth Gustafsson, 44 år, kjent langer og problembarn siden tenårene. Umiddelbart ville jeg gjette på at det dreier seg om et internt oppgjør av et eller annet slag. Svavelsjö MC er innblandet i alle slags ulovligheter, deriblant distribusjon av metamfetamin. Det kan altså være en skogskirkegård for folk som har kommet på kant med Svavelsjö MC. Men ...»

«Ja?»

«Den prostituerte jenta som ble drept i Södertälje ... hun heter Irina Petrova, 22 år.»

«Jaha.»

«Obduksjonen viste at hun var blitt utsatt for særdeles grov vold og hadde skader av den typen som man finner hos folk som er blitt slått ihjel med et balltre eller noe lignende. Men skadene var tvetydige, og patologen kunne ikke angi noe spesielt redskap som var blitt brukt. Blomkvist gjorde faktisk en ganske skarp observasjon. Irina Petrova hadde skader som utmerket god kunne ha blitt påført med bare nevene ...»

«Niedermann?»

«Det er en rimelig antagelse. Bevisene mangler foreløpig.»

«Hvordan går vi videre?» spurte Spångberg.

«Jeg må konferere med Bublanski, men et naturlig neste skritt er vel å avhøre Zalatsjenko. Fra vår side er vi interessert i å høre hva han vet om drapene i Stockholm, og for deres vedkommende dreier det seg jo om å få tatt Niedermann.»

En av kriminalbetjentene fra voldsavsnittet i Göteborg løftet en finger i været.

«Kan jeg spørre ... hva har vi funnet på denne gården i Gosseberga?»

«Svært lite. Vi har funnet fire håndvåpen. En Sig Sauer som var tatt fra hverandre og holdt på å bli pusset, på kjøkkenbordet. En polsk P-83 Wanad på gulvet ved siden av slagbenken på kjøkkenet. En Colt 1911 Government – det er den pistolen som Blomkvist forsøkte å overlevere til Paulsson. Og endelig en Browning kaliber 22, noe som nærmest er en leketøypistol i denne sammenhengen. Vi har en mistanke om at det var det våpenet Salander ble skutt med, siden hun ennå er i live med en kule i hjernen.»

«Noe mer?»

«Vi har beslaglagt en veske med drøyt 200 000 kroner. Vesken ble funnet i et rom i annen etasje som ble brukt av Niedermann.»

«Og dere er sikre på at det er hans rom?»

«Tja, han har størrelse XXL i klær. Zalatsjenko er til nød medium.»

«Er det noe som binder Zalatsjenko til kriminell virksomhet?» spurte Jerker Holmberg.

Erlander ristet på hodet.

«Det kommer naturligvis an på hvordan vi tolker våpenbeslagene. Men bortsett fra våpnene og at Zalatsjenko hadde en meget avansert kameraovervåkning av gården, har vi ikke funnet noe som skiller gården i Gosseberga fra en hvilken som helst annen bondegård. Huset var meget spartansk møblert.»

Like før tolv banket en uniformert politimann på døren og overleverte et papir til visefylkespolitimester Monica Spångberg. Hun løftet en finger i været.

«Vi har fått inn en melding om en forsvinning i Alingsås. En 27 år gammel tannpleier ved navn Anita Kaspersson forlot sin bopel klokken 07.30 i morges. Hun leverte et barn i barnehagen og skulle deretter ha ankommet arbeidsplassen før åtte. Hvilket hun ikke gjorde. Hun arbeider hos en privat tannlege med kontor omtrent 150 fra det stedet der den stjålne politibilen ble funnet.»

Erlander og Sonja Modig så på klokken samtidig.

«Da har han fire timers forsprang. Hva slags bil var det?»

«En mørkeblå Renault, modell 1991. Her er nummeret.»

«Send ut en landsomfattende etterlysning av bilen umiddelbart. På dette tidspunktet kan han være hvor som helst mellom Oslo, Malmö og Stockholm.»

Etter enda litt mer snakk ble møtet avsluttet med en beslutning om at Sonja Modig og Marcus Erlander sammen skulle avhøre Zalatsjenko.

*

45

Henry Cortez rynket øyenbrynene og fulgte Erika Berger med blikket da hun kom ut fra kontoret sitt og forsvant inn på tekjøkkenet. Hun kom ut noen sekunder senere med en kaffekopp og gikk tilbake til kontoret. Hun lukket døren.

Henry Cortez kunne ikke helt sette fingeren på hva som var galt. Millennium var en liten arbeidsplass av det slaget hvor medarbeiderne kom nokså nær hverandre. Han hadde jobbet deltid i tidsskriftet i fire år, og i løpet av den tiden hadde han opplevd noen fenomenale stormer, ikke minst i den perioden da Mikael Blomkvist hadde sonet en tre måneders fengelsstraff for ærekrenkelser og bladet hadde vært like ved å gå nedenom og hjem. Han hadde opplevd drapet på medarbeideren Dag Svensson og hans samboer Mia Bergman.

Under alle disse stormene hadde Erika Berger vært en klippe som tilsynelatende ingenting kunne rokke. Han var ikke forbauset over at Erika Berger hadde ringt og vekket ham tidlig i morges og satt ham og Lottie Karim i arbeid. Salander-saken hadde sprukket, og Mikael Blomkvist var blitt innblandet i et politidrap i Göteborg. Så langt var alt klart. Lottie Karim hadde parkert seg i politihuset i et forsøk på å få tak i noen fornuftige opplysninger. Henry hadde brukt morgenen til å ringe rundt og forsøke å finne ut hva som hadde skjedd i løpet av natten. Blomkvist svarte ikke på telefonen, men takket være en rekke kilder hadde Henry et relativt klart bilde av hva som hadde skjedd.

Erika Berger hadde derimot vært mentalt fraværende hele formiddagen. Det var svært sjelden at hun lukket døren til kontoret sitt. Det skjedde nesten bare når hun hadde besøk eller jobbet intenst med et eller annet problem. Denne morgenen hadde hun ikke hatt noe besøk, og hun arbeidet ikke. Da Henry ved en anledning banket på for å rapportere om nyhetene, hadde han funnet henne i stolen ved vinduet, hvor hun satt hensunket i sine egne tanker og stirret tilsynelatende viljeløst på menneskestrømmen nede på Götagatan. Hun lyttet til rapporten hans med bare et halvt øre.

Noe var i veien.

Han ble avbrutt i grubleriene av at det ringte på døren. Han gikk og åpnet, og der sto Annika Giannini. Henry Cortez hadde truffet Mikael Blomkvists søster flere ganger tidligere, men han kjente henne ikke noe nærmere.

«Hei, Annika,» sa han. «Mikael er ikke her i dag.»

«Det vet jeg. Jeg vil snakke med Erika.»

Erika Berger så opp fra stolen ved vinduet og tok seg raskt sammen da Henry slapp Annika inn.

«Hei,» sa hun. «Mikael er ikke her i dag.»

Annika smilte.

«Jeg vet det. Jeg er her for å få Björcks Säpo-rapport. Micke har bedt meg se på den for eventuelt å representere Salander.»

Erika nikket. Hun reiste seg og hentet en perm fra skrivebordet.

Annika nølte litt, halvveis i ferd med å gå igjen. Så ombestemte hun seg og satte seg rett overfor Erika.

«Jaha, hva er det som er i veien med deg, da?»

«Jeg skal slutte i Millennium. Og jeg har ikke fått fortalt det til Mikael. Han har vært så nedsyltet i denne Salander-historien at det aldri er blitt noen anledning, og jeg kan bare ikke fortelle det til de andre før jeg har fortalt det til ham, og nå har jeg det helt jævlig.»

Annika Giannini bet seg i underleppen.

«Og nå forteller du det til meg isteden. Hva skal du gjøre?»

«Jeg blir sjefredaktør i Svenska Morgon-Posten.»

«Hei sann. I så fall er det vel mer på sin plass med gratulasjoner enn med gråt og tenners gnissel.»

«Men det var ikke sånn jeg hadde tenkt å slutte i Millennium. Midt i et jævla kaos. Det kom som lyn fra klar himmel, og jeg kan ikke si nei. Jeg mener, det er en sjanse som aldri vil komme tilbake. Men jeg fikk tilbudet rett før Dag og Mia ble skutt, og alt har vært så kaotisk at jeg ikke har sagt noe. Og nå har jeg jævlig dårlig samvittighet.»

«Jeg skjønner. Og nå er du redd for å fortelle det til Micke.»

«Jeg har ikke fortalt det til noen. Jeg trodde at jeg ikke skulle begynne i SMP før over sommeren, og da ville det fortsatt være tid til å fortelle det. Men nå vil de at jeg skal begynne så fort som mulig.»

Hun tidde og så på Annika, og det virket nesten som om hun var på gråten.

«Dette blir i praksis min siste uke i Millennium. Neste uke er jeg bortreist, og så ... jeg må ha ferie en ukes tid for å lade batteriene. Men første mai begynner jeg i SMP.»

«Og hva ville ha skjedd hvis du var blitt overkjørt av en bil? Da ville de ha stått uten sjefredaktør på et øyeblikks varsel.»

Erika så opp.

«Men jeg er ikke blitt overkjørt av en bil. Jeg har bevisst holdt det skjult i flere uker.»

«Jeg skjønner at det er en vanskelig situasjon, men jeg har en følelse av at Micke og Christer og de andre nok vil klare å finne ut av det. Derimot synes jeg at du skal fortelle dem det umiddelbart.»

«Ja, men den fordømte broren din er i Göteborg i dag. Han sover og svarer ikke på telefonen.»

«Jeg vet det. Det er få mennesker som er så flinke til å la være å svare på telefonen som Mikael. Men dette dreier seg ikke om deg og Micke. Jeg vet at dere har jobbet sammen i tyve år eller så, og at dere har rotet og hatt dere, men du må tenke på Christer og de andre i redaksjonen.»

«Men Mikael kommer til å ...»

«Micke kommer til å gå i taket. Ja da. Men hvis han ikke etter tyve år kan takle en situasjon hvor du har surret det litt til for deg, er han ikke verdt den tiden du har lagt ned på ham.»

Erika sukket.

«Ta deg sammen nå. Innkall Christer og de andre i redaksjonen. Nå.»

Christer Malm satt litt fortumlet et øyeblikk etter at Erika Berger hadde samlet medarbeiderne i Millenniums lille møterom. Det var blitt innkalt til redaksjonsmøte med bare noen minutters varsel akkurat idet han skulle til å ta en litt tidlig fredagsavslutning. Han skottet bort på Henry Cortez og Lottie Karim, som virket akkurat like overrasket som han. Redaksjonssekretær Malin Eriksson hadde heller ikke visst noe, det samme gjaldt journalist Monica Nilsson og markedssjef Sonny Magnusson.

Den eneste som manglet i forsamlingen, var Mikael Blomkvist, som befant seg i Göteborg.

Herregud. Mikael vet ikke noe, tenkte Christer Malm. *Jeg lurer på hvordan han kommer til å reagere.*

Så gikk det opp for ham at Erika Berger hadde sluttet å snakke, og at det var dørgende stille i møterommet. Han ristet på hodet, reiste seg og ga Erika en klem og et kyss på kinnet.

«Gratulerer, Ricky,» sa han. «Sjefredaktør i SMP. Det er virkelig ikke noe dårlig steg oppover fra denne lille skuta.»

Henry Cortez våknet til live og satte i gang med en spontan applaus. Erika løftet hendene.

«Stopp,» sa hun. «Jeg fortjener ingen applaus i dag.»

Hun tok en kort pause og gransket medarbeiderne i den lille redaksjonen.

«Hør her ... jeg er frykelig lei for at det er blitt på denne måten. Jeg ville fortelle det for flere uker siden, men det druknet i alt kaoset etter drapene. Mikael og Malin har jobbet som besatt, og den rette anledningen har bare ikke dukket opp. Og derfor har vi havnet her.»

Malin Eriksson innså med skremmende klarsyn hvor underbemannet redaksjonen egentlig var, og hvor forferdelig tomt det ville bli uten Erika. Hva som enn skjedde, og hvilket kaos som enn brøt ut, så hadde hun vært den klippen som Malin hadde kunnet støtte seg på, alltid urokkelig i stormen. Tja ... ikke rart at Svenska Morgon-Posten hadde rekruttert henne. Men hva ville skje nå? Erika hadde alltid vært en nøkkelperson i Millennium.

«Det er en del ting som må klargjøres. Jeg skjønner også at dette kommer til å skape uro i redaksjonen. Det har virkelig ikke vært min mening, men nå er det som det er. For det første: Jeg kommer ikke til bryte kontakten med Millennium helt. Jeg kommer til å bli sittende som medeier og delta på styremøtene. Derimot kommer jeg naturligvis ikke til å ha noen innflytelse på det redaksjonelle arbeidet – det ville kunne føre til interessekonflikter.»

Christer Malm nikket tankefullt.

«For det andre: Jeg slutter formelt den siste dagen i april.

Men dette blir i praksis min siste arbeidsdag. Neste uke er jeg bortreist, som dere vet, det har vært planlagt lenge. Og jeg har bestemt meg for ikke å komme tilbake og styre og stelle noen dager på fallrepet.»

Hun tidde en liten stund.

«Neste nummer ligger klart i maskinen. Det er en enkel sak å fikse. Det blir mitt siste nummer. Deretter må en annen sjefredaktør overta. Jeg rydder skrivebordet i kveld.»

Stillheten var til å ta og føle på.

«Hvem som blir ny sjefredaktør etter meg, er en avgjørelse som må behandles og besluttes av styret. Men det må diskuteres blant dere i redaksjonen også.»

«Mikael,» sa Christer Malm.

«Nei. Absolutt ikke Mikael. Han er den i særklasse verste sjefredaktøren dere kan velge. Han er perfekt som ansvarlig utgiver og dritgod til å få hull på og knytte sammen håpløse tekster som skal publiseres. Han er bremseklossen. Sjefredaktøren må være den som satser offensivt. Mikael har dessuten en tendens til å begrave seg i sine egne historier og være helt fraværende i ukevis av og til. Han er den beste når det begynner å brenne, men usannsynlig elendig til rutinearbeid. Det vet dere alle.»

Christer Malm nikket.

«Millennium har fungert fordi du og Mikael har balansert hverandre.»

«Men ikke bare derfor. Dere husker vel da Mikael satt oppe i Hedestad og sturet bort nesten et halvt år. Da fungerte Millennium uten ham, akkurat som det må fungere uten meg nå.»

«OK. Hvilken plan har du?»

«Mitt valg ville være at du overtok som sjefredaktør, Christer ...»

«Aldri i livet.» Christer Malm slo fra seg med begge hendene.

«... men siden jeg vet at du kommer til å si nei, har jeg en annen løsning. Malin. Du går inn som konstituert sjefredaktør fra og med i dag.»

«Jeg?!» sa Malin.

«Nettopp du, ja. Du har vært en jævlig god redaksjonssek-retær.»

«Men jeg ...»

«Gjør et forsøk. Jeg rydder skrivebordet i kveld. Du kan flytte inn mandag morgen. Mainummeret er nesten klart – det har vi allerede jobbet oss ferdig med. I juni er det dobbeltnummer, og deretter får dere en måned fri. Hvis det ikke fungerer, må sty-ret finne en annen i august. Henry, du må gå opp til heltid og erstatte Malin som redaksjonssekretær. Deretter må dere rekrut-tere en ny medarbeider. Men det blir deres og styrets valg.»

Hun tidde en liten stund og betraktet forsamlingen ettertenk-somt.

«Én ting til. Jeg begynner i en annen avis. SMP og Millen-nium er på ingen måte konkurrenter i praktisk forstand, men det betyr at jeg ikke vil vite noe som helst mer enn det jeg alle-rede vet om innholdet i neste nummer. Alt dette tar dere med Malin fra nå av.»

«Hva gjør vi med Salander-historien?» sa Henry Cortez.

«Hør med Mikael. Jeg vet en del om Salander, men den histo-rien legger jeg i møllposen. Den kommer ikke til å gå til SMP.»

Erika følte plutselig en enorm lettelse.

«Det var alt,» sa hun og avsluttet møtet, reiste seg og gikk tilbake til kontoret uten flere kommentarer.

Millenniums redaksjon ble sittende igjen i taushet. Det var først en time senere at Malin Eriksson banket på døren til Erikas kontor.

«Hallo der.»

«Ja?» sa Erika.

«Personalet vil si noe.»

«Hva?»

«Her utenfor.»

Erika reiste seg og gikk bort til døren. De hadde disket opp med kake og fredagskaffe.

«Jeg tenkte at vi må ha en ordentlig fest og feire deg litt senere,» sa Christer Malm. «Men inntil videre får det holde med kake og kaffe.»

Erika Berger smilte for første gang den dagen.

KAPITTEL 3

Fredag 8. april–lørdag 9. april

Aleksandr Zalatsjenko hadde vært våken i åtte timer da Sonja Modig og Marcus Erlander kom på besøk ved syvtiden om kvelden. Han hadde gjennomgått en temmelig omfattende operasjon hvor en vesentlig del av kinnbenet var blitt justert og festet med titanskruer. Hodet var så innpakket at det bare var det venstre øyet som syntes. En lege hadde forklart at øksehugget hadde knust kinnbenet og skadet pannebenet og dessuten skrelt av en god del av kjøttet på høyre side av ansiktet og forskjøvet øyenhulen. Skadene forårsaket enorme smerter. Zalatsjenko hadde fått store doser smertestillende midler, men var likevel noenlunde klar og kunne snakke. Politiet måtte imidlertid ikke gjøre ham for utmattet.

«God kveld, herr Zalatsjenko,» hilste Sonja Modig. Hun presenterte seg og sin kollega Marcus Erlander.

«Jeg heter Karl Axel Bodin,» sa Zalatsjenko anstrengt mellom sammenpressede tenner. Stemmen var rolig.

«Jeg vet nøyaktig hvem du er. Jeg har lest Säpos oversikt over merittene dine.»

Hvilket ikke var helt sant, siden Säpo ennå ikke hadde gitt fra seg et eneste papir om Zalatsjenko.

«Det var lenge siden,» sa Zalatsjenko. «Nå er jeg Karl Axel Bodin.»

«Hvordan er det med deg?» fortsatte Modig. «Er du i stand til å føre en samtale?»

«Jeg vil anmelde en forbrytelse. Jeg er blitt utsatt for et drapsforsøk fra min datter.»

«Det vet vi. Den saken kommer til å bli etterforsket når

den tid kommer,» sa Erlander. «Men akkurat nå har vi mer presserende ting å snakke med deg om.»

«Hva kan være mer presserende enn et drapsforsøk?»

«Vi vil avhøre deg først og fremst om tre drap i Stockholm, minst tre drap i Nykvarn og en kidnapping.»

«Jeg kjenner ikke til noe av det. Hvem er blitt drept?»

«Herr Bodin, vi har gode grunner til å mistenke at din kompanjong, den 35 år gamle Ronald Niedermann, er skyldig i disse handlingene,» sa Erlander. «I natt drepte Niedermann dessuten en politimann fra Trollhättan.»

Sonja Modig ble litt overrasket over at Erlander føyde Zalatsjenko ved å kalle ham Bodin. Zalatsjenko vred ørlite grann på hodet så han kunne se Erlander. Stemmen ble en anelse mykere.

«Det var ... leit å høre. Jeg vet ingenting om hva Niedermann driver med. Jeg har ikke drept noen politimann. Jeg ble selv utsatt for et drapsforsøk i natt.»

«Ronald Niedermann er for øyeblikket ettersøkt. Har du noen anelse om hvor han kunne tenkes å gjemme seg?»

«Jeg vet ikke hvilke kretser han beveger seg i. Jeg ...» Zalatsjenko nølte noen sekunder. Stemmen ble fortrolig. «Jeg må tilstå ... oss imellom ... at jeg har vært bekymret for Niedermann.»

Erlander bøyde seg litt frem.

«Hva mener du?»

«Jeg har oppdaget at han kan være voldelig av seg. Jeg er faktisk redd for ham.»

«Du mener at du har følt deg truet av Niedermann?» spurte Erlander.

«Nettopp. Jeg er en gammel mann. Jeg kan ikke forsvare meg.»

«Kan du forklare hvilket forhold du har til Niedermann?»

«Jeg er handikappet.» Zalatsjenko pekte på benet sitt. «Dette er andre gang min datter forsøker å drepe meg. Jeg engasjerte Niedermann som assistent for mange år siden. Jeg trodde han kunne beskytte meg ... men i virkeligheten har han tatt over hele mitt liv. Han kommer og går som han vil, jeg har ingenting jeg skulle ha sagt.»

«Og hva hjelper han deg med?» innskjøt Sonja Modig. «Å gjøre ting som du ikke klarer selv?»

Zalatsjenko sendte Sonja Modig et langt blikk med sitt ene, synlige øye.

«Jeg har forstått at hun kastet en brannbombe inn i bilen din for over ti år siden,» sa Sonja Modig. «Kan du forklare hva som ga henne impulsen til å gjøre det?»

«Det får du spørre min datter om. Hun er sinnssyk.»

Stemmen var fiendtlig igjen.

«Du mener at du ikke kan tenke deg noen grunn til at Lisbeth Salander gikk til angrep på deg i 1991?»

«Min datter er sinnssyk. Det foreligger det dokumentasjon på.»

Sonja Modig la hodet på skakke. Hun merket at Zalatsjenko svarte adskillig mer aggressivt og fiendtlig når hun stilte spørsmålene. Hun ble oppmerksom på at Erlander hadde merket seg det samme. *Greit ... Good cop, bad cop.* Sonja Modig hevet stemmen.

«Du tror ikke handlingen hennes kunne ha noe å gjøre med at du hadde mishandlet moren hennes så alvorlig at hun fikk varige hjerneskader?»

Zalatsjenko betraktet Sonja Modig med et rolig uttrykk i ansiktet.

«Det der er bare pissprat. Moren hennes var en hore. Det var antagelig en av kundene hennes som banket henne opp. Jeg kom bare tilfeldigvis innom.»

Sonja Modig hevet øyenbrynene.

«Så du er helt uskyldig?»

«Selvfølgelig.»

«Zalatsjenko ... la meg se om jeg har forstått deg riktig. Du benekter altså at du mishandlet din daværende samboer Agneta Sofia Salander, Lisbeth Salanders mor, til tross for at dette var gjenstand for en omfattende, hemmeligstemplet rapport fra din daværende føringsoffiser i Säpo, Gunnar Björck.»

«Jeg er aldri blitt dømt for noe. Jeg har ikke engang vært tiltalt. Jeg kan ikke noe for hva en eller annen idiot i sikkerhetspolitiet finner på å fantasere om i rapportene sine. Hvis jeg hadde vært mistenkt, burde det vel i det minste blitt foretatt et avhør av meg.»

Sonja Modig ble sittende målløs. Zalatsjenko så faktisk ut som om han smilte bak bandasjene.

«Jeg vil altså levere inn en anmeldelse mot min datter. Hun har forsøkt å drepe meg.»

Sonja Modig sukket.

«Jeg begynner plutselig å forstå hvorfor Lisbeth Salander føler et visst behov for å smelle en øks i skallen på deg.»

Erlander kremtet.

«Unnskyld, herr Bodin ... kanskje vi skulle gå tilbake til det du vet om Ronald Niedermanns gjøren og laden.»

Sonja Modig ringte kriminalbetjent Jan Bublanski fra korridoren utenfor rommet til Zalatsjenko.

«Ingenting,» sa hun.

«Ingenting?» gjentok Bublanski.

«Han har anmeldt Lisbeth Salander for grov legemsbeskadigelse og drapsforsøk. Han påstår at han ikke har noe med drapene i Stockholm å gjøre.»

«Og hvordan forklarer han at Lisbeth Salander er blitt gravd ned på tomten hans i Gosseberga?»

«Han sier at han har vært forkjølet, og sov nesten hele dagen. Hvis Salander er blitt skutt i Gosseberga, må det være noe som Ronald Niedermann har funnet på.»

«Greit. Hva har vi?»

«Hun ble skutt med en Browning kaliber 22. Det er derfor hun er i live. Vi har funnet våpenet. Zalatsjenko innrømmer at det er hans våpen.»

«Jaha. Han vet med andre ord at vi kommer til å finne fingeravtrykkene hans på det.»

«Nettopp. Men han sier at sist han så det, lå det i skrivebordsskuffen hans.»

«Altså har antagelig den fortreffelige Ronald Niedermann tatt våpenet mens Zalatsjenko sov, og skutt Salander. Kan vi bevise det motsatte?»

Sonja Modig grublet noen sekunder før hun svarte.

«Han er fortrolig med det svenske lovverket og politiets metoder. Han tilstår ikke et fnugg, og han har Niedermann som syndebukk. Jeg vet faktisk ikke hva vi kan bevise. Jeg har bedt Erlander om å sende klærne hans til teknisk avdeling og få undersøkt om det finnes kruttslam, men han kommer formodentlig til å påstå at han øvelsesskjøt med våpenet for to dager siden.»

Lisbeth Salander kjente en duft av mandel og etanol. Det var som om hun hadde sprit i munnen, og hun forsøkte å svelge, men opplevde at det føltes som om tungen hadde dovnet bort og var lammet. Hun prøvde å åpne øynene, men klarte det ikke. Hun hørte en fjern stemme som snakket til henne, men hun kunne ikke oppfatte ordene. Deretter hørte hun stemmen klart og tydelig.

«Jeg tror hun holder på å våkne.»

Hun kjente at noen rørte ved pannen hennes, og forsøkte å vifte bort den nærgående hånden. I samme øyeblikk kjente hun en intens smerte i venstre skulder. Hun slappet av.

«Hører du meg?»

Gå din vei.

«Kan du åpne øynene?»

Hva er det for en jævla idiot som driver og maser.

Til slutt slo hun øynene opp. Først så hun bare besynderlige lyspunkter, så dukket en skikkelse opp i synsfeltet. Hun forsøkte å fokusere blikket, men skikkelsen gled unna hele tiden. Det føltes som om hun hadde hatt en gedigen fyllekule, og som om sengen hele tiden vippet bakover.

«Strstlln,» sa hun.

«Hva sa du?»

«Diot,» sa hun.

«Det høres bra ut. Kan du åpne øynene igjen?»

Hun åpnet øynene i to smale sprekker. Hun så et fremmed ansikt og memorerte hver detalj. En blond mann med ekstremt blå øyne og et skjevt, kantete ansikt omkring ti centimeter fra hennes eget.

«Hei, jeg heter Anders Jonasson. Jeg er lege. Du befinner deg på sykehus. Du er blitt skadet og holder på å våkne opp etter en operasjon. Vet du hva du heter?»

«Pschalandr,» sa Lisbeth Salander.

«Greit. Kan du gjøre meg en tjeneste? Kan du telle til ti?»

«Én to fire ... nei ... tre fire fem seks ...»

Deretter sovnet hun igjen.

Doktor Anders Jonasson var imidlertid fornøyd med responsen han hadde fått. Hun hadde sagt navnet sitt og begynt å telle. Det antydet at de rasjonelle evnene var noenlunde intakt, og at hun ikke ville våkne opp som en grønnsak. Han noterte oppvåkningstidspunktet til 21.06, drøyt seksten timer etter at han hadde avsluttet operasjonen. Han hadde sovet mesteparten av dagen og dradd tilbake til Sahlgrenska ved syvtiden om kvelden. Han hadde egentlig fri, men det var en del papirarbeid som han måtte komme à jour med.

Og han hadde ikke kunnet la være å gå innom intensivavdelingen og se til pasienten som han hadde rotet i hjernen på i de tidlige morgentimene.

«La henne sove en stund til, men følg nøye med på EEG-en. Jeg er redd for at det kan bli hevelser og blødninger i hjernen. Det virket som om hun hadde en skarp smerte i skulderen da hun forsøkte å bevege armen. Hvis hun våkner, får dere gi henne to milligram morfin i timen.»

Han følte seg besynderlig opprømt da han gikk ut gjennom hovedinngangen på Sahlgrenska.

Klokken var litt på to om natten da Lisbeth Salander våknet igjen. Hun åpnet øynene langsomt og så en lyskjegle i taket. Etter flere minutter snudde hun på hodet og oppdaget at hun hadde en støttekrage rundt halsen. Hun kjente en dump hodepine og en skarp smerte i skulderen da hun forsøkte å forflytte kroppsvekten. Hun lukket øynene.

Sykehus, tenkte hun umiddelbart. *Hva gjør jeg her?*

Hun følte seg ekstremt utmattet.

Først hadde hun vanskelig for å samle tankene. Deretter kom spredte hukommelsesbilder tilbake.

Hun ble grepet av panikk i noen sekunder da hukommelsesfragmenter om hvordan hun hadde gravd seg opp av en grav flommet inn over henne. Så bet hun tennene hardt sammen og konsentrerte seg om å puste.

Hun konstaterte at hun var i live. Hun var ikke helt sikker på om det var godt eller dårlig.

Lisbeth Salander husket ikke helt hva som hadde skjedd, men hun så for seg en uklar mosaikk av bilder fra vedskjulet og at hun hadde svingt en øks i raseri og truffet sin far i ansiktet. Zalatsjenko. Hun visste ikke om han levde eller var død.

Hun klarte ikke helt å huske hva som hadde skjedd med Niedermann. Hun hadde en vag følelse av at hun hadde vært forbløffet over at han hadde løpt for livet, og at hun ikke hadde skjønt hvorfor.

Plutselig kom hun på at hun hadde sett Kalle Jævla Blomkvist. Hun var ikke sikker på om hun hadde drømt alt sammen, men hun husket et kjøkken – det måtte ha vært kjøkkenet i Gosseberga – og hun mente å ha sett ham komme bort til henne. *Det må ha vært hallusinasjoner.*

Hendelsene i Gosseberga føltes allerede svært langt borte, eller muligens som en sinnssyk drøm. Hun måtte konsentrere seg om nuet.

Hun var skadet. Det behøvde ingen fortelle henne. Hun løftet den høyre hånden og famlet over hodet. Hun var solid bandasjert. Så husket hun plutselig. Niedermann. Zalatsjenko. Gubbejævelen hadde også hatt en pistol. En Browning kaliber 22. Som sammenlignet med nesten alle andre håndvåpen var å betrakte som temmelig harmløst. Det var derfor hun var i live.

Jeg ble skutt i hodet. Jeg kunne stikke fingeren inn i inngangshullet og ta på hjernen.

Hun var overrasket over at hun var i live. Hun konstaterte at hun følte seg merkverdig uengasjert og egentlig ikke følte noe særlig i den forbindelse. Hvis døden var den svarte tomheten hun nettopp hadde våknet fra, så var døden ingenting å være redd for. Hun ville ikke merke forskjellen.

Med disse esoteriske tankene lukket hun øynene og sovnet igjen.

*

Hun hadde bare slumret i noen minutter da hun hørte noe som beveget seg, og åpnet øynene på gløtt. Hun så en sykepleier i hvit uniform bøye seg over henne. Hun lukket øynene og lot som om hun sov.

«Jeg tror du er våken,» sa sykepleieren.

«Mmm,» sa Lisbeth Salander.

«Hei, jeg heter Marianne. Forstår du hva jeg sier?»

Lisbeth forsøkte å nikke, men skjønte at hodet var festet til støttekragen.

«Nei, ikke forsøk å røre på deg. Du behøver ikke være redd. Du er blitt skadet og er operert.»

«Kan jeg få vann.»

Marianne ga henne vann gjennom et sugerør. Mens hun drakk, registrerte hun at en person til hadde dukket opp på venstre side.

«Hei, Lisbeth. Hører du meg?»

«Mmm,» svarte Lisbeth.

«Jeg er doktor Helena Endrin. Vet du hvor du er?»

«Sykehus.»

«Du er på Sahlgrenska sjukhuset i Göteborg. Du er blitt operert og ligger på intensivavdelingen.»

«Mm.»

«Du behøver ikke være redd.»

«Jeg er blitt skutt i hodet.»

Doktor Endrin nølte litt.

«Det stemmer. Husker du hva som skjedde?»

«Gubbejævelen hadde pistol.»

«Eh …, ja, nettopp.»

«Kaliber 22.»

«Jaså. Det visste jeg ikke.»

«Hvor alvorlig skadet er jeg?»

«Prognosen er god. Du har vært temmelig dårlig, men vi tror du har gode sjanser til å bli helt restituert.»

Lisbeth vurderte opplysningen. Deretter festet hun blikket på doktor Endrin. Hun registrerte at hun så uklart.

«Hva skjedde med Zalatsjenko?»

«Hvem?»

«Gubbejævelen. Lever han?»

«Du mener Karl Axel Bodin.»

«Nei. Jeg mener Aleksandr Zalatsjenko. Det er det egentlige navnet hans.»

«Det vet jeg ingenting om. Men den eldre mannen som kom inn samtidig med deg, er hardt skadet, men utenfor fare.»

Hjertet sank litt i brystet på Lisbeth. Hun tenkte over det legen hadde sagt.

«Hvor er han?»

«Han er i rommet ved siden av. Men nå skal du ikke bry deg om ham. Du skal bare konsentrere deg om å bli frisk selv.»

Lisbeth lukket øynene. Hun lurte et øyeblikk på om hun ville orke å reise seg fra sengen, finne et brukbart våpen og avslutte det hun hadde begynt på. Men så skjøv hun tanken fra seg. Hun orket knapt holde øynene åpne. Hun hadde med andre ord mislyktes i sitt forsett om å ta livet av Zalatsjenko. *Han kommer til å komme unna igjen.*

«Jeg skal bare undersøke deg litt. Så skal du få sove,» sa doktor Endrin.

Mikael Blomkvist våknet plutselig og uten forklaring. I noen sekunder visste han ikke hvor han var, før han kom på at han hadde tatt inn på City Hotel. Det var bekmørkt i rommet. Han slo på nattbordlampen og så på klokken. Halv tre om morgenen. Han hadde sovet uavbrutt i femten timer.

Han sto opp og gikk på toalettet og urinerte. Så tenkte han seg om en liten stund. Han visste at han ikke kom til å få sove igjen, så han stilte seg i dusjen. Deretter tok han på seg olabukser og en vinrød collegegenser som kunne trenge en runde i vaskemaskinen. Han var fryktelig sulten og ringte resepsjonen og spurte om han kunne få bestille kaffe og smørbrød så tidlig om morgenen. Det gikk greit.

Han tok på seg loafers og jakke og gikk ned i resepsjonen og kjøpte en kaffe og et par plastinnpakkede rugbrødskiver med ost og leverpostei som han tok med seg tilbake til rommet. Mens han spiste, startet han iBook-en sin og satte kabelen i bredbåndsuttaket. Han gikk inn på Aftonbladets nettutgave.

Pågripelsen av Lisbeth Salander var, ikke uventet, den største nyheten. Nyhetsmeldingene var fortsatt preget av forvirring, men de var i hvert fall kommet inn i riktig spor. Den 37 år gamle Ronald Niedermann var ettersøkt for politidrapet, og politiet ville også avhøre ham i forbindelse med drapene i Stockholm. Politiet hadde ennå ikke sagt noe om Lisbeth Salanders status, og Zalatsjenko var ikke navngitt. Han ble bare omtalt som en 66 år gammel jordeier bosatt i Gosseberga, og det var tydelig at mediene foreløpig var av den oppfatning at han muligens også var et offer.

Da Mikael hadde lest ferdig, åpnet han mobilen og oppdaget at han hadde tyve uleste meldinger. Tre av disse var oppfordringer om å ringe Erika Berger. To var fra Annika Giannini. Fjorten var fra journalister i forskjellige aviser. En var fra Christer Malm med den fyndige beskjeden: *Det er best du tar første tog hjem.*

Mikael rynket øyenbrynene. Det var en uvanlig melding til å komme fra Christer Malm. Den var sendt klokken syv kvelden før. Han svelget en impuls til å ringe og vekke noen klokken tre om morgenen. Isteden sjekket han togtabellen på nettet og fant ut at første tog til Stockholm gikk 05.20.

Han åpnet et nytt word-dokument. Så tente han en sigarett og satt stille i tre minutter og stirret på den blanke skjermen. Til slutt løftet han fingrene og begynte å skrive.

[Hun heter Lisbeth Salander, og hele landet har lært henne å kjenne gjennom politiets pressekonferanser og tabloidavisenes overskrifter. Hun er 27 år gammel og 150 centimeter høy. Hun er blitt beskrevet som psykopat, morder og lesbisk satanist. Det har knapt vært grenser for de fantasiene som er blitt ført til torgs om henne. I dette nummeret forteller Millennium historien om hvordan statstjenestemenn konspirerte mot Lisbeth Salander for å beskytte en patologisk syk drapsmann.]

Han skrev langsomt og gjorde få endringer i det første utkastet. Han arbeidet konsentrert i femti minutter og produserte i løpet av den tiden drøyt to A4-sider som hovedsakelig var en rekapitulering av den natten da han fant Dag Svensson og Mia Bergman, og hvorfor politiet hadde konsentrert seg om Lisbeth Salander som antatt skyldig. Han siterte løssalgsavisenes overskrifter om lesbiske satanister og forhåpninger om at drapssakene skulle inneholde pirrende SM-sex.

Til slutt kastet han et blikk på klokken og lukket iBooken raskt igjen. Han pakket bagen og gikk ned til resepsjonen og sjekket ut. Han betalte med kredittkort og tok en drosje til Göteborg sentralstasjon.

Mikael Blomkvist gikk umiddelbart og satte seg i restaurantvognen og bestilte kaffe og smørbrød. Deretter åpnet han iBooken igjen og leste igjennom det han hadde rukket å skrive i løpet av morgenen. Han var så langt inne i beskrivelsen av Zalatsjenkohistorien at han ikke ble oppmerksom på kriminalbetjent Sonja Modig før hun kremtet og spurte om hun kunne få lov til å sette seg sammen med ham. Han så opp og lukket datamaskinen.

«På vei hjem?» spurte Modig.

Han nikket.

«Du også, skjønner jeg.»

Hun nikket.

«Kollegaen min ble igjen et døgn til.»

«Har du hørt noe om hvordan det er med Lisbeth Salander? Jeg har sovet siden vi skiltes.»

«Hun våknet opp først i går kveld. Men legene mener at hun kommer til å klare seg og bli helt restituert. Hun har hatt en ufattelig flaks.»

Mikael nikket. Det gikk plutselig opp for ham at han ikke hadde vært bekymret for henne. Han hadde gått ut fra at hun kom til å overleve. Alt annet ville være utenkelig.

«Har det skjedd noe annet av interesse?» spurte han.

Sonja Modig så litt usikkert på ham. Hun lurte på hvor mye hun kunne fortelle denne journalisten, som jo faktisk visste mer om saken enn hun selv gjorde. På den annen side hadde hun satt seg ved bordet hans, og det var antagelig minst hundre andre journalister som hadde klart å finne ut hva som foregikk i politihuset.

«Jeg vil ikke bli sitert,» sa hun.

«Jeg spør bare av personlig interesse.»

Hun nikket og fortalte at politet jaktet på Ronald Niedermann på bred front over hele landet, særlig i Malmö-området.

«Og Zalatsjenko. Har dere avhørt ham?»

«Ja, vi har avhørt ham.»

«Og?»

«Det kan jeg ikke fortelle.»

«Kom igjen, Sonja. Jeg kommer til å få vite nøyaktig hva dere snakket om, omtrent en time etter at jeg har kommet inn i redaksjonen i Stockholm. Og jeg kommer ikke til å skrive et ord av det du forteller.»

Hun nølte en lang stund før hun møtte blikket hans.

«Han har levert inn en anmeldelse på Lisbeth Salander for å ha forsøkt å drepe ham. Hun kommer muligens til å bli siktet for grov legemsbeskadigelse, subsidiært drapsforsøk.»

«Og hun kommer høyst sannsynlig til å påberope seg nødvergeretten.»

«Det håper jeg,» sa Sonja Modig.

Mikael så skarpt på henne.

«Det der hørtes ikke helt korrekt ut for en politiansatt,» sa han litt avventende.

«Bodin ... Zalatsjenko er sleip som en ål og har svar på alle spørsmål. Jeg er helt overbevist om at det forholder seg mer eller mindre som du fortalte oss i går. Det betyr at Salander er blitt utsatt for et kontinuerlig rettslig overgrep siden hun var tolv år gammel.»

Mikael nikket.

«Det er den storyen jeg kommer til å publisere,» sa han.

«Den kommer ikke til å bli spesielt populær i enkelte kretser.»

Hun nølte litt til. Mikael ventet.

«Jeg snakket med Bublanski for en halvtime siden. Han sier ikke så mye, men etterforskningen mot Salander for drapet på vennene dine ser ut til å være henlagt. Fokuset er flyttet over på Niedermann.»

«Hvilket betyr at ...»

63

Han lot spørsmålet henge i luften mellom dem. Sonja Modig trakk på skuldrene.

«Hvem kommer til å ha ansvar for etterforskningen av Salander?»

«Det vet jeg ikke. Historien i Gosseberga ligger vel først og fremst hos göteborgspolitiet. Men jeg vil tro at en eller annen i Stockholm kommer til å få i oppdrag å sette sammen alt materialet for en tiltale.»

«Jeg skjønner. Skal vi vedde om at etterforskningen kommer til å bli overført til Säpo?»

Hun ristet på hodet.

Like før Alingsås lente Mikael seg frem mot henne.

«Sonja ... jeg tror du skjønner i hvilken retning dette bærer. Hvis Zalatsjenko-historien blir offentliggjort, kommer det til å bli en skandale av store dimensjoner. Säpo-aktivister har i samarbeid med en psykiater sørget for å få Salander sperret inne på galehus. Det eneste de kan gjøre, er å insistere på at Lisbeth Salander faktisk er sinnssyk, og at tvangsinnleggelsen i 1991 var berettiget.»

Sonja Modig nikket.

«Jeg kommer til å gjøre alt jeg kan for å spenne bein for den slags planer. Jeg mener at Lisbeth Salander er like klok som du og jeg. Sær, ja visst, men forstanden er det ingen som kan sette spørsmålstegn ved.»

Sonja Modig nikket. Mikael tidde og lot det han hadde sagt, synke inn.

«Jeg trenger en på innsiden som jeg kan stole på,» sa han.

Hun møtte blikket hans.

«Jeg er ikke kompetent til å bedømme om Lisbeth Salander er psykisk syk,» svarte hun.

«Nei, men du er kompetent til å bedømme om hun har vært utsatt for et rettslig overgrep eller ikke.»

«Hva er det du vil forslå?»

«Jeg sier ikke at du skal sladre på kollegene dine, men jeg vil at du skal si fra til meg hvis du oppdager at Lisbeth holder på å bli utsatt for et nytt juridisk overgrep.»

Sonja Modig sa ingenting.

«Jeg vil ikke at du skal røpe etterforskningstekniske detaljer eller lignende. Bruk din egen dømmekraft. Men jeg må vite hva som skjer med tiltalen mot Lisbeth Salander.»

«Det høres ut som en sikker måte å få sparken på.»

«Du er en kilde. Jeg kommer aldri noensinne til å navngi deg eller gjøre noe så du havner i klisteret.»

Han fant frem en notisbok og skrev en e-postadresse.

«Dette er en anonym hotmail-adresse. Du bør ikke bruke din vanlige, offentlige adresse. Du bør opprette en midlertidig konto på hotmail.»

Hun tok imot adressen og puttet den i innerlommen på jakken. Hun lovet ingenting.

Kriminalbetjent Marcus Erlander våknet klokken syv lørdag morgen av at telefonen ringte. Han hørte stemmer fra TV-en og kjente duften av kaffe fra kjøkkenet hvor hans kone var i gang med morgenens gjøremål. Han hadde kommet hjem til leiligheten i Mölndal klokken ett om natten og hadde sovet i drøyt fem timer. Forut for det hadde han vært i sving i nesten nøyaktig toogtyve timer. Han var altså langt fra utsovet da han strakte seg etter telefonrøret.

«Mårtensson, spaning, nattevakten. Har du rukket å våkne?»

«Nei,» svarte Erlander. «Jeg har knapt rukket å sovne. Hva har skjedd?»

«Nyheter. Anita Kaspersson er funnet.»

«Hvor?»

«Like utenfor Seglora sør for Borås.»

Erlander så for seg et kart inne i hodet.

«Sørover,» sa han. «Han tar småveier. Han må ha kjørt riksvei 180 over Borås og svingt sørover. Har vi meldt fra til Malmö?»

«Og Helsingborg, Landskrona og Trelleborg. Og Karlskrona. Jeg tenker på fergen østover.»

Erlander satte seg opp og gned seg i nakken.

«Han har nesten et døgns forsprang nå. Han kan allerede være ute av landet. Hvordan ble Kaspersson funnet?»

«Hun banket på døren i en enebolig ved innkjøringen til Seglora.»

«Hva?»

«Hun banket ...»

«Jeg hørte hva du sa. Mener du at hun lever?»

«Unnskyld. Jeg er trett og uttrykker meg ikke helt konsist. Anita Kaspersson snublet inn i Seglora klokken 03.10 i morges og sparket i døren på en villa og skremte opp en barnefamilie som lå og sov. Hun var barbent, sterkt nedkjølt, og hendene var bundet på ryggen. Akkurat nå befinner hun seg på sykehuset i Borås, hvor hun blir gjenforent med sin mann.»

«Det var som faen. Jeg tror vi alle hadde gått ut fra at hun ikke var i live lenger.»

«Enkelte ganger blir man overrasket.»

«Positivt overrasket.»

«Da er tiden inne for de kjedelige nyhetene; visepolitimester Spångberg har vært her siden klokken fem i dag morges. Hun har beordret deg til å våkne umiddelbart og dra til Borås for å avhøre Kaspersson.»

Siden det var lørdag morgen, gikk Mikael ut fra at det ville være tomt i Millenniums redaksjon. Han ringte Christer Malm da X2000 passerte Årsta-broen og spurte hva som hadde foranlediget sms-en fra ham.

«Har du spist frokost?» spurte Christer.

«Togfrokost.»

«Jaha. Kom hjem til meg, så skal jeg ordne noe mer solid.»

«Hva dreier det seg om?»

«Det forteller jeg når du har kommet.»

Mikael tok T-banen til Medborgarplatsen og spaserte til Allhelgonagatan. Det var Christers samboer Arnold Magnusson som åpnet. Uansett hvor mye Mikael forsøkte, klarte han aldri å fri seg fra følelsen av at han så på en reklameplakat for et eller annet. Arnold Magnusson hadde bakgrunn fra Dramaten og var en av Sveriges mest ettertraktede skuespillere. Det var alltid like forstyrrende å møte ham i virkeligheten. Mikael pleide ikke å la seg imponere av kjendiser, men akkurat Arnold Magnusson hadde et så karakteristisk utseende og var så sterkt forbundet med enkelte roller fra film og TV, særlig rollen som den koleriske og egenrådige kriminalførstebetjent Gunnar Frisk i en umåtelig populær TV-serie, at Mikael stadig forventet at han skulle oppføre seg som Gunnar Frisk.

«Heisann, Micke,» sa Arnold.

«Hei,» sa Mikael.

«Kjøkkenet,» sa Arnold og slapp ham inn.

Christer Malm serverte nystekte vafler med multesyltetøy og nytraktet kaffe. Mikael fikk vann i munnen allerede før han hadde rukket å sette seg og kaste seg over fatet. Christer Malm spurte hva som hadde skjedd i Gosseberga. Mikael rekapitulerte detaljene. Han var i gang med den tredje vaffelen da han kom seg til å spørre hva som var på ferde.

«Vi har fått et lite problem i Millennium mens du har vært i Göteborg,» sa han.

Mikael hevet øyenbrynene.

«Hva da?»

«Ikke noe alvorlig. Men Erika Berger er blitt sjefredaktør i Svenska Morgon-Posten. Hun hadde sin siste arbeidsdag i Millennium i går.»

Mikael ble sittende med vaffelen halvveis oppe til munnen. Det tok flere sekunder før rekkevidden av budskapet helt hadde gått opp for ham.

«Hvorfor har hun ikke fortalt det før?»

«Fordi hun ville fortelle det til deg først av alle, og du har løpt rundt og vært utilgjengelig i flere uker nå. Antagelig mente hun at du hadde problemer nok med Salander-historien. Siden hun ville fortelle det til deg først, har hun heller ikke sagt noe til oss andre, og så har dagene gått ... Tja. Og plutselig satt hun der med superdårlig samvittighet og hadde det skikkelig fælt. Og vi har ikke merket det grann.»

Mikael lukket øynene.

«Faen,» sa han.

«Jeg vet det. Nå ble det isteden du som var den siste i redaksjonen som fikk vite noe. Jeg ville få muligheten til å fortelle deg det så du skulle skjønne hva som har skjedd, og ikke tror at noen har gått bak ryggen på deg.»

«Det tror jeg da ikke. Men jøss. Dritstilig at hun har fått jobben hvis hun nå vil jobbe for SMP ... men hva faen skal vi gjøre i redaksjonen?»

«Vi gjør Malin til konstituert sjefredaktør fra og med neste nummer.»

«Malin?»

«Hvis ikke du vil bli sjefredaktør ...»

«Nei, for svarte.»

«Jeg tenkte meg vel det. Altså blir Malin sjefredaktør.»

«Og hvem skal bli redaksjonssekretær?»

«Henry Cortez. Han har vært hos oss i fire år og er ikke akkurat noen grønn praktikant lenger.»

Mikael overveide forslagene.

«Har jeg noe jeg skulle ha sagt?»

«Niks,» sa Christer Malm.

Mikael lo tørt.

«Greit. Da får det bli som dere har bestemt. Malin er tøff, men usikker. Henry skyter litt for ofte fra hoften. Vi får holde et øye med dem.»

«Vi får gjøre det.»

Mikael ble sittende uten å si noe. Han tenkte at det ville bli jævlig tomt uten Erika, og han var ikke sikker på hvordan det ville bli i bladet fremover.

«Jeg må ringe Erika og ...»

«Nei, det tror jeg ikke du behøver.»

«Hvordan det?»

«Hun sover i redaksjonen. Gå og vekk henne eller noe.»

Mikael fant Erika Berger i dyp søvn på sovesofaen på kontoret hennes i redaksjonen. Hun hadde brukt natten til å tømme bokhyller og skrivebord for personlige eiendeler og papirer hun ville ta vare på. Hun hadde fylt fem kartonger. Mikael sto en lang stund i døråpningen og så på henne før han gikk og satte seg på sengekanten og vekket henne.

«Hvorfor i herrens navn går du ikke bort til meg og sover hvis du nå skal sove i byen,» sa han.

«Hei, Mikael,» sa hun.

«Christer har fortalt det.»

Hun begynte å si noe da han lente seg frem og kysset henne på kinnet.

«Er du sint?»

«Vanvittig,» sa han tørt.

«Jeg er lei for det. Jeg kunne bare ikke si nei til det tilbudet. Men det føles helt feil, og som om jeg lar dere andre i Millennium sitte igjen i klisteret i en veldig vanskelig situasjon.»

«Jeg er nok ikke rette person til å kritisere deg for å forlate skuta. For to år siden gikk jeg min vei og lot deg sitte igjen i klisteret i en situasjon som var adskillig mer problematisk enn det den er i dag.»

«Det ene har ikke noe med det andre å gjøre. Du tok en pause. Jeg slutter for godt, og jeg har holdt det skjult. Jeg er så lei meg.»

Mikael satt en stund uten å si noe. Så smilte han blekt.

«Når tiden er inne, så er den inne. *A woman's gotta do what a woman's gotta do and all that crap.*»

Erika smilte. Det var de ordene hun hadde brukt mot ham da han flyttet til Hedeby. Han strakte frem hånden og rufset henne vennskapelig i håret.

«At du vil slutte i dette galehuset, skjønner jeg, men at du vil bli sjef i Sveriges mest knusktørre gubbeavis, vil det ta en stund å fordøye.»

«Det er ganske mange damer som jobber der.»

«Pøh. Sjekk ledersiden. Det er jo anno dazumal hele veien. Du må være spik spenna masochist. Skal vi gå og drikke kaffe?»

Erika satte seg opp.

«Jeg må få vite hva som skjedde i Göteborg.»

«Jeg holder på å skrive storyen,» sa Mikael. «Men det kommer til å bli full krig når vi publiserer den.»

«Ikke vi. Dere.»

«Jeg vet det. Vi kommer til å publisere den i forbindelse med rettssaken. Men jeg går ut fra at du ikke har tenkt å ta denne

69

saken med deg til SMP. Faktum er at jeg vil du skal skrive en artikkel om Zalatsjenko-historien før du slutter i Millennium.»

«Micke, jeg ...»

«Din siste leder. Du kan skrive den når du har lyst. Den kommer sannsynligvis ikke til å komme på trykk før rettssaken tar til, når nå det kan bli.»

«Det er kanskje ikke noen god idé. Hva skal den handle om?»

«Moral,» sa Mikael Blomkvist. «Og om at en av våre medarbeidere ble drept fordi myndighetene ikke gjorde jobben sin for femten år siden.»

Han behøvde ikke forklare mer. Erika Berger visste nøyaktig hvilken leder han ville ha. Hun overveide saken en liten stund. Hun hadde faktisk vært kaptein på skuta da Dag Svensson ble drept. Plutselig følte hun seg mye bedre til mote.

«Greit,» sa hun. «Min siste leder.»

KAPITTEL 4

Lørdag 9. april – søndag 10. april

Klokken ett lørdag ettermiddag var statsadvokat Martina Fransson i Södertälje ferdig med å tenke. Skogskirkegården i Nykvarn var en forferdelig suppe, og kriminalavsnittet hadde akkumulert en uhorvelig masse overtid siden den onsdagen da Paolo Roberto hadde hatt boksekampen med Ronald Niedermann i lagerbygningen der. Det dreide seg om drap på minst tre personer som var blitt gravd ned på stedet, kidnapping og grov legemsbeskadigelse av Lisbeth Salanders venninne Miriam Wu, og til slutt mordbrann. Episoden i Stallarholmen, som egentlig tilhørte Strängnäs politidistrikt i Södermanland, hadde sannsynligvis også tilknytning til Nykvarn, men der var det Carl-Magnus Lundin fra Svavelsjö MC som var nøkkelpersonen. Lundin lå for øyeblikket på sykehuset i Södertälje med gipset ben og stålskinne i kjeven. Og uansett hørte alle lovbruddene inn under fylkespolitiet, noe som innebar at det var Stockholm som ville få det siste ordet.

Fengslingsmøtet var blitt holdt på fredag. Lundin var utvilsomt knyttet til Nykvarn. Smått om senn var det blitt klarlagt at lageret var eid av firmaet Medimport, som i sin tur var eid av Anneli Karlsson, 52 år og bosatt i Puerto Banus i Spania. Hun var kusine av Magge Lundin, hadde et prikkfritt rulleblad og så i denne sammenhengen nærmest ut til å fungere som en stråmann.

Martina Fransson lukket mappen med sakspapirene. Etterforskningen var fremdeles i begynnerfasen, og mappen ville bli utvidet med adskillige hundre sider før det kom til noen rettssak. Men allerede nå måtte det tas avgjørelser i enkelte spørsmål. Hun så på sine medarbeidere fra politiet.

«Vi har nok til å reise tiltale mot Lundin for medvirkning ved kidnappingen av Miriam Wu. Paolo Roberto har identifisert ham som mannen som kjørte varebilen. Jeg kommer også til å sikte ham for sannsynlig medvirkning til mordbrannen. Vi forholder oss avventende når det gjelder medvirkning til drapet på de tre personene vi har gravd opp på tomten, i hvert fall til alle er identifisert.»

Politifolkene nikket. Det var den beskjeden de hadde ventet seg.

«Hva gjør vi med Sonny Nieminen?»

Martina Fransson bladde seg frem til Nieminen i papirene på skrivebordet.

«Det er en herre med en imponerende merittliste. Ran, ulovlig våpenbesittelse, legemsbeskadigelse, grov legemsbeskadigelse, drap og narkotikalovbrudd. Han ble altså pågrepet sammen med Lundin ved Stallarholmen. Jeg er fullstendig overbevist om at han er innblandet – det ville være helt usannsynlig at han ikke skulle være det. Men problemet er at vi ikke har noe vi kan knytte ham direkte til.»

«Han sier at han aldri har vært i lageret i Nykvarn, og at han bare ble med Lundin på en motorsykkeltur,» sa den kriminalbetjenten fra Södertälje som hadde hatt ansvar for Stallarholmen. «Han påstår at han ikke hadde den fjerneste anelse om hva slags ærend Lundin hadde til Stallarholmen.»

Martina Fransson lurte på om det på noen måte var mulig å skyve hele saken over til statsadvokat Richard Ekström i Stockholm.

«Nieminen nekter å uttale seg om hva som skjedde, men benekter på det sterkeste at han har deltatt i noe ulovlig,» fortsatte kriminalbetjenten.

«Nei, det virker jo snarere som om han og Lundin var ofre for en forbrytelse i Stallarholmen,» sa Martina Fransson og trommet irritert på bordet med fingertuppene.

«Lisbeth Salander,» tilføyde hun med åpenbar tvil i stemmen. «Vi snakker altså om en jente som ser ut som om hun knapt har kommet i puberteten, som er 150 centimeter høy og neppe kan være i besittelse av den kroppsstyrken som skal til for å overmanne Nieminen og Lundin.»

«Hvis hun ikke var bevæpnet. En pistol kan i stor grad kompensere for manglende fysisk styrke.»

«Men det stemmer ikke helt med rekonstruksjonen.»

«Nei. Hun brukte tåregass og sparket Lundin i skrittet og ansiktet med et sånt raseri at hun knuste en testikkel og deretter kjevebenet. Skuddet i foten må ha kommet etter den fysiske volden. Men jeg har vondt for å tro at det var hun som var bevæpnet.»

«Kriminalteknikerne har identifisert våpenet som Lundin ble skutt med. Det er en polsk P-83 Wanad med Makarov-ammunisjon. Den ble funnet i Gosseberga utenfor Göteborg med Salanders fingeravtrykk på. Vi kan nesten gå ut fra at hun tok med seg pistolen til Gosseberga.»

«Ja. Men serienummeret viser jo at pistolen ble stjålet for fire år siden ved et innbrudd i en våpenbutikk i Örebro. Tyvene ble til slutt tatt, men de hadde kvittet seg med våpnene. Det var noen lokale kjekkaser med narkotikaproblemer som holdt til i kretsen rundt Svavelsjö MC. Jeg ville mye heller plassere pistolen hos Lundin eller Nieminen.»

«Det kan jo være så enkelt som at Lundin hadde pistolen, og at Salander avvæpnet ham, og at han i den forbindelse ble truffet av et skudd i foten. Jeg mener, hensikten kan uansett ikke ha vært å drepe ham, siden han faktisk er i live.»

«Eller så skjøt hun ham i foten av sadistiske grunner. Hva vet jeg. Men hvordan klarte hun å takle Nieminen? Han har ingen synlige skader.»

«Han har faktisk én skade. Han har to små brannsår på brystkassen.»

«Jaha?»

«Kan ha vært en elektrosjokkpistol.»

«Så Salander skulle ha vært bevæpnet med elektrosjokk-pistol, tåregass og pistol. Hvor mye veier alt dette ... Nei, jeg er nokså sikker på at det var Lundin eller Nieminen som hadde med seg våpenet, og at hun tok det fra dem. Nøyaktig hva som skjedde da Lundin ble skutt, kan vi ikke få ordentlig klarhet i før noen av de involverte begynner å snakke.»

«Greit.»

«Men på det nåværende tidspunkt er Lundin altså pågrepet og siktet av de grunner som jeg tidligere har nevnt. Derimot har vi overhodet ingenting på Nieminen. Altså kommer jeg til å sette ham på frifot i ettermiddag.»

Sonny Nieminen var i et elendig humør da han forlot arresten på politistasjonen i Södertälje. Han var også så tørr i munnen at det første han gjorde, var å gå innom en tobakksforretning og kjøpe en Pepsi som han drakk på styrten. Han kjøpte også en pakke Lucky Strike og en boks Göteborgs Rapé. Han åpnet mobiltelefonen og sjekket batteriet, og slo deretter nummeret til Hans-Åke Waltari, 33 år og *Sergeant at Arms* for Svavelsjö MC, og altså nummer tre i hierarkiet. Det ringte fire ganger før Waltari svarte.

«Nieminen. Jeg er ute.»

«Gratulerer.»

«Hvor er du?»

«Nyköping.»

«Hva faen gjør du i Nyköping?»

«Vi bestemte oss for å ligge lavt til vi visste litt mer om hvor landet lå, da du og Magge ble tatt.»

«Nå vet du hvor landet ligger. Hvor er alle sammen?»

Hans-Åke fortalte hvor de gjenværende fem medlemmene av Svavelsjö MC befant seg. Opplysningene gjorde Sonny Nieminen hverken rolig eller tilfreds.

«Og hvem faen driver butikken mens dere gjemmer dere som kvinnfolk?»

«Det der er urettferdig. Du og Magge drar av gårde på en eller annen jævla jobb som vi ikke har peiling på, og plutselig er dere innblanda i en skyteepisode med den helvetes etterlyste lesba, og Magge er skutt, og du er arrestert. Og etterpå graver purken opp lik ved lageret vårt i Nykvarn.»

«Og så?»

«Og så begynner vi å lure på om du og Magge har holdt noe hemmelig for oss andre.»

«Og hva faen skulle det være? Det er vi som henter inn jobber til firmaet.»

«Men jeg har ikke hørt et ord om at lageret også var en skogskirkegård. Hvem er dauingene?»

Sonny Nieminen hadde en skarp replikk på tungen, men tok seg i det. Hans-Åke Waltari var en treg jævel, men dette var ikke det rette tidspunktet å starte en krangel på. Nå dreide det seg om å konsolidere styrkene så raskt som mulig. Etter å ha nektet seg gjennom fem politiavhør var det heller ikke særlig smart å utbasunere en bekreftelse på at han visste noe om saken, i en mobiltelefon to hundre meter fra politistasjonen.

«Drit i dauingene,» sa han. «Det der har jeg ikke peiling på. Men Magge sitter i klisteret. Han kommer til å bli sittende inne en stund, og i hans fravær er det jeg som er sjefen.»

«Greit. Hva skjer nå?» sa Waltari.

«Hvem holder øye med eiendommen hvis alle har gått under jorda?»

«Benny Karlsson ble igjen og holder stillingen i klubbhuset. Politiet foretok husransakelse samme dag som dere ble tatt. De fant ingenting.»

«Benny K!» utbrøt Nieminen. «Benny K er jo for faen en rookie som knapt er tørr bak øra.»

«Slapp av. Han har selskap av den blonde jævelen som du og Magge pleier å være sammen med.»

Sonny Nieminen ble plutselig iskald. Han så seg fort rundt og gikk noen meter vekk fra døren til tobakksbutikken.

«Hva sa du?» spurte han lavt.

«Den blonde jævelen som du og Magge kjenner, dukket opp og ville ha hjelp med å finne et skjulested.»

«Men for helvete, Waltari, han er jo for faen etterlyst over hele Sverige for politidrap.»

«Ja … det var derfor han ville ha et skjulested. Hva skulle vi gjøre, da? Han er jo din og Magges kompis.»

Sonny Nieminen lukket øynene i ti sekunder. Ronald Niedermann hadde gitt Svavelsjö MC en rekke jobber og gode inntekter i flere år. Men han var absolutt ingen venn. Han var en farlig jævel og en psykopat, og dessuten en psykopat som politiet jaktet på med blåselampe. Sonny Nieminen stolte ikke et øyeblikk på Ronald Niedermann. Det aller beste ville vært at han dukket opp med en kule i hodet. Da ville politiet i hvert fall lette litt på presset.

«Så hvor har dere gjort av ham?»

«Benny K tar seg av ham. Han tok ham med ut til Viktor.»

Viktor Göransson var klubbens kasserer og finansekspert, bosatt like utenfor Järna. Göransson hadde eksamen fra økonomisk gymnas og hadde startet sin karriere som finansrådgiver for en jugoslavisk restaurantkonge før han ble tatt for grove økonomiske misligheter. Han hadde truffet Magge Lundin på Kumla i begynnelsen av 1990-årene. Han var den eneste i Svavelsjö MC som gikk med dress og slips.

«Waltari, sett deg i bilen og møt meg i Södertälje. Hent meg utenfor lokaltogstasjonen om tre kvarter.»

«Jaha. Hvorfor haster det sånn?»

«Fordi vi må få situasjonen under kontroll så raskt som mulig.»

Hans-Åke Waltari skottet stjålent bort på Sonny Nieminen, som satt helt taus mens de kjørte ut til Svavelsjö. I motsetning til Magge Lundin var Nieminen aldri særlig lett å ha med å gjøre. Han var billedskjønn og så vek ut, men han var en lettantennelig og farlig faen, særlig når han hadde drukket. For øyeblikket var han edru, men Waltari var engstelig for en fremtid med Nieminen som leder. Magge hadde alltid på en eller annen måte fått Nieminen til å føye seg. Han lurte på hvordan fremtiden ville bli med Nieminen som fungerende leder.

Benny K var ikke å se i klubbhuset. Nieminen gjorde to forsøk på å ringe ham på mobilen, men fikk ikke noe svar.

De dro hjem til gården til Nieminen, en drøy kilometer fra klubbhuset. Politiet hadde foretatt husransakelse der, men ikke funnet noe av betydning for etterforskningen i Nykvarn. De hadde overhodet ikke funnet noe som knyttet ham til noe kriminelt, det var derfor Nieminen var på frifot.

Han dusjet og skiftet klær mens Waltari ventet tålmodig på kjøkkenet. Deretter gikk de de drøyt 150 meterne inn i skogen bak gården og skrapte vekk jordlaget som dekket en kiste som lå like under bakken og som inneholdt seks håndskytevåpen, blant annet en AK5, en større mengde ammunisjon og drøyt ti kilo sprengstoff. Det var Nieminens lille våpenlager. To av våpnene i kisten var polske P-83 Wanad-er. De stammet fra det samme partiet som det våpenet Lisbeth Salander hadde tatt fra Nieminen i Stallarholmen.

Nieminen skjøv tanken på Lisbeth Salander fra seg. Det var et ubehagelig emne. I cellen på politistasjonen i Södertälje hadde han gang på gang gjenkalt for sitt indre blikk situasjonen da han og Magge Lundin ankom sommerhuset til Nils Bjurman og fant Salander på gårdsplassen.

Den videre utviklingen hadde vært umulig å forutse. Han hadde dradd ut sammen med Magge Lundin for å brenne ned det helvetes sommerhuset til advokat Bjurman. De hadde dradd etter instruks fra den blonde jævelen. Og så hadde de snublet over den fordømte Salander – alene, 150 centimeter høy og mager som en vedpinne. Nieminen lurte på hvor mange kilo hun egentlig veide. Deretter hadde alt gått galt og eksplodert i en voldsorgie som ingen av de to hadde vært forberedt på.

Rent teknisk kunne han forklare hendelsesforløpet. Salander hadde hatt en tåregasspatron som hun hadde tømt i fjeset på Magge Lundin. Magge burde ha vært forberedt, men det var han ikke. Hun sparket ham to ganger, og det trengtes ikke så veldig mye muskelkraft for å sparke i stykker et kjeveben. Hun overrumplet ham. Det kunne forklares.

Men så tok hun ham også, Sonny Nieminen, mannen som fullvoksne og veltrente menn kviet seg for å komme i klammeri med. Hun beveget seg så raskt. Han hadde slitt febrilsk for å få frem våpenet sitt. Men hun hadde slått ham ut like fortærende lett som om det var en mygg hun viftet unna. Hun hadde en elektrosjokkpistol. Hun hadde …

Da han våknet, husket han ingenting. Magge Lundin var skutt i foten, og politiet dukket opp. Etter en del parlamentering mellom Strängnes og Södertälje havnet han i kasjotten i Södertälje. Og hun hadde stjålet Magge Lundins Harley-Davidson. Hun hadde skåret vekk merket til Svavelsjö MC fra skinnjakken til Nieminen – det symbolet som fikk folk til å trekke seg unna i restaurantkøer og som ga ham en status som vanlige folk ikke kunne begripe. Hun hadde fornedret ham.

Sonny Nieminen kokte plutselig innvendig. Han hadde tidd seg gjennom politiavhørene. Han kom aldri noensinne til å fortelle om det som hadde skjedd i Stallarholmen. Frem til det øyeblikket hadde Lisbeth Salander ikke betydd en dritt for ham. Hun var et lite biprosjekt som Magge Lundin holdt på med – igjen på oppdrag av den fordømte Niedermann. Nå hatet han henne med en lidenskap som forbløffet ham. Som regel var han kjølig og analytisk, men han visste at et eller annet sted inne i fremtiden ville han få anledning til å ta igjen og utradere skampletten. Men først måtte han få orden på det kaoset som Salander og Niedermann i fellesskap hadde fått i stand for Svavelsjö MC.

Nieminen tok opp begge de to gjenværende polske våpnene, ladet dem og ga det ene til Waltari.

«Har vi noen plan?»

«Vi skal dra og ta en prat med Niedermann. Han er ikke en av oss, og han har aldri vært tatt av politiet før. Jeg vet ikke hvordan han kommer til å reagere hvis han blir pågrepet, men hvis han snakker, kan vi havne i klisteret, alle sammen. Og da havner vi i buret så det suser.»

«Mener du at vi skal …»

Nieminen hadde allerede bestemt seg for at Niedermann måtte bort, men innså at det ikke var lurt å skremme opp Waltari før de var fremme.

«Jeg vet ikke. Men vi må føle ham på pulsen. Hvis han har en plan og kan forsvinne utenlands fort som faen, kan vi hjelpe ham av gårde. Men så lenge det er fare for at han kan bli tatt av politiet, er han en trussel for oss.»

Det var mørkt på Viktor Göranssons gård utenfor Järna da Nieminen og Waltari svingte inn på gårdsplassen i skumringen.

Allerede det var foruroligende. De ble sittende i bilen og avvente situasjonen en stund.

«Kanskje de er ute?» foreslo Waltari.

«Sikkert. De har nok tatt med seg Niedermann på byen,» sa Nieminen og åpnet bildøren.

Ytterdøren var ulåst. Nieminen slo på taklyset. De gikk fra rom til rom. Det var pent og velstelt, noe som sannsynligvis var hennes fortjeneste, hva det nå var hun het, dama som Göransson bodde sammen med.

De fant Viktor Göransson og samboeren hans i kjelleren, dyttet inn i vaskerommet.

Nieminen bøyde seg ned og betraktet likene. Han strakte frem fingeren og kjente på kvinnen som han ikke husket navnet på. Hun var iskald og stiv. Det betydde at de hadde vært døde i kanskje et døgn.

Nieminen trengte ingen uttalelse fra en obdusent for å avgjøre hvordan de hadde dødd. Nakken hennes var brukket ved at hodet var blitt vridd 180 grader. Hun var fullt påkledd i T-skjorte og olabukser og hadde ingen andre skader så vidt Nieminen kunne se.

Viktor Göransson var derimot bare iført underbukse. Han var uhyggelig forslått og hadde blåmerker og bloduttredelser over hele kroppen. Begge armene var brukket og strittet i alle retninger som forvridde grankvister. Han var blitt utsatt for en langvarig mishandling som i og for seg måtte betraktes som tortur. Til slutt var han blitt drept med et slag mot strupen, så vidt Nieminen kunne bedømme. Strupehodet var presset langt inn i halsen.

Sonny Nieminen reiste seg og gikk opp kjellertrappen og ut gjennom ytterdøren. Waltari fulgte etter. Nieminen gikk tvers over gårdsplassen og bort til låven femti meter unna. Han løftet av haspen og åpnet døren.

Der fant han en mørkeblå Renault 1991-modell.

«Hva slags bil har Göransson?»

«Han kjører Saab.»

Nieminen nikket. Han fisket opp noen nøkler fra jakkelommen og åpnet en dør innerst i låven. Han trengte bare å kaste et blikk rundt seg for å oppdage at han var for sent ute. Et tungt våpenskap sto på vidt gap.

Nieminen skar en grimase.

«Drøyt 800 000 kroner,» sa han.

«Hva?» sa Waltari.

«Svavelsjö MC hadde drøyt 800 000 kroner i det skapet. Pengene våre.»

Det var tre personer som hadde visst om hvor Svavelsjö MC oppbevarte kassabeholdningen i påvente av investeringer og hvitvasking. Viktor Göransson, Magge Lundin og Sonny Nieminen. Niedermann var på flukt. Han trengte kontanter. Han visste at det var Göransson som tok seg av pengene.

Nieminen dro døren igjen og gikk langsomt ut av låven. Han grublet intenst mens han forsøkte å få et overblikk over katastrofen. En del av Svavelsjö MCs midler var plassert i verdipapirer som han selv hadde tilgang til, og en del til kunne rekonstrueres ved hjelp av Magge Lundin. Men en god del av plasseringene hadde bare befunnet seg i Göranssons hode, hvis ikke han hadde gitt beskjed til Magge Lundin. Noe Nieminen tvilte på – Magge hadde aldri vært noen økonomisk begavelse. Nieminen ville grovt anslå at Svavelsjö MC hadde mistet bortimot seksti prosent av sine aktiva i og med at Göransson hadde falt fra. Det var et drepende slag. De hadde fremfor alt behov for kontanter til de daglige utgiftene.

«Hva gjør vi nå?» spurte Waltari.

«Nå går vi og tipser politiet om hva som har skjedd her.»

«Tipser politiet?»

«Ja, for faen. Fingeravtrykkene mine finnes inne i huset. Jeg vil at Göransson og fitta hans skal bli funnet så snart som mulig, slik at rettsmedisinerne kan fastslå at de døde mens jeg satt inne.»

«Jeg skjønner.»

«Bra. Få tak i Benny K. Jeg vil snakke med ham. Hvis han fortsatt er i live, da. Og deretter skal vi finne Ronald Niedermann. Hver eneste kontakt vi har i klubber rundt omkring i Norden skal holde øynene åpne etter ham. Jeg vil ha den jæve-

lens hue på et fat. Han kjører sannsynligvis rundt i Göranssons
Saab. Få tak i registreringsnummeret.»

Da Lisbeth Salander våknet, var klokken to lørdag ettermiddag,
og en lege holdt på å pirke på henne.

«God morgen,» sa han. «Jeg heter Benny Svantesson og er
lege. Har du vondt?»

«Ja,» sa Lisbeth Salander.

«Du skal få noe smertestillende ganske snart. Men først skal
jeg undersøke deg.»

Han klemte og pirket og fingret med den skamferte kroppen
hennes. Lisbeth rakk å bli kraftig irritert før han ga seg, men
bestemte seg for at hun følte seg så utmattet at det var bedre
å holde munn enn å starte oppholdet på Sahlgrenska med en
krangel.

«Hvordan er det med meg?» spurte hun.

«Det kommer nok til å gå bra,» sa legen og gjorde noen
notater før han reiste seg.

Hvilket ikke var noe særlig opplysende.

Da han hadde gått, kom en sykepleier og hjalp Lisbeth med
et bekken. Så kunne hun sove videre.

Aleksandr Zalatsjenko, alias Karl Axel Bodin, inntok en lunsj
bestående av flytende føde. Selv små bevegelser med ansikts-
musklene forårsaket sterke smerter i kjeven og kinnbenet, og det
å tygge var fullstendig utelukket. I løpet av nattens operasjon
var det blitt plassert to titanskruer i kjevebenet.

Smertene var imidlertid ikke verre enn at han kunne takle
dem. Zalatsjenko var vant til smerter. Ingenting kunne måle seg
med de smertene han hadde opplevd i uker og måneder fem-
ten år tidligere, etter at han hadde stått i lys lue som en fakkel
i bilen i Luntmakargatan. Behandlingene etterpå hadde vært et
maratonløp av plager.

Legene hadde avgjort at han sannsynligvis var utenfor all
fare, men at han var alvorlig skadet, og at han på grunn av sin
alder skulle bli liggende på intensivavdelingen et par dager.

I løpet av lørdagen tok han imot fire besøk.

Ved titiden kom kriminalbetjent Erlander tilbake. Denne gangen hadde han latt den nesevise Sonja Modig bli igjen hjemme og isteden tatt med seg den adskillig mer sympatiske kriminalbetjenten Jerker Holmberg. De stilte omtrent de samme spørsmålene om Ronald Niedermann som kvelden før. Han hadde historien klar og begikk ingen feil. Da de begynte å gå løs på ham med spørsmål om hans eventuelle innblanding i trafficking og annen kriminell virksomhet, benektet han all kjennskap til det. Han var uføretrygdet og skjønte ikke hva de snakket om. Han la all skyld på Ronald Niedermann og tilbød seg å bistå på alle mulige måter for å lokalisere politimorderen som var på flukt.

Dessverre var det naturligvis ikke så mye han i praksis kunne bidra med. Han hadde ikke peiling på hvilke kretser Niedermann ferdes i eller hvem det var sannsynlig at han ville forsøke å gjemme seg hos.

Ved ellevetiden fikk han et kort besøk av en representant for påtalemyndigheten som formelt meddelte ham at han var mistenkt for delaktighet i grov legemsbeskadigelse, subsidiært drapsforsøk på Lisbeth Salander. Zalatsjenko svarte med tålmodig å forklare at det i virkeligheten var Lisbeth Salander som hadde forsøkt å ta livet av ham. Representanten for påtalemyndigheten tilbød ham rettshjelp i form av en offentlig oppnevnt forsvarer. Zalatsjenko sa at han skulle tenke på saken.

Hvilket han ikke hadde noen planer om å gjøre. Han hadde allerede en advokat, og det første han hadde gjort samme morgen, var å ringe og be vedkommende om snarest å innfinne seg. Martin Thomasson var derfor dagens tredje besøkende ved sykesengen. Han kom slentrende inn med en ubekymret mine, dro hånden gjennom den blonde hårmanken, rettet litt på brillene og håndhilste på klienten sin. Han var lubben og meget sjarmerende. Riktignok var han mistenkt for å ha vært løpegutt for den jugoslaviske mafiaen, noe han for tiden var under etterforskning for, men han hadde også ord på seg for å vinne sakene sine.

Zalatsjenko hadde fått tips om Thomasson fra en forretningsforbindelse fem år tidligere, da han hadde behov for å omstrukturere visse fond knyttet til et lite finansforetagende i Liechtenstein som han eide. Det var ingen voldsomme summer, men Thomasson hadde vært usedvanlig dyktig, og Zalatsjenko hadde sluppet å betale skatt. Deretter hadde Zalatsjenko engasjert Thomasson ved ytterligere et par anledninger. Thomasson skjønte at pengene stammet fra kriminell virksomhet, men det så ikke ut til å bekymre ham. Til slutt hadde Zalatsjenko bestemt seg for å omstrukturere hele virksomheten i et nytt selskap som han selv og Niedermann eide. Han hadde gått til Thomasson med et forslag om at advokaten skulle gå inn som en tredje, sovende partner og ta seg av den økonomiske siden. Thomasson hadde uten videre akseptert.

«Jaha, herr Bodin, dette ser jo ikke særlig trivelig ut.»

«Jeg er blitt utsatt for grov vold og drapsforsøk,» sa Zalatsjenko.

«Jeg ser det. En viss Lisbeth Salander, hvis jeg har forstått saken riktig.»

Zalatsjenko senket stemmen.

«Vår partner Niedermann har, som du sikkert har forstått, rotet det ordentlig til for seg.»

«Jeg har skjønt det, ja.»

«Politiet har en mistanke om at jeg er innblandet i saken …»

«Hvilket du naturligvis ikke er. Du er et offer, og det er viktig at vi umiddelbart sørger for å få det bildet forankret i massemediene. Frøken Salander har jo allerede fått en del negativ publisitet … Jeg skal ta meg av den saken.»

«Takk.»

«Men la meg si med en gang at jeg ikke er noen strafferettsadvokat. Du kommer til å trenge spesialisthjelp her. Jeg skal få tak i en advokat du kan stole på.»

Dagens fjerde besøk ankom klokken elleve lørdag kveld og klarte å komme seg forbi sykepleierne ved å vise legitimasjon og påstå at han var ute i et viktig hasteærend. Han ble vist inn på rommet til Zalatsjenko. Pasienten lå fremdeles våken og grublet.

«Mitt navn er Jonas Sandberg,» hilste han og rakte frem en hånd som Zalatsjenko overså.

Det var en mann i 35-årsalderen. Han hadde sandfarget hår og var ledig antrukket i olabukser, rutete skjorte og skinnjakke. Zalatsjenko betraktet ham i taushet i femten sekunder.

«Jeg lå nettopp og lurte på når en av dere ville dukke opp.»

«Jeg jobber i RPS/Säk,» sa Jonas Sandberg og viste frem legitimasjonen sin.

«Neppe,» sa Zalatsjenko.

«Hva behager?»

«Det er mulig du er ansatt i RPS/Säk, men det er neppe dem du jobber for.»

Jonas Sandberg tidde en liten stund og så seg rundt i rommet. Så trakk han frem besøksstolen.

«Jeg kommer så sent om kvelden for ikke å vekke oppmerksomhet. Vi har diskutert hvordan vi skal kunne hjelpe deg, og vi må komme til en slags klarhet i hva som skal skje. Jeg er her rett og slett for å høre din versjon og forstå dine intensjoner, så vi kan utarbeide en felles strategi.»

«Og hvordan har du tenkt deg at den strategien skal se ut?»

Jonas Sandberg betraktet mannen i sykesengen ettertenksomt. Til slutt slo han ut med hendene.

«Herr Zalatsjenko ... jeg er redd for at det er blitt satt i gang en prosess hvor det kan være vanskelig å få ordentlig overblikk over skadevirkningene. Vi har diskutert situasjonen. Graven i Gosseberga og det faktum at Salander var blitt skutt tre ganger er vanskelig å bortforklare. Men alt håp er ikke ute. Konflikten mellom din datter og deg kan forklare hvor redd du var for henne og hvorfor du gikk til så drastiske skritt. Men jeg er redd for at det kommer til å ende med en periode i fengsel.»

Zalatsjenko følte seg plutselig opprømt og ville ha begynt å le hvis det ikke hadde vært fullstendig umulig på grunn av tilstanden. Det ble en svak krusning i munnvikene. Alt annet ville forsårsake altfor store smerter.

«Så det er vår felles strategi?»

«Herr Zalatsjenko. Du kjenner til begrepet skadebegrensning. Det er nødvendig at vi kommer frem til noe i fellesskap. Vi skal gjøre alt som står i vår makt for å bistå med advokat og lignende, men vi trenger ditt samarbeid og visse garantier.»

«Du skal få en garanti av meg. Dere skal sørge for at dette forsvinner.» Han slo ut med hånden. «Niedermann er syndebukken, og jeg kan garantere at han ikke kommer til å bli funnet.»

«Det foreligger tekniske bevis som ...»

«Drit i de tekniske bevisene. Dette er et spørsmål om hvordan etterforskningen kommer til å foregå, og hvordan fakta blir presentert. Min garanti er følgende ... hvis dere ikke klarer å trylle vekk dette her, kommer jeg til å invitere mediene til en pressekonferanse. Jeg har navn, hendelser og tidspunkter. Jeg behøver vel ikke minne deg om hvem jeg er?»

«Du forstår ikke ...»

«Jeg forstår utmerket godt. Du er en løpegutt. Hils sjefen din og fortell hva jeg har sagt. Han kommer til å forstå. Hils ham og si at jeg har kopier av ... alt. Jeg kan senke dere.»

«Vi må prøve å komme til enighet.»

«Denne samtalen er over. Stikk av gårde. Og si til dem at neste gang får de sende en voksen mann som jeg kan diskutere med.»

Zalatsjenko snudde på hodet så han mistet øyekontakt med gjesten sin. Jonas Sandberg betraktet Zalatsjenko et øyeblikk. Så trakk han på skuldrene og reiste seg. Han var nesten fremme ved døren da han hørte stemmen til Zalatsjenko igjen.

«En ting til.»

Sandberg snudde seg.

«Salander.»

«Hva med henne?»

«Hun må vekk.»

«Hva mener du?»

Sandberg så et øyeblikk så engstelig ut at Zalatsjenko måtte smile, til tross for smertene som skar gjennom kjeven.

«Jeg skjønner at dere mammadalter er for fintfølende til å drepe henne, og at dere ikke har ressurser til å klare det heller. Hvem skulle gjøre det ... du? Men hun må vekk. Vitneutsagnene hennes må erklæres ugyldige. Hun må sperres inne på livstid.»

*

85

Lisbeth Salander hørte fottrinnene i korridoren utenfor rommet sitt. Hun klarte ikke å oppfatte navnet Jonas Sandberg, og hadde aldri hørt de fottrinnene tidligere.

Derimot hadde døren hennes stått åpen hele kvelden mens sykepleierne var innom henne med omtrent ti minutters mellomrom. Hun hadde hørt at han kom og fortalte en pleier, like utenfor døren hennes, at han måtte treffe herr Karl Axel Bodin i forbindelse med en viktig hastesak. Hun hadde hørt at han legitimerte seg, men det var ikke blitt vekslet noen ord som ga noen ledetråd til navnet hans eller hva legitimasjonen besto i.

Sykepleieren hadde bedt ham vente mens hun gikk og undersøkte om herr Karl Axel Bodin var våken. Lisbeth Salander trakk den slutningen at legitimasjonen måtte ha vært overbevisende.

Hun konstaterte at sykepleieren gikk til venstre i korridoren, og at hun brukte sytten skritt for å nå frem til bestemmelsesstedet, og at den mannlige besøkende like etterpå brukte fjorten skritt for å tilbakelegge den samme strekningen. Det ga et gjennomsnitt på 15,5 skritt. Hun vurderte skrittlengden til 60 centimeter, noe som multiplisert med 15,5 betydde at Zalatsjenko befant seg i et rom som lå 930 centimeter til venstre i korridoren. Altså cirka ti meter. Hun vurderte bredden på sitt eget rom til omtrent fem meter, hvilket skulle bety at Zalatsjenko lå to dører bortenfor hennes.

Ifølge de grønne tallene på den digitale klokken på nattbordet varte besøket ganske nøyaktig ni minutter.

Zalatsjenko ble liggende våken lenge etter at Jonas Sandberg hadde gått. Han gikk ut fra at det ikke var hans virkelige navn, siden svenske amatørspioner etter hans erfaring hadde en særlig hang til å bruke dekknavn, selv når det overhodet ikke var nødvendig. Uansett var Jonas (eller hva han nå het) den første indikasjon på at Seksjonen var oppmerksom på hvilken situasjon han var i. Med tanke på all oppmerksomheten i mediene, ville det også vært vanskelig å unngå. Besøket var imidlertid også en bekreftelse på at situasjonen var en kilde til bekymring. Hvilket den også burde være.

Han veide fordeler og ulemper mot hverandre, listet opp muligheter og forkastet alternativer. Han var fullt klar over at ting hadde gått fullstendig galt. I en ideell tilværelse burde han i dette øyeblikk befinne seg i sitt eget hjem i Gosseberga, Ronald Niedermann være trygt plassert i utlandet, og Lisbeth Salander ligge begravd i et hull i bakken. Selv om han rasjonelt forsto hva som hadde skjedd, kunne han ikke for sitt bare liv begripe hvordan hun hadde klart å grave seg opp, komme seg tilbake til gården og ødelegge tilværelsen hans med to øksehugg. Hun var usannsynlig ressurssterk.

Derimot skjønte han utmerket godt hva som hadde skjedd med Ronald Niedermann og hvorfor han hadde flyktet for livet istedenfor å gjøre kort prosess med Salander. Han visste at det var noe som ikke var helt som det skulle i hodet til Niedermann, at han så syner – spøkelser. Han hadde vært nødt til å gripe inn mer enn én gang når Niedermann hadde opptrådt irrasjonelt og ligget sammenkrøket av skrekk.

Dette bekymret Zalatsjenko. Han var overbevist om at siden Niedermann ennå ikke var tatt, så hadde han fungert rasjonelt i døgnene etter flukten fra Gosseberga. Sannsynligvis ville han forsøke å komme seg til Tallinn, hvor han kunne gå i dekning hos kontakter i Zalatsjenkos kriminelle imperium. Det som bekymret ham, var at han aldri kunne forutse når Niedermann plutselig kunne bli paralysert. Hvis det skjedde under flukten, ville han begå feil, hvis han begikk feil, ville han bli tatt. Han ville nok ikke gi seg frivillig, og det innebar at politifolk ville bli drept, og at Niedermann selv sannsynligvis også ville bli drept.

Den tanken gjorde Zalatsjenko urolig. Han ville ikke at Niedermann skulle være død. Niedermann var sønnen hans. På den annen side var det et beklagelig faktum at Niedermann ikke måtte bli pågrepet i live. Niedermann hadde aldri vært arrestert før, og Zalatsjenko kunne ikke forutse hvordan han ville reagere i en avhørssituasjon. Han hadde en mistanke om at Niedermann dessverre ikke ville klare å holde munn. Dermed var det en fordel om han ble drept av politiet. Han ville sørge over sønnen, men alternativet var verre. Det innebar at Zalatsjenko ville komme til å tilbringe resten av livet i fengsel.

Men det var nå åtteogførti timer siden Niedermann innledet flukten, og han var ennå ikke tatt. Det var bra. Det var en indikasjon på at han fungerte, og en Niedermann som fungerte, var uslåelig.

På lengre sikt fantes det også en annen bekymring. Han lurte på hvordan Niedermann ville klare seg på egen hånd hvis han ikke var der til å lede ham frem gjennom tilværelsen. I løpet av årene hadde han merket seg at hvis han sluttet å gi instrukser eller ga Niedermann altfor frie tøyler til å ta beslutninger på egen hånd, kunne han gli inn i en oppgitt, passiv tilværelse av ubesluttsomhet.

Zalatsjenko konstaterte – for hvilken gang visste han ikke – at det var synd og skam at sønnen hans hadde disse særegenhetene. Ronald Niedermann var uten tvil et meget begavet menneske med fysiske egenskaper som gjorde ham formidabel og fryktet. Han var dessuten en utmerket og kaldsindig organisator. Problemet var at han fullstendig manglet lederinstinkt. Han trengte hele tiden noen som fortalte ham hva han skulle organisere.

Men alt dette lå for øyeblikket utenfor hans kontroll. Nå dreide det seg om ham selv. Situasjonen var prekær, kanskje mer prekær enn noen gang tidligere.

Han hadde ikke opplevd advokat Thomassons besøk tidligere på dagen som særlig betryggende. Thomasson var og ble en forretningsadvokat, og uansett hvor effektiv han var i så henseende, var han ikke mye å støtte seg til i denne situasjonen.

Det andre var Jonas Sandbergs besøk. Sandberg utgjorde en vesentlig sterkere livline. Men den linen kunne også være en snare. Han måtte spille kortene sine godt, og han måtte ta kontroll over situasjonen. Kontroll betydde alt.

Og til syvende og sist hadde han bare sine egne ressurser å stole på. For øyeblikket trengte han legebehandling, men om noen dager, kanskje en uke, ville han ha kommet seg. Hvis ting ble stilt på spissen, hadde han bare seg selv å stole på. Det innebar at han måtte forsvinne, rett foran nesen på de politifolkene som kretset rundt ham. Han ville trenge et skjulested, pass og kontanter. Alt dette kunne Thomasson skaffe ham. Men først måtte han bli frisk nok til å orke å stikke av.

Klokken ett kikket nattsykepleieren innom ham. Han lot som om han sov. Da hun lukket døren igjen, satte han seg møysommelig opp i sengen og svingte bena over sengekanten. Han satt stille en stund og testet balansen. Så satte han forsiktig den venstre foten i gulvet. Øksehugget hadde heldigvis truffet det allerede ødelagte høyrebenet. Han strakte seg etter protesen som lå i et skap ved siden av sengen, og festet den til benstumpen. Deretter reiste han seg. Han la vekten på det venstre benet og forsøkte å sette det høyre i gulvet. Da han overførte vekten til det, skar det en intens smerte gjennom benet.

Han bet tennene sammen og tok et skritt. Han ville ha behov for krykkene sine, men han var overbevist om at sykehuset snart ville tilby ham et par. Han støttet seg mot veggen og slepte seg frem til døren. Det tok ham flere minutter, og han måtte stoppe opp og overvinne smertene for hvert skritt.

Han hvilte på det ene benet og skjøv døren så vidt opp på gløtt og kikket ut i korridoren. Han så ingen, og stakk hodet litt lenger ut. Han hørte svake stemmer til venstre og snudde på hodet. Rommet hvor nattevaktene oppholdt seg, lå omtrent tyve meter lenger nede, på den andre siden av korridoren.

Han dreide hodet mot høyre og fikk øye på utgangen i enden av korridoren.

Tidligere på dagen hadde han forhørt seg om Lisbeth Salanders tilstand. Han var tross alt hennes far. Sykepleierne hadde åpenbart fått instrukser om ikke å diskutere pasientene. En av dem hadde svart nøytralt at tilstanden var stabil. Men samtidig hadde hun ubevisst kastet et kort blikk mot venstre i korridoren.

I et av rommene mellom hans eget og vaktrommet lå Lisbeth Salander.

Han dro døren forsiktig igjen og haltet tilbake til sengen og tok av seg protesen. Han var gjennomvåt av svette da han endelig kunne dra teppet over seg.

Kriminalbetjent Jerker Holmberg kom tilbake til Stockholm ved lunsjtider på søndag. Han var trett og sulten og følte seg utslitt. Han tok T-banen til Rådhuset, spaserte opp til politihuset i Bergsgatan og videre til kriminalbetjent Bublanskis kontor. Sonja Modig og Curt Svensson hadde allerede kommet. Bublanski hadde innkalt til møte midt på søndagen fordi han visste at statsadvokat Richard Ekström da var opptatt på annet hold.

«Takk for at dere ville komme,» sa Bublanski. «Jeg tror det er på tide at vi snakker sammen i fred og ro for å forsøke å finne opp og ned på denne elendigheten. Jerker, har du noe nytt å komme med?»

«Ingenting som jeg ikke allerede har fortalt på telefonen. Zalatsjenko gir ikke etter en millimeter. Han er uskyldig i alt og har ingenting å bidra med. Bare det at ...»

«Ja?»

«Du hadde rett, Sonja. Han er et av de mest motbydelige menneskene jeg noensinne har støtt på. Det høres sikkert dumt ut å si det. Politifolk skal ikke tenke på den måten, men det er noe skremmende under den kalde overflaten.»

«Jaha,» kremtet Bublanski. «Hva vet vi? Sonja?»

Hun smilte kjølig.

«Privatetterforskerne har vunnet denne omgangen. Jeg kan ikke finne Zalatsjenko i noe offentlig register, mens Karl Axel Bodin er født i Uddevalla i 1942. Foreldrene var Marianne og Georg Bodin. De har eksistert, men omkom i en ulykke i 1946. Karl Axel Bodin vokste opp hos en onkel i Norge. Det finnes altså ingen opplysninger om ham før i 1970-årene, da han flyttet hjem til Sverige. Mikael Blomkvists historie om at han er en avhoppet sovjetisk GRU-agent, ser ut til å være umulig å verifisere, men jeg er tilbøyelig til å tro at han har rett.»

«Og hva betyr det?»

«Det betyr at han er blitt utstyrt med falsk identitet. Det må ha skjedd med myndighetenes velsignelse.»

«Altså Säpo?»

«Blomkvist påstår det. Men nøyaktig hvordan det har foregått, vet jeg ikke. Det forutsetter at fødselsattest og en rekke andre papirer er blitt forfalsket og plassert i svenske registre. Jeg tør ikke uttale meg om det lovlige i en slik fremgangsmåte. Det kommer sannsynligvis an på hvem som har fattet beslutningen. Men for at det skal være legalt, må beslutningen være tatt nærmest på regjeringsnivå.»

En viss stillhet senket seg over Bublanskis kontor mens de fire kriminalbetjentene overveide implikasjonene.

«Greit,» sa Bublanski. «Vi er fire dumme politifolk. Hvis regjeringen er involvert, har jeg ikke tenkt å innkalle dem til avhør.»

«Hmm,» sa Curt Svensson. «Det kunne i så fall føre til en konstitusjonell krise. I USA kan man innkalle regjeringsmedlemmer til avhør ved en vanlig domstol. I Sverige må man gå via konstitusjonskomiteen.»

«Noe vi derimot kunne gjøre, er å spørre sjefen,» sa Jerker Holmberg.

«Spørre sjefen?»

«Thorbjörn Fälldin. Det var han som var statsminister.»

«Greit. Vi drar av gårde til hvor det nå er han bor, og spør den forhenværende statsministeren om han har forfalsket identitetspapirer for en avhoppet russisk spion. Jeg tror ikke akkurat det.»

«Fälldin bor i Ås i Härnösand kommune. Jeg kommer fra et sted bare noen kilometer unna. Min far er medlem av Centerpartiet og kjenner Fälldin godt. Jeg har truffet ham flere ganger, både som barn og voksen. Han er en avslappet person.»

Tre kriminalbetjenter stirret forbløffet på Jerker Holmberg.

«Du kjenner Fälldin,» sa Bublanski nølende.

Holmberg nikket. Bublanski skjøv leppene tvilende frem.

«Oppriktig talt ...» sa Holmberg. «Det kunne løse en god del problemer hvis vi fikk den tidligere statsministeren til å komme med en redegjørelse så vi vet hvor vi står i alt dette. Jeg kan dra opp og snakke med ham. Sier han ingenting, så sier han ingenting. Og snakker han, sparer vi muligens en masse tid.»

Bublanski overveide forslaget. Så ristet han på hodet. I øyekroken så han at Sonja Modig og Curt Svensson nikket ettertenksomt.

«Det er fint at du tilbyr deg dette, Holmberg ... men jeg tror at vi lar den ideen ligge foreløpig. Tilbake til saken. Sonja.»

«Ifølge Blomkvist kom Zalatsjenko hit i 1976. Så vidt jeg

kan forstå, finnes det bare én person han kan ha fått den opplysningen fra.»

«Gunnar Björck,» sa Curt Svensson.

«Hva har Björck sagt til oss?» spurte Jerker Holmberg.

«Ikke stort. Han henviser til taushetsplikten og sier at han ikke kan fortelle noe uten tillatelse fra sine overordnede.»

«Og hvem er hans overordnede?»

«Det nekter han å fortelle.»

«Så hva skjer med ham?»

«Jeg siktet ham i morges for brudd på loven om kjøp av seksuelle tjenester. Vi har utmerket dokumentasjon fra Dag Svensson. Ekström var særdeles opprørt, men i og med at jeg hadde opprettet en anmeldelse, risikerer han å få problemer hvis han henlegger saken,» sa Curt Svensson.

«Jaha. Brudd på loven om kjøp av seksuelle tjenester. Det kan vel gi bøter, går jeg ut fra.»

«Antagelig. Men vi har ham i systemet og kan kalle ham inn til avhør igjen.»

«Men nå er vi altså inne og fingrer på sikkerhetspolitiets område. Det vil kunne skape en viss turbulens.»

«Problemet er at ingenting av det som nå har skjedd, hadde kunnet skje hvis ikke sikkerhetspolitiet hadde vært innblandet på en eller annen måte. Det er mulig at Zalatsjenko virkelig var en sovjetisk spion som hoppet av og fikk politisk asyl. Det er også mulig at han jobbet for Säpo som informant eller kilde eller hvilken tittel man nå skal bruke, og at det var grunnlag for å gi ham anonymitet og en falsk identitet. Men det foreligger tre problemer. For det første har vi den granskningen som ble utført i 1991, og som førte til at Lisbeth Salander ble sperret inne ulovlig. For det andre har Zalatsjenkos virksomhet siden da ikke hatt noe som helst med rikets sikkerhet å gjøre. Zalatsjenko er en helt vanlig gangster og høyst sannsynlig delaktig i flere drap og annen kriminell virksomhet. Og for det tredje er det ingen tvil om at Lisbeth Salander ble skutt og begravd på eiendommen hans i Gosseberga.»

«Apropos det, så kunne jeg veldig godt tenke meg å få lese den famøse granskningsrapporten,» sa Jerker Holmberg.

Bublanski mørknet.

«Ekström la beslag på den på fredag, og da jeg ba om å få den tilbake, sa han at han skulle lage en kopi, noe han imidlertid aldri gjorde. Isteden ringte han meg og sa at han hadde snakket med riksadvokaten, og at det foreligger et problem. Ifølge riksadvokaten innebærer hemmeligstemplingen at rapporten ikke kan spres og ikke kopieres. Riksadvokaten har forlangt å få inn alle kopier inntil saken er utredet. Det innbar at Sonja måtte sende inn den kopien hun hadde.»

«Så vi har ingen rapport lenger?»

«Nei.»

«Faen,» sa Holmberg. «Det føles ikke bra.»

«Nei,» sa Bublanski. «Men fremfor alt betyr det at det er noen som motarbeider oss, og som dessuten handler raskt og effektivt. Granskningsrapporten var jo det som egentlig førte oss på rett spor.»

«Og da må vi finne ut hvem det er som motarbeider oss,» sa Holmberg.

«Et øyeblikk,» sa Sonja Modig. «Vi har Peter Teleborian også. Han har bidradd til vår egen etterforskning ved å lage en profil av Lisbeth Salander.»

«Nettopp,» sa Bublanski enda dystrere. «Og hva sa han?»

«Han var veldig bekymret for hennes sikkerhet og ville henne bare vel. Men da all praten var over, sa han at hun var livsfarlig og kunne komme til å gjøre motstand. Vi har basert en god del av vår tenkning på det han sa.»

«Han hisset også opp Hans Faste en god del,» sa Holmberg. «Har vi hørt noe fra Faste, forresten?»

«Han har tatt ferie,» svarte Bublanski kort. «Spørsmålet nå er hvordan vi skal gå videre.»

De brukte de neste to timene til å diskutere muligheter. Den eneste praktiske beslutningen som ble tatt, var at Sonja Modig skulle reise tilbake til Göteborg neste dag for å finne ut om Lisbeth Salander hadde noe å fortelle. Da de til slutt brøt opp, tok Sonja Modig og Curt Svensson følge ned til garasjen.

«Jeg kom bare til å tenke på ...» Curt Svensson stoppet opp.

«Ja?» sa Modig spørrende.

93

«Det var bare det at da vi snakket med Teleborian, så var du den i gruppen som stilte spørsmål og kom med innvendinger.»

«Ja.»

«Ja ... altså. Bra instinkt,» sa han.

Curt Svensson var ikke kjent for spre særlig mye ros rundt seg, og det var definitivt første gang han hadde sagt noe positivt eller oppmuntrende til Sonja Modig. Han gikk og lot henne bli stående igjen ved bilen sin og måpe.

KAPITTEL 5

Søndag 10. april

Mikael Blomkvist hadde tilbragt natten til søndag i sengen med Erika Berger. De hadde ikke hatt sex, bare ligget og pratet. En vesentlig del av samtalen hadde gått med til å oppklare detaljene i Zalatsjenko-historien. Så sterkt var tillitsforholdet mellom Mikael og Erika at han ikke et øyeblikk lot seg påvirke av at hun skulle begynne i en konkurrerende publikasjon. Og Erika selv hadde absolutt ikke til hensikt å stjele historien. Dette var Milleniums scoop, og hun følte muligens en viss frustrasjon over at hun ikke kunne være redaktør for det nummeret. Det ville vært en fin måte å avslutte tiden i Millennium på.

De snakket også om fremtiden og hva den nye situasjonen kom til å innebære. Erika var fast bestemt på å bli stående som medeier i Millennium og bli sittende i styret. Derimot innså de begge at hun selvsagt ikke kunne ha noe innsyn i det løpende redaksjonelle arbeidet.

«Gi meg noen år på dragen ... hvem vet. Det er mulig jeg kommer tilbake til Millennium når jeg nærmer meg pensjonsalderen,» sa hun.

De diskuterte også sitt eget kompliserte forhold. De var enige om at i praksis skulle ingenting forandre seg, bortsett fra at de naturligvis ikke kunne treffes fullt så ofte i fremtiden. Det ville bli som i 1980-årene, før Millennium ble startet og de fortsatt hadde forskjellige arbeidsplasser.

«Vi får rett og slett begynne å bestille tid,» fastslo Erika med et lite smil.

Søndag morgen tok de en rask avskjed før Erika dro tilbake til sin mann, Greger Backman.

«Jeg vet ikke hva jeg skal si,» sa Erika. «Men jeg kjenner igjen alle tegnene på at du er midt inne i en historie, og at alt annet må komme i annen rekke. Er du klar over at du opptrer som en psykopat når du jobber?»

Mikael smilte og ga henne en klem.

Da hun hadde gått, brukte han morgenen til å ringe Sahlgrenska sjukhuset og forsøke å finne ut hvordan det sto til med Lisbeth Salander. Ingen ville fortelle ham noe, og til slutt ringte han kriminalbetjent Marcus Erlander, som forbarmet seg over ham og forklarte at Lisbeths tilstand etter omstendighetene var god, og at legene var forsiktig optimistiske. Han spurte om han fikk lov til å besøke henne. Erlander svarte at Lisbeth Salander etter påtalemyndighetens beslutning var anholdt og at hun hadde besøksforbud, men at spørsmålet foreløpig var rent akademisk. Tilstanden hennes var slik at hun ennå ikke hadde kunnet avhøres. Mikael fikk til slutt overtalt Erlander til å love at han skulle ringe ham hvis tilstanden forverret seg.

Da Mikael sjekket anropslisten på mobiltelefonen, kunne han konstatere at han hadde toogførti ubesvarte anrop og sms-er fra forskjellige journalister som desperat hadde forsøkt å få tak i ham. Nyheten om at det var han som hadde funnet Salander og sendt bud på redningstjenesten, og at han dermed var intimt forbundet med hendelsesutviklingen det siste døgnet, hadde vært gjenstand for dramatiske spekulasjoner i mediene.

Mikael slettet alle anrop fra journalister. Isteden ringte han sin søster Annika Giannini og inviterte seg selv til søndagslunsj.

Deretter ringte han til Dragan Armanskij, administrerende direktør og operativ leder for sikkerhetsselskapet Milton Security. Han fikk tak i ham på mobilen hjemme i huset på Lidingö.

«Du har i hvert fall evnen til å skape overskrifter,» sa Armanskij tørt.

«Beklager at jeg ikke ringte deg tidligere i uken. Jeg fikk beskjed om at du hadde forsøkt å få tak meg, men jeg hadde ikke helt tid ...»

«Vi har drevet en egen granskning her i Milton Security. Og

jeg forsto på Holger Palmgren at du hadde noen opplysninger. Men det virker som om du har ligget en mil foran oss.»

Mikael vurderte en liten stund hvordan han skulle formulere seg.

«Kan jeg stole på deg?» spurte han.

Armanskij virket forbløffet over spørsmålet.

«På hvilken måte mener du?»

«Står du på Salanders side eller ikke? Kan jeg stole på at du vil hennes beste?»

«Jeg er hennes venn. Som du vet, er ikke det nødvendigvis det samme som at hun er min venn.»

«Jeg vet det. Men det jeg spør om, er om du er villig til å stille deg i hennes hjørne av ringen og ta en skikkelig boksekamp mot fiendene hennes. Det kommer til å bli diverse runder i denne matchen.»

Armanskij tenkte over spørsmålet.

«Jeg står på hennes side,» svarte han.

«Kan jeg gi deg opplysninger og diskutere ting med deg uten å behøve å være redd for at det blir lekket videre til politiet eller andre?»

«Jeg kan ikke bli involvert i noe kriminelt,» svarte han.

«Det var ikke det jeg spurte om.»

«Du kan absolutt stole på meg så lenge du ikke avslører at du driver med ulovligheter eller lignende.»

«Greit nok. Vi må treffes.»

«Jeg kan komme inn til byen i kveld. Middag?»

«Nei, jeg har ikke tid. Derimot ville jeg sette pris på det om vi kunne treffes i morgen kveld. Du og jeg og muligens noen få til kan trenge å sette oss ned og snakke sammen.»

«Du er velkommen opp til Milton. Skal vi si klokken 18.00?»

«En ting til ... jeg skal treffe min søster, Annika Giannini, om to timer. Hun vurderer å påta seg oppdraget som Lisbeths advokat, men hun kan naturligvis ikke jobbe gratis. Jeg kan betale en del av honoraret hennes av egen lomme. Kan Milton Security også bidra?»

«Lisbeth kommer til å trenge en usedvanlig god strafferettsjurist. Din søster er nok ikke noe helt velegnet valg, om du unnskylder. Jeg har allerede snakket med Miltons sjefsjurist, og han skal finne frem til en passende advokat. Jeg tenker meg Peter Althin eller noe lignende.»

«Feil. Lisbeth trenger en helt annen slags advokat. Du kommer til å skjønne hva jeg mener når vi har fått tid til å snakke sammen. Men kan du bidra med penger til forsvareren hennes hvis det skulle bli nødvendig?»

«Jeg hadde allerede tenkt at Milton skulle engasjere en advokat ...»

«Betyr det ja eller nei? Jeg vet hva som skjedde med Lisbeth. Jeg vet omtrent hvem som står bak. Jeg vet hvorfor. Og jeg har en angrepsplan.»

Armanskij lo.

«Greit. Jeg skal høre på forslaget ditt. Hvis jeg ikke liker det, trekker jeg meg ut.»

«Har du tenkt noe på forslaget mitt om at du skal representere Lisbeth Salander?» spurte Mikael så snart han hadde kysset søsteren på kinnet og fått kaffe og smørbrød.

«Ja. Og jeg må si nei. Du vet at jeg ikke er noen strafferetts-advokat. Selv om hun skulle slippe tiltale for drapene hun har vært ettersøkt for, vil det bli en rekke andre tiltalepunkter. Hun kommer til å trenge noen med en helt annen tyngde og erfaring enn meg.»

«Du tar feil. Du er advokat, og du er anerkjent dyktig i kvinnerettsspørsmål. Jeg vil påstå at du er nettopp den advokaten hun trenger.»

«Mikael ... jeg tror ikke du helt skjønner hva dette innebærer. Det er en komplisert kriminalsak og ikke et enkeltstående tilfelle av kvinnemishandling eller seksuell trakassering. Hvis jeg påtar meg å forsvare henne, kan det ende med katastrofe.»

Mikael smilte.

«Jeg tror du har oversett poenget. Hvis Lisbeth for eksempel var blitt tiltalt for drapene på Dag og Mia, ville jeg ha engasjert en advokat som Silbersky eller en annen tung strafferettsadvokat. Men denne saken kommer til å dreie seg om helt andre ting. Og du er den mest perfekte advokaten jeg kan tenke meg.»

Annika Giannini sukket.

«Det er best du forklarer dette nærmere.»

De snakket sammen i nesten to timer. Da Mikael var ferdig med å forklare, var Annika Giannini blitt overtalt. Og Mikael løftet mobilen og ringte til Marcus Erlander i Göteborg igjen.

«Hei, Blomkvist igjen.»

«Jeg har ingen nyheter om Salander,» sa Erlander irritert.

«Hvilket jeg går ut fra er gode nyheter i denne sammenhengen. Jeg har derimot en nyhet om henne.»

«Jaså?»

«Ja. Hun har en advokat som heter Annika Giannini. Hun sitter rett overfor meg, og jeg gir nå telefonen til henne.»

Mikael rakte telefonen over bordet.

«God dag. Mitt navn er Annika Giannini, og jeg er blitt bedt om å representere Lisbeth Salander. Jeg må derfor komme i kontakt med min klient så hun skal kunne godta meg som sin forsvarer. Og jeg må få telefonnummeret til statsadvokaten.»

«Jeg skjønner,» sa Erlander. «Så vidt jeg har forstått, er en offentlig forsvarer allerede blitt kontaktet.»

«Bra. Har noen spurt Lisbeth Salander hva hun vil?»

Erlander nølte.

«Ærlig talt så har vi ennå ikke hatt noen mulighet til å snakke med henne. Vi håper å kunne få noen ord med henne i morgen, hvis tilstanden tillater det.»

«Så fint. Da gir jeg her og nå beskjed om at inntil frøken Salander sier noe annet, kan dere betrakte meg som hennes advokat. Dere kan ikke foreta noe avhør av henne uten at jeg er til stede. Dere kan besøke henne og spørre om hun godtar meg som advokat eller ikke. Er det forstått?»

«Ja,» sa Erlander med et sukk. Han var usikker på hva som egentlig gjaldt, rent juridisk. Han tenkte seg om en stund. «Vi vil i første omgang spørre Salander om hun har noen opplysninger om hvor politidrapsmannen Ronald Niedermann befinner seg. Er det greit å spørre henne om det, selv om du ikke er til stede?»

Annika Giannini nølte litt.

«Greit ... dere kan spørre om hun kan hjelpe politiet med å

lokalisere Niedermann. Men dere får ikke stille noen spørsmål som dreier seg om eventuelle tiltaler eller anklager mot henne. Er vi enige om det?»

«Jeg tror det.»

Marcus Erlander gikk rett fra skrivebordet sitt og opp en etasje og banket på hos påtalemyndighetens etterforskningsleder, Agneta Jervas. Han gjenga samtalen han hadde hatt med Annika Giannini.

«Jeg visste ikke at Salander hadde en advokat.»

«Ikke jeg heller. Men Giannini er engasjert av Mikael Blomkvist. Det er ikke sikkert at Salander vet noe om det.»

«Men Giannini er ingen strafferettsadvokat. Hun driver med kvinnerett. Jeg hørte på et foredrag av henne en gang, hun er skarp, men passer absolutt ikke i denne saken.»

«Det er det uansett opp til Salander å avgjøre.»

«Det er mulig jeg i så fall må bestride avgjørelsen i retten. For Salanders egen skyld må hun få en skikkelig forsvarer og ikke en eller annen kjendis som er ute etter avisoverskrifter. Hmm. Salander er jo dessuten erklært umyndig. Jeg vet ikke hva som gjelder da.»

«Hva skal vi gjøre?»

Agneta Jervas tenkte seg om en stund. «Jeg er ikke sikker på hvem som kommer til å føre saken når det kommer til stykket, det er mulig den blir flyttet til Ekström i Stockholm. Men hun må ha en advokat. Greit ... spør henne om hun vil ha Giannini.»

Da Mikael kom hjem ved femtiden om ettermiddagen, åpnet han iBook-en og tok opp tråden i den artikkelen han hadde begynt å utarbeide på hotellet i Göteborg. Han arbeidet i syv timer, til han hadde identifisert de største hullene i historien. Det gjensto fortsatt en god del research. Et spørsmål som han ikke kunne få svar på uten foreliggende dokumentasjon, var nøyaktig hvilke andre i Säpo, bortsett fra Gunnar Björck, som hadde deltatt i konspirasjonen for å sperre Lisbeth Salander inne på galehus. Han hadde heller ikke nøstet opp akkurat hvilket forhold Björck og psykiateren Peter Teleborian hadde til hverandre.

Ved midnatt slo han av maskinen og gikk og la seg. For første gang på flere uker følte han at han kunne slappe av og sove rolig. Storyen var under kontroll. Uansett hvor mange spørsmål som gjensto, hadde han allerede nok materiale til å utløse et skred av overskrifter.

Han fikk en innskytelse til å ringe Erika Berger og oppdatere henne om situasjonen. Men så gikk det opp for ham at hun var ute av Millennium. Plutselig ble det vanskelig å få sove.

Mannen med den brune dokumentmappen gikk forsiktig av 19.30-toget fra Göteborg på Stockholm sentralstasjon og sto stille i folkemengden en liten stund for å orientere seg. Han hadde startet turen fra Laholm litt over åtte om morgenen ved å dra til Göteborg, hvor han hadde stoppet for å spise lunsj med en gammel venn før han fortsatte på turen til Stockholm. Han hadde ikke vært i Stockholm på to år, og hadde ikke hatt planer om noensinne å besøke hovedstaden igjen. Til tross for at han hadde bodd der mesteparten av sitt yrkesaktive liv, følte han seg alltid som en fremmed fugl i Stockholm, en følelse som bare hadde vokst i styrke for hver gang han besøkte byen etter at han var blitt pensjonist.

Han gikk langsomt gjennom sentralstasjonen, kjøpte etter-middagsavisene og to bananer i Pressbyrån og betraktet etter-tenksomt to tilslørte muslimske kvinner som hastet forbi ham. Han hadde ingenting imot kvinner med slør. Det var ikke hans problem om folk ville kle seg ut. Derimot forstyrret det ham at de nødvendigvis måtte kle seg ut midt i Stockholm.

Han spaserte de drøyt tre hundre meterne til Freys Hotel ved siden av Bobergs gamle posthus i Vasagatan. Det var det hotellet han alltid bodde på ved sine nå sjeldne stockholmsbesøk. Det var sentralt og ordentlig. Dessuten var det billig, en forut-setning siden han selv betalte reisen. Han hadde bestilt rommet dagen i forveien og presenterte seg som Evert Gullberg.

Så snart han hadde kommet opp på rommet, gikk han på toalettet. Han hadde kommet i den alderen da han var nødt til å gå på toalettet både titt og ofte. Det var flere år siden han hadde sovet en hel natt uten å våkne og være nødt til å stå opp og tisse.

Etter toalettbesøket tok han av seg hatten, en smalbremmet, mørkegrønn engelsk filthatt, og løsnet på slipsknuten. Han var 184 centimeter høy og veide 68 kilo, hvilket innebar at han var mager og spinkelt bygget. Han var kledd i en pepitarutete jakke og mørkegrå bukser. Han åpnet den brune dokumentmappen og pakket ut to skjorter, et reserveslips og undertøy, som han plasserte i kommoden på rommet. Deretter hengte han opp ytterfrakken og jakken på hengerne i skapet like innenfor døren.

Det var for tidlig å gå og legge seg. Det var for sent til at han orket å begi seg ut på en kveldstur, en aktivitet som han heller ikke ville ha funnet særlig trivelig. Han satte seg i den obligatoriske lenestolen på hotellrommet og så seg rundt. Han slo på TV-en, men skrudde volumet ned så han ikke behøvde å høre lyden. Han lurte på om han skulle ringe resepsjonen og bestille kaffe, men avgjorde at det var for sent. Isteden åpnet han barskapet og skjenket seg en miniatyrflaske Johnnie Walker med noen dråper vann. Han åpnet ettermiddagsavisene og leste omhyggelig alt som var blitt skrevet i løpet av dagen om jakten på Ronald Niedermann og Lisbeth Salander-saken. Etter en stund fant han frem en notatblokk med skinnperm og tok noen notater.

Forhenværende underdirektør ved sikkerhetspolitiet Evert Gullberg var 78 år gammel og hadde offisielt vært pensjonist i fjorten år. Men sånn er det med gamle spioner. De dør ikke, de forsvinner bare inn i skyggen.

Like etter at krigen var slutt, da Gullberg var 19 år, hadde han søkt seg til en karriere i marinen. Han avtjente verneplikten som befalselev og kom deretter inn på offisersutdannelsen. Men istedenfor en tradisjonell utplassering til sjøs, som han hadde forventet, ble han plassert i Karlskrona som signalspaner ved marinens etterretningstjeneste. Han hadde ingen problemer med å forstå behovet for signalspaning, som altså dreide seg om å finne ut hva som foregikk på den andre siden av Østersjøen.

Derimot oppfattet han arbeidet som kjedelig og uinteressant. Gjennom forsvarets tolkeskole fikk han imidlertid anledning til å lære seg russisk og polsk. Disse språkkunnskapene var en av grunnene til at han i 1950 ble rekruttert til sikkerhetspolitiet. Det var på den tiden da den uklanderlig korrekte Georg Thulin ledet statspolitiets tredje avdeling. Da han begynte, utgjorde det hemmelige politiets sammenlagte budsjett 2,7 millioner kroner, og hele personalstyrken besto av nøyaktig seksognitti personer.

Da Evert Gullberg gikk av med pensjon i 1992, lå sikkerhetspolitiets budsjett på litt over 350 millioner kroner, og han visste ikke hvor mange ansatte Firmaet hadde.

Gullberg hadde tilbragt sitt liv i Hans Majestets hemmelige tjeneste, eller muligens i det sosialdemokratiske «folkhemmets» hemmelige tjeneste. Hvilket var en smule ironisk, siden han i valg etter valg hadde stemt trofast på de konservative, bortsett fra i 1991, da han bevisst stemte mot dem siden han anså Carl Bildt for å være en realpolitisk katastrofe. Det året hadde han isteden nedtrykt gitt sin stemme til Ingvar Carlsson. Årene med Sveriges beste regjering hadde også bekreftet det han fryktet mest. Høyreregjeringen hadde tiltrådt i en tid da Sovjetunionen brøt sammen, og etter hans mening hadde knapt noe regime vært dårligere utrustet til å møte og fange opp de nye politiske mulighetene innen spionasjekunsten som sto frem i østblokken. Bildt-regjeringen hadde tvert imot av økonomiske grunner skåret ned Sovjet-kontoret og satset på internasjonalt sludder i Bosnia og Serbia – som om Serbia noensinne kunne utgjøre en trussel mot Sverige. Resultatet ble at mulighetene til å plante langsiktige informanter i Moskva hadde falt i fisk, og den dag klimaet igjen ble hardere – noe som ifølge Gullberg var uunngåelig – ville det igjen bli stilt urimelige politiske krav til sikkerhetspolitiet og den militære etterretningstjenesten, som om de kunne trylle frem agenter etter behov.

Gullberg hadde begynt sin karriere i russerkontoret i statspolitiets tredje avdeling, og etter to år bak skrivebordet hadde han gjort sine første famlende feltstudier som flyattaché med kapteins grad ved den svenske ambassaden i Moskva 1952–1953.

Merkelig nok fulgte han i fotsporene til en annen kjent spion. Noen år tidligere hadde denne stillingen vært besatt av den ikke helt ukjente flyoffiseren oberst Stig Wennerström.

Tilbake i Sverige hadde Gullberg arbeidet for kontraspionasjen, og ti år senere var han en av de yngre sikkerhetspolitifolkene som under den operative lederen Otto Danielsson pågrep Wennerström og førte ham til en livsvarig fengselsstraff på Långholmen.

Da det hemmelige politiet ble omorganisert under Per Gunnar Vinge i 1964, og ble til «Rikspolisstyrelsens säkerhetsavdelning, RPS/Säk», ble personalutvidelsen innledet. Da hadde Gullberg arbeidet i sikkerhetspolitiet i fjorten år og var blitt en av de betrodde veteranene.

Gullberg hadde aldri noensinne brukt betegnelsen «Säpo» om sikkerhetspolitiet. Han brukte «RPS/Säk» i formelle sammenhenger, og bare «Säk» i uformelle sammenhenger. Blant kolleger kunne han også omtale virksomheten som «Bedriften» eller «Firmaet» eller rett og slett «Avdelingen» – men aldri noensinne «Säpo». Grunnen var enkel. Firmaets viktigste oppgave var i mange år såkalt personkontroll, det vil si granskning og registrering av svenske borgere som kunne mistenkes for å ha kommunistiske eller landsforræderske sympatier. I Firmaet ble begrepene kommunist og landsforræder brukt synonymt. Den senere innarbeidede betegnelsen Säpo var faktisk noe som den potensielt landsforræderske kommunistpublikasjonen Clarté hadde innført som et skjellsord for politiets kommunistjegere. Og følgelig brukte hverken Gullberg eller noen andre av veteranene uttrykket Säpo. Han kunne ikke for sitt bare liv begripe hvorfor hans tidligere sjef P.G. Vinge hadde kalt sine memoarer for nettopp *Säposjef 1962–70*.

Det var omorganiseringen i 1964 som kom til å avgjøre Gullbergs fremtidige karriere.

RPS/Säk innebar at det hemmelige statspolitiet ble forvandlet til det som i betenkningene fra justisdepartementet ble beskrevet som en moderne politiorganisasjon. Dette innebar nyansettelser. Det stadige behovet for større personale førte til uendelige innkjøringsproblemer, hvilket i en ekspanderende organisasjon innebar at Fienden fikk dramatisk forbedrede muligheter til å plassere agenter i avdelingen. Dette innebar i sin tur at den interne sikkerhetskontrollen måtte skjerpes – det hemmelige politiet kunne ikke lenger være en lukket klubb bestående av tidligere offiserer hvor alle kjente alle, og hvor de vanligste kvalifikasjonene ved nyrekruttering var å være sønn av en offiser.

I 1963 var Gullberg blitt overført til personkontrollen, som hadde fått økt innflytelse i kjølvannet av avsløringen av Stig Wennerström. Det var på denne tiden grunnen ble lagt for det meningsregisteret som i slutten av 1960-årene omfattet 300 000 svenske borgere med uheldige politiske sympatier. Men personkontrollen av svenske borgere i sin alminnelighet var én ting – spørsmålet var hvordan sikkerhetskontrollen i RPS/Säk egentlig skulle utformes.

Wennerström hadde utløst et skred av interne problemer i det hemmelige statspolitiet. Hvis en oberst i forsvarsstaben kunne arbeide for russerne – han var dessuten regjeringens rådgiver i saker som dreide seg om atomvåpen og sikkerhetspolitikk – kunne man da være sikker på at russerne ikke hadde en like sentralt plassert agent i sikkerhetspolitiet? Hvem skulle garantere at ledere og mellomledere i Firmaet ikke egentlig jobbet for russerne? Kort sagt – hvem skulle spionere på spionene?

I august 1964 ble Gullberg innkalt til et ettermiddagsmøte hos nestlederen for sikkerhetspolitiet, underdirektør Hans Wilhelm Francke. På møtet deltok i tillegg til ham to personer fra Firmaets ledersjikt, assisterende administrasjonssjef og budsjettsjefen. Før dagen var omme, hadde Gullbergs liv fått et nytt innhold. Han var blitt utvalgt. Han hadde fått en ny stilling som leder for en nyopprettet avdeling med arbeidsnavnet «Särskilda sektionen», forkortet SS. Det første han gjorde var å døpe den om til «Särskilda analysgruppen». Det holdt noen minutter, til budsjettsjefen påpekte at SA ikke var stort bedre enn SS. Det endelige navnet på organisasjonen ble «Sektionen för särskild analys,» SSA, og i dagligtale Seksjonen, i motsetning til Avdelingen eller Firmaet, som viste til hele sikkerhetspolitiet.

*

Seksjonen var Franckes idé. Han kalte den den siste forsvarslinjen. En ultrahemmelig gruppe som var plassert på strategiske steder i Firmaet, men som var usynlig, og som ikke dukket opp i notater eller budsjettforslag og dermed heller ikke kunne infiltreres. Oppgaven deres var å våke over nasjonens sikkerhet. Han hadde makt til å gjøre det mulig. Han trengte budsjettsjefens og administrasjonssjefens samtykke for å skape den skjulte strukturen, men de var alle soldater av den gamle skolen og venner fra dusinvis av skjærmysler med Fienden.

Det første året besto hele organisasjonen av Gullberg og tre håndplukkede medarbeidere. I løpet av de ti neste årene økte Seksjonen på det meste til elleve personer, hvorav to var administrasjonssekretærer av den gamle skolen og resten var profesjonelle spionjegere. Det var en flat organisasjon. Gullberg var sjef. Alle andre var medarbeidere som møtte sjefen stort sett hver dag. Effektivitet ble premiert fremfor prestisje og byråkratiske formaliteter.

Formelt var Gullberg underlagt en lang rekke personer i hierarkiet under sikkerhetspolitiets administrasjonssjef, som han også skulle innlevere månedlige rapporter til, men i praksis hadde Gullberg fått en unik posisjon med ekstraordinære fullmakter. Han, og kun han, kunne ta avgjørelsen om å legge den aller øverste Säpo-ledelsen under lupen. Han kunne, om han fant det for godt, vrenge selveste Per Gunnar Vinges liv ut og inn. (Hvilket han også gjorde.) Han kunne sette i gang egne undersøkelser eller gjennomføre telefonavlyttinger uten å behøve å forklare hensikten med dem eller overhodet rapportere det til noen overordnet. Forbildet hans var den amerikanske spionlegenden James Jesus Angleton, som hadde en lignende posisjon i CIA og som han dessuten kom til å bli personlig kjent med.

Rent organisatorisk ble Seksjonen en mikroorganisasjon innen Avdelingen, utenfor, over og ved siden av hele det øvrige sikkerhetspolitiet. Dette fikk også geografiske konsekvenser. Seksjonen hadde sine kontorer på Kungsholmen, men av sikkerhetsmessige grunner ble hele Seksjonen i praksis flyttet utenfor huset, til en privat elleveroms-leilighet på Östermalm. Leiligheten ble diskré ombygget til kontorer som aldri var ubemannet, siden den trofaste medarbeideren og sekretæren Eleanor Badenbrink fikk fast bopel i to av rommene i leiligheten, like innenfor inngangsdøren. Badenbrink var en uvurderlig ressurs som Gullberg hadde absolutt tillit til.

Organisatorisk forsvant Gullberg og medarbeiderne hans fra all offentlighet – de ble finansiert gjennom et «særskilt fond», men eksisterte ikke i det formelle sikkerhetspolitiske byråkratiet som ble innrapportert til Rikspolisstyrelsen eller justisdepartementet. Ikke engang sjefen for RPS/Säk kjente til de hemmeligste av de hemmelige som hadde som oppgave å ta seg av det aller mest følsomme av det følsomme.

Da han var 40, befant Gullberg seg dermed i en situasjon hvor han ikke behøvde å forklare seg for noe levende menneske, og kunne iverksette granskninger av nøyaktig hvem som helst.

Allerede fra starten av sto det klart for Gullberg at Seksjonen for særskilte analyser kunne risikere å bli en politisk følsom gruppe. Arbeidsbeskrivelsen var mildest talt vag i sin utforming, og den skriftlige dokumentasjonen var meget sparsom. I september 1964 undertegnet statsminister Tage Erlander et direktiv som innebar at det skulle avsettes budsjettmidler til Seksjonen for særskilte analyser, som hadde til oppgave å håndtere særlig følsomme saker av betydning for rikets sikkerhet. Det var én av tolv lignende saker som nestlederen for RPS/Säk, Hans Wilhelm Francke, la frem på et ettermiddagsmøte. Dokumentet ble umiddelbart hemmeligstemplet og ble innført i den likeledes hemmeligstemplede journalen i RPS/Säk.

Statsministerens signatur innebar imidlertid at Seksjonen var en juridisk godkjent institusjon. Seksjonens første årsbudsjett var på 52 000 kroner. At budsjettet lå så vidt lavt, mente Gullberg selv var en genistrek. Det innebar at opprettelsen av Seksjonen fremsto som en ren dusinsak.

I videre forstand innebar statsministerens signatur at han hadde godkjent at det fantes behov for en gruppe som hadde ansvar for «intern personalkontroll». Den samme signaturen kunne imidlertid også tolkes som at statsministeren hadde gitt sitt samtykke til at det ble opprettet en gruppe som også kunne ta ansvar for å kontrollere «særskilt følsomme personer» uten-

107

for sikkerhetspolitiet, for eksempel statsministeren selv. Det var det sistnevnte som skapte potensielt alvorlige politiske problemer.

Evert Gullberg konstaterte at det ikke var mer Johnnie Walker igjen i glasset. Han hadde ikke for vane å nyte særlig mye alkohol, men det hadde vært en lang dag og en lang reise, og han mente at han nå befant seg på et stadium i livet hvor det ikke spilte noen rolle om han tok seg en whisky eller to, og at han utmerket godt kunne fylle på i glasset hvis han hadde lyst. Han skjenket opp en miniatyrflaske Glenfiddich.

Den mest følsomme saken av alle var naturligvis Olof Palme.

Gullberg husket hver eneste detalj fra valgdagen i 1976. For første gang i moderne historie hadde Sverige fått en borgerlig regjering. Dessverre var det Thorbjörn Fälldin som ble statsminister, ikke Gösta Bohman, som var en mann av den gamle skolen og ville passet uendelig mye bedre. Men fremfor alt var Palme blitt slått, og dermed kunne Gullberg endelig puste lettet ut.

Palmes egnethet som statsminister hadde vært gjenstand for mer enn én lunsjsamtale i de aller hemmeligste korridorene i RPS/Säk. I 1969 hadde Per Gunnar Vinge fått sparken etter at han hadde satt ord på det synspunktet som mange i Avdelingen delte – nemlig overbevisningen om at Palme muligens var påvirkningsagent for den russiske spionorganisasjonen KGB. Vinges synspunkt var ikke kontroversielt i det klimaet som rådet i Firmaet. Dessverre hadde han drøftet spørsmålet åpent med fylkesmann Ragnar Lassinantti under et besøk i Norrbotten. Lassinantti hadde hevet øyenbrynene to ganger og deretter informert regjeringskontoret, med den følge at Vinge fikk beskjed om å møte til en fortrolig samtale.

Til Evert Gullbergs store irritasjon hadde spørsmålet om Palmes sovjetkontakter aldri fått noe svar. Til tross for iherdige forsøk på å fastslå sannheten og finne de avgjørende bevisene – the smoking gun – hadde Seksjonen aldri funnet det minste belegg for at noe slikt var tilfellet. I Gullbergs øyne betydde ikke dette at Palme kanskje var uskyldig, men muligens at han bare var en særdeles slu og intelligent spion som ikke ble fristet til å begå de feilene som andre russiske spioner hadde gjort. Palme fortsatte å gå dem på nervene år etter år. I 1982 var Palme-spørsmålet igjen blitt aktualisert da han kom tilbake som stats-minister. Deretter falt skuddene i Sveavägen, og spørsmålet ble for all fremtid akademisk.

1976 hadde vært et problematisk år for Seksjonen. Innen RPS/Säk – blant de få personer som faktisk kjente til Seksjonens eksistens – hadde det oppstått en viss kritikk. I løpet av de siste ti årene hadde til sammen femogseksti tjenestemenn i sik-kerhetspolitiet fått reisepass ut av organisasjonen på grunn av antatt politisk upålitelighet. I et flertall av tilfellene var doku-mentasjonen imidlertid av en slik karakter at ingenting kunne bevises, noe som resulterte i at enkelte høyere sjefer begynte å mumle om at medarbeiderne i Seksjonen var paranoide konspirasjonsteoretikere.

Gullberg kokte fremdeles innvendig når han tenkte på en av de sakene som Seksjonen hadde håndtert. Det gjaldt en per-son som ble ansatt i RPS/Säk i 1968 og som Gullberg personlig hadde vurdert som særdeles uegnet. Hans navn var kriminal-betjent Stig Bergling, en løytnant i den svenske hæren som senere viste seg å være oberst i den sovjetiske etterretningstje-nesten GRU. Ved fire anledninger i de påfølgende årene hadde Gullberg forsøkt å sørge for at Bergling fikk sparken, og hver gang ble fremstøtene hans ignorert. Det snudde først i 1977, da Bergling ble gjenstand for mistanke også utenfor Seksjonen. Først da skjedde det noe. Bergling ble den største skandalen i det svenske sikkerhetspolitiets historie.

Kritikken mot Seksjonen hadde vokst i første halvdel av 1970-årene, og ved midten av tiåret hadde Gullberg hørt flere fremlagte forslag om at budsjettet skulle kuttes, og til og med et forslag om at virksomheten var unødvendig.

Sammenlagt innebar kritikken at det ble satt spørsmålstegn ved hele Seksjonens fremtid. Dette året var det terrortrusse-len som ble prioritert i RPS/Säk, som i enhver forstand var en sørgelig affære i spionasjesammenheng, og som hovedsakelig dreide seg om forvirrede ungdommer som samarbeidet med arabiske eller pro-palestinske elementer. Det store spørsmålet innen sikkerhetspolitiet var hvorvidt personkontrollen skulle få spesielle bevilgninger for også å granske utenlandske borgere bosatt i Sverige, eller om dette også for fremtiden skulle være et spørsmål som kun hørte hjemme i utlendingsavdelingen.

Ut fra denne noe esoteriske byråkratdiskusjonen hadde det oppstått et behov for at Seksjonen skulle knytte til seg en betrodd medarbeider som kunne forsterke kontrollen med, eller rettere sagt spionere på, medarbeiderne i utlendingsavdelingen.

Valget falt på en ung medarbeider som hadde jobbet i RPS/ Säk siden 1970 og som hadde en bakgrunn og en troverdighet av det slaget som gjorde at han ble ansett for å kunne passe godt inn blant medarbeiderne i Seksjonen. På fritiden var han medlem av en organisasjon som kalte seg Demokratisk Allians, og som av sosialdemokratiske massemedier ble betegnet som høyreekstrem. I Seksjonen var dette imidlertid ingen belastning. Tre andre medarbeidere var faktisk også medlem av Demokratisk Allians, og Seksjonen hadde hatt stor betydning for at organisasjonen overhodet var blitt dannet. De bidro til og med til en viss grad til en mindre del av finansieringen. Det var gjennom denne organisasjonen at den nye medarbeideren var blitt lagt merke til og ble rekruttert til Seksjonen. Navnet hans var Gunnar Björck.

For Evert Gullberg var det et usannsynlig lykketreff at nettopp denne dagen, valgdagen 1976, da Aleksandr Zalatsjenko hoppet av i Sverige og spaserte inn på Norrmalm politistasjon og ba om politisk asyl, var det juniormedarbeideren Gunnar Björck, som i egenskap av saksbehandler i utlendingsavdelingen, tok imot ham. En agent som allerede var tilknyttet de hemmeligste av de hemmelige.

Björck var våken. Han innså umiddelbart Zalatsjenkos betydning, avbrøt avhøret og plasserte avhopperen på et rom på Hotel Continental. Det var deretter Evert Gullberg, og ikke sin formelle sjef i utlendingsavdelingen, som Gunnar Björck ringte til for å slå alarm. Telefonsamtalen kom på et tidspunkt da valglokalene hadde stengt, og alle prognoser gikk ut på at Palme kom til å tape. Gullberg hadde nettopp kommet hjem og satte på TV-en for å følge valgvaken. Han hadde først stilt seg tvilende til den beskjeden som den opphissede juniormedarbeideren fremførte. Deretter hadde han dradd ned til Continental, mindre enn 250 meter fra det hotellrommet han for øyeblikket befant seg på, for å ta kommandoen i Zalatsjenko-saken.

I det øyeblikket hadde Evert Gullbergs liv forandret seg radikalt. Ordet hemmeligholdelse hadde fått et nytt innhold og en ny tyngde. Han innså behovet for å bygge opp en egen struktur rundt avhopperen.

Han valgte automatisk å inkludere Gunnar Björck i Zalatsjenko-gruppen. Det var en klok og naturlig beslutning, siden Björck jo allerede visste om Zalatsjenkos eksistens. Det var bedre å ha ham innenfor enn som en sikkerhetsrisiko utenfor. Det innebar at Björck ble forflyttet fra sin offisielle stilling i utlendingsavdelingen til et skrivebord i leiligheten på Östermalm.

I den dramatikken som oppsto, hadde han innledningsvis valgt å informere kun én person i RPS/Säk, nemlig administrasjonssjefen, som allerede hadde et innblikk i Seksjonens virksomhet. Administrasjonssjefen hadde sittet på nyheten i flere døgn før han fortalte Gullberg at denne avhoppingen var så betydningsfull at lederen for RPS/Säk måtte informeres, og at det samme gjaldt regjeringen.

Den nylig tiltrådte lederen for RPS/Säk hadde på det tidspunktet kjennskap til Seksjonen for særskilte analyser, men hadde bare en vag oppfatning av hva Seksjonen egentlig drev med. Han hadde tiltrådt for å rydde opp etter IB-affæren og var allerede på vei videre til en høyere stilling i politihierarkiet. Lederen for RPS/Säk hadde i en fortrolig samtale med administrasjonssjefen fått vite at Seksjonen var en hemmelig gruppe, oppnevnt av regjeringen, som sto utenfor den egentlige virksomheten, og som det ikke skulle stilles spørsmål om. Siden lederen på den tiden var en mann som absolutt ikke stilte spørsmål som kunne føre til ubehagelige svar, nikket han innforstått og aksepterte at det fantes noe som kaltes SSA, og at han ikke hadde noe med den saken å gjøre.

Gullberg var ikke begeistret for tanken på å informere lederen om Zalatsjenko, men aksepterte realitetene. Han understreket det absolutte behovet for fullstendig hemmeligholdelse og fikk medhold, og utformet deretter instrukser av en slik art at ikke engang lederen for RPS/Säk kunne diskutere saken på sitt eget kontor uten omfattende sikkerhetstiltak. Det ble besluttet at Zalatsjenko skulle tas hånd om av Seksjonen for særskilte analyser.

Å informere den avtroppende statsministeren kom ikke på tale. På grunn av den karusellen som var satt i gang i forbindelse med regjeringsskiftet, var den påtroppende statsministeren fullt opptatt med å utpeke statsråder og forhandle med de andre borgerlige partiene. Det var først en måned etter regjeringsdannelsen at sjefen for RPS/Säk sammen med Gullberg dro til Rosenbad og informerte den nyutnevnte statsministeren. Gullberg hadde protestert helt til det siste mot at regjeringen overhodet skulle bli informert, men sjefen for RPS/Säk hadde insistert – det var konstitusjonelt uforsvarlig ikke å informere statsministeren. Under møtet hadde Gullberg brukt all sin veltalenhet for å overbevise statsministeren om hvor viktig det var at opplysningene om Zalatsjenko ikke kom utenfor statsministerens eget kontor – at hverken utenriksministeren eller forsvarsministeren eller noe annet medlem av regjeringen kunne bli informert.

Fälldin var blitt rystet over nyheten om at en russisk toppagent hadde søkt politisk asyl i Sverige. Statsministeren hadde begynt å snakke om at han av rene rettferdighetsgrunner var nødt til å ta saken opp i hvert fall med lederen for de to andre regjeringspartiene. Gullberg hadde vært forberedt på denne innvendingen, og spilte ut det tyngste kortet han hadde til disposisjon. Han hadde lavmælt svart at i så fall så han seg tvunget til å levere inn sin avskjedssøknad umiddelbart. Det var en trussel som hadde gjort inntrykk på Fälldin. Implisitt ville det innebære at statsministeren måtte bære det personlige ansvaret dersom historien skulle lekke ut, og russerne sendte en dødspatrulje for

112

å likvidere Zalatsjenko. Og hvis den personen som hadde hatt ansvar for Zalatsjenkos sikkerhet hadde sett seg nødt til å avgå, ville en slik avsløring bli en politisk og mediemessig katastrofe for statsministeren.

Fälldin, ennå fersk og usikker i rollen som statsminister, hadde bøyd seg. Han godkjente et direktiv som umiddelbart ble innført i den hemmelige journalen, og som innebar at Seksjonen skulle ha ansvar for Zalatsjenkos sikkerhet og debriefing, samt at opplysningene om Zalatsjenko ikke måtte komme utenfor statsministerens kontor. Fälldin hadde dermed undertegnet et direktiv som i praksis viste at han var informert, men som også innebar at han aldri kunne diskutere saken med noen. Han skulle kort sagt glemme Zalatsjenko.

Fälldin hadde imidlertid insistert på at én person til i staben hans, en håndplukket statssekretær, skulle informeres og fungere som kontaktperson i saker som angikk avhopperen. Med dette måtte Gullberg si seg tilfreds. Han ville ikke ha noen problemer med å takle en statssekretær.

Sjefen for RPS/Säk var fornøyd. Zalatsjenko-saken var nå konstitusjonelt sikret, hvilket i dette tilfelle betydde at sjefen hadde ryggen fri. Gullberg var også fornøyd. Han hadde klart å opprette en karantene som gjorde at han kontrollerte all informasjonsflyten. Det var han, ene og alene, som kontrollerte Zalatsjenko.

Da Gullberg kom tilbake til kontoret sitt på Östermalm, satte han seg ved skrivebordet og laget en håndskrevet liste over de personer som hadde kjennskap til Zalatsjenko. Listen besto av ham selv, Gunnar Björck, den operative lederen for Seksjonen, Hans von Rottinger, nestleder Fredrik Clinton, Seksjonens sekretær Eleanor Badenbrink samt to medarbeidere som hadde til oppgave å sammenholde og fortløpende analysere de etterretningsopplysninger som Zalatsjenko kunne bidra med. Sammenlagt syv personer som i de kommende årene skulle utgjøre en Seksjon innenfor Seksjonen. Han tenkte på dem som Den indre gruppen.

Utenfor Seksjonen var opplysningene kjent av lederen for RPS/Säk, nestlederen og administrasjonssjefen. I tillegg var

113

statsministeren og en statssekretær informert. Til sammen tolv personer. Aldri før hadde en hemmelighet av slike dimensjoner vært kjent av en så utvalgt skare.

Deretter ble Gullberg mer betenkt. Hemmeligheten var også kjent av en trettende person. Björck hadde hatt med seg juristen Nils Bjurman. Å gjøre Bjurman til medarbeider i Seksjonen var utelukket. Bjurman var ingen ekte sikkerhetspolititjenestemann – han var strengt tatt ikke annet enn praktikant i RPS/Säk – og han besatt ikke de kunnskapene og den kompetansen som krevdes. Gullberg overveide forskjellige alternativer, men valgte deretter å lose Bjurman nennsomt ut av historien. Han truet med livsvarig fengsel for landsforræderi dersom Bjurman ytret så mye som en stavelse om Zalatsjenko; han brukte også bestikkelser i form av løfter om fremtidige oppdrag, og til slutt smiger som styrket Bjurmans egen følelse av å være betydningsfull. Han sørget for at Bjurman ble ansatt ved et velrenommert advokatkontor, og deretter fikk han en strøm av oppdrag som holdt ham beskjeftiget. Det eneste problemet var at Bjurman var så mye av en middelmådighet at han ikke klarte å utnytte de mulighetene han fikk. Han forlot advokatkontoret etter ti år og åpnet egen praksis, noe som etter hvert ble til et advokatkontor ved Odenplan med én ansatt.

I de kommende årene holdt Gullberg Bjurman under diskré oppsikt. Det var først i slutten av 1980-årene at han droppet overvåkningen av Bjurman, da Sovjetunionen var på vei til å gå i oppløsning og Zalatsjenko ikke lenger var noe prioritert anliggende.

For Seksjonen hadde Zalatsjenko først vært et løfte om et gjennombrudd i Palme-gåten, en sak som stadig opptok Gullberg. Palme var derfor et av de første temaene Gullberg hadde luftet i den lange debriefingen.

Forhåpningene hadde imidlertid snart falt i grus, siden Zalatsjenko aldri hadde operert i Sverige og ikke hadde noe særlig kunnskap om landet. Derimot hadde Zalatsjenko hørt rykter om en «Rød løper», en høytstående svensk eller muligens skandinavisk politiker som arbeidet for KGB.

114

Gullberg opprettet en liste over navn i tillegg til Palme. Blant dem var Carl Lidbom, Pierre Schori, Sten Andersson, Marita Ulvskog og flere andre personer. Resten av livet skulle Gullberg gang på gang komme tilbake til den listen, og alltid bli svar skyldig.

Plutselig var Gullberg med blant de store gutta. Han ble hilst med respekt i den eksklusive klubben av utvalgte krigere hvor alle kjente hverandre, og hvor kontaktene gikk via personlige vennskaps- og tillitsforhold – ikke via offisielle kanaler og byråkratiske regler. Han fikk møte selveste James Jesus Angleton, og han fikk drikke whisky med sjefen for MI6 i en diskré klubb i London. Han ble en av de store.

Baksiden ved yrket var at han aldri ville kunne fortelle om sin suksess, ikke engang i posthume memoarer. Og hele tiden lå redselen der for at Fienden skulle registrere reisene hans, og at han skulle få øynene deres på seg – at han selv ufrivillig skulle føre russerne til Zalatsjenko.

I den forstand var Zalatsjenko sin egen verste fiende.

De første årene hadde han vært bosatt i en anonym leilighet som Seksjonen eide. Han fantes ikke i noe register eller i noe offentlig dokument, og Zalatsjenko-gruppen hadde trodd at de hadde god tid på seg før de måtte planlegge fremtiden hans. Først våren 1978 fikk han et pass i navnet Karl Axel Bodin og en omhyggelig konstruert biografi – en fiktiv, men verifiserbar bakgrunn i svenske registre.

Men da var det allerede for sent. Zalatsjenko hadde gått hen og knullet den fordømte hora Agneta Sofia Salander, født Sjölander, og han hadde ubekymret presentert seg med sitt egentlige navn – Zalatsjenko. Gullberg mente at alt ikke var som det skulle i hodet på Zalatsjenko. Han fikk en mistanke om at den russiske avhopperen snart kom til å bli avslørt. Det var som om han trengte å stå på en scene. Ellers var det vanskelig å forklare hvordan han kunne være så inn i helvete dum.

Det var horer, det var perioder med overdreven alkoholbruk, og det var episoder med vold og bråk med utkastere og andre. Tre ganger ble Zalatsjenko pågrepet for fyll av svensk politi, og to ganger for restaurantbråk. Og hver gang måtte Seksjonen gripe diskré inn og få ham ut og sørge for at papirer forsvant og journaler ble forandret. Gullberg satte Gunnar Björck til å overvåke ham. Björcks jobb besto i å være barnepike for avhopperen nærmest døgnet rundt. Det var vanskelig, men det fantes ingen alternativer.

Alt kunne ha gått så bra. I begynnelsen av 1980-årene hadde Zalatsjenko roet seg og begynt å tilpasse seg. Men han oppga aldri Salander-hora – og enda verre: Han var blitt far til Camilla og Lisbeth Salander.

Lisbeth Salander.

Gullberg uttalte navnet med en følelse av ubehag.

Allerede da jentene var i 9–10-årsalderen hadde Gullberg hatt en spesiell magefølelse overfor Lisbeth Salander. At hun ikke var normal, behøvde han ikke være psykiater for å skjønne. Gunnar Björck hadde rapportert at hun var trassig, voldelig og aggressiv overfor Zalatsjenko, og at hun dessuten ikke virket det minste redd for ham. Hun sa sjelden noe, men hun markerte sin misnøye med tingenes tilstand på tusen andre måter. Hun var et gryende problem, men nøyaktig hvor gigantisk dette problemet skulle komme til å bli, hadde ikke Gullberg i sin villeste fantasi kunnet forestille seg. Det han hadde vært mest redd for, var at situasjonen i familien Salander skulle føre til at sosialetaten satte i gang undersøkelser som ville rette søkelyset mot Zalatsjenko. Gang på gang oppfordret han Zalatsjenko til å bryte med familien og forsvinne ut av deres liv. Og Zalatsjenko lovet, men brøt alltid løftet. Han hadde andre horer. Han hadde mer enn nok horer. Men etter noen måneder var han alltid tilbake hos Agneta Sofia Salander.

Fordømte Zalatsjenko. En spion som lot kukken styre følelseslivet var naturligvis ikke noen god spion. Men det var som om Zalatsjenko var hevet over alle normale regler, eller i hvert fall mente at han var hevet over dem. Om han i det minste hadde kunnet feie over hora uten også å banke henne opp hver eneste gang, hadde det vært én ting, men slik saken nå utviklet seg, utøvde Zalatsjenko gjentatte ganger grov vold mot sin elskerinne. Det virket til og med som om han så på det å banke henne opp som en artig utfordring overfor overvåkerne i Zalatsjenko-gruppen, og at han gjorde det bare for å irritere og plage dem.

At Zalatsjenko var en syk faen, var Gullberg overhodet ikke i tvil om, men han befant seg ikke i den situasjon at han kunne velge og vrake blant avhoppede GRU-agenter. Han hadde bare én eneste avhopper, som i tillegg var fullt klar over hvor stor betydning han hadde for Gullberg.

Gullberg sukket. Zalatsjenko-gruppen hadde fått jobben som opprydningspatrulje. Det sto ikke til å nekte. Zalatsjenko visste at han kunne ta seg friheter, og at de uten å mukke måtte rydde opp i problemene etter ham. Og når det gjaldt Agneta Sofia Salander, utnyttet han disse mulighetene ut over bristepunktet.

Det manglet ikke på advarsler. Like etter at Lisbeth Salander hadde fylt tolv år, hadde hun knivstukket Zalatsjenko. Skadene var ikke alvorlige, men han var blitt kjørt til St. Görans syke-hus, og Zalatsjenko-gruppen var blitt nødt til å utføre et omfattende opprydningsabeid. Den gangen hadde Gullberg hatt en Meget Alvorlig Samtale med Zalatsjenko. Han hadde gjort det fullstendig klart at Zalatsjenko aldri mer fikk lov til å ta kontakt med familien Salander, og Zalatsjenko hadde lovet. Han hadde holdt løftet i over et halvt år før han dro hjem til Agneta Sofia Salander og mishandlet henne så grovt at hun havnet på pleiehjem for resten av livet.

At Lisbeth Salander var en drapslysten psykopat som skulle komme til å lage en brannbombe, var imidlertid noe som Gullberg ikke hadde kunnet forestille seg. Den dagen hadde vært fullstendig kaos. En labyrint av granskninger og etterforskninger dukket opp over horisonten, og Operasjon Zalatsjenko – til og med hele Seksjonen – hadde hengt i en meget tynn tråd. Hvis Lisbeth Salander snakket, risikerte de at Zalatsjenko ble avslørt. Hvis Zalatsjenko ble avslørt, ville dels en rekke operasjoner i Europa i løpet av de siste femten årene gå i vasken, og dels risikerte Seksjonen å bli utsatt for en offentlig granskning. Noe som for enhver pris måtte forhindres.

Gullberg var bekymret. En offentlig granskning ville få IB-affæren til å fremstå som en reality-såpe. Hvis Seksjonens arkiv ble åpnet, ville en rekke omstendigheter som ikke var helt i tråd med konstitusjonen, bli blottlagt, for ikke å snakke om den mangeårige overvåkningen av Palme og andre kjente sosialdemokrater. Det var et følsomt tema bare noen få år etter Palmemordet. Det ville ha resultert i kriminaletterforskning mot Gullberg og flere andre ansatte i Seksjonen. Og enda verre – gale journalister ville uten å nøle lansere teorien om at Seksjonen sto bak Palme-mordet, hvilket i sin tur ville føre til enda en labyrint av avsløringer og anklager. Det verste var at sikkerhetspolitiets ledelse var blitt forandret i så stor grad at ikke engang den øverste lederen for RPS/Säk visste at Seksjonen eksisterte. Alle kontakter med RPS/Säk hadde det året ikke kommet lenger enn til den assisterende administrasjonssjefens skrivebord, og han hadde vært fast medlem av Seksjonen de siste ti årene.

Det hadde oppstått en stemning av angst og panikk blant medlemmene i Zalatsjenko-gruppen. Det var faktisk Gunnar Björck som hadde kommet med løsningen i form av en psykiater ved navn Peter Teleborian.

Teleborian var blitt tilknyttet RPS/Säks avdeling for kontraspionasje i en helt annen sammenheng, nemlig for å fungere som konsulent i forbindelse med at kontraspionasjen gransket en person mistenkt for industrispionasje. På et litt delikat stadium hadde det vært grunn til å forsøke å avgjøre hvordan vedkommende person ville opptre dersom han ble utsatt for stress. Teleborian var en ung og lovende psykiater som ikke snakket noe hokus pokus, men kom med konkrete og håndfaste råd. Disse rådene hadde ført til at sikkerhetspolitiet hadde unngått et selvmord, og at vedkommende spion kunne bli vervet som dobbeltagent og forsyne sin opprinnelige oppdragsgiver med desinformasjon.

Etter Salanders angrep på Zalatsjenko hadde Björck nennsomt sørget for at Teleborian ble tilknyttet Seksjonen som ekstraordinær konsulent. Og nå trengtes han mer enn noensinne.

Løsningen på problemet hadde vært såre enkel. Karl Axel Bodin kunne forsvinne inn i behandlingsapparatet for rehabilitering. Agneta Sofia Salander forsvant inn til langtidsbehandling

118

med uhelbredelig hjerneskade. All politimessig etterforskning ble samlet hos RPS/Säk og ble via assisterende administrasjonssjef overført til Seksjonen.

Peter Teleborian var nylig blitt ansatt som assisterende overlege på St. Stefans barnepsykiatriske klinikk i Uppsala. Det eneste som trengtes var en rettspsykiatrisk rapport som Björck og Teleborian forfattet i samarbeid, og deretter en kort og ikke særlig kontroversiell beslutning fra tingretten. Det dreide seg kun om hvordan det hele ble presentert. Lovverket hadde ingenting med saken å gjøre. Det dreide seg tross alt om rikets sikkerhet. Det måtte folk forstå.

Og at Lisbeth Salander var sinnssyk, var åpenbart. Noen år på lukket psykiatrisk avdeling ville sikkert gjøre henne godt. Gullberg hadde nikket og gitt operasjonen klarsignal.

Alle bitene i puslespillet hadde falt på plass, og det hadde skjedd i en periode da Zalatsjenko-gruppen uansett var i ferd med å bli oppløst. Sovjetunionen hadde opphørt å eksistere, og Zalatsjenkos storhetstid tilhørte definitivt fortiden. Han hadde en «best før»-dato som allerede var passert med god margin.

Zalatsjenko-gruppen hadde isteden generøst skaffet ham et sluttvederlag fra sikkerhetspolitiets fond. De hadde gitt ham den best tenkelige rehabiliteringsbehandling, og med et lettelsens sukk kjørt Karl Axel Bodin til Arlanda og gitt ham en enkeltbillett til Spania et halvt år senere. De hadde gjort det klart for ham at fra og med det øyeblikket gikk Zalatsjenko og Seksjonen hver sin vei. Det hadde vært en av Gullbergs aller siste oppgaver. En uke senere gikk han av med alderspensjon og overlot plassen til sin tronfølger, Fredrik Clinton. Gullberg ble kun benyttet som konsulent og rådgiver i delikate spørsmål. Han var blitt boende i Stockholm i tre år til og hadde arbeidet i Seksjonen nesten daglig, men oppdragene ble færre, og etter hvert avviklet han seg selv langsomt. Han hadde vendt tilbake til sitt hjemsted, Laholm, og utført en del oppdrag derfra. De første årene hadde han reist regelmessig til Stockholm, men også disse turene ble etter hvert sjeldnere og sjeldnere.

Han hadde sluttet å tenke på Zalatsjenko. Helt til den morgenen han våknet og fant Zalatsjenkos datter på hver eneste avisplakat, mistenkt for trippeldrap.

Gullberg hadde fulgt nyhetsmeldingene med en følelse av forvirring. Han skjønte utmerket godt at det neppe var noen tilfeldighet at Salander hadde hatt Bjurman som hjelpeverge, men han kunne ikke se noen umiddelbare fare for at den gamle Zalatsjenko-historien skulle komme opp til overflaten. Salander var sinnssyk. At hun hadde iscenesatt en drapsorgie, forundret ham ikke. Derimot hadde han overhodet ikke tenkt på at Zalatsjenko kunne ha noen forbindelse med saken, før han slo på morgennyhetene og fikk servert hendelsene i Gosseberga. Det var da han hadde begynt å ringe rundt og til slutt kjøpt en togbillett til Stockholm.

Seksjonen sto overfor sin verste krise siden den dagen han grunnla organisasjonen. Alt sto i fare for å revne.

Zalatsjenko slepte seg til toalettet og urinerte. Etter at Sahlgrenska sjukhuset hadde utstyrt ham med krykker, kunne han bevege seg. Han hadde brukt søndagen og mandagen til korte treningsturer. Han hadde fremdeles uhyggelig vondt i kjeven og kunne bare innta flytende føde, men nå kunne han reise seg opp og gå korte strekninger.

Han var vant til krykker etter å ha levd med en protese i snart femten år. Han øvde seg på å forflytte seg lydløst med krykkene, og vandret frem og tilbake i rommet. Hver gang høyrefoten streifet gulvet, skjøt en intens smerte gjennom benet.

Han bet tennene sammen. Han tenkte på at Lisbeth Salander befant seg på et rom i hans umiddelbare nærhet. Det hadde tatt ham hele dagen å finne ut at hun oppholdt seg to dører til høyre for hans eget rom.

Ved totiden om natten, ti minutter etter nattevaktens besøk, var alt tyst og stille. Zalatsjenko reiste seg møysommelig opp og famlet etter krykkene. Han gikk bort til døren og lyttet, men kunne ikke høre noe. Han skjøv døren opp og gikk ut i korridoren. Han hørte svak musikk fra vaktrommet. Han forflyttet seg helt bort til utgangen i enden av korridoren, skjøv døren opp og speidet ut i trappen. Det var heiser der også. Han gikk

120

tilbake gjennom korridoren. Da han passerte rommet til Lisbeth Salander, stoppet han opp og hvilte på krykkene et halvt minutt.

Sykepleierne hadde lukket døren hennes den natten. Lisbeth Salander slo øynene opp da hun hørte en svak, skrapende lyd fra korridoren. Hun kunne ikke identifisere lyden. Det hørtes ut som om noen trakk noe forsiktig gjennom korridoren. En stund var det helt stille, og hun lurte på om det bare var noe hun hadde innbilt seg. Etter halvannet minutt hørte hun lyden igjen. Den fjernet seg. Følelsen av ubehag ble sterkere.

Zalatsjenko var et sted der ute.

Hun lå fjetret i sengen. Det klødde under støttekragen. Hun følte en intens trang til å reise seg. Smått om senn klarte hun å sette seg opp i sengen. Det var omtrent det eneste hun orket. Hun sank tilbake og la hodet på puten.

Etter en stunds famling over støttekragen fant hun de knappene som holdt den sammen. Hun knappet dem opp og slapp kragen i gulvet. Plutselig var det lettere å puste.

Hun skulle ønske at hun hadde hatt et våpen innenfor rekkevidde, eller at hun hadde hatt styrke nok til å reise seg og gjøre slutt på ham en gang for alle.

Til slutt kom hun seg opp på albuen. Hun slo på nattlyset og så seg rundt i rommet. Hun kunne ikke se noe som kunne brukes som våpen. Deretter falt blikket på et bord pleierne brukte, som sto inntil veggen tre meter fra sengen hennes. Hun konstaterte at noen hadde lagt igjen en blyant på bordet.

Hun ventet til nattevakten hadde gått runden, noe som så ut til å skje omtrent en gang i halvtimen i natt. Hun gikk ut fra at den synkende tilsynsfrekvensen antydet at legene mente at det sto bedre til med henne nå, sammenlignet med i helgen, da hun hadde fått besøk hvert kvarter eller enda oftere. Selv følte hun ingen merkbar forskjell.

Da hun var blitt alene, samlet hun kreftene, satte seg opp og svingte bena over sengekanten. Hun hadde fått teipet fast elektroder som registrerte pulsen og åndedrettet, men ledningene gikk i retning mot blyanten. Hun satte forsiktig bena under seg

121

og begynte plutselig å svaie, helt ute av balanse. Et øyeblikk føltes det som om hun skulle besvime, men hun støttet seg mot sengen og fokuserte blikket på bordet foran seg. Hun tok tre sjanglende skritt, strakte ut hånden og nådde blyanten.

Hun rygget tilbake til sengen. Hun var fullstendig utmattet.

Etter en stund orket hun å trekke teppet over seg. Hun løftet blyanten og kjente på spissen. Det var en helt vanlig treblyant. Den var nyspisset og sylskarp. Den kunne i nødsfall brukes om stikkvåpen mot ansikt eller øyne.

Hun la blyanten lett tilgjengelig ved hoften og sovnet.

KAPITTEL 6

Mandag 11. april

Mandag morgen sto Mikael Blomkvist opp litt over ni og ringte Malin Eriksson, som nettopp hadde kommet inn i Millenniums redaksjon.

«Hei, sjefredaktør,» sa han.

«Jeg føler meg helt i sjokk over at Erika er borte og at dere vil ha meg som ny sjefredaktør.»

«Jaså?»

«Hun er borte. Skrivebordet hennes er tomt.»

«Da kan det vel være en god idé å bruke dagen til å flytte inn på kontoret hennes.»

«Jeg vet ikke hvordan jeg skal bære meg ad. Jeg føler meg veldig lite vel.»

«Ikke gjør det. Alle er enige om at du er det beste valget i denne situasjonen. Og du kan alltid komme til meg og Christer.»

«Takk for tilliten.»

«Pøh,» sa Mikael. «Bare fortsett å jobbe som vanlig. Den nærmeste tiden tar vi problemene etter hvert som de kommer.»

«Greit. Var det noe du ville?»

Han forklarte at han hadde tenkt å holde seg hjemme og skrive hele dagen. Plutselig ble Malin oppmerksom på at han rapporterte til henne på samme måte som han – gikk hun ut fra – hadde informert Erika Berger om hva han holdt på med. Det var forventet at hun skulle komme med en kommentar. Eller var det ikke det?

«Har du noen instrukser til oss?»

«Nei. Tvert imot, hvis du har noen instrukser til meg, får du ringe. Jeg holder i Salander-saken som før og avgjør hva som

123

skal skje der, men for alt annet som angår bladet, ligger ballen hos deg. Ta beslutninger. Jeg kommer til å støtte deg.»

«Og hvis jeg tar feil beslutninger?»

«Hvis jeg ser eller hører noe, tar jeg en prat med deg. Men da skal det være noe helt spesielt. Vanligvis er det ingen beslutninger som er hundre prosent riktige eller gale. Du kommer til å ta dine beslutninger, som kanskje ikke er identiske med de Erika Berger ville tatt. Og hvis det var jeg som tok beslutningen, ville det blitt en tredje variant. Men nå er det dine beslutninger som gjelder.»

«Ja vel.»

«Hvis du er en god sjef, kommer du til å drøfte spørsmålene med andre. Først og fremst med Henry og Christer, deretter med meg, og til slutt tar vi opp vanskelige spørsmål på redaksjonsmøtet.»

«Jeg skal gjøre så godt jeg kan.»

«Fint.»

Han satte seg i sofaen i stuen med iBooken på fanget og arbeidet uten pauser hele mandagen. Da han var ferdig, hadde han et grovutkast til to artikler på til sammen enogtyve sider. Den delen av historien konsentrerte seg om drapet på deres medarbeider Dag Svensson og hans samboer Mia Bergman – hva de jobbet med, hvorfor de ble skutt og hvem som drepte dem. Han anslo ved en løselig beregning at han ville bli nødt til å skrive ytterligere cirka førti sider til sommerens temanummer. Og han måtte bestemme seg for hvordan han ville beskrive Lisbeth Salander i artiklene uten å krenke hennes integritet. Han visste ting om henne som hun ikke for sitt bare liv ville ha offentliggjort.

Evert Gullberg spiste en mandagsfrokost bestående av en eneste brødskive og en kopp svart kaffe i Freys cafeteria. Deretter tok han en drosje til Artillerigatan på Östermalm. Klokken 09.15 om morgenen ringte han på dørtelefonen, presenterte seg og ble sluppet inn umiddelbart. Han tok heisen til sjette etasje, hvor han ble tatt imot utenfor døren av Birger Wadensjöö, 54 år. Den nye sjefen for Seksjonen.

Wadensjöö hadde vært en av de yngste rekruttene i Seksjonen da Gullberg gikk av med pensjon. Han var ikke helt sikker på hva han mente om ham.

Han skulle ønske at den handlekraftige Fredrik Clinton fremdeles hadde vært der. Clinton hadde etterfulgt Gullberg og vært sjef for Seksjonen frem til 2002, da diabetes og hjerte- og karsykdommer mer eller mindre hadde tvunget ham til å pensjonere seg. Gullberg hadde ikke noen egentlig følelse for hva slags materiale Wadensjöö var laget av.

«Hei, Evert,» sa Wadensjöö og håndhilste på sin tidligere sjef. «Fint at du tok deg tid til å komme opp.»

«Jeg har ikke stort annet enn tid,» sa Gullberg.

«Jeg vet hvordan det er. Vi har vært dårlige til å holde kontakten med gamle, trofaste medarbeidere.»

Evert Gullberg ignorerte denne uttalelsen. Han svingte til venstre, gikk inn på sitt gamle kontor og satte seg ved et rundt møtebord ved vinduet. Wadensjöö (gikk han ut fra) hadde hengt opp reproduksjoner av Chagall og Mondrian på veggene. I sin tid hadde Gullberg hatt plantegninger over historiske skip som Kronan og Wasa på veggene. Han hadde alltid drømt om sjøen, og han hadde faktisk begynt som marineoffiser, selv om han ikke hadde tilbragt mer enn noen korte måneder til sjøs i løpet av militærtjenesten. Det hadde dukket opp datamaskiner. For øvrig så rommet nesten ut som det gjorde da han sluttet. Wadensjöö serverte kaffe.

«De andre kommer straks,» sa han. «Jeg tenkte at vi kunne veksle noen ord først.»

«Hvor mange er det igjen i Seksjonen fra min tid?»

«Bortsett fra meg – bare Otto Hallberg og Georg Nyström her inne på kontoret. Hallberg går av med pensjon i år, og Nyström fyller 60. Ellers er det mest nye rekrutter. Du har nok truffet noen av dem før.»

«Hvor mange arbeider for Seksjonen i dag?»

«Vi har omorganisert litt.»

«Jaså?»

«I dag er det syv heltidsansatte her på Seksjonen. Vi har altså skåret ned. Men for øvrig har Seksjonen hele enogtredve medarbeidere innenfor RPS/Säk. De fleste av dem kommer aldri hit,

125

men tar seg av den normale jobben sin og har jobben for oss som en diskré fritidsbeskjeftigelse.»

«Enogtredve medarbeidere.»

«Pluss syv. Det var faktisk du som laget det systemet. Vi har bare finpusset det, og snakker i dag om en intern og en ekstern organisasjon. Når vi rekrutterer noen, får de permisjon en periode og blir opplært hos oss. Det er Hallberg som har ansvar for undervisningen. Grunnutdannelsen er seks uker. Vi holder til ute på orlogsskolen. Deretter går de tilbake til sine normale jobber i RPS/Säk, men nå med tjenestegjøring hos oss.»

«Jaha.»

«Det er faktisk et fremragende system. De fleste medarbeiderne har ikke den fjerneste anelse om hverandres eksistens. Og her i Seksjonen fungerer vi mest som rapportmottagere. Det er de samme reglene som i din tid som gjelder. Vi skal være en flat organisasjon.»

«Operativ enhet?»

Wadensjöö rynket øyenbrynene. På Gullbergs tid hadde Seksjonen hatt en liten operativ enhet bestående av fire personer under ledelse av den drevne Hans von Rottinger.

«Nja, ikke direkte. Rottinger døde jo for fem år siden. Vi har et yngre talent som gjør en del feltarbeid, men vanligvis bruker vi noen fra den eksterne organisasjonen hvis det trengs. Dessuten er det blitt mer teknisk komplisert for eksempel å ordne med telefonavlytting eller gå inn i en leilighet. Nå for tiden er det alarmer og annet herk overalt.»

Gullberg nikket.

«Budsjett?» spurte han.

«Vi har drøyt elleve millioner i året totalt. En tredjedel går til lønninger, en tredjedel til vedlikehold og en tredjedel til selve virksomheten.»

«Busjettet har altså blitt mindre?»

«Litt. Men vi har en mindre stab, hvilket betyr at virksomhetsbudsjettet faktisk har økt.»

«Jeg skjønner. Fortell hvordan forholdet til Säk ser ut.»

Wadensjöö ristet på hodet.

«Administrasjonssjefen og budsjettsjefen tilhører oss. Formelt er vel administrasjonssjefen den eneste som har innsyn i virksomheten vår. Vi er så hemmelige at vi ikke eksisterer. Men i virkeligheten er det et par nestledere som også vet om oss. De gjør så godt de kan for ikke å høre snakk om oss.»

«Jeg skjønner. Hvilket betyr at om det oppstår problemer, kommer den nåværende Säpo-ledelsen til å få seg en ubehagelig overraskelse. Hvordan er det med forsvarsledelsen og regjeringen?»

«Forsvarsledelsen koblet vi fra for omtrent ti år siden. Og regjeringer kommer og går.»

«Så vi er helt alene hvis det begynner å blåse?»

Wadensjöö nikket.

«Det er ulempen med en slik ordning. Fordelen er jo åpenbar. Men arbeidsoppgavene våre er også forandret. Det er en ny realpolitisk situasjon i Europa etter Sovjetunionens sammenbrudd. Arbeidet vårt dreier seg faktisk stadig mindre om å identifisere spioner. Nå dreier det seg om terrorisme, men fremfor alt om å vurdere personers politiske egnethet i følsomme stillinger.»

«Det er det det alltid har dreid seg om.»

Det banket på døren. Gullberg registrerte en pent og pyntelig kledd mann i 60-årsalderen og en yngre mann i olabukser og jakke.

«Hei, karer. Dette er Jonas Sandberg. Han har arbeidet her i fire år og driver med operativ virksomhet. Det var ham jeg fortalte om. Og dette er Georg Nyström. Dere har møtt hverandre tidligere.»

«Hei, Georg,» sa Gullberg.

De håndhilste. Deretter vendte Gullberg seg mot Jonas Sandberg.

«Og hvor kommer du fra?» spurte Gullberg mens han betraktet Jonas Sandberg.

«Akkurat nå fra Göteborg,» sa Sandberg spøkefullt. «Jeg har vært og besøkt ham.»

«Zalatsjenko ...» sa Gullberg.

Sandberg nikket.

«Slå dere ned, mine herrer,» sa Wadensjöö.

*

«Björck,» sa Gullberg og rynket øyenbrynene da Wadensjöö tente en sigarillo. Han hadde hengt av seg jakken og lente seg bakover i stolen ved møtebordet. Wadensjöö kastet et blikk på Gullberg og ble slått av hvor utrolig mager gamlingen var blitt.

«Han ble altså siktet for overtredelse av loven om kjøp av seksuelle tjenester på fredag,» sa Georg Nyström. «Det er foreløpig ikke reist tiltale, men han har i prinsippet tilstått og lusket hjem igjen med halen mellom bena. Han bor ute i Smådalarö mens han er sykmeldt. Mediene har ikke oppdaget det ennå.»

«Björck var en gang i tiden en av de aller beste vi hadde her i Seksjonen,» sa Gullberg. «Han hadde en nøkkelrolle i Zalatsjenko-saken. Hva har skjedd med ham siden han gikk av med pensjon?»

«Han er vel en av de ytterst få interne medarbeiderne som har gått fra Seksjonen og tilbake til den eksterne virksomheten. Han var jo ute og flakset til og med på din tid.»

«Ja, han trengte å hvile seg og utvide horisonten. Han hadde permisjon fra Seksjonen i to år i 1980-årene, da han arbeidet som etterretningsattaché. Da hadde han jobbet som en gal med Zalatsjenko nesten døgnet rundt fra 1976 og fremover, og jeg vurderte det slik at han virkelig hadde behov for en pause. Han var borte mellom 1985 og 1987, da han kom tilbake hit.»

«Man kan vel si at han sluttet i Seksjonen i 1994, da han gikk tilbake til den eksterne organisasjonen. I 1996 ble han nestleder i utlendingsavdelingen og havnet i en vanskelig situasjon da han faktisk måtte arbeide veldig mye med sine ordinære gjøremål. Han har naturligvis holdt kontakten med Seksjonen hele tiden, og jeg kan vel også si at vi har hatt regelmessige samtaler omtrent en gang i måneden helt frem til den siste tiden.»

«Han er altså syk.»

«Det er ikke noe alvorlig, men svært smertefullt. Han har skiveprolaps. Han har vært plaget med det gjentatte ganger de siste årene. For to år siden var han sykmeldt i fire måneder. Og så ble han dårlig igjen i august i fjor. Han skulle ha begynt å arbeide igjen første januar, men sykmeldingen er blitt forlenget, og nå dreier det seg hovedsakelig om å vente på en operasjon.»

«Og han har også tilbragt en del av sykmeldingstiden med å besøke horer,» sa Gullberg.

«Ja, han er jo ugift, og horebesøkene har pågått jevnt og trutt i mange år, hvis jeg har oppfattet det riktig,» sa Jonas Sandberg, som til da hadde sittet taus i nesten en halvtime. «Jeg har lest Dag Svenssons manuskript.»

«Jaha. Men kan noen fortelle meg hva som egentlig har skjedd?»

«Så vidt vi kan forstå, må det være Björck som har satt i gang hele karusellen. Det er den eneste mulige forklaringen på hvordan rapporten fra 1991 kunne havne i advokat Bjurmans hender.»

«Som også tilbringer fritiden med å oppsøke horer?» sa Gullberg.

«Ikke så vidt vi vet. Han forekommer i hvert fall ikke i Dag Svenssons materiale. Derimot var han jo verge for Lisbeth Salander.»

Wadensjöö nikket.

«Det må vel sies å være min feil. Du og Björck fikk jo stanset Salander da hun ble innlagt i 1991. Vi hadde regnet med at hun skulle være borte adskillig lenger, men hun hadde jo fått en verge, advokat Holger Palmgren, som faktisk lyktes med å få henne ut. Hun ble plassert i en fosterfamilie. Da hadde du allerede gått av med pensjon.»

«Hva skjedde deretter?»

«Vi holdt henne under oppsikt. Søsteren, Camilla Salander, var i mellomtiden blitt plassert i et fosterhjem i Uppsala. Da de var 17 år, begynte Lisbeth Salander plutselig å grave i sin egen fortid. Hun lette etter Zalatsjenko og undersøkte alle de offentlige registre hun kunne finne. På en eller annen måte, vi er ikke sikre på hvordan det foregikk, fikk hun tak i opplysninger om at søsteren visste hvor Zalatsjenko befant seg.»

«Stemmer det?»

Wadensjöö trakk på skuldrene.

«Jeg aner faktisk ikke. Søstrene hadde ikke truffet hverandre på flere år da Lisbeth Salander sporet opp Camilla og for-

129

søkte å få henne til å fortelle det hun visste. Det endte med en kjempekrangel og et prektig slagsmål mellom søstrene.»

«Jaha?»

«Vi holdt Lisbeth Salander under grundig oppsikt i de måne-dene. Vi hadde også informert Camilla Salander om at søsteren var voldelig og sinnssyk. Det var hun som tok kontakt med oss etter Lisbeths overraskende besøk, noe som igjen førte til at vi økte spaningsinnsatsen overfor henne.»

«Søsteren var altså din informant?»

«Camilla Salander var livredd for søsteren. Og uansett vakte Lisbeth Salander oppsikt i andre sammenhenger også. Hun hadde flere krangler med folk fra sosialetaten, og vi vurderte det slik at hun fortsatt utgjorde en trussel mot Zalatsjenkos anonymitet. Deretter skjedde den episoden på T-banen.»

«Hun angrep en pedofil …»

«Nettopp. Hun var åpenbart voldelig anlagt og mentalt for-styrret. Vi mente det ville bli roligere for alle parter om hun for-svant inn på et eller annet behandlingshjem igjen, og benyttet oss så å si av anledningen. Det var Fredrik Clinton og von Rot-tinger som tok affære. De engasjerte Peter Teleborian igjen, og fremmet gjennom en advokat et krav for tingretten om at hun på nytt måtte bli innlagt på institusjon. Holger Palmgren var Salanders advokat, og mot alle odds valgte domstolen å følge hans linje – mot at hun gikk med på å bli satt under vergemål.»

«Men hvordan ble Bjurman innblandet?»

«Palmgren fikk slag høsten 2002. Salander er fremdeles en sak som vi holder oppsikt med når hun dukker opp i et eller annet dataregister, og jeg sørget for at Bjurman ble hennes nye hjelpeverge. Og vær klar over at han ikke hadde noen anelse om at hun var Zalatsjenkos datter. Hensikten var ganske enkelt at hvis hun begynte å bable om Zalatsjenko, så ville han slå alarm.»

«Bjurman var en idiot. Han skulle aldri hatt noe med Zalat-sjenko å gjøre, langt mindre hans datter.» Gullberg så på Wadensjöö. «Det var en alvorlig bommert.»

«Jeg vet det,» sa Wadensjöö. «Men det føltes riktig den gangen, og jeg kunne jo ikke drømme om …»

«Hvor er søsteren i dag? Camilla Salander?»

«Det vet vi ikke. Da hun var 19 år, pakket hun kofferten og forlot fosterfamilien. Vi har ikke hørt en lyd fra henne etter det. Hun er forsvunnet.»

«Greit, fortsett ...»

«Jeg har en kilde i det ordinære politiet som har snakket med statsadvokat Richard Ekström,» sa Sandberg. «Den som har hånd om politietterforskningen, kriminalbetjent Bublanski, tror at Bjurman voldtok Salander.»

Gullberg betraktet Sandberg med uforstilt forbløffelse. Deretter strøk han seg ettertenksomt over haken.

«Voldtok?» sa han.

«Bjurman hadde en tatovering tvers over magen hvor det sto: 'Jeg er et sadistisk svin, et krek og en voldtektsmann'.»

Sandberg la et fargebilde fra obduksjonen på bordet. Gullberg betraktet storøyd Bjurmans mage.

«Og den skulle altså Zalatsjenkos datter ha gitt ham?»

«Det er vanskelig å forklare situasjonen på noen annen måte. Men hun er åpenbart ikke ufarlig. Hun banket livskitten ut av de to bøllene fra Svavelsjö MC.»

«Zalatsjenkos datter,» gjentok Gullberg. Han snudde seg mot Wadensjöö. «Vet du hva? Jeg synes du skulle ta og rekruttere henne.»

Wadensjöö så så forskrekket ut at Gullberg måtte tilføye at han spøkte.

«Greit. La oss ha som arbeidshypotese at Bjurman voldtok henne, og at hun hevnet seg. Hva mer?»

«Den eneste som kan svare nøyaktig på hva som skjedde, er naturligvis Bjurman selv, men det blir litt problematisk, siden han er død. Men saken er altså den at han ikke burde hatt noen anelse om at hun var Zalatsjenkos datter, det fremgår jo ikke av noe offentlig register. Men et eller annet sted underveis oppdaget Bjurman forbindelsen.»

«Men for helvete, Wadensjöö, hun visste jo selv hvem faren hennes var, og kunne ha fortalt det til Bjurman når som helst.»

«Jeg vet det. Vi ... jeg tenkte ganske enkelt feil i denne saken.»

«Det er utilgivelig inkompetent,» sa Gullberg.

«Jeg vet det. Jeg har sparket meg selv bak et dusin ganger. Men Bjurman var en av de få som visste om Zalatsjenkos eksistens, og det jeg tenkte, var at det var bedre om han oppdaget at hun var Zalatsjenkos datter, enn om en helt ukjent verge gjorde den samme oppdagelsen. Hun kunne jo i praksis ha fortalt det til hvem som helst.»

Gullberg dro seg i øreflippen.

«Nåja ... fortsett.»

«Alt er hypoteser,» sa Georg Nyström mildt. «Men det vi gjetter på, er at Bjurman forgrep seg på Salander, og at hun slo tilbake og fikk i stand denne her ...» Han pekte på tatoveringen på obduksjonsbildet.

«Sin fars datter,» sa Gullberg. Det lå en snev av beundring i stemmen.

«Med det resultat at Bjurman tok kontakt med Zalatsjenko for at han skulle ta seg av datteren. Zalatsjenko har jo, som kjent, bedre grunn enn de fleste til å hate Lisbeth Salander. Og Zalatsjenko delegerte i sin tur oppgaven videre til Svavelsjö MC og denne Niedermann, som han har hatt omgang med.»

«Men hvordan fikk Bjurman kontakt ...» Gullberg tidde. Svaret var åpenbart.

«Björck,» sa Wadensjöö. «Den eneste forklaringen på hvordan Bjurman kunne finne Zalatsjenko, er at Björck ga ham den informasjonen.»

«Helvete,» sa Gullberg.

Lisbeth Salander kjente et voksende ubehag kombinert med en kraftig irritasjon. Om morgenen hadde to sykepleiere kommet og vasket henne. De hadde funnet blyanten umiddelbart.

«Heisann. Hvordan har denne havnet her?» sa en av dem og puttet blyanten i lommen mens Lisbeth så på henne med mord i blikket.

Lisbeth var igjen våpenløs, og i tillegg så svak at hun ikke orket å protestere.

Hun hadde tilbragt helgen med å være dårlig. Hun hadde en forferdelig hodepine og fikk sterke smertestillende midler. Hun hadde en dump verking i skulderen som plutselig kunne skjære som en kniv hvis hun beveget seg uforsiktig eller forflyttet kroppsvekten. Hun lå på ryggen med støttekragen rundt halsen. Kragen måtte sitte på i noen dager til, til såret i hodet hadde begynt å gro. Søndagen hadde hun hatt feber som på det meste var oppe i 38,7. Doktor Helena Endrin konstaterte at hun hadde en infeksjon i kroppen. Hun var med andre ord ikke frisk. Noe Lisbeth ikke behøvde et termometer for å finne ut.

Hun konstaterte at hun nok en gang lå lenket til en statlig seng, selv om det denne gangen ikke var noen remmer som holdt henne på plass. Hvilket også ville vært overflødig. Hun orket ikke engang å sette seg opp, langt mindre dra av gårde på noen utflukt.

Ved lunsjtider mandag fikk hun besøk av doktor Anders Jonasson. Han virket kjent.

«Hei. Husker du meg?»

Hun ristet på hodet.

«Du var nokså omtåket, men det var jeg som vekket deg etter operasjonen. Og det var jeg som opererte deg. Jeg ville bare høre hvordan du har det, og om alt er bra.»

Lisbeth Salander stirret på ham med store øyne. At alt ikke var bra, burde være åpenbart.

«Jeg hører at du tok av deg nakkestøtten i natt.»

Hun nikket.

«Vi hadde jo ikke satt på den kragen for moro skyld, men for at du skulle holde hodet i ro mens helingsprossen kom i gang.»

Han betraktet den fåmælte jenta.

«Greit,» sa han til slutt. «Jeg ville bare kikke innom deg.»

Han var fremme ved døren da han hørte stemmen hennes.

«Det var Jonasson, ikke sant?»

Han snudde seg og smilte forbløffet til henne.

«Det stemmer. Hvis du husker navnet mitt, må du ha vært mer våken enn jeg trodde.»

«Og det var du som opererte ut kulen?»

«Det stemmer.»

«Kan du fortelle hvordan det står til med meg? Jeg får ikke noe fornuftig svar fra noen.»

Han gikk tilbake til sengen og så henne inn i øynene.

«Du har hatt flaks. Du ble skutt i hodet, men det virker ikke som om noen vitale områder er skadet. Den faren du er utsatt for akkurat nå, er at du får blødninger i hjernen. Det er derfor vi vil at du skal holde deg i ro. Du har en infeksjon i kroppen. I dette tilfellet ser det ut til at det er såret i skulderen som er skurken i dramaet. Det er mulig at vi må operere på nytt hvis vi ikke kan fjerne infeksjonen med antibiotika. Du har en smertefull tid foran deg mens helingsprosessen pågår. Men slik det ser ut nå, har jeg godt håp om at du kommer til å bli helt bra igjen.»

«Kan dette føre til hjerneskader?»

Han nølte litt før han nikket.

«Ja, risikoen er der. Men alle tegn tyder på at du har klart deg bra. Dessuten er det en mulighet for at du får en arrdannelse i hjernen som kan skape problemer, for eksempel at du utvikler epilepsi eller andre kjedeligheter. Men oppriktig talt, alt sånt er bare spekulasjoner. Akkurat nå ser det bra ut. Du er i bedring. Og skulle det dukke opp problemer underveis, får vi ta dem når de kommer. Er det et tydelig nok svar?»

Hun nikket.

«Hvor lenge må jeg ligge her?»

«Du mener på sykehus? Det kommer i hvert fall til å ta et par uker før vi slipper deg.»

«Nei, jeg mener hvor lang tid det vil gå før jeg kan reise meg og begynne å bevege meg?»

«Det vet jeg ikke. Det kommer an på helingsprosessen. Men regn med minst to uker til før vi kan begynne med noen form for fysioterapi.»

Hun betraktet ham alvorlig en lang stund.

«Du har vel ikke tilfeldigvis en sigarett?» spurte hun.

Anders Jonasson brast ut i en spontan latter og ristet på hodet.

«Beklager. Det er røykeforbud her inne. Men jeg kan sørge for at du får nikotinplaster eller nikotintyggegummi.»

Hun tenkte seg om en liten stund før hun nikket. Så kikket hun opp på ham igjen.

«Hvordan er det med gubbejævelen?»

«Hvem? Mener du ...?»

«Han som kom inn samtidig som meg.»

«Ingen venn av deg, går jeg ut fra. Jo da. Han kommer til å overleve og har faktisk vært oppe og gått litt rundt på krykker. Rent fysisk er han verre tilredt enn deg og har en meget smertefull ansiktsskade. Hvis jeg har forstått det riktig, smelte du en øks i skallen på ham.»

«Han forsøkte å drepe meg,» sa Lisbeth lavt.

«Det lyder jo ikke bra. Jeg må gå nå. Vil du at jeg skal komme innom og besøke deg igjen?»

Lisbeth Salander tenkte seg om en stund. Så nikket hun kort. Da han hadde lukket døren, ble hun liggende og se ettertenksomt opp i taket. Zalatsjenko har fått krykker. Det var den lyden jeg hørte i natt.

Jonas Sandberg, som var yngstemann i forsamlingen, måtte gå ut og ordne lunsj. Han kom tilbake med sushi og lettøl som han serverte rundt møtebordet. Evert Gullberg kjente et stikk av nostalgi. Akkurat sånn hadde det vært på hans tid også når en operasjon gikk inn i en kritisk fase og arbeidet foregikk døgnet rundt.

Forskjellen, konstaterte han, var vel muligens at på hans tid var det ingen som ville komme på den syke tanken å bestille rå fisk. Han skulle ønske at Sandberg hadde kommet tilbake med kjøttkaker med potetmos og tyttebærsyltetøy. Men på den annen side var han ikke sulten, og kunne skyve sushien til side uten dårlig samvittighet. Han spiste en brødbit og drakk mineralvann.

De fortsatte diskusjonen over maten. De hadde kommet til det punktet da de måtte oppsummere situasjonen og bestemme seg for tiltak. Det var beslutninger som hastet.

«Jeg kjente aldri Zalatsjenko,» sa Wadensjöö. «Hvordan var han?»

«Akkurat som han er i dag, går jeg ut fra,» sa Gullberg. «Lynende intelligent med en nærmest fotografisk hukommelse for detaljer. Men etter min mening et jævla svin. Og en smule sinnssyk, skulle jeg tro.»

«Jonas, du traff ham i går. Hva er din konklusjon?» spurte Wadensjöö.

Jonas Sandberg la fra seg bestikket.

«Han har full kontroll. Jeg har allerede fortalt om ultimatumet hans. Enten tryller vi bort dette her, eller så avslører han Seksjonen.»

«Hvordan faen kan han tro at vi kan trylle bort noe som er blitt terpet frem og tilbake i massemediene?» sa Georg Nyström.

«Det dreier seg ikke om hva vi kan gjøre eller ikke gjøre. Det dreier seg om hans behov for å kontrollere oss,» sa Gullberg.

«Hva er din vurdering? Kommer han til å gjøre det? Snakke med mediene?» spurte Wadensjöö.

Gullberg svarte langsomt

«Det er nesten umulig å svare på. Zalatsjenko kommer ikke med tomme trusler, og han kommer til å gjøre det som er best for ham selv. I den forstand er han uforutsigbar. Hvis det er til hans fordel å snakke med mediene ... hvis han kan få amnesti eller strafferreduksjon, kommer han til å gjøre det. Eller hvis han føler seg sviktet og vil ta igjen.»

«Uansett konsekvenser?»

«Særlig uansett konsekvenser. For ham dreier det seg om å vise at han er tøffere enn oss alle.»

«Men selv om Zalatsjenko snakker, er det jo ikke sikkert at han blir trodd. For å kunne bevise noe, må de ha tak i vårt arkiv. Og han vet ikke om denne adressen.»

«Vil du ta sjansen? Sett at Zalatsjenko snakker. Hvem kommer til å snakke deretter? Hva gjør vi hvis Björck bekrefter historien hans? Og Clinton som ligger i dialyseapparatet sitt ... hva vil skje dersom han skulle bli religiøs og bitter på alt og alle? Tenk om han begynner å bekjenne sine synder. Tro meg, hvis noen begynner å snakke, er det slutt på Seksjonen.»

«Så ... hva skal vi gjøre?»

Tausheten la seg tungt rundt bordet. Det var Gullberg som tok opp tråden igjen.

«Problemet består av flere deler. For det første kan vi være enige om hva konsekvensene blir hvis Zalatsjenko snakker. Hele det jævla konstitusjonelle Sverige ville ramle ned i hodet på oss. Vi ville bli utradert. Jeg vil gjette på at flere ansatte ved Seksjonen ville få fengselsstraff.»

«Virksomheten er juridisk legal, vi arbeider faktisk på oppdrag av regjeringen.»

«Ikke prat piss,» sa Gullberg. «Du vet like godt som jeg at et ullent formulert dokument som ble skrevet i midten av 1960-årene, ikke er verdt en døyt i dag.

Jeg vil tro at ingen av oss vil få rede på nøyaktig hva som ville skje hvis Zalatsjenko snakket,» la han til.

Det ble stille igjen.

«Altså må utgangspunktet være å klare å få Zalatsjenko til å holde munn,» sa Georg Nyström til slutt.

Gullberg nikket.

«Og for å kunne klare å få ham til å holde munn, må vi kunne tilby ham noe substansielt. Problemet er at han er uberegnelig. Han kunne like gjerne finne på å knekke oss av ren og skjær ondskap. Vi må tenke ut hvordan vi skal kunne holde ham i sjakk.»

«Og kravene ...» sa Jonas Sandberg. «At vi tryller bort dette her og får Salander innlagt på galehus.»

«Salander kan vi fikse. Det er Zalatsjenko som er problemet. Men det fører oss til den andre delen – å begrense skadevirkningene. Teleborians rapport fra 1991 har lekket ut, og den er potensielt en like stor trussel som Zalatsjenko.»

Georg Nyström kremtet.

«Så snart vi innså at rapporten var ute og hadde havnet hos politiet, iverksatte jeg tiltak. Jeg gikk via juristen Forelius på RPS/Säk, som kontaktet riksadvokaten. Riksadvokaten har beordret at rapporten skal leveres inn fra politiet – og at den ikke må spres og kopieres.»

«Hvor mye vet riksadvokaten?» spurte Gullberg.

«Ikke et fnugg. Han handler på en offisiell anmodning fra RPS/Säk, det dreier seg om hemmeligstemplet materiale, og riksadvokaten har ikke noe valg. Han kan ikke handle på noen annen måte.»

«Greit. Hvem innenfor politiet har lest rapporten?»

«Det fantes to kopier som er lest av Bublanski, hans kollega

Sonja Modig og endelig statsadvokat Richard Ekström. Vi kan vel gå ut fra at ytterligere to politifolk ...» Nyström bladde opp i notatene sine. «En Curt Svensson og en Jerker Holmberg i hvert fall kjenner innholdet.»

«Altså fire politifolk og en statsadvokat. Hva vet vi om dem?»

«Statsadvokat Ekström, 42 år. Blir ansett som en oppadgående stjerne. Han har arbeidet med utredninger for justisdepartementet og har hatt en del saker som det har vært litt blest rundt. Nitid. PR-bevisst. Karrierejeger.»

«Sosialdemokrat?» spurte Gullberg.

«Formodentlig. Men han er ikke aktiv.»

«Bublanski er altså etterforskningsleder. Jeg så ham på en pressekonferanse på TV. Han ga ikke inntrykk av å trives foran kameraene.»

«Han er 52 år og har en usedvanlig respektabel merittliste, men har også ord på seg for å være ganske vrien. Han er jøde og temmelig ortodoks.»

«Og denne kvinnen ... hvem er hun?»

«Sonja Modig. Gift, 39 år, tobarnsmor. Har gjort en ganske rask karriere. Jeg snakket med Peter Teleborian, som beskrev henne som emosjonell. Hun stiller spørsmål hele tiden.»

«Greit.»

«Curt Svensson er en tøffing. 38 år. Kommer fra gjengavsnittet i Söderort og kom i søkelyset da han skjøt og drepte en kjeltring for et par år siden. Etterforskningen frikjente ham på alle punkter. Det var forresten ham Bublanski sendte for å hente inn Gunnar Björck.»

«Jeg skjønner. Ha denne skyteepisoden in mente. Hvis det skulle bli behov for å så tvil om Bublanskis gruppe, kan vi alltids hente ham frem som en lite egnet politimann. Jeg går ut fra at vi fremdeles har de relevante mediekontaktene ... Og den siste karen?»

«Jerker Holmberg, 55 år. Kommer fra Norrland og er egentlig spesialist på åstedsundersøkelser. Han fikk tilbud om å videreutdanne seg til førstebetjent for et par år siden, men sa nei takk. Det virker som om han trives i jobben.»

«Er noen av dem politisk aktive?»

«Nei. Holmbergs far var kommunalråd for Centerpartiet i 1970-årene.»

«Hmm. Det virker jo som en beskjeden gruppe. Vi kan vel gå ut fra at de er ganske godt sammensveiset. Kan vi isolere dem på noen måte?»

«Det er en femte politimann som også er involvert,» sa Nyström. «Hans Faste, 47 år. Jeg har snappet opp at det har oppstått en større konflikt mellom Faste og Bublanski. Den er så alvorlig at Faste har sykmeldt seg.»

«Hva vet vi om ham?»

«Jeg har fått blandede reaksjoner når jeg har spurt. Han har en lang merittliste og ikke noen alvorlige merknader i protokollen. En proff. Men han er vanskelig å ha med å gjøre. Og det virker som om konflikten med Bublanski dreier seg om Lisbeth Salander.»

«Hvordan da?»

«Det virker som om Faste ikke vil gi slipp på historien om en lesbisk satanistliga, som avisene har skrevet om. Han misliker Salander sterkt, og det virker som om han ser det som en personlig fornærmelse at hun faktisk eksisterer. Han står formodentlig bak halvparten av ryktene selv. Jeg fikk høre fra en tidligere kollega at han generelt har problemer med å samarbeide med kvinner.»

«Interessant,» sa Gullberg. Han tenkte en stund. «Siden avisene allerede har skrevet om en lesbisk satanistliga, kan det kanskje være grunn til å spinne videre på den tråden. Det bidrar jo ikke akkurat til å styrke Lisbeth Salanders troverdighet.»

«Politifolkene som har lest Björcks rapport, er altså et problem. Kan vi isolere dem på noe vis?» undret Sandberg.

Wadensjöö tente en ny sigarillo.

«Det er jo Ekström som har hånd om saken hos påtalemyndigheten ...»

«Men det er Bublanski som styrer,» sa Nyström.

«Ja, men han kan ikke gå imot administrative beslutninger.» Wadensjöö så ettertenksom ut. Han kikket bort på Gullberg. «Du har større erfaring enn meg, men hele denne historien har så mange tråder og utløpere ... For meg virker det som om det kunne være klokt å få Bublanski og Modig vekk fra Salander.»

«Det er bra, Wadensjöö,» sa Gullberg. «Og det er nettopp det vi må gjøre. Bublanski leder etterforskningen av drapet på Bjurman og på det paret i Enskede. Salander er ikke lenger aktuell i den sammenhengen. Nå dreier det seg om tyskeren Niedermann. Altså må Bublanski og teamet hans konsentrere seg om å jakte på Niedermann.»

«Greit.»

«Salander er ikke deres sak lenger. I tillegg har vi etterforskningen i Nykvarn ... det er jo tre eldre drap. Der er det en forbindelse til Niedermann. Etterforskningen er for øyeblikket lagt til Södertälje, men dette bør slås sammen til én etterforskning. Altså bør Bublanski ha hendene fulle en stund fremover. Hvem vet ... kanskje får han tak i denne Niedermann.»

«Hmmm.»

«Denne Faste ... kan det være mulig å overtale ham til å komme tilbake i tjeneste? Han høres ut som en passende person til å etterforske mistankene mot Salander.»

«Jeg skjønner hvordan du tenker,» sa Wadensjöö. «Det dreier seg altså om å få Ekström til å skille de to sakene fra hverandre. Men det forutsetter at vi kan kontrollere Ekström.»

«Det burde ikke være noe stort problem,» sa Gullberg. Han skottet bort på Nyström, som nikket.

«Jeg kan ta meg av Ekström,» sa Nyström. «Jeg antar at han sitter og ønsker at han aldri hadde hørt om Zalatsjenko. Han ga fra seg Björcks rapport så fort sikkerhetspolitiet ba om det, og har allerede sagt at han vil ta hensyn til alle aspekter som har noen relevans for rikets sikkerhet.»

«Hva har du tenkt å gjøre?» spurte Wadensjöö mistenksomt.

«La meg bygge opp et scenario,» sa Nyström. «Jeg går ut fra at vi ganske enkelt må forklare ham på en pen måte hva han må gjøre hvis han vil unngå at karrieren skal få en brå slutt.»

«Det er den tredje delen som er det alvorlige problemet,» sa Gullberg. «Politiet fikk ikke tak i Björcks rapport på egen hånd ... de fikk den av en journalist. Og mediene er, som dere alle forstår, et problem i denne sammenhengen. Millennium.»

Nyström åpnet notatblokken.

«Mikael Blomkvist,» sa han.

Alle rundt bordet hadde hørt om Wennerström-saken og kjente navnet Mikael Blomkvist.

«Dag Svensson, journalisten som ble drept, jobbet for Millennium. Han holdt på med en historie om trafficking. Det var slik han zoomet inn på Zalatsjenko. Det var Mikael Blomkvist som fant ham drept. Dessuten kjenner han Lisbeth Salander og har ment at hun var uskyldig hele tiden.»

«Hvordan faen kan han kjenne Zalatsjenkos datter ... det virker som en altfor stor tilfeldighet.»

«Vi tror ikke det er noen tilfeldighet,» sa Wadensjöö. «Vi tror at Salander på en eller annen måte er forbindelsesleddet mellom dem alle. Vi kan ikke helt forklare hvordan, men det er det eneste rimelige.»

Gullberg satt taus og tegnet noen konsentriske sirkler på blokken sin. Til slutt så han opp.

«Jeg må få tenke over dette en stund. Jeg tar en spasertur. Vi sees igjen om en time.»

Gullbergs utflukt varte i nesten fire timer og ikke én som han hadde bedt om. Han spaserte i drøyt ti minutter før han fant en kafé som serverte en masse merkverdige former for kaffe. Han bestilte en kopp vanlig svart traktekaffe og satte seg ved et hjørnebord like ved utgangen. Han grublet intenst og forsøkte å kartlegge de forskjellige aspektene av problemet. Med jevne mellomrom noterte han en og annen hukommelsesknagg i en syvende sans.

Etter halvannen time hadde en plan begynt å ta form.

Det var ingen god plan, men etter å ha snudd og vendt på alle muligheter, innså han at problemet krevde drastiske tiltak.

Heldigvis var de menneskelige ressursene tilgjengelig. Det var mulig å gjennomføre.

Han reiste seg, fant en telefonkiosk og ringte Wadensjöö.

«Vi må utsette møtet en stund til,» var det første han sa. «Jeg har et ærend jeg må utføre. Kan vi møtes igjen klokken fjorten null null?»

Deretter gikk Gullberg ned til Stureplan og vinket på en drosje. Han hadde egentlig ikke råd til den slags luksus på sin magre statstjenestemannspensjon, men på den annen side var han nå i en alder da han ikke lenger hadde noen grunn til å spare til senere utsvevelser. Han oppga en adresse i Bromma.

Da han etter en stund var blitt satt av på den adressen han hadde oppgitt, gikk han et kvartal sørover og ringte på døren til en mindre enebolig. En kvinne i 40-årsalderen åpnet.

«God dag. Jeg skulle snakke med Fredrik Clinton.»

«Hvem kan jeg hilse fra?»

«En gammel kollega.»

Kvinnen nikket og viste ham inn i stuen, hvor Fredrik Clinton reiste seg langsomt fra en sofa. Han var bare 68 år gammel, men så ut til å være adskillig eldre. Diabetes og problemer med hovedpulsårene hadde satt sine tydelige spor.

«Gullberg,» sa Clinton forbløffet.

De så på hverandre en lang stund. Deretter omfavnet de to gamle spionene hverandre.

«Jeg trodde aldri jeg skulle få se deg igjen,» sa Clinton. «Jeg går ut fra at det er dette som har lokket deg frem?»

Han pekte på aftenavisens forside, som hadde et bilde av Ronald Niedermann og overskriften «Politimorderen jaktes på i Danmark».

«Hvordan er det med deg?» sa Gullberg.

«Jeg er syk,» sa Clinton.

«Jeg ser det.»

«Hvis jeg ikke får en ny nyre, kommer jeg til å dø snart. Og sannsynligheten for at jeg får en ny nyre, er temmelig liten.»

Gullberg nikket.

Kvinnen dukket opp i stuedøren og spurte om Gullberg ville ha noe.

«Kaffe, takk,» sa han. Da hun hadde forsvunnet, snudde han seg til Clinton. «Hvem er hun?»

«Min datter.»

Gullberg nikket. Det var fascinerende at til tross for det nære bekjentskapet gjennom mange år i Seksjonen, hadde nesten ingen av medarbeiderne hatt noen omgang med hverandre privat. Gullberg kjente hver eneste medarbeiders minste karakter-trekk, styrker og svakheter, men hadde bare en vag anelse om familieforholdene. Clinton hadde vært Gullbergs kanskje nærmeste medarbeider i tyve år. Han visste at Clinton hadde vært gift og hadde barn. Men han visste ikke hva datteren het, navnet på hans tidligere kone eller hvor Clinton pleide å tilbringe ferien. Det var som om alt utenfor Seksjonen var hellig og ikke skulle diskuteres.

«Hva vil du?» spurte Clinton.

«Kan jeg få spørre hva du mener om Wadensjöö?»

Clinton ristet på hodet.

«Jeg blander meg ikke inn.»

«Det var ikke det jeg spurte om. Du kjenner ham. Han jobbet sammen med deg i ti år.»

Clinton ristet på hodet igjen.

«Det er han som styrer Seksjonen i dag. Hva jeg mener er uinteressant.»

«Klarer han det?»

«Han er ingen idiot.»

«Men ...?»

«Analytiker. Veldig god på puslespill. En fremragende administrator som får budsjettet til å gå opp og det på en måte som vi ikke trodde var mulig.»

Gullberg nikket. Det viktigste var den egenskapen Clinton ikke hadde nevnt.

«Er du klar til å gå tilbake i tjenesten?»

Clinton så opp på Gullberg. Han nølte en lang stund.

«Evert ... jeg tilbringer ni timer annenhver dag i et dialyse-apparat på sykehuset. Jeg kan ikke gå i trapper uten nærmest å få åndenød. Jeg har ingen krefter. Ingen krefter i det hele tatt.»

«Jeg trenger deg. En siste operasjon.»

«Jeg vet ikke.»

«Du kan. Og kan tilbringe ni timer annenhver dag i dialyse. Du kan kjøre heis istedenfor å gå i trapper. Jeg kan få ordnet det slik at noen bærer deg frem og tilbake på båre hvis det blir nødvendig. Jeg trenger hjernen din.»

Clinton sukket.

«Fortell,» sa han.

«Vi står akkurat nå overfor en ekstremt komplisert situasjon hvor det er nødvendig med operative innsatser. Wadensjöö har en ung snørrvalp, Jonas Sandberg, som utgjør hele den operative avdelingen, og jeg tror ikke Wadensjöö har tæl nok til å gjøre det som må gjøres. Han er kanskje en djevel til å trylle med budsjetter, men han er redd for å ta operative beslutninger, og han er redd for å involvere Seksjonen i det feltarbeidet som er nødvendig.»

Clinton nikket. Han smilte matt.

«Operasjonen må foregå på to adskilte fronter. Én del dreier seg om Zalatsjenko. Jeg må få ham til å ta til fornuft, og jeg tror jeg vet hvordan jeg skal gå frem. Den andre delen må ledes her fra Stockholm. Problemet er at det ikke er noen i Seksjonen som kan holde i den. Jeg trenger deg til å ta kommandoen. En siste innsats. Jeg har en plan. Jonas Sandberg og Georg Nyström gjør fotarbeidet. Du styrer operasjonen.»

«Du forstår ikke hva du ber om.»

«Jo ... jeg forstår hva jeg ber om. Og du må selv avgjøre om du stiller opp eller ikke. Men enten må vi gamlinger rykke inn og gjøre vårt, eller så kommer ikke Seksjonen til å eksistere om et par uker.»

Clinton la albuen på sofakanten og hvilte hodet i hånden. Han grublet i to minutter.

«Fortell meg om planen din,» sa han til slutt.

Evert Gullberg og Fredrik Clinton snakket sammen i to timer.

Wadensjöö sperret øynene opp da Gullberg kom tilbake tre minutter på to med Fredrik Clinton på slep. Clinton så ut som et skjelett. Han så ut til å ha vondt for å gå og vondt for å puste og støttet seg med en hånd på Gullbergs skulder.

«Hva i all verden ...» sa Wadensjöö.

«La oss fortsette møtet,» sa Gullberg kort.

De samlet seg rundt bordet på Wadensjöös sjefskontor igjen. Clinton sank ned på den stolen som ble trukket frem for ham.

«Dere kjenner alle Fredrik Clinton,» sa Gullberg.

«Ja,» svarte Wadensjöö. «Spørsmålet er hva han gjør her.»

«Clinton har bestemt seg for å komme tilbake i aktiv tjeneste. Han kommer til å lede Seksjonens operative avdeling til den nåværende krisen er over.»

Gullberg løftet hånden og avbrøt Wadensjöös protester før han overhodet hadde rukket å uttale dem.

«Clinton er sliten. Han kommer til å trenge assistanse. Han må regelmessig til sykehus for dialyse. Wadensjöö, du engasjerer to personlige assistenter som kan bistå ham med alle praktiske gjøremål. Men la det være helt klart: Når det gjelder denne saken, er det Clinton som tar alle operative beslutninger.»

Han tidde og ventet. Ingen protester hørtes.

«Jeg har en plan. Jeg tror vi skal kunne ro dette i land, men vi må handle raskt så anledningen ikke går fra oss,» sa han. «Dessuten dreier det seg om hvor beslutsomme dere i Seksjonen er nå for tiden.»

Wadensjöö følte at det lå en utfordring i det Gullberg sa.

«Fortell.»

«For det første: Politiet har vi allerede behandlet. Vi gjør nøyaktig som vi sa. Vi forsøker å isolere dem i en videre etterforskning av et sidespor i jakten på Niedermann. Det blir Georg Nyströms jobb. Hva som skjer med Niedermann, er ikke av noen betydning. Og vi sørger for at Faste får i oppdrag å etterforske Salander.»

«Det blir formodentlig ikke så vanskelig,» sa Nyström. «Jeg tar rett og slett en prat med statsadvokat Ekström.»

«Hvis han setter seg på tverke …»

«Det tror jeg ikke han kommer til å gjøre. Han er en karrierejeger og ser hva som er til hans egen fordel. Men jeg kan antagelig også finne en brekkstang hvis det skulle bli nødvendig. Han ville avsky å bli innblandet i en skandale.»

«Bra. Trinn to er Millennium og Mikael Blomkvist. Det er derfor Clinton er tilbake i tjeneste. Der trengs det ekstraordinære tiltak.»

«Dette kommer jeg sannsynligvis ikke til å like,» sa Wadensjöö.

«Sannsynligvis ikke, men Millennium kan ikke manipuleres

på den samme enkle måten. Trusselen fra dem bygger derimot på en annen sak, nemlig Björcks politirapport fra 1991. Som situasjonen er nå, går jeg ut fra at rapporten befinner seg på to steder, muligens tre. Lisbeth Salander fant rapporten, men Mikael Blomkvist fikk også tak i den på en eller annen måte. Det betyr at det forekom en form for kontakt mellom Blomkvist og Salander i den perioden hun var på flukt.»

Clinton løftet en finger i været og sa de første ordene siden han hadde kommet.

«Det sier også noe om vår motstanders karakter. Blomkvist er ikke redd for å ta risker. Tenk på Wennerström-saken.»

Gullberg nikket.

«Blomkvist ga rapporten til sin sjefredaktør Erika Berger, som i sin tur formidlet den videre til Bublanski. Vi kan gå ut fra at de har tatt en sikkerhetskopi. Jeg vil gjette på at Blomkvist har en kopi, og at det finnes en kopi i redaksjonen.»

«Det høres rimelig ut,» sa Wadensjöö.

«Millennium er et månedstidsskrift, hvilket innebærer at de ikke kommer til å publisere noe i morgen. Vi har altså tid på oss. Men begge disse rapportene må vi få tak i. Og her kan vi ikke gå via riksadvokaten.»

«Det skjønner jeg.»

«Det dreier seg altså om å sette i gang en operativ virksomhet og foreta innbrudd både hos Blomkvist og i Millenniums redaksjon. Klarer du å organisere det, Jonas?»

Jonas Sandberg skottet bort på Wadensjöö.

«Evert, du må kanskje innse at … vi gjør ikke slike ting lenger,» sa Wadensjöö. «Dette er en ny tid som dreier seg mer om datainnbrudd og teleovervåkning og den slags. Vi har ikke ressurser til å ha en operativ virksomhet.»

Gullberg lente seg frem over bordet.

«Wadensjöö. Da får du skaffe ressurser til en operativ virksomhet fort som faen. Lei inn folk utenfra. Lei inn en gjeng med skikkelige bøller fra jugoslav-mafiaen som knerter Blomkvist i huet om nødvendig. Men de to kopiene må samles inn. Hvis de ikke har kopiene, har de ingen dokumentasjon, og da kan de ikke bevise et fnugg. Hvis dere ikke klarer det, kan du sitte der med tommelen i ræva til konstitusjonskomiteen kommer og banker på.»

Gullberg og Wadensjöö så hverandre inn i øynene en lang stund.

«Jeg kan ordne det,» sa Jonas Sandberg plutselig.

Gullberg skottet bort på juniormedarbeideren.

«Er du sikker på at du klarer å organisere noe sånt?»

Sandberg nikket.

«Fint. Fra og med nå er Clinton din sjef. Det er ham du tar imot ordrer fra.»

Sandberg nikket.

«Dette kommer til å dreie seg en god del om overvåkning. Den operative avdelingen må forsterkes,» sa Nyström. «Jeg har noen navneforslag. Vi har en fyr i den eksterne organisasjonen – han arbeider i livvaktavsnittet i Säk og heter Mårtensson. Han er uredd og lovende. Jeg har lenge vurdert å hente ham over hit til den interne organisasjonen. Jeg har til og med lurt på om han kunne bli min etterfølger.»

«Det høres bra ut,» sa Gullberg. «Clinton får avgjøre.»

«Jeg har en annen nyhet,» sa Georg Nyström. «Jeg er redd for at det finnes en tredje kopi.»

«Hvor?»

«Jeg har i løpet av ettermiddagen fått vite at Lisbeth Salander har fått en advokat. Hun heter Annika Giannini. Hun er søster av Mikael Blomkvist.»

Gullberg nikket.

«Du har rett. Blomkvist har gitt en kopi til søsteren sin. Alt annet ville være urimelig. Vi må med andre ord legge alle tre – Berger, Blomkvist og Giannini – under lupen en stund fremover.»

«Berger tror jeg ikke vi behøver å bekymre oss for. Det har gått ut en pressemelding i dag om at hun blir ny sjefredaktør i Svenska Morgon-Posten. Hun har ikke noe med Millennium å gjøre lenger.»

«Greit. Men sjekk henne likevel. Når det gjelder Millennium, må vi ha telefonavlytting, mulighet til å analysere boligene deres og selvfølgelig redaksjonen. Vi må kontrollere e-posten deres.

147

Vi må vite hvem de treffer og hvem de snakker med. Og vi vil veldig gjerne vite hvordan de har tenkt å legge opp avsløringen. Og fremfor alt må vi legge beslag på rapportene. En del detaljer, med andre ord.»

Wadensjöö lød usikker.

«Evert, du ber oss om å bedrive operativ virksomhet mot et presseorgan. Det er noe av det farligste vi kan gjøre.»

«Du har ikke noe valg. Enten må du brette opp ermene, eller så er det på tide at noen andre overtar ledelsen her.»

Utfordringen hang som en tung sky over bordet.

«Jeg tror jeg kan takle Millennium,» sa Jonas Sandberg til slutt. «Men ingenting av dette løser grunnproblemet. Hva gjør vi med din mann Zalatsjenko? Hvis han snakker, er alle andre anstrengelser forgjeves.»

Gullberg nikket langsomt.

«Jeg vet det. Det er min del av operasjonen. Jeg tror jeg har et argument som kommer til å overbevise Zalatsjenko om at han må holde kjeft. Jeg drar ned til Göteborg allerede i ettermiddag.»

Han tidde og så seg rundt i rommet. Deretter boret han blikket inn i Wadensjöö.

«Clinton tar alle operative beslutninger i mitt fravær,» sa han.

Etter en stund nikket Wadensjöö.

Først mandag kveld besluttet doktor Helena Endrin, i samråd med sin kollega Anders Jonasson, at Lisbeth Salanders tilstand var så vidt stabil at hun kunne ta imot besøk. Det første besøket var to kriminalbetjenter som fikk et kvarter på seg til å stille henne spørsmål. Hun stirret taust på de to politifolkene da de kom inn på rommet hennes og trakk frem hver sin stol.

«Hei. Jeg er kriminalbetjent Marcus Erlander. Jeg arbeider ved voldsavsnittet i Göteborg. Dette er min kollega Sonja Modig fra politiet i Stockholm.»

Lisbeth Salander hilste ikke. Hun fortrakk ikke en mine. Hun kjente igjen Modig som en av snutene i Bublanskis gruppe. Erlander smilte kjølig til henne.

«Jeg har skjønt at du ikke pleier å veksle særlig mange ord med myndighetene. Og jeg vil opplyse deg om at du ikke behøver å si noe som helst. Derimot ville jeg sette pris på om du tok deg tid til å lytte. Vi har flere spørsmål, og ikke særlig lang tid å behandle dem på i dag. Det kommer flere anledninger i tiden fremover.»

Lisbeth Salander sa ingenting.

«Da vil jeg for det første opplyse deg om at din venn Mikael Blomkvist har oppgitt til oss at en advokat ved navn Annika Giannini er villig til å representere deg, og at hun er innsatt i saken. Han sier at han allerede har nevnt navnet hennes for deg i en eller annen forbindelse. Jeg må få en bekreftelse fra deg på om dette er tilfelle, og vil vite om du ønsker at advokat Giannini skal komme til Göteborg for å representere deg.»

Lisbeth Salander sa ingenting.

Annika Giannini. Mikael Blomkvists søster. Han hadde nevnt henne i en melding. Lisbeth hadde ikke reflektert noe over at hun trengte en advokat.

«Jeg beklager, men jeg må ganske enkelt be deg svare på det spørsmålet. Det holder med et ja eller nei. Hvis du sier ja, kommer påtalemyndigheten her i Göteborg til å ta kontakt med advokat Giannini. Hvis du sier nei, kommer domstolen til å oppnevne en offentlig forsvarer for deg. Hva vil du?»

Lisbeth Salander overveide forslaget. Hun gikk ut fra at hun faktisk kom til å trenge en advokat, men å få Kalle Jævla Blomkvists søster som forsvarsadvokat var i sterkeste laget. Det ville han nok like, det. På den annen side var en ukjent offentlig forsvarer neppe noe bedre alternativ. Til slutt åpnet hun munnen og uttalte hest ett eneste ord.

«Giannini.»

«Bra. Takk for det. Da har jeg et spørsmål til deg. Du behøver ikke si et ord før advokaten din er på plass, men dette spørsmålet angår ikke deg eller ditt velbefinnende, så vidt jeg kan forstå. Politiet leter nå etter den 37 år gamle tyske statsborgeren ved navn Ronald Niedermann, som er etterlyst for drap på en politimann.»

Lisbeth rynket det ene øyenbrynet. Dette var nytt for henne.

Hun hadde ikke peiling på hva som hadde skjedd etter at hun kjørte øksa i hodet på Zalatsjenko.

«Fra Göteborgs side ønsker vi å pågripe ham så fort som mulig. Min kollega her fra Stockholm vil dessuten avhøre ham i forbindelse med de tre drapene som du tidligere har vært mistenkt for. Vi ber deg altså om hjelp. Vårt spørsmål til deg er om du har noen anelse ... om du kan gi oss noen som helst hjelp med å lokalisere ham.»

Lisbeth flyttet blikket mistenksomt fra Erlander til Modig og tilbake igjen.

De vet ikke at han er broren min.

Deretter lurte hun på om hun ville se Niedermann pågrepet eller ikke. Helst ville hun tatt ham med til et hull i bakken i Gosseberga og begravd ham der. Til slutt trakk hun på skuldrene. Noe hun ikke burde ha gjort, siden en skarp smerte umiddelbart skar gjennom den venstre skulderen.

«Hvilken dag er det?» spurte hun.

«Mandag.»

Hun tenkte seg om.

«Første gang jeg hørte navnet Ronald Niedermann, var torsdag i forrige uke. Jeg fant ham i Gosseberga. Jeg har ikke peiling på hvor han befinner seg eller hvor det er sannsynlig at han vil flykte. Jeg vil gjette på at han raskt vil forsøke å komme seg i sikkerhet utenlands.»

«Hvorfor tror du han har tenkt å flykte til utlandet?»

Lisbeth tenkte.

«Fordi at mens Niedermann var ute og gravde en grav til meg, sa Zalatsjenko at oppmerksomheten var blitt for stor, og at det allerede var planlagt at Niedermann skulle dra utenlands for en stund.»

Så mange ord hadde ikke Lisbeth Salander utvekslet med noen fra politiet siden hun var tolv år gammel.

«Zalatsjenko ... det er altså din far.»

Det hadde de i alle fall funnet ut. Kalle Jævla Blomkvist, sannsynligvis.

«Da må jeg opplyse deg om at din far har anmeldt deg for drapsforsøk. Saken ligger for øyeblikket hos påtalemyndighe-

ten, som skal ta stilling til om det eventuelt skal reises til-
tale. Det som derimot er klart, er at du er siktet for grov
legemsbeskadigelse. Du slo en øks i skallen på Zalatsjenko.»

Lisbeth sa ingenting. Det ble stille en lang stund. Så lente
Sonja Modig seg frem og sa lavt:

«Jeg vil bare si at vi i politiet ikke fester særlig stor lit til
Zalatsjenkos historie. Ta en alvorlig samtale med advokaten
din, så kan vi komme tilbake til dette senere.»

Erlander nikket. Politifolkene reiste seg.

«Takk for hjelpen med Niedermann,» sa Erlander.

Lisbeth var forundret over at politifolkene hadde opptrådt så
korrekt og nesten vennlig. Hun lurte på Sonja Modigs replikk.
Det må finnes en baktanke, fastslo hun.

KAPITTEL 7

Mandag 11. april–tirsdag 12. april

Kvart på seks mandag kveld lukket Mikael Blomkvist lokket på iBooken og reiste seg fra kjøkkenbordet hjemme i leiligheten i Bellmansgatan. Han tok på seg jakke og gikk bort til Milton Securitys kontor ved Slussen. Han tok heisen opp til resepsjonen i tredje etasje og ble umiddelbart vist inn på et møterom. Han kom presis klokken seks og var sistemann som kom.

«Hei, Dragan,» sa han og håndhilste. «Takk for at du ville stå som vert for dette uformelle møtet.»

Han så seg rundt i rommet. I tillegg til ham og Dragan Armanskij besto forsamlingen av Annika Giannini, Holger Palmgren og Malin Eriksson. Fra Miltons side deltok også tidligere kriminalbetjent Sonny Bohman, som på oppdrag fra Armanskij hadde fulgt Salander-etterforskningen fra dag én.

Holger Palmgren var på utflukt for første gang på over to år. Hans lege, doktor A. Sivarnandan, hadde vært alt annet enn begeistret ved tanken på å slippe ham ut fra Ersta behandlingshjem, men Palmgren hadde insistert. Han hadde fått transport og ble fulgt av sin personlige pleier, Johanna Karolina Oskarsson, 39 år, hvis lønn ble betalt av et fond som på mystisk vis var blitt opprettet for å gi Palmgren den best tenkelige behandling. Karolina Oskarsson ventet ved et kafébord utenfor møterommet. Hun hadde med seg en bok. Mikael lukket døren.

«For dere som ikke kjenner henne – Malin Eriksson er ny sjefredaktør i Millennium. Jeg ba henne bli med på dette møtet siden det vi kommer til å diskutere, også vil påvirke jobben hennes.»

«Greit,» sa Armanskij. «Vi er her. Jeg er lutter øre.»

Mikael stilte seg ved Armanskijs tusjtavle og tok opp en penn. Han så seg rundt.

«Dette er det sprøeste jeg har vært med på,» sa han. «Når dette er over, skal jeg danne en ideell forening. Jeg skal kalle den for Ridderne av det toskete bord, og formålet skal være å arrangere en årlig middag der vi snakker dritt om Lisbeth Salander. Dere er alle medlemmer.»

Han tok en pause.

«Slik ser virkeligheten ut,» sa han og begynte å sette opp kolonner på Armanskijs tusjtavle. Han snakket i en drøy halvtime. Diskusjonen varte i nærmere tre timer.

Evert Gullberg satte seg sammen med Fredrik Clinton da møtet formelt var over. De snakket lavt sammen i noen minutter før Gullberg reiste seg. De gamle våpenbrødrene tok hverandre i hånden.

Gullberg tok en drosje tilbake til Freys Hotel, hentet klærne sine, sjekket ut og tok et ettermiddagstog til Göteborg. Han valgte første klasse og fikk en hel kupé for seg selv. Da han passerte Årsta-broen, fant han frem kulepenn og en blokk med brevpapir. Han grublet en stund før han begynte å skrive. Han fylte omtrent halve arket med tekst før han stoppet opp og rev det ut av blokken.

Forfalskede dokumenter var ikke hans avdeling eller ekspertise, men i dette tilfellet ble oppgavene noe enklere av at de brevene han holdt på å forfatte, skulle være signert av ham selv. Problemet var at ikke et ord av det han skrev, skulle være sant.

Da han passerte Nyköping, hadde han kassert et stort antall utkast, men han begynte å få en viss anelse om hvordan brevene skulle formuleres. Da han kom frem til Göteborg, hadde han tolv brev som han var fornøyd med. Han passet omhyggelig på å avsette tydelige fingeravtrykk på brevpapiret.

På sentralstasjonen i Göteborg lyktes det ham å finne en kopimaskin og få tatt kopier av brevene. Deretter kjøpte han konvolutter og frimerker og la brevene i en postkasse som skulle tømmes klokken 21.00.

Gullberg tok en drosje til City Hotel i Lorensbergsgatan,

hvor Clinton allerede hadde bestilt et rom til ham. Han kom dermed til å bo på det samme hotellet som Mikael Blomkvist hadde overnattet på noen døgn tidligere. Han gikk umiddelbart opp på rommet sitt og sank ned på sengen. Han var uendelig trett, og det gikk opp for ham at han bare hadde spist to skiver brød i løpet av dagen. Men fremdeles var han ikke sulten. Han kledde av seg, strakte seg ut i sengen og sovnet nesten umiddelbart.

Lisbeth Salander våknet med et rykk da hun hørte døren bli åpnet. Hun visste umiddelbart at det ikke var noen av nattevaktene. Hun åpnet øynene i to smale sprekker og så silhuetten med krykkene i døren. Zalatsjenko sto stille og betraktet henne i lyset som sivet inn fra korridoren.

Uten å røre seg flyttet hun blikket så hun kunne se den digitale klokken, som viste 03.10.

Hun flyttet blikket noen millimeter og så vannglasset på kanten av nattbordet. Hun festet blikket på glasset og beregnet avstanden. Hun ville nå det akkurat uten å behøve å flytte på kroppen.

Det ville ta en brøkdel av et sekund å strekke ut armen og slå toppen av glasset mot den harde kanten på nattbordet med en besluttsom bevegelse. Det ville ta et halvt sekund å kjøre eggen opp i strupen på Zalatsjenko hvis han lente seg over henne. Hun vurderte andre alternativer, men forsto at det var hennes eneste mulige våpen.

Hun slappet av og ventet.

Zalatsjenko ble stående i døråpningen i to minutter uten å røre seg.

Deretter dro han døren forsiktig igjen. Hun hørte den svake, skrapende lyden fra krykkene da han fjernet seg stille fra rommet hennes.

Etter fem minutter reiste hun seg opp på albuen og strakte seg etter glasset og tok en stor slurk. Hun satte bena ut over sengekanten og fjernet elektrodene fra armene og brystkassen. Hun satte bena ustøtt i gulvet og svaiet. Det tok henne et minutts tid å få kontroll over kroppen. Hun haltet bort til døren, lente seg mot veggen og fikk pusten igjen. Hun kaldsvettet. Deretter vokste det frem et iskaldt raseri.

Fuck you, Zalatsjenko. La oss avslutte dette.

Hun trengte et våpen.

I neste øyeblikk hørte hun raske hæler i korridoren.

Faen. Elektrodene.

«Hva i herrens navn gjør du oppe?» utbrøt nattevakten.

«Jeg må ... gå ... på do,» sa Lisbeth Salander andpustent.

«Legg deg med én gang.»

Hun tok Lisbeth i hånden og støttet henne tilbake til sengen. Etterpå gikk hun og hentet et bekken.

«Når du skal på do, ringer du på oss. Det er det denne knappen er til,» sa sykepleieren.

Lisbeth sa ingenting. Hun konsentrerte seg om å forsøke å presse noen dråper ut av seg.

Tirsdag våknet Mikael Blomkvist halv elleve, dusjet, satte på kaffen og slo seg ned med iBooken. Etter møtet hos Milton Security kvelden før hadde han gått hjem og arbeidet til fem om morgenen. Han følte at historien endelig begynte å ta form. Zalatsjenkos biografi var fortsatt noe svevende – alt han hadde å gå på, var de opplysningene han hadde klart å presse Björck til å avsløre, og de detaljene som Holger Palmgren hadde kunnet tilføye. Historien om Lisbeth Salander var bortimot ferdig. Han forklarte steg for steg hvordan hun var blitt rammet av en gjeng kalde krigere fra RPS/Säk og sperret inne på en barnepsykiatrisk institusjon for ikke å avsløre hemmeligheten om Zalatsjenko.

Han var fornøyd med teksten. Han hadde en kanonhistorie som ville bli en kioskvelter, og som dessuten ville lage problemer langt oppover i det statlige byråkratiet.

Han tente en sigarett mens han grublet.

Han så to store hull som han måtte fylle. Det ene lot seg håndtere. Han måtte gå løs på Peter Teleborian, og han så frem til den oppgaven. Når han var ferdig med Teleborian, ville den kjente barnepsykiateren være en av Sveriges mest forhatte menn. Det var det ene.

155

Det andre problemet var adskillig mer komplisert.

Sammensvergelsen mot Lisbeth Salander – han tenkte på dem som Zalatsjenko-klubben – befant seg innenfor sikkerhetspolitiet. Han kjente til ett eneste navn, Gunnar Björck, men Gunnar Björck kunne neppe være den eneste ansvarlige. Det måtte være en gruppe, en avdeling av et eller annet slag. Det måtte finnes ledere, ansvarlige og et budsjett. Problemet var at han ikke hadde den fjerneste anelse om hvordan han skulle gå frem for å identifisere disse personene. Han visste ikke hvor han skulle begynne. Han hadde bare en rudimentær oppfatning om hvordan Säpos organisasjon så ut.

I løpet av mandagen hadde han innledet researchen ved å sende Henry Cortez til en rekke antikvariater på Södermalm for å kjøpe hver eneste bok som på noen som helst måte handlet om sikkerhetspolitiet. Cortez hadde kommet hjem til Mikael Blomkvist ved firetiden mandag ettermiddag med seks bøker. Mikael betraktet bunken på bordet.

Spionage i Sverige av Mikael Roquist (Tempus 1988), *Säpochef 1961–70* av Per Gunnar Vinge (W&W 1988), *Hemliga makter* av Jan Ottoson og Lars Magnusson (Tiden 1991), *Maktkamp om Säpo* av Erik Magnusson (Corona 1989), *Ett uppdrag* av Carl Lidbom (W&W 1990) pluss – en smule overraskende – *An Agent in Place* av Thomas Whiteside (Ballantine 1966), som handlet om Wennerström-saken. Den i 1960-årene, altså, ikke hans egen Wennerström-sak på 2000-tallet.

Han hadde tilbragt natt til tirsdag med å lese, eller i hvert fall skumlese, de bøkene Henry Cortez hadde funnet. Da han hadde lest ferdig, var det enkelte ting han kunne fastslå. For det første virket det som om de fleste bøker som noen gang var blitt skrevet om sikkerhetspolitiet, hadde kommet ut i slutten av 1980-årene. Et søk på Internett viste at det ikke fantes noen nevneverdig nyere litteratur om emnet.

For det andre så det ikke ut til å finnes noen ordentlig oversikt over det hemmelige svenske politiets virksomhet gjennom årene. Det var kanskje forståelig med tanke på at mange av sakene var hemmeligstemplet og derfor vanskelig å skrive om, men det så ikke ut til å ha vært en eneste institusjon, forsker eller noe medieorgan som hadde gransket Säpo kritisk.

Han noterte seg også det påfallende at det ikke fantes noen litteraturliste i de bøkene Henry Cortez hadde funnet. Fotnotene besto ofte av henvisninger til artikler i løssalgsaviser eller private intervjuer med en eller annen pensjonert Säpo-medarbeider.

Boken *Hemliga makter* var fascinerende, men behandlet først og fremst tiden før og under den annen verdenskrig. P.G. Vinges memoarer oppfattet Mikael som et propagandaskrift forfattet i selvforsvar av en sterkt kritisert og avskjediget Säpo-sjef. *An Agent in Place* inneholdt så mange merkverdigheter om Sverige allerede i første kapittel at han rett og slett slengte boken i papirkurven. De eneste bøkene med uttalte ambisjoner om å beskrive sikkerhetspolitiets arbeid var *Maktkamp om Säpo* og *Spionage i Sverige*. Der forekom data, navn og byråkrati. Særlig Erik Magnussons bok oppfattet han som meget lesverdig. Selv om den ikke ga svar på noen av de umiddelbare spørsmålene hans, ga den ham en god oppfatning av hvordan Säpo hadde sett ut og hva organisasjonen hadde syslet med de siste tiårene.

Den største overraskelsen var imidlertid *Ett uppdrag* av Carl Lidbom, som beskrev de problemene den tidligere Paris-ambassadøren hadde måttet slite med da han på oppdrag av regjeringen skulle utrede Säpo i kjølvannet av Palme-mordet og Ebbe Carlsson-affæren. Mikael hadde aldri før lest noe av Carl Lidbom og var overrasket over det ironiske språket ispedd knivskarpe iakttagelser. Men heller ikke Carl Lidboms bok førte Mikael noe nærmere svaret på spørsmålene hans, selv om han begynte å få en fornemmelse av hva han hadde å bale med.

Etter å ha grublet en stund åpnet han mobilen og ringte Henry Cortez.

«Hei, Henry. Takk for gårsdagens fotarbeid.»

«Hmm. Hva vil du?»

«Litt mer fotarbeid.»

«Micke, jeg har en jobb å gjøre. Jeg er blitt redaksjonssekretær.»

«Et utmerket karrieresteg.»

«Hva vil du?»

«I løpet av årene er det blitt utarbeidet flere offentlige gransk-
ninger om Säpo. Carl Lidbom gjorde én av dem. Det finnes
adskillige slike utredninger.»

«Jaha.»

«Ta med deg alt du kan finne fra Riksdagen – budsjetter,
SOU-er, interpellasjoner og lignende. Og bestill Säpos årsberet-
ninger så langt tilbake i tiden du kan komme.»

«Yes, massa.»

«Bra. Og Henry ...»

«Ja?»

«Jeg trenger det ikke før i morgen.»

Lisbeth Salander tilbragte dagen med å gruble over Zalat-
sjenko. Hun visste at han befant seg to rom bortenfor henne,
at han streifet omkring i korridoren om natten og at han hadde
kommet til rommet hennes klokken 03.10 i morges.

Hun hadde klart å oppspore ham i Gosseberga i den hensikt
å ta livet av ham. Hun hadde mislyktes, og følgen var at Zalat-
sjenko levde og befant seg mindre enn ti meter fra henne. Hun
satt i klisteret. I hvor sterk grad klarte hun ikke å få helt over-
sikt over, men hun gikk ut fra at hun ville bli nødt til å rømme
og forsvinne diskré utenlands hvis hun ikke ville risikere å bli
sperret inne på et eller annet galehus med Peter Teleborian som
dørvakt igjen.

Problemet var selvfølgelig at hun knapt hadde krefter til å
sette seg opp i sengen. Hun hadde registrert visse forbedringer.
Hodepinen var der fremdeles, men kom i bølger istedenfor å
være konstant. Smertene i skulderen lå på lur under overflaten
og meldte seg når hun forsøkte å bevege seg.

Hun hørte fottrinn utenfor døren og så en sykepleier åpne
døren og slippe inn en kvinne i svarte bukser, hvit bluse og mørk
jakke. Det var en pen og slank kvinne med mørkt hår og kort
guttefrisyre. Hun utstrålte en tilfreds selvtillit. I hånden hadde
hun en svart dokumentmappe. Lisbeth så umiddelbart at hun
hadde samme øyne som Mikael Blomkvist.

«Hei, Lisbeth. Jeg heter Annika Giannini,» sa hun. «Får jeg
lov til å komme inn?»

Lisbeth betraktet henne uttrykksløst. Hun hadde plutselig ikke det minste lyst til å treffe søsteren til Mikael Blomkvist og angret på at hun hadde sagt ja til forslaget om at hun skulle være advokaten hennes.

Annika Giannini gikk inn, lukket døren etter seg og trakk frem en stol. Hun satt noen sekunder uten å si noe og betraktet klienten sin.

Lisbeth Salander så virkelig elendig ut. Hodet var innpakket i bandasjer. Hun hadde enorme, blålilla bloduttredelser under begge øynene og blod i det hvite i øynene.

«Før vi begynner å diskutere noe som helst må jeg få vite om du virkelig vil at jeg skal være advokaten din. Jeg arbeider vanligvis bare med sivile saker hvor jeg bistår voldtektsofre eller ofre for mishandling. Jeg er ingen strafferettsadvokat. Derimot har jeg satt meg inn i detaljene i saken din, og jeg vil svært gjerne representere deg hvis jeg får lov. Jeg må også si at Mikael Blomkvist er min bror – det tror jeg du allerede vet – og at han og Dragan Armanskij betaler salæret mitt.»

Hun ventet en stund, men siden hun ikke fikk noen reaksjon fra klienten, fortsatte hun.

«Hvis du vil ha meg som din advokat, kommer jeg til å arbeide for deg. Jeg arbeider altså ikke for min bror eller Armanskij. Jeg kommer også til å få bistand i den strafferettslige delen av din gamle verge Holger Palmgren. Han er en skikkelig tøffing som har slept seg opp fra sykesengen for å hjelpe deg.»

«Palmgren?» sa Lisbeth Salander.

«Ja.»

«Har du truffet ham?»

«Ja. Han kommer til å være rådgiveren min.»

«Hvordan har han det?»

«Han er fly forbannet, men virker merkelig nok ikke bekymret for deg.»

Lisbeth Salander smilte skjevt. Det var det første smilet siden hun hadde havnet på Sahlgrenska sjukhuset.

«Hvordan føler du deg?»

«Som en sekk med dritt,» sa Lisbeth Salander.

159

«Jaha. Vil du ha meg som forsvarer? Armanskij og Mikael betaler salæret mitt og ...»

«Nei.»

«Hva mener du?»

«Jeg betaler selv. Jeg vil ikke ha et øre fra Armanskij og Kalle Blomkvist. Derimot kan jeg ikke betale deg før jeg får tilgang til Internett.»

«Jeg skjønner. Vi løser det spørsmålet når vi kommer dit, og det offentlige kommer uansett til å betale mesteparten. Du vil altså at jeg skal representere deg?»

Lisbeth Salander nikket kort.

«Bra. Da skal jeg begynne med å fremføre en beskjed fra Mikael. Han uttrykker seg kryptisk, men sier at du kommer til å skjønne hva han mener.»

«Jaha?»

«Han sier at han har fortalt meg det meste, bortsett fra enkelte ting. Det første dreier seg om de ferdighetene han oppdaget i Hedestad.»

Mikael vet at jeg har fotografisk hukommelse ... og at jeg er hacker. Han har holdt kjeft om det.

«Greit.»

«Det andre er CD-platen. Jeg vet ikke hva han mener med det, men han sier at det er noe du må avgjøre, om du vil fortelle meg om den eller ikke. Skjønner du hva han viser til?»

CD-platen med filmen som viste Bjurmans voldtekt.

«Ja.»

«Greit ...»

Annika Giannini ble plutselig usikker.

«Jeg er litt irritert på broren min. Til tross for at han engasjerer meg, forteller han bare det han selv vil. Har du også tenkt å holde ting hemmelig for meg?»

Lisbeth tenkte seg om.

«Jeg vet ikke.»

«Vi kommer til å måtte snakke sammen en hel del. Jeg rekker ikke å bli her og snakke med deg akkurat nå, siden jeg skal treffe statsadvokat Agneta Jervas om tre kvarter. Jeg var bare nødt til å få bekreftet at du virkelig ville ha meg som advokat. Jeg skal også gi deg en instruks …»

«Jaha.»

«Det er følgende. Hvis jeg ikke er til stede, skal du ikke si et eneste ord til politiet, uansett hva de spør om. Selv om de provoserer deg og anklager deg for forskjellige ting. Kan du love meg det?»

«Uten større problemer,» sa Lisbeth Salander.

Evert Gullberg hadde vært helt utmattet etter mandagens anstrengelser og våknet først klokken ni om formiddagen, noe som var nesten fire timer senere enn vanlig. Han gikk på badet og vasket seg og pusset tenner. Han sto lenge og betraktet ansiktet sitt i speilet før han slukket lyset og kledde på seg. Han valgte den eneste rene skjorten som var igjen fra den brune dokumentmappen og tok på seg et brunmønstrete slips.

Han gikk ned til spisesalen på hotellet og drakk en kopp svart kaffe og spiste en skive ristet loff med en osteskive og en klatt appelsinmarmelade på. Han drakk også et stort glass mineralvann.

Deretter gikk han til vestibylen og ringte Fredrik Clintons mobiltelefon fra en kortautomat.

«Det er meg. Situasjonsrapport?»

«Ikke særlig morsomt.»

«Orker du dette, Fredrik?»

«Ja, det er som i gamle dager. Bare synd at Hans von Rottinger ikke lever. Han var bedre enn meg til å planlegge operasjoner.»

«Du og han var like gode. Dere kunne byttet plass når som helst. Noe dere faktisk også gjorde ganske ofte.»

«Det dreier seg om fingerspissfølelse. Han var alltid et hår bedre.»

«Hvordan ligger dere an?»

«Sandberg er skarpere enn vi trodde. Vi har hentet inn ekstern hjelp i form av Mårtensson. Han er en løpegutt, men han er brukbar. Vi har begynt å avlytte Blomkvists hjemmetelefon og mobil. I løpet av dagen kommer vi også til å ta oss av telefonene til Giannini og Millennium. Vi er i gang med å se på plantegninger for kontorer og leiligheter. Vi kommer til å gå inn så snart som mulig.»

«Du må først lokalisere hvor alle kopiene befinner seg ...»

«Det har jeg allerede gjort. Vi har hatt ufattelig flaks. Annika Giannini ringte Blomkvist klokken ti i morges. Hun spurte spesielt om hvor mange kopier som fantes i omløp, og det fremgikk av samtalen at Mikael Blomkvist har den eneste kopien. Berger tok en kopi, men sendte den til Bublanski.»

«Bra. Vi har ingen tid å miste.»

«Jeg vet det. Men det må skje i én operasjon. Hvis vi ikke henter inn alle kopier av Björcks rapport samtidig, kommer vi til å mislykkes.»

«Jeg vet det.»

«Det er litt komplisert siden Giannini dro til Göteborg i morges. Jeg har sendt et team med eksterne medarbeidere etter henne. De er på vei ned med fly nå.»

«Bra.»

Gullberg kom ikke på noe mer å si. Han sto en lang stund uten å si noe.

«Takk, Fredrik,» sa han til slutt.

«Selv takk. Dette er morsommere enn å sitte og vente forgjeves på en nyre.»

De sa adjø til hverandre. Gullberg betalte hotellregningen og gikk ut på gaten. Ballen var sparket i gang. Nå handlet det bare om at koreografien måtte være nøyaktig.

Han begynte med å spasere til Park Avenue Hotel hvor han ba om å få bruke faksen. Han ville ikke gjøre det på hotellet hvor han hadde bodd. Han fakset de brevene han hadde forfattet på toget dagen før. Deretter gikk han ut på Avenyn og så etter en drosje. Han stoppet opp ved en papirkurv og rev i stykker fotokopiene han hadde tatt av brevene sine.

Annika Giannini snakket med statsadvokat Agneta Jervas i et kvarter. Hun ville vite hvilke anklager påtalemyndigheten ville anføre mot Lisbeth Salander, men skjønte fort at Agneta Jervas var usikker på hva som kom til å skje.

«Akkurat nå nøyer jeg meg med å sikte henne for punktet om grov legemsbeskadigelse, subsidiært drapsforsøk. Det dreier seg altså om Lisbeth Salanders øksehugg mot sin far. Jeg går ut fra at du kommer til å basere prosedyren på nødvergeretten.»

«Muligens.»

«Men oppriktig talt så er det politidrapsmannen Niedermann som har første prioritet akkurat nå.»

«Jeg skjønner.»

«Jeg har vært i kontakt med riksadvokaten. For tiden pågår det en diskusjon om hvorvidt alle anklager mot din klient skal samles under påtalemyndigheten i Stockholm og knyttes sammen med det som har skjedd der.»

«Jeg forutsetter at saken kommer til å bli flyttet til Stockholm.»

«Bra. Uansett må jeg få muligheten til å holde et avhør av Lisbeth Salander. Når kan det skje?»

«Jeg har en erklæring fra hennes lege, Anders Jonasson. Han oppgir at Lisbeth Salander ikke er i stand til å delta i noe avhør på flere dager ennå. Bortsett fra de fysiske skadene er hun kraftig neddopet av smertestillende midler.»

«Jeg har fått en lignende beskjed. Du forstår kanskje at det er frustrende for meg. Jeg gjentar at Ronald Niedermann har første prioritet. Din klient sier at hun ikke vet hvor han holder seg skjult.»

«Hvilket er i overensstemmelse med sannheten. Hun kjenner ikke Niedermann. Hun klarte bare å identifisere og oppspore ham.»

«OK,» sa Agneta Jervas.

Evert Gullberg hadde en blomsterkvast i hånden da han gikk inn i heisen på Sahlgrenska samtidig med en korthåret kvinne i mørk jakke. Han holdt høflig heisdøren åpen og lot henne gå først frem til vaktrommet på avdelingen.

«Jeg heter Annika Giannini. Jeg er advokat og skal snakke med min klient Lisbeth Salander igjen.»

Evert Gullberg snudde på hodet og stirret forbløffet på kvinnen han hadde sluppet ut av heisen. Han flyttet blikket til dokumentmappen hennes mens sykepleieren sjekket Gianninis legitimasjon og konsulterte en liste.

«Rom 12,» sa sykepleieren.

«Takk. Jeg har allerede vært der, så jeg finner veien.»

Hun tok dokumentmappen og forsvant ut av syne for Gullberg.

«Kan jeg hjelpe deg?» spurte sykepleieren.

«Ja takk, jeg vil gjerne levere disse blomstene til Karl Axel Bodin.»

«Han får ikke ta imot besøk.»

«Jeg vet det, jeg vil bare levere blomstene.»

«Det kan vi ordne.»

Gullberg hadde tatt blomstene med seg mest for å ha en unnskyldning. Han ville få en oppfatning av hvordan avdelingen så ut. Han takket og gikk mot utgangen. På veien passerte han døren til Zalatsjenko, rom 14 ifølge Jonas Sandberg.

Han ventet ute ved trappen. Gjennom glassdøren så han pleieren komme med den blomsterbuketten han nettopp hadde levert fra seg, og forsvinne inn på rommet til Zalatsjenko. Da hun hadde gått tilbake til plassen sin, skjøv Gullberg døren opp, spaserte raskt bort til rom 14 og og gikk inn.

«Hei, Aleksandr,» sa han.

Zalatsjenko så forbløffet på sin uanmeldte gjest.

«Jeg trodde du var død nå,» sa han.

«Ikke ennå,» sa Gullberg.

«Hva vil du?» spurte Zalatsjenko.

«Hva tror du?»

Gullberg trakk frem besøksstolen og satte seg.

«Se meg død, sannsynligvis.»

«Ja, det hadde ikke vært så dumt. Hvordan kunne du være så inn i helvete dum? Vi har gitt deg et nytt liv, og så havner du her.»

Hvis Zalatsjenko hadde kunnet smile, ville han ha gjort det. Det svenske sikkerhetspolitiet besto etter hans oppfatning av en gjeng amatører. Med blant disse regnet han Evert Gullberg og Sven Jansson alias Gunnar Björck. For ikke å snakke om en så komplett idiot som advokat Nils Bjurman.

«Og nå må vi enda en gang rake deg ut av glørne.»

Uttrykket gikk ikke helt hjem hos den alvorlig brannskadede Zalatsjenko.

«Ikke kom her med noen moralpreken. Få meg ut herfra.»

«Det var det jeg ville diskutere med deg.»

Han løftet dokumentmappen opp fra fanget, fant frem en tom notatblokk og slo opp på en blank side. Så stirret han granskende på Zalatsjenko.

«Én ting er jeg virkelig nysgjerrig på – ville du virkelig avslørt oss etter alt vi har gjort for deg?»

«Hva tror du?»

«Det kommer an på hvor gal du er.»

«Ikke kall meg gal. Jeg er en overlever. Jeg gjør det jeg må for å overleve.»

Gullberg ristet på hodet.

«Nei, Aleksandr, du gjør det gjør fordi du er ond og råtten. Du ville ha svar fra Seksjonen. Jeg er her for å gi deg det. Vi kommer ikke til å løfte en finger for å hjelpe deg denne gangen.»

Zalatsjenko så for første gang usikker ut.

«Du har ikke noe valg,» sa han.

«Det finnes alltid et valg,» sa Gullberg.

«Jeg kommer til å …»

«Du kommer ikke til å gjøre noe som helst.»

Gullberg trakk pusten dypt, stakk hånden ned i ytterrommet på den brune dokumentmappen og trakk opp en Smith & Wesson 9 millimeter med gullbelagt skjefte. Våpenet var en gave han hadde fått fra den engelske etterretningtjenesten femogtyve år tidligere – resultatet av en uvurderlig opplysning som han hadde halt ut av Zalatsjenko og forvandlet til hard valuta, i form av navnet på en stenograf ved MI5, som i god philbysk ånd arbeidet for russerne.

Zalatsjenko så forbløffet ut. Så lo han.

«Og hva har du tenkt å gjøre med den? Skyte meg? Du kommer til å tilbringe resten av ditt miserable liv i fengsel.»

«Det tror jeg ikke,» sa Gullberg.

Plutselig var Zalatsjenko usikker på om Gullberg bløffet eller ikke.

«Det kommer til å bli en skandale av enorme dimensjoner.»

«Det tror jeg heller ikke. Det blir nok noen overskrifter. Men om en uke er det ingen som overhodet kommer til å huske navnet Zalatsjenko.»

Zalatsjenko knep øynene sammen.

«Ditt jævla svin,» sa Gullberg med en sånn kulde i stemmen at Zalatsjenko frøs til is.

Han klemte på avtrekkeren og plasserte skuddet midt i pannen på ham akkurat idet Zalatsjenko begynte å svinge protesen over sengekanten. Han sprellet spastisk noen ganger før han ble helt stille. Gullberg så at det hadde dannet seg en rødfarget blomst på veggen bak hodegjerdet på sengen. Det ringte i ørene etter smellet, han gned seg automatisk i øregangen med den ledige pekefingeren.

Deretter reiste han seg og gikk bort til Zalatsjenko og satte munningen mot tinningen og klemte på avtrekkeren to ganger til. Han ville være sikker på at den gamle jævelen virkelig var død.

Lisbeth Salander satte seg opp med et rykk da det første skuddet falt. Det skjøt en intens smerte gjennom skulderen. Da de to neste skuddene falt, forsøkte hun å få bena ut over sengekanten.

Annika Giannini hadde bare snakket med Lisbeth i noen minutter da de hørte skuddene. Først satt hun paralysert og forsøkte å skjønne hvor det skarpe smellet kom fra. Lisbeth Salanders reaksjon fikk henne til å innse at noe var i gjære.

«Ligg stille,» ropte Annika Giannini. Hun la automatisk håndflaten midt på brystkassen til Lisbeth Salander og presset klienten sin bardus ned i sengen med en sånn kraft at luften gikk ut av Lisbeth.

Deretter gikk Annika raskt gjennom rommet og åpnet døren. Hun så to sykepleiere som kom løpende mot et rom to dører lenger nede i korridoren. Den første av pleierne bråstoppet på terskelen. Annika hørte at hun ropte: «Nei, ikke gjør det», og så henne deretter ta et skritt bakover og kollidere med den andre pleieren.

«Han er bevæpnet. Løp.»

Annika så de to sykepleierne søke tilflukt i rommet nærmest Lisbeth Salanders.

I neste øyeblikk så hun den magre, gråhårede mannen i den pepitarutete jakken komme ut i korridoren. Han hadde en pistol i hånden. Annika identifiserte ham som den mannen hun hadde tatt heisen sammen med noen minutter tidligere.

Så møttes blikkene deres. Han så forvirret ut. Deretter så hun ham dreie våpenet i retning mot henne og ta et skritt fremover. Hun trakk hodet inn, smelte døren igjen og så seg desperat rundt. Det sto et høyt stellebord umiddelbart ved siden av henne. Hun halte det frem til døren i én eneste bevegelse og kilte fast bordplaten inn under håndtaket.

Hun hørte noe som beveget seg, snudde på hodet og så at Lisbeth Salander holdt på å kravle seg ut av sengen igjen. Hun tok noen raske skritt over gulvet, slo armene rundt klienten og løftet henne opp. Hun rev løs elektroder og drypp da hun bar henne inn på toalettet og satte henne på klosettlokket. Så snudde hun seg og låste toalettdøren. Deretter gravde hun frem mobiltelefonen fra jakkelommen og tastet 112 til nødmeldingssentralen.

Evert Gullberg gikk frem til Lisbeth Salanders rom og forsøkte å trykke ned håndtaket. Det var blokkert av et eller annet. Han kunne ikke rikke det en millimeter.

En liten stund sto han ubesluttsom utenfor døren. Han visste at Annika Giannini befant seg i rommet, og han lurte på om hun hadde kopien av Björcks rapport i mappen sin. Han kunne ikke komme inn i rommet, og han hadde ikke krefter til å slå inn døren.

Men det inngikk ikke i planen. Clinton kom til å ta seg av trusselen fra Giannini. Hans jobb var bare Zalatsjenko.

Gullberg så seg rundt i korridoren, og det gikk opp for ham at han ble iakttatt av to dusin sykepleiere, pasienter og besøkende som kikket ut gjennom døråpningene. Han løftet pistolen og avfyrte et skudd mot et bilde som hang på veggen i enden av korridoren. Publikum forsvant som ved et trylleslag.

Han kastet et siste blikk på den lukkede døren og gikk deretter besluttsomt tilbake til Zalatsjenkos rom og lukket døren. Han satte seg i besøksstolen og betraktet den russiske avhopperen som hadde vært så intimt forbundet med hans eget liv i mange år.

Han satt stille i nesten ti minutter før han hørte bevegelser i korridoren og innså at politiet hadde ankommet. Han tenkte ikke på noe spesielt.

Så hevet han pistolen for siste gang, rettet den mot tinningen og klemte på avtrekkeren.

Etter hvert som situasjonen utviklet seg, ble risikoen ved å begå selvmord på Sahlgrenska sjukhuset åpenbar. Evert Gullberg ble sendt med ekspressfart til sykehusets traumaenhet hvor doktor Anders Jonasson tok imot ham og umiddelbart iverksatte et helt batteri av livsoppholdende tiltak.

For annen gang på under en uke utførte Jonasson en akuttoperasjon hvor han plukket ut en helmantlet kule fra menneskelig hjernevev. Etter fem timers operasjon var Gullbergs tilstand kritisk. Men han var fortsatt i live.

Evert Gullbergs skader var imidlertid adskillig alvorligere enn de skadene Lisbeth Salander var blitt påført. I flere døgn svevde han mellom liv og død.

Mikael Blomkvist var på Kaffebar i Hornsgatan da han hørte radionyhetene melde at den ennå ikke navngitte 66 år gamle mannen som var mistenkt for drapsforsøk på Lisbeth Salander, var blitt skutt og drept på Sahlgrenska sjukhuset i Göteborg. Han satte fra seg kaffekoppen, grep databagen og hastet av sted til redaksjonen i Götgatan. Han krysset Mariatorget og svingte akkurat inn i St. Paulsgatan da mobiltelefonen pep. Han svarte i farten.

«Blomkvist.»

«Hei, det er Malin.»

«Jeg hørte på nyhetene. Vet vi hvem som skjøt?»

«Ikke ennå. Henry Cortez er på jakt»

«Jeg er på vei. Oppe om fem minutter.»

Mikael ble møtt i døren inn til Millennium av Henry Cortez, som var på vei ut.

«Ekström skal holde pressekonferanse klokken 15.00,» sa Henry. «Jeg drar ned til Kungsholmen.»

«Hva vet vi?» ropte Mikael etter ham.

«Malin,» sa Henry og forsvant.

Mikael gikk rett inn på Erika Bergers ... feil, Malin Erikssons kontor. Hun snakket i telefonen og noterte febrilsk på en gul klistrelapp. Hun vinket avvergende til ham. Mikael gikk ut på tekjøkkenet og skjenket kaffe i to krus merket KDU og SSU. Da han kom tilbake til Malins kontor, hadde hun akkurat avsluttet samtalen. Han ga henne SSU.

«Jaha,» sa Malin. «Zalatsjenko ble skutt og drept klokken 13.15 idag.»

Hun så på Mikael.

«Jeg snakket nettopp med en sykepleier på Sahlgrenska. Hun sier at morderen var en eldre mann, anslagsvis i 70-årsalderen, som kom for å levere noen blomster til Zalatsjenko noen minutter før drapet. Han skjøt Zalatsjenko med flere skudd i hodet, og deretter skjøt han seg selv. Zalatsjenko er død. Drapsmannen lever fremdeles og blir operert akkurat nå.»

Mikael pustet ut. Helt siden han hørte nyheten på kaffebaren hadde han hatt hjertet i halsen og en panikkartet følelse av at det var Lisbeth Salander som hadde holdt i våpenet. Det ville virkelig ha komplisert planene hans.

«Har vi noe navn på han som skjøt?» spurte han.

Malin ristet på hodet i samme øyeblikk som telefonen ringte igjen. Hun tok den, og ut fra samtalen skjønte han at det var en frilanser i Göteborg som Malin hadde sendt til Sahlgrenska. Han vinket til henne og gikk inn på sitt eget kontor og satte seg.

Det føltes som om det var første gang på flere uker han overhodet var på arbeidsplassen. Han hadde en bunke med uåpnet post som han skjøv besluttsomt til side. Så ringte han til sin søster.

«Giannini.»

«Hei. Det er Mikael. Har du hørt hva som har hendt på Sahlgrenska?»

«Det kan man nok si.»

«Hvor er du?»

«På Sahlgrenska. Den jævelen siktet på meg.»

Mikael ble sittende målløs i flere sekunder før det virkelig gikk opp for ham hva søsteren hadde sagt.

«Hva faen ... var du der?»

«Ja. Det er det jævligste jeg har vært med på i hele mitt liv.»

«Er du skadet?»

«Nei. Men han forsøkte å komme inn på rommet til Lisbeth. Jeg blokkerte døren og låste oss inne på do.»

Mikael kjente plutselig at verden glapp ut av likevekt. Søsteren hans hadde nesten ...

«Hvordan er det med Lisbeth?» spurte han.

«Hun er uskadet. Eller, jeg mener, hun ble i hvert fall ikke skadet i dagens drama.»

Han pustet litt ut.

«Annika, vet du noe om morderen?»

«Ikke en døyt. Det var en eldre mann, pent kledd. Jeg syntes han så forvirret ut. Jeg har aldri sett ham før, men jeg tok heisen sammen med ham opp hit et par minutter før drapet.»

«Og det er sikkert at Zalatsjenko er død?»

«Ja. Jeg hørte tre skudd, og etter det jeg har klart å fange opp her, ble han skutt i hodet alle tre gangene. Men det har vært fullstendig kaos her med tusen politifolk og evakuering av en hel avdeling med alvorlig skadede og syke mennesker som egentlig ikke skal flyttes. Da politiet kom, var det noen som ville avhøre Salander før de skjønte hvor dårlig det sto til med henne. Jeg måtte heve stemmen betraktelig.»

Kriminalbetjent Marcus Erlander så Annika Giannini gjennom døråpningen til Lisbeth Salanders rom. Advokaten hadde mobiltelefonen presset mot det ene øret, og han ventet på at hun skulle avslutte samtalen.

To timer etter drapet rådet det fremdeles et organisert kaos i korridoren. Zalatsjenkos rom var avsperret. Legene hadde forsøkt med gjenopplivning umiddelbart etter skuddene, men snart gitt opp alle anstrengelser. Zalatsjenko var hinsides all hjelp. Liket hans ble ført til patologen, og åstedsundersøkelsene pågikk for fullt.

Erlanders mobil ringte. Det var Fredrik Malmberg i spanings- avsnittet.

«Vi har en sikker identifikasjon av drapsmannen,» hilste Malmberg. «Han heter Evert Gullberg og er 78 år gammel.»

78 år. En alderstegen morder.

«Og hvem faen er Evert Gullberg?»

«Pensjonist. Bosatt i Laholm. Han har tittelen forretnings- advokat. Jeg er blitt oppringt av RPS/Säk, som forteller at de nylig har innledet en granskning av ham.»

«Når og hvorfor?»

«Når vet jeg ikke. Hvorfor er fordi han hatt den uvanen å sende sprø og truende brev til offentlige personer.»

«Som for eksempel?»

«Justisministeren.»

Marcus Erlander sukket. En gærning, altså. En retthaversk kverulant.

«Säpo ble i morges oppringt av flere aviser som hadde fått brev fra Gullberg. Justisdepartementet har også gitt lyd fra seg siden denne Gullberg uttrykkelig har truet Karl Axel Bodin på livet.»

«Jeg vil ha kopi av brevene.»

«Fra Säpo?»

«Ja, for svarte. Dra opp til Stockholm og hent dem fysisk om nødvendig. Jeg vil ha dem på skrivebordet mitt når jeg kommer tilbake til kammeret. Hvilket blir om en times tid eller to.»

Han tenkte et øyeblikk og tilføyde et spørsmål.

«Var det Säpo som ringte deg?»

«Jeg sa jo det.»

«Jeg mener, det var de som ringte deg og ikke omvendt?»

«Ja. Nettopp.»

«Greit,» sa Marcus Erlander og slo av mobilen.

Han lurte på hva som hadde stukket Säpo siden de plutselig hadde funnet på å ta kontakt med det ordinære politiet uopp- fordret. Som regel var det nesten umulig å få et pip ut av dem.

*

Wadensjöö slengte bryskt opp døren til det værelset i Seksjonen som Fredrik Clinton brukte som hvilerom. Clinton satte seg forsiktig opp.

«Hva i helvete er det som foregår?» ropte Wadensjöö.

«Gullberg har drept Zalatsjenko og så skutt seg selv i huet.»

«Jeg vet det,» sa Clinton.

«Du vet det?» utbrøt Wadensjöö.

Wadensjöö var høyrød i ansiktet og så ut som om han var like ved å få hjerneblødning.

«Han har jo for faen skutt seg selv. Han prøvde å begå selvmord. Er han sinnsforvirret?»

«Han er altså i live?»

«For øyeblikket, ja, men han har massive hjerneskader.»

Clinton sukket.

«Så synd,» sa han sørgmodig.

«Synd?!» utbrøt Wadensjöö. «Gullberg er jo sinnssyk. Skjønner du ikke hva ...»

Clinton avbrøt ham kontant.

«Gullberg har kreft i magen, tykktarmen og urinblæren. Han har vært døende i flere måneder nå, og hadde i beste fall et par måneder igjen.»

«Kreft?»

«Han har gått med dette våpenet på seg det siste halvåret, fast bestemt på å bruke det når smertene ble uutholdelige og før han ble til en ynkelig hjelpeløs gjenstand. Nå fikk han anledning til å gjøre en siste innsats for Seksjonen. Han gjorde en storslagen sorti.»

Wadensjöö var nærmest målløs.

«Du visste at han hadde tenkt å drepe Zalatsjenko?»

«Selvsagt. Hans oppdrag var å sørge for at Zalatsjenko aldri fikk noen mulighet til å snakke. Og som du vet, er det ikke mulig å true ham eller snakke fornuft med ham.»

«Men skjønner du ikke hvilken skandale dette kan bli? Er du like sprø som Gullberg?»

Clinton reiste seg møysommelig. Han så Wadensjöö like inn i øynene og ga ham en bunke med fakskopier.

«Det var en operativ beslutning. Jeg sørger over min venn,

172

men jeg kommer formodentlig til å følge etter ham ganske snart. Men dette med skandale ... En forhenværende skatte-jurist har skrevet åpenbart sinnsforvirrede og paranoide brev til avisene, politiet og justisdepartementet. Her har du noen eks-empler på brevene. Gullberg anklager Zalatsjenko for alt fra Palme-mordet til at han forsøker å forgifte den svenske befolk-ningen med klor. Brevene er åpenbart sinnssyke og er skre-vet med en til tider uleselig håndskrift og med store bokstaver, understrekninger og utropstegn. Jeg liker den måten han har skrevet i margen på.»

Wadensjöö leste brevene med stigende forundring. Han tok seg til pannen. Clinton så på ham.

«Uansett hva som skjer, vil ikke Zalatsjenkos død ha noe med Seksjonen å gjøre. Det var en forvirret og dement pensjonist som avfyrte skuddene.»

Han tok en pause.

«Det viktigste fra og med nå er at du glir inn i rekkene. *Don't rock the boat.*»

Han boret øynene inn i Wadensjöö. Det var plutselig stål i den sykes blikk.

«Det du må forstå, er at Seksjonen er det svenske totalfor-svarets spydspiss. Vi er den siste forsvarslinjen. Vår jobb er å overvåke landets sikkerhet. Alt annet er uvesentlig.»

Wadensjöö stirret på Clinton med tvil i blikket.

«Vi er dem som ikke finnes. Vi er dem som ingen takker. Vi er dem som må ta beslutninger som ingen andre makter å ta ... aller minst politikerne.»

Det lå en tydelig forakt i stemmen da han uttalte det siste ordet.

«Gjør som jeg sier, så kanskje Seksjonen overlever. Men for at det skal skje, må vi være besluttsomme og legge vekk silkehanskene.»

Wadensjöö kjente panikken vokse.

Henry Cortez noterte febrilsk alt som ble sagt fra podiet på pressekonferansen i politihuset på Kungsholmen. Det var stats-advokat Richard Ekström som åpnet konferansen. Han forklarte at det samme morgen var blitt tatt en beslutning om at etterforskningen av politidrapet i Gosseberga, som en Ronald Niedermann var etterlyst for, skulle ligge under påtalemyndigheten i Göteborg, men at den øvrige etterforskningen av Niedermann skulle høre inn under Ekström selv. Niedermann var altså mistenkt for drapet på Dag Svensson og Mia Bergman. Ingenting ble sagt om advokat Bjurman. Derimot hadde Ekström også til oppgave å etterforske og reise tiltale mot Lisbeth Salander, som var mistenkt for en lang rekke lovbrudd.

Han fortalte at han hadde bestemt seg for å gå ut med disse opplysningene på bakgrunn av det som hadde inntruffet i Göteborg i løpet av dagen, hvilket altså innebar at Lisbeth Salanders far, Karl Axel Bodin, var blitt skutt og drept. Den direkte årsaken til pressekonferansen var at han ville dementere de opplysningene som allerede var blitt fremført i mediene, og som han hadde mottatt flere telefoner om.

«Ut fra de opplysningene som foreligger for øyeblikket, kan jeg si at Karl Axel Bodins datter, som altså er siktet for drapsforsøk på sin far, ikke har noe med formiddagens hendelser å gjøre.»

«Hvem er morderen?» skrek en reporter fra Dagens Eko.

«Den mannen som klokken 13.15 avfyrte de dødelige skuddene mot Karl Axel Bodin og deretter forsøkte å begå selvmord, er identifisert. Han er en 78 år gammel pensjonist som i lengre tid er blitt behandlet for en dødelig sykdom og psykiske problemer i forbindelse med dette.»

«Har han noen forbindelse med Lisbeth Salander?»

«Nei. Det kan vi bestemt dementere. De to har aldri møtt hverandre og kjenner ikke hverandre. Den 78 år gamle mannen er en tragisk skikkelse som har opptrådt på egen hånd og etter egne, åpenbart paranoide vrangforestillinger. Sikkerhetspolitiet hadde nylig satt i verk en granskning av ham på grunn av at han hadde skrevet en mengde forvirrede brev til kjente politikere og massemediene. Så sent som i morges har brev fra 78-åringen, hvor han truer Karl Axel Bodin på livet, ankommet aviser og myndigheter.»

«Hvorfor har ikke politiet gitt Bodin beskyttelse?»

«Brevene som dreide seg om ham, ble avsendt i går kveld og ankom i prinsippet i samme øyeblikk som drapet ble begått. Det var ingen rimelig margin å reagere på.»

«Hva heter 78-åringen?»

«Vi vil i den nåværende situasjon ikke gå ut med denne opplysningen før hans nærmeste er underrettet.»

«Hva slags bakgrunn har han?»

«Så vidt jeg har fått rede på nå i formiddag, har han tidligere arbeidet som revisor og skattejurist. Han har vært pensjonist de siste femten årene. Etterforskningen fortsetter, men som dere forstår av brevene han sendte, er dette en tragedie som muligens kunne vært forhindret hvis samfunnet hadde vært mer våkent.»

«Har han truet andre personer?»

«Jeg har fått opplysninger om det, ja, men kjenner ikke noen nærmere detaljer.»

«Hva betyr dette for saken mot Lisbeth Salander?»

«For øyeblikket ingenting; vi har Karl Axel Bodins eget vitneutsagn til politifolkene som avhørte ham, og vi har omfattende tekniske beviser mot henne.»

«Hvordan forholder det seg med opplysningene om at Bodin skal ha forsøkt å ta livet av sin datter?»

«Dette spørsmålet er gjenstand for videre undersøkelser, men det foreligger sterke mistanker om at så var tilfellet. Så vidt vi kan se i den nåværende situasjon, dreier det seg om dype motsetninger i en tragisk splittet familie.»

Henry Cortez så tankefull ut. Han kløtte seg i øret. Han la merke til at hans journalistkolleger noterte like febrilsk som han gjorde.

Gunnar Björck følte en nærmest manisk panikk da han fikk høre nyheten om skuddene på Sahlgrenska. Han hadde voldsomme smerter i ryggen.

Først satt han ubesluttsom i over en time. Deretter løftet han telefonrøret og forsøkte å ringe sin gamle mentor, Evert Gullberg i Laholm. Han fikk ikke noe svar.

Han hørte på nyhetssendingene og fikk dermed en oppsummering av det som var blitt sagt på politiets pressekonferanse. Zalatsjenko var blitt skutt av en 78 år gammel retthaversk kverulant.

Herregud. 78 år.

Han forsøkte forgjeves å ringe Evert Gullberg igjen.

Til slutt tok panikken og redselen overhånd. Han kunne ikke bli værende i det lånte huset i Smådalarö. Han følte seg omringet og utsatt. Han trengte tid til å tenke. Han pakket en koffert med klær, smertestillende medisiner og toalettsaker. Han ville ikke bruke sin egen telefon, og haltet isteden ned til en telefonkiosk ved den lokale kolonialbutikken og ringte til Landsort og bestilte et rom på den gamle losstasjonen. Landsort var verdens ende, og det var få som ville lete etter ham der. Han bestilte rommet for to uker.

Han kikket på klokken. Han var nødt til å skynde seg for å rekke den siste fergen og komme hjem så raskt som den verkende ryggen klarte å bære ham. Han gikk rett inn på kjøkkenet og kontrollerte at kaffetrakteren var slått av. Deretter gikk han ut i entreen for å hente kofferten. Så kom han til å kaste et blikk inn i stuen og stanset forskrekket.

Først kunne han ikke begripe hva det var han så.

Taklampen var på et eller annet mystisk vis blitt tatt ned og plassert på salongbordet. Isteden hang det en line i kroken i taket, like over en taburett som pleide å stå på kjøkkenet.

Björck stirret uforstående på snaren.

Så hørte han lyden av bevegelser bak seg og ble skjelven i knærne.

Han snudde seg langsomt rundt.

De var to menn i 35-årsalderen. Han oppfattet at de hadde søreuropeisk utseende. Han rakk ikke å reagere da de tok ham mildt under armhulene, løftet ham opp og spaserte baklengs med ham bort til taburetten. Da han forsøkte å gjøre motstand, skar smertene som en kniv gjennom ryggen. Han var nesten paralysert da han merket at han ble løftet opp på taburetten.

Jonas Sandberg var sammen med en 49 år gammel mann som gikk under tilnavnet Falun og som i sin ungdom hadde vært

176

yrkeskriminell innbruddstyv og deretter hadde omskolert seg til låsesmed. Hans von Rottinger fra Seksjonen hadde i 1968 engasjert Falun til en operasjon som dreide seg om å dirke opp dørene til lederen for en anarkistisk sammenslutning. Falun var deretter med jevne mellomrom blitt benyttet til midten av 1990-årene, da operasjoner av denne typen avtok. Det var Fredrik Clinton som tidlig samme morgen hadde blåst liv i forbindelsen og kontaktet Falun for et oppdrag. Falun tjente 10 000 kroner skattefritt på en cirka ti minutters jobb. Til gjengjeld hadde han forpliktet seg til ikke å stjele noe fra den leiligheten som var gjenstand for operasjonen; Seksjonen var tross alt ikke noen kriminell virksomhet.

Falun visste ikke nøyaktig hvem Clinton representerte, men han gikk ut fra at det hadde noe med forsvaret å gjøre. Han hadde lest Guillou. Han stilte ingen spørsmål. Derimot føltes det bra å være tilbake i sadelen igjen etter så mange års taushet fra sin oppdragsgiver.

Jobben hans var å åpne døren. Han var ekspert på å bryte seg inn, og han hadde en dirkpistol. Likevel tok det fem minutter å forsere låsen til Mikael Blomkvists leilighet. Deretter ventet Falun ute i oppgangen mens Jonas Sandberg gikk inn.

«Jeg er inne,» sa Sandberg i en handsfree mobil.

«Bra,» svarte Fredrik Clinton i øreproppen. «Rolig og forsiktig. Beskriv hva du ser.»

«Jeg befinner meg i entreen med klesskap og hattehylle til høyre og bad til venstre. Leiligheten for øvrig består av ett eneste stort rom på cirka femti kvadratmeter. Det er et lite barkjøkken til høyre.»

«Finnes det noe arbeidsbord eller ...»

«Det ser ut som om han arbeider ved kjøkkenbordet eller i sofaen ... vent.»

Clinton ventet.

«Ja. Det ligger en perm med Björcks rapport på kjøkkenbordet. Det ser ut til å være originalen.»

«Bra. Er det noe annet interessant på bordet?»

«Bøker. P.G. Vinges memoarer. *Maktkamp om Säpo* av Erik Magnusson, et halvt dusin bøker av den typen.»

«Noen datamaskin?»

«Nei.»

«Noen safe?»

«Nei ... ikke så vidt jeg kan se.»

«Greit. Ta deg god tid. Gå igjennom leiligheten meter for meter. Mårtensson melder at Blomkvist fremdeles er i redaksjonen. Du har vel hansker på deg?»

«Selvfølgelig.»

Marcus Erlander fikk en samtale med Annika Giannini mens ingen av dem snakket i mobiltelefonen. Han gikk inn på Lisbeth Salanders rom, rakte frem hånden og presenterte seg. Deretter hilste han på Lisbeth Salander og spurte hvordan det sto til med henne. Lisbeth Salander sa ingenting. Han vendte seg til Annika Giannini.

«Jeg må be om å få stille noen spørsmål.»

«Jaha.»

«Kan du fortelle hva som skjedde?»

Annika Giannini beskrev hva hun hadde opplevd og hvordan hun hadde opptrådt frem til hun barrikaderte seg på toalettet sammen med Lisbeth Salander. Erlander så tankefull ut. Han skottet bort på Lisbeth Salander og snudde seg deretter mot advokaten igjen.

«Du tror altså at han forsøkte å komme inn på dette rommet?»

«Jeg hørte ham da han forsøkte å trykke ned håndtaket.»

«Og det er du sikker på? Man kan lett innbille seg saker og ting når man blir skremt eller opphisset.»

«Jeg hørte ham. Han så meg. Han rettet våpenet mot meg.»

«Tror du at han forsøkte å skyte deg også?»

«Det vet jeg ikke. Jeg trakk hodet til meg og blokkerte døren.»

«Det var klokt gjort. Og enda klokere var det at du bar klienten din inn på toalettet. Disse dørene er så tynne at kulene sannsynligvis ville gått rett igjennom hvis han hadde skutt. Det jeg prøver å forstå, er om han gikk til angrep på deg personlig, eller om han bare reagerte på at du så på ham. Du var den som var nærmest i korridoren.»

«Det stemmer.»

«Oppfattet du at han kjente deg eller kanskje kjente deg igjen?»

«Nei, ikke direkte.»

«Kan han ha gjenkjent deg fra avisene? Du har jo vært omtalt i forbindelse med flere oppsiktsvekkende saker.»

«Det er mulig. Det kan jeg ikke svare på.»

«Og du har aldri sett ham før?»

«Jeg så ham i heisen da jeg kom opp hit.»

«Det visste jeg ikke. Snakket dere sammen?»

«Nei. Jeg kastet et blikk på ham i kanskje et halvt sekund. Han hadde en blomsterbukett i den ene hånden og en dokumentmappe i den andre.»

«Hadde dere øyenkontakt?»

«Nei. Han så rett frem.»

«Gikk han inn før eller etter deg?»

Annika tenkte seg om.

«Vi gikk nok inn mer eller mindre samtidig.»

«Så han forvirret ut eller ...»

«Nei. Han sto stille med blomstene sine.»

«Hva skjedde deretter?»

«Jeg gikk ut av heisen. Han gikk ut samtidig, og jeg gikk for å besøke min klient.»

«Gikk du rett hit?»

«Ja ... nei. Det vil si jeg gikk til vaktrommet og legitimerte meg. Påtalemyndigheten har jo nedlagt besøksforbud for min klient.»

«Hvor befant mannen seg da?»

Annika Giannini nølte.

«Jeg er ikke helt sikker. Han kom etter meg, går jeg ut fra. Jo, vent ... Han gikk først ut av heisen, men stoppet og holdt døren åpen for meg. Jeg kan ikke sverge på det, men jeg tror at han også gikk til resepsjonen. Jeg var bare litt raskere til bens enn ham.»

En høflig, pensjonert morder, tenkte Erlander.

179

«Ja, han gikk til resepsjonen,» innrømmet han. «Han snakket med sykepleieren og leverte blomsterbuketten. Men det så du altså ikke?»

«Nei. Det kan jeg ikke huske.»

Marcus Erlander tenkte en stund, men kunne ikke komme på noe mer å spørre om. En følelse av frustrasjon gnagde i ham. Han hadde opplevd den følelsen tidligere og lært seg å tolke den som at instinktet ringte med en bjelle.

Drapsmannen var identifisert som Evert Gullberg, 78 år gammel, forhenværende revisor og skattejurist. En mann i høy alder. En mann som Säpo nettopp hadde begynt å granske fordi han var en skrulling som sendte truende brev til kjendiser.

Som politimann hadde han erfart at det fantes nok av skrullinger, sykelig besatte mennesker som forfulgte kjendiser og lette etter kjærlighet ved å bosette seg i et skogholt utenfor huset deres. Og når kjærligheten ikke ble besvart, kunne den raskt gå over i uforsonlig hat. Det fantes stalkere som reiste fra Tyskland og Italia for å oppvarte en 21 år gammel vokalist i et kjent popband, og som deretter ble irritert over at hun ikke umiddelbart ville innlede et forhold til dem. Det fantes kverulanter som dyrket reell eller innbilt urett som var blitt begått mot dem, og som kunne opptre temmelig truende. Det fantes rene psykopater og besatte konspirasjonsteoretikere med evnen til å oppfatte hemmelige budskap som var skjult for den normale verden.

Det fantes til og med mer enn nok av eksempler på at noen av disse skrullingene kunne gå fra fantasi til handling. Var ikke drapet på Anna Lindh nettopp en impulshandling fra et slikt sykt menneske? Kanskje. Kanskje ikke.

Men kriminalbetjent Marcus Erlander likte absolutt ikke tanken på at en psykisk syk forhenværende skattejurist, eller hva søren han nå hadde vært, skulle ha vandret inn på Sahlgrenska sjukhuset med en blomsterbukett i den ene hånden og en pistol i den andre og henrettet en person som for øyeblikket var gjenstand for en omfattende politietterforskning – hans etterforskning. En mann som i offentlige registre het Karl Axel Bodin, men som ifølge Mikael Blomkvist het Zalatsjenko og var en jævla avhoppet russisk agent og drapsmann.

Zalatsjenko var i beste fall et vitne og i verste fall involvert i en rekke drap. Erlander hadde hatt muligheten til å gjennomføre to korte avhør med Zalatsjenko, og ikke ved noen av de anledningene hadde han trodd et øyeblikk på den uskylden han bedyret.

Og drapsmannen hans hadde vist interesse for Lisbeth Salander, eller i hvert fall for advokaten hennes. Han hadde forsøkt å komme seg inn på rommet hennes.

Og deretter hadde han forsøkt å begå selvmord ved å skyte seg i hodet. Ifølge legene sto det tydeligvis så dårlig til med ham at han sannsynligvis også hadde lyktes i det han hadde tenkt å gjøre, selv om kroppen ennå ikke hadde innsett at det var på tide å stenge av maskineriet. Det var grunn til å tro at Evert Gullberg aldri ville bli stilt overfor en dommer.

Marcus Erlander likte ikke situasjonen. Ikke et øyeblikk. Men han hadde intet belegg for at Gullbergs skudd hadde vært noe annet enn de så ut til å være. Uansett bestemte han seg for ikke å ta noe for gitt. Han så på Annika Giannini.

«Jeg har besluttet at Lisbeth Salander skal overføres til et annet rom. Det finnes et rom i en tverrgang til høyre for resepsjonen, som fra et sikkerhetssynspunkt er vesentlig bedre enn dette. Fra resepsjonen og vaktrommet er det fri utsikt dit døgnet rundt. Besøksforbudet gjelder for alle andre enn deg. Ingen får gå inn til henne uten tillatelse eller uten å være kjent som lege eller sykepleier her på Sahlgrenska. Og jeg kommer til å sørge for bevoktning utenfor rommet døgnet rundt.»

«Tror du at det foreligger en trussel mot henne?»

«Jeg har ingenting som tyder på det. Men i denne saken vil jeg ikke ta noen sjanser.»

Lisbeth Salander lyttet oppmerksomt til samtalen mellom sin advokat og sin motstander fra politiet. Hun var imponert over at Annika Giannini svarte så presist og ryddig, og med en slik detaljrikdom. Enda mer imponert var hun over advokatens evne til å opptre kaldt under stress.

For øvrig hadde hun hatt en vanvittig hodepine siden Annika rev henne ut av sengen og bar henne inn på toalettet. Instinktivt ville hun ha så lite som mulig med personalet å gjøre. Hun likte ikke å be om hjelp eller vise tegn på svakhet. Men hode-pinen var så overveldende at hun hadde problemer med å tenke klart. Hun strakte ut hånden og ringte på en sykepleier.

Annika Giannini hadde planlagt besøket i Göteborg som en pro-log til et langvarig arbeid. Hun hadde planlagt å bli kjent med Lisbeth Salander, forhøre seg om hvordan hun virkelig hadde det og lage en første skisse til den strategien som hun og Mikael Blomkvist hadde snekret sammen foran den kommende juri-diske prosessen. I utgangspunktet hadde hun tenkt å reise til-bake til Stockholm allerede samme kveld, men den dramatiske utviklingen på Sahlgrenska hadde ført til at hun ikke hadde hatt tid til noen ordentlig samtale med Lisbeth Salander. Klien-ten hennes var tydeligvis dårligere enn det hun hadde forestilt seg da legene erklærte at tilstanden hennes var stabil. Hun var også plaget av sterk hodepine og høy feber, noe som førte til at en lege ved navn Helena Endrin hadde ordinert kraftig smerte-stillende midler, antibiotika og hvile. Så snart klienten hennes var blitt flyttet til et nytt rom og en politivakt var på plass, ble Annika dermed kastet ut.

Hun mumlet tvert for seg selv og så på klokken, som hadde rukket å bli halv fem. Hun nølte. Hun kunne enten dra tilbake til Stockholm, med den konsekvens at hun ville bli nødt til å reise tilbake neste dag. Eller så kunne hun overnatte og risikere at klienten hennes var for syk til å orke noe besøk også neste dag. Hun hadde ikke bestilt noe hotellrom, og jobbet uansett på lave budsjetter i jobben som advokat for utsatte kvinner, som vanligvis ikke hadde store økonomiske ressurser, så hun pleide å unngå å belaste regningen med dyre hotellutgifter. Hun ringte først hjem og deretter til Lillian Josefsson, en advokat-kollega, medlem av kvinnenettverket og gammel studiekame-rat. De hadde ikke truffet hverandre på to år, og pludret med hverandre en liten stund før Annika fremførte ærendet sitt.

«Jeg er i Göteborg,» sa Annika. «Jeg hadde tenkt å dra hjem i kveld, men det har skjedd ting i dag som betyr at jeg må overnatte. Er det greit at jeg kommer og trenger meg på hos deg?»

«Så gøy. Vær så snill, kom og treng deg på. Vi har jo ikke sett hverandre på en evighet.»

«Jeg kommer ikke ubeleilig?»

«Nei, selvfølgelig ikke. Jeg har flyttet. Nå bor jeg i en tverrgate til Linnégatan. Jeg har gjesteværelse. Og vi kan gå på byen og fnise i kveld.»

«Hvis jeg orker,» sa Annika. «Når passer det?»

De ble enige om at Annika skulle komme ved sekstiden.

Annika tok bussen til Linnégatan og tilbragte den neste timen på en gresk restaurant. Hun var skrubbsulten og bestilte et grillspyd med salat. Hun satt lenge og grublet over dagens hendelser. Hun var litt skjelven nå da adrenalinet hadde sunket igjen, men hun var fornøyd med seg selv. I farens stund hadde hun handlet uten å nøle, effektivt og fornuftig. Hun hadde tatt de riktige avgjørelsene uten overhodet å tenke på det. Det var en god følelse å oppdage noe sånt om seg selv.

Etter en stund fant hun frem filofaxen fra dokumentmappen og åpnet notatdelen. Hun leste konsentrert. Hun var full av usikkerhet overfor det broren hadde fortalt henne. Det hadde virket logisk der og da, men i virkeligheten var det store, gapende hull i planen. Men hun hadde ikke tenkt å trekke seg.

Klokken seks betalte hun og spaserte bort til Lillian Josefssons leilighet i Olivedalsgatan og tastet inn dørkoden som hun hadde fått av venninnen. Hun hadde kommet inn i oppgangen og begynt å lete etter heisen da overfallet kom som lyn fra klar himmel. Hun hadde ikke fått noe forvarsel om at noe var i gjære, før hun brutalt og med stor kraft ble slengt inn i murveggen innenfor døren. Hun slo pannen mot veggen og kjente en sylskarp smerte.

I neste øyeblikk hørte hun skritt som raskt forsvant, og at døren ble åpnet og lukket igjen. Hun kom seg bena, tok seg til pannen og så at hun fikk blod på håndflaten. Hva i helvete! Hun så seg forvirret rundt og gikk ut på gaten. Hun fikk et glimt av en ryggtavle som svingte rundt hjørnet ved Sveaplan. Hun sto forskrekket stille et minutt eller to.

Deretter gikk det opp for henne at dokumentmappen var borte, og at hun nettopp var blitt ranet. Det tok noen sekunder før betydningen sank inn i bevisstheten. Nei. Zalatsjenko-mappen. Hun kjente sjokket spre seg fra mellomgulvet og tok noen nølende skritt etter mannen. Hun stoppet opp nesten umiddelbart. Det nyttet ikke. Han var allerede forsvunnet.

Hun satte seg langsomt ned på fortauskanten.

Deretter spratt hun opp igjen og kjente etter i jakkelommen. Filofaxen. Gudskjelov. Hun hadde puttet den i jakkelommen istedenfor i vesken da hun gikk fra restauranten. Den inneholdt utkastet til strategien hennes i Lisbeth Salander-saken punkt for punkt.

Hun styrtet tilbake til inngangsdøren, tastet koden på nytt, kom seg inn og løp opp trappen til fjerde etasje og hamret på døren til Lillian Josefsson.

Klokken hadde rukket å bli nærmere halv syv før Annika hadde kommet seg så pass til hektene at hun kunne ringe Mikael Blomkvist. Hun hadde fått seg en blåveis og et blødende kutt i øyenbrynet. Lillian Josefsson hadde rensket såret med sprit og satt plaster på. Nei, Annika ville ikke på sykehus. Ja, hun ville gjerne ha en kopp te. Først da begynte hun å tenke rasjonelt igjen. Det første hun gjorde var å ringe broren.

Mikael Blomkvist var fortsatt i Millenniums redaksjon, hvor han jaktet på informasjon om Zalatsjenkos morder sammen med Henry Cortez og Malin Eriksson. Han lyttet med stigende forskrekkelse på Annikas redegjørelse for det som hadde skjedd.

«Er alt i orden med deg?»

«Blått øye. Alt er i orden når jeg bare får roet meg.»

«Et jævla ran?»

«De tok dokumentmappen min med Zalatsjenko-mappen som jeg fikk av deg. Den er borte.»

«Ingen fare, jeg kan kopiere opp en ny.»

Han avbrøt seg selv og kjente at nakkehårene reiste seg. Først Zalatsjenko. Så Annika.

«Annika ... jeg ringer tilbake.»

Han lukket iBooken, puttet den i skulderbagen og forsvant fra redaksjonen i full fart og uten et ord. Han småløp hjem til Bellmansgatan og opp trappen.

Døren var låst.

Så snart han kom inn i leiligheten, så han at den blå permen han hadde lagt igjen på kjøkkenbordet var borte. Han gadd ikke lete etter den. Han visste nøyaktig hva som hadde skjedd etter at han forlot leiligheten. Han sank langsomt ned på en kjøkkenstol mens tankene raste gjennom hodet.

Noen hadde vært inne i leiligheten hans. Noen holdt på med å viske ut sporene etter Zalatsjenko.

Både hans egen og Annikas kopi var borte.

Bublanski hadde fremdeles rapporten.

Eller hadde han det?

Mikael reiste seg og gikk bort til telefonen, men stoppet opp med hånden på røret. Noen hadde vært inne i leiligheten hans. Han betraktet plutselig telefonen med den største mistenksomhet og famlet i jakkelommen etter mobilen. Han ble stående med mobilen i hånden.

Hvor lett var det å avlytte en mobilsamtale?

Han la mobilen langsomt ned ved siden av fasttelefonen og så seg rundt.

Jeg har med proffer å gjøre. Hvor vanskelig er det å avlytte en leilighet?

Han satte seg ved kjøkkenbordet igjen.

Han så på databagen.

Hvor vanskelig er det å lese e-post? Lisbeth Salander gjør det på fem minutter.

Han grublet en lang stund før han gikk tilbake til telefonen og ringte søsteren i Göteborg. Han uttrykte seg med stor omhu.

«Hei ... hvordan er det med deg?»

«Alt i orden, Micke.»

«Fortell hva som skjedde fra du ankom Sahlgrenska og frem til overfallet skjedde.»

Det tok henne ti minutter å redegjøre for hele dagen. Mikael diskuterte ikke implikasjonene av det hun fortalte, men skjøt inn spørsmål fra tid til annen til han var fornøyd. Han fremsto som en bekymret bror samtidig som hjernen arbeidet på et helt annet plan mens han rekonstruerte holdepunktene.

185

Hun bestemte seg for å bli i Göteborg klokken halv fem om ettermiddagen og ringte fra mobilen til sin venninne og fikk oppgitt adressen og dørkoden. Raneren sto og ventet på henne inne i oppgangen presis klokken seks.

Mobilen hennes var avlyttet. Det var den eneste rimelige forklaringen.

Hvilket betydde at han selv også var avlyttet.

Alt annet ville vært for dumt.

«Men de tok Zalatsjenko-mappen,» gjentok Annika.

Mikael nølte litt. Den som hadde tatt permen hans, visste allerede at den var stjålet. Det var naturlig å fortelle det til Annika Giannini i telefonen.

«Min også,» sa han.

«Hva?»

Han fortalte at han hadde løpt rett hjem, og at den blå permen på kjøkkenbordet var borte.

«Jaha,» sa Mikael dystert. «Dette er en katastrofe. Zalatsjenko-mappen er borte. Den var den viktigste delen av bevisførselen.»

«Micke … jeg er så lei for det.»

«Jeg også,» sa Mikael. «Svarte faen! Men det er ikke din skyld. Jeg burde ha offentliggjort rapporten samme dag som jeg fant den.»

«Hva gjør vi nå?»

«Jeg vet ikke. Dette er det verste som kunne ha skjedd. Dette velter hele opplegget vårt. Vi har ikke fnugg av bevis mot Björck og Teleborian.»

De pratet i to minutter til før Mikael avrundet samtalen.

«Jeg vil at du skal komme opp til Stockholm i morgen,» sa han.

«Beklager. Jeg må treffe Salander.»

«Treff henne om formiddagen. Kom tilbake på ettermiddagen. Vi må sette oss ned sammen og finne ut hva vi skal gjøre.»

Da han hadde avsluttet samtalen, ble Mikael sittende stille i sofaen og stirre rett fremfor seg. Deretter bredte et smil seg over ansiktet. Den som hadde hørt på samtalen, visste nå at Millennium hadde mistet Björcks rapport fra 1991 og korrespondansen mellom Björck og skrullinglegen Peter Teleborian. De visste at Mikael og Annika var fortvilet.

Så pass hadde Mikael lært av den siste nattens studier av sikkerhetspolitiets historie at desinformasjon var grunnlaget for all spionvirksomhet. Og han hadde nettopp plassert desinformasjon som på lengre sikt kunne vise seg å bli uvurderlig.

Han åpnet databagen og tok frem den kopien han hadde laget for Dragan Armanskijs regning og som han ennå ikke hadde rukket å levere fra seg. Det var det eneste gjenværende eksemplaret, og det hadde han ikke tenkt å somle bort. Tvert imot hadde han tenkt å kopiere den opp i minst fem eksemplarer og spre den ut på passende steder.

Deretter kastet han et blikk på klokken og ringte Millenniums redaksjon. Malin Eriksson var der fremdeles, men hun holdt på å stenge for kvelden.

«Hvorfor forsvant du i full fart?»

«Kan du være så snill å bli en stund til? Jeg kommer tilbake, og det er en ting jeg må ta opp med deg før du forsvinner.»

Han hadde ikke rukket å vaske klær på flere uker. Alle skjortene lå i skittentøykurven. Han pakket ned barberhøvelen og *Maktkamp om Säpo* sammen med det eneste gjenværende eksemplarer av Björcks rapport. Så spaserte han til Dressmann og kjøpte fire skjorter, to par bukser og ti par underbukser og tok klærne med seg opp i redaksjonen. Malin Eriksson ventet mens han tok en rask dusj. Hun lurte på hva som var i gjære.

«Noen har brutt seg inn hos meg og stjålet Zalatsjenkorapporten. Noen overfalt Annika i Göteborg og stjal hennes eksemplar. Jeg har belegg for at telefonen hennes er avlyttet, noe som sannsynligvis betyr at min telefon, kanskje din og kanskje alle Millenniums telefoner også er avlyttet. Og jeg har en mistanke om at hvis noen tar seg bryet med å bryte seg inn i leiligheten min, ville de være temmelig dumme hvis de ikke benyttet anledningen til å avlytte leiligheten også.»

«Jaså,» sa Malin Eriksson matt. Hun skottet bort på mobilen sin, som lå foran henne på skrivebordet.

187

«Fortsett å jobbe som vanlig. Bruk mobilen, men ikke gi fra deg opplysninger i den. I morgen skal vi informere Henry Cortez.»

«Greit. Han gikk for en time siden. Han la igjen en bunke med SOU-er på skrivebordet ditt. Men hva gjør du her ...»

«Jeg har tenkt å sove her i natt. Hvis de skjøt Zalatsjenko, stjal rapportene og startet avlytting av leiligheten min i dag, er det store sjanser for at de nettopp har kommet i gang og ikke har rukket redaksjonen ennå. Det har vært folk her i hele dag. Jeg vil ikke at den skal stå tom i natt.»

«Tror du at drapet på Zalatsjenko ... Men drapsmannen var en 78 år gammel sinnsforvirret person.»

«Jeg tror ikke et fnugg på et sånt slumpetreff. Noen holder på med å fjerne sporene etter Zalatsjenko. Jeg driter fullstendig i hvem denne 78-åringen er og hvor mange skrullebrev han har skrevet til statsråder. Han var en leiemorder av et eller annet slag. Han kom dit i den hensikt å ta livet av Zalatsjenko ... og muligens Lisbeth Salander.»

«Men han begikk jo selvmord, eller forsøkte i hvert fall. Hvilken leiemorder gjør det?»

Mikael tenkte seg om en stund. Han møtte blikket til sjefredaktøren.

«En som er 78 år og kanskje ikke har noe særlig å miste. Han er innblandet i dette, og når vi er ferdig med å grave, kommer vi til å kunne bevise det.»

Malin Eriksson betraktet Mikaels ansikt oppmerksomt. Hun hadde aldri tidligere sett ham så kald og urokkelig. Plutselig grøsset hun. Mikael så reaksjonen hennes.

«Én ting til: nå er vi ikke lenger involvert i en match med en gjeng kriminelle, men med statlige myndigheter. Dette kommer til å bli tøft.»

Malin nikket.

«Jeg hadde ikke regnet med at det ville gå så langt. Hvis du vil trekke deg, så bare si fra, Malin.»

Hun nølte en stund. Hun lurte på hva Erika Berger ville ha sagt. Så ristet hun trossig på hodet.

DEL 2

HACKER REPUBLIC

1.–22. mai

En irsk lov fra 697 forbyr kvinner å være militære – noe som antyder at kvinner tidligere *hadde* vært militære. Folkegrupper som ved forskjellige anledninger i historien har holdt seg med kvinnelige soldater, er blant annet arabere, berbere, kurdere, rajputere, kinesere, filippinere, maorier, papuanere, australske aboriginer, mikronesiere og amerikanske indianere.

Det finnes en rik flora av legender om fryktede kvinnelige krigere fra antikkens Hellas. Disse beretningene omtaler kvinner som ble trent i krigskunst, våpenbruk og fysiske forsakelser fra barndommen av. De levde adskilt fra mennene og dro i krigen med sine egne regimenter. Beretningene inneholder ikke sjelden innslag som antyder at de beseiret mennene på slagmarken. Amasoner forekom i gresk litteratur, for eksempel i Homers *Iliaden,* drøyt 700 år før Kristus.

Det var også grekerne som laget uttrykket *amasoner.* Ordet betyr bokstavelig talt «uten bryst». Det fortelles at det høyre brystet ble fjernet for at de lettere skulle kunne spenne en bue. Selv om et par av historiens viktigste greske leger, Hippokrates og Galenos, skal ha vært enige om at denne operasjonen økte evnen til å bruke våpen, er det tvilsomt om slike operasjoner virkelig ble utført. Til grunn ligger et dulgt språklig spørsmål – det er usikkert om prefikset «a» i «amasone» virkelig betyr «uten», og det har vært foreslått at det i virkeligheten betyr det motsatte – at en amasone var en kvinne med spesielt store bryster. Det finnes heller ikke ett eneste eksempel på noe museum som viser avbildninger, amuletter eller statuer som forestiller kvinner som mangler det høyre brystet, hvilket ellers burde vært et vanlig forekommende motiv dersom legenden om brystoperasjoner hadde vært korrekt.

KAPITTEL 8

Søndag 1. mai–mandag 2. mai

Erika Berger trakk pusten dypt før hun skjøv heisdøren opp og gikk inn i Svenska Morgon-Postens redaksjon. Hun var pent kledd i svarte bukser, rød genser og mørk jakke. Det var et strålende 1. mai-vær, og på veien gjennom byen hadde hun konstatert at arbeiderbevegelsen holdt på å samles, og at hun selv ikke hadde gått i et demonstrasjonstog på drøyt tyve år.

En kort stund sto hun helt alene og usynlig ved heisdøren. Første dag på det nye stedet. Fra der hun sto ved inngangen, kunne hun se en stor del av sentralredaksjonen med nyhetsdesken i midten. Hun hevet blikket litt og fikk øye på glassdøren inn til sjefredaktørens kontor, som skulle bli hennes arbeidsplass i de kommende årene.

Hun var ikke helt overbevist om at hun var rette person til å lede den uformelige organisasjonen som utgjorde Svenska Morgon-Posten. Det var et gigantisk skritt fra Millennium med fem ansatte til en dagsavis med åtti journalister og ytterligere drøyt nitti personer i form av administrasjon, teknisk personale, designere, fotografer, annonseselgere, distribusjon og alt annet som hører med til det å lage en avis. I tillegg var det et forlag, et produksjonsselskap og et forvaltningsselskap. Til sammen drøyt 230 personer.

En liten stund lurte hun på om det ikke var et enormt feilgrep.

Deretter oppdaget den eldste av de to resepsjonsbetjentene hvem som hadde kommet inn i redaksjonen, gikk frem fra skranken og rakte frem hånden.

«Fru Berger. Velkommen til SMP.»

«Jeg heter Erika. Hei.»

«Beatrice. Velkommen. Skal jeg vise veien til sjefredaktør

191

Morander ... ja, altså til den avtroppende sjefredaktøren, bør jeg vel si.»

«Takk, men han sitter i glassburet der borte,» sa Erika og smilte. «Jeg tror jeg finner frem. Men takk for tilbudet.»

Hun gikk raskt gjennom redaksjonen og merket seg at summingen fra medarbeiderne dempet seg litt. Plutselig følte hun alles blikk på seg. Hun stoppet foran den halvtomme nyhetsdesken og nikket vennlig.

«Vi får nok anledning til å hilse ordentlig på hverandre om en stund,» sa hun og gikk videre og banket på karmen til glassdøren.

Avtroppende sjefredaktør Håkan Morander var 59 år gammel og hadde tilbragt tolv år i glassburet i SMPs redaksjon. Akkurat som Erika Berger var han i sin tid blitt håndplukket utenfra – han hadde altså foretatt den samme første spaserturen som hun nettopp hadde gjort. Han så forvirret opp på henne, kastet et blikk på klokken og reiste seg.

«Hei, Erika,» hilste han. «Jeg trodde du skulle begynne på mandag.»

«Jeg orket ikke å sitte hjemme en dag til. Så her er jeg.»

Morander rakte frem hånden.

«Velkommen. Det skal bli fordømt deilig at du overtar.»

«Hvordan er det med deg?» spurte Erika.

Han trakk på skuldrene i samme øyeblikk som Beatrice fra sentralbordet kom inn med kaffe og melk.

«Det føles som om jeg allerede går for halv maskin. Jeg vil egentlig ikke snakke om det. Her går man rundt og føler seg som en tenåring og udødelig hele livet, og plutselig har man veldig lite tid igjen. Og én ting er sikkert – jeg har ikke tenkt å kaste bort tiden i dette glassburet.»

Han gned seg ubevisst over brystkassen. Han hadde hjerte- og karproblemer, noe som var årsaken til hans plutselige avgang og at Erika måtte begynne flere måneder tidligere enn opprinnelig planlagt.

Erika snudde seg og så ut over redaksjonens kontorlandskap. Det var halvtomt. Hun så en journalist og en fotograf på vei mot heisen og dekning av 1. mai-begivenhetene.

«Hvis jeg forstyrrer eller du er opptatt, kan jeg godt bare stikke av.»

«Min jobb i dag er å skrive en leder på 4500 tegn om 1. mai-demonstrasjonene. Jeg har skrevet så mange at jeg kan gjøre det i søvne. Hvis sosialistene vil starte krig mot Danmark, må jeg forklare hvorfor de tar feil. Hvis sosialdemokratene vil unngå krig med Danmark, må jeg forklare hvorfor de tar feil.»

«Danmark?» sa Erika undrende.

«Tja, en del av budskapet 1. mai må handle om konflikten i integrasjonsspørsmålet. Og sosialdemokratene tar selvfølgelig feil, uansett hva de sier.»

Plutselig lo han.

«Det lyder kynisk.»

«Velkommen til SMP.»

Erika hadde aldri hatt noen synspunkter på sjefredaktør Håkan Morander. Han hadde vært en anonym makthaver blant eliten av sjefredaktører. Når hun leste lederne hans, hadde han fremstått som kjedelig og konservativ og ekspert på skattekverulering, om enn en typisk liberal ytringsfrihetsforkjemper, men hun hadde aldri truffet ham eller snakket med ham før.

«Fortell om jobben,» sa hun.

«Jeg slutter ved utgangen av juni. Vi går parallelt i to måneder. Du kommer til å oppdage positive ting og negative ting. Jeg er en kyniker, så jeg ser nok mest de negative.»

Han reiste seg og stilte seg ved siden av henne ved glassveggen.

«Du vil oppdage at du kommer til å ha en del motstandere der ute – dagsjefer og veteraner blant redigererne som har skapt seg sine egne små imperier og har en egen klubb som du ikke kan bli medlem av. De kommer til å forsøke å tøye grensene og drive igjennom sine egne overskrifter og vinklinger, og du må være temmelig hard i klypa for å kunne stå imot.»

Erika nikket.

«Du har nattsjefene Billinger og Karlsson ... de er et kapittel for seg. De avskyr hverandre og går gudskjelov ikke skift sammen, men de ter seg som om de er både ansvarlige utgivere og sjefredaktører. Du har Anders Holm, som er nyhetssjef som du kommer til å få en god del med å gjøre. Dere kommer sikkert til å ha noen feider. I virkeligheten er det han som lager SMP hver dag. Du har noen journalister som er divaer, og noen som egentlig burde vært pensjonert.»

«Finnes det ingen gode medarbeidere?»

Morander lo plutselig.

«Jo, men du må selv bestemme hvem du kommer godt overens med. Vi har noen journalister der ute som er veldig, veldig gode.»

«Ledelsen?»

«Magnus Borgsjö er styreformann. Det var jo han som rekrutterte deg. Han er sjarmerende, litt av den gamle skolen og litt fornyer, men fremfor alt er han den som bestemmer. Du har noen styremedlemmer, flere fra eierfamilien, som for det meste bare fordriver tiden, og noen som flagrer rundt som profesjonelle styremedlemmer.»

«Det høres ut som om du ikke er så fornøyd med styret?»

«Det finnes en fordeling. Du gir ut avisen. De tar seg av økonomien. De skal ikke legge seg opp i innholdet i avisen, men det dukker alltid opp situasjoner. Ærlig talt, Erika, det kommer til å bli tøft.»

«Hvorfor det?»

«Opplaget har sunket med nesten 150 000 eksemplarer siden glansdagene i 1960-årene, og SMP nærmer seg den grensen da det begynner å bli ulønnsomt. Vi har rasjonalisert og skåret ned over 180 stillinger siden 1980. Vi har gått over til tabloid – noe vi burde ha gjort for tyve år siden. SMP hører fremdeles med blant de store avisene, men det skal ikke mye til før vi begynner å bli betraktet som en B-avis. Hvis vi ikke allerede gjør det.»

«Hvorfor valgte de meg da?» sa Erika.

«Fordi gjennomsnittsalderen på dem som leser SMP, er noe over femti, og tilveksten av 20-åringer er nesten lik null. SMP må fornyes. Og resonnementet i styret var å hente inn den mest usannsynlige sjefredaktøren de kunne forestille seg.»

«En kvinne?»

«Ikke bare en kvinne. Den kvinnen som knuste Wennerströms imperium og som hylles som den undersøkende journalistikkens dronning, med ord på seg for å være tøffere enn de aller fleste. Tenk deg selv. Det er uimotståelig. Hvis ikke du kan fornye avisen, kan ingen. SMP ansetter ikke altså bare Erika Berger, men fremfor alt Erika Bergers rykte.»

Da Mikael Blomkvist forlot Café Copacabana ved siden av Kvartersbion ved Hornstull, var klokken litt over to om ettermiddagen. Han tok på seg solbriller og svingte inn på Bergsunds strand på vei til T-banen, og fikk nesten umiddelbart øye på den grå Volvoen som sto parkert like rundt hjørnet. Han gikk forbi den uten å saktne farten og konstaterte at det var samme nummerskilt og at bilen var tom.

Det var syvende gang han hadde observert den samme bilen de siste fire døgnene. Han visste ikke om bilen hadde befunnet seg i nærheten av ham også langt tidligere, og at han overhodet hadde lagt merke til den, skyldtes en ren tilfeldighet. Første gang han la merke til bilen, hadde den stått parkert i nærheten av inngangen hans i Bellmansgatan da han gikk til Milleniums redaksjon onsdag morgen. Han hadde kommet til å feste blikket på nummerskiltet, som begynte med bokstavene KAB, og hadde reagert siden det var navnet på Aleksandr Zalatsjenkos sovende firma, Karl Axel Bodin AB. Antagelig ville han ikke ha tenkt noe videre over saken hvis det ikke hadde vært for det faktum at han så den samme bilen og det samme nummerskiltet bare noen timer senere, da han spiste lunsj med Henry Cortez og Malin Eriksson ved Medborgarplatsen. Denne gangen sto Volvoen parkert i en sidegate overfor Milleniums lokaler.

Han lurte vagt på om han holdt på å bli paranoid, men da han senere samme ettermiddag besøkte Holger Palmgren på rehabiliteringshjemmet i Ersta, hadde den grå Volvoen stått på gjesteparkeringsplassen. Det var ingen tilfeldighet. Mikael Blomkvist begynte å holde omgivelsene under oppsikt. Han ble ikke forbauset da han igjen fikk øye på bilen neste morgen.

Ikke ved noen av anledningene hadde han sett noen bilfører. En telefon til motorvognregisteret ga imidlertid opplysningen at bilen var registrert på en Göran Mårtensson, 40 år og bosatt i Vittanigatan i Vällingby. Litt research resulterte i opplysninger om at Göran Mårtensson hadde tittelen bedriftkonsulent og var eier av et enmannsforetak som hadde adresse til en postboks i Fleminggatan på Kungsholmen. Mårtensson hadde i denne sammenhengen en interessant merittliste. I 18-årsalderen, i 1983, hadde han avtjent verneplikten ved kystartilleriet og var deretter blitt ansatt i forsvaret. Han hadde avansert til løytnant før han i 1989 søkte avskjed og sadlet om og begynte på politihøyskolen i Solna. Mellom 1991 og 1996 jobbet han i stockholmspolitiet. I 1997 hadde han forsvunnet fra den ytre tjenesten, og i 1999 hadde han startet eget firma.

Altså Säpo.

Mikael bet seg i underleppen. En flittig undersøkende journalist kunne bli paranoid av mindre. Mikael trakk den slutningen at han var under diskré overvåkning, men at den var så klønete utført at han faktisk hadde lagt merke til den.

Eller var den klønete? Den eneste grunnen til at han hadde merket seg bilen, var det besynderlige nummerskiltet som tilfeldigvis betydde noe for ham. Hadde det ikke vært for KAB, ville han ikke ha verdiget bilen et eneste blikk.

Fredagen hadde KAB glimret ved sitt fravær. Mikael var ikke helt sikker, men han trodde at han muligens hadde hatt følge av en rød Audi den dagen, men han hadde ikke lyktes i å få se bilnummeret. Lørdag var imidlertid Volvoen tilbake.

Nøyaktig tyve sekunder etter at Mikael Blomkvist hadde gått fra Café Copacabana hevet Christer Malm sitt digitale Nikonkamera og tok en serie på tolv bilder fra plassen sin i skyggen på Café Rossos uteservering på den andre siden av gaten. Han fotograferte de to mennene som kom ut fra kafeen like etter Mikael og fulgte i kjølvannet hans forbi Kvartersbion.

Den ene mannen hadde blondt hår og var litt ubestemmelig med hensyn til alder, nærmet seg nok middelalderen. Den andre virket litt eldre med tynt rødblondt hår og mørke solbriller. Begge var kledd i olabukser og skinnjakke.

De skiltes ved den grå Volvoen. Den eldste av mennene åpnet bildøren mens den andre fulgte etter Mikael Blomkvist til fots mot T-banen.

Christer Malm senket kameraet og sukket. Han hadde ikke peiling på hvorfor Mikael hadde trukket ham til side og innstendig bedt ham om å spasere rundt kvartalet ved Copacabana søndag ettermiddag for å finne ut om han kunne se en grå Volvo med det aktuelle registreringsnummeret. Han hadde fått instrukser om å plassere seg slik at han kunne fotografere den personen som ifølge Mikael med stor sannsynlighet ville komme til å åpne bildøren litt over tre. Samtidig skulle han holde øynene åpne etter noen som eventuelt skygget Mikael Blomkvist.

Det hørtes som opptakten til en typisk Blomkvist-historie. Christer Malm var aldri helt sikker på om Mikael Blomkvist var paranoid av natur eller om han hadde paranormale evner. Etter hendelsene i Gosseberga var Mikael blitt ekstremt innesluttet og generelt vanskelig å kommunisere med. Dette var riktignok ikke uvanlig når Mikael arbeidet med en intrikat sak – Christer hadde opplevd nøyaktig den samme innesluttede besettelsen og det samme hemmelighetskremmeriet i forbindelse med Wennerström-saken – men denne gangen var det tydeligere enn noensinne.

Derimot hadde Christer ingen vanskeligheter med å fastslå at Mikael Blomkvist meget riktig ble skygget. Han lurte på hvilket nytt helvete som var under oppseiling, og som høyst sannsynlig ville legge beslag på tid, krefter og ressurser i Millennium. Christer Malm mente at det ikke var det rette tidspunktet å begynne med blomkvisterier på nå da bladets sjefredaktør hadde desertert over til Den Store Dragen og Millenniums møysommelig rekonstruerte stabilitet var truet.

Men han hadde på den annen side ikke gått i noe demonstrasjonstog, bortsett fra Pride-paraden, på minst ti år, og hadde egentlig ikke noe bedre å foreta seg denne 1. mai-søndagen enn å gjøre som Mikael ba ham om. Han reiste seg og slentret etter mannen som skygget Mikael Blomkvist. Noe som ikke inngikk i instruksene. På den annen side mistet han mannen av syne allerede oppe i Långholmsgatan.

Noe av det første Mikael Blomkvist hadde gjort da han ble klar over at telefonen hans sannsynligvis var avlyttet, var å sendte

Henry Cortez ut for å kjøpe brukte mobiltelefoner. Cortez hadde fått et billig restparti Ericsson T10 for en slikk og ingenting. Mikael åpnet så anonyme kontantkortkontoer på Comviq. Reservetelefonene ble fordelt mellom ham selv, Malin Eriksson, Henry Cortez, Annika Giannini, Christer Malm og Dragan Armanskij. De skulle bare brukes til samtaler som de absolutt ikke ville skulle bli avlyttet. Normal telefontrafikk skulle foregå på de vanlige, offentlige numrene. Hvilket innebar at alle måtte drasse med seg to mobiler.

Mikael dro fra Copacabana til Millennium, hvor Henry Cortez hadde helgevakt. Etter drapet på Zalatsjenko hadde Mikael opprettet en vaktliste som innebar at Millenniums redaksjon alltid var bemannet og at noen sov der om natten. Vaktlisten omfattet ham selv, Henry Cortez, Malin Eriksson og Christer Malm. Hverken Lottie Karim, Monica Nilsson eller markedssjefen Sonny Magnusson var med. De var ikke engang blitt spurt. Lottie Karim var notorisk mørkeredd og ville ikke for sitt bare liv ha gått med på å sove alene i redaksjonslokalene. Monica Nilsson var minst av alt mørkeredd, men jobbet som en gal med emnene sine og var av den typen som gikk hjem når arbeidsdagen var slutt. Og Sonny Magnusson var 61 år og hadde ingenting med det redaksjonelle å gjøre, og skulle snart gå ut i ferie.

«Noe nytt?» spurte Mikael.

«Ikke noe spesielt,» sa Henry Cortez. «Nyhetene i dag dreier seg naturligvis om 1. mai.»

Mikael nikket.

«Jeg kommer til å sitte her i et par timer. Ta deg fri og kom tilbake ved nitiden.»

Da Henry Cortez hadde forsvunnet, gikk Mikael inn til skrivebordet sitt og fant frem den anonyme telefonen. Han ringte frilansjournalist Daniel Olofsson i Göteborg. Millennium hadde trykket flere artikler av Olofsson gjennom årene, og Mikael hadde stor tiltro til hans journalistiske evner til å samle inn grunnlagsmateriale.

«Hei, Daniel. Mikael Blomkvist her. Er du ledig?»

«Ja.»

«Jeg har en researchjobb som jeg trenger å få gjort. Du kan fakturere for fem dager, og det kommer ikke til å bli noen artikkel av det. Eller rettere sagt – du må gjerne skrive en artikkel om saken, så trykker vi den, men det er altså bare research vi er ute etter.»

«Shoot.»

«Saken er litt delikat. Du må ikke diskutere dette med noen andre enn meg, og du må bare kommunisere med meg via hotmail. Jeg vil ikke at du engang skal si at du driver research på oppdrag fra Millennium.»

«Dette høres morsomt ut. Hva er du ute etter?»

«Jeg vil at du skal lage en arbeidsplassreportasje fra Sahlgrenska sjukhuset. Vi kaller reportasjen for *Akutten,* og den skal speile forskjellene mellom virkeligheten og TV-serien. Jeg vil at du skal oppsøke og følge arbeidet på akutt- og intensivavdelingen i et par dager. Snakke med leger, sykepleiere og vaskehjelper og alle som jobber der. Hvordan er arbeidsvilkårene? Hva gjør de? Alt sånt. Og bilder, naturligvis.»

«Intensivavdelingen?» sa Olofsson.

«Nettopp. Jeg vil at du skal konsentrere deg om etterbehandlingen av hardt skadede pasienter i Korridor 11C. Jeg vil vite hvordan korridoren ser ut på plantegningene, hvem som jobber der, hvordan de ser ut og hvilken bakgrunn de har.»

«Hmm,» sa Daniel Olofsson. «Hvis jeg ikke tar helt feil, ligger en viss Lisbeth Salander på 11C.»

Han var ikke tapt bak en vogn.

«Sier du det?» sa Mikael Blomkvist. «Interessant. Finn ut hvilket rom hun ligger på, og hva som befinner seg i rommene rundt, og hvordan rutinene rundt henne er.»

«Jeg går ut fra at denne reportasjen egentlig kommer til å handle om noe helt annet,» sa Daniel Olofsson.

«Som sagt ... Jeg vil bare ha den researchen du får frem.»

De utvekslet hotmailadresser.

Lisbeth Salander lå på ryggen på gulvet på rommet sitt på Sahlgrenska da søster Marianne åpnet døren.

«Hmm,» sa søster Marianne og markerte dermed sin tvilende

innstilling til om det passet seg å ligge på gulvet på en intensiv-avdeling. Men hun innså at det var det eneste stedet pasienten hadde å mosjonere.

Lisbeth Salander var gjennomsvett og hadde brukt en halvtime på å forsøke å gjøre armhevninger og tøyningsøvelser og situps etter de anvisningene som fysioterapeuten hadde gitt henne. Hun hadde et skjema over en lang rekke øvelser som hun skulle utføre hver dag for å styrke muskulaturen i skulder og hofte etter operasjonen tre uker tidligere. Hun pustet tungt og følte seg helt ute av form. Hun ble fort sliten, og det strammet og verket i skulderen ved den minste anstrengelse. Men hun var utvilsomt på bedringens vei. Hodepinen som hadde plaget henne den første tiden etter operasjonen, hadde gitt seg og dukket nå opp bare sporadisk.

Hun mente at hun var så pass frisk at hun uten tvil kunne ha forlatt sykehuset eller i hvert fall haltet ut fra sykehuset hvis det hadde vært mulig, hvilket det ikke var. Dels hadde legene ennå ikke friskmeldt henne, og dels var døren til rommet hennes hele tiden låst og bevoktet av en jævla innleid torpedo fra Securitas, som satt på en stol ute i korridoren.

Derimot var hun frisk nok til å kunne blitt omplassert til en vanlig rehabiliteringsavdeling. Etter noen runder frem og tilbake var imidlertid politiet og sykehusledelsen blitt enige om at Lisbeth skulle bli værende på rom nummer 18 inntil videre. Årsaken var at rommet var lett å bevokte, at det hele tiden var bemanning i nærheten, og at rommet lå for seg selv i enden av den L-formede korridoren. Det hadde derfor vært enklere å beholde henne i korridor 11C, hvor personalet var sikkerhetsbevisste etter drapet på Zalatsjenko og allerede kjente til problematikken omkring hennes person, enn å flytte henne til en helt ny avdeling med alt det innebar av endrede rutiner.

Oppholdet på Sahlgrenska dreide seg uansett om noen uker til. Så fort legene skrev henne ut, ville hun bli flyttet til Kronobergs-arresten i Stockholm i påvente av at rettssaken skulle komme opp. Og den personen som skulle avgjøre når tiden var inne til det, var doktor Anders Jonasson.

Det hadde tatt hele ti dager etter skuddene i Gosseberga før doktor Jonasson hadde gitt politiet tillatelse til å gjennomføre det første ordentlige avhøret, noe som i Annika Gianninis øyne var helt utmerket. Men Anders Jonasson hadde dessverre også stukket kjepper i hjulene for Annikas tilgang til hennes egen klient, noe som var irriterende.

Etter tumultene i forbindelse med drapet på Zalatsjenko hadde han foretatt en grundig vurdering av Lisbeths tilstand, og da tatt med i betraktningen det faktum at Lisbeth Salander rimeligvis måtte være utsatt for en solid porsjon stress med tanke på at hun hadde vært mistenkt for trippeldrap. Anders Jonasson hadde ingen formening om hennes skyld eller uskyld, og som lege var han heller ikke det minste interessert i svaret på det spørsmålet. Han gjorde bare den vurderingen at Lisbeth Salander var utsatt for stress. Hun var blitt skutt tre ganger, og en av kulene hadde truffet henne i hjernen og nesten tatt livet av henne. Hun hadde feber som ikke ville gå ned, og hun hadde kraftig hodepine.

Derfor ville han være på den sikre siden. Drapsmistenkt eller ikke, hun var pasienten hans, og hans oppgave var å sørge for at hun ble bra så snart som mulig. Han utstedte derfor et besøksforbud, som ikke hadde noe med påtalemyndighetens juridisk motiverte besøksforbud å gjøre. Han ordinerte medisinsk behandling og fullstendig ro.

Siden Anders Jonasson anså total isolering for å være en så inhuman måte å straffe mennesker på at det faktisk var på grensen til tortur, og at intet menneske hadde godt av å være totalt adskilt fra sine venner, avgjorde han at Lisbeth Salanders advokat Annika Giannini skulle fungere som stedfortredende venn. Jonasson hadde en alvorlig samtale med Annika Giannini og forklarte at hun ville få tilgang til Lisbeth Salander en time hver dag. På den tiden fikk hun bare lov til å besøke henne, snakke med henne eller bare sitte stille og holde henne med selskap. Samtalen skulle imidlertid i minst mulig grad dreie seg om Lisbeth Salanders verdslige problemer og tilstundende juridiske bataljer.

«Lisbeth Salander er blitt skutt i hodet og er faktisk alvorlig skadet,» erklærte han. «Jeg tror hun er utenfor fare, men det er alltid en risiko for at blødninger eller andre komplikasjoner kan oppstå. Hun trenger hvile og må få tid til å komme seg. Først deretter kan du gå løs på de juridiske problemene hennes.»

Annika Giannini hadde forstått logikken i doktor Jonassons resonnement. Hun førte noen generelle samtaler med Lisbeth Salander og ga en antydning om hvordan hennes og Mikaels strategi så ut, men i den første tiden hadde hun ingen mulighet til å gå inn i noe detaljert resonnement. Lisbeth Salander var rett og slett så dopet og utmattet at hun ofte sovnet midt i samtalen.

Dragan Armanskij studerte Christer Malms billedserie av de to mennene som hadde fulgt etter Mikael Blomkvist fra Copacabana. Bildene var sylskarpe.

«Nei,» sa han. «Jeg har aldri sett dem tidligere.»

Mikael Blomkvist nikket. De hadde møttes på Dragan Armanskijs kontor i Milton Security mandag morgen. Mikael hadde gått inn i bygningen gjennom garasjen.

«Den eldste er altså Göran Mårtensson, som eier Volvoen. Han har fulgt meg som en dårlig samvittighet i minst en uke, men det kan naturligvis ha pågått lenger.»

«Og du påstår at han er Säpo.»

Mikael pekte på den bakgrunnsoversikten han hadde laget over Mårtenssons karriere. Den talte for seg selv. Armanskij nølte. Blomkvists avsløring vekket motstridende følelser.

Én ting var at det statlige hemmelige politiet hadde dummet seg ut. Det lå i sakens natur, ikke bare for Säpo, men sannsynligvis for alle verdens etterretningsorganisasjoner. Det franske hemmelige politiet hadde jo gud bedre sendt et team med dykkeragenter til New Zealand for å sprenge Greenpeace-skipet Rainbow Warrior. Noe som vel måtte betraktes som verdenshistoriens mest toskete etterretningsaksjon, muligens med unntak av Nixons innbrudd i Watergate. Med en så idiotisk befalsordning var det ikke det minste rart at det oppsto skandaler. Suksessene ble aldri rapportert. Derimot kastet mediene seg over sikkerhetspolitiet når noe utilbørlig eller toskete eller

202

mislykket fant sted, og med all den visdom som etterpåklokskap gir.

Armanskij hadde aldri forstått seg på svenske mediers forhold til Säpo.

På den ene siden betraktet de Säpo som en fortreffelig kilde, og nesten hvilken som helst ugjennomtenkt politisk dumhet resulterte i skrikende overskrifter. Säpo har mistanke om at ... En uttalelse fra Säpo var en solid kilde i overskriftene.

På den annen side henga medier og politikere av varierende kulør seg til å henrette Säpo-ansatte som ble tatt i å spionere på svenske borgere. Det lå noe så motsetningsfullt i dette at Armanskij enkelte ganger hadde konstatert at hverken politi eller medier var riktig kloke.

Armanskij hadde ingenting imot at Säpo eksisterte. Noen måtte ha ansvar for å sørge for at nasjonalbolsjevistiske tullinger som hadde forlest seg på Bakunin, eller hvem faen sånne nynazister leste, ikke rørte sammen en bombe av kunstgjødsel og olje og plasserte den i en varebil utenfor Rosenbad. Altså trengtes Säpo, og Armanskij mente at litt småspionasje ikke alltid var av det onde, så lenge hensikten var å verne borgernes generelle trygghet.

Problemet var selvfølgelig at en organisasjon som hadde til oppgave å spionere på sitt eget lands borgere, måtte stå under den aller strengeste offentlige kontroll, og at det måtte være en eksepsjonelt stor grad av konstitusjonelt innsyn. Problemet med Säpo var at det var nesten umulig for politikere og riksdagsrepresentanter å få innsyn, til og med da statsministeren nedsatte en spesiell utreder som på papiret skulle ha tilgang til alt. Armanskij hadde fått låne Carl Lidboms bok *Ett uppdrag* og lest den med stigende forbauselse. I USA ville et titall ledende Säpo-ansatte umiddelbart blitt arrestert for obstruksjon og blitt tvunget til å stille opp i et eller annet offentlig komitéavhør i kongressen. I Sverige var de tilsynelatende helt utilgjengelige.

Lisbeth Salander-saken hadde vist at det var noe sykt innad i organisasjonen, men da Mikael Blomkvist hadde kommet bort og gitt ham en sikker mobiltelefon, hadde Dragan Armanskijs første reaksjon vært at Blomkvist var paranoid. Først da han hadde satt seg inn i detaljene og hadde studert Christer Malms bilder, hadde han motvillig fastslått at Blomkvist nok hadde grunn til sine mistanker. Noe som ikke lovet godt, men derimot antydet at den konspirasjonen som hadde rammet Lisbeth Salander femten år tidligere, ikke hadde vært noen tilfeldighet.

Det var ganske enkelt for mange sammentreff til at det kunne være tilfeldig. La gå at Zalatsjenko kunne bli drept av en gal kverulant. Men ikke i samme øyeblikk som Mikael Blomkvist og Annika Giannini ble bestjålet for det dokumentet som utgjorde grunnsteinen i bevisførselen. Dette var forskrekkelig. Og i tillegg gikk kronvitnet Gunnar Björck hen og hengte seg.

«Greit,» sa Armanskij og samlet sammen Mikaels dokumentasjon. «Er vi enige om at jeg tar dette videre til min kontakt?»

«Det er altså en person som du sier at du stoler på?»

«Jeg vet at det er en person med høy moral og plettfri demokratisk vandel.»

«Innenfor Säpo,» sa Mikael Blomkvist med åpenbar tvil i stemmen.

«Vi må være enige. Både Holger Palmgren og jeg har akseptert planen din og samarbeider med deg. Men jeg vil påstå at vi ikke klarer denne saken alene. Vi må finne allierte innenfor byråkratiet hvis det ikke skal ende med forferdelse.»

«OK,» nikket Mikael motvillig. «Jeg er så vant til å avslutte mitt engasjement i det øyeblikk Millennium går i trykken. Jeg har aldri tidligere gitt fra meg opplysninger om en story før den er publisert.»

«Men det har du allerede gjort i dette tilfellet. Du har allerede fortalt det til meg, din søster og til Palmgren.»

Mikael nikket.

«Og du har gjort det fordi selv du innser at denne saken strekker seg langt ut over en overskrift i magasinet ditt. I denne saken er du ikke en objektiv reporter, men en aktør i hendelsesutviklingen.»

Mikael nikket.

«Og som aktør trenger du hjelp for å lykkes i å nå målene dine.»

Mikael nikket. Han hadde uansett ikke fortalt hele sannheten, hverken til Armanskij eller Annika Giannini. Han hadde fremdeles hemmeligheter som han delte med Lisbeth Salander. Han tok Armanskij i hånden.

KAPITTEL 9

Onsdag 4. mai

Tre dager etter at Erika Berger hadde tiltrådt som praktiserende sjefredaktør i SMP, døde sjefredaktør Håkan Morander ved lunsjtider. Han hadde sittet i glassburet hele morgenen mens Erika sammen med redaksjonssekretær Peter Fredriksson hadde hatt møte med sportsredaksjonen for at hun skulle få hilse på medarbeiderne og få et innblikk i hvordan de arbeidet. Fredriksson var bare 45 år gammel, og i likhet med Erika Berger relativt ny i SMP. Han hadde jobbet i avisen i bare fire år. Han var fåmælt, generelt dyktig og behagelig, og Erika hadde allerede bestemt seg for at hun for en stor del ville støtte seg på Fredrikssons kunnskaper når hun overtok kommandoen på skuta. Hun brukte en stor del av tiden til å vurdere hvem hun kunne stole på og hvem hun umiddelbart var interessert i å knytte til sitt nye regime. Fredriksson var definitivt en av kandidatene. Da de kom tilbake til sentraldesken, så de Håkan Morander reise seg og gå frem til døren i glassburet.

Han så forbauset ut.

Deretter bøyde han seg brått fremover og grep fatt i ryggstøet på en kontorstol før han falt om på gulvet.

Han var død før ambulansen rakk å komme frem.

Det rådet en forvirret stemning i redaksjonen den ettermiddagen. Styreformann Borgsjö ankom ved totiden og samlet medarbeiderne til en kort minnestund. Han snakket om hvordan Morander hadde viet de siste femten årene av sitt liv til avisen, og om den pris journalistikken av og til krevet. Det ble avholdt et minutts stillhet. Da det var over, så han seg usikkert rundt, som om han ikke riktig visste hvordan han skulle fortsette.

Det er uvanlig at folk dør på arbeidsplassen – til og med sjelden. Mennesker bør være så vennlig å trekke seg tilbake for å dø. De skal forsvinne inn i pensjonisttilværelsen eller helsevesenet og plutselig bli gjenstand for samtalene i lunsjen en dag. Hørte du forresten at gamle Karlsson døde på fredag? Ja, det var hjertet. Fagforeningen skal sende blomster til begravelsen. Å dø midt på arbeidsplassen og foran øynene på medarbeiderne var på en helt annen måte påtrengende. Erika registrerte det sjokket som hadde lagt seg over redaksjonen. SMP sto uten noen ved roret. Det gikk plutselig opp for henne at flere av medarbeiderne skottet bort på henne. Det ukjente kortet.

Uten å bli bedt om det, og uten riktig å vite hva hun skulle si, kremtet hun, tok et skritt fremover og snakket med høy og fast stemme.

«Jeg har kjent Håkan Morander i til sammen tre dager. Det er kort tid, men ut fra det lille jeg rakk å se av ham, kan jeg ærlig si at jeg gjerne ville hatt muligheten til å lære ham bedre å kjenne.»

Hun tok en pause da hun registrerte fra øyekroken at Borgsjö så på henne. Han virket forundret over at hun i det hele tatt sa noe. Hun tok et skritt til fremover. Ikke smil. Du må ikke smile. Da ser du usikker ut. Hun hevet stemmen ørlite grann.

«Moranders plutselige bortgang kommer til å skape problemer her i redaksjonen. Jeg skulle etterfølge ham først om to måneder, og regnet med at jeg ville få tid til å nyte godt av hans erfaringer.»

Hun la merke til at Borgsjö åpnet munnen for å si noe.

«Nå kommer ikke det til å skje, og vi vil få en periode med omstillinger. Men Morander var sjefredaktør for en dagsavis, og denne avisen skal komme ut i morgen også. Nå er det ni timer igjen til siste trykkestart, og fire timer til ledersiden går. Kan jeg få spørre dere ... hvem blant medarbeiderne var Moranders beste venn og fortrolige?»

Det oppsto en kort stillhet mens medarbeiderne skottet på hverandre. Til slutt hørte Erika en stemme fra venstre.

«Det var nok meg.»

Gunnar Magnusson, 61 år, redaksjonssekretær for ledersiden og medarbeider i SMP gjennom femogtredve år.

«Noen må sette seg ned og skrive en nekrolog over Morander. Jeg kan ikke gjøre det ... det ville være formastelig av meg. Orker du å skrive den teksten?»

Gunnar Magnusson nølte litt, men så nikket han.

«Jeg tar den,» sa han.

«Vi bruker hele ledersiden og legger bort alt annet materiale.»

Gunnar nikket.

«Vi trenger bilder ...» Hun så bortover mot høyre og oppdaget billedsjefen, Lennart Torkelsson. Han nikket.

«Vi må komme i gang med arbeidet. Det kommer kanskje til å gå litt opp og ned den nærmeste tiden. Når jeg trenger hjelp for å ta beslutninger, kommer jeg til å rådføre meg med dere og satse på deres dyktighet og erfaring. Dere vet hvordan avisen blir laget, mens jeg fremdeles har en stund på skolebenken foran meg.»

Hun snudde seg mot redaksjonssekretær Peter Fredriksson.

«Peter, jeg forsto på Morander at du var en person han hadde stor tillit til. Du får bli min mentor den nærmeste tiden og dra et litt tyngre lass enn vanlig. Jeg kommer til å be deg om å være min rådgiver. Er det i orden for deg?»

Han nikket. Hva annet kunne han gjøre?

Så gikk hun tilbake til ledersiden.

«En ting til ... Morander satt og skrev på lederen sin tidligere i formiddag. Gunnar, kan du gå inn i maskinen hans og se om den ble ferdig? Selv om den ikke er helt avsluttet, trykker vi den likevel. Det var Håkan Moranders siste leder, og det ville være synd og skam ikke å publisere den. Den avisen vi lager i dag, er fremdeles Håkan Moranders avis.»

Stillhet.

«Hvis det er noen av dere som trenger å ta en pause for å være for dere selv og tenke en stund, så gjør det uten å føle dårlig samvittighet. Dere vet alle hvilke deadlines vi har.»

Stillhet. Hun merket seg at noen nikket halvveis godkjennende.

«Go to work boys and girls,» sa hun lavt.

*

Jerker Holmberg slo ut med hendene i en hjelpeløs gest. Jan Bublanski og Sonja Modig så tvilende ut. Curt Svensson så nøytral ut. Alle tre gransket resultatene av den etterforskningen som Holmberg hadde avsluttet samme morgen.

«Ingenting?» sa Sonja Modig. Hun lød undrende.

«Ingenting,» sa Holmberg og ristet på hodet. «Patologens sluttrapport kom nå i morges. Det finnes ingenting som tyder på noe annet enn selvmord ved hengning.»

Alle flyttet blikket til de fotografiene som var blitt tatt i stuen i sommerhuset i Smådalarö. Alt pekte mot at Gunnar Björck, nestleder ved sikkerhetspolitiets utlendingsavdeling, frivillig hadde klatret opp på en taburett, festet en løkke i lampekroken, lagt den rundt sin egen hals og med stor besluttsomhet sparket taburetten flere meter unna. Patologen var usikker på det nøyaktige tidspunktet døden hadde inntrådt på, men hadde til slutt fastslått ettermiddagen den 12. april. Björck var blitt funnet den 17. april av ingen ringere enn Curt Svensson. Dette hadde skjedd etter at Bublanski gjentatte ganger hadde forsøkt å komme i kontakt med Björck, og til slutt irritert hadde sendt Svensson for å hente ham inn igjen.

En gang i løpet av disse dagene hadde lampekroken i taket gitt etter for vekten, og liket av Björck hadde ramlet i gulvet. Svensson hadde sett den døde gjennom vinduet og slått alarm. Bublanski og andre som ankom stedet hadde fra starten av vurdert det som åstedet for en forbrytelse, og oppfattet det som om Björck var blitt garrottert av noen. Det var først ved de tekniske undersøkelsene senere på dagen at man hadde oppdaget lampekroken. Jerker Holmberg hadde fått i oppdrag å finne ut hvordan Björck hadde dødd.

«Det er ingenting som tyder på at det er begått noen forbrytelse eller at Björck ikke var alene på det aktuelle tidspunktet,» sa Holmberg.

«Lampen ...»

«Taklampen har fingeravtrykk fra eieren av huset – som hengte den opp for to år siden – og fra Björck selv. Det tyder på at han har løftet ned lampen.»

«Hvor kommer snoren fra?»

«Fra flaggstangen bak huset. Noen hadde skåret av drøyt to meter line. Det lå en morakniv i vinduskarmen utenfor verandadøren. Ifølge huseieren er det hans kniv. Den pleier å ligge i en verktøykasse under kjøkkenbenken. Björcks fingeravtrykk finnes både på skaftet og bladet og på verktøykassen.»

«Hmm,» sa Sonja Modig.

«Hva slags knuter var det?» spurte Curt Svensson.

«Vanlige kjerringknuter. Selve kvelningssnaren var bare en løkke. Det er muligens det eneste som er litt bemerkelsesverdig. Björck kunne seile og visste hvordan man slår skikkelige knuter. Men hvem vet hvor mye et menneske som har planer om å begå selvmord, bryr seg om hvordan knutene ser ut.»

«Medikamenter?»

«Ifølge den toksikologiske rapporten hadde Björck spor av sterke smertestillende tabletter i blodet. Det er en reseptbelagt medisin som Björck har fått forskrevet. Han hadde også spor av alkohol, men ingen promille å snakke om. Han var med andre ord mer eller mindre klar og edru.»

«Patologen skriver at det forekom skrubbsår.»

«Et tre centimeter langt skrubbsår på utsiden av venstre kne. Et risp. Jeg har grublet på det, og kommet til at det kan ha oppstått på et dusin forskjellige måter ... for eksempel ved at han støtte borti en stolkant eller noe lignende.»

Sonja Modig holdt opp et bilde som viste Björcks deformerte ansikt. Snaren hadde skåret seg så dypt inn at selve snoren ikke kunne sees under hudfoldene. Ansiktet så grotesk oppsvulmet ut.

«Vi kan fastslå at han formodentlig har hengt i flere timer, sannsynligvis nærmere et døgn, før kroken ga etter. Alt blodet befinner seg dels i hodet, hvor strupningssnaren førte til at det ikke kunne renne ned i kroppen, dels i de lavere ekstremitetene. Da kroken brakk, traff han kanten av stuebordet med brystkassen. Der har det oppstått en dyp bruddskade. Men denne skaden oppsto lenge etter at han var død.»

«Jævlig måte å dø på,» sa Curt Svensson.

«Jeg vet ikke det. Snaren er så tynn at den skar langt inn og stoppet blodtilførselen. Han bør ha blitt bevisstløs i

210

løpet av noen sekunder og ha dødd i løpet av et minutt eller to.»

Bublanski slo etterforskningsrapporten sammen med avsmak. Han likte ikke dette. Han likte absolutt ikke at både Zalatsjenko og Björck så ut til å ha dødd på samme dag. Den ene skutt av en gal kverulant, den andre død for egen hånd. Men ingen spekulasjoner i verden kunne endre det faktum at åstedsundersøkelsen ikke ga det minste støtte til teorien om at noen hadde hjulpet Björck over til den andre siden.

«Han var under stort press,» sa Bublanski. «Han visste at Zalatsjenko-affæren var i ferd med å bli oppdaget, og at han selv risikerte å bli dømt for brudd på loven om kjøp av seksuelle tjenester og bli hengt ut i mediene. Jeg lurer på hva han var mest redd for. Han var syk og hadde hatt kroniske smerter i lang tid ... Jeg vet ikke. Jeg ville foretrukket at han hadde lagt igjen et brev eller noe.»

«Det er mange som begår selvmord som ikke skriver avskjedsbrev.»

«Jeg vet det. Greit. Vi har ikke noe valg. Vi må henlegge Björck.»

Erika Berger kunne ikke få seg til å gå og sette seg på Moranders stol inne i glassburet og skyve hans personlige eiendeler til side med en gang. Hun avtalte med Gunnar Magnusson at han skulle snakke med Moranders familie om at enken, når det passet, skulle komme innom og sortere ut det som tilhørte henne.

Isteden fikk hun ryddet seg en plass ved sentraldesken midt i redigeringshavet, hvor hun plasserte den bærbare PC-en sin og tok kommandoen. Alt var kaotisk. Men tre timer etter at hun i hurten og sturten hadde overtatt roret i SMP, gikk ledersiden i trykken. Gunnar Magnusson hadde satt sammen en firespalter om Håkan Moranders livsverk. Siden var bygget opp rundt et portrett av Morander i midten, den uavsluttede lederen hans til venstre og en rekke bilder i nedre kant. Layoutmessig var den i ubalanse, men hadde et emosjonelt gjennomslag som gjorde manglene akseptable.

211

Litt før seks om kvelden gikk Erika igjennom overskriftene på førstesiden og diskuterte artikler med redigeringssjefen da Borgsjö kom bort til henne og tok henne på skulderen. Hun så opp.

«Kan jeg få noen ord med deg?»

De gikk til kaffeautomaten i lunsjrommet.

«Jeg vil bare si at jeg er veldig tilfreds med at du tok kommandoen idag. Jeg tror du overrasket oss alle.»

«Jeg hadde vel ikke så stort valg. Men det kommer til å gå litt på halv tolv før jeg er varm i trøya.»

«Det er vi klar over.»

«Vi?»

«Jeg mener både personalet og styret. Særlig styret. Men etter det som skjedde i dag, er jeg mer overbevist enn noensinne om at du er riktig valg. Du kom hit i grevens tid, og du er blitt tvunget til å ta kommandoen i en meget vanskelig situasjon.»

Erika var nær ved å rødme. Det hadde hun ikke gjort siden hun var fjorten.

«Kan jeg få komme med et godt råd ...»

«Naturligvis.»

«Jeg hørte at du hadde en meningsutveksling om overskriftene med nyhetssjefen, Anders Holm.»

«Vi var uenige om vinklingen i artikkelen om regjeringens skatteforslag. Han la inn en vurdering i overskriften på en nyhetsside. Der skal vi rapportere nøytralt. Meningene skal komme på ledersiden. Og mens jeg er inne på det – jeg kommer til å skrive ledere av og til, men jeg er som sagt ikke partipolitisk aktiv, og vi må løse spørsmålet om hvem som skal bli sjef for lederredaksjonen.»

«Magnusson får overta inntil videre,» sa Borgsjö.

Erika Berger trakk på skuldrene.

«Det er det samme for meg hvem dere utpeker. Men det bør være en person som tydelig står for de meningene avisen målbærer.»

«Jeg skjønner. Det jeg ville si, er at du bør nok gi Holm litt slingringsmonn. Han har jobbet i SMP lenge og vært nyhetssjef i femten år. Han vet hva han gjør. Han kan være vrang, men er praktisk talt uunnværlig.»

«Jeg vet det. Morander fortalte det. Men når det gjelder nyhetspolicy, må han nok rette seg etter meg. Når alt kommer til alt, ansatte dere meg jo for å fornye avisen.»

Borgsjö nikket ettertenksomt.

«OK. Vi får løse problemene etter hvert som de dukker opp.»

Annika Giannini var både trett og irritert da hun onsdag kveld gikk om bord på X2000 på sentralstasjonen i Göteborg for å vende tilbake til Stockholm. Hun følte seg som om hun hadde bodd på X2000 den siste måneden. Familien hadde hun nesten ikke rukket å se i det hele tatt. Hun hentet kaffe i restaurantvognen, gikk tilbake til plassen sin og åpnet mappen med notater fra den siste samtalen med Lisbeth Salander, som var årsaken til at hun var trett og irritert.

Hun skjuler ting, tenkte Annika Giannini. Den lille idioten forteller meg ikke sannheten. Og Micke skjuler også noe. Gudene vet hva de holder på med.

Hun konstaterte også at siden broren og klienten hennes ikke hadde kommunisert med hverandre, måtte sammensvergelsen – om det nå fantes noen slik – være en taus overenskomst som falt dem naturlig. Hun skjønte ikke hva den dreide seg om, men gikk ut fra at det berørte noe som Mikael Blomkvist mente var viktig å skjule.

Hun var redd for at det var et spørsmål om moral, noe som var hans svake punkt. Han var Lisbeth Salanders venn. Hun kjente broren og visste at han var lojal hinsides det enfoldiges grenser mot mennesker som han en gang hadde definert som venner, selv om vennen var helt umulig og tok fullstendig feil. Hun visste også at Mikael kunne akseptere mange dumheter, men at det fantes en uuttalt grense som ikke måtte overskrides. Nøyaktig hvor denne grensen gikk, så ut til å variere fra person til person, men hun visste at Mikael enkelte ganger hadde brutt fullstendig med personer som tidligere hadde vært venner, fordi de hadde gjort noe som han oppfattet som umoralsk eller uakseptabelt. I slike tilfeller ble han rigid. Bruddet var totalt og

213

for evig, og fullstendig udiskutabelt. Mikael svarte ikke engang i telefonen hvis vedkommende ringte for å be om forlatelse på sine bare knær.

Det som rørte seg i Mikael Blomkvists hode, skjønte Annika Giannini. Hva som derimot skjedde i Lisbeth Salanders, hadde hun ingen anelse om. Av og til trodde hun at det sto helt stille der oppe.

På Mikael hadde hun forstått at Lisbeth Salander kunne være lunefull og ekstremt reservert overfor omgivelsene. Helt frem til hun møtte henne hadde Annika trodd at det ville være et overgangsfenomen, og at det dreide seg om å vinne hennes tillit. Men Annika kunne konstatere at etter en måneds samtaler – la gå at de to første ukene hadde gått i vasken fordi Lisbeth Salander ikke orket å snakke – var konversasjonen i lange perioder høyst ensidig.

Annika hadde også merket seg at Lisbeth Salander i lange perioder så ut til å være dypt deprimert og ikke det minste interessert i å ordne opp i sin egen situasjon og sin egen fremtid. Det virket som om Lisbeth Salander ganske enkelt ikke forsto eller ikke brydde seg om at Annikas eneste mulighet til å gi henne et fullgodt forsvar var avhengig av at hun hadde tilgang til alle fakta. Hun kunne ikke jobbe i mørke.

Lisbeth Salander var mutt og fåmælt. Hun tok lange tenkepauser og formulerte seg presist når hun sa noe. Ofte svarte hun ikke i det hele tatt, og av og til svarte hun på et spørsmål som Annika hadde stilt flere dager tidligere. I forbindelse med politiavhørene hadde Lisbeth Salander sittet fullstendig taus i sengen og stirret fremfor seg. Med ett unntak hadde hun ikke vekslet et ord med politifolkene. Unntaket var de gangene da kriminalbetjent Marcus Erlander hadde stilt spørsmål om hva hun visste om Ronald Niedermann; da hadde hun sett på ham og besvart hvert eneste spørsmål saklig. Så snart han skiftet tema, hadde hun mistet interessen og bare stirret fremfor seg.

Annika var forberedt på at Lisbeth ikke ville si noe til politiet. Hun snakket av prinsipp ikke med myndighetene. Hvilket i dette tilfelle var bare bra. Til tross for at Annika med jevne mellomrom oppfordret sin klient til å svare på spørsmålene fra

214

politiet, var hun innerst inne svært fornøyd med Salanders kompakte taushet. Grunnen var enkel. Det var en konsekvent taushet. Den inneholdt ingen løgner som kunne bli avslørt og ingen motstridende påstander som ville se uheldig ut under rettssaken.

Selv om Annika var forberedt på tausheten, ble hun overrasket over at den var så urokkelig. Når de var alene, hadde hun spurt hvorfor hun nærmest demonstrativt nektet å snakke med politiet.

«De kommer bare til å forvrenge alt jeg sier og bruke det mot meg.»

«Men hvis du ikke forklarer deg, kommer du til å bli dømt.»

«Da får det bli sånn. Det er ikke jeg som har fått i stand denne suppa. Og vil de dømme meg for den, er det ikke mitt problem.»

Lisbeth Salander hadde smått om senn fortalt Annika nesten alt som hadde skjedd i Stallarholmen, selv om Annika ofte måtte hale ordene ut av henne. Alt bortsett fra én ting: Hun fortalte ikke hvordan det kunne ha seg at Magge Lundin hadde fått en kule i foten. Uansett hvor mye hun spurte, så Lisbeth Salander bare rett på henne og smilte det skjeve smilet sitt.

Hun hadde også fortalt hva som skjedde i Gosseberga. Men hun hadde ikke sagt noe om hvorfor hun hadde oppsporet faren sin. Hadde hun kommet dit for å ta livet av ham – som påtalemyndigheten hevdet – eller for å snakke ham til rette? Juridisk var det en himmelvid forskjell.

Da Annika tok opp hennes tidligere hjelpeverge Nils Bjurman, ble Lisbeth mer enn ordknapp. Det vanlige svaret var at det ikke var hun som skjøt ham, og at det heller ikke inngikk i siktelsen mot henne.

Og da Annika kom inn på selve kjernen i hele hendelsesforløpet, doktor Peter Teleborians rolle i 1991, ble Lisbeth forvandlet til en kompakt mur av taushet.

Dette holder ikke, konstaterte Annika. *Hvis ikke Lisbeth har tillit til meg, kommer vi til å tape rettssaken. Jeg må snakke med Mikael.*

*

Lisbeth Salander satt på sengekanten og så ut gjennom vinduet. Hun kunne se fasaden på bygningen på den andre siden av parkeringsplassen. Hun hadde sittet uforstyrret og urørlig i over en time etter at Annika Giannini hadde reist seg i sinne og smelt døren igjen etter seg. Hun hadde hodepine igjen, men den var lett og fjern. Derimot følte hun seg ille til mote.

Hun var irritert på Annika Giannini. Fra en praktisk synsvinkel kunne hun skjønne hvorfor advokaten hennes hele tiden maste om detaljer fra fortiden. Men hun hadde ikke det minste lyst til å snakke om sine følelser eller handlinger. Hun mente at hennes liv var en privatsak. Det var ikke hennes feil at faren var en patologisk syk sadist og morder. Det var ikke hennes feil at broren var massemorder. Og gudskjelov var det ingen som visste at han var broren hennes, noe som ellers høyst sannsynlig ville bli lagt henne til last i den psykiatriske undersøkelsen som før eller senere ville bli utført. Det var ikke hun som hadde drept Dag Svensson og Mia Bergman. Det var ikke hun som hadde utpekt en hjelpeverge som viste seg å være et svin og en voldtektsmann.

Likevel var det hennes liv som skulle vrenges ut og inn, og hun som ville bli nødt til å forklare seg og be om tilgivelse for at hun hadde forsvart seg.

Hun ville være i fred. Og når alt kom til alt, var det hun som måtte leve med seg selv. Hun forventet ikke at noen skulle være venn med henne. Annika Jævla Giannini sto sannsynligvis på hennes side, men det var et profesjonelt vennskap, siden hun var advokaten hennes. Kalle Jævla Blomkvist var et eller annet sted der ute – Annika var ordknapp om broren, og Lisbeth spurte aldri. Hun forventet ikke at han skulle anstrenge seg altfor mye nå da drapet på Dag Svensson var oppklart og han hadde fått storyen sin.

Hun lurte på hva Dragan Armanskij syntes om henne etter alt som hadde skjedd.

Hun lurte på hvordan Holger Palmgren oppfattet situasjonen.

Ifølge Annika Giannini hadde begge stilt seg i hennes hjørne i ringen, men det var bare ord. De kunne ikke gjøre noe for å løse hennes private problemer.

Hun lurte på hva Miriam Wu følte for henne.

Hun lurte på hva hun følte for seg selv, og kom til at hun mest følte likegyldighet overfor sitt eget liv.

Plutselig ble hun forstyrret av at Securitas-vakten satte nøkkelen i låsen og slapp inn doktor Anders Jonasson.

«God kveld, frøken Salander. Hvordan står det til med deg i dag?»

«Brukbart,» svarte hun.

Han så i journalen hennes og konstaterte at hun var feberfri. Hun hadde vent seg til besøkene hans, som fant sted et par ganger i uken. Av alle de menneskene som tok i henne og pirket på henne, var han den eneste som hun hadde noen som helst form for tillit til. Ikke en eneste gang hadde hun opplevd at han hadde sett rart på henne. Han kom inn på rommet hennes, småpratet en stund og undersøkte hvordan det sto til med kroppen hennes. Han stilte ikke spørsmål om Ronald Niedermann eller Aleksandr Zalatsjenko eller om hun var gal eller hvorfor politiet holdt henne innesperret. Det virket som om han bare var interessert i hvordan musklene hennes fungerte, hvordan det gikk med helingsprosessen i hjernen og hvordan hun hadde det i sin alminnelighet.

Dessuten hadde han bokstavelig talt rotet i hjernen hennes. En som hadde rotet i hjernen hennes, måtte behandles med respekt, mente hun. Hun oppdaget til sin forbløffelse at hun opplevde besøkene til Anders Jonasson som behagelige, til tross for at han pirket på henne og analyserte feberkurvene hennes.

«Er det greit at jeg forsikrer meg om det?»

Han gjorde den vanlige undersøkelsen av henne ved å kikke på pupillene hennes, lytte til pusten, ta pulsen og måle blodtrykket.

«Hvordan er det med meg?» spurte hun.

«Du er helt klart på bedringens vei. Men du må jobbe hardere med gymnastikken. Og du klør på sårskorpene i hodet. Slutt med det.»

Han tidde en liten stund.

«Kan jeg få stille et personlig spørsmål?»

Hun skottet opp på ham. Han ventet til hun nikket.

«Den dragen som du har tatovert ... jeg har ikke sett hele tatoveringen, men jeg har lagt merke til at den er veldig stor og dekker en god del av ryggen din. Hvorfor skaffet du deg den?»

«Har du ikke sett den?»

Han smilte plutselig.

«Jeg mener, jeg har så vidt sett den, men da du var helt uten klær sammen med meg, var jeg fullt opptatt med å stoppe blødninger og operere kuler ut av deg og den slags.»

«Hvorfor spør du?»

«Av ren nysgjerrighet.»

Lisbeth Salander tenkte seg om en lang stund. Til slutt så hun opp på ham.

«Jeg skaffet meg den av private grunner som jeg ikke vil snakke om.»

Anders Jonasson tenkte over svaret og nikket tankefullt.

«OK. Unnskyld at jeg spurte.»

«Vil du se på den?»

Han så forundret ut.

«Ja. Hvorfor ikke?»

Hun snudde ryggen til ham og trakk sykehusskjorten over hodet. Hun plasserte seg slik at lyset falt på ryggen hennes. Han konstaterte at dragen dekket et område på den høyre siden av ryggen. Den begynte høyt oppe på skulderen og endte i en hale nede på hoften. Den var flott og profesjonelt utført. Den så ut som et virkelig kunstverk.

Etter en stund snudde hun på hodet.

«Fornøyd?»

«Den er flott. Men det må ha gjort noe inn i helvete vondt.»

«Ja,» tilsto hun. «Det gjorde vondt.»

Anders Jonasson forlot Lisbeth Salanders sykeværelse lettere konfundert. Han var tilfreds med fremgangen med hensyn til den fysiske rehabiliteringen. Men han ble ikke klok på den besynderlige jenta der inne. Man trengte ikke noen magistergrad i psykologi for å trekke den slutningen at det ikke sto bra til med

218

henne rent sjelelig. Tonen hennes overfor ham var høflig, men full av årvåken mistenksomhet. Han hadde også forstått at hun var høflig mot resten av personalet, men at hun ikke sa et ord når politiet kom på besøk. Hun var ekstremt hardt innlukket i et skall og markerte hele tiden avstand til omverdenen.

Politiet hadde sperret henne inne, og påtalemyndigheten ville reise tiltale mot henne for drapsforsøk og grov legemsbeskadigelse. Han var forbløffet over at en så liten og spinkel jente hadde hatt nødvendig fysisk styrke til den typen lovbrudd, særlig siden volden var rettet mot en fullvoksen mann.

Han hadde spurt om dragen hennes mest for å finne et personlig tema som han kunne snakke med henne om. Han var egentlig ikke interessert i hvorfor hun hadde latt seg dekorere på denne overdrevne måten, men han gikk ut fra at dersom hun hadde valgt å prege kroppen med en så stor tatovering, hadde den en spesiell betydning for henne. Altså var det et greit tema å innlede en samtale med.

Han hadde fått for vane å besøke henne et par ganger i uken. Besøkene lå egentlig utenfor hans skjema, og det var Helena Endrin som var legen hennes. Men Anders Jonasson var sjef for traumaavdelingen, og han var umåtelig tilfreds med den innsatsen han hadde gjort den natten Lisbeth Salander ble trillet inn på akuttmottaket. Han hadde tatt riktig beslutning da han valgte å fjerne kulen, og så vidt han kunne se, hadde hun ikke fått noe men i form av delvis hukommelsestap, nedsatte kroppslige funksjoner eller andre handikap etter skuddskaden. Hvis bedringen fortsatte på samme måte, kom hun til å forlate sykehuset med et arr i hodebunnen, men uten andre komplikasjoner. Hvilke arr som hadde dannet seg i sjelen hennes, kunne han ikke uttale seg om.

Han gikk tilbake til kontoret sitt og oppdaget at en mann i mørk jakke sto og lente seg mot veggen ved siden av døren. Han hadde bustete hår og et velpleid skjegg.

«Doktor Jonasson?»

«Ja.»

«Hei, jeg er Peter Teleborian. Jeg er overlege på St. Stefans psykiatriske klinikk i Uppsala.»

«Ja, jeg kjenner deg igjen.»

«Fint. Jeg skulle gjerne hatt en privat samtale med deg, hvis du har tid.»

Anders Jonasson låste opp kontordøren sin.

«Hva kan jeg hjelpe deg med?» spurte han.

«Det gjelder en av dine pasienter. Lisbeth Salander. Jeg må få besøke henne.»

«Hmm. I så fall må du søke om tillatelse hos påtalemyndigheten. Hun er anholdt, og det er innført besøksforbud. Slike besøk må det også gis beskjed om i forveien til Salanders advokat ...»

«Ja, ja, jeg vet det. Jeg tenkte bare at vi skulle slippe å gå igjennom alt byråkratiet i dette tilfellet. Jeg er lege, og da kan du uten videre gi meg adgang til henne av rent medisinske grunner.»

«Ja, det ville nok kunne la seg forsvare. Men jeg skjønner ikke helt sammenhengen.»

«Jeg var Lisbeth Salanders psykiater i flere år da hun var innlagt på St. Stefans i Uppsala. Jeg fulgte henne frem til hun fylte 18 år, da tingretten slapp henne ut i samfunnet, om enn under vergemål. Jeg bør kanskje nevne at jeg naturligvis motsatte meg dette. Deretter har hun drevet for vær og vind, og resultatet ser vi i dag.»

«Jeg skjønner,» sa Anders Jonasson.

«Jeg føler fremdeles et stor ansvar for henne, og vil altså gjerne få en mulighet til å vurdere hvor store forverringer som har funnet sted de siste ti årene.»

«Forverringer?»

«Sammenlignet med da hun fikk kvalifisert behandling som tenåring. Jeg tenkte at vi kunne finne en lempelig løsning her, oss leger imellom.»

«Mens jeg har det i friskt minne ... Du kan kanskje hjelpe meg med en ting som jeg ikke helt skjønner, oss leger imellom, altså. Da hun ble innlagt her på Sahlgrenska, foretok jeg en grundig medisinsk undersøkelse av henne. En kollega bestilte den rettsmedisinske rapporten etter granskningen av Lisbeth Salander. Den var forfattet av en doktor Jesper H. Löderman.»

«Det stemmer. Jeg var veileder for Jesper da han tok doktorgraden.»

«Jeg skjønner. Men jeg registrerte at den rettsmedisinske rapporten er veldig vag.»

«Jaså.»

«Den inneholder ingen diagnose, men virker mer som en akademisk studie av en taus pasient.»

Peter Teleborian lo.

«Ja, hun er ikke lett å ha med å gjøre. Som det fremgår av rapporten, så nektet hun konsekvent å delta i noen samtale med Löderman. Det resulterte i at han nødvendigvis måtte uttrykke seg vagt. Hvilket var helt korrekt av ham.»

«Jeg skjønner. Men det ble likevel anbefalt at hun skulle tvangsinnlegges.»

«Det bygger på hennes tidligere historie. Vi har jo sammenlagt en mangeårig erfaring med sykdomsbildet hennes.»

«Og det er det jeg ikke helt forstår. Da hun ble innlagt, forsøkte vi å bestille journalen hennes fra St. Stefans. Men vi har ennå ikke fått den.»

«Det beklager jeg. Men den er hemmeligstemplet etter en avgjørelse i tingretten.»

«Jeg skjønner. Og hvordan skal vi på Sahlgrenska kunne gi henne god behandling hvis vi ikke får tilgang til journalen hennes? Det er faktisk vi som har det medisinske ansvaret for henne nå.»

«Jeg har hatt ansvar for henne siden hun var tolv år gammel, og jeg tror ikke det finnes noen annen lege med samme innsikt i sykdomsbildet hennes.»

«Som er ...?»

«Lisbeth Salander lider av en alvorig psykisk forstyrrelse. Som du vet, er psykiatrien ingen eksakt vitenskap. Jeg vil nødig binde meg til en nøyaktig diagnose. Men hun har åpenbare vrangforestillinger med tydelige paranoide schizofrene trekk. I bildet inngår også manisk-depressive perioder, og hun mangler empati.»

Anders Jonasson studerte doktor Peter Teleborian i ti sekunder før han slo ut med hendene.

«Jeg skal ikke argumentere mot diagnosen din, doktor Teleborian, men har du aldri vurdert en adskillig enklere diagnose?»

«Hva da?»

«For eksempel Aspergers syndrom. For all del, jeg har ikke foretatt noen psykiatrisk vurdering av henne, men hvis jeg spontant skulle gjette, ligger en form for autisme snublende nær. Det ville forklare den manglende evnen til å forholde seg til sosiale konvensjoner.»

«Jeg beklager, men Asperger-pasienter pleier ikke å sette fyr på foreldrene sine. Tro meg, jeg har aldri før møtt en så tydelig definert sosiopat.»

«Jeg oppfatter henne som lukket, men ikke som en paranoid sosiopat.»

«Hun er ekstremt manipulerende,» sa Peter Teleborian. «Hun viser det hun tror andre vil se.»

Anders Jonasson rynket øyenbrynene umerkelig. Plutselig gikk Peter Teleborian stikk imot hans egen samlede vurdering av Lisbeth Salander. Hvis det var noe han ikke oppfattet henne som, så var det manipulerende. Tvert imot – hun var en person som holdt en helt urokkelig avstand til sine omgivelser og ikke viste noen følelser i det hele tatt. Han forsøkte å få det bildet som Teleborian hadde skissert, til å stemme med det bildet han selv hadde fått av Lisbeth Salander.

«Og du har bare sett henne i en kort periode hvor hun har vært nødt til å forholde seg passiv på grunn av skadene sine. Jeg har sett de voldsomme utbruddene og det uforsonlige hatet. Jeg har brukt mange år på å forsøke å hjelpe Lisbeth Salander. Det er derfor jeg er her. Jeg foreslår et samarbeid mellom Sahlgrenska og St. Stefans.»

«Hva slags samarbeid snakker du om?»

«Du tar hånd om de fysiske problemene henes, og jeg er overbevist om at det er den beste behandlingen hun kan få. Men jeg er svært urolig for hennes psykiske tilstand, og jeg vil gjerne komme inn på et tidlig stadium. Jeg er villig til å tilby all den hjelp jeg kan bidra med.»

«Jeg skjønner.»

«Jeg trenger å få besøke henne for i første omgang å foreta en vurdering av tilstanden.»

«Jeg skjønner. Dessverre kan jeg ikke hjelpe deg.»

«Hva behager?»

«Som jeg sa tidligere, så er hun anholdt. Hvis du vil innlede en psykiatrisk behandling av henne, må du henvende deg til statsadvokat Jervas, som tar beslutningen i slike saker, og det må skje i samråd med hennes advokat, Annika Giannini. Hvis det er snakk om en rettspsykiatrisk vurdering, må tingretten gi deg i oppdrag å foreta den.»

«Det var nettopp hele den byråkratiske runddansen jeg gjerne ville slippe.»

«Ja, men det er jeg som har ansvar for henne, og hvis hun skal fremstilles for retten i nærmeste fremtid, må vi ha papirer som dokumenterer alle tiltak vi har iverksatt. Altså må vi ta denne byråkratiske runddansen.»

«Jeg skjønner. Da skal jeg avsløre at jeg allerede har fått en forespørsel fra statsadvokat Richard Ekström i Stockholm om å foreta en rettspsykiatrisk vurdering. Det vil bli aktuelt i forbindelse med rettssaken.»

«Så bra. Da kommer du til å få besøkstillatelse uten at vi behøver å tøye regelverket.»

«Men mens vi kaster bort tid på byråkrati, er det en risiko for at tilstanden hennes blir stadig forverret. Jeg er bare interessert i hennes helsetilstand.»

«Det er jeg også,» sa Anders Jonasson. «Og oss imellom kan jeg si at jeg ikke kan se noen tegn til at hun skulle være psykisk syk. Hun har fått en hard medfart og befinner seg i en presset situasjon. Men jeg oppfatter det absolutt ikke dit hen at hun skulle være schizofren eller lide av paranoide vrangforestillinger.»

Doktor Peter Teleborian brukte en lang stund til for å forsøke å få Anders Jonasson til å ombestemme seg. Da han omsider skjønte at det var nytteløst, reiste han seg brått og tok farvel.

Anders Jonasson satt en lang stund og betraktet tankefullt den stolen som Teleborian hadde sittet i. Det var absolutt ikke uvanlig at andre leger tok kontakt med ham med råd eller synspunkter på behandlingen. Men det dreide seg nesten utelukkende om pasienter med en lege som allerede hadde ansvar for en eller annen form for pågående behandling. Han hadde aldri tidligere vært med på at en psykiater hadde landet som en flygende tallerken og nærmest insistert på at han skulle få tilgang til en pasient utenom alle formelle regler, og som han åpenbart ikke hadde behandlet på mange år. Etter en stund kikket Anders Jonasson på klokken og konstaterte at den var litt på syv om kvelden. Han løftet telefonrøret og ringte Martina Karlgren, vakthavende psykolog og det medmennesket som Sahlgrenska tilbød traumapasienter.

«Hei. Jeg går ut fra at du har gått for dagen. Forstyrrer jeg?»

«Ingen fare. Jeg er hjemme og holder ikke på med noe spesielt.»

«Det er noe jeg grubler litt på. Du har snakket med vår pasient Lisbeth Salander. Kan du fortelle hvilket inntrykk du har av henne?»

«Tja, jeg har besøkt henne tre ganger og tilbudt henne samtaler. Hun har avslått, vennlig, men bestemt.»

«Hvilket inntrykk har du av henne?»

«Hva mener du?»

«Martina, jeg vet at du ikke er psykiater, men du er et klokt og forstandig menneske. Hvilket inntrykk har du fått av henne?»

Martina Karlgren nølte litt.

«Jeg er ikke så sikker på hvordan jeg skal svare på det spørsmålet. Jeg møtte henne to ganger da hun var relativt nylig innlagt, og så pass dårlig at jeg ikke fikk noen ordentlig kontakt med henne. Deretter besøkte jeg henne for en uke siden, på oppfordring av Helena Endrin.»

«Hvorfor ba Helena deg besøke henne?»

«Lisbeth Salander holder på å bli bra. Hun ligger hovedsakelig og stirrer opp i taket. Doktor Endrin ville at jeg skulle ta en titt på henne.»

«Og hva skjedde?»

«Jeg presenterte meg. Vi snakket sammen i et par minutter. Jeg spurte hvordan hun hadde det og om hun følte behov for å ha noen å snakke med. Hun sa at hun gjorde ikke det. Jeg spurte om det var noe jeg kunne hjelpe henne med. Hun ba meg smugle inn en pakke sigaretter.»

«Var hun irritert eller fiendtlig?»

Martina Karlgren tenkte etter en stund.

«Nei, det vil jeg ikke påstå. Hun var rolig, men holdt god avstand. Jeg oppfattet anmodningen om å smugle inn sigaretter mer som en spøk enn som en seriøs anmodning. Jeg spurte om hun ville ha noe å lese, om jeg kunne skaffe henne noen bøker av noe slag. Det ville hun først ikke, men så spurte hun om jeg hadde noen vitenskapelige tidsskrifter som handlet om genetikk og hjerneforskning.»

«Om hva?»

«Genetikk.»

«Genetikk?»

«Ja. Jeg sa at det fantes noen populærvitenskapelige bøker om emnet i biblioteket vårt. Det var hun ikke interessert i. Hun sa at hun hadde lest bøker om dette tidligere, og nevnte noen standardverk som jeg aldri har hørt om. Hun var altså mer interessert i ren forskning enn i emnet som sådan.»

«Jaså?» sa Anders Jonasson forbløffet.

«Jeg sa at vi nok ikke hadde noen så avanserte bøker i pasientbiblioteket – vi har jo mer Philip Marlowe enn vitenskapelig litteratur – men at jeg skulle se om jeg kunne rote frem noe.»

«Gjorde du det?»

«Jeg gikk opp og lånte noen eksemplarer av Nature og New England Journal of Medicine. Hun ble glad for dem og takket meg for at jeg hadde tatt meg bryet.»

«Men det er jo temmelig avanserte tidsskrifter som mest inneholder faglige essays og ren forskning.»

«Hun leser dem med stor interesse.»

Anders Jonasson ble sittende målløs en stund.

«Hvordan vil du bedømme hennes psykiske tilstand?»

«Innesluttet. Hun har ikke diskutert noe som helst av privat karakter med meg.»

«Oppfattet du henne som psykisk syk, manisk-depressiv eller paranoid?»

«Nei, overhodet ikke. I så fall ville jeg slått alarm. Hun er så absolutt sær og har store problemer med å befinne seg i en tilstand av stress. Men hun er rolig og saklig og ser ut til å takle situasjonen.»

«Greit.»

«Hvorfor spør du? Har det skjedd noe?»

«Nei, det har ikke skjedd noe. Jeg blir bare ikke klok på henne.»

KAPITTEL 10

Lørdag 7. mai–torsdag 12. mai

Mikael Blomkvist la fra seg mappen med den researchen han hadde fått fra Daniel Olofsson i Göteborg. Han stirret tankefullt ut gjennom vinduet og betraktet strømmen av mennesker nede på Götagatan. Det var en av de tingene han likte aller best med kontoret sitt. Götagatan var fylt av liv døgnet rundt, og når han satt ved vinduet, følte han seg aldri helt isolert eller ensom.

Han følte seg stresset, til tross for at han ikke hadde noe arbeid som hastet. Han hadde hardnakket fortsatt å jobbe videre med de artiklene som han hadde tenkt skulle fylle sommernummeret av Millennium, men smått om senn hadde det gått opp for ham at materialet var så omfattende at ikke engang et temanummer var nok. Han hadde havnet i samme situasjon som med Wennerström-saken, og hadde bestemt seg for å utgi artiklene i bokform. Han hadde allerede materiale til drøyt 150 sider og regnet med at hele boken ville bli på omtrent 300–350 sider.

Den enkle delen var ferdig. Han hadde beskrevet drapene på Dag Svensson og Mia Bergman og fortalt hvordan det hadde seg at han var den personen som hadde funnet dem drept. Han hadde forklart hvorfor Lisbeth Salander ble mistenkt. Han hadde brukt et helt kapittel på syvogtredve sider til å slakte dels medienes skriverier om Lisbeth, dels statsadvokat Richard Ekström, og indirekte hele politietterforskningen. Etter moden overveielse hadde han mildnet kritikken av Bublanski og kollegene hans. Han gjorde det etter å ha studert et videoopptak fra Ekströms pressekonferanse, hvor det fremsto som åpenbart at Bublanski følte seg ekstremt lite vel med situasjonen og åpenbart misfornøyd med Ekströms kjappe slutninger.

Etter den innledende dramatikken hadde han gått bakover i tid og beskrevet Zalatsjenkos ankomst til Sverige, Lisbeth Salanders oppvekst og hendelsene som hadde ført frem til at hun ble sperret inne på St. Stefans i Uppsala. Han la et nitid arbeid i å knuse doktor Peter Teleborian og avdøde Gunnar Björck. Han presenterte rapporten fra den rettspsykiatriske vurderingen i 1991 og forklarte hvorfor Lisbeth Salander var blitt en trussel mot anonyme statstjenestemenn som hadde gjort det til sin oppgave å beskytte den russiske avhopperen. Han gjenga store deler av korrespondansen mellom Teleborian og Björck.

Videre beskrev han Zalatsjenkos nye identitet og virksomhetsfelt som heltidsgangster. Han beskrev medhjelperen Ronald Niedermann, kidnappingen av Miriam Wu, og hvordan Paolo Roberto grep inn. Til slutt hadde han oppsummert oppløsningen i Gosseberga, som førte til at Lisbeth Salander ble skutt og begravd, og forklarte hvordan det hadde seg at en politimann helt unødvendig ble drept etter at Niedermann allerede var tatt til fange.

Deretter begynte historien å flyte tregere. Mikaels problem var at beretningen fremdeles hadde betydelige hull. Gunnar Björck hadde ikke operert alene. Bak hele hendelsesforløpet måtte det ligge en større gruppe med ressurser og innflytelse. Alt annet var helt urimelig. Men til slutt hadde han kommet til den konklusjonen at den rettsstridige behandlingen av Lisbeth Salander ikke kunne være sanksjonert av regjeringen eller sikkerhetspolitiets ledelse. Bak denne konklusjonen lå ikke noen overdreven tiltro til statsmaktene, men en tiltro til den menneskelige natur. En operasjon av denne typen ville aldri kunne vært holdt hemmelig hvis det hadde funnes noen politisk forankring. Noen ville ha hatt en høne å plukke med en eller annen og ha sladret, hvorpå mediene ville ha fått tak i Salander-saken flere år tidligere.

Han forestilte seg Zalatsjenko-klubben som en liten, anonym gruppe aktivister. Problemet var bare at han ikke kunne identifisere noen av dem, muligens bortsett fra Göran Mårtensson, 40 år gammel politimann på hemmelig oppdrag, som nå var opptatt med å skygge Mikael Blomkvist.

Tanken var at boken skulle være ferdigtrykket for å kunne distribueres samme dag som rettssaken mot Lisbeth Salander ble innledet. Sammen med Christer Malm hadde han planlagt en pocketutgave som skulle pakkes i plast og sendes ut sammen med et prisforhøyet sommernummer av Millennium. Han hadde fordelt arbeidsoppgaver til Henry Cortez og Malin Eriksson, som skulle skrive artikler om sikkerhetspolitiets historie, IB-affæren og lignende.

At det ville bli reist sak mot Lisbeth Salander, sto nå helt klart.

Statsadvokat Richard Ekström hadde fremmet tiltale for grov legemsbeskadigelse av Magge Lundin og grov legemsbeskadigelse, subsidiært drapsforsøk, mot Karl Axel Bodin, alias Aleksandr Zalatsjenko.

Det var ennå ikke fastsatt noen dato for rettssaken, men fra noen journalistkolleger hadde Mikael snappet opp opplysninger om at Ekström planla en rettssak i juli, litt avhengig av Lisbeth Salanders helsetilstand. Mikael skjønte hensikten. En rettssak midt på sommeren vekker alltid mindre oppmerksomhet enn en rettssak på andre tider av året.

Han rynket pannen og så ut gjennom vinduet på kontoret sitt i Millenniums redaksjon.

Det var ikke over. Konspirasjonen mot Lisbeth fortsatte. Det var den eneste forklaringen på de avlyttede telefonene, overfallet på Annika Giannini og tyveriene av Zalatsjenko-rapporten fra 1991. Og muligens mordet på Zalatsjenko.

Men han manglet bevis.

Sammen med Malin Eriksson og Christer Malm hadde Mikael tatt beslutningen om at Millennium forlag også skulle gi ut Dag Svenssons bok om trafficking før rettssaken. Det var bedre å servere hele pakken på én gang, og det var ingen grunn til å vente med utgivelsen. Tvert imot – boken ville aldri kunne vekke tilsvarende interesse på noe annet tidspunkt. Malin hadde hovedansvaret for sluttredigeringen av Dag Svenssons bok, mens Henry Cortez bisto Mikael med skrivingen av boken om Salander-saken. Lottie Karim og Christer Malm (mot sin vilje) var dermed blitt midlertidige redaksjonssekretærer i Millennium, med Monica Nilsson som eneste tilgjengelige journalist. Resultatet av denne arbeidsbyrden var at hele Millenniums redaksjon var på knærne, og at Malin Eriksson hadde engasjert flere frilansere til å skrive artikler. Det ville bli dyrt, men de hadde ikke noe valg.

Mikael noterte på en gul klistrelapp at han måtte avklare rettighetene til Dag Svenssons bok med familien hans. Han hadde funnet ut at Dag Svenssons foreldre var bosatt i Örebro og at de var hans eneste arvinger. I praksis trengte han ingen tillatelse for å gi ut boken i Dag Svenssons navn, men han hadde likevel tenkt å dra og besøke dem personlig for å få deres godkjennelse. Han hadde utsatt det fordi han hadde hatt det altfor travelt, men nå var det på høy tid å få avklart den detaljen.

Deretter gjensto bare hundre andre detaljer. Noen av disse dreide seg om hvordan han skulle behandle Lisbeth Salander i teksten. For å kunne ta en endelig avgjørelse om det, var han nødt til å få i stand en personlig samtale med henne, og en godkjennelse til å fortelle sannheten, eller i hvert fall deler av sannheten. Og denne personlige samtalen kunne han ikke få, siden Lisbeth Salander var anholdt med besøksforbud.

I den henseende var heller ikke Annika Giannini til noen hjelp. Hun fulgte slavisk gjeldende regelverk og hadde ingen planer om å være viserpike for Mikael Blomkvist og overlevere hemmelige beskjeder. Annika fortalte heller ikke noe som helst om det hun og hennes klient diskuterte, annet enn de tingene som dreide seg om konspirasjonen mot Lisbeth, og der Annika trengte hjelp. Det var frustrerende, men korrekt. Mikael hadde derfor ingen anelse om hvorvidt Lisbeth hadde avslørt for Annika at hennes tidligere hjelpeverge hadde voldtatt henne, og at hun hadde hevnet seg ved å tatovere et oppsiktsvekkende budskap over magen hans. Så lenge ikke Annika tok opp saken, kunne ikke Mikael gjøre det heller.

Men fremfor alt utgjorde Lisbeth Salanders isolering et genuint problem. Hun var dataekspert og hacker, noe Mikael visste om, men ikke Annika. Mikael hadde lovet Lisbeth aldri å avsløre hemmeligheten hennes, og det løftet hadde han holdt. Problemet var at han selv nå hadde stort behov for hennes ferdigheter på det området.

Altså måtte han på en eller annen måte etablere kontakt med Lisbeth Salander.

Han sukket og åpnet Daniel Olofssons mappe igjen og tok frem to ark. Det ene var et utsnitt fra passregisteret og viste en Idris Ghidi, født 1950. Det var en mann med bart, olivenbrun hud og svart hår med grå tinninger.

Ghidi var kurdisk flyktning fra Irak. Daniel Olofsson hadde gravd frem adskillig mer informasjon om Idris Ghidi enn om noen annen av de ansatte. Forklaringen på dette informasjons-avviket var at Idris Ghidi i en periode hadde vakt mediemessig oppmerksomhet og forekom i flere artikler i Mediearkivet.

Idris Ghidi var født i 1950 i byen Mosul i det nordlige Irak. Han hadde utdannet seg til ingeniør og vært med på det store økonomiske spranget i 1970-årene. I 1984 hadde han begynt å arbeide som lærer på et bygningsteknisk gymnas i Mosul. Han var ikke kjent som noen politisk aktivist. Dessverre var han kurder og per definisjon en potensiell kriminell i Saddam Husseins Irak. I oktober 1987 ble Idris Ghidis far arrestert, mistenkt for å være kurdisk aktivist. Noen nærmere presisering av hva denne forbrytelsen besto i ble ikke oppgitt. Han ble henrettet som landsforræder, sannsynligvis i januar 1988. To måneder senere ble Idris Ghidi hentet av det hemmelige irakiske politiet da han nettopp hadde startet en time om holdbarhetslære for brokonstruksjoner. Han ble ført til et fengsel utenfor Mosul hvor han i løpet av elleve måneder ble utsatt for omfattende tortur for å få ham til å tilstå. Nøyaktig hva det var forventet at han skulle tilstå forsto Idris Ghidi aldri, og dermed fortsatte torturen.

I mars 1989 betalte en onkel av Idris Ghidi et beløp tilsvarende 50 000 svenske kroner til den lokale lederen for Baath-partiet, noe som måtte anses som tilstrekkelig kompensasjon for den skade den irakiske stat var blitt påført av Idris Ghidi. To dager senere ble han løslatt og overlatt i sin onkels varetekt. Ved løslatelsen veide han niogtredve kilo og var ikke i stand til å gå. Før løslatelsen var den venstre hoften hans blitt knust med en slegge, så han ikke skulle løpe rundt og finne på flere skurkestreker i fremtiden.

Idris Ghidi svevde mellom liv og død i flere uker. Da han langsomt begynte å komme seg, flyttet onkelen ham til en gård i en landsby seks mil fra Mosul. Han kom til krefter i løpet av sommeren og ble sterk nok til å lære seg å gå brukbart med krykker. Han var fullt på det rene med at han aldri ville bli helt restituert. Spørsmålet var hva han skulle gjøre videre fremover. I august fikk han plutselig beskjed om at to av brødrene hans var blitt arrestert av det hemmelige politiet. Han skulle aldri få se dem igjen. Han gikk ut fra at de lå begravd under en eller annen sandhaug utenfor Mosul. I september fikk onkelen hans rede på at Idris Ghidi igjen var ettersøkt av Saddam Husseins politi. Han bestemte seg da for å henvende seg til en anonym parasitt som mot et vederlag tilsvarende 30 000 kroner, førte Idris Ghidi over grensen til Tyrkia og ved hjelp av et falskt pass videre til Europa.

Idris Ghidi landet på Arlanda i Sverige den 19. oktober 1989. Han kunne ikke et ord svensk, men hadde fått instrukser om å oppsøke passpolitiet og umiddelbart be om politisk asyl, noe han gjorde på et temmelig mangelfullt engelsk. Han ble transportert til et flyktningemottak i Upplands-Väsby, hvor han tilbragte de neste to årene, til innvandringsmyndighetene avgjorde at Idris Ghidi ikke hadde tilstrekkelig sterke grunner til å få oppholdstillatelse i Sverige.

På dette tidspunktet hadde Ghidi lært seg svensk og fått legehjelp med den ødelagte hoften. Han var blitt operert to ganger og kunne bevege seg uten krykker. I mellomtiden hadde Sjöbo-debatten rast i Sverige, flyktningemottak var blitt utsatt for attentater, og Bert Karlsson hadde grunnlagt partiet Ny demokrati.

Den direkte foranledningen til at Idris Ghidi figurerte i Mediearkivet var at han i ellevte time fikk en ny advokat som gikk ut i mediene og redegjorde for situasjonen hans. Andre kurdere i Sverige engasjerte seg i Idris Ghidi-saken, deriblant medlemmer av den stridbare familien Baksi. Det ble holdt protestmøter og skrevet appeller til innvandringsminister Birgit Friggebo. Dette fikk så stor medieoppmerksomhet at innvandringsmyndighetene bestemte seg for å omgjøre beslutningen, og Idris Ghidi fikk oppholds- og arbeidstillatelse i kongeriket Sverige. I januar 1992 forlot han flyktningemottaket i Upplands-Väsby som en fri mann.

Etter løslatelsen fra flyktningemottaket begynte en ny prosess for Idris Ghidi. Han måtte få seg arbeid samtidig som han fortsatt gikk til fysioterapi for den ødelagte hoften. Idris Ghidi oppdaget snart at det faktum at han var en velutdannet bygningsingeniør med mange års praksis og gode akademiske papirer, ikke betydde noe som helst. I løpet av de neste årene jobbet han som avisbud, oppvasker, renholder og drosjesjåfør. Jobben som avisbud ble han nødt til å si fra seg. Han kunne ganske enkelt ikke gå så fort i trapper som det ble forventet. Arbeidet som drosjesjåfør likte han, bortsett fra to ting. Han hadde absolutt ingen lokalkunnskaper om veinettet i Stockholm, og han kunne ikke sitte stille mer enn en times tid av gangen før smertene i hoften ble uutholdelige.

I mai 1998 flyttet Idris Ghidi til Göteborg. Årsaken var at en fjern slektning hadde forbarmet seg over ham og tilbudt ham fast jobb i et renholdsfirma. Idris Ghidi var ikke i stand til å jobbe full tid, og fikk en halv stilling som leder for et rengjøringsteam på Sahlgrenska sjukhuset, som firmaet hadde kontrakt med. Han hadde faste rutiner og et lett arbeid som innebar at han seks dager i uken svabret gulvene i en del korridorer, deriblant korridor 11C.

Mikael Blomkvist leste Daniel Olofssons oppsummering og studerte portrettet av Idris Ghidi fra passregisteret. Deretter logget han seg inn på Mediearkivet og fant frem flere av de artiklene som hadde ligget til grunn for Olofssons sammendrag. Han leste oppmerksomt og ble deretter sittende og tenke en lang stund. Han tente en sigarett. Røykeforbudet i redaksjonen var raskt blitt myket opp etter at Erika Berger hadde flyttet ut. Henry Cortez hadde til og med helt åpenlyst satt et askebeger på skrivebordet.

Til slutt fant Mikael frem den A4-siden som Daniel Olofsson hadde forfattet om doktor Anders Jonasson. Han leste den med dype rynker i pannen.

Mikael Blomkvist kunne ikke se bilen med nummerskiltet KAB og hadde ingen følelse av at han var overvåket, men han tok ingen sjanser da han mandag spaserte fra Akademibokhandelen til sideinngangen på NK og rett ut igjen gjennom hovedinngangen. Den som kunne holde noen under oppsikt inne på NK, måtte være overmenneskelig. Han slo av begge mobiltelefonene og spaserte via Gallerian til Gustav Adolfs torg, forbi riksdagshuset og inn i Gamla stan. Så vidt han kunne se, var det ingen som fulgte etter ham. Han tok omveier og smågater til han hadde kommet til riktig adresse og banket på døren til Svartvitt förlag.

Klokken var halv tre om ettermiddagen. Mikael kom uanmeldt, men redaktør Kurdo Baksi var inne og lyste opp da han fikk se Mikael Blomkvist.

«Hallo der,» sa Kurdo Baksi hjertelig. «Hvorfor kommer du aldri innom lenger?»

«Jeg kommer jo innom nå,» sa Mikael.

«Ja, men det er minst tre år siden sist.»

De tok hverandre i hånden.

Mikael Blomkvist hadde kjent Kurdo Baksi siden 1980-årene. Mikael hadde vært en av dem som hadde bidradd med praktisk hjelp den gangen Kurdo Baksi startet bladet Svartvitt med en utgave som ble piratkopiert hos LO nattestid. Der var Kurdo blitt oppdaget av den senere pedofilijegeren Per-Erik Åström hos Redd Barna, som i 1980-årene hadde vært utredningssekretær i LO. Åström hadde kommet inn på kopirommet sent en natt og funnet sider av Svartvitts første nummer sammen med en tydelig spak Kurdo Baksi. Åström hadde kastet et blikk på den elendige layouten på forsiden og sagt at sånn kunne jo en avis for faen ikke se ut. Deretter hadde han designet den logoen som skulle bli Svartvitts avishode i femten år, før bladet gikk i graven og ble til bokforlaget Svartvitt. På den tiden hadde Mikael i en tid hatt en forferdelig jobb som informasjonsmedarbeider i LO – hans eneste opphold i informasjonsbransjen.

Per-Erik Åström hadde overtalt ham til å lese korrektur på bladet og bistå med en viss hjelp til redigeringen. Siden da hadde Kurdo Baksi og Mikael Blomkvist vært venner.

Mikael Blomkvist slo seg ned i sofaen mens Kurdo Baksi hentet kaffe fra en automat ute i korridoren. De pratet en stund slik man gjør når man ikke har sett hverandre på en stund, men ble gang på gang avbrutt av at Kurdos mobil ringte, og han førte korte samtaler på kurdisk eller muligens tyrkisk eller arabisk eller et eller annet annet språk som Mikael ikke skjønte. Sånn hadde det alltid vært når han besøkte Svartvitt förlag. Folk ringte fra hele verden for å snakke med Kurdo.

«Kjære Mikael, du ser bekymret ut. Hva har du på hjertet?» spurte Kurdo til slutt.

«Kan du slå av mobilen i fem minutter så vi kan få snakke uforstyrret?»

Kurdo slo av mobilen.

«Jo ... jeg har behov for en tjeneste. En viktig tjeneste, og det må skje umiddelbart, og må ikke diskuteres utenfor disse fire veggene.»

«Fortell.»

«I 1989 kom en kurdisk flyktning ved navn Idris Ghidi til Sverige fra Irak. Da han ble truet med utvisning, fikk han hjelp av din familie, noe som førte til at han etter hvert fikk oppholdstillatelse. Jeg vet ikke om det var din far eller noen andre i familien som hjalp ham.»

«Det var min onkel, Mahmut Baksi, som hjalp Idris Ghidi. Hva er det med ham?»

«For tiden jobber han i Göteborg. Jeg trenger hjelp av ham til å gjøre en enkel jobb. Jeg er villig til å betale ham.»

«Hva slags jobb er det?»

«Stoler du på meg, Kurdo?»

«Selvfølgelig. Vi har alltid vært venner.»

«Jobben jeg må få utført, er spesiell. Veldig spesiell. Jeg vil ikke fortelle hva jobben består i, men jeg kan forsikre deg at den på ingen måte er i strid med loven eller kan komme til å skape problemer for deg eller for Idris Ghidi.»

Kurdo Baksi betraktet Mikael Blomkvist oppmerksomt.

«Jeg skjønner. Og du vil ikke fortelle hva det dreier seg om.»

«Jo færre som vet det, desto bedre. Det jeg trenger hjelp av deg til, er en introduksjon, slik at Idris er villig til å høre på det jeg har å si.»

Kurdo tenkte seg om en liten stund. Så gikk han bort til skrivebordet og åpnet en kalender. Han lette i et par minutter før han fant nummeret til Idris Ghidi. Deretter løftet han telefonrøret. Samtalen ble ført på kurdisk. Mikael så på Kurdos ansiktsuttrykk at han startet med de vanlige hilsningsfrasene og litt småprat. Deretter ble han alvorlig og begynte å forklare hvorfor han ringte. Etter en stund snudde han seg mot Mikael.

«Når vil du treffe ham?»

«Fredag ettermiddag, hvis det går. Spør om jeg kan få oppsøke ham hjemme.»

Kurdo snakket videre en liten stund før han avsluttet samtalen.

«Idris Ghidi bor i Angered,» sa Kurdo Baksi. «Har du adressen?»

Mikael nikket.

«Han er hjemme omkring fem fredag ettermiddag. Du er velkommen til å besøke ham.»

«Takk, Kurdo,» sa Mikael.

«Han arbeider som renholder på Sahlgrenska sjukhuset,» sa Kurdo Baksi.

«Jeg vet det,» sa Mikael.

«Jeg har jo ikke kunnet unngå å se i avisene at du er innblandet i denne Salander-historien.»

«Det stemmer.»

«Hun ble skutt.»

«Nettopp.»

«Jeg mener også å vite at hun ligger på Sahlgrenska.»

«Det er også riktig.»

Kurdo Baksi var heller ikke tapt bak en vogn.

Han skjønte at Blomkvist holdt på med noe muffens, noe han var kjent for å gjøre. Han hadde kjent Mikael siden 1980-årene.

De hadde aldri vært bestevenner, men heller aldri uvenner, og Mikael hadde alltid stilt opp hvis Kurdo hadde bedt om en tjeneste. Gjennom årene hadde de drukket et og annet glass øl sammen hvis de hadde støtt på hverandre på en fest eller på byen.

«Kommer jeg til å bli trukket inn i noe jeg burde vite om?» spurte Kurdo.

«Du kommer ikke til å bli trukket inn. Din rolle har vært å gjøre meg den tjenesten å presentere meg for en av dine bekjente. Og jeg gjentar ... jeg kommer ikke til å be Idris Ghidi om å gjøre noe som er ulovlig.»

Kurdo nikket. Denne forsikringen var nok for ham. Mikael reiste seg.

«Jeg skylder deg en tjeneste.»

«Vi skylder hverandre alltid tjenester,» sa Kurdo Baksi.

Henry Cortez la fra seg telefonrøret og trommet så høyt med fingrene mot skrivebordskanten at Monica Nilsson hevet det ene øyenbrynet irritert og skulte bort på ham. Hun konstaterte at han satt dypt hensunket i sine egne tanker. Hun følte seg generelt irritert og bestemte seg for ikke å la det gå ut over ham.

Monica visste at Blomkvist hvisket og tisket med Cortez og Malin Eriksson og Christer Malm om Salander-historien, mens hun og Lottie Karim ble forventet å ta seg av grovarbeidet med neste nummer av et tidsskrift som ikke hadde noen ordentlig ledelse etter at Erika Berger hadde sluttet. Malin var flink nok, men hun var urutinert og manglet den tyngden som Erika Berger hadde hatt. Og Cortez var en guttunge.

Monica Nilssons irritasjon kom ikke av at hun følte seg forbigått eller ville ha hatt jobbene deres – det var det siste hun ville. Jobben hennes var å holde oversikt over regjering, riksdag og statlige myndigheter for Millenniums regning. Det var en jobb hun trivdes med og kunne ut og inn. Dessuten hadde hun fullt opp med andre oppgaver, som å skrive en spalte i et fagtidsskrift hver uke, og diverse frivillig arbeid for Amnesty International og annet. I denne tilværelsen inngikk ingen planer om å bli sjefredaktør for Millennium og jobbe minst tolv timer om dagen og ofre helger og ferier.

Derimot opplevde hun det som om noe i Millennium hadde forandret seg. Bladet føltes plutselig fremmed. Og hun kunne ikke sette fingeren på hva som var galt.

Mikael Blomkvist var som alltid uansvarlig og forsvant på sine mystiske reiser og kom og gikk som han ville. Nå var han naturligvis deleier i Millennium og kunne selv bestemme hva han ville gjøre, men litt ansvarsfølelse burde man for helsike kunne forlange.

Christer Malm var den andre av de gjenværende eierne, og ham var det omtrent like mye hjelp i som når han var på ferie. Han var utvilsomt begavet og hadde kunnet gå inn og ta over når Erika var på ferie eller opptatt med andre ting, men han utførte mest det andre hadde besluttet. Han var fantastisk når det gjaldt grafisk formgivning og presentasjoner, men han var fullstendig tilbakestående når det gjaldt å planlegge en utgivelse.

Monica Nilsson rynket øyenbrynene.

Nei, nå var hun urettferdig. Det som irriterte henne, var at det hadde skjedd noe i redaksjonen. Mikael jobbet sammen med Malin og Henry, og alle andre sto på en måte utenfor. De hadde dannet en indre krets og lukket seg inne på Erikas kontor ... på Malins kontor, og kom fåmælte ut. Under Erika hadde magasinet alltid vært et kollektiv. Monica skjønte ikke hva som hadde skjedd, men hun skjønte at hun ble holdt utenfor.

Mikael jobbet med Salander-saken og lekket ikke et ord om hva den dreide seg om. Det var på den annen side heller ikke uvanlig. Han hadde ikke lekket noe om Wennerström-saken heller – ikke engang Erika hadde visst noe – men denne gangen hadde han Henry og Malin som sine fortrolige.

Monica var kort sagt irritert. Hun trengte ferie. Hun trengte å komme bort en stund. Hun så Henry Cortez ta på seg kordfløyelsjakken.

«Jeg stikker ut en tur,» sa han. «Kan du si til Malin at jeg blir borte i to timer.»

«Hva skjer?»

«Jeg tror at jeg kanskje har fått ferten av en story. En skikkelig god story. Om klosetter. Jeg skal sjekke noe greier, men hvis dette går i boks, har vi en god artikkel til juninummeret.»

«Klosetter?» sa Monica Nilsson og så etter ham.

Erika Berger bet tennene sammen og la langsomt fra seg artikkelen om den tilstundende rettssaken mot Lisbeth Salander. Det var en kort artikkel, en tospalter, til innenriksnyhetene på side fem. Hun stirret på manuskriptet i et minutt og skjøv underleppen frem. Klokken var 15.30, og det var torsdag. Hun hadde arbeidet i SMP i tolv dager. Hun løftet telefonrøret og ringte nyhetssjef Anders Holm.

«Hei. Det er Berger. Kan du få tak i journalist Johannes Frisk og ta ham med til mitt kontor umiddelbart?»

Hun la på og ventet tålmodig til Anders Holm kom slentrende inn i glassburet med Johannes Frisk på slep. Erika så på klokken.

«Toogtyve,» sa hun.

«Hva?» sa Holm.

«Det tok deg toogtyve minutter å reise deg fra redigeringsbordet, gå femten meter bort til Johannes Frisks skrivebord og slepe deg hit inn med ham.»

«Du sa ikke at det hastet. Jeg sitter nokså opptatt.»

«Jeg sa ikke at det ikke hastet. Jeg sa at du skulle hente Johannes Frisk og komme inn på mitt kontor. Jeg sa umiddelbart, og da mente jeg umiddelbart, ikke i kveld eller i neste uke eller når det måtte passe deg å løfte rumpa fra stolen.»

«Du, nå synes jeg ...»

«Lukk døren.»

Hun ventet til Anders Holm hadde lukket døren bak seg. Erika studerte ham i taushet. Han var uten tvil en særdeles dyktig nyhetssjef, og jobben hans besto i å sørge for at SMPs sider hver dag var fylt av riktige artikler som var fornuftig sammensatt og ble presentert i den orden og med den plass som var blitt besluttet på morgenmøtet. Anders Holm hadde derfor et enormt antall baller i luften samtidig hver eneste dag. Og han gjorde det uten å miste en eneste en av dem.

Problemet med Anders Holm var at han konsekvent ignorerte de beslutningene Erika Berger tok. I to uker hadde hun forsøkt å finne en oppskrift for å kunne samarbeide med ham. Hun hadde resonnert vennlig med ham, forsøkt direkte ordrer, oppmuntret ham til å tenke på nytt på egen hånd, og i det hele tatt gjort alt hun kunne for å få ham til å forstå hvordan hun ville at avisen skulle utformes.

Ingenting hadde hjulpet.

Den artikkelen som hun forkastet om ettermiddagen, havnet uansett i avisen en eller annen gang i løpet av kvelden etter at hun hadde gått hjem. *Det var en artikkel som falt ut, og vi fikk et tomrom som måtte fylles.*

Den overskriften Erika hadde bestemt at de skulle bruke, ble plutselig forkastet og erstattet med noe helt annet. Det var ikke alltid feil valg, men det ble gjort uten at hun ble konsultert. Det ble gjort demonstrativt og utfordrende.

Det var alltid småting. Redaksjonsmøtet klokken 14.00 ble plutselig flyttet frem til 13.50 uten at hun ble informert, og de fleste beslutningene var allerede tatt da hun omsider dukket opp på møtet. *Unnskyld ... jeg glemte å si fra til deg i farten.*

Erika Berger kunne ikke for sitt bare liv begripe hvorfor Anders Holm hadde inntatt denne holdningen overfor henne, men hun konstaterte at vennlige samtaler og milde reprimander ikke fungerte. Hun hadde hittil ikke tatt opp noen diskusjon foran andre medarbeidere i redaksjonen, men forsøkt å begrense sin irritasjon til fortrolige samtaler på tomannshånd. Det hadde ikke gitt noe resultat, og derfor var det nå på tide å uttrykke seg tydeligere, denne gangen foran medarbeideren Johannes Frisk, en garanti for at innholdet ville bli spredt over hele redaksjonen.

«Det første jeg gjorde da jeg begynte, var å si at jeg hadde en spesiell interesse for alt som hadde med Lisbeth Salander å gjøre. Jeg forklarte at jeg ville ha opplysninger om alle planlagte artikler på forhånd, og at jeg ville se og godkjenne alt som skulle offentliggjøres. Jeg har minnet deg om dette minst et dusin ganger, senest på redaksjonsmøtet sist fredag. Hvilken del av instruksen er det du ikke skjønner?»

«Alle artikler som er planlagt eller under produksjon, ligger på dag-memo på intranettet. De blir alltid sendt til din maskin. Du er hele tiden informert.»

«Pissprat. Da jeg fikk SMP i postkassen i morges, hadde vi en trespalter om Salander og utviklingen i saken omkring Stallarholmen på beste nyhetsplass.»

«Det var Margareta Orrings artikkel. Hun er frilanser og leverte den inn først ved syvtiden i går kveld.»

«Margareta Orring ringte med artikkelforslaget allerede klokken elleve i går formiddag. Du godkjente det og ga henne oppdraget omkring halv tolv. Du sa ikke et ord om det på 14-møtet.»

«Det står i dag-memo.»

«Jaha, dette står det i dag-memo: 'Margareta Orring, intervju med statsadvokat Martina Fransson. Re: narkotikabeslag i Södertälje'.»

«Grunnstoryen var altså et intervju med Martina Fransson angående et beslag av anabole steroider som en aspirant i Svavelsjö MC var blitt arrestert for.»

«Nettopp. Og ikke et ord i dag-memo om Svavelsjö MC eller at intervjuet skulle vinkles på Magge Lundin og Stallarholmen, og dermed på etterforskningen rundt Lisbeth Salander.»

«Jeg går ut fra at det kom opp under intervjuet ...»

«Anders, jeg kan ikke begripe hvorfor, men du står her og ljuger meg rett opp i ansiktet. Jeg har snakket med Margareta Orring, som skrev artikkelen. Hun fortalte deg tydelig hva intervjuet hennes skulle konsentrere seg om.»

«Jeg beklager, men jeg skjønte nok ikke at fokuset skulle være på Salander. Nå fikk jeg teksten sent om kvelden. Hva skulle jeg gjøre? Stille hele artikkelen i bero? Orring laget en god artikkel.»

«Der er vi enige. Det er en utmerket artikkel. Dette blir dermed din tredje løgn på omtrent like mange minutter. Orring leverte nemlig klokken 15.20, altså før jeg gikk hjem ved sekstiden.»

«Berger, jeg liker ikke den tonen din.»

«Så fint. Da kan jeg opplyse deg om at jeg hverken liker tonen din eller utfluktene og løgnene dine.»

«Det høres ut som om du tror jeg bedriver en slags konspirasjon mot deg.»

«Du har fremdeles ikke svart på spørsmålet. Og punkt to: I dag dukker denne artikkelen av Johannes Frisk opp på skrivebordet mitt. Jeg kan ikke huske at vi hadde noen diskusjon om dette på 14-møtet. Hvordan kan det ha seg at en av journalistene våre har brukt dagen til å arbeide med Salander uten at jeg kjenner til det?»

«Altså ... vi lager avis, og det må være hundrevis av artikler som du ikke kjenner til. Vi har rutiner her i SMP som vi må tilpasse oss, alle sammen. Jeg har ikke tid og anledning til å særbehandle enkelte artikler.»

«Jeg har ikke bedt deg om å særbehandle enkelte artikler. Jeg har forlangt at jeg for det første skal være informert om alt som dreier seg om Salander-saken, og for det andre at jeg skal godkjenne alt som publiseres om temaet. Altså, enda en gang: Hvilken del av den instruksen er det du ikke har forstått?»

Anders Holm sukket og la ansiktet i lidende folder.

«Greit,» sa Erika Berger. «Da skal jeg uttrykke meg enda klarere. Jeg har ikke tenkt å krangle med deg om dette. Vi får se om du skjønner følgende budskap: Hvis dette gjentar seg en gang til, kommer jeg til å fjerne deg fra stillingen som nyhetssjef. Det blir et skikkelig smell og et helvetes bråk, men etterpå kommer du til å sitte og redigere familiesiden eller tegneseriesiden eller noe lignende. Jeg kan ikke ha en nyhetssjef som jeg ikke kan stole på eller samarbeide med, og som går inn for å undergrave mine beslutninger.»

Anders Holm slo ut med hendene i en gest som antydet at han syntes Erika Bergers anklager var fullstendig vanvittige.

«Har du forstått? Ja eller nei?»

«Jeg hører hva du sier.»

«Jeg spurte om du hadde forstått. Ja eller nei?»

«Tror du virkelig at du kan komme unna med dette? Denne avisen kommer ut fordi jeg og andre tannhjul i maskineriet sliter livet av oss. Styret kommer til å ...»

«Styret kommer til å gjøre som jeg sier. Jeg er her for å fornye avisen. Jeg har et klart formulert oppdrag som vi forhandlet oss frem til, og som innebærer at jeg kommer til å foreta vidtrekkende redaksjonelle forandringer på ledernivå. Jeg kan kvitte meg med daukjøttet og rekruttere nytt blod utenfra hvis jeg ønsker. Og Holm, du begynner i stadig større grad å fremstå som daukjøtt for meg.»

Hun tidde. Anders Holm møtte blikket hennes. Han så rasende ut.

«Det var alt,» sa Erika Berger. «Jeg foreslår at du tenker nøye igjennom det vi har snakket om i dag.»

«Jeg har ikke tenkt å ...»

«Det er opp til deg. Det var alt. Gå nå.»

Han snudde på hælen og gikk ut av glassburet. Hun så ham forsvinne gjennom redaksjonshavet i retning av kafferommet. Johannes Frisk reiste seg og gjorde mine til å følge etter.

«Ikke du, Johannes. Bli værende og sitt ned.»

Hun tok opp artikkelen hans og blikket igjennom den en gang til.

«Du er her på et vikariat, har jeg forstått.»

«Ja. Jeg har vært her i fem måneder, og dette er den siste uken.»

«Hvor gammel er du?»

«27 år.»

«Jeg beklager at du havnet midt i kryssilden mellom Holm og meg. Fortell om denne artikkelen.»

«Jeg fikk et tips i morges og tok det med til Holm. Han sa at jeg skulle følge det opp.»

«Greit. Artikkelen handler om at politiet nå etterforsker en mistanke om at Lisbeth Salander har vært innblandet i salg av anabole steroider. Har denne storyen noen forbindelse med gårsdagens artikkel fra Södertälje hvor anabole steroider også dukket opp?»

«Ikke så vidt jeg vet, det er mulig. Denne saken om anabole steroider har å gjøre med hennes forbindelse med en bokser. Paolo Roberto og hans bekjente.»

«Driver Paolo Roberto med anabole steroider?»

«Hva ... nei, naturligvis ikke. Det dreier seg mer om bokse-miljøet. Salander pleier å trene boksing sammen med en del skumle typer i en klubb på Söder. Men det er altså politiets vinkling. Ikke min. Og et eller annet sted der har det dukket opp en mistanke om at hun kan være innblandet i salg av steroider.»

«Så det finnes overhodet ikke noen substans i historien, ikke annet enn et løst rykte?»

«Det er ikke noe rykte at politiet undersøker muligheten. Om de har rett eller ikke, vet jeg ingenting om.»

«OK, Johannes. Da vil jeg at du skal vite at det jeg nå diskuterer med deg, ikke har noe med mitt forhold til Anders Holm å gjøre. Jeg synes du er en utmerket journalist. Du skriver godt og har øye for detaljer. Det er kort og godt en god artikkel. Mitt eneste problem er at jeg ikke tror på innholdet i den.»

«Jeg kan forsikre deg om at det er helt korrekt.»

«Og jeg skal fortelle deg hvorfor det finnes en grunnleggende feil i historien. Hvor kom tipset fra?»

«Fra en kilde i politiet.»

«Hvem?»

Johannes Frisk nølte. Det var en automatisk reaksjon. Akkurat som alle andre journalister i hele verden var han uvillig til å oppgi navnet på en kilde. På den annen side var Erika Berger sjefredaktør og dermed en av de få personene som kunne forlange å få en slik opplysning av ham.

«En politimann ved voldsavsnittet som heter Hans Faste.»

«Var det han som ringte deg, eller du som ringte ham?»

«Han ringte meg.»

Erika Berger nikket.

«Hvorfor tror du han ringte deg?»

«Jeg har intervjuet ham et par ganger under jakten på Lisbeth Salander. Han vet hvem jeg er.»

«Og han vet at du er 27 år gammel og vikar, og at du kan brukes når han vil plante informasjoner som påtalemyndigheten vil ha ut.»

«Ja, alt det skjønner jeg. Men jeg fikk et tips fra politietterforskningen og dro og drakk kaffe med Faste, og da fortalte han dette her. Han er korrekt sitert. Hva skal jeg gjøre?»

«Jeg er overbevist om at du har sitert ham korrekt. Det

som skulle ha skjedd, var at du skulle tatt opplysningene til Anders Holm, som så skulle ha banket på døren min og forklart situasjonen, og sammen skulle vi ha planlagt hva vi skulle gjøre.»

«Jeg skjønner. Men jeg …»

«Du leverte materialet til Holm, som er nyhetssjef. Du handlet korrekt. Det var hos Holm det sviktet. Men la oss analysere artikkelen din. For det første, hvorfor vil Faste at disse opplysningene skal lekke ut?»

Johannes Frisk trakk på skuldrene.

«Betyr det at du ikke vet, eller at det ikke spiller noen rolle for deg?»

«Jeg vet ikke.»

«Greit. Hvis jeg påstår at denne artikkelen er løgnaktig, og at Salander overhodet ikke har noe med anabole steroider å gjøre, hva sier du da?»

«Jeg kan ikke bevise det motsatte.»

«Nettopp. Så det betyr at du mener vi skal publisere en story bare fordi vi ikke kan bevise det motsatte.»

«Nei. Vi har et journalistisk ansvar. Men det blir jo en balansegang. Vi kan ikke la være å publisere når vi har en kilde som uttrykkelig hevder noe.»

«Filosofi. Vi kan stille spørsmål om hvorfor kilden vil ha denne informasjonen ut. La meg derfor forklare hvorfor jeg har gitt ordre om at alt som dreier seg om Salander, skal innom mitt skrivebord. Jeg har nemlig spesialkunnskaper om saken som ingen andre her i SMP har. Rettsredaksjonen er informert om at jeg besitter denne kunnskapen og ikke kan diskutere den med dem. Millennium kommer til å offentliggjøre en story som jeg er kontraktsbundet til ikke å avsløre for SMP, til tross for at jeg arbeider her. Jeg fikk denne informasjonen i egenskap av sjefredaktør for Millennium, og akkurat nå befinner jeg meg mellom to stoler. Skjønner du hva jeg mener?»

«Ja.»

«Og det jeg vet fra Millennium, innebærer at jeg uten å nøle kan fastslå at denne storyen er løgnaktig og har til hensikt å skade Lisbeth Salander i forkant av rettssaken.»

«Det er vanskelig å skade Lisbeth Salander med tanke på alle de avsløringene som allerede har skjedd om henne ...»

«Avsløringer som i stor grad er like løgnaktige og fordreide. Hans Faste er en av de sentrale kildene til alle påstandene om at Lisbeth Salander er en paranoid og voldelig lesbe som sysler med satanisme og SM-sex. Og mediene har kjøpt Fastes kampanje ganske enkelt fordi det er en tilsynelatende seriøs kilde, og fordi det alltid er festlig å skrive om sex. Og nå fortsetter han med en ny vinkel som vil sverte henne i publikums bevissthet, og som han vil at SMP skal hjelpe til med å spre. Sorry, men ikke på min vakt.»

«Jeg skjønner.»

«Gjør du? Bra. Da skal jeg sammenfatte alt jeg sier i én eneste setning. Din arbeidsinstruks som journalist er å stille spørsmål og granske kritisk – ikke ukritisk å gjengi påstander som kommer fra en aldri så sentralt plassert aktør i byråkratiet. Glem aldri det. Du er en kjempegod skribent, men det talentet er helt verdiløst hvis du glemmer arbeidsinstruksen.»

«Ja.»

«Jeg har tenkt å forkaste denne historien.»

«Greit.»

«Den holder ikke. Jeg tror ikke på innholdet.»

«Jeg skjønner.»

«Det betyr ikke at jeg ikke har tiltro til deg.»

«Takk.»

«Derfor har jeg tenkt å sende deg tilbake til skrivebordet med et forslag til en ny story.»

«Jaså.»

«Det henger sammen med min kontrakt med Millennium. Jeg kan altså ikke avsløre hva jeg vet om Salander-historien. Samtidig er jeg sjefredaktør for en avis som risikerer å bli liggende solid på etterskudd siden redaksjonen ikke har de opplysningene jeg har.»

«Hmm.»

«Og sånn kan vi jo ikke ha det. Dette er en unik situasjon og dreier seg kun om Salander. Jeg har derfor besluttet å plukke ut en journalist som jeg styrer i riktig retning, så vi ikke blir tatt med buksene nede når Millennium går ut med historien.»

«Og du tror at Millennium kommer til å publisere noe oppsiktsvekkende om Salander?»

«Jeg tror ikke. Jeg vet det. Millennium sitter på et skup som kommer til å snu opp ned på hele Salander-historien, og det driver meg til vanvidd at jeg ikke kan gå ut med det. Men det er ganske enkelt umulig.»

«Men du påstår at du dropper artikkelen min fordi du vet at den ikke er riktig ... Det betyr at du nå har sagt at det finnes noe i saken som ingen andre journalister har fått med seg.»

«Nettopp.»

«Unnskyld meg, men jeg har vondt for å tro at hele Medie-Sverige har gått i en sånn felle ...»

«Lisbeth Salander har vært gjenstand for en heksejakt uten sidestykke fra medienes side. Da opphører normale regler å gjelde, og hvilket som helst sludder kan plasseres på salgsplakatene.»

«Så du sier at Salander ikke er den hun ser ut til.»

«Prøv å tenke tanken at hun er uskyldig i det hun er blitt anklaget for, at det bildet av henne som er malt opp på salgsplakatene, er sludder, og at det finnes helt andre krefter som er i bevegelse enn det som har fremkommet hittil.»

«Påstår du at det er sånn?»

Erika Berger nikket.

«Og det betyr at jeg nettopp forsøkte å få publisert en del av en fortsatt kampanje mot henne.»

«Nettopp.»

«Men du kan ikke fortelle hva storyen går ut på?»

«Nei.»

Johannes Frisk klødde seg i hodet en stund. Erika Berger ventet til han hadde fått tenkt ferdig.

«Greit ... hva vil du jeg skal gjøre?»

«Gå tilbake til skrivebordet og begynn å tenke på en annen story. Du behøver ikke stresse, men like før rettssaken starter vil jeg kunne gå ut med en lang artikkel, kanskje et helt opp-slag, som gransker sannhetsgehalten i alle påstandene som er blitt fremsatt om Lisbeth Salander. Begynn med å lese igjennom alle presseklippene og sett opp en liste over hva som er blitt sagt om henne, og gå gjennom påstandene én etter én.»

«Jaha ...»

«Tenk som en journalist. Undersøk hvem som sprer historien, hvorfor den blir spredt, og hvem som kan ha interesse av det.»

«Men jeg er nok ikke i SMP når rettssaken starter. Dette er som sagt den siste uken av vikariatet mitt.»

Erika åpnet en plastmappe fra en skrivebordsskuff og la et ark foran Johannes Frisk.

«Jeg har allerede forlenget vikariatet med tre måneder. Du jobber ut uken i den vanlige stillingen, og møter opp her på mandag.»

«Jaha ...»

«Det vil si, hvis du er interessert i å fortsette som vikar i SMP?»

«Selvfølgelig.»

«Du blir engasjert for å gjøre en gravejobb utenfor det ordinære redaksjonelle arbeidet. Du jobber direkte under meg. Du skal spesialovervåke Salander-rettssaken for SMP.»

«Nyhetssjefen kommer til å ha synspunkter ...»

«Ikke tenk på Holm. Jeg har snakket med sjefen for rettsredaksjonen og inngått en avtale så det ikke oppstår noen kollisjoner der. Men du skal grave i bakgrunnen, ikke i nyhetsrapporteringen. Høres det bra ut?»

«Kjempebra.»

«Da så ... da er vi ferdig. Vi sees på mandag.»

Hun vinket ham ut av glassburet. Da hun så opp, oppdaget hun at Anders Holm betraktet henne fra den andre siden av sentraldesken. Han slo blikket ned og lot som om han ikke så henne.

KAPITTEL 11

Fredag 13. mai–lørdag 14. mai

Mikael Blomkvist passet omhyggelig på at han ikke var overvåket da han tidlig fredag morgen gikk fra Millenniums lokaler og bort til Lisbeth Salanders gamle bolig i Lundagatan. Han måtte reise til Göteborg og møte Idris Ghidi. Problemet var å ordne med en transport hvor han var trygg og ikke kunne bli observert eller etterlate seg noen spor. Etter moden overveielse hadde han bestemt seg for å droppe toget, siden han ikke ville bruke kredittkort. Vanligvis pleide han å låne bilen til Erika Berger, noe som imidlertid ikke var mulig lenger. Han lurte på om han skulle be Henry Cortez eller noen annen om å leie en bil, men klarte ikke å komme utenom skriftlige spor som kunne oppdages.

Til slutt kom han på den åpenbare løsningen. Han gjorde et større kontantuttak fra en minibank i Götagatan. Han brukte Lisbeth Salanders nøkler for å åpne døren til den vinrøde Hondaen som hadde stått ensom og forlatt utenfor huset hennes siden mars. Han justerte setet og konstaterte at bensintanken var halvfull. Til slutt rygget han ut og kjørte mot E4 via Liljeholms-broen.

I Göteborg parkerte han på en sidegate til Avenyn klokken 14.50. Han spiste en sen lunsj på den første kafeen han kom forbi. Klokken 16.10 tok han trikken til Angered og gikk av i sentrum. Det tok tyve minutter å finne frem til den adressen hvor Idris Ghidi bodde. Han var drøyt ti minutter forsinket til det avtalte møtet.

Idris Ghidi haltet. Han åpnet døren, håndhilste på Mikael Blomkvist og inviterte ham inn i en spartansk møblert stue. På en kommode ved siden av bordet som han inviterte Mikael til å sette seg ved, sto det et dusin innrammede fotografier som Mikael studerte.

«Familien min,» sa Idris Ghidi.

Idris Ghidi snakket med kraftig aksent. Mikael hadde en mistanke om at han ikke ville overleve en av Folkpartiets språktester.

«Er det brødrene dine?»

«Mine to brødre lengst til venstre ble myrdet av Saddam i 1980-årene. Mine to onkler ble myrdet av Saddam i 1990-årene. Min mor døde i 2000. Mine tre søstre lever. De bor i utlandet. To i Syria og min lillesøster i Madrid.»

Mikael nikket. Idris Ghidi serverte tyrkisk kaffe.

«Jeg skal hilse fra Kurdo Baksi.»

Idris Ghidi nikket.

«Fortalte han hva jeg ville deg?»

«Kurdo sa at du ville ha meg til å gjøre en jobb, men ikke hva det var. La meg si med én gang at jeg ikke tar den hvis det er noe ulovlig. Jeg har ikke råd til å bli innblandet i noe slikt.»

Mikael nikket.

«Det er ikke noe ulovlig i det jeg kommer til å be deg om å gjøre, men det er uvanlig. Selve arbeidet kommer til å foregå i et par uker fremover, og arbeidsoppgaven din må utføres hver dag. På den annen side tar det bare et drøyt minutt om dagen å gjøre det. For dette er jeg villig til å betale deg tusen kroner i uken. Pengene får du i hånden, direkte fra min lomme, og jeg kommer ikke til å oppgi det til skattemyndighetene.»

«Jeg skjønner. Hva er det jeg skal gjøre?»

«Du jobber som renholder på Sahlgrenska sjukhuset.»

Idris Ghidi nikket.

«En av arbeidsoppgavene dine hver dag – eller seks dager i uken hvis jeg har forstått det riktig – består i å rengjøre korridor 11C, som er intensivavdelingen.»

Idris Ghidi nikket.

«Det er dette jeg vil du skal gjøre.»

Mikael Blomkvist lente seg fremover og forklarte hvorfor han hadde kommet.

*

Statsadvokat Richard Ekström betraktet gjesten sin tankefullt. Det var tredje gang han møtte førstebetjent Georg Nyström. Han så et furet ansikt innrammet av grått hår. Georg Nyström hadde først besøkt ham en av dagene like etter drapet på Zalatsjenko. Han hadde vist frem en legitimasjon som fortalte at han arbeidet for RPS/Säk. De hadde hatt en lang og lavmælt samtale.

«Det er viktig at du forstår at jeg ikke forsøker å påvirke hvordan du bestemmer deg for å opptre, eller hvordan du skjøtter jobben din,» sa Nyström.

Ekström nikket.

«Jeg vil også understreke at du ikke under noen omstendighet må gi offentligheten de opplysningene jeg gir deg.»

«Jeg skjønner,» sa Ekström.

Når sant skulle sies, måtte Ekström innrømme at han ikke skjønte det helt, men han ville ikke fremstå som en idiot ved å stille altfor mange spørsmål. Han hadde skjønt at Zalatsjenko var noe som måtte behandles med den ytterste forsiktighet. Han hadde også forstått at Nyströms besøk ikke var offisielle, om enn forankret på høyeste hold innenfor sikkerhetspolitiet.

«Det dreier seg om menneskers liv,» hadde Nyström forklart allerede ved det første møtet. «Fra sikkerhetspolitiets side er alt som berører sannheten om Zalatsjenko-saken hemmeligstemplet. Jeg kan bekrefte at han er en avhoppet forhenværende agent for den sovjetiske militære etterretningstjenesten, og en nøkkelperson i russernes offensiv mot Vest-Europa i 1970-årene.»

«Jaha ... det er det Mikael Blomkvist åpenbart påstår.»

«Og i dette tilfellet har Mikael Blomkvist helt rett. Han er journalist og har snublet over en av det svenske totalforsvarets største hemmeligheter gjennom tidene.»

«Han kommer til å gå offentlig ut med det.»

«Selvfølgelig. Han representerer massemediene med alle deres fordeler og ulemper. Vi lever i et demokrati og kan naturligvis ikke påvirke det mediene skriver. Ulempen i denne saken er naturligvis at Blomkvist bare kjenner en brøkdel av sannheten om Zalatsjenko, og mye av det han vet, er faktisk feilaktig.»

251

«Jeg skjønner.»

«Det Blomkvist ikke fatter, er at hvis sannheten om Zalatsjenko blir kjent, kommer russerne til å kunne identifisere våre informatører og kilder i Russland. Det betyr at mennesker som har risikert livet for demokratiet, kan komme til å bli drept.»

«Men er ikke Russland et demokrati i våre dager? Jeg mener, hvis dette hadde vært i kommunisttiden ...»

«Det der er en illusjon. Det dreier seg om mennesker som har gjort seg skyldig i spionasje mot Russland – og det finnes intet regime i verden som ville akseptere det, selv om det skjedde for mange år siden. Og flere av disse kildene er fortsatt aktive ...»

Noen slike agenter fantes ikke, men det kunne ikke statsadvokat Ekström vite. Han var nødt til å tro Nyström på hans ord. Og han klarte faktisk ikke å la være å føle seg smigret over uoffisielt å få kjennskap til opplysninger som var noe av det mest hemmeligstemplede som fantes i Sverige. Han var litt overrasket over at det svenske sikkerhetspolitiet hadde klart å trenge igjennom det russiske forsvaret på den måten som Nyström antydet, og han skjønte at dette var opplysninger som absolutt ikke måtte spres.

«Da jeg fikk i oppdrag å ta kontakt med deg, hadde vi gjort en større granskning av deg,» sa Nyström.

Forførelse dreide seg alltid om å finne personens svake punkter. Statsadvokat Ekströms svake punkt var hans overbevisning om sin egen betydning, og at han som alle andre mennesker naturligvis satte pris på smiger. Det dreide seg om å få ham til å føle seg utvalgt.

«Og vi kunne konstatere at du er en person som nyter stor tillit innenfor politiet ... og selvfølgelig i regjeringskretser,» la Nyström til.

Ekström så fornøyd ut. At ikke navngitte personer i regjeringskretser hadde *tillit* til ham, var en opplysning som, uten at noe var sagt, antydet at han kunne regne med en viss takknemlighet hvis han spilte kortene sine riktig. Det lovet godt for den fremtidige karrieren.

«Jeg skjønner ... og hva er det egentlig du vil?»

«Mitt oppdrag er, for å si det enkelt, så diskré som mulig å bistå deg med opplysninger. Du forstår naturligvis hvor usannsynlig komplisert denne saken er blitt. På den ene side foregår det en lovregulert etterforskning hvor du har det formelle hovedansvaret. Ingen ... hverken regjeringen eller sikkerhetspolitiet eller noen annen kan legge seg opp i hvordan du styrer denne etterforskningen. Din jobb består i å finne sannheten og tiltale de skyldige. Det er en av de viktigste funksjonene som finnes i en rettsstat.»

Ekström nikket.

«På den annen side ville det bli en nasjonal katastrofe av nærmest ufattelige dimensjoner dersom hele sannheten om Zalatsjenko lekket ut.»

«Så hva er hensikten med besøket ditt?»

«For det første er det min oppgave å gjøre deg oppmerksom på den delikate situasjonen. Jeg tror ikke Sverige har befunnet seg i en mer utsatt posisjon siden den annen verdenskrig. Man kan nok si at Sveriges skjebne nå til en viss grad ligger i dine hender.»

«Hvem er dine overordnede?»

«Jeg beklager, men jeg kan ikke avsløre navnet på de personene som jobber med denne saken. La meg bare fastslå at mine instrukser kommer fra høyest tenkelige hold.»

Herregud. Han skulle handle på ordre fra regjeringen. Men det kunne ikke sies, siden det ville føre til en politisk katastrofe.

Nyström så at Ekström svelget agnet.

«Det jeg derimot kan gjøre, er å være behjelpelig med opplysninger. Jeg har meget vide fullmakter til ut fra eget skjønn å innvie deg i materiale som er noe av det hemmeligste vi har hatt i dette landet.»

«Jaha.»

«Det betyr at når du har noe å spørre om, uansett hva det er, er det meg du skal henvende deg til. Du skal ikke snakke med noen andre innenfor sikkerhetspolitiet, bare med meg. Mitt oppdrag består i å være din guide i denne labyrinten, og hvis det er fare for at det kan oppstå kollisjoner mellom ulike interesser, skal vi sammen forsøke å finne en løsning.»

«Jeg skjønner. I så fall må jeg si at jeg er meget takknemlig for at du og dine kolleger letter arbeidet for meg på denne måten.»

«Vi vil at rettsprosessen skal gå sin gang, til tross for at det er en meget vanskelig situasjon.»

«Bra. Jeg kan forsikre deg om at jeg skal være ytterst diskré. Det er jo ikke første gang jeg håndterer hemmeligstemplet informasjon ...»

«Nei, det vet vi utmerket godt.»

Ekström hadde hatt en rekke spørsmål som Nyström omhyggelig hadde notert og deretter forsøkt å besvare så godt han kunne. Ved dette tredje besøket skulle Ekström få svar på flere av de spørsmålene han hadde stilt. Det viktigste av disse spørsmålene var hva som var sannheten om Björcks rapport fra 1991.

«Det der er et problem,» sa Nyström.

Han så bekymret ut.

«Jeg bør kanskje begynne med å forklare at etter at denne rapporten kom opp til overflaten, har vi hatt en analysegruppe i arbeid nesten døgnet rundt med oppdrag å finne ut nøyaktig hva som har skjedd. Og nå begynner vi å komme til et punkt hvor vi kan trekke konklusjoner. Og dette er meget ubehagelige konklusjoner.»

«Det kan jeg forstå, den rapporten hevdet jo at sikkerhetspolitiet og psykiateren Peter Teleborian konspirerte for å plassere Lisbeth Salander på psykiatrisk institusjon.»

«Hadde det bare vært så vel,» sa Nyström og smilte svakt.

«Vel?»

«Ja. Hvis det hadde foregått på den måten, ville jo saken vært enkel. Da var det blitt begått et lovbrudd som kunne føre til tiltale. Problemet er at denne rapporten ikke stemmer overens med de rapportene som er arkivert hos oss.»

«Hva mener du?»

Nyström tok frem en blå mappe og åpnet den.

«Dette er den virkelige rapporten som Gunnar Björck skrev i 1991. Her er også originalkorrespondansen mellom ham og Teleborian, som vi har i arkivet. Problemet er at de to versjonene ikke stemmer overens.»

«Forklar.»

«Det håpløse er jo at Björck gikk hen og hengte seg. Vi går ut fra at det skyldtes de avsløringene om hans seksuelle sidesprang som han sto overfor. Millennium hadde tenkt å henge ham ut. Det drev ham inn i en så dyp fortvilelse at han valgte å ta sitt eget liv.»

«Ja ...»

«Originalrapporten omhandler etterforskningen av Lisbeth Salanders forsøk på ta livet av faren, Aleksandr Zalatsjenko, med en brannbombe. De første tredve sidene av rapporten som Blomkvist kom over, stemmer med originalen. Disse sidene inneholder ikke noe påfallende. Det er først på side 33, hvor Björck trekker slutninger og anbefaler tiltak, at diskrepansen oppstår.»

«Hvordan da?»

«I originalversjonen gir Björck fem tydelige anbefalinger. Vi behøver ikke stikke under stol at det dreier seg om å tone ned Zalatsjenko-saken i mediene og lignende. Björck foreslår at Zalatsjenkos rehabilitering – han hadde jo alvorlige brannskader – skal foregå i utlandet. Og lignende ting. Han foreslår også at Lisbeth Salander skal bli tilbudt best mulig psykiatrisk behandling.»

«Jaha ...»

«Problemet er at en del setninger er blitt forandret på en meget subtil måte. På side 34 er det et avsnitt hvor Björck ser ut til å foreslå at Salander skal stemples som psykotisk, slik at hun ikke skal fremstå som troverdig hvis noen begynner å stille spørsmål om Zalatsjenko.»

«Og dette utsagnet finnes ikke i originalrapporten?»

«Nettopp. Gunnar Björck foreslo aldri noe slikt. Det ville dessuten vært rettsstridig. Han foreslo at hun skulle få den behandlingen hun faktisk trengte. I Blomkvists kopi er dette blitt til en konspirasjon.»

«Kan jeg få lese originalen?»

«Vær så god. Men jeg må ta med meg rapporten når jeg går. Og før du leser den, la meg gjøre deg oppmerksom på vedlegget med den påfølgende korrespondansen mellom Björck og Teleborian. Den er gjennomgående et rent falsum. Her dreier det seg ikke om subtile forandringer, men om grove forfalskninger.»

«Forfalskninger?»

«Jeg tror det er det eneste ordet som kan brukes i denne sammenhengen. Originalen viser at Peter Teleborian fikk i oppdrag av tingretten å foreta en rettspsykiatrisk vurdering av Lisbeth Salander. Ingenting av dette er noe påfallende. Lisbeth Salander var tolv år gammel og hadde forsøkt å ta livet av sin far med en brannbombe; det ville vært mer påfallende om det *ikke* resulterte i en psykiatrisk granskning.»

«Det er jo sant.»

«Hvis du hadde vært aktor, går jeg ut fra at du også ville ha bedt om både en sosialmedisinsk og psykiatrisk granskning.»

«Absolutt.»

«Teleborian var jo allerede da en kjent og respektert barnepsykiater, og hadde dessuten arbeidet innen rettsmedisin. Han fikk oppdraget, foretok en helt normal vurdering og kom til den konklusjon at Lisbeth Salander var psykisk syk ... jeg behøver ikke gå inn på de fagtekniske termene.»

«Greit ...»

«Dette meddelte Teleborian i en rapport som han sendte til Björck og som deretter ble lagt frem for tingretten, som besluttet at Salander skulle behandles på St. Stefans.»

«Jeg skjønner.»

«I Blomkvists versjon mangler Teleborians vurdering fullstendig. Isteden er det en korrespondanse mellom Björck og Teleborian som antyder at Björck har instruert ham til å fremlegge en fiktiv mentalundersøkelse.»

«Og det mener du er et falsum?»

«Uten tvil.»

«Men hvem skulle ha interesse av en slik forfalskning?»

Nyström la ned rapporten og rynket øyenbrynene.

«Nå kommer du til selve kjernespørsmålet.»

«Og svaret er ...?»

«Vi vet ikke. Det er dette spørsmålet som analysegruppen vår arbeider intenst for å forsøke å besvare.»

«Kan det være Blomkvist som har diktet opp alt sammen?»

Nyström lo.

«Nja, det var vel en av våre første tanker også. Men vi tror ikke det. Vi tror at forfalskningen ble gjort for lenge siden, sannsynligvis nesten samtidig med at originalrapporten ble skrevet.»

«Jaså?»

«Og det fører til noen meget ubehagelige konklusjoner. Den som utførte forfalskningen, var meget godt inne i saken. Og dessuten hadde forfatteren tilgang til den samme skrivemaskinen som Gunnar Björck brukte.»

«Du mener ...»

«Vi vet ikke *hvor* Björck skrev rapporten. Det kan ha vært på en skrivemaskin han hadde hjemme eller på arbeidsplassen eller et annet sted. Vi kan tenke oss to alternativer. Enten at den som utførte forfalskningen var en eller annen innenfor psykiatri eller rettsmedisin som av en eller annen grunn ville sverte Teleborian. Eller så ble forfalskningen gjort av helt andre grunner av noen innenfor sikkerhetspolitiet.»

«Hvorfor?»

«Dette skjedde i 1991. Det kan ha vært en russisk agent innenfor RPS/Säk som hadde oppsporet Zalatsjenko. Den muligheten innebærer at vi for øyeblikket gransker en hel rekke gamle personalfiler.»

«Men hvis KGB hadde fått rede på ... da burde dette ha lekket ut for flere år siden.»

«Riktig tenkt. Men husk at det var nettopp på denne tiden at Sovjetunionen gikk opp i limingen og KGB ble oppløst. Vi vet ikke hva som gikk galt. Det var kanskje en planlagt operasjon som ble skrinlagt? Noe KGB var mestre til, var dokumentforfalskning og desinformasjon.»

«Men hvilken hensikt skulle KGB hatt med en slik forfalskning ...»

«Det vet vi heller ikke. Men en åpenbar hensikt kan naturligvis ha vært å sverte den svenske regjeringen.»

Ekström kløp seg i underleppen.

«Så det du sier, er at den medisinske vurderingen av Salander er korrekt?»

«Ja, absolutt. Uten tvil. Salander er spik spenna gæren, for å uttrykke det litt folkelig. Det behøver du ikke tvile på. Beslutningen om å legge henne inn på en lukket institusjon var helt korrekt.»

«Klosetter,» sa fungerende sjefredaktør Malin Eriksson usikkert. Det hørtes ut som om hun trodde Henry Cortez drev gjøn med henne.

«Klosetter,» gjentok Henry Cortez og nikket.

«Du vil ha inn en story om klosetter i Millennium?»

Monica Nilsson brast plutselig og meget upassende ut i en skoggerlatter. Hun hade sett den dårlig skjulte entusiasmen hans da han kom slentrende inn til fredagsmøtet, og hun kjente igjen alle tegn på en journalist som hadde en story i ovnen.

«Ja vel, forklar.»

«Det er meget enkelt,» sa Henry Cortez. «Sveriges desidert største industri er byggebransjen. Det er en industri som i praksis ikke kan flytte utenlands, selv om Skanska later som om de har et kontor i London og lignende. Husene skal uansett bygges i Sverige.»

«Jaha, men det er ikke noe nytt.»

«Nei. Men det som er halvnytt, er at byggebransjen ligger et par lysår etter all annen industri i Sverige når det gjelder å skape konkurransedyktighet og effektivitet. Hvis Volvo skulle bygget biler på samme måte, ville den siste årsmodellen av Volvo kostet omkring en eller to millioner kroner per stykk. For all normal industri dreier det seg om å presse priser. For bygningsindustrien er det stikk motsatt. De driter i å presse prisene, noe som betyr at kvadratmeterprisen øker, og at staten subsidierer med skattepenger for at den ikke skal bli helt urimelig.»

«Er det en story i dette?»

«Vent. Det er komplisert. Hvis for eksempel prisutviklingen på hamburgere hadde vært den samme siden 1970, ville en Big Mac koste drøyt hundre og femti spenn eller mer. Hva det ville koste med pommes frites og cola i tillegg, vil jeg ikke tenke på engang, men min lønn her i Millennium ville nok ikke

258

rekke så veldig langt. Hvor mange ved dette bordet ville gått på McDonald's og kjøpt en burger for en hundrings?»

Ingen sa noe.

«Fornuftig. Men når NCC smeller opp noen lavpriscontainere i Gåshaga på Lidingö, tar de ti eller tolv tusen i månedsleie for en treroms. Hvor mange av dere betaler det?»

«Jeg har ikke råd,» sa Monica Nilsson.

«Nei, men du bor allerede i en toroms ved Danvikstull som faren din kjøpte til deg for tjue år siden, og som du ville få omkring en halv mill for hvis du solgte. Men hva gjør en 20-åring som vil flytte hjemmefra? De har ikke råd. Altså bor de på fremleie eller hjemme hos mor til de blir pensjonister.»

«Hvor kommer klosettene inn i bildet?» undret Christer Malm.

«Jeg kommer til det. Spørsmålet er da hvorfor boliger er så fordømt dyre? Jo, fordi de som bestiller husene, ikke vet hvordan de skal bestille. For å si det enkelt, så ringer et kommunalt boligselskap opp til et byggefirma som for eksempel Skanska, og sier at de vil bestille 100 leiligheter og spør hva det koster. Skanska regner på saken og kommer tilbake og sier at det koster for eksempel 500 millioner kroner. Noe som betyr at kvadratmeterprisen ligger på X antall kroner, og at det kommer til å koste ti tusenlapper i måneden hvis du vil flytte inn der. For i motsetning til McDonald's, kan du ikke bestemme deg for å la være å bo noe sted. Altså må du betale det det koster.»

«Snille deg, Henry ... kom til saken.»

«Ja, men, det er jo det som er saken. Hvorfor koster det ti tusen å flytte til de jævla skaberakkene i Hammarbyhavnen? Jo, fordi byggefirmaene driter i å presse prisene. Kundene må betale uansett. En av de store kostnadene er byggematerialer. Handelen med den slags materialer går gjennom grossister som fastsetter prisene sine selv. Siden det ikke finnes noen virkelig konkurranse, koster et badekar 5000 kroner i Sverige. Samme badekar fra samme produsent koster 2000 kroner i Tyskland. Det finnes ingen rimelige merkostnader som kan forklare prisforskjellen.»

«Greit.»

«En god del av dette står å lese i en rapport fra regjeringens byggekostnadsutvalg som var aktivt i slutten av 1990-årene. Siden den gang har ingenting skjedd. Ingen forhandler med byggefirmaene om den urimelige prissituasjonen. Bestillerne betaler det det koster, og prisen betales til slutt av leieboerne eller skattebetalerne.»

«Henry, klosettene?»

«Det lille som har skjedd siden byggekostnadsutvalget, har skjedd på lokalplanet, hovedsakelig utenfor Stockholm. Det finnes byggherrer som er blitt lei av de høye byggeprisene. Et typisk eksempel er Karlskronahem, som bygger billigere enn noen andre, ganske enkelt ved å kjøpe inn byggematerialet selv. Og dessuten har Svensk Handel blandet seg inn. De synes prisene på byggematerialer er helt sinnssyke og forsøker derfor å gjøre det lettere for byggherrene å hente hjem likeverdige produkter. Og det førte til en liten klæsj på Byggmässan i Älvsjö for et år siden. Svensk Handel hadde hentet inn en kar fra Thailand som solgte klosetter for drøyt 500 kroner stykket.»

«Jaha. Og så?»

«Den nærmeste konkurrenten var et svensk grossistfirma som heter Vitavara AB og som selger ekte svenske klosetter for 1700 spenn per stykk. Og smarte byggherrer ute i kommunene begynte å klø seg i hodet og lure på hvorfor de spanderer 1700 spenn når de kan få en likeverdig do for 500 kroner fra Thailand.»

«Kanskje bedre kvalitet?» spurte Lottie Karim.

«Niks. Likeverdige produkter.»

«Thailand,» sa Christer Malm. «Det lukter barnearbeid og den slags. Noe som kan forklare den lave prisen.»

«Niks,» svarte Henry Cortez. «Barnearbeid forekommer først og fremst innenfor tekstilindustrien og suvenirindustrien i Thailand. Og pedofilihandelen, selvfølgelig. Dette er ordentlig industri. FN holder øye med barnearbeidet, og jeg har undersøkt produsenten. De har oppført seg skikkelig. Dette er altså en stor, moderne og respektabel industribedrift i hvitevarebransjen.»

«Jaha ... da snakker vi altså om lavkostland, noe som betyr at du skriver en artikkel som propaganderer for at svensk industri bør bli utkonkurrert av thailandsk industri. Sparke svenske arbeidsfolk og legge ned virksomheten her og importere fra Thailand. Du kommer ikke til å få noen høy stjerne hos LO akkurat.»

Et smil bredte seg over ansiktet til Henry Cortez. Han lente seg bakover og så uforskammet viktig ut.

«Niks,» sa han. «Gjett hvor Vitavara AB produserer klosettene sine til 1700 kroner per stykk.»

Tausheten la seg over redaksjonen.

«Vietnam,» sa Henry Cortez.

«Det er ikke sant,» sa sjefredaktør Malin Eriksson.

«Jepp,» sa Henry. «De har satt ut produksjonen på kontrakt der i minst ti år. Svenske arbeidsfolk fikk sparken allerede i 1990-årene.»

«Å faen.»

«Men her kommer poenget. Hvis vi importerte direkte fra fabrikken i Vietnam, ville prisen ligge på drøyt 390 sprenn. Gjett hvordan man kan forklare prisforskjellen mellom Thailand og Vietnam.»

«Ikke si at ...»

Henry Cortez nikket. Smilet var blitt bredere enn ansiktet.

«Vitavara AB setter ut jobben til noe som heter Fong Soo Industries. De står på FNs liste over de bedriftene som ved en undersøkelse i 2001 benyttet seg av barnearbeidskraft. Men mesteparten av arbeidsstyrken er straffanger.»

Plutselig smilte Malin Eriksson.

«Dette er bra,» sa hun. «Dette er riktig bra. Du kommer nok til å bli journalist når du blir stor. Hvor raskt kan du ha storyen klar?»

«To uker. Jeg har en del internasjonal handel jeg må sjekke. Og så trenger vi en *bad guy* til storyen, så jeg skal undersøke hvem som eier Vitavara AB.»

«Så vi kan muligens kjøre den i juninummeret?» spurte Malin forhåpningsfullt.

«No problem.»

*

Kriminalbetjent Jan Bublanski betraktet statsadvokat Richard Ekström uttrykksløst. Møtet hadde vart i førti minutter, og Bublanski følte en intens trang til å strekke seg frem og ta det eksemplaret av Svea Rikes Lag som lå på kanten av Ekströms skrivebord og smelle det i hodet på statsadvokaten. I sitt stille sinn lurte han på hva som ville skje om han gjorde det. Det ville unektelig føre til overskrifter i løssalgsavisene, og sannsynligvis tiltale for legemsbeskadigelse. Han skjøv tanken fra seg. Selve poenget med det siviliserte mennesket var å ikke gi etter for den slags impulser, uansett hvor provoserende motparten opptrådte. Og det var jo faktisk i forbindelse med at noen hadde gitt etter for slike impulser, at kriminalbetjent Bublanski vanligvis ble tilkalt.

«Greit,» sa Ekström. «Da oppfatter jeg det slik at vi er enige.»

«Nei, vi er ikke enige,» svarte Bublanski og reiste seg. «Men det er du som formelt leder etterforskningen.»

Han mumlet for seg selv da han svingte inn i gangen til kontoret sitt og samlet sammen kriminalbetjentene Curt Svensson og Sonja Modig, som utgjorde personalressursene hans denne ettermiddagen. Jerker Holmberg hadde ubeleilig nok bestemt seg for å ta ut to ferieuker.

«Mitt kontor,» sa Bublanski. «Ta med kaffe.»

Da de hadde satt seg, åpnet Bublanski blokken med notater fra møtet med Ekström.

«Situasjonen for øyeblikket er at påtalemyndighetens etterforskningsleder har henlagt alle tiltaler mot Lisbeth Salander vedrørende de drapene hun har vært etterlyst for. Hun inngår altså ikke lenger i etterforskningen for vår del.»

«Det må vel tross alt sees som et skritt i riktig retning,» sa Sonja Modig.

Curt Svensson sa som vanlig ingenting.

«Jeg er ikke så sikker på det,» sa Bublanski. «Salander er fortsatt mistenkt for grove lovbrudd i forbindelse med Stallarholmen og Gosseberga. Men det inngår ikke lenger i vårt etterforskningsarbeid. Vi skal konsentrere oss om å finne Niedermann og å etterforske skogskirkegården i Nykvarn.»

«Jeg skjønner.»

«Men det står nå klart at det er Ekström som skal reise tiltale mot Lisbeth Salander. Saken er overført til Stockholm, og det er iverksatt en helt separat etterforskning.»

«Jaså?»

«Og gjett hvem som skal etterforske Lisbeth Salander.»

«Jeg frykter det verste.»

«Hans Faste er tilbake i tjeneste. Han skal bistå Ekström i etterforskningen av Salander.»

«Det er faen meg helt vanvittig. Faste er helt uegnet til å etterforske noe som helst om Salander.»

«Men Ekström har et godt argument. Faste har vært sykmeldt siden ... hmm, kollapsen i april, og dette er en god og enkel sak som han kan konsentrere seg om.»

Taushet.

«Vi skal altså overlevere alt materiale om Salander til ham i ettermiddag.»

«Og denne historien om Gunnar Björck og Säpo og rapporten fra 1991 ...»

«Skal Faste og Ekström ta seg av.»

«Jeg liker ikke dette,» sa Sonja Modig.

«Ikke jeg heller. Men Ekström er sjefen, og han har forankringer videre oppover i byråkratiet. Jobben vår er med andre ord fortsatt å finne drapsmannen. Curt, hvordan ligger vi an?»

Curt Svensson ristet på hodet.

«Niedermann er fremdeles som sunket i jorden. Jeg må tilstå at jeg gjennom alle mine år i politiet ikke har vært med på en lignende sak. Vi har ikke ett eneste tips fra noen som kjenner til ham eller mener å vite noe om hvor han befinner seg.»

«Det ser dystert ut,» sa Sonja Modig. «Men han er altså etterlyst for politidrapet i Gosseberga, for et tilfelle av grov legemsbeskadigelse av en politijenestemann, for drapsforsøk på Lisbeth Salander og for bortføring og mishandling av tannpleieren Anita Kaspersson. Samt for drapene på Dag Svensson og Mia Bergman. I alle disse sakene foreligger det gode tekniske bevis.»

«Det rekker et stykke. Hvordan går det med etterforskningen rundt Svavelsjö MCs finansekspert?»

«Viktor Göransson og hans samboer Lena Nygren. Vi har tekniske bevis som knytter Niedermann til stedet. Fingeravtrykk og DNA på Göranssons kropp. Niedermann fikk skrapet knokene skikkelig opp under mishandlingen.»

«OK. Noe nytt om Svavelsjö MC?»

«Sonny Nieminen har tiltrådt som leder mens Magge Lundin sitter varetektsfengslet i påvente av rettssaken for kidnappingen av Miriam Wu. Det går rykter om at Nieminen har utlovet en stor belønning til den som kommer med tips om hvor Niedermann befinner seg.»

«Noe som bare gjør det enda mer underlig at han ikke er blitt funnet. Hvordan er det med Göranssons bil?»

«Siden vi fant Anita Kasperssons bil utenfor hos Göransson, tror vi at Niedermann har byttet kjøretøy. Vi har ikke noe spor etter bilen.»

«Så det spørsmålet vi må stille oss, er altså om Niedermann fortsatt ligger i skjul et eller annet sted i Sverige – i så fall hvor og hos hvem – eller om han allerede har rukket å komme seg i sikkerhet i utlandet. Hva tror vi?»

«Vi har ingenting som tyder på at han har forsvunnet utenlands, men det er jo absolutt det eneste logiske.»

«Hvor har han i så fall dumpet bilen?»

Både Sonja Modig og Curt Svensson ristet på hodet. I ni av ti tilfeller var politiarbeidet temmelig ukomplisert når det dreide som å lete etter en etterlyst, navngitt person. Det dreide seg om å skape en logisk kjede og begynne å nøste. Hvilke venner hadde han? Hvem hadde han sittet inne sammen med? Hvor bor dama hans? Hvem pleide han å gå på fylla med? I hvilket område ble mobilen hans sist brukt? Hvor var kjøretøyet hans? I slutten av denne rekken fant man gjerne den etterlyste.

Problemet med Ronald Niedermann var at han ikke hadde noen venner, ingen dame, aldri hadde sittet inne og ikke hadde noen mobiltelefon som man visste om.

En stor del av ettersøkningen var derfor innrettet på å finne bilen til Viktor Göransson, som de antok at Ronald Niedermann hadde benyttet seg av. Det ville gi en indikasjon på hvor letingen burde fortsette. Opprinnelig hadde de forventet at bilen skulle dukke opp i løpet av noen døgn, sannsynligvis på en parkeringsplass i Stockholm. Men til tross for den landsomfattende etterlysningen glimret bilen ved sitt fravær.

«Hvis han befinner seg i utlandet ... hvor er han da?»

«Han er tysk statsborger, så det ville vært naturlig at han dro til Tyskland.»

«Han er etterlyst i Tyskland. Det ser ikke ut til at han har hatt noen kontakt med sine gamle bekjente i Hamburg.»

Curt Svensson viftet med hånden.

«Hvis planen hans var å dra til Tyskland ... Hvorfor skulle han i så fall dra til Stockholm? Burde han ikke reist mot Malmö og Öresund-broen eller noen av fergene?»

«Jeg vet det. Og Marcus Erlander i Göteborg konsentrerte ettersøkningen i den retningen de første døgnene. Politiet i Danmark er informert om Göranssons bil, og vi kan si med sikkerhet at han ikke har reist med noen av fergene.»

«Men han dro til Stockholm og Svavelsjö MC, og der slo han i hjel kassereren deres og – må vi formode – forsvant med en ukjent sum penger. Hva burde da neste steg være?»

«Han må ut av Sverige,» sa Bublanski. «Det naturlige ville være en av fergene over til Baltikum. Men Göransson og hans samboer ble drept sent på natten den 9. april. Det betyr at Niedermann kan ha kommet seg til en ferge neste morgen. Vi fikk meldingen drøyt seksten timer etter drapstidspunktet, og har ettersøkt bilen siden da.»

«Hvis han har tatt en ferge den morgenen, burde Göranssons bil stå parkert ved en av fergehavnene,» konstaterte Sonja Modig.

Curt Svensson nikket.

«Kan det være så enkelt som at vi ikke finner Göranssons bil fordi Niedermann har kjørt ut av landet nordover, via Haparanda? Det er en lang omvei rundt Bottenviken, men på seksten timer burde han ha rukket å passere grensen til Finland.»

«Ja, men deretter måtte han ha dumpet bilen et eller annet sted i Finland, og på dette tidspunktet burde den vært funnet av våre kolleger der.»

De ble sittende tause en lang stund. Til slutt reiste Bublanski seg og stilte seg ved vinduet.

«Både logikk og odds taler mot det, men Göranssons bil er fremdeles forsvunnet. Kan han ha funnet et gjemmested hvor han bare holder seg i skjul, et sommerhus eller ...»

«Neppe noe sommerhus. På denne tiden av året er hver eneste hytteeier ute og ser over hyttene sine.»

«Og neppe noe med tilknytning til Svavelsjö MC. De er nok de siste han vil treffe på.»

«Og dermed bør hele underverdenen være utelukket ... Noen kjæreste som vi ikke vet om?»

De hadde mer enn nok av spekulasjoner, men ingen fakta å gå videre med.

Da Curt Svensson hadde gått for dagen, gikk Sonja Modig tilbake til Jan Bublanskis kontor og banket på dørkarmen. Han vinket henne inne.

«Har du tid to minutter?»

«Hva?»

«Salander.»

«Greit.»

«Jeg liker ikke dette opplegget med Ekström og Faste og en ny rettssak. Du har lest Björcks rapport. Jeg har lest Björcks rapport. Hun ble valset ned i 1991, og det vet Ekström. Hva faen er det som foregår?»

Bublanski tok av seg brillene og puttet dem i brystlommen.

«Jeg vet ikke.»

«Har du noen anelse?»

«Ekström påstår at Björcks rapport og korrespondansen med Teleborian er et falsum.»

«Pissprat. Hvis det var et falsum, ville Björck ha sagt det da vi hentet ham inn.»

«Ekström sier at Björck nektet å snakke om saken fordi den var hemmeligstemplet. Jeg fikk kritikk fordi jeg foregrep saksgangen og hentet ham inn.»

«Jeg begynner å mislike Ekström mer og mer.»

«Han er under press fra flere kanter.»

«Det er ingen unnskyldning.»

«Vi har ikke monopol på sannheten. Ekström hevder at han har fått belegg for at rapporten er et falsum – det finnes ingen virkelig rapport med det journalnummeret. Han sier også at forfalskningen er dyktig utført, og at innholdet er en blanding av sannhet og fantasi.»

«Hvilken del var sannhet og hvilken var fantasi?»

«Rammefortellingen er noenlunde korrekt. Zalatsjenko var Lisbeth Salanders far, og han var en drittsekk som mishandlet moren hennes. Problemet er det vanlige – moren ville ikke gå til politianmeldelse, og dermed pågikk det i flere år. Björck hadde i oppdrag å etterforske hva som hadde skjedd da Lisbeth forsøkte å ta livet av faren. Han korresponderte med Teleborian – men hele korrespondansen i den form vi har sett den, er et falsum. Teleborian foretok en helt vanlig psykiatrisk vurdering av Salander og konstaterte at hun var sprø, og påtalemyndigheten besluttet å ikke føre saken mot henne videre. Hun trengte behandling, og det fikk hun på St. Stefans.»

«Hvis det nå er en forfalskning ... hvem skulle i så fall ha utført den, og i hvilken hensikt?»

Bublanski slo ut med hendene.

«Fleiper du med meg?»

«Slik jeg har forstått saken, kommer Ekström til å forlange en omfattende mentalundersøkelse av Salander igjen.»

«Det godtar jeg ikke.»

«Det er ikke vårt bord lenger. Vi er koblet av Salander-saken.»

«Og Faste er koblet inn ... Jan, jeg kommer til å gå til mediene hvis de jævlene går løs på Salander en gang til ...»

«Nei, Sonja. Det skal du ikke. For det første har vi ikke tilgang til den rapporten lenger, og dermed ingen bevis for det du påstår. Du kommer til å fremstå som jævla paraniod, og dermed er karrieren din over.»

«Jeg har rapporten fremdeles,» sa Sonja Modig lavt. «Jeg tok en kopi til Curt Svensson som jeg aldri rakk å gi ham før riksadvokaten samlet dem inn.»

«Hvis du lekker den rapporten, kommer du ikke bare til å få

sparken, men også gjøre deg skyldig i grov tjenesteforsømmelse ved å ha lekket en hemmeligstemplet rapport til mediene.»

Sonja Modig satt taus en stund og betraktet sjefen sin.

«Sonja, du må ikke gjøre noe. Lov meg det.»

Hun nølte.

«Nei, Jan, det kan jeg ikke love. Det er noe sykt med hele denne historien.»

Bublanski nikket.

«Ja. Det er sykt. Men vi vet ikke hvem som er våre fiender akkurat nå.»

Sonja Modig la hodet på skakke.

«Har *du* tenkt å gjøre noe?»

«Det vil jeg ikke diskutere med deg. Stol på meg. Det er fredag kveld. Ta helgen. Gå hjem med deg. Denne samtalen har aldri funnet sted.»

Klokken var halv to lørdag ettermiddag da Securitas-vakten Niklas Adamsson løftet blikket fra boken om sosialøkonomi, som han skulle ha eksamen i om tre uker. Han hørte lyden fra de roterende børstene i den lavt brummende rengjøringsmaskinen og konstaterte at det var han svartskallen som haltet. Han hilste alltid høflig, men var veldig fåmælt og pleide ikke å le de gangene han forsøkte å spøke med ham. Han så ham ta frem en Ajax-flaske, spraye to ganger på skranken i resepsjonen og tørke av med en klut. Deretter tok han en mopp og svabret noen runder i de krokene i resepsjonen som børstene på maskinen ikke nådde. Niklas Adamsson stakk nesen i boken igjen og leste videre.

Det tok ti minutter før vaskehjelpen hadde arbeidet seg frem til Adamssons plass i enden av korridoren. De nikket til hverandre. Adamsson reiste seg og lot vaskehjelpen ta gulvet rundt stolen utenfor rommet til Lisbeth Salander. Han hadde sett vaskehjelpen stort sett hver gang han hadde vakt utenfor rommet hennes, men kunne ikke for sitt bare liv komme på navnet hans. Et eller annet svartskallenavn var det i hvert fall. Adamsson følte derimot ikke noe behov for å sjekke legitimasjonen hans. Dels skulle ikke svartskallen gjøre rent inne på fangens rom

– det ble gjort om formiddagen av to kvinnelige vaskehjelper
– og dels oppfattet han ikke den halte vaskehjelpen som noen
større trussel.

Da vaskehjelpen var ferdig med korridoren, låste han opp
døren til rommet ved siden av Lisbeth Salanders. Adamsson
skottet bort på ham, men heller ikke dette utgjorde noe avvik
fra de daglige rutinene. Bøttekottet lå i enden av korridoren.
De neste fem minuttene tømte han bøtta, rengjorde børster og
fylte opp maskinen med plastposer til papirkurvene. Til slutt
dro han hele maskinen inn i kottet.

Idris Ghidi var fullt klar over Securitas-vakten ute i korridoren.
Det var en blond gutt i 25-årsalderen som pleide å sitte der to
eller tre ganger i uken og lese bøker om sosialøkonomi. Ghidi
trakk den slutningen at han jobbet deltid i Securitas samtidig
som han studerte, og at han var omtrent like oppmerksom på
omgivelsene som en murstein.

Idris Ghidi lurte på hva Adamsson ville gjøre hvis noen
virkelig forsøkte å ta seg inn i Lisbeth Salanders rom.

Idris Ghidi lurte også på hva Mikael Blomkvist egentlig var
ute etter. Han ristet på hodet. Han hadde lest om journalisten
i avisene og trukket forbindelsen til Lisbeth Salander i 11C, og
hadde ventet at han ville bli bedt om å smugle inn et eller annet
til henne. I så fall ville han vært nødt til å si nei, siden han ikke
hadde tilgang til rommet hennes og aldri hadde sett henne. Men
hva han enn hadde forventet, så var det ikke den forspørselen
han fikk.

Han kunne ikke se noe ulovlig i oppdraget. Han kikket ut
gjennom dørsprekken og så at Adamsson hadde satt seg på sto-
len utenfor døren igjen og leste i boken sin. Han var glad for
at det for øvrig ikke var et eneste menneske i nærheten, noe
det nesten aldri var, siden bøttekottet lå i en blindtarm helt i
enden av korridoren. Han stakk hånden ned i lommen på vaske-
frakken og tok opp en ny Sony Ericsson Z600 mobiltele-
fon. Idris Ghidi hadde slått opp telefonen i en annonse og sett
at den kostet drøyt 3500 kroner i forretningene og hadde alle
mobilmarkedets finesser.

Han kastet et blikk på displayet og registrerte at mobilen var på, men at lyden var slått av, både ringesignal og vibrasjon. Så strakte han seg på tå og skrudde løs en sirkelformet hvit kappe som satt i en ventil som førte inn til Lisbeth Salanders rom. Han plasserte mobilen ute av syne inni ventilen, akkurat som Mikael Blomkvist hadde bedt ham om.

Hele prosedyren tok omtrent tredve sekunder. Neste dag ville den ta omkring ti sekunder. Det han skulle gjøre da, var å ta ned mobilen, skifte batteri og legge den tilbake i ventilen igjen. Det gamle batteriet skulle han ta med hjem og lade opp over natten.

Det var det eneste Idris Ghidi behøvde å gjøre.

Dette ville imidlertid ikke hjelpe Salander. På hennes side av veggen var det et fastskrudd gitter. Hun ville ikke kunne få tak i mobilen, uansett hvordan hun bar seg ad, hvis hun ikke fikk tak i en stjerneskrutrekker og en stige.

«Jeg vet det,» hadde Mikael sagt. «Men hun skal ikke røre mobilen.»

Dette skulle Idris Ghidi gjøre hver dag til Mikael Blomkvist ga beskjed om at det ikke var nødvendig lenger.

Og for dette arbeidet fikk Idris Ghidi tusen kroner i uken, som han kunne putte rett i lommen. Dessuten fikk han beholde mobilen når jobben var over.

Han ristet på hodet. Han skjønte selvfølgelig at Mikael Blomkvist holdt på med noe muffens, men han kunne ikke for sitt bare liv begripe hva det gikk ut på. Å plassere en mobil i en ventil i et låst bøttekott, på, men ikke tilkoblet, var muffens på et slikt nivå at Ghidi ikke helt fikk tak i finessene. Hvis Blomkvist skulle ha mulighet til å kommunisere med Lisbeth Salander, ville det vært adskillig smartere å bestikke en av sykepleierne til å smugle telefonen inn til henne. Det var liksom ingen logikk i handlingen.

Ghidi ristet på hodet. På den annen side hadde han ingenting imot å gjøre Mikael Blomkvist en tjeneste så lenge han betalte ham tusen kroner uken. Og han hadde ikke tenkt å stille noen spørsmål.

*

Doktor Anders Jonasson saktnet skrittene litt da han så en mann på drøyt 40 år stå lent mot sprinkelporten utenfor huset hans i Hagagatan. Mannen så vagt kjent ut og nikket gjenkjennende til ham.

«Doktor Jonasson?»

«Ja, det er meg.»

«Unnskyld at jeg bryr deg sånn på gaten utenfor huset ditt. Men jeg ville ikke oppsøke deg på jobben, og jeg vil svært gjerne få snakke med deg.»

«Hva gjelder det, og hvem er du?»

«Jeg heter Mikael Blomkvist. Jeg er journalist og arbeider i tidsskriftet Millennium. Det dreier seg om Lisbeth Salander.»

«Ah, nå kjenner jeg deg igjen. Det var du som kontaktet redningssentralen da hun ble funnet ... Var det du som satte teip over skuddsårene?»

«Det var det.»

«Det var meget smart. Men jeg beklager. Jeg kan ikke diskutere pasientene mine med journalister. Du må henvende deg til pressetjenesten på Sahlgrenska som alle andre.»

«Du misforstår. Jeg er ikke ute etter opplysninger, og jeg er her i et helt privat ærend. Du behøver ikke si et ord til meg eller utlevere noen opplysninger. Det er stikk motsatt. Jeg vil gi deg opplysninger.»

Anders Jonasson rynket øyenbrynene.

«Vær så snill,» ba Mikael Blomkvist. «Jeg har ikke for vane å antaste kirurger på åpen gate, men det er svært viktig at jeg får snakke med deg. Det er en kafé litt nede i gaten rundt hjørnet. Kan jeg få invitere deg på en kopp kaffe?»

«Hva vil du snakke om?»

«Om Lisbeth Salanders fremtid og velbefinnende. Jeg er hennes venn.»

Anders Jonasson nølte en lang stund. Han innså at om det hadde vært noen annen enn Mikael Blomkvist – hvis et ukjent menneske hadde kommet bort til ham på den måten – ville han ha nektet. Men det faktum at Mikael Blomkvist var en kjent person, betydde at Anders Jonasson følte seg noenlunde trygg på at det ikke dreide seg om noe faenskap.

«Jeg vil under ingen omstendigheter bli intervjuet, og jeg kommer ikke til å diskutere pasienten min.»

«Det er helt i orden,» sa Mikael.

Anders Jonasson nikket til slutt og ble med Blomkvist til den aktuelle kafeen.

«Hva gjelder det?» spurte han nøytralt da de hadde fått hver sin kaffekopp. «Jeg skal høre på deg, men jeg har ikke tenkt å kommentere noe.»

«Du er redd for at jeg skal sitere deg eller henge deg ut i mediene. La meg da gjøre det helt klart fra starten av at det ikke kommer til å skje. For mitt vedkommende har denne samtalen ikke engang funnet sted.»

«Greit.»

«Jeg har tenkt å be deg om en tjeneste. Men før jeg gjør det, må jeg forklare nøyaktig hvorfor, så du kan ta stilling til om det er moralsk akseptabelt for deg å gjøre meg den tjenesten.»

«Jeg liker ikke helt denne samtalen.»

«Du behøver ikke gjøre annet enn å lytte. Som Lisbeth Salanders lege er det din jobb å sørge for hennes fysiske og mentale helse. Som Lisbeth Salanders venn er det *min* oppgave å gjøre det samme. Jeg er ikke lege, og kan dermed ikke rote rundt i hodet på henne og plukke ut kuler og den slags, men jeg har en annen kompetanse som er minst like viktig for hennes velvære.»

«Jaha.»

«Jeg er journalist og har gravd frem sannheten om hva som har rammet henne.»

«Greit.»

«Jeg kan fortelle i generelle vendinger hva det dreier seg om, så får du selv vurdere.»

«Jaha.»

«Jeg skal kanskje begynne med å si at Annika Giannini er Lisbeth Salanders advokat. Du har kanskje truffet henne?»

Anders Jonasson nikket.

«Annika er søsteren min, og det er jeg som betaler henne for å forsvare Lisbeth Salander.»

«Jaså.»

«At hun er søsteren min, kan du sjekke i folkeregisteret. Dette er en tjeneste som jeg imidlertid ikke kan be Annika gjøre. Hun diskuterer ikke Lisbeth med meg. Hun har også taushetsplikt, og hun er underlagt et annet regelverk.»

«Hmm.»

«Jeg går ut fra at du har lest om Lisbeth i avisene.»

Jonasson nikket.

«Hun er blitt beskrevet som en psykotisk og sinnssyk lesbisk massemorder. Alt det er bare sludder. Lisbeth Salander er ikke psykotisk, og hun er formodentlig like klok som du og jeg. Og hennes seksuelle preferanser angår ingen.»

«Hvis jeg har forstått det riktig, har det skjedd en viss revurdering. Nå er det isteden denne tyskeren som blir nevnt i forbindelse med drapene.»

«Og det er helt korrekt. Ronald Niedermann er skyldig og en fullstendig samvittighetsløs morder. Derimot har Lisbeth fiender. Virkelig store, stygge fiender. Noen av disse fiendene befinner seg innenfor sikkerhetspolitiet.»

Anders Jonasson hevet øyenbrynene tvilende.

«Da Lisbeth var 12 år gammel, ble hun sperret inne på en barnepsykiatrisk klinikk i Uppsala fordi hun hadde snublet over en hemmelighet som Säpo for enhver pris forsøkte å holde hemmelig. Hennes far, Aleksandr Zalatsjenko, som jo ble drept på Sahlgrenska, var en avhoppet russisk spion, en levning fra den kalde krigen. Han var også en kvinnemishandler som mishandlet Lisbeths mor år etter år. Da Lisbeth var 12 år, slo hun til og forsøkte å ta livet av Zalatsjenko med en bensinbombe. Det var derfor hun ble sperret inne på en barnepsykiatrisk institusjon.»

«Jeg skjønner ikke. Hvis hun forsøkte å ta livet av sin egen far, var det kanskje grunn til å ta henne inn til psykiatrisk behandling.»

«Min story – som jeg kommer til å publisere – er at Säpo visste hva som hadde skjedd, men valgte å beskytte Zalatsjenko fordi han var en viktig informasjonskilde. Altså fabrikkerte de en falsk diagnose og sørget for at Lisbeth ble sperret inne.»

Anders Jonasson så så tvilende ut at Mikael måtte smile.

«Alt det jeg forteller deg nå, kan jeg dokumentere. Og jeg

kommer til å skrive en omfattende redegjørelse som vil bli utgitt i passende tid til rettssaken. Tro meg – det kommer til å bli et helvetes rabalder.»

«Jeg skjønner.»

«Jeg kommer til å avsløre og gå meget hardt ut mot to leger som har gått Säpos ærend og hjulpet til med å begrave Lisbeth på et galehus. Jeg kommer til å henge dem ut helt skånselløst. En av disse legene er en meget kjent og respektert person. Men som sagt – jeg har all den dokumentasjon jeg trenger.»

«Jeg skjønner. Hvis en lege har vært involvert i noe slikt, er det en skam for hele legestanden.»

«Nei, jeg tror ikke på kollektiv skyld. Det er en skam for de involverte. Det samme gjelder Säpo. Det finnes sikkert utmerkede mennesker som jobber i Säpo. Dette dreier seg om en gruppe sekterister. Da Lisbeth var 18 år, forsøkte de igjen å få henne tvangsinnlagt. Denne gangen mislyktes de, men hun ble satt under vergemål. Når rettssaken kommer opp, vil de igjen forsøke å slenge så mye dritt på henne som mulig. Jeg – eller rettere sagt min søster – kommer til å slåss for at Lisbeth skal bli frikjent og at umyndiggjøringen blir opphevet.»

«Greit.»

«Men hun trenger ammunisjon. Det er altså forutsetningene for dette spillet. Jeg bør kanskje også nevne at det faktisk finnes politifolk som står på Lisbeths side i denne kampen. Men det gjør ikke statsadvokaten som utarbeider tiltalen mot henne.»

«Nei vel.»

«Lisbeth trenger hjelp foran rettssaken.»

«Jaha. Men jeg er jo ikke advokat.»

«Nei. Men du er lege, og du har tilgang til Lisbeth.»

Øynene til Anders Jonasson smalnet.

«Det jeg har tenkt å be deg om, er uetisk og kan kanskje til og med bli betraktet som et lovbrudd.»

«Jaså.»

«Men det er moralsk riktig å gjøre det. Hennes rettigheter er blitt bevisst krenket av de personene som burde hatt ansvar for å beskytte henne.»

«Jaså.»

274

«Jeg kan gi et eksempel. Som du vet, har Lisbeth besøksforbud, og hun får ikke lese aviser og kommunisere med omverdenen. Påtalemyndigheten har dessuten presset igjennom et forbud mot at forsvareren hennes skal få uttale seg offentlig. Annika har holdt seg tappert til reglementet. Derimot er statsadvokaten den viktigste kilden for lekkasjer til journalister som fortsetter å skrive dritt om Lisbeth Salander.»

«Jaså.»

«Denne storyen, for eksempel.» Mikael holdt frem en ukegammel løssalgsavis. «En kilde i etterforskningsmiljøet hevder at Lisbeth er utilregnelig, noe som fører til at avisen legger frem en rekke spekulasjoner om hennes mentale tilstand.»

«Jeg leste artikkelen. Det er sludder.»

«Så du mener ikke at Salander er gal?»

«Det kan jeg ikke uttale meg om. Derimot vet jeg at det ikke er blitt foretatt noen som helst form for psykiatrisk vurdering. Altså er artikkelen sludder.»

«Greit. Men jeg kan dokumentere at det er en politimann ved navn Hans Faste som jobber for statsadvokat Ekström, som har lekket disse opplysningene.»

«Jaså.»

«Ekström kommer til å forlange at rettssaken skal foregå bak lukkede dører, noe som vil bety at ingen utenforstående vil kunne granske og vurdere bevismaterialet mot henne. Men hva verre er ... i og med at statsadvokaten har isolert Lisbeth, kommer hun ikke til å kunne utføre den research som må til for at hun skal kunne forsvare seg.»

«Hvis jeg har forstått det riktig, er det advokaten hennes som skal ta seg av det.»

«Lisbeth er, som du sikkert har skjønt på dette stadiet, en meget spesiell person. Hun har hemmeligheter som jeg vet om, men som jeg ikke kan avsløre for min søster. Derimot kan Lisbeth velge om hun vil bruke dem til å forsvare seg i retten.»

«Jaha.»

«Og for å kunne gjøre det, trenger Lisbeth denne her.»

Mikael la Lisbeth Salanders Palm Tungsten T3 hånddatamaskin og en batterilader på kafébordet mellom dem.

«Dette er det viktigste våpenet Lisbeth har i arsenalet sitt. Hun trenger det.»

Anders Jonasson stirret mistenksomt på hånddatamaskinen.

«Hvorfor ikke gi den til advokaten hennes?»

«Fordi det bare er Lisbeth som vet hvordan hun skal kunne få tak i bevismaterialet.»

Anders Jonasson ble sittende en lang stund uten å røre maskinen.

«La meg fortelle deg om doktor Peter Teleborian,» sa Mikael og fant frem den permen hvor han hadde samlet alt viktig materiale.

De ble sittende i over to timer og snakke lavmælt sammen.

Klokken var litt over åtte lørdag kveld da Dragan Armanskij forlot kontoret i Milton Security og spaserte til Söder-menighetens synagoge i St. Paulsgatan. Han banket på, presenterte seg og ble sluppet inn av rabbineren selv.

«Jeg har avtalt å treffe en bekjent her,» sa Armanskij.

«Annen etasje. Jeg skal vise vei.»

Rabbineren tilbød ham en kippa, som Armanskij noe nølende tok på seg. Han var oppfostret i en muslimsk familie hvor det å bære kippa og besøke den jødiske synagogen ikke inngikk i det daglige ritualet. Han følte seg ikke vel med kippaen på hodet.

Jan Bublanski hadde også kippa.

«Hei, Dragan. Takk for at du tok deg tid. Jeg har lånt et rom av rabbineren så vi kan snakke uforstyrret sammen.»

Armanskij satte seg ned rett overfor Bublanski.

«Jeg går ut fra at du har gode grunner til dette hemmelighetskremmeriet.»

«Jeg skal ikke trekke dette i langdrag. Jeg vet at du er en venn av Lisbeth Salander.»

Armanskij nikket.

«Jeg vil vite hva du og Blomkvist har kokt sammen for å hjelpe henne.»

«Hvorfor tror du vi har kokt sammen noe?»

«Fordi statsadvokat Richard Ekström har spurt meg gang

på gang om hvor stort innsyn Milton Security egentlig hadde i Salander-etterforskningen. Han spør ikke for moro skyld, men fordi han er redd for at du skal kunne stelle i stand noe som kan få gjennomslag i mediene.»

«Hmm.»

«Og hvis Ekström er bekymret, kommer det av at han vet eller er redd for at du holder på med noe. Eller så gjetter jeg på at han i hvert fall har snakket med noen som er redd for det.»

«Noen?»

«Ikke la oss leke gjemsel, Dragan. Du vet at Salander ble utsatt for et overgrep i 1991, og jeg er redd for at hun kommer til å bli utsatt for et nytt overgrep når rettssaken begynner.»

«Du er polititjenestemann i et demokrati. Hvis du har opplysninger, bør du gjøre noe med det.»

Bublanski nikket.

«Jeg har tenkt å gjøre noe med det. Spørsmålet er hvordan.»

«Fortell hva det er du vil ha sagt.»

«Jeg vil vite hva du og Blomkvist har kokt sammen. Jeg går ut fra at dere ikke sitter og tvinner tommeltotter.»

«Det er komplisert. Hvordan vet jeg at jeg kan stole på deg?»

«Det foreligger en rapport fra 1991 som Mikael Blomkvist har fått tak i …»

«Den kjenner jeg til.»

«Jeg har ikke lenger tilgang til den rapporten.»

«Ikke jeg heller. De to eksemplarene som Blomkvist og søsteren hans hadde, er blitt borte.»

«Blitt borte?» sa Bublanski.

«Blomkvists ble stjålet under et innbrudd i leiligheten hans, og Annika Gianninis kopi forsvant under et overfallsran i Göteborg. Alt dette skjedde samme dag som Zalatsjenko ble drept.»

Bublanski satt en lang stund uten å si noe.

«Hvorfor har vi ikke hørt noe om det?»

«Som Mikael Blomkvist uttrykte det: Det finnes bare ett riktig tidspunkt å gå offentlig ut på, og uendelig mange gale.»

«Men dere … han har tenkt å publisere?»

Armanskij nikket kort.

«Et overfall i Göteborg og et innbrudd i Stockholm. Samme dag. Det betyr at motstanderne våre er velorganisert,» sa Bublanski.

«Dessuten kan jeg nevne at vi har belegg for at Gianninis telefon blir avlyttet.»

«Det er noen som begår et stort antall lovbrudd her.»

«Spørsmålet er altså hvem som er motstanderne våre,» sa Dragan Armanskij.

«Det er det jeg også tenker. Rent overfladisk er det altså Säpo som har interesse av å dysse ned Björcks rapport. Men Dragan ... vi snakker om det svenske sikkerhetspolitiet. Et statlig myndighetsorgan. Jeg kan ikke tro at dette er noe som Säpo har sanksjonert. Jeg tror ikke engang Säpo har kompetanse til å gjøre noe slikt.»

«Jeg vet det. Jeg har også problemer med å fordøye dette. For ikke å nevne det faktum at noen går inn på Sahlgrenska sjukhuset og skyter huet av Zalatsjenko.»

Bublanski sa ingenting. Armanskij slo inn den siste spikeren.

«Og samtidig går Gunnar Björck hen og henger seg.»

«Så dere tror det dreier seg om organiserte drap. Jeg kjenner Marcus Erlander, som sto for etterforskningen i Göteborg. Han fant ingenting som tydet på at drapet var noe annet enn en impulshandling fra en syk person. Og vi har gransket Björcks dødsfall svært omhyggelig. Alt tyder på at det var selvmord.»

Armanskij nikket.

«Evert Gullberg, 78 år gammel, kreftsyk og døende, behandlet for klinisk depresjon noen måneder før drapet. Jeg har satt Fräklund til å grave frem alt som er mulig å få tak i om Gullberg i offentlige dokumenter.»

«Ja?»

«Han avtjente verneplikten i Karlskrona i 1940-årene, studerte jus og ble med tid og stunder skatterådgiver for det private næringslivet. Han hadde et kontor i Stockholm i drøyt tredve år, lav profil, private klienter ... hvem de nå måtte være. Pensjonist i 1991. Flyttet tilbake til hjembyen Laholm i 1994 ... Intet bemerkelsesverdig.»

«Men?»

«Bortsett fra noen forunderlige detaljer. Fräklund kan ikke finne en eneste referanse til Gullberg i noen sammenheng. Han har aldri vært nevnt i pressen, og det er ingen som vet hvilke klienter han hadde. Det er akkurat som om han aldri har eksistert i yrkeslivet.»

«Hva er det du vil ha sagt?»

«Säpo er den åpenbare forbindelsen. Zalatsjenko var russisk avhopper, og hvem andre skulle ha tatt hånd om ham, om ikke Säpo? Dessuten snakker vi om å ha mulighet til å organisere at Lisbeth Salander ble sperret inne på institusjon i 1991. For ikke å snakke om innbrudd, overfall og telefonavlytting femten år senere … Men jeg tror heller ikke at det er Säpo som står bak. Mikael Blomkvist kaller dem *Zalatsjenko-klubben* … en liten gruppe sekterister som har overvintret fra den kalde krigen og gjemmer seg i en eller annen halvmørk korridor hos Säpo.»

Bublanski nikket.

«Så hva kan vi gjøre?»

KAPITTEL 12

Søndag 15. mai–mandag 16. mai

Førstebetjent Torsten Edklinth, lederen for sikkerhetspolitiets overvåkningstjeneste, kløp seg i øreflippen og betraktet tankefullt administerende direktør for det velansette private sikkerhetsselskapet Milton Security, som plutselig hadde ringt og insistert på å få invitere ham til søndagsmiddag hjemme hos seg på Lidingö. Armanskijs kone, Ritva, hadde servert en vidunderlig gryterett. De hadde spist og konversert høflig sammen. Edklinth lurte på hva Armanskij egentlig var ute etter. Etter middagen trakk Ritva seg tilbake til en TV-sofa og lot dem bli sittende igjen alene ved spisebordet. Armanskij hadde langsomt begynt å fortelle historien om Lisbeth Salander.

Edklinth snurret sakte på glasset med rødvin.

Dragan Armanskij var ingen tosk. Det visste han.

Edklinth og Armanskij hadde kjent hverandre i tolv år, helt siden en kvinnelig riksdagsrepresentant (V) hadde fått en rekke anonyme dødstrusler. Politikeren hadde anmeldt saken til partiets gruppeleder i riksdagen, hvorpå riksdagens sikkerhetsavdeling var blitt informert. Truslene var skriftlige og vulgære og inneholdt opplysninger av en type som antydet at den anonyme brevskriveren faktisk hadde en viss personlig kjennskap til riksdagsrepresentanten. Saken ble dermed gjenstand for sikkerhetspolitiets interesse. Mens etterforskningen pågikk, fikk riksdagsrepresentanten beskyttelse.

Livvaktavsnittet var på den tiden den budsjettmessig minste avdelingen hos sikkerhetspolitiet. Ressursene var meget begrenset. Avdelingen har ansvar for beskyttelse av kongehuset og statsministeren, og i tillegg enkeltstående statsråder og partiledere ved behov. Behovene overstiger ofte ressursene, og i virkeligheten mangler de fleste svenske politikere enhver form for personbeskyttelse. Riksdagsrepresentanten fikk beskyttelse i forbindelse med noen offentlige opptredener, men ble forlatt ved arbeidsdagens slutt, det vil si på det tidspunktet da sannsynligheten økte for at en eller annen skrulling som var opptatt av å forfølge en viss person, kunne forventes å slå til. Riksdagsrepresentantens mistro til sikkerhetspolitiets evne til å beskytte henne vokste raskt.

Hun var bosatt i en enebolig i Nacka. En kveld hun kom sent hjem fra en debatt i finanskomiteen, oppdaget hun at noen hadde brutt seg inn gjennom verandadøren, skriblet slibrige uttrykk på veggene i stuen og onanert i riksdagsrepresentantens soverom. Hvorpå hun løftet telefonrøret og engasjerte Milton Security til å ta seg av livvaktoppdraget. Hun orienterte ikke Säpo om denne beslutningen, og da hun neste morgen skulle besøke en skole i Täby, oppsto det en frontkollisjon mellom statlige og privat innleide torpedoer.

På den tiden var Torsten Edklinth nestleder for livvaktavsnittet. Han avskydde instinktivt enhver situasjon hvor private bøller skulle utføre oppdrag som det var de statlige myndighetenes oppgave å ta seg av. Men han innså også at riksdagsrepresentanten hadde grunn til å klage – om ikke annet var den tilgrisede sengen bevis nok for den statlige mangelen på effektivitet. Istedenfor å begynne å prøve krefter besinnet Edklinth seg og avtalte en lunsj med Milton Securitys leder, Dragan Armanskij. De kom frem til at situasjonen muligens var mer alvorlig enn Säpo først hadde trodd, og at det var grunn til å skjerpe vaktholdet rundt politikeren. Edklinth var også klok nok til å innse at Armanskijs folk ikke bare hadde den kompetansen som trengtes for å utføre jobben – de hadde minst like god utdannelse og antagelig bedre teknisk utrustning. De løste problemet ved at Armanskijs folk fikk hele ansvaret for nærbeskyttelsen, mens sikkerhetspolitiet tok seg av selve kriminaletterforskningen og betalte regningen.

De to mennene oppdaget også at de likte hverandre ganske godt og samarbeidet lett, noe som også skjedde ved flere anledninger i årene som kom. Edklinth hadde derfor stor respekt for

Armanskijs yrkeskompetanse, og da han inviterte ham på middag og ba om en privat og fortrolig samtale, var han villig til å lytte.

Derimot hadde han ikke ventet at Armanskij skulle legge en bombe med antent lunte i fanget på ham.

«Hvis jeg forstår deg riktig, påstår du at sikkerhetspolitiet bedriver ren kriminell virksomhet.»

«Nei,» sa Armanskij. «Da misforstår du meg. Jeg påstår at visse personer som er ansatt i sikkerhetspolitiet, bedriver slik virksomhet. Jeg tror ikke et øyeblikk at dette er sanksjonert av sikkerhetspolitiets ledelse eller at det har noen form for offentlig godkjennelse.»

Edklinth betraktet Christer Malms fotografi av mannen som gikk inn i en bil med et nummerskilt som begynte med bokstavene KAB.

«Dragan ... dette er vel ikke noen practical joke?»

«Jeg skulle ønske det var en spøk.»

Edklinth tenkte en stund.

«Og hva fanken forventer du at jeg skal gjøre med saken?»

Neste morgen pusset Torsten Edklinth brillene omhyggelig mens han grublet. Han var en gråhåret mann med store ører og et energisk ansikt. For øyeblikket var imidlertid ansiktet mer ettertenksomt enn energisk. Han satt på kontoret sitt på Kungsholmen og hadde tilbragt en betydelig del av natten med å gruble over hvordan han skulle håndtere de opplysningene Dragan Armanskij hadde gitt ham.

Det var ingen behagelige grublerier. Sikkerhetspolitiet var den instansen i Sverige som alle partier (nå ja, nesten alle) hevdet hadde en umistelig verdi, og som alle samtidig så ut til å mistro og spinne fantasifulle konspirasjonsteorier om. Skandalene hadde unektelig vært mange, ikke minst i de venstreradikale 1970-årene da en del ... konstitusjonelle feilgrep faktisk hadde funnet sted. Men fem statlige og sterkt kritiserte Säpo-granskninger senere hadde det vokst frem en ny generasjon tjenestemenn. Det var en yngre skole av aktivister rekruttert fra det vanlige politiets økonomiavsnitt, våpenavsnitt og bedrageriavsnitt – politifolk som var vant til å undersøke faktiske lovbrudd og ikke politiske fantasier.

Sikkerhetspolitiet var blitt modernisert, og ikke minst overvåkningstjenesten hadde fått en ny og fremtredende rolle. Deres oppgave, slik det var formulert i regjeringens instruks, var å forebygge og avsløre trusler mot rikets indre sikkerhet. Dette var definert som *ulovlig virksomhet som har til hensikt med vold, trusler eller andre tvangsmidler å endre vår statsform, få besluttende politiske organer eller myndigheter til å fatte beslutninger i en spesiell retning eller hindre den enkelte borger i å utøve sine grunnlovsfestede friheter og rettigheter.*

Overvåkningstjenestens oppgave var dermed å forsvare det svenske demokrati mot virkelige eller antatte antidemokratiske anslag. Blant disse tenkte man først og fremst på anarkister og nazister. Anarkister fordi de stadig aksjonerte ved å sette fyr på pelsbutikker. Nazister fordi de var nazister og dermed per definisjon motstandere av demokratiet.

Som ferdig utdannet jurist hadde Torsten Edklinth begynt sin yrkeskarriere som statsadvokat, og hadde deretter arbeidet for sikkerhetspolitiet i enogtyve år. Han hadde først holdt til ute i felten som administrator for livvaktavsnittet, og deretter i overvåkningstjenesten, hvor oppgavene hadde vekslet fra analyser til administrativ ledelse, og etter hvert ble han avdelingssjef. Han var med andre ord øverste leder for den politimessige delen av forsvaret av det svenske demokratiet. Førstebetjent Torsten Edklinth betraktet seg selv som demokrat. I den forstand var definisjonen enkel. Konstitusjonen ble bestemt av riksdagen, og hans oppgave var å sørge for at den forble intakt.

Svensk demokrati bygger på én eneste lov og kan uttrykkes med de tre bokstavene YGL, som står for ytringsfrihetsgrunnloven. YGL fastslår den umistelige retten til å si, mene, tenke og tro hva som helst. Denne rettigheten omfatter alle, fra forrykte nazister til steinkastende anarkister og alle imellom.

Alle andre forfatningslover, som for eksempel styringsformen, er kun en praktisk utforming av ytringsfriheten. YGL er dermed den loven som demokratiet står og faller med. Edklinth mente at hans mest primære oppgave besto i å forsvare svenske borgeres lovfestede rett til å mene og si nøyaktig det de ville, selv om han ikke et øyeblikk var enig i innholdet i det de mente og sa.

Denne friheten innebærer imidlertid ikke at alt er tillatt, noe en del ytringsfrihetsfundamentalister, først og fremst pedofile og rasistiske grupperinger, forsøkte å hevde i den kulturpolitiske debatten. Alt demokrati har sine begrensninger, og YGLs begrensninger er fastsatt i loven om trykkefrihet, TF. Denne definerer i prinsippet bare fire innskrenkninger av demokratiet. Det er forbudt å publisere barnepornografi og visse seksuelle voldsskildringer, uansett hvor kunstneriske opphavsmannen anser skildringene for å være. Det er forbudt å oppvigle og oppfordre til lovbrudd. Det er forbudt å ærekrenke og injuriere et annet menneske. Og det er forbudt å bedrive hets mot spesielle folkegrupper.

Også TF er fastsatt av riksdagen og utgjør sosiale og demokratiske innskrenkninger av demokratiet, det vil si den sosiale kontrakten som utgjør rammeverket for et sivilisert samfunn. Kjernen i lovverket innebærer at intet menneske har rett til å mobbe eller fornedre et annet menneske.

Siden YGL og TF er lover, kreves en myndighet som kan garantere at lovene blir etterlevd. I Sverige er denne funksjonen fordelt på to institusjoner, hvorav den ene, justitiekansleren, JK, har til oppgave å påtale brudd på TF.

I den henseende var Torsten Edklinth på ingen måte fornøyd. Han mente at JK tradisjonelt var altfor lemfeldig med påtale av det som faktisk var direkte brudd på den svenske konstitusjonen. JK svarte som regel at det demokratiske prinsipp var så viktig at det kun var i ytterste nødstilfelle han ville gripe inn og reise tiltale. Denne holdningen hadde det imidlertid begynt å bli satt spørmålstegn ved de siste årene, ikke minst etter at den svenske helsingforskomiteens generalsekretær, Robert Hårdh, hadde lagt frem en rapport som gransket JKs manglende initiativ gjennom en rekke år. Rapporten konstaterte at det var nærmest umulig å få reist tiltale og få noen dømt etter loven om hets mot folkegruppe.

Den andre institusjonen var sikkerhetspolitiets avdeling for overvåkning, og førstebetjent Torsten Edklinth tok sin oppgave der meget alvorlig. Han mente selv at det var den fineste og viktigste stilling en svensk polititjenestemann noensinne kunne inneha, og han ville ikke bytte denne utfordringen mot noen annen stilling innen Sveriges juridiske eller politimessige virksomhet. Han var rett og slett den eneste politimann i Sverige som offisielt hadde til oppgave å fungere som en politisk polititjenestemann. Det var en storslagen oppgave som krevde stor klokskap og millimeterrettferdighet, siden erfaringer fra altfor mange andre land viste at en politisk polititjenestemann lett kunne bli forvandlet til den største trusselen mot demokratiet.

Mediene og publikum trodde vanligvis at overvåkningstjenesten hadde til oppgave å holde oversikt over nazister og militante dyrevernere. Og det var absolutt den typen ytringer som var gjenstand for en vesentlig del av overvåkningstjenestens interesse, men i tillegg var det en lang rekke institusjoner og foreteelser som også hørte inn under avdelingens oppgaver. Hvis for eksempel kongen eller forsvarets øverstkommanderende fikk det for seg at parlamentarismen hadde utspilt sin rolle, og at riksdagen burde erstattes med et militærdiktatur eller noe lignende, ville kongen eller den øverstkommanderende raskt bli gjenstand for overvåkningstjenestens interesse. Og hvis en gruppe politifolk fikk det for seg å tøye lovverket så til de grader at et individs grunnlovsbeskyttede rettigheter ble innskrenket, var det også overvåkningstjenestens oppgave å reagere. I slike alvorlige saker skulle saken i tillegg ligge direkte under riksadvokaten.

Problemet var naturligvis at overvåkningstjenesten nesten utelukkende hadde en analyserende og granskende funksjon, og ingen operativ virksomhet. Det var derfor hovedsakelig enten det vanlige politiet eller andre avdelinger innenfor sikkerhetspolitiet som gikk til aksjon når nazister skulle pågripes.

Dette forholdet var i Torsten Edklinths øyne dypt utilfredsstillende. Nesten alle normale land hadde en selvstendig konstitusjonsdomstol i eller annen form, som blant annet har til oppgave å sørge for at myndighetene ikke forgriper seg på demokratiet. I Sverige ble denne oppgaven tatt hånd om av justitiekansleren eller justisombudsmannen, som imidlertid bare hadde å rette seg etter andres beslutninger. Hvis Sverige hadde hatt en konstitusjonsdomstol, ville Lisbeth Salanders advokat umiddelbart kunnet anklage den svenske staten for brudd på hennes konstitusjonelle rettigheter. Domstolen ville dermed kunne kreve å få alle papirer på bordet og innkalle hvem som helst, også statsministeren, til avhør inntil spørsmålet var utredet. Som loven nå var, kunne advokaten maksimalt levere inn en anmeldelse til justisombudsmannen, som imidlertid ikke hadde fullmakter til å vandre inn hos sikkerhetspolitiet og begynne å forlange å få fremlagt dokumentasjon.

Torsten Edklinth hadde i mange år vært en varm talsmann for at det skulle opprettes en konstitusjonsdomstol. Da kunne han enkelt og greit ha håndtert de opplysningene han hadde fått av Dragan Armanskij, ved å opprette en politianmeldelse og overlevere dokumentasjonen til domstolen. Dermed ville en ubønnhørlig prosess bli satt i bevegelse.

Som situasjonen nå var, hadde ikke Torsten Edklinth juridiske fullmakter til å iverksette en offisiell etterforskning.

Han sukket og la inn en snus.

Hvis Dragan Armanskijs opplysninger var i overensstemmelse med sannheten, hadde altså flere sikkerhetspolitifolk i ledende stillinger sett gjennom fingrene med en rekke grove lovbrudd mot en svensk kvinne, og deretter sperret datteren hennes inne på mentalsykehus, og til slutt gitt en forhenværende russisk toppspion carte blanche til å befatte seg med ulovlig våpenhandel, narkotikaforbrytelser og trafficking. Torsten Edklinth skjøv underleppen frem. Han ville ikke engang begynne å telle hvor mange enkeltforbrytelser som faktisk hadde funnet sted underveis. For ikke å snakke om innbruddet hos Mikael Blomkvist, overfallet på Lisbeth Salanders advokat og muligens – noe Edklinth nektet å tro var sant – deltaktighet i drapet på Aleksandr Zalatsjenko.

Det var en suppe som Torsten Edklinth ikke hadde det minste lyst til å bli innblandet i. Dessverre var han blitt det i samme øyeblikk som Dragan Armanskij hadde invitert ham på middag.

Det spørsmålet han dermed måtte besvare, var hvordan han

skulle håndtere situasjonen. Formelt sett var svaret på spørsmålet enkelt. Hvis det Armanskij fortalte var sant, var i hvert fall Lisbeth Salander i aller høyeste grad blitt berøvet sine muligheter til å utøve sine grunnlovsfestede friheter og rettigheter. Fra et konstitusjonelt synspunkt åpnet det seg imidlertid også et ormebol av mistanker om at besluttende politiske organer eller myndigheter var blitt påvirket til å fatte beslutninger i en viss retning, hvilket altså berørte selve kjernen i overvåkningstjenestens oppgaver. Torsten Edklinth var en politititjenestemann med kjennskap til en forbrytelse, og hadde dermed plikt til å kontakte påtalemyndigheten og anmelde saken. På et mer uformelt plan var svaret ikke fullt så enkelt. Det var, for å si det mildt, komplisert.

Kriminalbetjent Monica Figuerola var, til tross for sitt uvanlige etternavn, født i Dalarna, i en slekt som hadde hatt tilhold i Sverige i hvert fall siden Gustav Vasas tid. Hun var en kvinne som folk pleide å legge merke til. Det hadde flere årsaker. Hun var 36 år gammel, blåøyd og hele 184 centimeter høy. Hun hadde kortklippet, rugblondt, krøllete hår. Hun var pen å se på og kledde seg på en måte som hun visste gjorde henne attraktiv.

Og hun var eksepsjonelt veltrent.

Det sistnevnte kom av at hun hadde drevet friidrett på elitenivå i tenårene, og hadde vært like ved å kvalifisere seg til det svenske OL-landslaget som 17-åring. Siden den gang hadde hun sluttet med friidretten, men hun trente fanatisk på et treningsstudio fem kvelder i uken. Hun mosjonerte så ofte at endorfinene fungerte som et narkotikum som ga henne abstinensproblemer hvis hun sluttet å trene. Hun løp, løftet jern, spilte tennis, trente karate og hadde dessuten i drøyt ti år drevet med kroppsbygging. Denne ekstreme varianten av kroppsdyrkelse hadde hun trappet solid ned på to år tidligere, da hun hadde brukt to timer om dagen til å løfte jern. Nå gjorde hun det bare en liten stund hver dag, men det generelle treningsnivået var av en slik art at hun var så muskuløs at enkelte ondsinnede kolleger kalte henne Herr Figuerola. Når hun gikk med ermeløse singleter eller sommerkjoler, var det ingen som kunne unngå å legge merke til bicepsene og skuldrene hennes.

Noe som i tillegg til kroppsbyggingen forstyrret mange av de mannlige kollegene hennes, var at hun dessuten var mer enn et *pretty face*. Hun hadde gått ut av gymnaset med toppkarakterer, tatt politiutdannelsen i 20-årsalderen og deretter tjenestegjort i ni år ved politietaten i Uppsala samtidig som hun studerte jus på fritiden. For moro skyld hadde hun også lagt inn en eksamen i statsvitenskap. Hun hadde ingen problemer med å memorere og analysere kunnskap. Hun leste sjelden kriminalromaner eller annen underholdningslitteratur. Derimot begravde hun seg med stor interesse i de mest forskjellige emner, fra folkerett til antikkens historie.

I politiet hadde hun gått fra patruljerende utetjeneste, noe som var et tap for tryggheten på gatene i Uppsala, til en stilling som kriminalbetjent, først på voldsavsnittet og deretter i den avdelingen som spesialiserte seg på økonomisk kriminalitet. I 2000 hadde hun søkt seg til sikkerhetspolitiet i Uppsala, og i 2001 hadde hun flyttet til Stockholm. Hun hadde først arbeidet i kontraspionasjen, men var nesten umiddelbart blitt håndplukket til overvåkningstjenesten av Torsten Edklinth, som tilfeldigvis kjente Monica Figuerolas far og hadde fulgt hennes karriere gjennom årene.

Da Edklinth omsider bestemte seg for at han faktisk var nødt til å reagere på Dragan Armanskijs opplysninger, hadde han tenkt seg om en stund, og så løftet han telefonrøret og kalte Monica Figuerola inn på kontoret sitt. Hun hadde arbeidet mindre enn tre år i overvåkningstjenesten, noe som innebar at hun fremdeles var mer ekte polititjenestemann enn skrivebordskriger.

Den dagen var hun kledd i trange olabukser, turkise sandaler med en liten hæl, og en marineblå jakke.

«Hva holder du på med akkurat nå?» var det første Edklinth sa før han ba henne sette seg.

«Vi holder på med en oppfølging av ranet mot nærbutikken i Sunne for to uker siden.»

Sikkerhetspolitiet drev på ingen måte med å etterforske

ran mot dagligvarebutikker. Den slags politiarbeid var utelukkende tillagt det vanlige politiet. Monica Figuerola var leder for en avdeling bestående av fem medarbeidere fra overvåkningstjenesten som drev med å analysere politiske forbrytelser. Det viktigste hjelpemiddelet besto av en del datamaskiner som var koblet til det vanlige politiets rapporteringssystem for inntrufne hendelser. Stort sett hver eneste politianmeldelse fra et eller annet svensk politidistrikt passerte datamaskinene som Monica Figuerola hadde ansvar for. Maskinene hadde en programvare som automatisk skannet hver eneste politirapport og hadde som oppgave å reagere på 310 bestemte ord, for eksempel svartskalle, snauskalle, hakekors, innvandrer, anarkist, nazihilsen, nazist, nasjonaldemokrat, landsforræder, jødehore eller negerelsker. Hvis et slikt nøkkelord forekom i en politirapport, slo maskinen alarm, og vedkommende rapport ble hentet frem og gransket manuelt. Avhengig av sammenhengen kunne det deretter bli beordret etterforskning og videre granskning bli iverksatt.

Blant overvåkningstjenestens oppgaver inngår det hvert år å utgi rapporten *Trusler mot rikets sikkerhet,* som utgjør den eneste pålitelige statistikken over politiske forbrytelser. Statistikken bygger utelukkende på anmeldelser til lokale politimyndigheter. I tilfellet med ranet av nærbutikken i Sunne hadde datamaskinen reagert på tre nøkkelord – innvandrer, skuldermerke og svartskalle. To maskerte unge menn hadde under våpentrusler ranet en nærbutikk som var eid av en innvandrer. De hadde fått med seg et beløp på 2780 kroner samt en kartong sigaretter. En av ranerne hadde på seg en kort jakke med et svensk flagg på skulderen. Den andre raneren hadde gjentatte ganger skreket svartskalle til butikkinnehaveren og tvunget ham til å legge seg på gulvet.

Til sammen var dette nok til at Figuerolas medarbeidere skulle hente frem etterforskningsrapporten og forsøke å finne ut om ranerne hadde noen tilknytning til de lokale nazistgruppene i Värmland, og om ranet i så fall kunne defineres som rasistisk kriminalitet, siden en av ranerne hadde gitt uttrykk for rasistiske holdninger. Hvis så var tilfellet, kunne ranet utmerket godt komme til å utgjøre et nummer i neste års statistiske sammenfatning, som deretter ville bli analysert og inkorporert i den europeiske statistikken som EUs kontor i Wien utarbeidet hvert år. Det kunne også vise seg at ranerne var speidergutter som hadde kjøpt en Fröviks-jakke med svensk flagg på, og at det var en ren tilfeldighet at butikkinnehaveren var innvandrer, og at ordet svartskalle hadde forekommet. Hvis det var tilfellet, ville Figuerolas avdeling stryke ranet fra statistikken.

«Jeg har en vanskelig oppgave til deg,» sa Torsten Edklinth.

«Jaha,» sa Monica Figuerola.

«Det er en jobb som potensielt kan føre til at du havner skikkelig i unåde, og til og med at karrieren din går i vasken.»

«Jeg skjønner.»

«Hvis du på den annen side lykkes med oppgaven og ting faller heldig ut, kan det bety stor karrieremessig fremgang. Jeg har tenkt å overflytte deg til overvåkningstjenestens operative enhet.»

«Unnskyld at jeg påpeker det, men overvåkningstjenesten har ingen operativ enhet.»

«Jo,» sa Torsten Edklinth. «Fra nå av finnes det en slik. Jeg har grunnlagt denne enheten nå i morges. Den består for øyeblikket av én eneste person. Det er deg.»

Monica Figuerola så litt usikker ut.

«Overvåkningstjenestens oppgave er å forsvare konstitusjonen mot indre trusler, noe som vanligvis betyr nazister eller anarkister. Men hva gjør vi hvis det viser seg at trusselen mot konstitusjonen kommer fra vår egen organisasjon?»

Den neste halvtimen brukte han til å gjennomgå hele historien som Dragan Armanskij hadde gitt ham kvelden før.

«Hvem er kilden til disse påstandene?» spurte Monica Figuerola.

«Det er uvesentlig akkurat nå. Konsentrer deg om de opplysningene informanten har gitt oss.»

«Det jeg lurer på, er om du anser denne kilden for å være troverdig.»

«Jeg har kjent denne kilden i mange år og mener kilden har meget høy troverdighet.»

«Det lyder jo faktisk helt ... jeg vet ikke hva. Usannsynlig er bare fornavnet.»

Edklinth nikket.

«Som en spionroman,» sa han.

«Hva forventer du at jeg skal gjøre?»

«Fra og med nå er du fristilt fra alle andre oppgaver. Du har én eneste oppgave – å undersøke sannhetsgehalten i denne historien. Du skal enten bekrefte eller avkrefte påstandene. Du rapporterer direkte til meg og ikke til noen annen.»

«Herregud,» sa Monica Figuerola. «Jeg skjønner hva du mente med at dette kan føre til at jeg havner i unåde.»

«Ja. Men hvis historien er sann ... hvis bare en brøkdel av disse påstandene er sanne, står vi overfor en konstitusjonell krise som vi må ta tak i.»

«Hvor skal jeg begynne? Hvordan skal jeg gå frem?»

«Begynn med det enkleste. Begynn med å lese denne rapporten som Gunnar Björck skrev i 1991. Deretter skal du identifisere de personene som det påstås overvåker Mikael Blomkvist. Ifølge min kilde tilhører bilen en Göran Mårtensson, 40 år, politimann og bosatt i Vittangigatan i Vällingby. Deretter skal du identifisere den andre personen som forekommer på bildene som Mikael Blomkvists fotograf tok. Den blonde, yngre mannen her.»

«Greit.»

«Så skal du undersøke bakgrunnen til Evert Gullberg. Jeg har aldri hørt om mannen, men ifølge min kilde må det foreligge en forbindelse til sikkerhetspolitiet.»

«Så noen her i RPS/Säk skulle ha bestilt et spionmord fra en gamling på 78 år. Det tror jeg ikke noe på.»

«Ikke desto mindre skal du utføre granskningen. Og etterforskningen skal foregå i hemmelighet. Før du foretar deg noe videre, vil jeg bli informert. Jeg vil ikke ha noen ringer i vannet.»

«Det er en enorm granskning du bestiller. Hvordan skal jeg kunne utføre den på egen hånd?»

«Det skal du ikke. Du skal bare foreta denne første granskningen. Hvis du kommer tilbake og sier at du har undersøkt og at du ikke har funnet noe, er alt vel og bra. Hvis du finner noe mistenkelig, får vi bestemme oss for hvordan vi skal gå videre.»

Monica Figuerola brukte lunsjpausen til å løfte jern i gymsalen på politihuset. Selve lunsjen besto av svart kaffe og et smørbrød med kjøttkaker og rødbetsalat, som hun tok med seg tilbake til kontoret. Hun lukket døren, ryddet skrivebordet og begynte å lese Gunnar Björcks rapport mens hun spise brødskiven.

Hun leste også vedleggene med korrespondansen mellom Björck og doktor Peter Teleborian. Hun noterte hvert eneste navn og hver eneste hendelse i rapporten som kunne verifiseres. Etter to timer reiste hun seg og gikk til kaffeautomaten og hentet seg mer kaffe. Da hun forlot kontoret, låste hun døren, noe som var en del av de daglige rutinene i RPS/Säk.

Det første hun gjorde, var å sjekke journalnummeret. Hun ringte til registratoren og fikk beskjed om at det ikke eksisterte noen rapport med det aktuelle journalnummeret. Den andre kontrollen besto i å sjekke et mediearkiv. Det ga bedre uttelling. Begge løssalgsavisene og en morgenavis meldte at en person var blitt alvorlig skadet i en bilbrann i Luntmakargatan den aktuelle datoen i 1991. Offeret for ulykken var en ikke navngitt middelaldrende mann. En av løssalgsavisene meldte at brannen ifølge et vitne var startet med hensikt av en ung jente. Det skulle altså være den famøse brannbomben som Lisbeth Salander hadde kastet mot en russisk agent ved navn Zalatsjenko. Hendelsen så i alle fall ut til å ha funnet sted.

Gunnar Björck, som sto som opphavsmann til rapporten, var en virkelig person. Han var en kjent embetsmann i utlendingsavdelingen, sykmeldt på grunn av ryggprolaps og dessverre avgått ved døden på grunn av selvmord.

Personalenheten kunne imidlertid ikke fortelle hva Gunnar Björck hadde vært sysselsatt med i 1991. Oppdraget var hemmeligstemplet selv for andre medarbeidere i RPS/Säk. Noe som var rutine.

At Lisbeth Salander hadde vært bosatt i Lundagatan i 1991 og hadde tilbragt de nærmest påfølgende årene på St. Stefans barnepsykiatriske klinikk, var lett å verifisere. På disse punktene så virkeligheten i det minste ikke ut til å motsi innholdet i rapporten.

Peter Teleborian var en kjent psykiater som pleide å dukke opp på TV. Han hadde arbeidet på St. Stefans i 1991 og var i dag overlege der.

Monica Figuerola grublet en lang stund på hva rapporten betydde. Deretter ringte hun nestlederen i personalavdelingen.

«Jeg har et intrikat spørsmål,» forklarte hun.

«Hva da?»

«Vi holder på med en analyse i overvåkningstjenesten for å vurdere en persons troverdighet og generelle psykiske helse. Jeg har behov for å konsultere en psykiater eller en annen kvalifisert person som er godkjent for innsyn i hemmeligstemplede opplysninger. Doktor Peter Teleborian er blitt nevnt, og jeg vil vite om jeg kan benytte meg av ham.»

Det tok en stund før hun fikk svar.

«Doktor Peter Teleborian har vært ekstern konsulent for RPS/Säk ved et par anledninger. Han er sikkerhetsklarert, og du kan i generelle ordelag diskutere hemmeligstemplede opplysninger med ham. Men før du henvender deg til ham, må du følge den formelle prosedyren. Sjefen din må godkjenne det hele og sende inn en formell anmodning om å få konsultere Teleborian.»

Monica Figuerolas hjerte sank litt i brystet. Hun hadde verifisert noe som ikke kunne være kjent utenfor en meget begrenset krets. Peter Teleborian hadde hatt med RPS/Säk å gjøre. Dermed ble rapportens troverdighet styrket.

Hun la fra seg rapporten og gikk løs på andre deler av opplysningene Torsten Edklinth hadde forsynt henne med. Hun studerte Christer Malms bilder av to personer som det ble hevdet hadde skygget Mikael Blomkvist fra Café Copacabana den 1. mai.

Hun konsulterte motorvognregisteret og konstaterte at Göran Mårtensson var en virkelig person som eide en grå Volvo med det aktuelle registreringsnummeret. Deretter fikk hun gjennom sikkerhetspolitiets personalavdeling bekreftet at han var ansatt i RPS/Säk. Det var den enkleste kontrollen hun kunne gjøre, og også disse opplysningene så ut til å være korrekte. Hjertet sank enda litt mer.

Göran Mårtensson arbeidet i livvaktavsnittet. Han var livvakt. Han inngikk i den gruppen medarbeidere som ved flere anledninger hadde hatt ansvar for statsministerens sikkerhet. De siste ukene hadde han imidlertid vært på utlån til kontraspionasjen. Permisjonen hadde startet den 10. april, noen dager etter at Lisbeth Salander og Aleksandr Zalatsjenko var blitt ført til Sahlgrenska sjukhuset, men den typen tilfeldige omplasseringer var ikke uvanlig dersom det var personalmangel i en eller annen akutt sak.

Deretter ringte Monica Figuerola til nestlederen for kontraspionasjen, en mann hun kjente personlig og hadde arbeidet under den korte tiden hun hadde vært i avdelingen.

Nestlederen for kontraspionasjen ble forbløffet. Monica Figuerola måtte være feilinformert. Göran Mårtensson fra livvaktavsnittet var ikke utlånt til kontraspionasjen. Beklager.

Monica Figuerola la fra seg telefonrøret og ble sittende og stirre på det i to minutter. I livvaktavsnittet trodde de at Mårtensson var utlånt til kontraspionasjen. I kontraspionasjen hadde de slett ikke lånt ham. Slike overføringer måtte godkjennes og behandles av administrasjonssjefen. Hun strakte seg etter telefonrøret for å ringe administrasjonssjefen, men tok seg i det. Hvis livvaktavsnittet hadde lånt ham ut, måtte administrasjonssjefen ha godkjent beslutningen. Men Mårtensson var ikke i kontraspionasjen, noe administrasjonssjefen måtte være klar over. Og hvis Mårtensson var utlånt til en avdeling som skygget Mikael Blomkvist, måtte administrasjonssjefen kjenne til det også.

Torsten Edklinth hadde sagt at hun ikke skulle lage ringer i vannet. Å spørre administrasjonssjefen kunne dermed være ensbetydende med å kaste en veldig stor stein i en liten andedam.

Erika Berger satte seg bak skrivebordet i glassburet litt over halv elleve mandag morgen og pustet ut. Hun følte et stort behov for kaffekoppen fra automaten i pauserommet, som hun nettopp hadde hentet. Hun hadde tilbragt de første arbeidstimene med to møter. Det første var et femten minutter langt morgenmøte med redaksjonssekretær Peter Fredriksson for å trekke opp retningslinjene for dagens arbeid. Hun var tvunget til å støtte seg stadig mer på Fredrikssons dømmekraft i mangel av tiltro til Anders Holm.

Det andre var et timelangt møte med styreformann Magnus Borgsjö, SMPs økonomisjef Christer Sellberg og budsjettansvarlig Ulf Flodin. Møtet var en gjennomgang av et sviktende annonsemarked og synkende løssalgstall. Budsjettsjefen og økonomisjefen var enige om at det måtte gjennomføres tiltak for å minske avisens underskudd.

«Vi klarte første kvartal takket være en marginal oppgang i annonsemarkedet og at to medarbeidere gikk av med pensjon ved årsskiftet. Disse stillingene er ikke besatt,» sa Ulf Flodin. «Vi kommer sannsynligvis til å klare inneværende kvartal med et marginalt underskudd. Men det er ingen tvil om at gratisavisene Metro og Stockholm City spiser seg videre inn på annonsemarkedet i Stockholm. Den eneste prognosen vi kan gi, er at tredje kvartal i år kommer til å gi et betydelig underskudd.»

«Og hvordan møter vi det?» spurte Borgsjö.

«Det eneste rimelige alternativet er nedskjæringer. Vi har ikke skåret ned siden 2002. Men jeg antar at før årsskiftet må minst ti stillinger fjernes.»

«Hvilke stillinger da?» spurte Erika Berger.

«Vi får bruke ostehøvelprinsippet og ta en stilling her og en der. Sportsredaksjonen har akkurat nå 6,5 stillinger. Der bør vi skjære ned til fem heltidsstillinger.»

«Hvis jeg har forstått det riktig, er sportsredaksjonen på knærne allerede nå. Det betyr at vi må skjære ned sportsdekningen over hele linjen.»

Flodin trakk på skuldrene.

«Jeg hører gjerne på bedre forslag.»

«Jeg har ingen bedre forslag, men prinsippet er at hvis vi skjærer ned på personalet, må vi lage en tynnere avis, og hvis vi lager en tynnere avis, kommer antall lesere til å gå ned, og dermed også antall annonsører.»

«Den evige onde sirkelen,» sa økonomisjef Sellberg.

«Jeg er ansatt for å snu denne utviklingen. Det betyr at jeg kommer til å satse offensivt på å forandre avisen og gjøre den mer attraktiv for leserne. Men jeg kan ikke gjøre det hvis jeg må bruke tiden til å høvle bort personale.»

Hun snudde seg mot Borgsjö.

«Hvor lenge kan avisen fortsette å blø? Hvor stort underskudd kan vi klare før det snur?»

Borgsjö presset leppene sammen.

«Siden 1990-årene har SMP spist opp store deler av gamle tilgjengelige reserver. Vi har en aksjeportefølje som har minsket i verdi med drøyt tredve prosent sammenlignet med for ti år siden. En stor del av disse reservene er blitt brukt til å investere i datateknikk. Vi har altså hatt ufattelig store utgifter.»

«Jeg har notert meg at SMP har utviklet et eget tekstredigeringssystem, det som kalles AXT. Hva har det kostet å utvikle det?»

«Omkring fem millioner.»

«Jeg skjønner ikke helt logikken her. Det finnes billigere kommersielle, allerede ferdige, programmer på markedet. Hvorfor har SMP satset på å utvikle sine egne programvarer?»

«Ja, du Erika ... svar på det den som kan. Men det var den forrige IT-sjefen som overtalte oss. Han mente at det ville bli billigere i det lange løp, og at SMP i tillegg kunne selge lisenser for programmet til andre aviser.»

«Og har noen kjøpt programvaren?»

«Ja, faktisk, en lokalavis i Norge.»

«Strålende,» sa Erika Berger tørt. «Neste spørsmål: Vi sitter på PC-er som er fem–seks år gamle ...»

«Det er utelukket å investere i nye maskiner det nærmeste året,» sa Flodin.

Diskusjonen fortsatte. Erika begynte å bli pinlig klar over at innvendingene hennes ble ignorert av Flodin og Sellberg. For dem var det nedskjæringer som var det viktigste, noe som var forståelig fra en budsjettsjefs og en økonomidirektørs synsvinkel, og uakseptabelt fra en nyansatt sjefredaktørs ståsted. Det som irriterte henne, var imidlertid at de stadig avfeide argumentene hennes med vennlige smil som fikk henne til å føle seg som en skolejente i tenårene som skulle høres i leksen. Uten at et eneste utilbørlig ord ble uttalt, hadde de en holdning overfor henne som var så klassisk at det nesten var morsomt. *Du skal ikke bry hjernen din med så kompliserte ting, lille venn.*

Borgsjö var ikke til noen særlig hjelp. Han var avventende og lot de øvrige deltagerne på møtet snakke ferdig, men hun opplevde ikke den samme nedlatende holdningen fra ham.

Hun sukket, koblet til den bærbare PC-en sin og åpnet e-posten. Hun hadde fått nitten mailer. Fire av dem var spam fra noen som ville (a) at hun skulle kjøpe Viagra, (b) tilby henne cybersex med *The sexiest Lolita on the net* til en pris av bare fire amerikanske dollar i minuttet, (c) et noe grovere tilbud om *Animal Sex, the Juiciest Horse Fuck in the Universe,* samt (d) abonnere på det elektroniske nyhetsbrevet *mode.nu,* som ble produsert av et søppelfirma som overøste markedet med reklametilbud og som aldri ville slutte å sende henne uvesenet uansett hvor mange ganger hun ga beskjed om at hun ikke ønsket å motta reklame. Ytterligere syv mailer besto av såkalte Nigeria-brev fra enken etter den tidligere riksbanksjefen i Abu Dhabi, som tilbød henne fantastiske summer hvis hun bare ville bidra med et mindre, tillitsskapende innskudd og lignende sludder.

Resten av mailene besto av morgen-memo, lunsj-memo, tre mailer fra redaksjonssekretær Peter Fredriksson som oppdaterte henne om utviklingen av dagens hovedoppslag, en mail fra hennes personlige revisor som ville ha et møte for å avstemme endringene i lønn etter at hun hadde flyttet fra Millennium til SMP, samt en mail fra tannpleieren som minnet om at det nærmet seg tiden for tremåneders-avtalen. Hun noterte timen i den elektroniske kalenderen og innså umiddebart at hun ville bli nødt til å avbestille den, siden hun hadde en stor redaksjonskonferanse plottet inn den dagen.

Til slutt åpnet hun den siste mailen som hadde avsenderen <centralred@smpost.se> og overskriften [Til sjefredaktørens orientering]. Hun satte kaffekoppen langsomt fra seg.

[HORE! DU TROR AT DU ER NOE DIN JÆVLA FITTE. DU SKAL IKKE TRO DU KAN KOMME OG VÆRE HOVEN HER. DU SKAL BLI PULT I RÆVA MED EN SKIFTENØKKEL, DIN HORE! JO FORTERE DU FORSVINNER DESTO BEDRE.]

Erika Berger løftet automatisk blikket og lette etter nyhetssjef Anders Holm. Han satt ikke på plassen sin, og hun kunne ikke se ham i redaksjonen. Hun så på avsenderen og løftet deretter telefonrøret og ringte SMPs IT-sjef Peter Fleming.

«Hei. Hvem bruker adressen *<centralred@smpost.se>?*»

«Ingen. Den adressen finnes ikke i SMP.»

«Jeg har nettopp fått en mail fra nettopp den adressen.»

«Det er en fake. Inneholder den virus?»

«Nei. I hvert fall har ikke antivirusprogrammet reagert.»

«Fint. Adressen finnes ikke. Men det er svært enkelt å fake en tilsynelatende korrekt adresse. Det finnes nettsteder som du kan sende gjennom.»

«Er det mulig å spore en slik mail?»

«Det er nesten umulig, selv om vedkommende person skulle være dum nok å til å sende den fra sin private hjemme-PC. Man kan muligens spore IP-nummeret til en server, men hvis han har brukt en konto som han opprettet for eksempel på hotmail, slutter sporet der.»

Erika takket for opplysningen. Hun tenkte seg om en liten stund. Det var langt fra første gang hun fikk truende e-post eller meldinger fra folk som var fullstendig sprø. Denne henspilte åpenbart på den nye jobben som sjefredaktør i SMP. Hun lurte på om det var en eller annen skrulling som hadde lest om henne i forbindelse med Moranders død, eller om avsenderen befant seg i huset.

Monica Figuerola grublet lenge og vel på hvordan hun skulle gå frem med Evert Gullberg. En fordel med å jobbe i overvåkningstjenesten var at hun hadde vidtrekkende fullmakter til å hente frem nesten hvilken som helst politietterforskning i Sverige som kunne tenkes å ha noe med rasistiske eller politiske forbrytelser å gjøre. Hun konstaterte at Aleksandr Zalatsjenko var

298

innvandrer, og at hennes arbeidsoppgaver blant annet omfattet granskning av vold mot utenlandskfødte personer og avgjøre om den var rasistisk motivert eller ikke. Hun hadde følgelig full rett til å få tilgang til etterforskningen av drapet på Zalatsjenko for å avgjøre om Evert Gullberg hadde tilknytning til en rasistisk organisasjon eller om han hadde gitt uttrykk for rasistiske holdninger i forbindelse med drapet. Hun bestilte inn etterforskningsrapporten og leste den nøye igjennom. Der fant hun de brevene som var blitt sendt til justisministeren, og konstaterte at de i tillegg til en rekke kverulerende og nedsettende personangrep også inneholdt ordene svartskalleelsker og landsforræder.

Deretter var klokken blitt fem. Monica Figuerola låste alt materialet inn i safen på kontoret sitt, ryddet bort kaffekoppen, slo av datamaskinen og stemplet ut. Hun gikk raskt til et treningsstudio ved St. Eriksplan og tilbragte den neste timen med litt lett styrketrening.

Da hun var ferdig, spaserte hun til toromsleiligheten sin i Pontonjärgatan, dusjet og spiste en sen, men ernæringsriktig sammensatt middag. Hun overveide en stund om hun skulle ringe til Daniel Mogren, som bodde tre kvartaler lenger nede i samme gate. Daniel var snekker og kroppsbygger, og hadde i tre års tid vært hennes treningskamerat av og til. De siste månedene hadde de også vært sammen og hatt kompissex.

Sex var for all del nesten like tilfredsstillende som en hard treningsøkt, men i den modne alder av 30 pluss, nærmere 40 minus, hadde Monica Figuerola begynt å lure på om hun ikke tross alt burde begynne å interessere seg for en permanent mann og en mer permanent livssituasjon. Kanskje til og med barn. Men ikke med Daniel Mogren.

Etter å ha tenkt en stund, bestemte hun seg for at hun egentlig ikke hadde lyst til å treffe noen. Isteden gikk hun og la seg med en bok om antikkens historie. Hun sovnet like før midnatt.

KAPITTEL 13

Tirsdag 17. mai

Monica Figuerola våknet ti over seks tirsdag morgen, tok en lang løpetur langs Norr Mälarstrand, dusjet og stemplet inn på politihuset ti over åtte. Hun brukte den første timen til å sette sammen et notat med de konklusjonene hun hadde kommet frem til dagen før.

Klokken ni kom Torsten Edklinth. Hun ga ham tyve minutter til å gå igjennom eventuell morgenpost, og gikk så bort til kontoret hans og banket på døren. Hun ventet ti minutter mens sjefen hennes leste notatet hun hadde laget. Han leste de fire A4-arkene to ganger fra begynnelse til slutt. Deretter så han opp på henne.

«Administrasjonssjefen,» sa han ettertenksomt.

Hun nikket.

«Han må ha godkjent overflyttingen av Mårtensson. Han må altså vite at Mårtensson ikke er i kontraspionasjen, hvor han ifølge livvaktavsnittet skal befinne seg.»

Torsten Edklinth tok av seg brillene, fant frem en papirserviett og pusset dem omhyggelig. Han tenkte. Han hadde truffet administrasjonssjef Albert Shenke på møter og interne konferanser utallige ganger, men kunne ikke påstå at han kjente ham særlig godt. Han var en relativt kortvokst mann med tynt, rødblondt hår og et midjemål som hadde svulmet opp i årenes løp. Han visste at Shenke var drøyt 55 år gammel og at han hadde arbeidet i RPS/Säk i minst femogtyve år, muligens enda lenger. Han hadde vært administrasjonssjef det siste tiåret, og før det hadde han arbeidet som assisterende administrasjonssjef og i andre stillinger innen administrasjonen. Han oppfattet Shenke som en fåmælt person som kunne være hard i klypa hvis det trengtes. Edklinth hadde ikke peiling på hva Shenke drev med i fritiden, men han mente han kunne huske å ha sett ham i politihusets garasje i fritidsklær og med en golfbag over skulderen. Han hadde også en gang flere år tidligere støtt på Shenke i operaen.

«Det var en ting som slo meg,» sa hun.

«Hva?»

«Evert Gullberg. Han avtjente verneplikten i 1940-årene og ble skattejurist og forsvant inn i tåkeheimen i 1950-årene.»

«Ja?»

«Da vi drøftet dette, snakket vi om ham som om han skulle være en leiemorder.»

«Jeg vet at det virker litt søkt, men ...»

«Det som slo meg, var at det finnes så lite bakgrunnsmateriale om ham at det nesten virker oppdiktet. Både IB og sikkerhetspolitiet etablerte firmaer utenfor huset i 1950- og 1960-årene.»

Torsten Edklinth nikket.

«Jeg lurte på når du skulle komme på den muligheten.»

«Jeg trenger tillatelse til å gå inn i personalfilene fra 1950-årene,» sa Monica Figuerola.

«Nei,» sa Torsten Edklinth og ristet på hodet. «Vi kan ikke gå inn i arkivet uten tillatelse fra administrasjonssjefen, og vi kan ikke vekke oppmerksomhet før vi har litt mer å vise til.»

«Så hvordan synes du vi skal gå videre?»

«Mårtensson,» sa Edklinth. «Finn ut hva han driver med.»

Lisbeth Salander drev og studerte luftevinduet i det låste rommet sitt da hun hørte en nøkkel i døren og så doktor Anders Jonasson komme inn. Klokken var over ti tirsdag kveld. Han avbrøt henne i planleggingen av hvordan hun skulle klare å rømme fra Sahlgrenska.

Hun hadde målt lufteventilen i vinduet og konstatert at hodet hennes ville kunne komme igjennom, og at hun nok ikke ville ha altfor store problemer med også å presse resten av kroppen igjennom. Hun var tre etasjer over bakken, men en kombinasjon av istykkerrevne lakener og en tre meter lang skjøteledning til en gulvlampe ville løse det problemet.

I tankene hadde hun planlagt flukten steg for steg. Problemet var klær. Hun hadde truser og en kommunal nattskjorte og et par plastsandaler som hun hadde fått låne. Hun hadde to hundre kroner som hun hadde fått av Annika Giannini for å kunne bestille godteri fra sykehuskiosken. Det ville holde til et par billige olabukser og en T-skjorte hos Fretex, forutsatt at hun kunne klare å finne Fretex i Göteborg. Resten av pengene måtte rekke til en telefon til Plague. Deretter ville tingene ordne seg. Hun planla å lande i Gibraltar i løpet av noen få døgn etter rømningen, og deretter bygge opp en ny identitet et eller annet sted i verden.

Anders Jonasson nikket og satte seg i besøksstolen. Hun satte seg på sengekanten.

«Hei, Lisbeth. Jeg beklager at jeg ikke har hatt tid til å stikke innom deg de siste dagene, men det har vært et sant kaos på akutten, og i tillegg er jeg blitt veileder for et par unge leger.»

Hun nikket. Hun hadde ikke forventet at doktor Anders Jonasson skulle komme og besøke henne spesielt.

Han fant frem journalen hennes og studerte temperaturkurven og medisineringen oppmerksomt. Han merket seg at hun lå jevnt mellom 37 og 37,2 grader, og at hun den siste uken ikke hadde fått noen hodepinetabletter.

«Det er doktor Endrin som er legen din. Kommer du godt overens med henne?»

«Hun er grei nok,» svarte Lisbeth uten større entusiasme.

«Er det greit om jeg tar en titt?»

Hun nikket. Han fant frem en liten lommelykt og lyste inn i øynene hennes for å se hvordan pupillene trakk seg sammen og utvidet seg. Han ba henne åpne munnen og undersøkte halsen hennes. Deretter la han hendene forsiktig rundt halsen på henne og dreide hodet frem og tilbake og til siden noen ganger.

«Du har ingen problemer med nakken?» spurte han.

Hun ristet på hodet.

«Hvordan er det med hodepinen?»

«Den dukker opp av og til, men går over igjen.»

«Helingsprosessen pågår fremdeles. Hodepinen kommer til å forsvinne mer og mer.»

Hun hadde fremdeles så kort hår at han bare behøvde å trekke en liten hårtust til siden for å kjenne på arret over øret. Det grodde fint, men det var en liten skorpe igjen.

«Du har klødd på såret igjen. Hold opp med det.»

Hun nikket. Han tok den venstre albuen hennes og løftet armen.

«Kan du løfte armen på egen hånd?»

Hun strakte armen opp.

«Har du noen smerter eller noe ubehag i skulderen?»

Hun ristet på hodet.

«Strammer det?»

«Litt.»

«Jeg tror du må trene musklene i skulderen litt mer.»

«Det er vanskelig når man er innesperret.»

Han smilte til henne.

«Det kommer ikke til å vare i all evighet. Gjør du de øvelsene fysioterapeuten gir beskjed om?»

Hun nikket.

Han fant frem stetoskopet og trykket det mot håndleddet sitt en stund for å varme det opp. Deretter satte han seg på senge-kanten, knappet opp nattskjorten hennes og lyttet på hjertet og tok pulsen. Han ba henne bøye seg fremover og satte stetoskopet mot ryggen hennes for å lytte på lungene.

«Host.»

Hun hostet.

«Greit. Du kan kneppe igjen skjorten. Medisinsk er du mer eller mindre restituert.»

Hun nikket. Hun forventet at han dermed skulle reise seg og love å komme tilbake igjen om noen dager, men han ble sit-tende på stolen. Han satt taus en lang stund, og det virket som om han grublet på noe. Lisbeth ventet tålmodig.

«Vet du hvorfor jeg ble lege?» spurte han plutselig.

Hun ristet på hodet.

«Jeg kommer fra en arbeiderfamilie. Jeg tenkte alltid at jeg

303

ville bli lege. Jeg hadde faktisk tenkt å bli psykiater da jeg var i tenårene. Jeg var forskrekkelig intellektuell.»

Lisbeth betraktet ham plutselig oppmerksomt da han nevnte ordet psykiater.

«Men jeg var ikke sikker på om jeg ville klare studiene. Så da jeg var ferdig på gymnaset, utdannet jeg meg faktisk til sveiser og jobbet som det i noen år.»

Han nikket som tegn på at han snakket sant.

«Jeg syntes det var en god idé å ha noe å falle tilbake på hvis jeg skulle mislykkes med legestudiet. Og det er ikke så kjempestor forskjell på å være sveiser og å være lege. Det dreier seg om å lappe sammen saker og ting. Og nå jobber jeg på Sahlgrenska og lapper sammen sånne som deg.»

Hun rynket øyenbrynene og undret seg mistenksomt på om han drev gjøn med henne. Men han så helt alvorlig ut.

«Lisbeth ... jeg lurer på ...»

Han sa ikke noe på en så lang stund at Lisbeth nesten spurte hva det var han ville. Men hun behersket seg og ventet til han begynte å snakke igjen.

«Jeg lurer på om du ville bli sint på meg hvis jeg ba om å få stille deg et privat og personlig spørsmål. Jeg vil spørre deg som privatperson. Altså ikke som lege. Jeg kommer ikke til å skrive ned det du svarer, og jeg kommer ikke til å snakke om det med noe annet menneske. Du behøver ikke svare hvis du ikke vil.»

«Hva?»

«Det er et nærgående og personlig spørsmål.»

Hun møtte blikket hans.

«Siden du ble sperret inne på St. Stefans i Uppsala da du var 12 år gammel, har du nektet å svare på enhver form for tiltale hvis en psykiater forsøkte å snakke med deg. Hva kommer det av?»

Lisbeth Salander ble ørlite grann mørkere i blikket. Hun betraktet Anders Jonasson med helt uttrykksløse øyne. Hun satt taus i to minutter.

«Hvorfor spør du om det?» sa hun til slutt.

«Ærlig talt så er jeg ikke helt sikker. Jeg tror det er noe jeg forsøker å forstå.»

Det rykket litt i den ene munnviken hennes.

«Jeg snakker ikke med skrullingleger fordi de aldri hører på det jeg sier.»

Anders Jonasson nikket og begynte plutselig å le.

«Greit. Fortell meg … hva synes du om Peter Teleborian?»

Anders Jonasson hadde kastet navnet ut så uventet at Lisbeth nesten rykket til. Øynene hennes smalnet betraktelig.

«Hva faen er dette her? Tyve spørsmål? Hva er det du er ute etter?»

Stemmen lød plutselig som sandpapir. Anders Jonasson bøyde seg så langt frem mot henne at han nesten invaderte hennes personlige territorium.

«Fordi en … hvilket uttrykk var det du brukte … skrulling-lege ved navn Peter Teleborian, som ikke er helt ukjent i min yrkesstand, har vært på meg to ganger de siste dagene og forsøkt å få tillatelse til å undersøke deg.»

Lisbeth kjente plutselig en isnende følelse langsetter ryggraden.

«Tingretten kommer til å oppnevne ham til å foreta en rettspsykiatrisk vurdering av deg.»

«Og så?»

«Jeg liker ikke Peter Teleborian. Jeg har nektet ham adgang. Den siste gangen dukket han opp uanmeldt på avdelingen og forsøkte å sjefe seg inn via en sykepleier.»

Lisbeth knep munnen sammen.

«Måten han opptrer på, er en smule besynderlig, og litt for pågående til at det føles helt bra. Altså vil jeg vite hva du synes om ham.»

Denne gangen var det Anders Jonassons tur til å vente tålmodig til Lisbeth Salander svarte.

«Teleborian er et krek,» svarte hun til slutt.

«Er det noe personlig mellom dere?»

«Det kan man si.»

«Jeg har også hatt en samtale med en representant for myndighetene som også vil at jeg skal slippe Teleborian inn til deg.»

«Og så?»

«Jeg spurte hvilken medisinsk kompetanse han hadde til å bedømme din tilstand, og ba ham dra til helvete. Bare i litt mer diplomatiske vendinger.»

«OK.»

«Et siste spørsmål. Hvorfor forteller du meg dette?»

«Du spurte jo.»

«Ja. Men jeg er lege, og jeg har studert psykiatri. Så hvorfor snakker du med meg? Skal jeg tolke det dit hen at du har en viss grad av tillit til meg?»

Hun svarte ikke.

«Da velger jeg å tolke det på den måten. Jeg vil at du skal vite at du er min pasient. Det betyr at jeg arbeider for deg og ikke for noen annen.»

Hun så mistenksomt på ham. Han satt taus en stund og betraktet henne. Deretter begynte han å snakke i en lett tone.

«Rent medisinsk er du mer eller mindre frisk. Du trenger noen uker til med rehabilitering. Men dessverre er du svært frisk.»

«Dessverre?»

«Ja.» Han smilte spøkefullt til henne. «Du er altfor bra.»

«Hva mener du?»

«Det betyr at jeg ikke lenger har noen legitime grunner til å holde deg isolert her, og at påtalemyndigheten dermed snart kommer til å kunne overføre deg til en varetektsarrest i Stockholm i påvente av rettssaken om seks uker. Jeg vil tro at det kan komme en slik begjæring allerede neste uke. Og det betyr at Peter Teleborian kommer til å få anledning til å observere deg.»

Hun satt helt stille i sengen. Anders Jonasson så distrahert ut og bøyde seg frem for å rette på puten hennes. Han snakket på en måte som virket som om han tenkte høyt.

«Du har hverken hodepine eller det minste feber, så doktor Endrin kommer trolig til å utskrive deg.»

Han reiste seg plutselig.

«Takk for at du ville snakke med meg. Jeg kommer og besøker deg før du blir flyttet.»

Han var helt fremme ved døren da hun sa noe.

«Doktor Jonasson.»

Han snudde seg mot henne.

«Takk.»

Han nikket kort én gang før han gikk ut og låste døren.

Lisbeth Salander satt lenge og stirret på den låste døren. Til slutt la hun seg ned og stirret opp i taket.

Det var da hun oppdaget at hun hadde noe hardt under bakhodet. Hun løftet på puten og oppdaget til sin store forbløffelse en liten tøypose som definitivt ikke hadde ligget der tidligere. Hun åpnet posen og stirret uforstående på en Palm Tungsten T3 hånddatamaskin og en batterilader. Deretter kikket hun nærmere på maskinen og oppdaget en liten ripe i overkanten. Hjertet slo et dobbeltslag. Det er min Palm. Men hvordan ... Hun flyttet blikket til den låste døren igjen. Anders Jonasson var full av overraskelser. Hun ble plutselig opphisset. Hun slo umiddelbart på maskinen og oppdaget like umiddelbart at den var passordbeskyttet.

Hun stirret frustrert på skjermen som blinket oppfordrende. Og hvordan faen er det meningen at jeg skal ... Deretter kikket hun ned i tøyposen og oppdaget en sammenbrettet papirremse i bunnen. Hun ristet den frem fra posen, brettet den ut og lest en sirlig håndskrevet linje.

Du er hackeren. Finn ut hvrn det er! /Kalle B.

Lisbeth lo for første gang på flere uker. Der fikk hun igjen. Hun tenkte noen sekunder. Så løftet hun den digitale pennen og skrev sifferkombinasjonen 9277, som tilsvarte bokstavene WASP på tastaturet. Det var en kode som Kalle Jævla Blomkvist hadde vært nødt til å knekke da han ubedt tok seg inn i leiligheten hennes i Fiskargatan ved Mosebacke og utløste innbruddsalarmen.

Det fungerte ikke.

Hun forsøkte med 52553, som tilsvarte bokstavene KALLE.

Det fungerte heller ikke. Siden Kalle Jævla Blomkvist sannsynligvis hadde ment at hun skulle bruke maskinen, ville han ha valgt et enkelt passord. Han hadde brukt signaturen Kalle, som han vanligvis ikke kunne fordra. Hun assosierte. Hun grublet en stund. Det måtte være en fornærmelse. Deretter tastet hun 63663, som tilsvarte ordet PIPPI.

Maskinen startet snilt og lydig.

Hun fikk opp en smiley med en snakkeboble på skjermen.

[Der kan du se – det var vel ikke så vanskelig. Jeg foreslår at du klikker på lagrede dokumenter.]

Hun fant umiddelbart dokumentet <Hei Sally> øverst på listen. Hun åpnet det og leste.

[Først av alt – dette er mellom deg og meg. Din advokat, altså min søster Annika, har ingen anelse om at du har tilgang til denne maskinen. Slik må det fortsette å være.

Jeg vet ikke hvor mye du skjønner av det som foregår utenfor det låste rommet ditt, men merkelig nok (din personlighet til tross) har du en god del lojale idioter som jobber for deg. Når dette er over, skal jeg formelt innstifte en ideell forening som jeg har tenkt å kalle Ridderne av det toskete bord. Foreningens eneste oppgave skal være å ha en årlig middag hvor vi morer oss med bare å snakke dritt om deg. (Nei – du er ikke invitert.)

Nå vel. Til saken. Annika er fullt opptatt med å forberede rettssaken. Et problem i den forbindelse er naturligvis at hun jobber for deg, og driver med sånt jævla integritetssludder. Det betyr at hun ikke forteller til meg engang hva du og hun diskuterer, noe som i denne sammenhengen er litt av et handikap. Heldigvis tar hun imidlertid imot informasjon.

Vi må snakke sammen, du og jeg.

Ikke bruk e-posten min.

Det er mulig jeg er paranoid, men jeg har gode grunner til å mistenke at jeg ikke er den eneste som leser den. Hvis du vil sende meg noe, skal du isteden gå inn på Yahoo-gruppen [Toskete_Bord]. ID Pippi og passordet er p9i2p7p7i./Mikael]

Lisbeth leste brevet fra Mikael to ganger og stirret forbløffet på hånddatamaskinen. Etter en periode med fullstendig datasølibat hadde hun en enorm cyberabstinens. Hun lurte på hvilken stortå Kalle Jævla Blomkvist hadde tenkt med da han smuglet inn en datamaskin, men glemte at hun trengte en mobiltelefon for å få kontakt med nettet.

Hun lå og grublet da hun plutselig hørte skritt i korridoren. Hun skyndte seg å slå av maskinen og stakk den inn under puten. Idet hun hørte nøkkelen bli satt i døren, kom hun på at tøyposen og batteriladeren fremdeles lå på nattbordet. Hun strakte ut hånden, rev posen inn under teppet og presset ledningsbunten opp i skrittet. Hun lå passivt og stirret opp i taken da nattevakten kom inn og hilste vennlig og spurte hvordan det sto til med henne, og om det var noe hun trengte.

Lisbeth forklarte at hun hadde det bra, og at hun ville ha en pakke sigaretter. Denne anmodningen ble vennlig, men bestemt avslått. Hun fikk en pakke nikotintyggegummi. Da sykepleieren hadde lukket døren, fikk Lisbeth et glimt av Securitas-vakten som satt på en stol ute i gangen. Lisbeth ventet til hun hørte skrittene fjerne seg før hun tok frem maskinen igjen.

Hun slo den på og søkte etter kontakt med nettet.

Det var en nesten sjokkartet følelse da maskinen plutselig markerte at den hadde funnet en tilkobling og hadde låst den. *Kontakt med nettet. Umulig.*

Hun hoppet så raskt ut av sengen at det gjorde vondt i den skadede hoften. Hun så seg forundret rundt i rommet. Hvordan? Hun gikk langsomt rundt og gransket hver eneste krik og krok ... *Nei, det finnes ingen mobil i rommet.* Likevel hadde hun kontakt med nettet. Deretter bredte et skjevt smil seg over ansiktet. Forbindelsen var radiostyrt og låst til en mobil ved hjelp av Bluetooth som hadde en rekkevidde på ti til tolv meter. Blikket lette seg opp til ventilen helt oppunder taket.

Kalle Jævla Blomkvist hadde plantet en telefon like utenfor rommet hennes. Det var den eneste forklaringen.

Men hvorfor ikke smugle inn telefonen også ... *Selvfølgelig. Batteriene.*

Palmen hennes behøvde bare lades cirka hver tredje dag. En mobil som var koblet opp og som ble brukt til omfattende surfing på nettet, ville tømme batteriene fort. Blomkvist, eller snarere en som han hadde søkt hjelp hos, og som var der ute, måtte bytte batterier med jevne mellomrom.

Derimot hadde han naturligvis sendt med batteriladeren til Palmen. Den måtte hun ha tilgjengelig. Men det var lettere å gjemme og håndtere én gjenstand enn to. Han var ikke så dum likevel.

Lisbeth begynte med å avgjøre hvor hun skulle oppbevare maskinen. Hun måtte finne et gjemmested. Det var en kontakt ved døren og en i panelet bak sengen. Det var dette panelet som forsynte sengelampen og den digitale klokken med strøm. Det var også et hulrom der etter en radio som var blitt fjernet. Hun smilte. Både batteriladeren og maskinen fikk plass. Hun kunne bruke kontakten inne i nattbordet for å la maskinen stå til lading på dagtid.

Lisbeth Salander var lykkelig. Hjertet dunket hardt da hun for første gang på to måneder startet maskinen og gikk ut på Internett.

Å surfe på en Palm hånddatamaskin med en bitte liten skjerm og en digitalpenn, var ikke det samme som å surfe på en Powerbook med 17 tommers skjerm. *Men hun var tilkoblet.* Fra sengen på Sahlgrenska kunne hun nå ut til absolutt hele verden.

Hun begynte med å gå inn på en privat hjemmeside som reklamerte for temmelig uinteressante bilder av en ukjent og ikke spesielt dyktig amatørfotograf ved navn Gill Bates i Jobsville, Pennsylvania. Lisbeth hadde i sin tid undersøkt saken en gang og konstatert at stedet Jobsville ikke eksisterte. Til tross for det hadde Bates tatt over 200 bilder av stedet og lagt ut et galleri med bitte små bilder. Hun skrollet ned til bilde 167 og klikket opp forstørrelsen. Bildet forestilte en kirke i Jobsville. Hun satte markøren på spissen av spiret på kirketårnet og klikket. Hun fikk umiddelbart opp et popp-opp-vindu som etterlyste ID og passord. Hun fant frem den digitale pennen og skrev ordet *Remarkable* i ruten for ID og *A(89)Cx#magnolia* som passord.

Hun fikk opp en rute med teksten [ERROR – You have the

310

wrong password] og en knapp med [OK – Try again]. Lisbeth visste at hvis hun klikket på [OK – Try again] og forsøkte med et nytt passord, ville hun bare få opp den samme ruten igjen – år etter år, uansett hvor lenge hun holdt på. Isteden klikket hun på bokstaven [O] i ordet [ERROR].

Skjermen ble svart. Deretter ble en animert dør åpnet, og noe som minnet om Lara Croft kom ut. Det dukket opp en snakkeboble med teksten [WHO GOES THERE?].

Hun klikket på snakkeboblen og skrev ordet *Wasp*. Hun fikk umiddelbart svaret [PROVE IT – OR ELSE …] mens den animerte Lara Croft løsnet sikringen på en pistol. Lisbeth visste at det ikke var en helt fiktiv trussel. Hvis hun skrev feil passord tre ganger på rad, ville siden bli lukket og navnet *Wasp* strøket fra medlemslisten. Hun skrev omhyggelig inn passordet *MonkeyBusiness*.

Skjermen forandret seg igjen og fikk en blå bakgrunn med teksten:

[Welcome to Hacker Republic, citizen Wasp. It is 56 days since your last visit. There are 10 citizens online. Do you want to (a) Browse the Forum (b) Send a Message (c) Search the Archive (d) Talk (e) Get laid?]

Hun klikket på ruten [(d) Talk] og gikk deretter til menyraden [Who's online?] og fikk opp en oversikt med navnene Andy, Bambi, Dakota, Jabba, BuckRogers, Mandrake, Pred, Slip, SisterJen, SixOfOne og Trinity.

<Hi gang>, skrev Wasp.

<Wasp. That really U?> skrev SixOfOne umiddelbart. <Look who's home>

<Hvor har du vært?> spurte Trinity.

<Plague sa at du hadde noe trøbbel>, skrev Dakota.

Lisbeth var ikke sikker, men hun hadde en mistanke om at Dakota var kvinne. De andre innbyggerne online, også den som kalte seg SisterJen, var mannfolk. Hacker Republic hadde til sammen (sist hun var tilkoblet) toogseksti innbyggere, hvorav fire var jenter.

311

<Hei Trinity>, skrev Lisbeth. <Hei alle sammen>

<Hvorfor hilser du på Trin? Er det noe på G og er det noe i veien med oss andre?>

<Vi har vært på date>, skrev Trinity. <Wasp omgås bare intelligente mennesker.>

Han fikk umiddelbart *abuse* fra alle de fem andre.

Av de toogseksti innbyggerne hadde Wasp truffet to personer ansikt til ansikt. Plague, som for en gangs skyld ikke var online, var den ene. Trinity var den andre. Han var engelskmann og bosatt i London. To år tidligere hadde hun møtt ham i noen timer da han hjalp henne og Mikael Blomkvist i jakten på Harriet Vanger ved å foreta en ulovlig avlytting av en hjemmetelefon i den pyntelige forstaden St. Albans. Lisbeth fomlet med den uhåndterlige digitalpennen og skulle ønske hun hadde hatt et tastatur.

<Er du der?> spurte Mandrake.

Hun bokstaverte.

<Sorry. Har bare en Palm. Det går sakte.>

<Hva har skjedd med maskinen din?> spurte Pred.

<Maskinen min er ok. Det er jeg som har problemer>

<Fortell det til storebror>, skrev Slip.

<Jeg er fengslet av staten>

<Hva? Hvorfor?> kom det umiddelbart fra tre av chatterne.

Lisbeth ga dem et femlinjers resymé av situasjonen, som ble mottatt med bekymrede kommentarer.

<Hvordan har du det?> spurte Trinity.

<Jeg har hull i hodet>

<Jeg merker ingen forskjell>, konstaterte Bambi.

<Wasp har alltid hatt hodet fullt av luft>, sa SisterJen, noe som ble fulgt av en rekke nedsettende utsagn om Wasps mentale evner. Lisbeth smilte. Samtalen ble gjenopptatt med et innlegg av Dakota.

<Vent. Dette er et angrep på en av Hacker Republics innbyggere. Hvordan skal vi svare?>

<Kjernevåpenangrep på Stockholm?> foreslo SixOfOne.

<Nei, det ville være å overdrive>, svarte Wasp.

<En bitte liten bombe?>

<Hopp i havet, SixOO>
<Vi kan slå ut Stockholm>, foreslo Mandrake.
<Virus som slår ut regjeringen?>

Innbyggerne i Hacker Republic drev vanligvis ikke med å spre datavirus. Tvert imot – de var hackere, og dermed uforsonlige motstandere av idioter som sendte datavirus som bare hadde til hensikt å sabotere nettet og ødelegge maskiner. De var informasjonsnarkomane og ville ha et fungerende nett som de kunne hacke.

Derimot var forslaget om å slå ut den svenske regjeringen ingen tom trussel. Hacker Republic utgjorde en meget eksklusiv klubb med de beste av de beste, en elitestyrke som et hvilket som helst forsvar ville ha betalt enorme summer for å kunne benytte seg av i cyber-militære sammenhenger, om nå *the citizens* kunne beveges til å føle den typen lojalitet mot en stat. Hvilket ikke var altfor sannsynlig.

Men alle sammen var *Computer Wizards* og neppe uten kjennskap til kunsten å konstruere datavirus. De var heller ikke vanskelige å be om å gjennomføre spesielle kampanjer hvis det var nødvendig. Noen år tidligere var en *citizen* i Hacker Republic blitt snytt for et patent av et dotcom-firma på fremmarsj, som dessuten hadde hatt den frekkhet å trekke innbyggeren for retten. Dette førte til at samtlige aktivister i Hacker Republic i et halvt år brukte oppsiktsvekkende mye krefter på å hacke og ødelegge hver eneste datamaskin som det aktuelle firmaet eide. Hver eneste forretningshemmelighet og mail – sammen med noen forfalskede dokumenter som kunne tolkes som om selskapets administrerende direktør drev med skattefusk – ble med stor glede lagt ut på nettet sammen med opplysninger om direktørens hemmelige elskerinne og bilder fra en fest i Hollywood hvor den samme direktøren snortet kokain. Selskapet hadde gått konkurs etter et halvt år, og selv flere år senere fortsatte enkelte langsinte medlemmer av *folkemilitsen* i Hacker Republic med jevne mellomrom med å hjemsøke den tidligere direktøren.

Hvis femti av verdens beste hackere sammen bestemte seg

for å gå til et samordnet angrep på en stat, ville staten formodentlig overleve, men ikke uten merkbare problemer. Utgiftene ville sannsynligvis beløpe seg til milliarder hvis Lisbeth ga klarsignal. Hun tenkte en stund.

<Ikke akkurat nå. Men hvis ting ikke går som jeg vil, kan det hende jeg ber dere om hjelp>

<Bare si fra>, sa Dakota.

<Det er lenge siden vi kødda med en regjering>, skrev Mandrake.

<Jeg har et forslag som går ut på å reversere skatteinnbetalingssystemet. Et program som ville være skreddersydd for et lite land som Norge>, skrev Bambi.

<Fint, men Stockholm ligger i Sverige>, skrev Trinity.

<Samme faen. Man kan gjøre det slik ...>

Lisbeth Salander lente seg tilbake mot puten og fulgte samtalen med et skjevt smil. Hun lurte på hvorfor hun, som hadde så vanskelig for å snakke om seg selv med mennesker som hun traff ansikt til ansikt, helt ubekymret kunne utlevere sine innerste hemmeligheter til en samling fullstendig ukjente skrullinger på Internett. Men faktum var at hvis Lisbeth Salander hadde en familie og en gruppetilhørighet, så var det hos disse komplette gærningene. Ingen av dem hadde egentlig noen mulighet til å hjelpe henne med problemene med de svenske myndighetene. Men hun visste at om det trengtes, ville de bruke adskillig tid og energi til passende styrkedemonstrasjoner. Gjennom nettverket kunne hun også skaffe seg gjemmesteder i utlandet. Det var takket være Plagues kontakter på nettet at hun hadde klart å skaffe seg et norsk pass i navnet Irene Nesser.

Lisbeth ante ikke hvordan innbyggerne i Hacker Republic så ut, og hun hadde bare en vag oppfatning om hva de gjorde utenfor nettet – innbyggerne var notorisk vage om sin identitet. SixOfOne påsto for eksempel at han var en svart, mannlig, amerikansk borger med katolsk bakgrunn, bosatt i Toronto, Canada. Han kunne like gjerne være hvit, kvinne, lutheraner og bosatt i Skövde.

Den hun kjente best, var Plague – det var han som i sin tid

hadde presentert henne for familien, og ingen kunne noensinne bli medlem av det eksklusive selskapet uten meget sterke anbefalinger. Den som ble medlem, måtte også være personlig kjent med en annen innbygger – i hennes tilfelle Plague.

På nettet var Plague en intelligent og sosialt begavet innbygger. I virkeligheten var han en sterkt overvektig og sosialt dysfunksjonell 30 år gammel uførepensjonist bosatt i Sundbyberg. Han vasket seg altfor sjelden, og leiligheten hans luktet ape. Lisbeth pleide å være sparsom med besøkene hos ham. Det var nok å omgås ham på nettet.

Mens chatten gikk videre, lastet Lisbeth ned e-post som hadde kommet til hennes private postkasse i Hacker Republic. En mail var fra medlemmet Poison og inneholdt en forbedret versjon av hennes *Asphyxia* 1.3, som lå tilgjengelig for alle republikkens innbyggere i Arkivet. *Asphyxia* var et program som gjorde henne i stand til å kontrollere andre personers datamaskiner på Internett. Poison forklarte at han hadde brukt programmet med stort hell og at den oppgraderte versjonen hans omfattet de siste versjonene av Unix, Apple og Windows. Hun sendte et kort svar og takket for oppgraderingen.

I løpet av den neste timen, mens det begynte å bli kveld i USA, hadde enda et halvt dusin *citizens* kommet online og ønsket Wasp velkommen hjem og blandet seg inn i debatten. Da Lisbeth endelig logget seg ut, dreide diskusjonen seg om hvorvidt det var mulig å få den svenske statsministerens datamaskin til å sende høflige, men fullstendig sinnssyke mailer til alle andre regjeringssjefer i verden. Det var blitt nedsatt en arbeidsgruppe for å bringe klarhet i spørsmålet. Lisbeth avsluttet med å bokstavere et kort innlegg.

<Fortsett å prate, men ikke gjøre noe uten OK fra meg. Jeg kommer tilbake når jeg kan koble meg opp>

Alle sendte hilsener og kyss og klemmer og oppfordret henne til å stelle pent med hullet i hodet.

Da Lisbeth hadde logget seg ut fra Hacker Republic, gikk hun inn på [www.yahoo.com] og logget seg inn på den private nyhetsgruppen [Toskete_Bord]. Hun oppdaget at nyhetsgruppen hadde to medlemmer: henne selv og Mikael Blomkvist. Postkassen inneholdt bare én mail, som var sendt to dager tidligere. Den hadde tittelen [Les dette først].

[Hei Sally. Situasjonen for øyeblikket er følgende:
* Politiet har ennå ikke funnet ut hvor du bor, og har ikke tilgang til CD-platen med Bjurmans voldtekt. Platen inneholder svært tungt-veiende bevismateriale, men jeg vil ikke gi den til Annika uten din tillatelse.
Jeg har også nøklene til leiligheten din og passet i navnet Irene Nesser.
* Derimot har politiet den ryggsekken du hadde med deg til Gosseberga. Jeg vet ikke om den inneholder noe kjedelig.]

Lisbeth tenkte en stund. Nja. En halvtom kaffetermos, noen epler og et klesskift. Det var greit.

[Du kommer til å bli tiltalt for grov legemsbeskadigelse, subsidiært drapsforsøk på Zalatsjenko, pluss grov legemsbeskadigelse av Carl-Magnus Lundin fra Svavelsjö MC i Stallarholmen – dvs. at du skjøt ham i foten og sparket i stykker kjevebenet hans. En påli-telig kilde i politiet opplyser imidlertid at bevismaterialet i begge tilfellene er noe uklart. Følgende er viktig:
(1) Før Zalatsjenko ble skutt, benektet han alt sammen og påsto at det måtte ha vært Niedermann som skjøt deg og begravde deg i skogen. Han anmeldte deg for drapsforsøk. Statsadvokaten kom-mer til å legge vekt på at det er annen gang du prøver å ta livet av Zalatsjenko.
(2) Hverken Magge Lundin eller Sonny Nieminen har sagt et ord om hva som skjedde i Stallarholmen. Lundin er arrestert for kidnappingen av Miriam Wu. Nieminen er løslatt.]

Lisbeth tenkte igjennom det han skrev, og trakk på skuldrene. Alt dette hadde hun allerede drøftet med Annika Giannini. Det var en miserabel situasjon, men ingen nyhet. Hun hadde rede-gjort åpenhjertig for alt som hadde skjedd i Gosseberga, men hadde latt være å fortelle noen detaljer om Bjurman.

316

[I femten år ble Zala beskyttet uansett hva han foretok seg. Karrierer ble bygget opp på Zalatsjenkos betydning. Zala fikk flere ganger hjelp ved at det ble ryddet opp etter herjingene hans. Alt dette er kriminell virksomhet. Svenske myndigheter bidro altså til å skjule forbrytelser mot enkeltpersoner.

Hvis dette blir kjent, kommer det til å bli en politisk skandale som berører både borgerlige og sosialdemokratiske regjeringer. Det betyr fremfor alt at et antall myndighetspersoner i Säpo vil bli avslørt for å ha støttet kriminell og umoralsk virksomhet. Selv om de enkelte forbrytelsene er foreldet, kommer det til å bli skandale. Det dreier seg om tungvektere som i dag er pensjonister eller nær pensjonsalder.

De kommer til å gjøre alt for å dempe skadevirkningene, og der blir du plutselig nok en gang en brikke i spillet. Denne gangen dreier det seg imidlertid ikke om at de ofrer en brikke – nå dreier det seg om å begrense skadevirkningene for deres eget vedkommende. Altså må du i garnet.]

Lisbeth bet seg ettertenksomt i underleppen.

[Det forholder seg slik: De vet at de ikke kommer til å kunne bevare hemmeligheten om Zalatsjenko særlig mye lenger. Jeg kjenner til historien, og jeg er journalist. De vet at jeg før eller senere kommer til å gå ut med det. Nå spiller det jo ikke fullt så stor rolle, siden han er død. Nå slåss de isteden for å overleve selv. Følgende punkter står derfor høyt på deres dagsorden:

(1) De må overbevise tingretten (det vil si allmennheten) om at beslutningen om å sperre deg inne på St. Stefans i 1991 var en legitim beslutning – at du virkelig var psykisk syk.

(2) De må klare å skille «Lisbeth Salander-saken» fra «Zalatsjenko-saken». De forsøker å skape seg en posisjon hvor de kan si at «jo da, Zalatsjenko var et krek, men det hadde ingenting med beslutningen om å sperre datteren hans inne å gjøre. Hun ble sperret inne fordi hun var sinnssyk – alle andre påstander er syke fantasier fra bitre journalister. Nei, vi har ikke bistått Zalatsjenko ved noe lovbrudd – det er bare sludder og oppspinn fra en sinnssyk tenåringsjente.»

(3) Problemet er selvfølgelig at hvis du blir frikjent i den kommende rettssaken, betyr det at tingretten påstår at du ikke er sprø, noe som

317

altså vil understøtte påstanden om at det var noe muffens med inne-sperringen i 1991. Det betyr at de for enhver pris må få deg dømt til lukket psykiatrisk behandling. Hvis retten fastslår at du er psykisk syk, kommer medienes interesse for å fortsette å grave i Salander-saken, til å avta. Det er sånn mediene fungerer.

Er du med?]

Lisbeth nikket for seg selv. Alt dette hadde hun allerede regnet ut. Problemet var at hun ikke riktig visste hva hun skulle gjøre med det.

[Lisbeth – alvorlig talt – denne kampen kommer til å bli avgjort i massemediene og ikke i rettssalen. Dessverre kommer rettssaken av «integritetsgrunner» til å foregå bak lukkede dører.

Samme dag som Zalatsjenko ble drept, var det innbrudd i leilig-heten min. Det er ingen merker på døren og ingenting er rørt eller forandret – bortsett fra én ting. Permen fra sommerhuset til Bjurman med Gunnar Björcks rapport fra 1991 forsvant. Samtidig ble min søs-ter overfalt og hennes eksemplar stjålet. Den permen er det viktigste beviset ditt.

Jeg har opptrådt som om vi har mistet Zalatsjenko-dokumentene. I virkeligheten hadde jeg en tredje kopi som jeg skulle gi til Armanskij. Jeg har kopiert den opp i flere eksemplarer og lagt dem ut litt rundt omkring.

Motstanderne våre, i form av visse myndighetspersoner og visse psykiatere, er selvfølgelig også opptatt med å forberede rettssaken sammen med statsadvokat Richard Ekström. Jeg har en kilde som gir en viss info om hva som foregår, men jeg har en mistanke om at du har bedre muligheter til å finne relevant informasjon ... I så fall haster det.

Statsadvokaten kommer til å forsøke å få deg dømt til lukket psykiatrisk behandling. Som hjelp har han din gamle kjenning Peter Teleborian.

Annika vil ikke ha samme mulighet til å gå ut og drive mediekam-panje på samme måte som påtalemyndigheten kommer til å lekke alle opplysninger som passer dem. Hun er bundet på hender og føtter.

Jeg er derimot ikke underlagt slike restriksjoner. Jeg kan skrive

318

nøyaktig hva jeg vil – og jeg har dessuten et helt magasin til min disposisjon.

To viktige detaljer mangler.

1. For det første trenger jeg noe som viser at statsadvokat Ekström i dag samarbeider med Teleborian på upassende vis, og at hensikten er å få plassert deg på galehus. Jeg vil kunne gå ut i det beste debattprogrammet på TV og legge frem dokumentasjon som knuser påtalemyndighetens argumenter.

2. For å kunne bedrive mediekrig med Säpo, må jeg kunne sitte offentlig og diskutere ting som du sannsynligvis betrakter som dine private anliggender. Anonymitet er på dette stadiet temmelig illusorisk med tanke på alt som har vært skrevet om deg siden påske. Jeg må kunne bygge opp et nytt mediebilde av deg – selv om det etter din mening krenker din integritet – og helst med ditt samtykke. Skjønner du hva jeg mener?]

Hun åpnet arkivet i [Toskete_Bord]. Det inneholdt seksogtyve dokumenter av varierende størrelse.

KAPITTEL 14

Onsdag 18. mai

Monica Figuerola sto opp klokken fem onsdag morgen og tok en uvanlig kort løpetur før hun dusjet og tok på seg svarte olabukser, hvit singlet og en tynn, grå linjakke. Hun kokte kaffe som hun helte på en termos og smurte matpakke. Hun tok også på seg et pistolhylster og fant frem Sig Sauer-en fra våpenskapet. Litt over seks startet hun sin hvite Saab 9-5 og dro til Vittangigatan i Vällingby.

Göran Mårtensson bodde i den øverste etasjen i et treetasjes hus ute i forstaden. I løpet av tirsdagen hadde hun hentet frem alt hun kunne finne om ham i offentlige arkiver. Han var ugift, noe som imidlertid ikke forhindret at han kunne være samboer med noen. Han hadde ingen anmerkninger hos kemneren, ingen større formue og så ikke ut til å leve noe utsvevende liv. Han var sjelden sykmeldt.

Det eneste bemerkelsesverdige var at han hadde lisens for ikke mindre enn seksten skytevåpen. Tre av disse var jaktgevær, mens de øvrige var håndvåpen av forskjellige slag. Så lenge han hadde våpenlisens, var det på ingen måte ulovlig, men Monica Figuerola næret en velbegrunnet skepsis til mennesker som samlet seg store mengder våpen.

Volvoen med registreringsskiltet som begynte med KAB, sto på parkeringsplassen omtrent førti meter fra det stedet hvor Monica Figuerola parkerte. Hun skjenket opp en halv kopp svart kaffe i et pappkrus og spiste en bagett med ost og salat. Deretter skrellet hun en appelsin og sugde lenge på alle båtene.

*

Ved morgenvisitten var Lisbeth Salander ute av form og hadde kraftig hodepine. Hun ba om å få en Alvedon, som hun fikk uten diskusjoner.

Etter en time hadde hodepinen forverret seg. Hun ringte på en sykepleier og ba om enda en Alvedon. Heller ikke den hjalp. Ved lunsjtider hadde Lisbeth så vondt i hodet at sykepleieren tilkalte doktor Endrin, som etter en kort undersøkelse ordinerte kraftig smertestillende tabletter.

Lisbeth la tablettene under tungen og spyttet dem ut så snart hun ble alene.

Ved totiden om ettermiddagen begynte hun å kaste opp. Dette gjentok seg ved tretiden.

Ved firetiden kom doktor Anders Jonasson opp på avdelingen like før doktor Helena Endrin skulle gå hjem. De konfererte en kort stund.

«Hun er kvalm og har kraftig hodepine. Jeg har gitt henne Dexofen. Jeg skjønner ikke riktig hva som skjer med henne ... Hun har jo utviklet seg så fint den siste tiden. Det kan være en influensa av et eller annet slag ...»

«Har hun feber?» spurte doktor Jonasson.

«Nei, bare 37,2 for en time siden. Ingen senkning å snakke om.»

«Greit. Jeg skal holde litt øye med henne i natt.»

«Jeg skal jo ut i tre ukers ferie nå,» sa doktor Endrin. «Det må bli enten du eller Svantesson som må overta henne. Men Svantesson har ikke hatt så mye med henne å gjøre ...»

«Greit. Jeg skal føre meg selv opp som hennes hovedlege mens du har fri.»

«Fint. Hvis det skulle bli noen krise og du trenger hjelp, kan du selvfølgelig ringe.»

De avla en kort visitt ved Lisbeths sykeseng sammen. Hun lå rett ut med teppet opp til nesetippen og så elendig ut. Anders Jonasson la hånden på pannen hennes og konstaterte at den var fuktig.

«Jeg tror vi må ta en liten undersøkelse.»

Han takket doktor Endrin og ønsket henne god kveld.

Ved femtiden oppdaget doktor Jonasson at Lisbeth plutselig hadde utviklet en temperatur på 37,8 grader, noe som ble ført inn i journalen hennes. Han var innom henne tre ganger i løpet av kvelden og noterte i journalen at temperaturen ble liggende rundt 38 grader – for høyt til å være normalt og for lavt til å utgjøre et alvorlig problem. Ved åttetiden bestilte han røntgenfotografering av hodet hennes.

Da han fikk røntgenbildene, studerte han dem inngående. Han kunne ikke se noe oppsiktsvekkende, men konstaterte at det fantes et knapt synlig mørkere parti i tilknytning til kulehullet. Han førte inn en nøye gjennomtenkt og ikke forpliktende kommentar i journalen hennes.

«Røntgenundersøkelsen gir ikke grunnlag for noen definitive konklusjoner, men pasientens tilstand har åpenbart forverret seg raskt i løpet av dagen. Det kan ikke utelukkes at det foreligger en mindre blødning som ikke synes på røntgenbildene. Pasienten skal holdes i ro og under nøye observasjon den nærmeste tiden.»

Erika Berger hadde fått treogtyve mailer da hun ankom SMP klokken halv syv onsdag morgen.

En av disse hadde avsenderen <redaktion-sr@sverigesra-dio.com>. Innholdet var kort. Det besto av ett eneste ord.

[HORE]

Hun sukket og løftet pekefingeren for å slette mailen. I siste øyeblikk ombestemte hun seg. Hun bladde bakover i køen for innkomne mailer og åpnet den som hadde kommet to dager tidligere. Avsenderen hadde vært <sentalred@smpost.se>. *Hmm. To mailer med ordet hore og falske avsenderadresser fra medieverdenen.* Hun laget en ny mappe som hun kalte [MediaDåre] og lagret begge mailene i den. Deretter gikk hun i gang med morgenens nyhets-memo.

Göran Mårtensson forlot boligen sin klokken 07.40 om morgenen. Han satte seg i Volvoen og kjørte innover mot sentrum, men tok så over Stora Essingen og Gröndal inn til Södermalm. Han kjørte Hornsgatan frem til Bellmansgatan via Brännkyrka-

322

gatan. Han svingte til venstre inn på Tavastgatan ved puben Bishop's Arms og parkerte akkurat på hjørnet.

Monica Figuerola hadde en vanvittig flaks. Akkurat da hun kom frem til Bishop's Arms, svingte en varebil ut og etterlot seg en åpen parkeringsplass ved fortauskanten i Bellmansgatan. Hun sto med fronten akkurat ved krysset Bellmansgatan–Tavastgatan. Fra plassen på toppen utenfor Bishop's Arms hadde hun en fantastisk utsikt over scenen. Hun kunne så vidt se litt av bakvinduet på Mårtenssons Volvo i Tavastgatan. Rett foran henne, i den veldig bratte bakken ned mot Pryssgränd, lå Bellmansgatan 1. Hun så huset fra siden og kunne dermed ikke se selve inngangen, men så snart noen gikk ut på gaten, kunne hun se det. Hun tvilte ikke på at det var denne adressen som var årsaken til Mårtenssons besøk i området. Det var Mikael Blomkvists inngangsdør.

Monica Figuerola konstaterte at området rundt Bellmansgatan 1 var et mareritt å overvåke. Det eneste stedet man kunne overvåke inngangen nede i dumpa i Bellmansgatan direkte, var fra promenaden og gangbroen oppe på øvre Bellmansgatan ved Mariahissen og Laurinska huset. Der var det ingen parkeringsmuligheter, og observatøren ville stå fullt synlig på gangbroen, som en svale på en gammeldags telefonledning. Det stedet ved krysset av Bellmansgatan og Tavastgatan hvor Monica Figuerola hadde parkert, var i prinsippet det eneste stedet hvor hun kunne sitte i bilen og ha utsikt over hele området. Samtidig var det et dårlig sted, siden en oppmerksom person lett kunne se henne i bilen.

Hun snudde på hodet. Hun ville ikke gå ut av bilen og begynne å vandre rundt i området; hun var klar over at hun lett ble lagt merke til. I polititeknisk forstand hadde hun utseendet mot seg.

Mikael Blomkvist kom ut av døren klokken 09.10. Monica Figuerola noterte tidspunktet. Hun så at blikket hans gled over gangbroen på øvre Bellmansgatan. Han begynte å gå oppover bakken mot henne.

Monica Figuerola åpnet hanskerommet og fant frem et stockholmskart som hun la ut på passasjersetet. Deretter åpnet hun

323

en notatblokk, fant frem en penn fra jakkelommen, tok opp mobiltelefonen og lot som om hun snakket. Hun holdt hodet bøyd så hånden med telefonen skjulte en del av ansiktet.

Hun så at Mikael Blomkvist kastet et raskt blikk inn på Tavastgatan. Han visste at han var overvåket og måtte ha sett Mårtenssons bil, men han spaserte videre uten å vise noen interesse for den. *Opptrer kaldt og rolig. Andre ville ha røsket opp bildøren og banket gørra ut av ham.*

I neste øyeblikk passerte han bilen hennes. Monica Figuerola var fullt opptatt med å finne en adresse på stockholmskartet samtidig som hun snakket i mobilen, men hun merket at Mikael Blomkvist så på henne da han gikk forbi. *Mistenksom mot alt i omgivelsene.* Hun så ryggtavlen hans i speilet på passasjersiden da han fortsatte ned mot Hornsgatan. Hun hadde sett ham på TV et par ganger, men det var første gang hun så ham i virkeligheten. Han var kledd i olabukser, T-skjorte og grå jakke. Han hadde skulderveske og gikk med lange, slentrende skritt. En ganske pen kar.

Göran Mårtensson dukket opp på hjørnet av Bishop's Arms og fulgte Mikael Blomkvist med blikket. Han hadde en ganske stor sportsbag over skulderen og holdt på med å avslutte en samtale i mobiltelefonen. Monica Figuerola regnet med at han skulle følge etter Mikael Blomkvist, men til sin store forundring så hun at han krysset gaten like foran bilen hennes og svingte til venstre nedover bakken mot Mikael Blomkvists gatedør. I neste sekund passerte en mann i kjeledress bilen hennes og slo følge med Mårtensson. *Hallo, hvor kom du fra?*

De stanset utenfor Mikael Blomkvists gatedør. Mårtensson tastet inn koden, og de forsvant inn i oppgangen. *De har tenkt å sjekke leiligheten. Amatørenes aften. Hva fanken er det han tror han driver med?*

Deretter løftet Monica Figuerola blikket til speilet og rykket til da hun plutselig fikk øye på Mikael Blomkvist igjen. Han hadde kommet tilbake og sto omtrent ti meter bak henne, akkurat så nær at han kunne følge Mårtensson og kompisen hans med blikket over toppen av den bratte bakken ned mot Bellmansgatan 1. Hun betraktet ansiktet hans. Han så ikke på henne. Derimot hadde han sett Göran Mårtensson forsvinne inn gjennom døren. Etter en liten stund snudde Blomkvist på hælen og fortsatte turen ned mot Hornsgatan.

Monica Figuerola satt urørlig i et halvt minutt. *Han vet at han er overvåket. Han holder oppsikt med omgivelsene. Men hvorfor gjør han ikke noe? Normale mennesker ville satt himmel og jord i bevegelse ... han planlegger noe.*

Mikael Blomkvist la på telefonen og stirret ettertenksomt på notatblokken på skrivebordet. Motorvognregisteret hadde nettopp fortalt ham at bilen med en blond kvinne, som han hadde observert på toppen av Bellmansgatan, tilhørte en Monica Figuerola, født 1969 og bosatt i Pontonjärgatan på Kungsholmen. Siden det var en kvinne som hadde sittet i bilen, gikk Mikael ut fra at det var Figuerola selv.

Hun hadde snakket i mobiltelefonen og studert et kart som lå oppslått på passasjersetet. Mikael hadde ingen grunn til å tro at hun hadde noe med Zalatsjenko-klubben å gjøre, men han registrerte ethvert avvik fra det normale i omgivelsene sine, og særlig rundt bostedet.

Han hevet stemmen og ropte Lottie Karim inn.

«Hvem er denne dama? Finn frem passbilde, hvor hun jobber og alt du kan finne om bakgrunnen hennes.»

«OK,» sa Lottie Karim og gikk tilbake til skrivebordet sitt.

SMPs økonomisjef Christer Sellberg så nærmest forbløffet ut. Han skjøv fra seg A4-arket med ni korte punkter som Erika Berger hadde lagt frem til budsjettutvalgets ukentlige møte. Budsjettsjef Ulf Flodin så bekymret ut. Styreformann Borgsjö så som alltid nøytral ut.

«Dette er umulig,» konstaterte Sellberg med et høflig smil.

«Hvorfor det?» sa Erika Berger.

«Styret kommer aldri til å gå med på det. Det strider jo mot all sunn fornuft.»

«Skal vi ta det fra begynnelsen,» sa Erika Berger. «Jeg er ansatt for å få SMP til å gå med fortjeneste igjen. For å kunne gjøre det, må jeg ha noe å arbeide med. Ikke sant?»

325

«Jo, men …»

«Jeg kan ikke trylle frem innholdet i en dagsavis ved å sitte i glassburet og ønske meg ting.»

«Du forstår ikke de økonomiske realitetene.»

«Det er mulig. Men jeg kan aviser. Og virkeligheten er den at SMPs samlede personale de siste femten årene er blitt redusert med 118 personer. La gå at halvparten av disse er grafiske medarbeidere som er blitt erstattet av ny teknikk og så videre, men antallet tekstproduserende journalister har minsket med hele 48 personer i løpet av den tiden.»

«Det har vært nødvendige nedskjæringer. Hvis ikke de var blitt gjort, ville avisen vært nedlagt for lenge siden.»

«La oss vente litt med hva som er nødvendig og ikke nødvendig. De siste tre årene har det forsvunnet atten journalister. Dessuten har vi nå den situasjonen at hele ni stillinger i SMP står ubemannet, om enn til en viss grad erstattet av midlertidige vikarer. Sportsredaksjonen er grovt underbemannet. Der skal det være ni ansatte, og i over et år har to stillinger vært ubesatt.»

«Det dreier seg om å spare penger. *Så enkelt er det.*»

«Kulturredaksjonen har tre ubesatte stillinger. Økonomiredaksjonen mangler én stilling. Rettsredaksjonen eksister i praksis ikke … der har vi en redaksjonssjef som henter inn journalister fra allmennredaksjonen for hvert enkelt oppdrag. Og så videre. SMP har ikke hatt en skikkelig dekning av offentlige etater og myndigheter på minst åtte år. Der er vi helt avhengige av frilansere og det materialet som TT produserer … og som du vet la TT ned etatredaksjonen for mange år siden. Det finnes med andre ord ikke en eneste redaksjon i Sverige som holder øye med statsetater og myndigheter.»

«Avisbransjen befinner seg i en vanskelig situasjon …»

«Virkeligheten er den at enten bør SMP legges ned med umiddelbar virkning, eller så må styret ta en beslutning om en mer offensiv satsing. Vi har i dag færre ansatte, som skriver et større antall artikler hver dag. Artiklene blir dårlige, overfladiske og mangler troverdighet. Altså slutter folk å lese SMP.»

«Du forstår ikke dette …»

«Jeg er lei av å høre at jeg ikke forstår dette. Jeg er ingen ungdomsskoleelev som er ute i arbeidsuke.»

«Men forslaget ditt er vanvittig.»

«Hvorfor det?»

«Du foreslår at avisen ikke skal gå med fortjeneste.»

«Hør her, Sellberg, dette året kommer du til å dele ut store beløp i utbytte til avisens treogtyve aksjonærer. I tillegg kommer en fullstendig syk bonusordning som kommer til å koste SMP nærmere ti millioner kroner, til ni personer som sitter i SMPs styre. Du har gitt deg selv en bonus på 400 000 kroner som belønning for at du har administrert nedskjæringene i SMP. Det er på ingen måte like store bonuser som diverse Skandia-direktører har grabbet til seg, men i mine øyne er du ikke verdt et eneste øre av den. Bonuser skal utbetales når du har gjort noe som har styrket SMP. I virkeligheten har nedskjæringene dine svekket SMP og forsterket krisen.»

«Det der er enormt urettferdig. Styret har godkjent hvert eneste tiltak jeg har foreslått.»

«Styret godkjenner tiltakene dine fordi du garanterer aksje-utbytte hvert år. Det er det det må bli slutt på her og nå.»

«Du foreslår altså i fullt alvor at vi skal ta en beslutning om å droppe alle utbetalinger av aksjeutbytte og alle bonuser. Hvordan tror du aksjonærene skal komme til å gå med på det?»

«Jeg foreslår nullfortjeneste i år. Det vil bety en innsparing på nærmere 21 millioner kroner og en mulighet til en kraftig forsterkning av SMPs personale og økonomi. Jeg foreslår også en lønnsreduksjon for lederne. Jeg har fått en månedslønn på 88 000 kroner, noe som er fullstendig sykt for en avis som ikke engang har råd til å fylle stillingene i sportsredaksjonen.»

«Du vil altså redusere din egen lønn. Er det en form for lønnskommunisme du foreslår?»

«Ikke snakk piss. Du har en lønn på 112 000 kroner i måneden hvis man tar med den årlige bonusen. Det er sinnssykt. Hvis avisen var stabil og gikk med svimlende fortjeneste, måtte du gjerne dele ut så mye bonuser du ville. Men det er ikke den rette situasjonen for deg å øke din egen bonus i år. Jeg foreslår en umiddelbar halvering av alle lederlønninger.»

«Det du ikke begriper, er at aksjonærene våre er aksjonærer fordi de vil tjene penger. Det kalles kapitalisme. Hvis du foreslår at de skal tape penger, kommer de ikke til å ville være aksjonærer lenger.»

«Jeg foreslår ikke at de skal tape penger, men vi kan utmerket godt havne i den situasjonen også. Med eierskap følger ansvar. Det er, som du selv påpekte, kapitalismen som styrer her. SMPs eiere vil tjene penger. Men reglene er slik at det er markedet som avgjør om det blir tap eller gevinst. Med ditt resonnement vil du at reglene for kapitalismen skal gjelde selektivt for ansatte i SMP, men at du selv og aksjeeierne skal holdes utenfor.»

Sellberg sukket og himlet med øynene. Han lette hjelpeløst med blikket i retning av Borgsjö. Borgsjö studerte Erika Bergers nipunktsprogram tankefullt.

Monica Figuerola ventet i niogførti minutter før Göran Mårtensson og den ukjente mannen kom ut av døren i Bellmansgatan 1. Da de begynte å gå oppover mot henne, løftet hun sitt Nikon-kamera med 300 millimeters teleobjektiv og tok to bilder. Hun la kameraet i hanskerommet og skulle akkurat til å begynne å studere kartet igjen, da hun kom til å kaste et blikk opp mot Mariahissen. Hun sperret øynene opp. Ved kanten av øvre Bellmansgatan, like ved siden av inngangen til Mariahissen, sto en mørkhåret kvinne med et digitalkamera og filmet Mårtensson og kompisen hans. *Hva i helvete ... er det en slags allmenn spionkongress i Bellmansgatan?*

På toppen av bakken gikk Mårtensson og den ukjente mannen hver sin vei uten å si noe til hverandre. Mårtensson gikk til bilen sin i Tavastgatan. Han startet motoren og svingte ut av syne for Monica Figuerola.

Hun flyttet blikket til speilet hvor hun så ryggen på mannen i kjeledress. Så løftet hun blikket og så at kvinnen med kameraet hadde sluttet å filme og var på vei forbi Laurinska huset i retning mot henne.

Kron eller mynt? Hun visste allerede hvem Göran Mårtensson var og hva han holdt på med. Både mannen i kjeledressen og kvinnen med kameraet var ukjente kort. Men hvis hun gikk fra bilen, kunne hun risikere å bli observert av kvinnen med kameraet.

Hun satt stille. I speilet så hun mannen med kjeledress svinge til venstre inn i Brännkyrkagatan. Hun ventet til kvinnen med kameraet kom frem til krysset foran henne, men istedenfor å følge etter mannen i kjeledress, svingte hun 180 grader og nedover bakken mot Bellmansgatan 1. Monica Figuerola så en kvinne i 35-årsalderen. Hun hadde mørkt, kortklippet hår og var kledd i mørke olabukser og svart jakke. Så snart hun var kommet et stykke ned i bakken, rev Monica Figuerola bildøren opp og løp nedover mot Brännkyrkagatan. Hun kunne ikke se mannen i kjeledress. I neste sekund svingte en Toyota varebil ut fra fortauskanten. Monica Figuerola så mannen i halvprofil og memorerte bilnummeret. Og selv om hun skulle glemme bilnummeret, ville hun likevel kunne spore ham. På sidene av bilen var det reklame for Lars Faulssons Lås- og Nøkkelservice med et telefonnummer.

Hun gjorde ikke noe forsøk på å løpe tilbake til sin egen bil for å følge etter Toyotaen. Isteden gikk hun rolig tilbake. Hun kom opp på toppen av bakken akkurat i tide til å se kvinnen med kameraet forsvinne inn gjennom inngangen til Mikael Blomkvist.

Hun satte seg i bilen og noterte både bil- og telefonnummer til Lars Faulssons Lås- og Nøkkelservice. Så klødde hun seg i hodet. Det var en forskrekkelig mystisk trafikk rundt Mikael Blomkvists adresse. Hun løftet blikket og så opp mot taket på Bellmansgatan 1. Hun visste at Blomkvist hadde en leilighet i loftsetasjen, men på tegningene fra byplankontoret hadde hun kunnet konstatere at den lå på den andre siden av huset med gavlvindu mot Riddarfjärden og Gamla stan. En eksklusiv adresse i dette ærverdige kulturstrøket. Hun lurte på om han var en brautende oppkomling.

Hun ventet i ni minutter før kvinnen med kameraet kom ut av døren igjen. Istedenfor å gå tilbake oppover bakken mot Tavastgatan, fortsatte hun nedover og svingte til høyre rundt hjørnet til Pryssgränd. *Hmm.* Hvis hun hadde en bil som sto parkert nede i Pryssgränd, var Monica Figuerola hjelpeløst fortapt.

Men hvis hun gikk til fots, hadde hun bare en utgang fra dumpa – opp på Brännkyrkagatan ved Pustegränd nærmere Slussen.

Monica Figuerola forlot bilen og svingte til venstre mot Slussen i Brännkyrkagatan. Hun var nesten fremme ved Pustegränd da kvinnen med kameraet svingte inn foran henne. Bingo. Hun fulgte henne forbi Hilton og ut på Södermalmstorg foran Stadsmuseet ved Slussen. Kvinnen gikk raskt og målbevisst uten å se seg rundt. Monica Figuerola ga henne cirka tredve meters forsprang. Hun forsvant gjennom inngangen til T-banen ved Slussen, og Monica Figuerola begynte å lange ut, men stoppet opp da hun så kvinnen gå til Pressbyrå-kiosken istedenfor å forsvinne gjennom sperrene.

Monica Figuerola betraktet kvinnen i køen foran kiosken. Hun var drøyt 170 centimeter høy og så forholdsvis veltrent ut. Hun gikk i joggesko. Da hun sto der med begge føttene godt plantet i bakken foran luken til kiosken, fikk Monica Figuerola det plutselig for seg at hun tilhørte politiet. Kvinnen kjøpte en boks Catch Dry, gikk tilbake ut på Södermalmstorg og tok til høyre over Katarinavägen.

Monica Figuerola fulgte etter. Hun var ganske sikker på at kvinnen ikke hadde oppdaget henne. Kvinnen forsvant rundt hjørnet ovenfor McDonald's, og Monica Figuerola skyndte seg etter på omtrent førti meters avstand.

Da hun kom rundt hjørnet, var kvinnen sporløst forsvunnet. *Pokker.* Hun gikk langsomt forbi inngangsdørene. Plutselig falt blikket på et skilt. *Milton Security.*

Monica Figuerola nikket for seg selv og vandret tilbake til Bellmansgatan.

Hun kjørte opp Götagatan hvor Millenniums redaksjonslokaler lå, og brukte den nærmeste halvtimen til å streife rundt i gatene rundt redaksjonen. Hun kunne ikke se bilen til Mårtensson. Ved lunsjtider dro hun tilbake til politihuset på Kungsholmen og tilbragte den neste timen med å løfte jern i gymsalen.

«Vi har et problem,» sa Henry Cortez.

Malin Eriksson og Mikael Blomkvist kikket opp fra manuskriptet til boken om Zalatsjenko-saken. Klokken var halv to om ettermiddagen.

«Sett deg,» sa Malin.

«Det gjelder Vitavara AB, altså firmaet som lager klosetter i Vietnam og selger dem for 1700 spenn per stykk.»

«Jaha. Hva består problemet i?» sa Mikael.

«Vitavara AB er et heleid datterselskap av SveaBygg AB.»

«Jaha. Det er jo et temmelig stort selskap.»

«Ja. Styreformannen heter Magnus Borgsjö og er styregrossist. Han sitter blant annet som styreformann i Svenska Morgon-Posten og eier drøyt ti prosent av SMP.»

Mikael så skarpt opp på Henry Cortez.

«Er du sikker?»

«Ja. Erika Bergers sjef er en jævla kjeltring som utnytter barnearbeidere i Vietnam.»

«Au da,» sa Malin Eriksson.

Redaksjonssekretær Peter Fredriksson så ut til å være ille til mote da han banket forsiktig på døren til Erika Bergers glassbur ved totiden om ettermiddagen.

«Hva?»

«Huff, dette er litt pinlig. Men en i redaksjonen har fått en e-post fra deg.»

«Fra meg?»

«Ja. Sukk.»

«Hva er det?»

Han ga henne noen A4-sider med en utskrevet mail som var adressert til Eva Carlsson, en 26 år gammel vikar på kultursiden. Avsenderen var ifølge overskriften <erika.berger@smpost.se>

[Kjæreste Eva. Jeg vil kjærtegne deg og kysse brystene dine.
Jeg er varm av opphisselse og klarer ikke å beherske meg.
Jeg ber deg om å besvare følelsene mine. Kan du treffe meg.
Erika]

Eva Carlsson hadde ikke besvart denne innledende invitten, noe som hadde ført til ytterligere to mailer de neste dagene.

[Kjære elskede Eva. Jeg ber deg, ikke avvis meg. Jeg er gal av begjær. Jeg vil ha deg naken. Jeg må ha deg. Jeg skal gjøre det godt for deg. Du kommer ikke til å angre. Jeg skal kysse hver centimeter av din nakne hud, de vakre brystene dine og din deilige grotte. /Erika]

[Eva. Hvorfor svarer du ikke? Ikke vær redd for meg. Ikke avvis meg. Du er ingen uskyldig jomfru. Du vet hva det dreier seg om. Jeg vil ha sex med deg, og jeg kommer til å belønne deg rikelig. Hvis du er snill mot meg, skal jeg være snill mot deg. Du har bedt om å få forlenget vikariatet ditt. Det står i min makt å forlenge det og til og med gjøre det om til en fast stilling. La oss møtes i kveld klokken 21.00 ved bilen min nede i garasjen. Din Erika]

«Jaha,» sa Erika Berger. «Og nå lurer hun på om jeg sitter her og sender slibrige forslag til henne.»

«Ikke akkurat ... jeg mener ... huff.»

«Snakk ut, Peter.»

«Hun trodde kanskje litt på det etter den første mailen, eller ble i hvert fall veldig overrasket over den. Men så innså hun at det var helt sykt og ikke akkurat din stil og så ...»

«Så?»

«Tja, hun synes det er pinlig og vet ikke riktig hva hun skal gjøre. Det hører vel også med til historien at hun er veldig imponert av deg og liker deg godt ... som sjef, altså. Så hun kom til meg og ba om råd.»

«Jeg skjønner. Og hva sa du til henne?»

«Jeg sa at her er det noen som har forfalsket adressen din og trakasserer henne. Eller muligens dere begge. Og så lovet jeg henne å snakke med deg om det.»

«Takk. Kan du være så snill å sende henne inn til meg om ti minutter.»

Erika brukte tiden til å forfatte en egen mail.

[Det har oppstått en situasjon hvor jeg må meddele at en medarbeider i SMP har fått et antall e-poster som ser ut til å komme fra meg. De inneholder seksuelle hentydninger av groveste slag.

332

Selv har jeg fått e-post med vulgært innhold fra en avsender som oppgir seg som «centralred» i SMP. Noen slik adresse finnes som kjent ikke i SMP.

Jeg har konsultert IT-sjefen, som forteller at det er svært lett å forfalske en avsenderadresse. Jeg vet ikke riktig hvordan det gjøres, men det finnes åpenbart nettsteder hvor den slags kan ordnes. Jeg må dessverre trekke den konklusjon at det er et sykt menneske som holder på med dette.

Jeg vil vite om det er flere medarbeidere som har fått underlige e-poster. Jeg vil at de i så fall skal gi beskjed om det til redaksjonssekretær Peter Fredriksson umiddelbart. Hvis dette uvesenet fortsetter, må vi vurdere å gå til politianmeldelse.

Erika Berger, sjefredaktør]

Hun skrev ut en kopi av e-posten og trykket deretter på sendknappen slik at meldingen gikk ut til samtlige ansatte i SMP-konsernet. I samme øyeblikk banket Eva Carlsson på døren.

«Hei, sitt ned,» sa Erika. «Jeg hører at du har fått e-post fra meg.»

«Pøh, jeg tror ikke at de kommer fra deg.»

«For tredve sekunder siden fikk du i alle fall en e-post fra meg. Denne mailen har jeg skrevet helt selv og sendt til samtlige medarbeidere.»

Hun rakte Eva Carlsson den utskrevne kopien.

«Greit. Jeg skjønner,» sa Eva Carlsson.

«Jeg beklager at noen har sett seg ut deg til måltavle for denne ubehagelige kampanjen.»

«Du behøver ikke be om unnskyldning for det en eller annen gærning finner på.»

«Jeg vil bare forvisse meg om at du ikke sitter igjen med noen som helst mistanke om jeg har noe med disse mailene å gjøre.»

«Jeg har aldri trodd at det var du som sendte dem.»

«Fint, takk,» sa Erika og smilte.

Monica Figuerola brukte ettermiddagen til å samle informasjon. Hun begynte med å bestille et passbilde av Lars Faulsson for å verifisere at han var den personen hun hadde sett sammen med Mårtensson. Deretter slo hun opp i strafferegisteret og fikk napp med en gang.

Lars Faulsson, 47 år gammel og kjent under klengenavnet Falun, hadde innledet sin karriere med biltyverier som 17-åring. I 1970- og 1980-årene var han blitt pågrepet to ganger og tiltalt for innbrudd, grovt tyveri og heleri. Han var først blitt dømt til en mild fengselsstraff, og den andre gangen til tre års fengsel. På den tiden ble han betraktet som *up and coming* i forbryterkretser, og var blitt avhørt som mistenkt for minst tre lovbrudd til, hvorav det ene var et komplisert og omtalt ran av pengeskapet i et varehus i Västerås. Etter avsluttet soning i 1984 hadde han holdt seg i skinnet – eller i hvert fall ikke begått noe kupp som hadde ført til pågripelse og dom. Derimot hadde han omskolert seg til låsesmed (av alle yrker), og i 1987 startet sitt eget firma Lars Faulsson Lås- og Nøkkelservice med adresse ved Norrtull.

Å identifisere den ukjente kvinnen som hadde filmet Mårtensson og Faulsson, viste seg å være enklere enn Monica hadde forestilt seg. Hun ringte ganske enkelt til resepsjonen i Milton Security og forklarte at hun var på jakt etter en kvinnelig ansatt som hun hadde truffet for en stund siden, men som hun hadde glemt navnet på. Hun kunne imidlertid gi en god beskrivelse av kvinnen det dreide seg om. Resepsjonen opplyste at det hørtes ut som Susanne Linder og satte henne over. Da Susanne Linder svarte, ba Monica Figuerola om unnskyldning og forklarte at hun måtte ha ringt feil nummer.

Hun gikk inn i folkeregisteret og konstaterte at det fantes atten Susanne Linder i Stor-Stockholm. Tre av disse var i 35-årsalderen. En var bosatt i Norrtälje, en i Stockholm og en i Nacka. Hun bestilte passbildene deres og identifiserte umiddelbart kvinnen hun hadde skygget fra Bellmansgatan, som den Susanne Linder som sto oppført i folkeregisteret med adresse i Nacka.

Hun sammenfattet dagens innsats i et notat og gikk inn til Torsten Edklinth.

Ved femtiden lukket Mikael Blomkvist Henry Cortez' researchmappe og skjøv den fra seg med vemmelse. Christer Malm la fra seg Henry Cortez' utskrevne tekst som han hadde lest fire ganger. Henry Cortez satt i sofaen på Malin Erikssons kontor og så skyldbetynget ut.

«Kaffe,» sa Malin og reiste seg. Hun kom tilbake med kaffekannen og fire kopper.

Mikael sukket.

«Det er en innmari god story,» sa han. «Førsteklasses research. Dokumentert tvers igjennom. Perfekt dramaturgi med en *bad guy* som svindler svenske husleiere ved hjelp av systemet – noe som er fullt lovlig – men som er så jævla grisk og stupid at han benytter seg av et firma i Vietnam som driver med barnearbeid.»

«Dessuten er det godt skrevet,» sa Christer Malm. «Dagen etter at vi har gått ut med det, kommer Borgsjö til å være persona non grata i hele det svenske næringslivet. TV kommer til å slå opp denne artikkelen. Han kommer til å bli plassert ved siden av Skandia-direktører og andre svindlere. Et skikkelig skup for Millennium. Flott gjort, Henry.»

Mikael nikket.

«Men dette med Erika er malurt i gledesbegeret,» sa han.

Christer Malm nikket.

«Men hvorfor er det egentlig noe problem?» sa Malin. «Det er jo ikke Erika som er kjeltringen. Vi må vel få granske hvilken styreformann vi vil, selv om han tilfeldigvis er sjefen hennes.»

«Det er et jævlig problem,» sa Mikael.

«Erika Berger har ikke sluttet her,» sa Christer Malm. «Hun eier tredve prosent av Millennium og sitter i styret. Hun er til og med styreformann frem til vi kan velge Harriet Vanger på neste styremøte, og det blir ikke før i august. Og Erika jobber for SMP, hvor hun også sitter i styret, og styreformannen kommer til å bli uthengt av oss.»

Dyster taushet.

«Så hva faen gjør vi?» sa Henry Cortez. «Skal vi droppe artikkelen?»

Mikael så Henry Cortez rett inn i øynene.

«Nei, Henry. Vi skal ikke droppe artikkelen. Vi jobber ikke på den måten i Millennium. Men det krever en del forarbeid.

Vi kan ikke bare slenge den rett i fjeset på Erika gjennom en salgsplakat.»

Christer Malm nikket og viftet med en finger.

«Vi setter Erika i klemma så det suser. Hun må velge enten å selge sin andel og umiddelbart tre ut av Millenniums styre, eller i verste fall å få sparken fra SMP. Uansett kommer hun til å havne i en forferdelig interessekonflikt. Ærlig talt, Henry ... jeg er enig med Mikael i at vi skal publisere artikkelen, men det kan tenktes at vi blir nødt til å utsette den en måned.»

Mikael nikket.

«Fordi vi også har havnet i en lojalitetskonflikt,» sa han.

«Skal jeg ringe henne?» spurte Christer Malm.

«Nei,» sa Mikael. «Jeg ringer henne og avtaler et møte. For eksempel i kveld.»

Torsten Edklinth lyttet oppmerksomt på Monica Figuerola da hun oppsummerte sirkuset rundt Mikael Blomkvists bolig i Bellmansgatan 1. Han følte at gulvet gynget litt.

«En ansatt i RPS/Säk gikk altså inn inngangsdøren til Mikael Blomkvist sammen med en forhenværende skapsprenger som har omskolert seg til låsesmed.»

«Det er riktig.»

«Hva tror du de gjorde der inne?»

«Det vet jeg ikke. Men de var borte i niogførti minutter. En mulighet man kan gjette på, er selvfølgelig at Faulsson åpnet døren, og at Mårtensson gikk inn i Blomkvists leilighet.»

«Og hva gjorde de der?»

«Det kan neppe ha dreid seg om å installere avlyttingsutstyr, siden det bare tar et minutt eller to. Altså må Mårtensson ha snoket igjennom Blomkvists papirer eller hva han nå skulle ha hjemme hos seg.»

«Men Blomkvist er på vakt ... de stjal jo Björcks rapport fra hjemmet hans.»

«Nettopp. Han vet at han er overvåket, og han overvåker dem som overvåker ham. Han er en kald fisk.»

«Hvordan da?»

«Han har en plan. Han samler opplysninger og har tenkt å

henge ut Göran Mårtensson. Det er det eneste som gir noen mening.»

«Og så dukket denne Linder-damen opp?»

«Susanne Linder, 34 år gammel, bosatt i Nacka. Hun har tidligere vært ansatt i politiet.»

«Politiet?»

«Hun tok politiskolen og var seks år i utrykningsenheten på Södermalm. Plutselig sa hun opp. Det finnes ingenting i papirene hennes som forklarer hvorfor. Hun var arbeidsløs i noen måneder før hun ble ansatt av Milton Security.»

«Dragan Armanskij,» sa Edklinth tankefullt. «Hvor lenge var hun inne i huset?»

«Ni minutter.»

«Og gjorde hva?»

«Jeg vil gjette på – siden hun filmet Mårtensson og Faulsson på gaten – at hun dokumenterte aktivitetene deres. Det betyr at Milton Security jobber sammen med Blomkvist og har satt opp overvåkingskameraer i leiligheten hans eller i oppgangen. Hun gikk sannsynligvis inn for å hente ut informasjonen i kameraene.»

Edklinth sukket. Zalatsjenko-historien begynte å bli umåtelig komplisert.

«Greit. Takk. Gå hjem. Jeg må tenke litt på dette.»

Monica Figuerola gikk til treningsstudioet ved St. Eriksplan og mosjonerte.

Mikael Blomkvist brukte sin blå T10 reservetelefon fra Ericsson da han slo nummeret til Erika Berger i SMP. Han avbrøt dermed en diskusjon som Erika akkurat da hadde med redigererne om hvordan en artikkel om internasjonal terrorisme skulle vinkles.

«Nei, hei du … vent et lite øyeblikk.»

Erika la hånden over telefonen og så seg rundt.

«Da tror jeg vi er ferdig,» sa hun og ga noen siste instrukser om hvordan hun ville ha det.

«Hei, Mikael. Unnskyld at jeg ikke har gitt lyd fra meg. Jeg er bare fullstendig overlesset med arbeid og har tusen ting å sette meg inn i.»

«Jeg har heller ikke vært direkte arbeidsledig,» sa Mikael.

«Hvordan går det med Salander-saken?»

«Bra. Men det var ikke derfor jeg ringte. Jeg må treffe deg. I kveld.»

«Jeg skulle ønske jeg kunne, men jeg må være her til rundt åtte. Og jeg er dødssliten. Jeg har vært på farten siden seks i morges.»

«Ricky ... jeg snakker ikke om å dyrke sexlivet ditt. Jeg må snakke med deg. Det er viktig.»

Erika ble taus et lite øyeblikk.

«Hva dreier det seg om?»

«Det tar vi når vi sees. Men det er ikke noe særlig festlig.»

«Greit. Jeg kommer hjem til deg ved halv nitiden.»

«Nei, ikke hjemme hos meg. Det er en lang historie, men leiligheten min egner seg ikke noe særlig for en stund fremover. Kom til Samirs gryta, så tar vi en øl.»

«Jeg kjører bil.»

«Bra. Da tar vi lettøl.»

Erika Berger var lettere irritert da hun gikk inn på Samirs gryta ved halv nitiden. Hun hadde dårlig samvittighet for at hun ikke hadde latt høre fra seg med et ord til Mikael etter den dagen da hun vandret inn i SMP. Men hun hadde aldri hatt så mye å gjøre før.

Mikael Blomkvist løftet hånden fra et hjørnebord ved vinduet. Hun nølte litt i døren. Mikael føltes et øyeblikk som et vilt fremmed menneske, og hun opplevde det som om hun så ham med nye øyne. *Hvem er det der? Gud, jeg er sliten.* Deretter reiste han seg og kysset henne på kinnet, og til sin forskrekkelse oppdaget hun at hun overhodet ikke hadde tenkt på ham på flere uker, og at hun savnet ham noe helt forferdelig. Det var akkurat som om tiden i SMP hadde vært en drøm, og at hun plutselig ville våkne på sofaen i Millennium. Det føltes uvirkelig.

«Hei, Mikael.»

«Hei, sjefredaktør. Har du spist?»

«Klokken er halv ni. Jeg har ikke dine motbydelige matvaner.»

Deretter gikk det opp for henne at hun var dødssulten. Samir kom bort med menyen, og hun bestilte en lettøl og en liten tallerken calamares og potetbåter. Mikael bestilte couscous og en lettøl.

«Hvordan har du det?» spurte hun.

«Det er en interessant tid vi lever i. Jeg har mer enn nok å gjøre.»

«Hvordan er det med Salander?»

«Hun er en del av det interessante.»

«Micke, jeg har ikke tenkt å stikke av med storyen din.»

«Unnskyld ... jeg prøver ikke å unngå å svare. Akkurat nå er ting ganske forvirrende. Jeg skal gjerne fortelle om det, men det kommer til å ta halve natten. Hvordan er det å være sjef i SMP?»

«Det er ikke akkurat som i Millennium.»

Hun var taus en stund.

«Jeg sovner som et utblåst lys når jeg kommer hjem, og når jeg våkner, ser jeg budsjettkalkyler foran øynene. Jeg savner deg. Kan vi ikke gå hjem til deg og sove. Jeg orker ikke å ha sex, men jeg skulle gjerne krølle meg samme og sove hos deg.»

«Sorry, Ricky. Leiligheten min er ikke noe lurt sted akkurat nå.»

«Hvorfor ikke? Har det skjedd noe?»

«Nja ... det er noen som har bugget den og hører hvert eneste ord jeg sier der inne. Selv har jeg installert skjult kameraovervåkning som viser hva som skjer når jeg ikke er hjemme. Jeg tror vi skal spare ettertiden for din nakne rumpe.»

«Spøker du?»

Han ristet på hodet.

«Nei. Men det var ikke derfor jeg på død og liv måtte treffe deg.»

«Hva er det som har skjedd? Du ser så rar ut.»

«Tja ... du har begynt i SMP. Og vi i Millennium har kommet over en story som kan senke din styreformann. Det dreier seg om utnyttelse av barnearbeidere og politiske fanger i Vietnam. Jeg tror vi har havnet i en interessekonflikt.»

Erika la fra seg gaffelen og stirret på Mikael. Hun skjønte umiddelbart at det ikke var spøk.

«Det forholder seg slik,» sa han. «Borgsjö er styreformann og hovedaksjonær i et selskap som heter SveaBygg, som i sin tur har et heleid datterselskap som heter Vitavara AB. De produserer klosetter ved en bedrift i Vietnam som FN har svartelistet for bruk av barnearbeidskraft.»

«Si det der en gang til.»

Mikael gjenga i detalj den storyen som Henry Cortez hadde gravd frem. Han åpnet skuldervesken og tok frem kopier av dokumentasjonen. Erika leste langsomt igjennom Cortez' artikkel. Til slutt så hun opp og møtte Mikaels blikk. Hun følte en helt urimelig blanding av panikk og mistenksomhet.

«Hvordan faen har det seg at det første Millennium gjør etter at jeg har sluttet, er å begynne med å fingranske de som sitter i SMPs styre?»

«Det er ikke sånn, Ricky.»

Han forklarte henne hvordan storyen hadde vokst frem.

«Og hvor lenge har du visst om dette?»

«Siden i ettermiddag. Jeg føler en sterk motvilje mot hele denne utviklingen.»

«Hva kommer dere til å gjøre?»

«Jeg vet ikke. Vi må gå ut med det. Vi kan ikke gjøre et unntak bare fordi det dreier seg om din sjef. Men ingen av oss vil skade deg.» Han slo ut med hånden. «Vi er temmelig fortvilet. Ikke minst Henry.»

«Jeg sitter fremdeles i Millenniums styre. Jeg er medeier … det kommer til å bli oppfattet som …»

«Jeg vet nøyaktig hvordan det kommer til å bli oppfattet. Du kommer til å havne i et gjørmehøl i SMP.»

Erika kjente at trettheten slo innover henne. Hun bet tennene sammen og kvalte en impuls til å be Mikael om å dysse ned hele historien.

«Svarte helvete,» sa hun. «Det er ingen tvil om at storyen holder …?»

Mikael ristet på hodet.

«Jeg brukte hele kvelden på å gå igjennom Henrys dokumentasjon. Borgsjö er klar for slaktebenken.»

«Hva skal dere gjøre?»

«Hva ville du ha gjort hvis vi hadde kommet over denne storyen for to måneder siden?»

Erika Berger stirret oppmerksomt på sin venn og elsker gjennom mer enn tyve år. Så slo hun blikket ned.

«Du vet hva jeg ville ha gjort.»

«Dette er et katastrofalt sammentreff. Ingenting av dette er rettet mot deg. Jeg er fryktelig lei for det. Det var derfor jeg insisterte på at vi måtte møtes omgående. Vi må bestemme oss for hva vi skal gjøre.»

«Vi?»

«Altså ... denne storyen skulle egentlig stå i juninummeret. Jeg har allerede utsatt den. Den kommer ikke til å bli publisert før tidligst i august, og den kan forskyves ytterligere hvis du trenger det.»

«Jeg skjønner.»

Stemmen hennes fikk en bitter undertone.

«Jeg foreslår at vi ikke avgjør noe som helst i kveld. Du tar med deg denne dokumentasjonen og går hjem og tenker over saken. Ikke gjør noe før vi har kommet frem til en felles strategi. Vi har tid på oss.»

«Felles strategi?»

«Du må enten gå ut av Millenniums styre i god tid før vi offentliggjør saken, eller så må du slutte i SMP. Men du kan ikke sitte på begge stolene.»

Hun nikket.

«Jeg er så sterkt forbundet med Millennium at ingen kommer til å tro at jeg ikke har hatt en finger med i spillet, uansett hvor mye jeg går av.»

«Det finnes et alternativ. Du kan ta storyen til SMP og konfrontere Borgsjö med den og forlange at han går av. Jeg er overbevist om at Henry Cortez ville gå med på det. Men ikke gjør noe som helst før alle er enige.»

«Jeg begynner med å forårsake at den personen som rekrutterte meg, får sparken.»

«Jeg beklager.»

«Han er ikke noe dårlig menneske.»

Mikael nikket.

«Jeg tror deg. Men han er grådig.»

Erika nikket. Hun reiste seg.

«Jeg drar hjem.»

«Ricky, jeg …»

Hun avbrøt ham.

«Jeg er bare dødssliten. Takk for at du advarte meg. Jeg må få tenke igjennom hva dette betyr.»

Mikael nikket.

Hun gikk uten å kysse ham på kinnet og lot ham sitte igjen med regningen.

Erika Berger hadde parkert to hundre meter fra Samirs gryta og var kommet halvveis da hun merket at hun hadde så kraftig hjerteklapp at hun var nødt til å stoppe opp og lene seg mot veggen ved en inngangsdør. Hun følte seg kvalm.

Hun sto lenge og pustet inn den kjølige mailuften. Plutselig gikk det opp for henne at hun hadde jobbet femten timer om dagen siden 1. mai. Det var snart tre uker. Hvordan ville hun føle seg etter tre år? Hvordan hadde Morander følt seg da han falt død om midt i redaksjonen?

Etter ti minutter gikk hun tilbake til Samirs gryta og møtte Mikael akkurat idet han kom ut av døren. Han stanset forbløffet

«Erika …»

«Ikke si noe, Mikael. Vi har vært venner så lenge at ingenting får lov til å ødelegge det. Du er min beste venn, og dette er akkurat som den gangen da du forsvant til Hedestad for to år siden, bare stikk motsatt. Jeg føler meg presset og ulykkelig.»

Han nikket og slo armene om henne. Hun merket at hun plutselig hadde tårer i øynene.

«Tre uker i SMP har allerede tatt knekken på meg,» sa hun og lo.

«Så da. Det skal nok litt mer til for å knekke Erika Berger.»

«Leiligheten din er i dass. Jeg er for trett til å dra hjem til Saltsjöbaden. Jeg kommer bare til å sovne ved rattet og kjøre meg i hjel. Jeg har tenkt å gå ned til Scandic Crown og leie meg et rom. Bli med.»

Han nikket.

«Det heter Hilton nå.»

«Samme faen.»

De gikk den korte strekningen. Ingen av dem sa noe. Mikael holdt armen rundt skuldrene hennes. Erika skottet bort på ham og skjønte at han var like trett som henne.

De gikk rett bort til resepsjonen, bestilte et dobbeltrom og betalte med Erikas kredittkort. De gikk opp til rommet, kledde av seg, dusjet og krøp opp i sengen. Erika kjente at det verket i musklene som om hun skulle ha løpt Stockholm maraton. De klemte hverandre en stund og sluknet som utblåste lys.

Ingen av dem opplevde at de var overvåket. De la ikke merke til mannen som betraktet dem ved hotellinngangen.

KAPITTEL 15

Torsdag 19. mai–søndag 22. mai

Lisbeth Salander brukte mesteparten av natt til torsdag på å lese Mikael Blomkvists artikler og de kapitlene av boken hans som var noenlunde ferdige. Siden statsadvokat Ekström satset på rettssak i midten av juli, hadde Mikael satt deadline for når manuset måtte gå i trykken, til den 20. juni. Det betydde at Kalle Jævla Blomkvist hadde drøyt en måned på seg til å avslutte skrivingen og fylle alle hullene i teksten.

Lisbeth kunne ikke begripe hvordan han skulle rekke det, men det var hans problem og ikke hennes. Hennes problem var å bestemme seg for hvordan hun skulle forholde seg til de spørsmålene han stilte.

Hun tok frem hånddatamaskinen og logget seg inn på [Toskete_Bord] og sjekket om han hadde skrevet noe nytt det siste døgnet. Hun konstaterte at det hadde han ikke. Deretter åpnet hun det dokumentet som han hadde gitt overskriften [Sentrale spørsmål]. Hun kunne allerede teksten utenat, men leste den likevel igjennom enda en gang.

Han skisserte strategien som Annika Giannini allerede hadde gjennomgått med henne. Da Annika hadde snakket med henne, hadde hun lyttet med en åndsfraværende og distansert interesse, omtrent som om det ikke angikk henne. Men Mikael Blomkvist kjente til hemmeligheter om henne som Annika Giannini ikke gjorde. Han kunne derfor presentere strategien på en vektigere måte. Hun gikk ned til det fjerde avsnittet.

[Den eneste som kan avgjøre hvordan fremtiden din skal se ut, er du selv. Det spiller ingen rolle hvor mye Annika sliter for deg eller hvor mye jeg og Armanskij og Palmgren og andre støtter deg. Jeg

344

har ikke tenkt å forsøke å overtale deg til å gjøre noe. Du må selv
bestemme hva du vil gjøre. Enten snur du rettssaken til din fordel,
eller så lar du dem dømme deg. Men hvis du skal vinne, må du
slåss.]

Hun slo av og så opp i taket. Mikael ba henne om lov til å fortelle
sannheten i boken sin. Han hadde tenkt å hoppe over avsnittet
om Bjurmans voldtekt. Han hadde allerede skrevet kapittelet
og utelatt episoden ved å fastslå at Bjurman hadde innledet et
samarbeid med Zalatsjenko som hadde skåret seg da han gikk
fra konseptene, og Niedermann hadde følt seg tvunget til å ta
livet av ham. Han gikk ikke inn på Bjurmans motiv.

Kalle Jævla Blomkvist kompliserte tilværelsen for henne.

Hun tenkte en lang stund.

Da klokken var to om natten, tok hun frem sin Palm Tung-
sten T3 og åpnet tekstbehandlingsprogrammet. Hun åpnet et
nytt dokument, fant frem den elektroniske pennen og begynte
å klikke frem bokstavene på det elektroniske tastaturet.

[Mitt navn er Lisbeth Salander. Jeg ble født 30. april 1978. Moren min
het Agneta Sofia Salander. Hun var 17 år da jeg ble født. Faren min
var en psykopat, morder og kvinnemishandler ved navn Aleksandr
Zalatsjenko. Han hadde tidligere arbeidet som illegal agent for den
militære sovjetiske etterretningstjenesten GRU i Vest-Europa.]

Skrivingen gikk langsomt siden hun måtte klikke frem bokstav
for bokstav. Hun formulerte hver eneste setning i hodet før hun
skrev den ned. Hun gjorde ikke en eneste forandring i teksten
hun hadde skrevet. Hun arbeidet frem til klokken fire om mor-
genen, da hun slo av maskinen og satte den til lading i tom-
rommet på baksiden av nattbordet. Da hadde hun produsert en
tekst tilsvarende to A4-ark med enkel linjeavstand.

Erika Berger våknet klokken syv om morgenen. Hun følte seg
langt fra utsovet, men hun hadde sovet uavbrutt i åtte timer.
Hun kastet et blikk bort på Mikael Blomkvist, som fremdeles
sov tungt.

Hun begynte med å slå på mobilen og sjekke om hun hadde fått noen meldinger. Displayet viste at hennes mann, Greger Backman, hadde ringt henne elleve ganger. Pokker. Jeg glemte å ringe. Hun slo nummeret og fortalte hvor hun befant seg og hvorfor hun ikke hadde kommet hjem i løpet av natten. Han var sint.

«Erika, det der gjør du ikke en gang til. Du vet at dette ikke har noe med Mikael å gjøre, men jeg har vært helt i oppløsningstilstand i natt. Jeg var livredd for at det hadde hendt noe. Du må ringe og fortelle at du ikke kommer hjem. Du får ikke lov til å glemme noe sånt.»

Greger Backman var innforstått med at Mikael Blomkvist var hans kones elsker. Forholdet deres foregikk med hans samtykke og godvilje. Men hver gang hun hadde bestemt seg for å overnatte hos Mikael, hadde hun alltid ringt ham først og fortalt det. Denne gangen hadde hun gått til Hilton uten noen annen tanke i hodet enn å få sove.

«Unnskyld,» sa hun. «Jeg falt ganske enkelt sammen i går.»

Han brummet en stund.

«Ikke vær sint, Greger, jeg klarer ikke det akkurat nå. Du kan få kjefte på meg i kveld.»

Han brummet litt mindre og lovte å kjefte når han fikk se henne.

«Greit. Hvordan er det med Blomkvist?»

«Han sover.» Plutselig lo hun. «Tro det eller ei, men vi sovnet i løpet av fem minutter etter at vi hadde lagt oss. Det har aldri skjedd før.»

«Erika, dette er alvorlig. Kanskje du burde gå til lege.»

Da hun hadde avsluttet samtalen med sin mann, ringte hun sentralbordet i SMP og ba dem gi en beskjed til redaksjonssekretær Peter Fredriksson. Hun forklarte at hun var blitt forsinket og ville komme litt senere enn vanlig. Hun ba ham avlyse et planlagt møte med kultursidens medarbeidere.

Deretter fant hun frem skuldervesken, hentet opp en tannbørste og gikk på badet. Da hun var tilbake i sengen, vekket hun Mikael.

«Hei,» mumlet han.

«Hei,» sa hun. «Skynd deg på badet og vask deg og puss tennene.»

«Hv... hva?»

Han satte seg opp og så seg så forvirret rundt at hun måtte minne ham på at han befant seg på hotell Hilton ved Slussen. Han nikket.

«Gå på badet.»

«Hvorfor det?»

«Fordi jeg vil ha sex med deg så snart du kommer tilbake.»

Hun så på klokken.

«Og skynd deg. Jeg har et møte klokken halv elleve, og det tar meg minst en halvtime å få på meg fjeset. Og så må jeg rekke å kjøpe en ren singlet på vei til jobben. Det gir oss bare to timer til å ta igjen en masse bortkastet tid.»

Mikael gikk på badet.

Jerker Holmberg parkerte farens Ford på gårdsplassen hos tidligere statsminister Thorbjörn Fälldin i Ås utenfor Ramvik i Härnösand kommune. Han gikk ut av bilen og så seg rundt. Det var torsdag formiddag. Det duskregnet, og jordene var skikkelig grønne. Som 79-åring var Fälldin ikke lenger aktiv bonde, og Holmberg lurte på hvem som sådde og tresket. Han visste at han ble iakttatt fra kjøkkenvinduet. Det hørte med til reglene på landsbygda. Han hadde selv vokst opp i Hälledal utenfor Ramvik, noen steinkast fra Sandöbron, et av de vakreste stedene i verden. Mente Jerker Holmberg.

Han gikk bort til trappen og banket på.

Den gamle Centerparti-lederen så gammel ut, men han virket fremdeles vital og energisk.

«Hei, Thorbjörn. Jeg heter Jerker Holmberg. Vi har truffet hverandre før, men det er noen år siden. Faren min er Gustav Holmberg, som satt i kommunestyret for Centerpartiet i 1970- og 1980-årene.»

«Hei. Jo, jeg kjenner deg igjen, Jerker. Du er vel politimann nede i Stockholm, hvis jeg ikke husker feil. Det må være ti–femten år siden sist.»

«Jeg tror til og med det er lenger enn som så. Kan jeg få komme inn?»

Han satte seg ved kjøkkenbordet mens Thorbjörn Fälldin skjenket kaffe.

«Jeg håper alt er bra med faren din. Det er ikke derfor du har kommet?»

«Nei. Han har det bra. Han er ute og legger tak på hytta.»

«Hvor gammel er han nå?»

«Han fylte 71 for to måneder siden.»

«Jaha,» sa Fälldin og satte seg. «Så hva skyldes dette besøket, da?»

Jerker Holmberg kikket ut gjennom kjøkkenvinduet og fikk øye på en skjære som slo seg ned ved siden av bilen hans og undersøkte bakken. Deretter snudde han seg mot Fälldin.

«Jeg kommer ubedt, og med et stort problem. Det er mulig at jeg får sparken fra jobben når denne samtalen er over. Jeg er altså her i embeds medfør, men sjefen min, kriminalbetjent Jan Bublanski på voldsavsnittet i Stockholm, vet ikke at jeg er her.»

«Det høres alvorlig ut.»

«Jeg er altså ute på svært tynn is hvis mine overordnede skulle få rede på dette besøket.»

«Jeg skjønner.»

«Men jeg er redd for at hvis jeg ikke gjør noe, er det fare for at det kan skje et forferdelig justismord, og det for annen gang.»

«Det er nok best du forklarer nærmere.»

«Det dreier seg om en mann ved navn Aleksandr Zalatsjenko. Han var spion for det russiske GRU og hoppet av i Sverige på valgdagen i 1976. Han fikk politisk asyl og begynte å arbeide for Säpo. Jeg har grunn til å tro at du kjenner den historien.»

Thorbjörn Fälldin betraktet Jerker Holmberg oppmerksomt.

«Dette er en lang historie,» sa Holmberg og begynte å fortelle om den etterforskningen han hadde deltatt i de siste månedene.

Erika Berger veltet seg over på magen og støttet hodet mot knokene. Plutselig smilte hun.

«Mikael, har du aldri lurt på om ikke vi to er spik spenna gærne?»

348

«Hvordan det?»

«Det føles i hvert fall sånn for meg. Jeg får et umettelig begjær etter deg. Jeg føler meg som en gal tenåring.»

«Jaha.»

«Og etterpå vil jeg dra hjem og ligge med mannen min.»

Mikael lo.

«Jeg vet om en god terapeut,» sa han.

Hun pirket ham i mellomgulvet med en finger.

«Det føles som om dette med SMP har vært et eneste jævla stort feilgrep, Mikael.»

«Tøys. Det er en kjempesjanse for deg. Hvis noen kan blåse liv i det kadaveret, er det deg.»

«Ja, det er mulig. Men det er nettopp det som er problemet. SMP føles som et kadaver. Og så plutselig kommer du med denne godbiten om Magnus Borgsjö i går kveld. Jeg skjønner ikke hva jeg har der å gjøre.»

«La ting få gå seg til.»

«Ja. Men dette med Borgsjö er ikke morsomt. Jeg har ikke den fjerneste anelse om hvordan jeg skal takle det.»

«Det vet ikke jeg heller. Men vi får tenke ut noe.»

Hun lå en stund uten å si noe.

«Jeg savner deg.»

Han nikket og så på henne.

«Jeg savner deg også,» sa han.

«Hvor mye skal til for at du vil komme over til SMP og bli nyhetssjef?»

«Aldri i livet. Er det ikke hva han nå heter – Holm – som er nyhetssjef?»

«Jo. Men han er en idiot.»

«Det har du rett i.»

«Kjenner du ham?»

«Ja visst. Jeg jobbet som vikar under ham i tre måneder i midten av 1980-årene. Han er en drittsekk som spiller folk ut mot hverandre. Dessuten ...»

«Dessuten hva da?»

«Nei. Det var ingenting. Jeg vil ikke fare med sladder.»

«Si det.»

«En jente som het Ulla-et-eller-annet, som også var vikar, påsto at han hadde utsatt henne for seksuell trakassering. Jeg vet ikke hva som var sant og ikke sant, men klubben gjorde ingenting, og hun fikk ikke den kontraktsforlengelsen som hadde vært aktuell.»

Erika Berger så på klokken og sukket, slengte bena over sengekanten og forsvant inn i dusjen. Mikael hadde ikke rørt seg da hun kom ut, tørket seg og dro på seg klærne.

«Jeg blir liggende en stund,» sa han.

Hun kysset ham på kinnet, vinket og forsvant.

Monica Figuerola parkerte tyve meter fra Göran Mårtenssons bil i Luntmakargatan, like ved Olof Palmes gata. Hun så Mårtensson gå drøyt seksti meter bort til automaten og betale parkeringsavgiften. Deretter gikk han til Sveavägen.

Monica Figuerola blåste i parkeringsavgiften. Hun ville miste ham av syne hvis hun løp bort og betalte. Hun fulgte etter Mårtensson opp til Kungsgatan, hvor han svingte til venstre. Han forsvant inn på Kungstornet. Hun mumlet for seg selv, men hadde ikke noe valg og ventet tre minutter før hun fulgte etter ham inn på kafeen. Han satt i første etasje og snakket med en mann i 35-årsalderen. Han var blond og så ganske veltrent ut. En politimann, tenkte Monica Figuerola.

Hun identifiserte ham som den mannen Christer Malm hadde fotografert utenfor Copacabana 1. mai.

Hun kjøpte en kaffe og satte seg i den andre enden av kafeen og åpnet Dagens Nyheter. Mårtensson og den andre snakket lavmælt sammen. Hun kunne ikke høre et ord av det de sa. Hun fant frem mobiltelefonen og lot som om hun ringte til noen – noe som var helt unødvendig siden ingen av mennene så på henne. Hun tok et bilde med mobilen som hun visste ville være på 72 dpi, og dermed av for dårlig kvalitet til å kunne publiseres. Derimot kunne det brukes som bevis for at møtet hadde funnet sted.

Etter et drøyt kvarter reiste den blonde mannen seg og forlot Kungstornet. Monica Figuerola bannet innvendig. Hvorfor hadde hun ikke blitt stående utenfor. Hun ville ha kjent ham igjen når han kom ut av kafeen. Hun hadde lyst til å reise seg og ta opp jakten umiddelbart. Men Mårtensson ble rolig sittende og gjorde seg ferdig med kaffen. Hun ville ikke tiltrekke seg oppmerksomhet ved å reise seg og følge etter den uidentifiserte kjenningen hans.

Etter omkring førti sekunder reiste Mårtensson seg og gikk på toalettet. Så snart han hadde lukket døren, kom Monica Figuerola seg på bena og strente ut på Kungsgatan. Hun speidet frem og tilbake, men den blonde mannen hadde rukket å forsvinne.

Hun tok en sjanse og løp oppover mot krysset ved Sveavägen. Hun kunne ikke se ham noe sted og skyndte seg ned på T-banen. Det var håpløst.

Hun gikk tilbake til Kungstornet. Mårtensson hadde også forsvunnet.

Erika Berger bannet ubehersket da hun kom tilbake til det stedet, to kvartaler fra Samirs gryta, hvor hun hadde parkert BMW-en sin kvelden før.

Bilen sto der. Men i løpet av natten hadde noen punktert alle fire dekkene. Jævla fordømte pisserotter, bannet hun for seg selv mens hun kokte.

Det fantes ikke så mange alternativer. Hun ringte etter en bergingsbil og forklarte situasjonen. Hun hadde ikke tid til å bli der og vente, men la bilnøkkelen i eksosrøret så mannskapet kunne komme seg inn i bilen. Deretter gikk hun ned til Mariatorget og vinket på en taxi.

Lisbeth Salander gikk inn på nettsiden til Hacker Republic og konstaterte at Plague var pålogget. Hun plinget på ham.

<Hei Wasp. Hvordan er det på Sahlgrenska?>
<Beroligende. Jeg trenger hjelp av deg.>
<Jøss>
<Jeg trodde aldri jeg skulle spørre>
<Det må være alvorlig>
<Göran Mårtensson, bosatt i Vällingby. Jeg trenger tilgang til datamaskinen hans>

351

<Greit>

<Alt materiale skal overføres til Mikael Blomkvist i Millennium>

<OK. Jeg fikser det>

<Storebror holder oppsikt med Kalle Blomkvists telefon og sannsynligvis e-posten. Du skal sende alt materialet til en hotmailadresse>

<Greit>

<Hvis jeg ikke er tilgjengelig, kommer Blomkvist til å trenge hjelp fra deg. Han må kunne kontakte deg>

<Hmm>

<Han er litt firkanta, men du kan stole på ham>

<Hmm>

<Hvor mye vil du ha?>

Plague svarte ikke på noen sekunder.

<Har dette noe med din situasjon å gjøre?>

<Ja>

<Kan det hjelpe deg?>

<Ja>

<Da spanderer jeg>

<Takk. Men jeg betaler alltid det jeg skylder. Jeg kommer til å trenge hjelp fra deg frem til rettssaken. Jeg betaler 30 000>

<Har du råd?>

<Jeg har råd>

<Greit>

<Jeg tror vi kommer til å trenge Trinity. Tror du at du kan lokke ham til Sverige?>

<Og gjøre hva?>

<Det han er best til. Jeg betaler standardhonorar + omkostninger>

<OK. Hvem?>

Hun forklarte hva hun ville ha gjort.

Doktor Anders Jonasson så bekymret ut da han fredag morgen stirret høflig på en særdeles irritert kriminalbetjent Hans Faste på den andre siden av bordet.

352

«Jeg beklager,» sa Anders Jonasson.

«Jeg forstår ikke dette. Jeg trodde Salander var frisk igjen. Jeg har kommet hit til Göteborg, dels for å kunne avhøre henne og dels for å gjøre forberedelser til overflytting til en celle i Stockholm, hvor hun hører hjemme.»

«Jeg beklager,» sa Anders Jonasson igjen. «Jeg vil svært gjerne bli kvitt henne, for vi har sannelig ikke for mange sengeplasser. Men ...»

«Det er ikke mulig at hun simulerer?»

Anders Jonasson lo.

«Det tror jeg ikke er særlig sannsynlig. Du må forstå følgende: Lisbeth Salander er blitt skutt i hodet. Jeg opererte ut en kule fra hjernen hennes, og på det tidspunktet var det nærmest et rent lotteri om hun ville overleve eller ikke. Hun overlevde, og prognosen hennes har vært usedvanlig tilfredsstillende ... så god at mine kolleger og jeg forberedte oss på å kunne skrive henne ut. Men så inntrådte det en tydelig forverring i går. Hun klaget over kraftig hodepine og har plutselig utviklet feber som svinger opp og ned. I går kveld hadde hun en temperatur på 38 grader og kastet opp to ganger. I løpet av natten gikk feberen ned, og hun var nesten feberfri, så jeg trodde det bare hadde vært noe forbigående. Men da jeg undersøkte henne i morges, var feberen oppe i nesten 39 grader, hvilket er alvorlig. I løpet av dagen har feberen gått litt ned.»

«Så hva er det som feiler henne?»

«Det vet jeg ikke, men det at feberen svinger, antyder at det ikke er influensa eller noe lignende. Nøyaktig hva den kommer av, kan jeg imidlertid ikke svare på, men det kan være så enkelt som at hun er allergisk mot en eller annen medisin eller noe annet som hun har kommet i kontakt med.»

Han hentet frem et bilde på PC-en og viste skjermen til Hans Faste.

«Jeg ba om røntgenbilder. Som du kan se, er det et mørkere parti i umiddelbar tilknytning til skuddskaden. Jeg kan ikke avgjøre hva det er. Det kan være arrdannelser i forbindelse med helingsprosessen, men det kan også være en mindre blødning som har oppstått. Men inntil vi har klart å utrede hva som er i veien, kommer jeg ikke til å slippe henne ut, uansett hvor viktig det måtte være.»

Hans Faste nikket oppgitt. Han visste bedre enn å argumentere med leger, siden de hadde makt over liv og død og var det nærmeste man kunne komme Guds stedfortredere på jorden. Muligens bortsett fra politifolk. Uansett hadde han ikke kompetanse eller kunnskaper til å avgjøre hvor dårlig det sto til med Lisbeth Salander.

«Og hva skjer nå?»

«Jeg har beordret fullstendig ro og hvile og at fysioterapien skal avbrytes – hun trenger sykegymnastikk på grunn av skuddskadene i skulderen og hoften.»

«Greit ... jeg må kontakte statsadvokat Ekström i Stockholm. Dette var litt av en overraskelse. Hva kan jeg si til ham?»

«For to dager siden hadde jeg vært villig til å godkjenne en forflytning, muligens i slutten av denne uken. Slik situasjonen er nå, kommer det til å drøye en stund til. Du må forberede ham på at jeg nok ikke kommer til å ta noen beslutning i løpet av den kommende uken, og at det muligens kan ta opptil to uker før dere kan ta henne med til arresten i Stockholm. Det kommer helt an på hvordan tilstanden hennes utvikler seg.»

«Tidspunktet for rettssaken er satt til i juli ...»

«Hvis ikke noe uforutsett inntreffer, bør hun være på bena i god tid til det.»

Kriminalbetjent Jan Bublanski betraktet mistenksomt den muskuløse kvinnen på den andre siden av kafébordet. De satt på en uteservering nede på Norr Mälarstrand og drakk kaffe. Det var fredag 20. mai og sommervarme i luften. Hun hadde legitimert seg som Monica Figuerola fra RPS/Säk og huket tak i ham klokken fem, akkurat da han var på vei hjem. Hun hadde foreslått en prat på tomannshånd over en kopp kaffe.

Bublanski hadde først vært mutt og motstrebende. Etter en stund hadde hun sett ham inn i øynene og sagt at hun ikke hadde noe offisielt oppdrag om å avhøre ham, og at han naturligvis ikke behøvde si noe til henne hvis han ikke ville. Han hadde spurt hvilket ærend hun var ute i, og hun hadde åpenhjertig fortalt at hun hadde fått i oppdrag av sjefen sin å skaffe seg et uoffisielt bilde av hva som var sant og hva som var usant i den såkalte Zalatsjenko-saken, som av og til også ble kalt Salander-saken. Hun forklarte også at det ikke var helt sikkert om hun overhodet hadde lov til å stille ham noen spørsmål, og at han selv måtte bestemme hva han ville gjøre.

«Hva er det du vil vite?» spurte Bublanski til slutt.

«Fortell hva du vet om Lisbeth Salander, Mikael Blomkvist, Gunnar Björck og Aleksandr Zalatsjenko. Hvordan passer bitene sammen?»

De snakket sammen i over to timer.

Torsten Edklinth tenkte både lenge og vel på hvordan han skulle gå videre. Etter fem dagers spaning hadde Monica Figuerola gitt ham en rekke tydelige indikasjoner på at noe innenfor RPS/Säk var fullstendig galt. Han innså behovet for å gå forsiktig frem til han hadde nok å slå i bordet med. Som situasjonen nå var, befant han seg til en viss grad i en konstitusjonell nødssituasjon, siden han ikke hadde fullmakt til å drive operative undersøkelser i hemmelighet, og særlig ikke mot sine egne medarbeidere.

Følgelig måtte han finne en oppskrift som gjorde tiltakene hans legitime. I en krisesituasjon kunne han alltids vise til politi-legitimasjon, og at det var en politimanns plikt å undersøke lovbrudd – men nå var dette lovbruddet av en så følsom konstitusjonell art at han sannsynligvis ville få sparken hvis han trådte feil. Han tilbragte fredagen med å gruble alene på kontoret.

De slutningene han hadde trukket, var at Dragan Armanskij hadde rett, hvor usannsynlig det enn kunne virke. Det eksisterte en konspirasjon innenfor RPS/Säk hvor et antall personer handlet utenfor eller på siden av den ordinære virksomheten. Siden denne virksomheten hadde foregått i mange år – i hvert fall siden 1976 da Zalatsjenko kom til Sverige – måtte den være organisert og sanksjonert ovenfra. Hvor høyt opp konspirasjonen gikk, hadde han ingen anelse om.

Han skrev tre navn på en blokk på skrivebordet.

Göran Mårtensson, livvaktavsnittet. Kriminalbetjent
Gunnar Björck, nestleder i utlendingsavdelingen. Død (Selvmord?)
Albert Shenke, administrasjonssjef, RPS/Säk

Monica Figuerola hadde kommet til den konklusjon at administrasjonssjefen måtte ha trukket i trådene da Mårtensson på livvaktavsnittet ble overflyttet til kontraspionasjen uten egentlig å flytte dit. Han var jo opptatt med å overvåke journalist Mikael Blomkvist, noe som ikke hadde et fnugg med kontraspionasjens virksomhet å gjøre.

På listen skulle det også tilføyes to navn utenfor RPS/Säk.

Peter Teleborian, psykiater
Lars Faulsson, låsesmed

Teleborian var blitt brukt som psykiatrisk konsulent av RPS/ Säk noen få ganger i slutten av 1980-årene og begynnelsen av 1990-årene. Det hadde skjedd ved ganske nøyaktig tre anledninger, og Edklinth hadde gransket rapportene fra arkivet. Det første tilfellet hadde vært ekstraordinært: Kontraspionasjen hadde identifisert en russisk informant innenfor den svenske teleindustrien, og spionens bakgrunn skapte engstelse for at han muligens kunne være tilbøyelig til å begå selvmord hvis han ble avslørt. Teleborian hadde foretatt en oppsiktsvekkende god analyse som gikk ut på at informanten kunne snus til å bli dobbeltagent. De to andre tilfellene hvor Teleborian var blitt engasjert, hadde dreid seg om adskillig mindre omfattende granskninger, dels av en ansatt i RPS/Säk som hadde alkoholproblemer, dels av en merkverdig seksuell adferd fra en diplomat fra et afrikansk land.

Men hverken Teleborian eller Faulsson – spesielt ikke Faulsson – hadde noensinne vært ansatt i RPS/Säk. Likvel var de gjennom sine oppdrag knyttet til ... til hva?

Sammensvergelsen var intimt forbundet med den avdøde Aleksandr Zalatsjenko, avhoppet russisk GRU-agent som ifølge opplysninger hadde ankommet Sverige på valgdagen i 1976. Og som ingen hadde hørt om. *Hvordan var det mulig?*

Edklinth forsøkte å forestille seg hva som sannsynligvis ville ha skjedd hvis han selv hadde sittet i en lederstilling i RPS/ Säk i 1976 da Zalatsjenko hoppet av. Hvordan ville han ha handlet? Absolutt hemmeligholdelse. Det ville ha vært nødvendig. Avhoppet kunne bare ha vært kjent av en liten, eksklusiv krets hvis man ikke skulle risikere at det skulle lekke tilbake til russerne og ... Hvor liten krets?

En operativ avdeling?

En ukjent operativ avdeling?

Hvis alt hadde vært som det skulle, burde Zalatsjenko havnet under kontraspionasjen. Aller helst burde han ha havnet under den militære etterretningstjenesten, men de hadde hverken ressurser eller kompetanse til å drive den typen virksomhet. Altså sikkerhetspolitiet.

Men kontraspionasjen hadde aldri hatt ham. Björck var nøkkelen; han hadde åpenbart vært en av de personene som hadde hånd om Zalatsjenko. Men Björck hadde aldri hatt noe med kontraspionasjen å gjøre. Björck var et mysterium. Formelt hadde han hatt en stilling i utlendingsavdelingen siden 1970-årene, men i virkeligheten hadde han knapt vært å se i avdelingen før i 1990-årene, da han plutselig ble nestleder.

Likevel var Björck den viktigste kilden til Blomkvists informasjon. Hvordan hadde Blomkvist klart å få Björck til å avsløre den slags dynamitt? Til en journalist?

Horene. Björck gikk til tenåringshorer, og Millennium hadde planer om å avsløre ham. Blomkvist måtte ha drevet utpresning mot Björck.

Deretter kom Lisbeth Salander inn i bildet.

Avdøde advokat Nils Bjurman hadde arbeidet i utlendingsavdelingen sammen med avdøde Björck. Det var de som hadde tatt seg av Zalatsjenko. Men hvor gjorde de av ham?

Noe måtte ha tatt beslutningene. Med en avhopper av et slikt format måtte ordren ha kommet fra aller høyeste hold.

Fra regjeringen. Den måtte ha vært forankret der. Alt annet var utenkelig.

Eller hva?

Edklinth fikk frysninger av ubehag. Alt dette var formelt forståelig. En avhopper av Zalatsjenkos betydning måtte behandles med størst mulig hemmeligholdelse. Det var det han selv ville ha besluttet. Det var det Fälldin-regjeringen måtte ha besluttet. Det var helt rimelig.

Men det som skjedde i 1991, var urimelig. Björck hadde engasjert Peter Teleborian for å sperre Lisbeth Salander inne på et mentalsykehus for barn, under påskudd av at hun var psykisk syk. Det var kriminelt. Det var en så grov forbrytelse at han fikk nye frysninger av ubehag.

Noen måtte ha tatt beslutningene. I det tilfellet kunne det rett og slett ikke være regjeringen ... Ingvar Carlsson hadde vært statsminister, etterfulgt av Carl Bildt. Men ingen politiker ville overhodet våge å nærme seg en slik beslutning som var stikk i strid med all lov og rett, og som ville resultere i en katastrofal skandale hvis den noensinne ble kjent.

Hvis regjeringen var innblandet, var Sverige ikke et hår bedre enn et hvilket som helst diktatur i verden.

Det var ikke mulig.

Og så hendelsene på Sahlgrenska den 12. april. Zalatsjenko beleilig myrdet av en syk kverulant, i samme øyeblikk som det ble begått innbrudd hos Mikael Blomkvist og Annika Giannini ble overfalt. I begge tilfeller ble den merkelige rapporten til Björck fra 1991 stjålet. Det var opplysninger som Dragan Armanskij hadde kommet med helt *off the record*. Det forelå ingen politianmeldelse.

Og samtidig går Gunnar Björck hen og henger seg. Den personen som Edklinth mer enn noen annen gjerne skulle hatt en alvorlig samtale med.

Torsten Edklinth trodde ikke på slumpetreff av en slik gigantisk kaliber. Kriminalbetjent Jan Bublanski trodde ikke på det. Mikael Blomkvist trodde ikke på det. Edklinth grep tusjpennen en gang til.

Evert Gullberg, 78 år. Skattejurist. ???

Hvem faen var Evert Gullberg?
Han overveide å ringe til sjefen for RPS/Säk, men lot være

av den enkle grunn at han ikke visste hvor høyt opp i organisasjonen sammensvergelsen strakte seg. Han visste kort sagt ikke hvem han kunne stole på.

Etter å ha utelukket muligheten for å henvende seg til noen innenfor RPS/Säk, lurte han en stund på om han skulle gå til det ordinære politiet. Jan Bublanski var leder for etterforskningen omkring Ronald Niedermann, og burde naturligvis være interessert i all omkringliggende informasjon. Men rent politisk var det en umulighet.

Han følte at han hadde en stor bør på sine skuldre.

Til slutt gjensto bare ett alternativ som var konstitusjonelt korrekt, og som muligens kunne innebære en viss beskyttelse hvis han havnet i politisk unåde i fremtiden. Han måtte henvende seg til *sjefen* og finne en politisk forankring for det han holdt på med.

Han så på klokken. Litt på fire fredag ettermiddag. Han løftet telefonrøret og ringte til justisministeren, som han hadde kjent i flere år og hadde møtt ved adskillige orienteringsmøter i departementet. Han fikk ham faktisk på tråden i løpet av fem minutter.

«Hei, Torsten,» hilste justisministeren. «Det var lenge siden sist. Hva gjelder det?»

«Ærlig talt så tror jeg at jeg har ringt deg for å undersøke hvor stor troverdighet jeg har hos deg.»

«Troverdighet. Det var da et snodig spørsmål. Hva meg angår, har du stor troverdighet. Hva har forårsaket et slikt spørsmål?»

«Det er forårsaket av en dramatisk og ekstraordinær anmodning ... Jeg må få et møte med deg og statsministeren, og det haster.»

«Huff da.»

«Hvis du unnskylder, så vil jeg helst slippe å forklare noe før vi kan sette oss ned på tomannshånd. Jeg har en sak på mitt bord som er så spesiell at jeg mener at både du og statsministeren bør informeres.»

«Det høres alvorlig ut.»

«Det er alvorlig.»

«Har det noe med terrorister og trusselbilder å gjøre ...?»

«Nei. Det er mer alvorlig enn som så. Jeg setter hele min anseelse og min karriere på spill ved å ringe deg og be om dette. Jeg ville ikke tatt denne samtalen hvis jeg ikke mente at situasjonen var så alvorlig at det var nødvendig.»

«Jeg skjønner. Derav spørsmålet om du er troverdig eller ikke ... Hvor snart må du møte statsministeren?»

«Allerede i kveld hvis det er mulig.»

«Nå blir jeg bekymret.»

«Det har du dessverre all grunn til å bli.»

«Hvor lang tid kommer møtet til å ta?»

Edklinth tenkte seg om.

«Det kommer nok til å ta en time å gå igjennom alle detaljene.»

«La meg ringe deg tilbake om en stund.»

Justisministeren ringte tilbake i løpet av et kvarter og fortalte at statsministeren hadde mulighet til å ta imot Torsten Edklinth hjemme hos seg klokken 21.30 samme kveld. Edklinth var svett i hendene da han la på røret. *Jaha ... i morgen tidlig kan min karriere være over.*

Han løftet røret igjen og ringte Monica Figuerola.

«Hallo, Monica. Klokken 21.00 skal du møte opp til tjenesteoppdrag. Du skal være pent og ordentlig kledd.»

«Jeg er alltid pent og ordentlig kledd,» sa Monica Figuerola.

Statsministeren betraktet sjefen for overvåkningstjenesten med et blikk som nærmest måtte beskrives som mistroisk. Edklinth fikk en følelse av tannhjul som roterte med høy hastighet bak statsministerens briller.

Statsministeren flyttet blikket til Monica Figuerola, som ikke hadde sagt noe under det timelange foredraget. Han så en uvanlig høy og muskuløs kvinne som så tilbake på ham med et høflig forventningsfullt blikk. Deretter snudde han seg mot justisministeren som hadde blitt en smule blek av foredraget.

Til slutt trakk statsministeren pusten dypt, tok av seg brillene og stirret inn i det fjerne en lang stund.

«Jeg tror vi trenger litt mer kaffe,» sa han til slutt.

«Ja takk,» sa Monica Figuerola.

Edklinth nikket, og justisministeren skjenket opp fra en termokanne.

«La meg oppsummere, så jeg er helt sikker på at jeg har forstått deg riktig,» sa statsministeren. «Du har mistanke om at det finnes en sammensvergelse innenfor sikkerhetspolitiet som handler utenfor sine konstitusjonelle grenser, og at denne sammensvergelsen i årenes løp har bedrevet noe som må betegnes som kriminell virksomhet.»

Edklinth nikket.

«Og du kommer til meg fordi du ikke har tillit til sikkerhetspolitiets ledelse?»

«Nja,» svarte Edklinth. «Jeg bestemte meg for å gå direkte til deg fordi denne typen virksomhet bryter mot forfatningen, men jeg kjenner ikke sammensvergelsens hensikt eller om det er noe jeg har tolket feil. Det er også mulig at virksomheten egentlig er legitim og sanksjonert av regjeringen. Da risikerer jeg å handle på grunnlag av feilaktig eller misforstått informasjon, og dermed avsløre en pågående hemmelig operasjon.»

Statsministeren så på justisministeren. Begge forsto at Edklinth garderte seg.

«Jeg har aldri hørt om noe lignende. Kjenner du til noe om dette?»

«Absolutt ikke,» svarte justisministeren. «Det forekommer ingenting i noen rapport fra sikkerhetspolitiet som jeg har sett, som kunne ha noe med dette å gjøre.»

«Mikael Blomkvist tror det er en intern fraksjon innenfor Säpo. Han kaller den Zalatsjenko-klubben.»

«Jeg har aldri hørt om at Sverige skulle ha tatt imot og forsørget noen russisk avhopper av et slikt format ... Han hoppet altså av under Fälldin-regjeringen ...»

«Jeg har vondt for å tro at Fälldin ville ha holdt en sak som dette skjult,» sa justisministeren. «Et avhopp av den typen burde ha vært en ekstremt høyt prioritert oppgave å overlevere til den neste regjeringen.»

Edklinth kremtet.

«Den borgerlige regjeringen ble avløst av Olof Palme. Det

361

er ingen hemmelighet at noen av mine forgjengere i RPS/Säk hadde en besynderlig oppfatning av Palme.»

«Du mener at noen kanskje glemte å informere den sosial-demokratiske regjeringen ...»

Edklinth nikket.

«Jeg vil minne om at Fälldin satt i to perioder. Begge ganger sprakk regjeringen. Først overlot han makten til Ola Ull-sten, som ledet en minoritetsregjering fra 1979. Deretter sprakk regjeringen en gang til da moderatene trakk seg, og Fälldin regjerte sammen med Folkpartiet. Jeg vil gjette på at regjerings-kontorene befant seg i en viss grad av kaos ved begge skiftene. Det er til og med mulig at en slik sak som Zalatsjenko rett og slett ble holdt innenfor en så snever krets at Fälldin aldri fikk noe ordentlig innsyn, og at han dermed aldri hadde noe å overlevere til Palme.»

«Hvem er i så fall ansvarlig?»

Alle bortsett fra Monica Figuerola ristet på hodet.

«Jeg går ut fra at det er uunngåelig at dette kommer til å lekke ut til massemediene,» sa statsministeren.

«Mikael Blomkvist og Millennium kommer til å publisere. Vi befinner oss med andre ord i en ren tvangssituasjon.»

Edklinth passet omhyggelig på å bruke ordet *vi*. Statsminis-teren nikket. Han skjønte alvoret i situasjonen.

«Da må jeg begynne med å takke deg for at du kom til meg med denne saken så raskt som du gjorde. Jeg pleier ikke å ta imot denne typen hastebesøk, men justisministeren sa at du var en fornuftig person og at det måtte ha skjedd noe ekstra-ordinært siden du ville snakke med meg utenom alle normale kanaler.»

Edklinth pustet ørlite grann ut. Hva som enn kom til å skje, ville ikke statsministerens vrede ramme ham.

«Nå må vi bare beslutte hvordan vi skal håndtere dette. Har du noen forslag?»

«Muligens,» sa Edklinth nølende.

Han ble sittende taus så lenge at Monica Figuerola kremtet.

«Kan jeg få si noe?»

«Vær så god,» sa statsministeren.

362

«Hvis det forholder seg slik at regjeringen ikke kjenner til denne operasjonen, er den ulovlig. Den ansvarlige i slike tilfeller, er lovbryteren, det vil si den eller de statstjenestemenn som har overtrådt sine fullmakter. Hvis vi kan verifisere alle de påstandene som Mikael Blomkvist legger frem, betyr det at en gruppe ansatte innenfor sikkerhetspolitiet har drevet kriminell virksomhet. Dette problemet faller deretter i to deler.»

«Hva mener du?»

«For det første må spørsmålet om hvordan dette har kunnet være mulig, besvares. Hvem er ansvarlig? Hvordan har en slik sammensvergelse kunnet oppstå innenfor rammen av en etablert politiorganisasjon? Jeg vil minne om at jeg selv arbeider i RPS/Säk, og jeg er stolt av å gjøre det. Hvordan har det kunnet pågå så lenge? Hvordan har det vært mulig å skjule og finansiere virksomheten?»

Statsministeren nikket.

«Når det gjelder den delen, kommer det til å bli skrevet bøker om dette,» fortsatte Monica Figuerola. «Men én ting er sikkert – det må finnes en finansiering, og det må dreie seg om minst flere millioner kroner årlig. Jeg har sett på sikkerhetspolitiets budsjett og finner ingenting som skulle kunne gå inn under overskriften Zalatsjenko-klubben. Men som du vet, finnes det en del skjulte fond som administrasjonssjefen og budsjettsjefen har innsyn i, men som jeg ikke har tilgang til.»

Statsministeren nikket dystert. Hvorfor skulle Säpo alltid være et sånt mareritt å administrere?

«Den andre delen dreier seg om hvem som er innblandet. Eller mer nøyaktig hvilke personer som bør pågripes.»

Statsministeren snurpet munnen sammen.

«Fra min synsvinkel er alle disse spørsmålene avhengig av den beslutningen du tar i løpet av de nærmeste minuttene.»

Torsten Edklinth holdt pusten. Hvis han kunne ha sparket Monica Figuerola på skinneleggen, ville han ha gjort det. Hun hadde plutselig skåret igjennom all retorikk og påstått at statsministeren var personlig ansvarlig. Han hadde tenkt å komme til samme konklusjon selv, men først etter en langvarig diplomatisk rundvandring.

«Hvilken beslutning synes du jeg skal ta?» spurte statsministeren.

«Fra vår side har vi felles interesser. Jeg har arbeidet i overvåkningstjenesten i tre år, og jeg ser det som en oppgave av sentral betydning for det svenske demokrati. Sikkerhetspolitiet har opptrådt korrekt i konstitusjonelle sammenhenger de siste årene. Jeg vil selvfølgelig ikke at skandalen skal ramme RPS/Säk. For oss er det viktig å fremholde at dette dreier seg om kriminell virksomhet som er blitt utført av enkeltpersoner.»

«Virksomhet av det slaget er så absolutt ikke sanksjonert av regjeringen,» sa justisministeren.

Monica Figuerola nikket og tenkte seg om noen sekunder.

«Fra deres side går jeg ut fra at det er viktig at skandalen ikke rammer regjeringen – noe den ville gjøre dersom regjeringen forsøker å skjule historien,» sa hun.

«Regjeringen pleier ikke å skjule kriminell virksomhet,» sa justisministeren.

«Nei, men la oss hypotetisk gå ut fra at vi i overvåkningstjenesten er nødt til å begå regelbrudd for overhodet å kunne etterforske denne historien. Vi vil altså at det skal gå juridisk og konstitusjonelt riktig for seg.»

«Det vil vi alle,» sa statsministeren.

«I så fall foreslår jeg at du – i egenskap av statsminister – beordrer overvåkningstjenesten til snarest å undersøke denne kompliserte saken. Gi oss en skriftlig ordre og gi oss de nødvendige fullmakter.»

«Jeg er ikke sikker på om det du foreslår er lovlig,» sa justisministeren.

«Jo. Det er lovlig. Regjeringen har makt til å iverksette langtrekkende tiltak i tilfeller hvor forfatningen er truet av illegitime forandringer. Hvis en gruppe militære eller politifolk begynner å drive en selvstendig utenrikspolitikk, har det de facto foregått et statskupp i landet.»

«Utenrikspolitikk?» spurte justisministeren.

Statsministeren nikket plutselig.

«Zalatsjenko var avhopper fra en fremmed makt,» sa Monica Figuerola. «De opplysningene han bidro med, ble ifølge

Mikael Blomkvist videreformidlet til utenlandske etterretnings-tjenester. Hvis regjeringen ikke var orientert, har det funnet sted et statskupp.»

«Jeg skjønner tankegangen din,» sa statsministeren. «La meg nå si mitt.»

Statsministeren reiste seg og gikk en runde rundt salongbordet. Til slutt stanset han foran Torsten Edklinth.

«Du har en begavet medarbeider. Dessuten går hun rett på sak.»

Edklinth svelget og nikket. Statsministeren snudde seg mot justisministeren sin.

«Ring statssekretæren din og sjefen for lovavdelingen. I morgen tidlig vil jeg ha et dokument som gir overvåkningstjenesten ekstraordinære fullmakter til å handle i denne saken. Oppdraget består i å kartlegge sannhetsgehalten i de påstandene vi har diskutert, samle dokumentasjon om sakens omfang og identifisere de personer som er ansvarlig eller involvert.»

Edklinth nikket.

«Dokumentet skal ikke fastslå at du driver etterforskning – det er mulig jeg tar feil, men jeg tror at det bare er riksadvokaten som kan utpeke en formell etterforskningsleder på dette stadiet. Derimot kan jeg gi deg i oppdrag å lede en enmanns-granskning for å finne ut sannheten. Det du gjør, er altså en SOU. Skjønner du?»

«Ja. Men jeg må få påpeke at jeg faktisk selv er tidligere statsadvokat.»

«Hmm. Vi får be sjefen for lovavdelingen se på det og avgjøre nøyaktig hva som er formelt korrekt. Du er uansett ansvarlig for denne granskningen. Du utpeker selv de medarbeiderne du trenger. Hvis du finner belegg for ulovlig virksomhet, skal du overlevere dette til riksadvokaten, som avgjør om det skal reises tiltale.»

«Jeg må slå opp nøyaktig hva som er gjeldende regler, men jeg tror at du må informere riksdagens president og kon-stitusjonskomiteen ... dette kommer fort til å lekke ut,» sa justisministern.

«Vi må med andre ord arbeide raskt,» sa statsministeren.

365

«Hmm,» sa Monica Figuerola.

«Hva?» sa statsministeren.

«Det er to problemer som melder seg ... For det første kan Millenniums offentliggjøring kollidere med våre undersøkelser, og for det andre begynner rettssaken mot Lisbeth Salander om et par uker.»

«Kan vi finne ut når Millennium kommer til å gå ut med dette?»

«Det er mulig vi kan spørre,» sa Edklinth. «Men det absolutt siste vi er interessert i, er å legge oss opp i medienes arbeid.»

«Når det gjelder Lisbeth Salander,» begynte justisministeren. Han tenkte seg om en stund. «Det ville være forferdelig om hun er blitt utsatt for de overgrepene som Millennium påstår ... kan det virkelig være mulig?»

«Jeg er redd for det,» sa Edklinth.

«I så fall må vi sørge for at hun får oppreisning, og fremfor alt at hun ikke blir utsatt for et nytt overgrep,» sa statsministeren.

«Og hvordan skal det skje?» undret statsministeren. «Regjeringen kan under ingen omstendigheter gripe inn i den aktuelle tiltalen. Det ville være lovbrudd.»

«Kan vi snakke med statsadvokaten ...»

«Nei,» sa Edklinth. «Som statsminister kan du ikke på noen måte påvirke den juridiske prosessen.»

«Salander må med andre ord ta sin runde i retten,» sa justisministeren. «Først dersom hun taper og anker saken inn for regjeringen, kan vi gripe inn med en benådning eller beordre riksadvokaten til å undersøke om det finnes noe grunnlag for en ny rettssak.»

Deretter tilføyde han en ting.

«Men det gjelder altså bare om hun blir dømt til fengselsstraff. Hvis hun blir dømt til lukket psykiatrisk behandling, kan ikke regjeringen gjøre noe som helst. Da er det et medisinsk spørsmål, og statsministeren innehar ingen kompetanse til å avgjøre om hun er frisk.»

Klokken ti fredag kveld hørte Lisbeth Salander nøkkelen i døren. Hun slo umiddelbart av datamaskinen og puttet den inn under puten. Da hun kikket opp, så hun Anders Jonasson lukke døren bak seg.

«God kveld, frøken Salander,» hilste han. «Og hvordan har du det i kveld?»

«Jeg har en voldsom hodepine, og det føles som om jeg har feber,» sa Lisbeth.

«Det høres ikke bra ut.»

Lisbeth Salander så ikke ut som om hun var noe særlig plaget av hverken hodepine eller feber. Doktor Anders Jonasson brukte ti minutter på å undersøke henne. Han konstaterte at feberen hadde steget kraftig i løpet av kvelden.

«Det var jo dumt at dette skulle skje etter at du hadde kommet deg så fint de siste ukene. Nå må jeg nok dessverre ha deg her i minst to uker til.»

«To uker burde holde.»

Han sendte henne et langt blikk.

Langs landeveien er avstanden mellom London og Stockholm grovt regnet 180 mil, noe som det i teorien tar omkring tyve timer å tilbakelegge. I virkeligheten hadde det tatt nærmere tyve timer bare å komme frem til grensen mellom Tyskland og Danmark. Himmelen var full av blytunge tordenskyer, og da mannen som ble kalt Trinity mandag befant seg midt ute på Öresund-broen, begynte det å pøsregne. Han saktnet farten og satte på vindusviskerne.

Trinity syntes det var et helvete å kjøre bil i Europa, siden hele det kontinentale Europa insisterte på å kjøre på gal side av veien. Han hadde pakket varebilen lørdag morgen og tatt bilfergen mellom Dover og Calais, og deretter krysset Belgia via Liège. Han hadde passert den tyske grensen ved Aachen, og deretter tatt Autobahn nordover mot Hamburg og videre til Danmark.

Kompanjongen hans, Bob the Dog, døste i baksetet. De hadde byttet på å kjøre, og bortsett fra noen timelange stopp ved spisesteder langs veien, hadde de jevnt over kjørt i nitti kilometer i timen. Varebilen var atten år gammel og klarte ikke å prestere noen særlig høyere fart.

Det fantes enklere måter å ta seg frem mellom London og Stockholm på, men det var dessverre ikke sannsynlig at han ville få lov til å ta med seg drøyt tredve kilo elektronisk utstyr til Sverige i et vanlig passasjerfly. Til tross for at de hadde passert seks landegrenser i løpet av turen, var han ikke blitt stoppet i en eneste toll- eller passkontroll. Trinity var en varm tilhenger av EU, hvis regelverk gjorde hans kontinentale besøk adskillig enklere.

Trinity var 32 år gammel og født i byen Bradford, men hadde bodd i Nord-London siden han var liten. Han hadde en elendig formell utdannelse, en yrkesskole hvor han hadde fått et bevis på at han var utdannet teletekniker, og fra han fylte 19 hadde han også arbeidet som installatør for British Telecom i tre år.

I virkeligheten hadde han teoretiske kunnskaper i elektronikk og informatikk som innebar at han uten videre kunne begi seg inn i diskusjoner hvor han langt overgikk snobbete professorer i faget. Han hadde levd med datamaskiner siden han var i 10-årsalderen, og hadde hacket sin første maskin da han var 13. Det hadde gitt mersmak, og da han var 16 år gammel, hadde han kommet så langt at han konkurrerte med de beste i verden. Det hadde vært en periode da han tilbragte hvert eneste våkent øyeblikk foran dataskjermen, skrev egne programmer og med fullt overlegg la ut slynger på nettet. Han lurte seg inn hos BBC, det engelske forsvarsdepartementet og Scotland Yard. Han klarte til og med, en liten stund, å ta kommandoen over en britisk atomubåt på patrulje i Nordsjøen. Heldigvis tilhørte Trinity den nysgjerrige snarere enn den ondsinnede skaren av databanditter. For hans vedkommende tok fascinasjonen slutt i det øyeblikket han hadde knekket koden til en maskin og fått tak i hemmelighetene dens. Han hadde toppen utført en og annen practical joke, for eksempel å gi instrukser til en datamaskin i atomubåten om å be kapteinen tørke seg i ræva når han ba om en posisjonsangivelse. Den sistnevnte hendelsen førte til en rekke krisemøter i forsvarsdepartementet, og etter hvert gikk det opp for Trinity at det å skryte av kunnskapene sine kanskje ikke var det lureste i verden, i hvert fall ikke hvis staten mente alvor med truslene om å dømme hackere til mange års fengselsstraff.

Han utdannet seg til teletekniker siden han allerede visste hvordan telefonnettet fungerte, konstaterte at det var håpløst gammeldags, skiftet beite og ble privat sikkerhetskonsulent som installerte alarmsystemer og vedlikeholdt innbruddsvern. Til spesielt utvalgte klienter kunne han også tilby finesser som overvåkning og telefonavlytting.

Han var en av grunnleggerne av Hacker Republic. Og Wasp var en av republikkens borgere.

Da han og Bob the Dog nærmet seg Stockholm, var klokken halv åtte mandag kveld. Da de passerte IKEA ved Kungens kurva i Skärholmen, åpnet Trinity mobiltelefonen og slo et nummer han hadde lært seg utenat.

«Plague,» sa Trinity.

«Hvor er dere?»

«Du sa jeg skulle ringe når vi passerte IKEA.»

Plague beskrev veien til vandrerhjemmet på Långholmen, hvor han hadde bestilt plass til sine engelske kolleger. Siden Plague nesten aldri forlot leiligheten sin, avtalte de å møtes hjemme hos ham klokken ti neste morgen.

Etter å ha tenkt seg om en lang stund bestemte Plague seg for å gjøre en større anstrengelse og vaske opp, feie og lufte før gjestene dukket opp.

DEL 3

DISC CRASH

27. mai–6. juni

Historikeren Diodorus fra Sicilia, som levde på 100-tallet f.Kr. (og som av andre historikere anses som en upålitelig kilde), beskriver amasoner i Libya, som på den tiden var en samlebetegnelse på hele Nord-Afrika vest for Egypt. Dette amasoneveldet var et gynokrati, det vil si at bare kvinner fikk ha offentlige, inklusive militære, stillinger. Ifølge legenden ble riket styrt av en dronning Myrina, som med 30 000 kvinnelige fotsoldater og 3 000 kvinnelige kavalerister sveipet gjennom Egypt og Syria og helt opp til Egeerhavet og overvant en rekke mannlige hærer på veien. Da dronning Myrina til slutt falt, ble hele hæren hennes oppløst.

Myrinas hær satte imidlertid spor etter seg i området. Kvinnene i Anatolia grep til våpen for å knuse en invasjon fra Kaukasus etter at de mannlige soldatene var blitt utryddet i et omfattende folkemord. Disse kvinnene ble trent i alle former for våpenbruk, deriblant pil og bue, spyd, stridsøks og lanse. De kopierte grekernes bronsebrynjer og rustninger.

De forkastet ekteskapet som en form for underkastelse. For å avle barn ble det innvilget permisjon hvor de hadde samleie med tilfeldig valgte anonyme menn fra omkringliggende landsbyer. Bare en kvinne som hadde drept en mann i kamp, fikk oppgi jomfrudommen.

KAPITTEL 16

Fredag 27. mai–tirsdag 31. mai

Mikael Blomkvist forlot Millenniums redaksjonslokaler halv elleve fredag kveld. Han gikk trappen ned til første etasje, men istedenfor å gå ut på gaten, svingte han til venstre, gikk gjennom kjelleren og ut i bakgården og tok nabogårdens utgang mot Hökens gata. Han møtte en gruppe ungdommer på vei opp fra Mosebacke, men ingen viste ham noen interesse. En overvåker ville tro at han som vanlig overnattet i Millenniums redaksjon. Han hadde etablert det mønsteret siden april. I virkeligheten var det Christer Malm som hadde nattevakt i redaksjonen.

Han tilbragte et kvarter med å vandre bortover smågater og gangveier rundt Mosebacke før han satte kursen mot Fiskargatan 9. Han åpnet inngangsdøren med riktig kode og gikk trappen opp til takleiligheten, hvor han brukte Lisbeth Salanders nøkler i døren inn til leiligheten hennes. Han slo av alarmen. Han følte seg alltid like forvirret når han kom inn i Lisbeth Salanders leilighet, som besto av enogtyve rom, hvorav tre var møblert.

Han begynte med å trakte en kanne kaffe og smøre noen brødskiver før han gikk inn på Lisbeths arbeidsrom og startet PowerBooken hennes.

Fra det øyeblikket i midten av april, da Björcks rapport ble stjålet og Mikael var blitt klar over at han ble overvåket, hadde han opprettet sitt private hovedkvarter hjemme hos Lisbeth. Han hadde overført alle viktige dokumenter til skrivebordet hennes. Han tilbragte flere netter per uke i leiligheten hennes, sov i sengen hennes og jobbet ved datamaskinen hennes. Hun hadde tømt maskinen for all informasjon før hun dro til Gosseberga for oppgjøret med Zalatsjenko. Mikael gjettet på at hun sannsynligvis ikke hadde hatt planer om å vende tilbake. Han brukte systemplatene hennes til å få datamaskinen i funksjonsdyktig stand igjen.

Siden april hadde han ikke engang plugget inn bredbåndskabelen til sin egen maskin. Han logget seg inn på hennes bredbånd, startet ICQ og gikk inn på den adressen hun hadde laget for ham og meddelt ham gjennom yahoo-gruppen [Toskete_Bord].

<Hei Sally>

   <Fortell>

   <Jeg har omarbeidet de to kapitlene vi diskuterte tidligere i uken. Ny versjon ligger på Yahoo. Hvordan går det med deg?>

   <Ferdig med sytten sider. Legger dem på Toskete Bord nå>

   Pling

   <OK. Har dem. La meg lese, så snakkes vi senere>

   <Jeg har mer>

   <Hva?>

   <Jeg har laget en ny yahoo-gruppe med navnet Ridderne>

Mikael smilte.

   <OK. Ridderne av Det Toskete Bord>

   <Passord yacaraca12>

   <OK>

   <Fire medlemmer. Du, jeg, Plague og Trinity>

   <De mystiske nettkompisene dine>

   <Gardering>

   <OK>

   <Plague har kopiert informasjon fra statsadvokat Ekströms maskin. Vi hacket den i april>

   <OK>

   <Hvis jeg skulle miste håndmaskinen, vil han holde deg informert>

   <Fint. Takk>

*

Mikael gikk ut av ICQ og inn på den nye yahoo-gruppen [Ridderne]. Det eneste han fant, var en lenke fra Plague til en anonym http-adresse som kun besto av sifre. Han kopierte adressen inn i Explorer, tastet enter og kom umiddelbart inn på en hjemmeside et sted på Internett som inneholdt de seksten gigabyte som utgjorde statsadvokat Richard Ekströms harddisk.

Plague hadde åpenbart gjort det lett for seg ved å kopiere hele Ekströms harddisk direkte. Mikael brukte over en time på å sortere innholdet. Han forkastet systemfiler, programvarer og uendelige mengder med etterforskninger som så ut til å strekke seg flere år bakover i tid. Til slutt lastet han ned fire mapper. Tre av disse var døpt henholdsvis [EtFor/Salander], [Skrot/Salander] og [EtFor/Niedermann]. Den fjerde mappen var en kopi av statsadvokat Ekströms e-postmappe frem til klokken 14.00 foregående dag.

«Takk, Plague,» sa Mikael Blomkvist for seg selv.

Han brukte tre timer på å lese Ekströms etterforskningsmateriale og strategi for rettssaken mot Lisbeth Salander. Ikke uventet kretset mye av stoffet rundt hennes mentale tilstand. Ekström forlangte en omfattende mentalundersøkelse og hadde sendt en mengde mailer som gikk ut på å få henne overført til Kronobergs-arresten så snart som mulig.

Mikael konstaterte at Ekströms spaninger etter Niedermann så ut til å stå på stedet hvil. Bublanski var politiets etterforskningsleder. Han hadde klart å dokumentere visse tekniske bevis mot Niedermann når det gjaldt drapene på Dag Svensson og Mia Bergman, og det samme gjaldt drapet på advokat Bjurman. Mikael Blomkvist hadde selv, gjennom tre lange avhør i april, bidradd med en god del av disse bevisene, og hvis Niedermann noensinne skulle bli tatt, ville han bli nødt til å vitne. Langt om lenge hadde DNA fra noen svettedråper og et par hårstrå fra Bjurmans leilighet kunnet bli sammenholdt med DNA fra Niedermanns rom i Gosseberga. Samme DNA var også blitt funnet i rikelige mengder på levningene etter Svavelsjö MCs finansekspert, Viktor Göransson.

Derimot hadde Ekström påfallende lite informasjon om Zalatsjenko.

Mikael tente en sigarett, stilte seg ved vinduet og så ut mot Djurgården.

Ekström var for øyeblikket formell leder for to adskilte etterforskninger. Kriminalbetjent Hans Faste var politietterforsker i alle sammenhenger som angikk Lisbeth Salander. Bublanski beskjeftiget seg kun med Niedermann.

Da navnet Zalatsjenko dukket opp, ville det ha vært naturlig for Ekström å kontakte generaldirektøren for sikkerhetspolitiet og stille spørsmål om hvem Zalatsjenko egentlig var. Noen slik kontakt kunne ikke Mikael finne i Ekström e-post, journal eller notater. Derimot var det åpenbart at han hadde visse opplysninger om Zalatsjenko. Blant notatene fant han flere kryptiske formuleringer.

Salander-rapporten var et falsum. Björcks original stemmer ikke med Blomkvists versjon. Hemmeligstemplet.

Hmm. Deretter en rekke notater som hevdet at Lisbeth Salander var paranoid schizofren.

Korrekt å sperre Salander inne i 1991.

Det som bandt etterforskningene sammen, fant Mikael i [Skrot/Salander], det vil si perifere opplysninger som statsadvokaten vurderte som irrelevante for etterforskningen og som dermed ikke ville bli trukket inn i rettssaken eller inngå i bevisførselen mot henne. Derunder stort sett alt som hadde med Zalatsjenkos fortid å gjøre.

Etterforskningen var helt elendig.

Mikael lurte på hvor mye av dette som var en tilfeldighet og hvor mye som var arrangert. Hvor gikk grensen? Og var Ekström klar over at det fantes en slik grense?

Eller kunne det være slik at noen bevisst fôret Ekström med troverdig, men villedende informasjon?

Til slutt logget han seg inn på hotmail og brukte de neste ti minuttene til å sjekke et halvt dusin anonyme e-postkontoer som han hadde opprettet. Han hadde trofast sjekket den hotmail-adressen han hadde gitt til kriminalbetjent Sonja Modig hver dag. Han hadde ingen større forhåpninger om at hun ville gi lyd fra seg. Han ble derfor lettere overrasket da han åpnet innboksen og fant en mail fra <reise-

376

folge9april@hotmail.com>. Meldingen besto av én eneste
linje.

[Café Madeleine, 2. etg. kl 11.00 lørdag]

Mikael Blomkvist nikket ettertenksomt.

Plague plinget på Lisbeth Salander ved midnatt og avbrøt henne
midt i en beskrivelse av hennes liv med Holger Palmgren som
verge. Hun så irritert på displayet.

<Hva vil du?>
   <Hei Wasp, hyggelig å høre fra deg også>
   <Ja ja. Hva?>
   <Teleborian>
Hun satte seg opp i sengen og stirret spent på skjermen på
hånddatamaskinen.
   <Fortell>
   <Trinity fikset det på rekordtid>
   <Hvordan?>
   <Skrullinglegen holder seg ikke i ro. Han farter mellom Upp-
sala og Stockholm hele tiden og vi kan ikke gjøre en *hostile
takeover*>
   <Jeg vet det. Hvordan?>
   <Han spiller tennis to ganger i uka. Drøyt to timer. Satte
igjen maskinen i bilen i et parkeringshus>
   <Aha>
   <Trinity hadde ingen problemer med å nullstille bilalarmen
og hente ut maskinen. Han trengte bare en halvtime til å kopiere
alt via Firewire og legge inn Asphyxia>
   <Hvor?>
Plague ga henne en http-adresse til den serveren hvor han
oppbevarte harddisken til dokter Peter Teleborian.
   <For å sitere Trinity ... *This is some nasty shit*>
   <?>
   <Sjekk harddisken hans>

*

Lisbeth Salander koblet vekk Plague og gikk ut på Internett og fant den serveren som han hadde oppgitt. De neste tre timene brukte hun til å granske mappe etter mappe i Teleborians datamaskin.

Hun fant en korrespondanse mellom Teleborian og en person som hadde en hotmail-adresse og sendte krypterte mailer. Siden hun hadde tilgang til Teleborians PGP-nøkkel, hadde hun ingen problemer med å lese korrespondansen i klartekst. Han het Jonas, etternavn manglet. Jonas og Teleborian hadde en usunn interesse for Lisbeth Salanders manglende velbefinnende.

Yes ... vi kan bevise at det foreligger en konspirasjon.

Men det som virkelig interesserte Lisbeth Salander, var syvogførti mapper som inneholdt 8756 bilder med grov barnepornografi. Hun åpnet bilde etter bilde som viste barn i anslagsvis 15-årsalderen eller yngre. En del av bildene forestilte barn i svært lav alder. Mesteparten av bildene var av jenter. Flere av dem var sadistiske.

Hun fant lenker til minst et dusin personer i flere land som utvekslet barneporno.

Lisbeth bet seg i underleppen. For øvrig var ansiktet hennes uttrykksløst.

Hun husket netter da hun var 12 år gammel og hadde ligget fastspent i et stimulifritt rom på St. Stefans barnepsykiatriske klinikk. Teleborian hadde gang på gang kommet inn i det halvmørke rommet og betraktet henne i lyset fra nattlampen.

Hun visste. Han hadde aldri rørt henne, men hun hadde alltid visst.

Hun forbannet seg selv. Hun skulle ha gått løs på Teleborian for flere år siden. Men hun hadde fortrengt ham og ignorert hans eksistens.

Hun hadde latt ham holde på.

Etter en stund kalte hun opp Mikael Blomkvist på ICQ.

Mikael Blomkvist tilbragte natten i Lisbeth Salanders leilighet i Fiskargatan. Først halv syv om morgenen slo han av datamaskinen. Han sovnet med bilder av grov barnepornografi på netthinnen og våknet kvart over ti, slengte seg ut av Lisbeth

Salanders seng, dusjet og bestilte en drosje til å hente ham utenfor Stora teatern. Den stanset i Birger Jarlsgatan fem minutter på elleve, og derfra spaserte han til Café Madeleine.

Sonja Modig ventet på ham med en kopp svart kaffe foran seg.

«Hei,» sa Mikael.

«Jeg løper en stor risiko her,» sa hun uten å hilse. «Jeg får sparken og kan bli satt under tiltale hvis det noensinne kommer ut at jeg har truffet deg.»

«Ingen kommer til å få vite det fra meg.»

Hun virket stresset.

«En kollega av meg besøkte nylig tidligere statsminister Thorbjörn Fälldin. Han dro ditt privat, og jobben hans ligger også på hoggestabben.»

«Jeg skjønner.»

«Jeg forlanger altså full anonymitet for oss begge.»

«Jeg vet ikke engang hvilken kollega du snakker om.»

«Det kommer jeg til å fortelle. Jeg vil at du skal love ham kildebeskyttelse.»

«Det har du mitt ord på.»

Hun skottet på klokken.

«Har du dårlig tid?»

«Ja. Jeg skal treffe mann og barn i Sturegallerian om ti minutter. Mannen min tror at jeg er innom jobben.»

«Og Bublanski vet ingenting om dette?»

«Nei.»

«Greit. Du og din kollega er kilder og har full kildebeskyttelse. Begge to. Det gjelder helt til graven.»

«Min kollega er Jerker Holmberg, som du traff i Göteborg. Hans far er medlem av Centerpartiet, og Jerker har kjent Fälldin siden han var liten. Holmberg dro på et privat besøk og spurte ham om Zalatsjenko.»

«Jeg skjønner.»

Mikaels hjerte begynte å slå kraftig.

«Det virker som om Fälldin er en hyggelig kar. Holmberg fortalte om Zalatsjenko og ba om å få vite hva Fälldin visste om avhoppet. Fälldin sa ingenting. Så fortalte Holmberg at vi hadde mistanke om at Lisbeth Salander ble sperret inne på institusjon av dem som beskyttet Zalatsjenko. Fälldin ble fryktelig opprørt.»

«Jeg skjønner.»

«Fälldin fortalte at den daværende sjefen for Säpo og en kollega oppsøkte ham kort tid etter at han var blitt statsminister. De fortalte en helt utrolig historie om en russisk avhopper som hadde kommet til Sverige. Fälldin fikk beskjed om at det var den aller mest følsomme militære hemmeligheten som Sverige hadde ... at det ikke fantes noe i hele det svenske totalforsvaret som overhodet var i nærheten når det gjaldt betydning.»

«Greit.»

«Fälldin sa at han ikke visste hvordan han skulle håndtere saken. Han var helt ny som statsminister, og regjeringen hadde ingen erfaring. Sosialdemokratene hadde jo hatt regjeringsmakten i over førti år. Han fikk vite at han hadde det personlige ansvaret for å fatte en beslutning på egen hånd, og at hvis han konsulterte noen av sine regjeringskolleger, ville Säpo frasi seg ansvaret. Han opplevde det hele som ubehagelig og visste ganske enkelt ikke hva han skulle gjøre.»

«OK.»

«Til slutt følte han seg tvunget til å gjøre som herrene fra Säpo foreslo. Han utarbeidet et direktiv som ga Säpo eneretten til å ta hånd om Zalatsjenko. Han forpliktet seg til aldri å diskutere saken med noen. Fälldin fikk ikke engang vite navnet på avhopperen.»

«Jeg skjønner.»

«Deretter hørte Fälldin stort sett ikke noe mer om saken i løpet av sine to regjeringsperioder. Derimot gjorde han noe usedvanlig klokt. Han insisterte på at en statssekretær skulle innvies i hemmeligheten og fungere som *go between* mellom regjeringen og de som beskyttet Zalatsjenko.»

«Jaså?»

«Statssekretæren heter Bertil K. Janeryd og er i dag 63 år og Sveriges ambassadør i Amsterdam.»

«Å faen.»

«Da det gikk opp for Fälldin hvor alvorlig denne etterforskningen er, satte han seg og skrev et brev til Janeryd.»
Sonja Modig skjøv en konvolutt over bordet.

Kjære Bertil,
Den hemmeligheten vi begge beskyttet i min regjeringstid, er nå gjenstand for noen meget alvorlige spørsmål. Den personen saken berørte, er nå død og kan ikke lenger utsettes for skade.
Det er av stor betydning at vi får svar på nødvendige spørsmål.
Den personen som bærer dette brevet, arbeider uoffisielt og har min tillit. Jeg ber deg om å høre på det han har å fortelle, og svare på spørsmålene han stiller.
Bruk din anerkjent gode dømmekraft.
/TF

«Dette brevet henviser altså til Jerker Holmberg.»
«Nei. Holmberg ba Fälldin om ikke å skrive noe navn. Han sa uttrykkelig at han ikke visste hvem som kom til å reise til Amsterdam.»
«Du mener ...»
«Jeg og Jerker har diskutert saken. Vi er allerede ute på så tynn is at vi har større behov for padleårer enn isbrodder. Vi har absolutt ingen fullmakt til å reise til Amsterdam og avhøre ambassadøren. Derimot kan du gjøre det.»
Mikael brettet brevet sammen og begynte å putte det i jakkelommen da Sonja Modig grep hånden hans. Grepet var hardt.
«Informasjon for informasjon,» sa hun. «Vi vil vite hva Janeryd forteller deg.»
Mikael nikket. Sonja Modig reiste seg.
«Vent. Du sa at Fälldin fikk besøk av to personer fra Säpo. Den ene var Säpo-sjefen. Hvem var medarbeideren hans?»
«Fälldin traff ham bare den ene gangen og kunne ikke huske navnet hans. Det ble ikke tatt noen notater under møtet. Han husker ham som en mager mann med en smal bart. Derimot ble han presentert som sjefen for Seksjonen for særskilte analyser eller noe lignende. Fälldin tok senere en titt

på organisasjonsplanen over Säpo og kunne ikke finne den avdelingen.»

Zalatsjenko-klubben, tenkte Mikael.

Sonja Modig satte seg igjen. Det virket som om hun veide sine ord.

«Greit,» sa hun til slutt. «Med risiko for å bli stilt foran eksekusjonspelotongen: Det fantes et notat som hverken Fälldin eller de besøkende tenkte på.»

«Hva da?»

«Fälldins besøksjournal på Rosenbad.»

«Og?»

«Jerker ba om å få utlevert journalen. Den er et offentlig dokument.»

«Og?»

Sonja Modig nølte enda en gang.

«Journalen angir bare at statsministeren møtte Säpo-sjefen og en medarbeider for å diskutere generelle spørsmål.»

«Fantes det noe navn?»

«Ja. E. Gullberg.»

Mikael kjente at blodet steg til hodet på ham.

«Evert Gullberg,» sa han.

Sonja Modig virket sammenbitt. Hun nikket. Så reiste hun seg og gikk.

Mikael Blomkvist satt fremdeles på Café Madeleine da han åpnet den anonyme mobiltelefonen og bestilte en flybillett til Amsterdam. Flyet gikk fra Arlanda klokken 14.50. Han gikk bort til Dressmann i Kungsgatan og kjøpte en ren skjorte og et undertøyskift; deretter gikk han til apoteket i Klara, hvor han kjøpte tannbørste og toalettsaker. Han passet nøye på at han ikke var overvåket da han løp til Arlanda Express. Han rakk flyet med ti minutters margin.

Klokken 18.30 sjekket han inn på et loslitt hotell i *Red Light district,* drøyt ti minutters spasertur fra sentralstasjonen i Amsterdam.

Han tilbragte to timer med å lokalisere Sveriges ambassadør i Amsterdam, og fikk telefonkontakt ved nitiden. Han brukte alle sine overtalelsesevner og understreket at han hadde et ærend av største betydning som han var nødt til å diskutere umiddelbart. Ambassadøren ga til slutt etter og gikk med på å treffe Mikael klokken ti søndag morgen.

Deretter gikk Mikael ut og spiste en lett middag på en restaurant ved siden av hotellet. Han sovnet allerede ved ellevetiden om kvelden.

Ambassadør Bertil K. Janeryd var meget ordknapp da han bød på kaffe i sin privatbolig.

«Jaha ... Hva er det som er så viktig?»

«Aleksandr Zalatsjenko. Den russiske avhopperen som kom til Sverige i 1976,» sa Mikael og overleverte brevet fra Fälldin.

Janeryd så forskrekket ut. Han leste brevet og la det forsiktig til side.

Mikael brukte den neste halvtimen til å forklare hva problemet besto i, og hvorfor Fälldin hadde skrevet brevet.

«Jeg ... jeg kan ikke diskutere den saken,» sa Janeryd til slutt.

«Jo, det kan du.»

«Nei, jeg kan bare diskutere den foran konstitusjonskomiteen.»

«Det er stor sannsynlighet for at du kommer til å måtte gjøre det. Men det står i brevet at du skal bruke din egen dømmekraft.»

«Fälldin er en hederlig person.»

«Det tviler jeg ikke et øyeblikk på. Og jeg er ikke ute etter hverken deg eller Fälldin. Du behøver ikke avsløre den minste militære hemmelighet som Zalatsjenko eventuelt avslørte.»

«Jeg kjenner ikke til noen hemmeligheter. Jeg visste ikke engang at han het Zalatsjenko ... Jeg kjente ham bare under et dekknavn.»

«Hvilket?»

«Han ble kalt Ruben.»

«Jaha.»

«Jeg kan ikke diskutere det.»

«Jo, det kan du,» gjentok Mikael og satte seg til rette. «Det

383

er nemlig slik at hele historien kommer til å bli offentlig kjent om kort tid. Og når det skjer, kommer mediene enten til å henrette deg eller beskrive deg som en hederlig statstjenestemann som gjorde det beste ut av en håpløs situasjon. Det var du som fikk i oppdrag av Fälldin å være mellommann mellom ham og dem som tok seg av Zalatsjenko. Det vet jeg allerede.»

Janeryd nikket.

«Fortell.»

Janeryd satt taus i nesten et minutt.

«Jeg fikk aldri noen opplysninger. Jeg var ung ... jeg visste ikke hvordan jeg skulle håndtere saken. Jeg møtte dem cirka to ganger per år i de årene det var aktuelt. Jeg fikk vite at Ruben ... Zalatsjenko var i live og ved god helse, at han samarbeidet, og at de opplysningene han ga, var uvurderlige. Jeg fikk aldri vite noen detaljer. Jeg hadde *ikke behov* for å få vite det.»

Mikael ventet.

«Avhopperen hadde operert i andre land og visste ingenting om Sverige, og derfor ble han aldri noen stort sak for vår sikkerhetspolitikk. Jeg orienterte statsministeren et par ganger, men som regel var det ingenting å fortelle.»

«Greit.»

«De sa alltid at han ble tatt hånd om på sedvanlig måte, og de opplysningene han ga, ble sendt videre via våre vanlige kanaler. Hva skulle jeg si? Hvis jeg spurte hva det innebar, smilte de bare og sa at det lå utenfor min sikkerhetsklarering. Jeg følte meg som en idiot.»

«Du reflekterte aldri over at det var noe galt med ordningen?»

«Nei. Det var ikke noe galt med ordningen. Jeg forutsatte jo at Säpo visste hva de gjorde, og hadde den nødvendige rutine og erfaring. Men jeg kan ikke diskutere saken.»

På dette tidspuktet hadde Janeryd diskutert saken i flere minutter.

«Alt dette er uvesentlig. Det eneste som er vesentlig akkurat nå, er én eneste ting.»

«Hva?»

«Navnene på de personene du møtte.»

Janeryd så spørrende på Mikael.

«De personene som håndterte Zalatsjenko, har gått langt ut over alle rimelige fullmakter. De har drevet grov kriminell virksomhet og må bli gjenstand for etterforskning. Det er derfor Fälldin sendte meg til deg. Fälldin vet ikke navnene. Det var du som møtte dem.»

Janeryd blunket og knep leppene sammen.

«Du møtte Evert Gullberg ... det var han som var hovedmannen.»

Janeryd nikket.

«Hvor mange ganger møtte du ham?»

«Han var med på samtlige møter bortsett fra ett. Det var et titall møter i løpet av de årene Fälldin var statsminister.»

«Hvor møttes dere?»

«I lobbyen på et eller annet hotell. Som oftest Sheraton. En gang på Amarante på Kungsholmen og noen ganger på puben på Continental.»

«Og hvilke andre var med på møtene?»

Janeryd blunket resignert.

«Det er så lenge siden ... jeg husker ikke.»

«Forsøk.»

«Det var en ... Clinton. Som den amerikanske presidenten.»

«Fornavn?»

«Fredrik Clinton. Ham traff jeg fire–fem ganger.»

«Greit ... flere?»

«Hans von Rottinger. Ham kjente jeg til via min mor.»

«Din mor?»

«Ja, min mor kjente familien von Rottinger. Hans von Rottinger var en hyggelig kar. Før han plutselig dukket opp på et møte sammen med Gullberg, hadde jeg ingen anelse om at han arbeidet for Säpo.»

«Det gjorde han ikke,» sa Mikael.

Janeryd bleknet.

«Han arbeidet for noe som het Seksjonen for særskilte analyser,» sa Mikael. «Hva fikk du vite om den gruppen?»

«Ingenting ... jeg mener, det var jo de som tok seg av avhopperen.»

«Ja. Men du må være enig i at det er pussig at ingen av dem finnes noe sted i Säpos organisasjonplan?»

«Det er jo absurd ...»

«Ja, ikke sant? Hvordan foregikk det når dere avtalte møtene? Ringte de deg, eller ringte du dem?»

«Nei ... tid og sted for hvert møte ble avtalt på foregående møte.»

«Hva skjedde hvis du hadde behov for å få kontakt med dem? For eksempel forandre møtested eller noe sånt?»

«Jeg hadde et telefonnummer jeg skulle ringe.»

«Hvilket nummer?»

«Det husker jeg oppriktig talt ikke.»

«Hvem var nummeret til?»

«Det vet jeg ikke. Jeg brukte det aldri.»

«Greit. Neste spørsmål ... hvem ga du saken videre til?»

«Hva mener du?»

«Da Fälldin gikk av. Hvem tok din plass?»

«Det vet jeg ikke.»

«Skrev du noen rapport?»

«Nei. Alt var jo hemmelig. Jeg fikk ikke engang ta notater for min egen hukommelse.»

«Og du briefet aldri noen etterfølger?»

«Nei.»

«Så hva skjedde?»

«Tja ... Fälldin gikk jo av og overlot statsministerstolen til Ola Ullsten. Jeg fikk beskjed om at vi skulle vente og se til etter neste valg. Da ble Fälldin gjenvalgt, og møtene ble gjenopptatt. Så ble det valg igjen i 1985, og da vant sosialdemokratene. Og jeg går ut fra at Palme ikke utpekte noen som skulle etterfølge meg. Selv begynte jeg i UD og ble diplomat. Jeg ble stasjonert i Egypt og deretter i India.»

Mikael fortsatte å stille spørsmål i noen minutter til, men han var overbevist om at han hadde fått vite alt Janeryd hadde å fortelle. Tre navn.

Fredrik Clinton.

Hans von Rottinger.

Og Evert Gullberg – mannen som skjøt Zalatsjenko.

Zalatsjenko-klubben.

Han takket Janeryd for opplysningene og tok en drosje tilbake til sentralstasjonen. Det var først da han satt i drosjen, at han åpnet jakkelommen og slo av båndspilleren. Han landet på Arlanda halv åtte søndag kveld.

Erika Berger studerte bildet på skjermen tankefullt. Hun løftet blikket og gransket den halvtomme redaksjonen utenfor glassburet. Anders Holm hadde fri. Hun så ingen som viste noen interesse for henne, hverken åpenlyst eller i smug. Hun hadde heller ingen grunn til å mistenke noen i redaksjonen for å ville skade henne.

Mailen hadde ankommet et minutt tidligere. Avsenderen var <redax@aftonbladet.com>. *Hvorfor akkurat Aftonbladet?* Adressen var forfalsket.

Dagens melding inneholdt ikke noen tekst. Det var bare et jpg-bilde som hun åpnet i Photoshop.

Bildet var pornografisk og forestilte en naken kvinne med usedvanlig store bryster og et hundekobbel rundt halsen. Hun sto på alle fire og ble tatt bakfra.

Ansiktet på kvinnen var byttet ut. Det var ingen skikkelig retusjering, noe som sannsynligvis heller ikke hadde vært meningen. Istedenfor originalansiktet var Erika Bergers ansikt blitt limt inn. Bildet var hennes egen gamle byline fra Millennium og kunne lastes ned fra nettet.

I underkant av bildet var det skrevet ett ord med sprayfunksjonen i Photoshop.

Hore.

Det var den niende anonyme meldingen hun hadde fått som inneholdt ordet «hore» og som så ut til å ha en avsender i et stort og kjent medieselskap i Sverige. Hun hadde åpenbart fått en *cyber stalker* på halsen.

Telefonavlyttingen var et mer besværlig kapittel enn dataovervåkningen. Trinity hadde ingen vanskeligheter med å lokalisere kabelen til statsadvokat Ekströms hjemmetelefon; problemet var selvfølgelig at Ekström sjelden eller aldri brukte den til jobbrelaterte samtaler. Han gadd ikke engang forsøke å bugge Ekströms kontortelefon i politihuset på Kungsholmen. Det ville ha krevd tilgang til det svenske kabelnettet i en utstrekning som Trinity ikke hadde.

Derimot brukte Bob the Dog mesteparten av en uke på å identifisere og separere Ekströms mobiltelefon i bakgrunnssuset fra nærmere 200 000 andre mobiltelefoner innenfor en kilometers omkrets fra politihuset.

Trinity og Bob the Dog brukte en teknikk som kalles Random Frequency Tracking System, RFTS. Teknikken var ikke ukjent. Den var blitt utviklet av det amerikanske National Security Agency, NSA, og var innbygget i et ukjent antall satellitter som punktovervåket spesielt interessante hovedsteder og arnesteder for uro rundt omkring i verden.

NSA disponerte over enorme ressurser og brukte en diger hov for å fange opp et stort antall mobiltelefonsamtaler i en viss region samtidig. Hver enkelt samtale ble utskilt og analysert digitalt i datamaskiner som var programmert til å reagere på enkelte ord, for eksempel terrorist eller kalasjnikov. Hvis et slikt ord så ut til å forekomme, slo maskinen automatisk alarm, noe som betydde at en operatør gikk inn manuelt og avlyttet samtalen for å vurdere om den var av interesse eller ikke.

Et mer komplisert problem var å identifisere en bestemt mobiltelefon. Hver mobiltelefon har en egen, unik signatur – et fingeravtrykk – i form av telefonnummeret. Med eksepsjonelt følsomme apparater kunne NSA fokusere på et spesielt område og separere og avlytte mobilsamtaler. Teknikken var enkel, men ikke hundre prosent sikker. Utgående samtaler var spesielt vanskelige å identifisere, mens det derimot var lettere å identifisere en innkommende samtale, siden den ble innledet med nettopp det fingeravtrykket som skulle få den aktuelle telefonen til å fange opp signalet.

Forskjellen mellom Trinitys og NSAs avlyttingsambisjoner var av økonomisk karakter. NSA hadde et årsbudsjett på flere milliarder amerikanske dollar, nærmere 12 000 heltidsansatte agenter og tilgang til den absolutt ypperste spissteknologien innenfor data og telefoni. Trinity hadde varebilen sin med omtrent tredve kilo elektronisk utstyr, hvorav en stor del var hjemmelaget, satt sammen av Bob the Dog. NSA kunne via global satellittovervåkning rette ekstremt følsomme antenner mot én spesiell bygning hvor som helst i hele verden. Trinity hadde en antenne som Bob the Dog hadde konstruert, og som hadde en effektiv rekkevidde på cirka 500 meter.

Den teknikken som Trinity hadde til disposisjon, innebar at han måtte parkere varebilen i Bergsgatan eller en av de andre gatene i nærheten, og møysommelig kalibrere utstyret til han klarte å identifisere fingeravtrykket som utgjorde statsadvokat Richard Ekströms mobilnummer. Siden han ikke kunne svensk, måtte han dirigere samtalen via en annen mobil hjem til Plague, som sto for selve avlyttingen.

I fem døgn hadde en stadig mer huløyd Plague holdt på å lytte seg fordervet til et meget stort antall samtaler til og fra politihuset og omkringliggende bygninger. Han hadde hørt bruddstykker av pågående etterforskninger, avslørt planlagte elskovsmøter og tatt opp et stort antall samtaler med uinteressant nonsens. Sent om kvelden den femte dagen sendte Trinity et signal som et digitalt display umiddelbart identifiserte som statsadvokat Ekströms mobiltelefonnummer. Plague låste parabolantennen på den eksakte frekvensen.

Teknikken med RFTS fungerte hovedsakelig på inngående samtaler til Ekström. Trinitys parabol snappet ganske enkelt opp de søkene på Ekströms mobilnummer som ble sendt ut i eteren fra hele Sverige.

I og med at Trinity kunne begynne å ta opp samtaler fra Ekström, fikk han også et stemmeavtrykk av statsadvokaten, som Plague kunne bearbeide.

Plague sendte Ekströms digitaliserte stemme gjennom et program som het VPRS – Voiceprint Recognition System. Han spesifiserte et titall vanlig forekommende ord, for eksempel «greit» eller «Salander». Når han hadde fem separate eksempler på ett og samme ord, ble det kartlagt med henblikk på hvor lang tid det tok å uttale, hvilket stemmeleie og frekvensomfang det hadde, hvordan endelsen ble betont og et dusin andre markører. Resultatet ble en grafisk kurve. Dermed hadde Plague mulighet til også å avlytte utgående samtaler fra statsadvokat Ekström. Parabolen hans lyttet kontinuerlig etter samtaler hvor nettopp Ekströms grafiske kurver for et av et titall vanlig forekommende ord dukket opp. Teknikken var ikke perfekt. Men anslagsvis femti prosent av alle samtaler som Ekström ringte i mobiltelefonen fra et eller annet sted i politihusets nærmeste omgivelser, ble avlyttet og tatt opp.

Dessverre hadde teknikken også en åpenbar ulempe. Så snart statsadvokat Ekström forlot politihuset, opphørte muligheten til å avlytte mobilen hans, med mindre Trinity visste hvor han befant seg og kunne parkere i umiddelbar nærhet.

Med ordrer fra høyeste hold hadde Torsten Edklinth endelig kunnet opprette en liten, men legitim operativ avdeling. Han håndplukket fire medarbeidere og valgte bevisst yngre talenter med bakgrunn fra det vanlige politiet, som relativt nylig var blitt rekruttert til RPS/Säk. To hadde bakgrunn fra bedrageri-avsnittet, en fra økokrim og en fra voldsavsnittet. De ble kalt inn på Edklinths kontor og fikk en orientering om oppdragets karakter og behovet for absolutt hemmeligholdelse. Han understreket at etterforskningen fant sted på direkte anmodning fra statsministeren. Monica Figuerola ble leder for gruppen og styrte etterforskningen med en kraft som sto i samsvar med hennes ytre.

Men etterforskningen gikk langsomt, noe som hovedsakelig skyldtes at ingen var helt sikre på hvem som skulle etterforskes. Edklinth og Figuerola vurderte mer enn én gang ganske enkelt å pågripe Mårtensson og begynne å stille spørsmål. Men hver gang bestemte de seg for å vente litt til. En pågripelse ville bety at hele etterforskningen ble kjent for alle.

Først på tirsdag, elleve dager etter møtet med statsministeren, banket Monica Figuerola på døren til Edklinths kontor.

«Jeg tror vi har noe.»

«Sett deg.»

«Evert Gullberg.»

«Ja?»

«En av spanerne våre hadde en samtale med Marcus Erlander, som leder etterforskningen av drapet på Zalatsjenko. Ifølge Erlander tok RPS/Säk kontakt med göteborgpolitiet allerede to timer etter drapet og oversendte opplysninger om Gullbergs trusselbrev.»

«Det var raskt reagert.»

«Ja. Litt for raskt. RPS/Säk fakset over ni brev til göteborgpolitiet, som det ble oppgitt at Gullberg hadde forfattet. Det var bare ett problem.»

«Hva?»

«To av brevene var stilet til justisdepartementet – til justisministeren og demokratiministeren.»

«Jaha. Det vet jeg allerede.»

«Ja, men brevet til demokratiministeren ble ikke journalført i departementet før neste dag. Det kom med en senere postombæring.»

Edklinth stirret på Monica Figuerola. For første gang følte han virkelig redsel for at alle mistankene hans skulle vise seg å være berettiget. Monica Figuerola fortsatte ubønnhørlig.

«RPS/Säk sendte med andre ord en fakskopi av et trusselbrev som ennå ikke hadde kommet frem til adressaten.»

«Herregud,» sa Edklinth.

«Det var en medarbeider på livvaktavsnittet som fakset brevene.»

«Hvem?»

«Jeg tror ikke det har noe med saken å gjøre. Han fikk brevene på skrivebordet sitt samme morgen, og kort tid etter drapet fikk han i oppdrag å kontakte politiet i Göteborg.»

«Hvem ga ham oppdraget?»

«Administrasjonssjefens sekretær.»

«Herregud, Monica … Forstår du hva dette innebærer?»

«Ja.»

«Det betyr at RPS/Säk er involvert i drapet på Zalatsjenko.»

«Nei. Men det betyr definitivt at personer *innenfor* RPS/Säk hadde kjennskap til drapet før det ble begått. Spørsmålet er bare hvem?»

«Administrasjonssjefen …?»

«Ja. Men jeg begynner å få en mistanke om at denne Zalatsjenko-klubben befinner seg utenfor huset.»

«Hva mener du?»

«Mårtensson. Han ble flyttet fra livvaktavsnittet og arbeider på egen hånd. Vi har hatt ham under oppsikt på heltid den siste uken. Han har ikke hatt kontakt med noen i huset, så vidt vi vet. Han blir oppringt på en mobiltelefon som vi ikke kan avlytte. Vi vet ikke hvilket nummer den har, men det er ikke hans egen mobil. Han har også møtt denne blonde mannen som vi ikke har klart å identifisere ennå.»

Edklinth la pannen i dype folder. I samme øyeblikk banket Anders Berglund på døren. Han var den medarbeideren som var blitt rekruttert til den nystartede operative avdelingen og som tidligere hadde arbeidet i økokrim.

«Jeg tror jeg har funnet Evert Gullberg,» sa Berglund.

«Kom inn,» sa Edklinth.

Berglund la et svart-hvitt-foto som var litt slitt i kantene, på skrivebordet. Edklinth og Figuerola studerte bildet. Det forestilte en mann som de begge kjente igjen umiddelbart. Han ble ført gjennom en døråpning av to bastante, sivilkledde politifolk. Den legendariske spionobersten Stig Wennerström.

«Dette bildet kommer fra Åhlén & Åkerlunds forlag og ble publisert i bladet Se våren 1964. Det ble tatt i forbindelse med rettssaken hvor Wennerström ble dømt til livsvarig fengsel.»

«Jaha.

«I bakgrunnen ser du tre personer. Til høyre kriminal-førstebetjent Otto Danielsson, som altså var den som pågrep Wennerström.»

«Ja …»

«Se på mannen som står skrått til venstre bak Danielsson.»

Edklinth og Figuerola så en høy mann med smal bart og hatt. Han minnet vagt om forfatteren Dashiell Hammett.

«Sammenlign ansiktet med dette passbildet av Gullberg. Han var 66 år da passbildet ble tatt.»

Edklinth rynket øyenbrynene.

«Jeg ville nok ikke kunne sverge på at det er samme person …»

«Men det kan jeg,» sa Berglund. «Snu bildene.»

Baksiden hadde et stempel som fortalte at bildet tilhørte forlaget Åhlén & Åkerlund, og at fotografens navn var Julius Estholm. Teksten var skrevet med blyant. *Stig Wennerström flankert av to politifolk på vei inn i Stockholm tingrett. I bakgrunnen O. Danielsson, E. Gullberg og H.W. Francke.*

«Evert Gullberg,» sa Monica Figuerola. «Han var i RPS/Säk.»

«Nei,» sa Berglund. «Rent teknisk var han ikke det. I hvert fall ikke da det bildet ble tatt.»

«Jaså?»

«RPS/Säk ble ikke grunnlagt før fire måneder senere. På dette bildet tilhørte han fremdeles det hemmelige statspolitiet.»

«Hvem er H.W. Francke?» sa Monica Figuerola.

«Hans Wilhelm Francke,» sa Edklinth. «Han døde i begynnelsen av 1990-årene, men var nestleder for det hemmelige statspolitiet i slutten av 1950-årene og begynnelsen av 1960-årene. Han var litt av en legende, akkurat som Otto Danielsson. Jeg har faktisk truffet ham et par ganger.»

«Jaså,» sa Monica Figuerola.

«Han forlot RPS/Säk i slutten av 1960-årene. Francke og P.G. Vinge kom aldri overens, og han fikk vel nærmest sparken da han var 50–55 år. Han begynte for seg selv.»

«Begynte for seg selv?»

«Ja, han ble rådgiver i sikkerhetsspørsmål for den private industrien. Han hadde et kontor ved Stureplan, men han holdt også forelesninger av og til ved internopplæringen i RPS/Säk. Det var på den måten jeg traff ham.»

«Jeg skjønner. Hva var det Vinge og Francke kranglet om?»

«De gikk ikke godt sammen. Francke var litt av en cowboy som så KGB-agenter overalt, og Vinge var en byråkrat av den gamle skolen. Så fikk jo Vinge, ironisk nok, sparken like etterpå fordi han trodde Palme jobbet for KGB.»

«Hmm,» sa Monica Figuerola og studerte bildet der Gullberg og Francke sto ved siden av hverandre.

«Jeg tror det er på tide å ta en ny samtale med justis,» sa Edklinth til henne.

393

«Millennium kom ut i dag,» sa Monica Figuerola.

Edklinth sendte henne et skarpt blikk.

«Ikke et ord om Zalatsjenko-saken,» sa hun.

«Det betyr at vi sannsynligvis har en måned på oss til neste nummer. Godt å vite. Men vi må gå løs på Blomkvist. Han er som en usikret håndgranat midt i denne røren.»

KAPITTEL 17

Onsdag 1. juni

Mikael Blomkvist fikk intet forvarsel om at det befant seg noen i oppgangen da han rundet den siste svingen i trappen utenfor loftsleiligheten i Bellmansgatan 1. Klokken var syv om kvelden. Han bråstoppet da han fikk øye på en blond kvinne med kort, krøllete hår, som satt på det øverste trappetrinnet. Han identifiserte henne umiddelbart som Monica Figuerola, RPS/Säk, fra det passbildet Lottie Karim hadde fått tak i.

«Hei, Blomkvist,» hilste hun muntert og lukket igjen en bok som hun hadde sittet og lest i. Mikael kastet et blikk på boken og konstaterte at den var på engelsk og handlet om antikkens gudsoppfatning. Han hevet blikket og gransket den uventede gjesten. Hun reiste seg. Hun var kledd i en hvit, kortermet sommerkjole og hadde lagt en mursteinsrød skinnjakke over kanten på rekkverket.

«Vi har behov for å snakke med deg,» sa hun.

Mikael Blomkvist gransket henne. Hun var høy, høyere enn ham, og inntrykket ble forsterket av at hun sto to trappetrinn over ham. Han betraktet armene hennes og senket blikket til bena og innså at hun hadde adskillig mer muskler enn han.

«Du tilbringer nok et par timer i uken på treningsstudio,» sa han.

Hun smilte og fant frem legitimasjonen.

«Jeg heter …»

«Du heter Monica Figuerola, er født i 1969 og bor i Pontonjärgatan på Kungsholmen. Du er opprinnelig fra Borlänge, men har jobbet i politiet i Uppsala. De siste tre årene har du vært i RPS/Säk, overvåkningstjenesten. Du er treningsfanatiker og drev i sin tid med eliteidrett og holdt på å komme med på det svenske OL-laget. Hva vil du meg?»

Hun ble overrasket, men nikket og hentet seg raskt inn igjen.

«Så fint,» sa hun lett. «Da vet du hvem jeg er, og at du ikke behøver være redd for meg.»

«Ikke?»

«Det er noen som må få snakke med deg i fred og ro. Siden det ser ut til at leiligheten og mobilen din er avlyttet og det er grunn til å være diskré, er jeg blitt sendt for å hente deg.»

«Og hvorfor skulle jeg dra noe sted med en person som jobber i Säpo?»

Hun tenkte seg om en stund.

«Tja ... du kan bli med etter en vennlig, personlig invitasjon, men hvis det føles bedre, kan jeg sette håndjern på deg og ta deg med.»

Hun smilte søtt. Mikael Blomkvist smilte tilbake.

«Du, Blomkvist ... jeg skjønner at du ikke har særlig mange grunner til å stole på folk som kommer fra RPS/Säk. Men nå har det seg slik at ikke alle som jobber der er dine fiender, og det finnes veldig gode grunner til at du skal ta en prat med oppdragsgiverne mine.»

Han ventet.

«Så hvordan vil du ha det? Håndjern eller frivillig?»

«Jeg har allerede blitt lagt i håndjern av politiet én gang i år. Kvoten er fylt. Hvor skal vi?»

Hun kjørte en ny Saab 9-5 og hadde parkert rundt hjørnet nede i Pryssgränd. Da de satte seg i bilen, åpnet hun mobiltelefonen og slo et forhåndsprogrammert nummer.

«Vi kommer om et kvarter,» sa hun.

Hun passet på at Mikael Blomkvist tok på seg sikkerhetsbeltet og kjørte deretter over Slussen ned til Östermalm og parkerte i en tverrgate til Artillerigatan. Hun satt stille et lite øyeblikk og betraktet ham.

«Blomkvist ... dette er en vennlig innhenting. Du risikerer ingenting.»

Mikael Blomkvist svarte ikke. Han ville vente med konklusjonen til han visste hva det dreide seg om. Hun tastet dørkoden. De tok heisen til fjerde etasje, til en leilighet med navnet Martinsson på døren.

«Vi har bare lånt denne leiligheten til kveldens møte,» sa hun og åpnet døren. «Til høyre, stuen.»

Den første Mikael så, var Torsten Edklinth, hvilket ikke var noen overraskelse, siden Säpo i aller høyeste grad var involvert i hendelsesforløpet og Edklinth var Monica Figuerolas sjef. At sjefen for overvåkningstjenesten hadde gjort seg den uleilighet å hente ham inn, antydet at noen var bekymret.

Deretter så han en skikkelse ved et vindu snu seg mot ham. Justisministeren. Hvilket var overraskende.

Så hørte han en lyd fra høyre og så en usedvanlig velkjent person reise seg fra en lenestol. Han hadde ikke regnet med at Monica Figuerola skulle ha hentet ham inn til et konspirativt kveldsmøte med statsministeren.

«God kveld, herr Blomkvist,» hilste statsministeren. «Unnskyld at vi ba deg komme til dette møtet på så kort varsel, men vi har diskutert situasjonen og ble enige om at vi måtte ha en samtale med deg. Kan jeg få by på litt kaffe eller noe annet å drikke?»

Mikael så seg rundt. Han så et spisebord i mørkt tre som var dekket på med glass, tomme kaffekopper og rester av en smørbrødterte. De måtte ha sittet der noen timer allerede.

«Ramlösa,» sa han.

Monica Figuerola serverte. De satte seg i en sofagruppe mens hun holdt seg i bakgrunnen.

«Han kjente meg igjen og visste hva jeg heter, hvor jeg bor, hvor jeg arbeider og at jeg er treningsnarkoman,» sa Monica Figuerola.

Statsministeren kikket raskt bort på Torsten Edklinth og deretter på Mikael Blomkvist. Mikael innså plutselig at han satt i en styrkeposisjon. Statsministeren trengte noe av ham, og hadde formodentlig ingen anelse om hvor mye Mikael Blomkvist visste eller ikke visste.

«Jeg forsøker å holde orden på alle aktørene i denne suppa,» sa Mikael lett.

Det skal faen meg noe til å bløffe statsministeren.

«Og hvordan kjenner du navnet til Monica Figuerola?» spurte Edklinth.

Mikael skottet bort på overvåkningssjefen. Han hadde ikke peiling på hva som hadde ført til at statsministeren ville ha et hemmelig møte med ham i en lånt leilighet på Östermalm, men han følte seg inspirert. Det var Dragan Armanskij som hadde sparket ballen i gang ved å overlevere opplysninger til en person som han hadde tillit til. Vedkommende måtte ha vært Edklinth eller en som sto ham nær. Mikael tok en sjanse.

«En felles bekjent har snakket med deg,» sa han til Edklinth. «Du satte Figuerola i gang med å undersøke hva som foregikk, og hun oppdaget at det er noen Säpo-aktivister som bedriver ulovlig avlytting og bryter seg inn i leiligheten min og lignende. Det betyr at du har bekreftet at Zalatsjenko-klubben eksisterer. Det gjorde deg så bekymret at du følte behov for å gå videre med saken, men ble sittende en stund på kontoret uten helt å vite hvor du skulle henvende deg. Så gikk du til justisministeren, som gikk til statsministeren. Og nå sitter vi her. Hva vil dere?»

Mikael snakket i en tone som antydet at han hadde en sentralt plassert kilde, og at han hadde fulgt hvert eneste steg Edklinth hadde tatt. Han så at bløffen gikk hjem, og at Edklinth sperret øynene opp. Han fortsatte.

«Zalatsjenko-klubben spionerer på meg, jeg spionerer på dem, og du spionerer på Zalatsjenko-klubben, og statsministeren er på dette stadium både forbannet og engstelig. Han vet at ved slutten av dette venter det en skandale som regjeringen muligens ikke overlever.»

Monica Figuerola smilte plutselig, men skjulte smilet ved å løfte et glass med Ramlösa. Hun skjønte at Blomkvist bløffet, og hun skjønte hvordan han hadde kunnet overraske henne med å vite både navnet og skonummeret hennes.

Han så meg i bilen på Bellmansgatan. Han er svært på vakt. Han tok bilnummeret og identifiserte meg. Men resten er gjetninger.

Hun sa ingenting.

Statsministeren så bekymret ut.

«Er det dette vi har i vente?» sa han. «En skandale som kommer til å felle regjeringen?»

«Regjeringen er ikke mitt problem,» sa Mikael. «Min arbeidsinstruks går ut på å avsløre uhumskheter som Zalatsjenko-klubben.»

Statsministeren nikket.

«Og min jobb består i å styre landet i samsvar med konstitusjonen.»

«Hvilket betyr at mitt problem i aller høyeste grad også er regjeringens problem. Men ikke omvendt.»

«Kan vi slutte å gå rundt i ring? Hvorfor tror du at jeg har arrangert dette møtet?»

«For å finne ut hva jeg vet og hva jeg har tenkt å gjøre.»

«Delvis riktig. Men det er mer korrekt å si at vi har havnet i en konstitusjonell krise. La meg først få si at regjeringen overhodet ikke har det minste med denne saken å gjøre. Vi er blitt tatt fullstendig på sengen. Jeg har aldri hørt om denne … det du kaller Zalatsjenko-klubben. Justisministeren har aldri hørt et ord om saken. Torsten Edklinth, som har en høy stilling i RPS/Säk og har arbeidet i Säpo i mange år, har heller aldri hørt om den.»

«Det er fremdeles ikke mitt problem.»

«Jeg vet det. Det vi vil vite, er når du har tenkt å publisere stoffet ditt, og gjerne nøyaktig hva du har tenkt å gå ut med. Jeg stiller dette som et spørsmål. Det har ingenting med skadebegrensninger å gjøre.»

«Ikke?»

«Blomkvist, det absolutt verste jeg kunne gjøre i denne situasjonen, ville være å forsøke å påvirke innholdet i det du skriver. Derimot har jeg tenkt å foreslå et samarbeid.»

«Forklar.»

«Da vi nå har fått bekreftet at det eksisterer en sammensvergelse innenfor en usedvanlig følsom del av statsforvaltningen, har jeg beordret en granskning.» Statsministeren vendte seg mot justisministeren. «Kan du forklare nøyaktig hva regjeringens ordre går ut på?»

«Det er meget enkelt. Torsten Edklinth har fått i oppdrag

umiddelbart å undersøke om det er mulig å få bekreftet dette. Oppgaven hans består i å samle informasjon som kan overleveres riksadvokaten, som i sin tur har til oppgave å avgjøre om det skal reises tiltale. Det er altså en meget enkel instruks.»

Mikael nikket.

«Edklinth har tidligere i kveld rapportert hvordan det går med granskningen. Vi har hatt en lang diskusjon om konstitusjonelle saker – vi vil selvfølgelig at det skal gå riktig for seg.»

«Selvfølgelig,» sa Mikael i en tone som antydet at han ikke trodde et øyeblikk på statsministerens påstander.

«Granskningen befinner seg nå i en særdeles vanskelig fase. Vi har ennå ikke klart å identifisere nøyaktig hvem som er involvert. For å gjøre det, trenger vi tid. Og det er derfor vi sendte Monica Figuerola ut for å invitere deg til dette møtet.»

«Det gjorde hun ettertrykkelig. Jeg hadde ikke store valget.»

Statsministeren rynket øyenbrynene og skottet bort på Monica Figuerola.

«Glem det,» sa Mikael. «Hun oppførte seg eksemplarisk. Hva er det du vil?»

«Vi vil vite når du har tenkt å publisere. Akkurat nå foregår denne granskningen i største hemmelighet, og hvis du går ut før Edklinth er ferdig, kan du hindre oss i å nå målet.»

«Hmm. Og når vil du at jeg skal publisere? Etter neste valg?»

«Det er opp til deg å avgjøre. Det er ikke noe jeg kan påvirke. Det jeg ber deg om, er at du forteller når du har tenkt å gå offentlig ut, så vi vet nøyaktig hvilken deadline vi har for granskningen.»

«Jeg skjønner. Du snakket om samarbeid …»

«Jeg vil begynne med å si at jeg under normale omstendigheter aldri engang ville ha drømt om å invitere en journalist til et møte som dette.»

«Under normale omstendigheter ville du antagelig ha gjort alt for å holde journalistene unna et slikt møte.»

«Ja. Men jeg har forstått at det er flere faktorer som driver deg. Som journalist har du ord på deg for ikke å legge fingrene

400

imellom når det dreier seg om korrupsjon. I den forstand er det ingen motsetninger mellom oss.»

«Ikke?»

«Nei. Overhodet ikke. Eller rettere sagt ... de motsetninger som finnes, er muligens av juridisk karakter, men ikke når det gjelder målsettingen. Hvis denne Zalatsjenko-klubben eksisterer, så er den ikke bare en kriminell sammenslutning, men også en trussel mot rikets sikkerhet. Dette må stoppes, og de ansvarlige må svare for seg. På det punktet burde vi være enige, du og jeg?»

Mikael nikket.

«Jeg har forstått at du vet mer om denne historien enn noen annen. Vi foreslår at du deler det du vet med oss. Hvis dette hadde vært en regulær politietterforskning av et vanlig lovbrudd, ville etterforskningslederen ha besluttet å innkalle deg til et avhør. Men dette er som du skjønner en ekstrem situasjon.»

Mikael satt taus og vurderte situasjonen en stund.

«Og hva får jeg til gjengjeld hvis jeg samarbeider?»

«Ingenting. Jeg kjøpslår ikke med deg. Hvis du vil publisere i morgen tidlig, så gjør du det. Jeg har ikke tenkt å gå inn på noen hestehandel som kan være konstitusjonelt tvilsom. Jeg ber deg samarbeide til beste for nasjonen.»

«Ingenting kan være ganske mye,» sa Mikael Blomkvist. «La meg forklare en ting ... jeg er fly forbannet. Jeg er så forbannet på staten og regjeringen og Säpo og disse jævla drittsekkene som helt uten grunn sperret en 12 år gammel jente inne på mentalsykehus, og deretter sørget for å få henne umyndiggjort.»

«Lisbeth Salander har blitt en sak for regjeringen,» sa statsministeren og smilte faktisk. «Mikael, jeg er personlig svært opprørt over det som har skjedd henne. Og tro meg når jeg sier at de ansvarlige vil bli nødt til å svare for seg. Men før vi kan gjøre det, må vi vite hvem de ansvarlige er.»

«Du har dine problemer. Mitt problem er at jeg vil ha Lisbeth Salander frikjent og umyndiggjørelseserklæringen opphevet.»

«Det kan jeg ikke hjelpe deg med. Jeg står ikke over loven og kan ikke dirigere hva påtalemyndigheter og domstoler beslutter. Hun må bli frikjent av en domstol.»

«Greit,» sa Mikael Blomkvist. «Du vil ha et samarbeid. Gi meg innsyn i Edklinths granskning, så skal jeg fortelle hvor og når jeg har tenkt å publisere.»

«Jeg kan ikke gi deg innsyn. Det ville være å stille meg selv i samme situasjon som justisministerens forgjenger en gang sto i overfor en viss Ebbe Carlsson.»

«Jeg er ikke Ebbe Carlsson,» sa Mikael rolig.

«Jeg har forstått det. Derimot kan naturligvis Torsten Edklinth selv avgjøre hva han vil dele med deg, innenfor rammen av oppdraget sitt.»

«Hmm,» sa Mikael Blomkvist. «Jeg vil vite hvem Evert Gullberg er.»

Det ble stille i sofagruppen.

«Evert Gullberg er sannsynligvis en mangeårig leder for den avdelingen i RPS/Säk som du kaller Zalatsjenko-klubben,» sa Edklinth.

Statsministeren så skarpt på Edklinth.

«Jeg tror han allerede vet det,» unnskyldte Edklinth seg.

«Det stemmer,» sa Mikael. «Han begynte i Säpo i 1950-årene og ble leder for noe som kalles Seksjonen for særskilte analyser i 1960-årene. Det var han som hadde hånd om hele Zalatsjenko-saken.»

Statsministeren ristet på hodet.

«Du vet mer enn du burde vite. Jeg skulle veldig gjerne visst hvordan du har klart å finne ut det. Men jeg har ikke tenkt å spørre.»

«Det finnes hull i storyen min,» sa Mikael. «Jeg vil fylle de hullene. Gi meg opplysninger, så skal jeg ikke spenne bein på dere.»

«Som statsminister kan jeg ikke utlevere disse opplysningene. Og Torsten Edklinth balanserer på en meget slak line hvis han gjør det.»

«Ikke snakk piss. Jeg vet hva dere vil ha. Hvis dere gir meg opplysninger, kommer jeg til å behandle dere som mine kilder, med all den anonymitet det innebærer. Misforstå meg ikke, jeg kommer til å fortelle sannheten slik jeg ser den i reportasjen min. Hvis du er involvert, kommer jeg til å henge deg ut og sørge for at du aldri noensinne blir gjenvalgt. Men på det nåværende tidspunkt har jeg ingen grunn til å tro at det er tilfellet.»

Statsministeren skottet bort på Edklinth. Etter en liten stund nikket han. Mikael tok det som et tegn på at statsministeren nettopp hadde begått et lovbrudd – om enn av det mer akademiske slaget – og gitt sin tause godkjennelse til at Mikael skulle få innsyn i hemmeligstemplet informasjon.

«Dette kan løses ganske enkelt,» sa Edklinth. «Jeg forestår en enmannsgranskning og avgjør selv hvilke medarbeidere jeg rekrutterer til arbeidet. Du kan ikke bli ansatt som medarbeider, siden det ville bety at du måtte undertegne en taushetserklæring. Men jeg kan engasjere deg som konsulent.»

Erika Bergers liv var blitt fylt av uendelige møter og arbeid døgnet rundt etter at hun måtte gå inn i avdøde sjefredaktør Håkan Moranders sko. Hun følte seg hele tiden uforberedt, utilstrekkelig og uinformert.

Det var først onsdag kveld, nesten to uker etter at Mikael Blomkvist hadde gitt henne Henry Cortez' researchmappe om styreformann Magnus Borgsjö, at hun endelig hadde tid til å gå løs på problemet. Da hun åpnet mappen, gikk det opp for henne at denne sendrektigheten også kom av at hun faktisk ikke hadde lyst til å gå løs på saken. Hun visste allerede at uansett hvordan hun håndterte den, ville den ende med katastrofe.

Hun kom hjem til villaen i Saltsjöbaden uvanlig tidlig, klokken halv syv om kvelden, slo av alarmen i hallen og konstaterte forbauset at ektemannen, Greger Backman, ikke var hjemme. Det tok en stund før hun kom på at hun hadde kysset ham ekstra godt i morges fordi han skulle til Paris og holde noen forelesninger, og at han ikke ville være tilbake før til helgen. Det gikk opp for henne at hun ikke hadde den fjerneste anelse om hvem han skulle forelese for, hva forelesningene skulle handle om eller når de hadde dukket opp på tapetet.

Unnskyld meg, altså, men jeg har forlagt mannen min. Hun følte seg som en av personene i en bok av doktor Richard Schwartz, og lurte på om hun trengte hjelp av en psykoterapeut.

Hun gikk opp i annen etasje, tappet vann i badekaret og

kledde av seg. Hun tok med seg researchmappen inn på badet og tilbragte den neste halvtimen med å lese gjennom hele storyen. Da hun var ferdig, kunne hun ikke la være å smile. Henry Cortez kom til å bli en formidabel graver. Han var 26 år og hadde arbeidet i Millennium i fire år, helt fra han var ferdig med journalistutdannelsen. Hun følte en viss stolthet. Hele historien om klosettene og Borgsjö hadde Millenniums signatur fra begynnelse til slutt, og hver eneste linje var dokumentert.

Men hun følte seg også dyster til sinns. Magnus Borgsjö var et godt menneske som hun faktisk likte. Han var lavmælt, lydhør, sjarmerende og virket fri for prestisjebehov. Dessuten var han sjefen og arbeidsgiveren hennes. *Jævla Borgsjö. Hvordan i helvete kunne du være så jævla dum.*

Hun tenkte en stund på om det kunne finnes alternative koblinger eller formildende omstendigheter, men visste allerede at det ikke ville la seg bortforklare.

Hun la researchmappen i vinduskarmen og strakte seg ut i badekaret og grublet.

At Millennium kom til å offentliggjøre historien, var uunngåelig. Hvis hun selv fremdeles hadde vært sjefredaktør for bladet, ville hun ikke ha nølt et sekund, og det faktum at Millennium hadde lekket historien til henne på forhånd, var bare en personlig gest som markerte at de ville begrense skadevirkningene for henne personlig så langt det lot seg gjøre. Hvis situasjonen hadde vært omvendt – hvis SMP hadde funnet noe tilsvarende dritt om Millenniums styreformann (som riktignok tilfeldigvis var Erika Berger) ville hun heller ikke ha nølt med å avgjøre at det skulle publiseres.

Offentliggjøringen ville skade Magnus Borgsjö kraftig. Det aller mest alvorlige var egentlig ikke at selskapet hans, Vitavara AB, hadde bestilt klosetter fra en bedrift i Vietnam som sto på FNs svarteliste over bedrifter som benyttet seg av barnearbeid – og i dette tilfellet også slavearbeidskraft i form av straffanger. Noen av disse straffangene ville ganske sikkert også kunne defineres som politiske fanger. Det alvorligste var at Magnus Borgsjö kjente til disse forholdene og likevel hadde valgt å fortsette å bestille klosetter fra Fong Soo Industries. Det var en

404

grådighet som i kjølvannet av andre gangsterkapitalister, som Skandias avgåtte administrerende direktør, ikke falt i god jord hos det svenske folk.

Magnus Borgsjö ville naturligvis hevde at han ikke hadde kjent til forholdene i Fong Soo, men Henry Cortez hadde god dokumentasjon også i så henseende, og i det øyeblikk Borgsjö forsøkte seg med den visa, ville han i tillegg bli avslørt som løgner. I juni 1997 hadde nemlig Magnus Borgsjö reist til Vietnam for å undertegne de første kontraktene. Han hadde den gang tilbragt ti dager i Vietnam og blant annet besøkt selskapets fabrikker. Hvis han forsøkte å påstå at han ikke hadde skjønt at flere av arbeiderne på fabrikken bare var 12–13 år, ville han fremstå som en idiot.

Spørsmålet om Borgsjös eventuelle manglende viten ble deretter helt og holdent avgjort ved at Henry Cortez kunne bevise at FNs kommisjon mot barnearbeid i 1999 hadde ført opp Fong Soo på listen over selskaper som benyttet seg av barnearbeidskraft. Dette var deretter blitt gjenstand for flere avisartikler, samt at to innbyrdes uavhengige organisasjoner mot barnearbeid, deriblant den internasjonalt anerkjente International Joint Effort Against Child Labour i London, hadde skrevet en rekke brev til selskaper som la inn bestillinger hos Fong Soo. Ikke mindre enn syv slike brev var blitt sendt til Vitavara AB. To av disse brevene var adressert til Magnus Borgsjö personlig. Organisasjonen i London hadde med glede gitt fra seg dokumentasjon til Henry Cortez og samtidig pekt på at Vitavara AB ikke i noen av tilfellene hadde svart på brevene.

Derimot hadde Magnus Borgsjö reist til Vietnam to ganger til, i 2001 og i 2004, for å fornye kontraktene. Dette var dødsstøtet. Det gjensto ingen muligheter for Borgsjö til å påstå at han ikke visste noe.

Den medieoppmerksomheten som ville følge, kunne bare føre til én ting. Hvis Borgsjö var klok, gjorde han avbikt og trakk seg fra alle styrevervene sine. Hvis han satte seg til motverge, ville han bli tilintetgjort i prosessen.

Hvorvidt Borgsjö var eller ikke var styreformann i Vitavara AB, brydde ikke Erika Berger seg om. Det alvorlige for hennes vedkommende, var at han også var styreformann i SMP. Offentliggjøringen innebar at han ville bli tvunget til å gå av. I en tid da avisen balanserte på randen av avgrunnen og det var satt i gang en fornyelsesprosess, hadde ikke SMP råd til å ha en styreformann med tvilsom vandel. Avisen ville bli skadelidende. Altså måtte han bort fra SMP.

For Erika Bergers vedkommende oppsto det derved to mulige fremgangsmåter.

Enten kunne hun gå til Borgsjö, legge kortene på bordet og vise ham dokumentasjonen og dermed få ham til selv å komme til den konklusjon at han måtte gå av før saken ble offentliggjort.

Eller, hvis han protesterte, måtte hun hasteinnkalle styret og informere om situasjonen og tvinge styret til å gi ham sparken. Og hvis styret ikke ville gå med på den linjen, ville hun selv være nødt til å gå av som sjefredaktør for SMP med øyeblikkelig virkning.

Da Erika Berger hadde tenkt så lenge, var badevannet blitt kaldt. Hun dusjet, tørket seg og gikk inn på soverommet og tok på seg en morgenkåpe. Deretter tok hun mobilen og ringte Mikael Blomkvist. Hun fikk ikke noe svar. Isteden gikk hun ned i første etasje for å sette på kaffen og for første gang siden hun begynte i SMP, undersøke om det eventuelt var en film på TV som hun kunne slappe av med.

Da hun gikk forbi døråpningen til stuen, kjente hun en skarp smerte i foten; hun så ned og oppdaget at hun blødde kraftig. Hun tok et skritt til, og smerten skar gjennom hele foten. Hun hinket på ett ben bort til en antikk stol og satte seg. Da hun løftet foten, oppdaget hun til sin forferdelse at et glasskår hadde trengt seg inn i hælen. Først ble hun helt matt. Så stålsatte hun seg, tok tak i glassbiten og dro den ut. Det gjorde noe inn i helvete vondt, og blodet formelig fosset ut av såret.

Hun rev opp en kommodeskuff i hallen hvor hun hadde skjerf og hansker og luer. Hun fant et skjerf som hun skyndte seg å tulle rundt foten og knytte så hardt hun kunne. Det var ikke nok, og hun prøvde med enda en improvisert forbinding. Blodflommen minsket litt.

Hun stirret forbløffet på den blodige glassbiten. *Hvordan har den havnet der?* Deretter oppdaget hun flere glasskår på gulvet i hallen. *Hva i helvete* ... Hun reiste seg og kastet et blikk inn i stuen og så at det store panoramavinduet med utsikt mot Saltsjön var knust, og at hele gulvet var fullt av glassplinter.

Hun rygget bort til ytterdøren og tok på seg spaserskoene som hun hadde sparket av seg da hun kom hjem. Det vil si, hun tok på seg den ene skoen og satte tærne på den skadede foten ned i den andre og mer eller mindre hinket inn i stuen og betraktet ødeleggelsene.

Deretter oppdaget hun mursteinen midt på salongbordet.

Hun hinket frem til verandadøren og gikk ut på baksiden av huset.

Der hadde noen sprayet et ord på fasaden med meterhøye bokstaver.

HORE

Klokken var litt over ni om kvelden da Monica Figuerola åpnet bildøren for Mikael Blomkvist. Hun gikk rundt bilen og satte seg i førersetet.

«Skal jeg kjøre deg hjem, eller vil du bli satt av et eller annet sted?»

Mikael Blomkvist stirret tomt fremfor seg.

«Ærlig talt ... jeg vet ikke helt hvor jeg befinner meg. Jeg har aldri presset en statsminister før.»

Monica Figuerola lo.

«Du spilte kortene dine riktig bra,» sa hun. «Jeg ante ikke at du hadde sånne talenter for bløffpoker.»

«Jeg mente hvert eneste ord.»

«Ja, men jeg mente at du ga inntrykk av å vite en god del mer enn du egentlig gjør. Det skjønte jeg da det gikk opp for meg hvordan du hadde identifisert meg.»

Mikael snudde på hodet og så på profilen hennes.

«Du tok bilnummeret mitt da jeg satt i bakken utenfor huset hvor du bor.»

Han nikket.

«Du fikk det til å virke som om du visste hva som var blitt diskutert på statsministerens kontor.»

«Hvorfor sa du ikke noe?»

Hun sendte ham et raskt blikk og svingte ut på Grev Turegatan.

«Spillets regler. Jeg burde ikke ha stilt meg der. Men det fantes ikke noe annet sted hvor jeg kunne parkere. Du holder knallhard oversikt med omgivelsene, ikke sant?»

«Du satt med et kart i forsetet og snakket i telefonen. Jeg tok bilnummeret og sjekket helt rutinemessig. Jeg sjekker alle biler som jeg reagerer på. Som regel blir det bomskudd. I ditt tilfelle oppdaget jeg at du jobber i Säpo.»

«Jeg holdt Mårtensson under oppsikt. Deretter oppdaget jeg at du overvåket ham gjennom Susanne Linder fra Milton Security.»

«Armanskij har satt henne til å dokumentere hva som skjer rundt leiligheten min.»

«Og siden hun forsvant inn i huset ditt, går jeg ut fra at Armanskij har installert en eller annen form for skjult overvåkning i leiligheten din.»

«Det stemmer. Vi har en utmerket video av hvordan de bryter seg inn og går igjennom papirene mine. Mårtensson hadde med seg en bærbar kopimaskin. Har dere identifisert kompisen til Mårtensson?»

«Han er uvesentlig. En låsesmed med kriminell fortid som sannsynligvis får betalt for å åpne døren din.»

«Navn?»

«Kildebeskyttelse?»

«Selvsagt.»

«Lars Faulsson. 47 år. Kalles Falun. Dømt for en skapsprengning i 1980-årene og noen andre småting. Har en forretning ved Norrtull.»

«Takk.»

«Men la oss spare hemmelighetene til møtet i morgen.»

Møtet var blitt avsluttet med en avtale som gikk ut på at Mikael Blomkvist skulle oppsøke overvåkningstjenesten neste dag for å innlede en informasjonsutveksling. Mikael tenkte. De passerte akkurat Sergels torg.

«Vet du hva? Jeg er dødssulten. Jeg spiste en sen lunsj ved totiden i ettermidag og hadde tenkt å lage meg litt pasta da jeg kom hjem og ble hentet av deg. Har du spist?»

«En stund siden.»

«Kjør oss til en eller annen restaurant hvor vi kan få litt ordentlig mat.»

«All mat er ordentlig.»

Han sendte henne et skrått blikk.

«Jeg trodde du var en sånn helsekostfanatiker.»

«Nei, jeg er treningsfanatiker. Hvis man trener, kan man spise hva man vil. Det vil si, innen rimelighetens grenser.»

Hun bremset ned ved Klarabergsviadukten og overveide alternativene. Istedenfor å svinge ned mot Södermalm fortsatte hun rett frem mot Kungsholmen.

«Jeg vet ikke hvordan restaurantene er på Söder, men jeg vet om en utmerket bosnisk restaurant ved Fridhemsplan. Bureken de lager, er fantastisk.»

«Høres bra ut,» sa Mikael Blomkvist.

Lisbeth Salander klikket frem bokstav for bokstav i redegjørelsen sin. Hun arbeidet gjennomsnittlig fem timer i døgnet. Hun formulerte seg nøyaktig. Og hun var meget omhyggelig med å fortie alle detaljer som kunne brukes mot henne.

Det faktum at hun var blitt innesperret, var blitt til en velsignelse. Hun kunne arbeide når som helst, bare hun var alene i rommet, og hun fikk alltid et forvarsel om å rydde vekk maskinen når hun hørte skramlingen av nøkkelknippet eller at nøkkelen ble satt i låsen.

[Da jeg skulle til å låse sommerhuset til Bjurman utenfor Stallarholmen, dukket Carl-Magnus Lundin og Sonny Nieminen opp på motorsykkel. Siden de forgjeves hadde forsøkt å få tak i meg på oppdrag av Zalatsjenko/Niedermann, ble de overrasket over å se meg der. Magge Lundin gikk av motorsykkelen og erklærte «jeg tror at lesba trenger litt kukk». Både han og Nieminen opptrådte så

409

truende at jeg ble nødt til å benytte meg av nødvergeretten. Jeg forlot stedet på Lundins motorsykkel, som jeg senere satte igjen ved messeområdet i Älvsjö.]

Hun leste igjennom avsnittet og ga det et godkjennende nikk. Det var ingen grunn til å fortelle at Magge Lundin dessuten hadde kalt henne hore, og at hun i og med dette hadde bøyd seg og tatt opp Sonny Nieminens P-83 Wanad og straffet Lundin ved å skyte ham i foten. Det kunne politiet sannsynligvis tenke seg selv, men det var opp til dem å bevise det. Hun hadde ikke tenkt å lette arbeidet for dem ved å tilstå noe som kunne føre til fengselsstraff for grov legemsbeskadigelse.

Teksten hadde vokst til noe som ville tilsvare tredve sider, og hun nærmet seg slutten. I enkelte avsnitt hadde hun vært særdeles sparsom med detaljene, og hadde vært meget omhyggelig med ikke noe sted å forsøke å presentere noen bevis som kunne styrke noen av de mange påstandene hun fremsatte. Hun gikk så langt som til å fortie enkelte åpenbare bevis, og isteden la teksten gå videre til neste ledd i hendelsesrekken.

Hun grublet en stund og skrollet tilbake og leste igjennom teksten i det avsnittet hvor hun redegjorde for advokat Nils Bjurmans grove og sadistiske voldtekt. Det var det avsnittet hun hadde brukt mest tid på, og det var et av de få partiene som hun hadde vært nødt til å omformulere flere ganger før hun var fornøyd med resultatet. Avsnittet tok nitten linjer av teksten. Hun redegjorde saklig for hvordan han hadde slått henne, kastet henne ned på sengen, teipet igjen munnen hennes og satt håndjern på henne. Deretter fastslo hun at han gjentatte ganger hadde utført seksuelle voldshandlinger mot henne, som i nattens løp hadde omfattet både anal og oral penetrering. Hun redegjorde videre for hvordan han på ett stadium under voldtekten hadde surret et klesplagg – hennes egen T-skjorte – rundt halsen hennes og strammet til så lenge at hun til slutt hadde mistet bevisstheten. Deretter fulgte ytterligere noen linjer hvor hun identifiserte hvilke redskaper han hadde brukt under voldtekten, inklusive en kort pisk, en analplugg, en grov dildo og klemmer som han hadde festet på brystvortene hennes.

Hun rynket pannen og studerte teksten. Til slutt løftet hun pennen og tastet inn noen linjer til.

[Ved én anledning, da jeg fortsatt hadde munnen teipet igjen, kommenterte Bjurman det faktum at jeg hadde flere tatoveringer og piercinger, blant annet en ring i venstre brystvorte. Han spurte om jeg likte å bli piercet og forsvant deretter fra rommet en stund. Han kom tilbake med en knappenål som han stakk gjennom den høyre brystvorten.]

Etter å ha lest igjennom den nye teksten nikket hun godkjennende. Den byråkratiske tonen ga teksten et så surrealistisk preg at den fremsto som en helt urimelig fantasi.

Historien virket ganske enkelt ikke troverdig.

Noe som også var hensikten fra Lisbeth Salanders side.

I samme øyeblikk hørte hun skramlingen fra Securitas-vaktens nøkkelknippe. Hun slo umiddelbart av maskinen og la den i nisjen på baksiden av nattbordet. Det var Annika Giannini. Hun rynket øyenbrynene. Klokken var over ni om kvelden, og Giannini pleide ikke dukke opp så sent.

«Hei, Lisbeth.»

«Hei.»

«Hvordan har du det?»

«Jeg er ikke ferdig ennå.»

Annika Giannini sukket.

«Lisbeth ... de har fastsatt datoen for rettssaken til den 13. juli.»

«Det er greit.»

«Nei, det er ikke greit. Tiden løper av gårde, og du betror deg ikke til meg. Jeg begynner å tro at det var fullstendig feil av meg å påta meg oppdraget som din advokat. Hvis vi skal ha den minste sjanse, må du stole på meg. Vi må samarbeide.»

Lisbeth studerte Annika Giannini en lang stund. Til slutt lente hun hodet bakover og kikket opp i taket.

«Jeg vet hvordan vi skal gjøre det nå,» sa hun. «Jeg har skjønt Mikaels plan. Og han har rett.»

«Jeg er ikke så sikker på det,» sa Annika.

«Men jeg er sikker.»

«Politiet vil avhøre deg igjen. En Hans Faste fra Stockholm.»

«La ham avhøre meg. Jeg kommer ikke til å si et ord.»

«Du må komme med en redegjørelse.»

Lisbeth så skarpt på Annika Giannini.

«Jeg gjentar. Vi skal ikke si et ord til politiet. Når vi kommer til rettssalen, skal ikke aktor ha en stavelse fra noe slags avhør å støtte seg til. Alt de kommer til å ha, er en redegjørelse som jeg nå holder på å utforme, og som i store deler kommer til å fremstå som helt urimelig. Og den skal de få noen dager før rettssaken.»

«Og når skal du sette deg ned med pennen og skrive denne redegjørelsen?»

«Du får den om noen dager. Men den skal ikke gå til statsadvokaten før like før rettssaken.»

Annika Giannini så tvilende ut. Plutselig sendte Lisbeth henne et forsiktig, skjevt smil.

«Du snakker om tillit. Kan jeg stole på deg?»

«Selvfølgelig.»

«Fint, kan du smugle inn en hånddatamaskin til meg så jeg kan holde kontakt med folk via Internett?»

«Nei. Selvfølgelig ikke. Hvis det ble oppdaget, ville det bli reist tiltale mot meg, og jeg ville miste advokatbevillingen.»

«Men om en annen smuglet inn en sånn maskin til meg, ville du da varsle politiet om det?»

Annika hevet øyenbrynene.

«Hvis jeg ikke vet om den …»

«Men hvis du visste om den. Hvordan ville du opptre da?»

Annika tenkte seg lenge om.

«Jeg ville lukke øynene. Hvordan det?»

«Denne hypotetiske datamaskinen kommer snart til å sende deg en hypotetisk mail. Når du har lest den, vil jeg at du skal komme og besøke meg igjen.»

«Lisbeth …»

«Vent. Nå skal du høre. Statsadvokaten spiller med merkede kort. Uansett hva jeg gjør, befinner jeg meg i en underlegen posisjon, og hensikten med rettssaken er å få meg innlagt på lukket psykiatrisk institusjon.»

«Jeg vet det.»

«Hvis jeg skal overleve, må jeg også slåss med ufine metoder.»

Til slutt nikket Annika Giannini.

«Da du kom til meg første gang, hadde du med deg en hilsen fra Mikael Blomkvist. Han sa at han hadde fortalt deg det meste, med noen få unntak. Et av unntakene var de ferdighetene han oppdaget hos meg da vi var i Hedestad.»

«Ja.»

«Det han siktet til, er at jeg er jævlig god med datamaskiner. Så god at jeg kan lese og kopiere det som finnes i statsadvokat Ekströms maskin.»

Annika Giannini bleknet.

«Du kan ikke bli innblandet i det. Og du kan altså ikke bruke det materialet i rettssaken,» sa Lisbeth.

«Nei, neppe.»

«Altså vet du ikke om det.»

«Greit.»

«Derimot kan en annen, for eksempel din bror, offentliggjøre utvalgte deler av materialet. Det må du ta med i beregningen når du planlegger strategien vår foran rettssaken.»

«Jeg skjønner.»

«Annika, denne rettssaken kommer til å dreie seg om hvem som bruker de tøffeste metodene.»

«Jeg vet det.»

«Jeg er glad for å ha deg som min advokat. Jeg stoler på deg, og jeg trenger din hjelp.»

«Hmm.»

«Men hvis du setter deg på tverke fordi jeg også bruker uetiske metoder, kommer vi til å tape.»

«Ja.»

«Og i så fall vil jeg vite det nå. Da må jeg sparke deg og skaffe meg en annen advokat.»

«Lisbeth, jeg kan ikke begå lovbrudd.»

«Du skal ikke begå noe lovbrudd. Men du må lukke øynene for at jeg gjør det. Kan du gjøre det?»

Lisbeth Salander ventet tålmodig i nesten et minutt før Annika Giannini nikket.

«Bra. Da skal jeg fortelle hva redegjørelsen min i grove trekk kommer til å inneholde.»

De snakket i to timer.

Monica Figuerola hadde hatt rett i at den bosniske restaurantens burek var fantastisk. Mikael Blomkvist skottet forsiktig bort på henne da hun kom tilbake etter et besøk på toalettet. Hun beveget seg like grasiøst som en ballettdanser, men hadde en kropp som ... Mikael kunne ikke la være å bli fascinert. Han undertrykket en impuls til å bøye seg frem og kjenne på leggmusklene hennes.

«Hvor lenge har du trent?» spurte han.

«Siden jeg var tenåring.»

«Og hvor mange timer i uken legger du ned på treningen?»

«To timer om dagen, av og til tre.»

«Hvorfor? Jeg mener, jeg skjønner hvorfor man trener, men ...»

«Du synes det er overdrevet.»

«Jeg vet ikke riktig hva jeg mente.»

Hun smilte og virket slett ikke irritert over spørsmålene hans.

«Kanskje det bare irriterer deg å se en jente med muskler og synes det er usexy og ufeminint?»

«Nei. På ingen måte. Det passer deg på en måte. Du er veldig sexy.»

Hun lo igjen.

«Jeg holder på å trene meg ned nå. For ti år siden drev jeg med steinhard bodybuilding. Det var gøy. Men nå må jeg være forsiktig så ikke alle musklene blir forvandlet til fett så jeg blir pløsete. Så nå løfter jeg jern en gang i uken og bruker resten av tiden til å løpe, spille badminton, svømme og lignende ting. Det er mer mosjon enn hardtrening.»

«Jaha.»

«Grunnen til at jeg trener, er at det er godt. Det er et vanlig

414

fenomen blant treningsnarkomane. Kroppen utvikler et smerte-stillende stoff som man blir avhengig av. Etter en stund får man abstinensproblemer hvis man ikke løper hver dag. Det er et enormt velværekick å ta ut absolutt alt. Nesten like herlig som god sex.»

Mikael lo.

«Du burde begynne å trene selv. Du begynner å ese rundt livet.»

«Jeg vet det,» sa han. «En evinnelig dårlig samvittighet. Jeg får noen rykk av og til og begynner å løpe og blir kvitt et par kilo, men så blir jeg opptatt med et eller annet og rekker ikke å trene på en måned eller to.»

«Du har vært temmelig opptatt de siste månedene.»

Han ble plutselig alvorlig. Så nikket han.

«Jeg har lest en masse om deg de siste to ukene. Du slo politiet med flere hestelengder da du oppsporet Zalatsjenko og identifiserte Niedermann.»

«Lisbeth Salander var raskere.»

«Hvordan gikk du frem for å finne veien til Gosseberga?»

Mikael trakk på skuldrene.

«Vanlig research. Det var ikke jeg som fant ham, men vår redaksjonssekretær, eller nå sjefredaktør, Malin Eriksson, som klarte å grave ham frem fra firmaregisteret. Han satt i styret for Zalatsjenkos firma, KAB.»

«Jeg skjønner.»

«Hvorfor ble du Säpo-aktivist?» sa han.

«Tro det eller ei, men jeg er faktisk noe så umoderne som en demokrat. Jeg mener at politiet er nødvendig og at demokrati trenger et politisk forsvarsverk. Derfor er jeg meget stolt av å få arbeide i overvåkningstjenesten.»

«Hmm,» sa Mikael Blomkvist.

«Du liker ikke sikkerhetspolitiet.»

«Jeg liker ikke institusjoner som står over normal parla-mentarisk kontroll. Det er en invitasjon til maktmisbruk, full-stendig uavhengig av hvor gode intensjonene er. Hvorfor er du interessert i antikkens religioner?»

Hun hevet øyenbrynene.

«Du satt og leste en bok om det i trappen hos meg.»

«Ja visst, ja. Emnet fascinerer meg.»

«Jaha.»

«Jeg er interessert i ganske mye. Jeg har studert jus og stats-vitenskap mens jeg har jobbet i politiet. Og før den tid studerte jeg både idéhistorie og filosofi.»

«Har du ingen svake sider?»

«Jeg leser ikke skjønnlitteratur, går aldri på kino og ser bare på nyheter på TV. Hvorfor ble du journalist?»

«Fordi det finnes institusjoner som Säpo, hvor det ikke er parlamentarisk innsyn, og som må avsløres med jevne mellom-rom.»

Mikael smilte.

«Ærlig talt, jeg vet ikke riktig. Men egentlig er svaret det samme som ditt. Jeg tror på et konstitusjonelt demokrati, og det må av og til vernes om.»

«Slik du gjorde med finansmannen Hans-Erik Wenner-ström?»

«Noe i den retning.»

«Du er ugift. Er du sammen med Erika Berger?»

«Erika Berger er gift.»

«Greit. Så alle ryktene er bare sludder. Har du noen kjæ-reste?»

«Ingen fast.»

«Så de ryktene er også sanne.»

Mikael trakk på skuldrene og smilte igjen.

Sjefredaktør Malin Eriksson tilbragte kvelden til langt inn i de små timer ved kjøkkenbordet hjemme i Årsta. Hun satt bøyd over utskrifter av Milleniums budsjett og var så opptatt at kjæ-resten Anton til slutt ga opp å forsøke å føre en normal samtale med henne. Han vasket opp, smurte noen smørbrød til natt-mat og laget kaffe. Deretter lot han henne være i fred og gikk og satte seg og så en reprise av CSI på TV.

Malin Eriksson hadde aldri før i sitt liv arbeidet med noe mer avansert enn et husholdningsbudsjett, men hun hadde sit-tet sammen med Erika Berger ved de månedlige regnskapsavslutningene, og hun skjønte prinsippet. Nå var hun plutselig blitt sjefredaktør, og med den stillingen fulgte også budsjettansvar. En stund etter midnatt avgjorde hun at uansett hva som skjedde, ville hun være nødt til å få en samarbeidspartner som hun kunne kaste ball med. Ingela Oscarsson, som tok seg av bokføringen en dag i uken, hadde ikke noe selvstendig budsjettansvar og var ikke til noen særlig hjelp når det gjaldt å ta beslutninger om hvilken lønn man skulle tilby en frilanser eller om de hadde råd til å kjøpe en ny laserskriver som overskred den summen som var satt av til tekniske forbedringer. Det var i praksis en tåpelig situasjon – Millennium gikk til og med med overskudd, men det var fordi Erika Berger hele tiden hadde klart å balansere et nullbudsjett. Noe så enkelt som en fargelaserskriver til 45 000 kroner måtte bli til en svart-hvitt-skriver til 8000 kroner.

Et lite øyeblikk misunte hun Erika Berger. I SMP ville hun ha et budsjett hvor slike utgifter ville bli betraktet omtrent som kaffepenger.

Millenniums økonomiske situasjon hadde vært god på det siste årsmøtet, men overskuddet i regnskapet stammet hovedsakelig fra salget av Mikael Blomkvists bok om Wennerströmsaken. Det overskuddet som var blitt satt av til investeringer, krympet urovekkende fort. Én medvirkende årsak var utgiftene Mikael hadde pådradd seg i forbindelse med Salander-historien. Millennium hadde ikke de ressursene som skulle til for å dekke en medarbeiders løpende utgifter til leiebiler, hotellrom, drosjeregninger, innkjøp av researchmateriale og mobiltelefoner og lignende.

Malin attesterte en faktura fra frilanser Daniel Olofsson i Göteborg. Hun sukket. Mikael Blomkvist hadde godkjent et honorar på 14 000 kroner for en ukes research til en story som ikke engang skulle publiseres. Betalingen til en Idris Ghidi i Göteborg inngikk i busjettposten for honorar til anonyme kilder som ikke kunne navngis, noe som innebar at revisoren ville komme med kritiske bemerkninger om manglende bilag og at det ville bli en sak som måtte godkjennes av styret. Millennium betalte dessuten et salær til Annika Giannini, som riktignok ville få penger fra det offentlige senere, men som uansett trengte kontanter til å betale togbilletter og annet.

Hun la fra seg pennen og betraktet sluttsummene hun hadde regnet seg frem til. Mikael Blomkvist hadde hensynsløst svidd av over 150 000 på Salander-saken, helt utenfor budsjettet. Sånn kunne det ikke fortsette.

Hun skjønte at hun ble nødt til å ta en prat med ham.

Erika Berger tilbragte kvelden på akuttmottaket på Nacka sykehus istedenfor i TV-sofaen. Glassbiten hadde skåret seg så dypt inn at blødningen ikke ville stoppe, og ved undersøkelsen viste det seg at en avbrutt spiss av glassbiten fremdeles satt fast inne i hælen og måtte fjernes. Hun fikk lokalbedøvelse og ble deretter sydd med tre sting.

Erika Berger bannet seg gjennom sykehusoppholdet og forsøkte med jevne mellomrom å ringe henholdsvis Greger Backman og Mikael Blomkvist. Hverken ektemannen eller elskeren fant det imidlertid for godt å svare. Ved titiden om kvelden hadde hun fått en kraftig bandasje rundt foten. Hun fikk låne et par krykker og tok drosje hjem igjen.

Hun brukte en stund på å feie opp i stuen, haltende på én fot og én tåspiss, og deretter bestille en ny rute fra Glasakuten. Hun hadde flaks. Det hadde vært en rolig kveld inne i sentrum, og glassmesteren kom i løpet av tyve minutter. Deretter hadde hun uflaks. Stuevinduet var så stort at de ikke hadde en stor nok rute på lager. Håndverkeren tilbød seg å dekke vinduet provisorisk med finérplater, noe hun takknemlig aksepterte.

Mens finérplatene ble satt på plass, ringte hun til vakthavende i det private sikkerhetsfirmaet NIP, hvilket sto for Nacka Integrated Protection, og spurte hvorfor i helvete husets kostbare innbruddsalarm ikke var blitt utløst da noen kastet en murstein gjennom det største vinduet i den 250 kvadratmeter store villaen.

En bil fra NIP kom for å se nærmere på saken, og det ble konstatert at teknikeren som hadde installert alarmen flere år tidligere, åpenbart hadde glemt å koble til ledningene fra vinduet i stuen.

Erika Berger var målløs.

NIP tilbød seg å rette opp feilen neste morgen. Erika svarte at de ikke behøvde uleilige seg. Isteden ringte hun nattevakten hos Milton Security, forklarte situasjonen og at hun ville ha en komplett alarmpakke så snart som mulig. *Ja, jeg vet at det må skrives kontrakt, men si til Dragan Armanskij at Erika Berger har ringt, og sørg for at det blir installert en alarm i morgen tidlig.*

Til slutt ringte hun også politiet. Hun fikk beskjed om at det ikke fantes noen ledig patruljebil som kunne avsees til å ta imot en anmeldelse. Hun ble rådet til å henvende seg til sin lokale politistasjon neste dag. *Takk. Fuck off.*

Deretter satt hun helt alene en lang stund og kokte før adrenalininnholdet i blodet begynte å synke, og det gikk opp for henne at hun måtte sove alene i et hus uten alarm, mens en som kalte henne hore og hadde vist voldelige tendenser, streifet rundt i området.

En kort stund lurte hun på om hun burde dra inn til byen og overnatte på hotell, men Erika Berger var nå en gang en person som ikke likte å bli utsatt for trusler, og enda mindre likte å bøye seg for trusler. *Ikke faen om jeg skal la en eller annen drittsekk kaste meg ut av mitt eget hjem.*

Derimot iverksatte hun visse sikkerhetstiltak.

Mikael Blomkvist hadde fortalt henne hvordan Lisbeth Salander hadde taklet seriemorderen Martin Vanger med en golfkølle. Hun gikk derfor ut i garasjen og brukte ti minutter på å finne golfbagen sin, som hun ikke hadde sett på omkring femten år. Hun valgte den jernkølla som hadde mest slagkraft, og plasserte den inne på soverommet, i passelig avstand fra sengen. Hun plasserte en putter i hallen og enda en jernkølle på kjøkkenet. Deretter hentet hun en hammer fra verktøykassen i kjelleren og plasserte den på badet ved siden av soverommet.

Hun fant frem tåregassprayen fra skuldervesken og satte den på nattbordet. Til slutt fant hun en gummikile, låste soveromsdøren og kilte den fast. Hun håpet nesten at den jævla idioten som hadde kalt henne hore og knust vinduet, ville være dum nok til å komme tilbake i løpet av natten.

Da hun endelig følte seg omhyggelig forskanset, var klokken ett om natten. Hun skulle være i SMP klokken åtte. Hun sjekket kalenderen og konstaterte at hun hadde fire møter, det første klokken ti. Foten verket kraftig, og hun haltet på tå. Hun kledde av seg og krøp opp i sengen. Hun hadde ikke noen nattkjole og lurte på om hun burde ta på seg en T-skjorte eller noe lignende, men siden hun hadde sovet naken siden hun var tenåring, bestemte hun seg for at en murstein gjennom vinduet ikke skulle få lov til å endre hennes personlige vaner.

Deretter ble hun selvfølgelig liggende våken og gruble.

Hore.

Hun hadde fått ni mailer som alle inneholdt ordet hore og som skulle gi inntrykk av å komme fra forskjellige kilder innenfor medieverdenen. Den første hadde tilsynelatende kommet fra hennes egen redaksjon, men avsenderadressen var falsk.

Hun sto opp og hentet sin nye bærbare Dell-PC, som hun hadde fått da hun ble ansatt i SMP.

Den første mailen – som også var den mest vulgære og truende, og hvor det ble foreslått at hun skulle bli knullet med en skiftenøkkel – hadde kommet den 16. mai, for ti dager siden.

Mail nummer to hadde kommet to dager senere, den 18. mai.

Så var det en ukes opphold før de begynte å komme igjen, nå med intervaller på fireogtyve timer. Deretter kom anslaget mot hjemmet hennes. *Hore.*

I mellomtiden hadde Eva Carlsson på kultursiden fått syke mailer som Erika selv tilsynelatende var opphavsmann til. Og hvis Eva Carlsson hadde fått syke mailer, var det fullt mulig at brevskriveren hadde vært flittig også på andre hold – at andre mennesker hadde fått e-post fra «henne» som hun ikke visste om.

Det var en ubehagelig tanke.

Det mest urovekkende var imidlertid anslaget mot huset i Saltsjöbaden.

Det innebar at noen hadde tatt seg bryet med å dra ut dit, finne frem til huset hennes og kaste en murstein gjennom vinduet. Anslaget var forberedt – gjerningsmannen hadde hatt med seg en sprayflaske med maling. I neste øyeblikk ble hun iskald da det gikk opp for henne at hun muligens burde føre opp enda et anslag på listen. Bilen hennes var blitt punktert på samtlige fire dekk da hun overnattet på Hotel Hilton ved Slussen sammen med Mikael Blomkvist.

Konklusjonen var like ubehagelig som åpenbar. Hun hadde en stalker etter seg.

Et eller annet sted der ute var det en person som av en eller annen ukjent grunn var opptatt med å trakassere Erika Berger.

At hjemmet hennes var blitt utsatt for hærverk, var forståelig – det lå der det lå, og var vanskelig å skjule eller flytte. Men at bilen hennes ble utsatt for hærverk da den sto parkert i en tilfeldig valgt gate på Södermalm, betydde at stalkeren befant seg i hennes umiddelbare nærhet.

KAPITTEL 18

Torsdag 2. juni

Erika Berger våknet fem over ni av at mobiltelefonen ringte.

«God morgen, fru Berger. Dragan Armanskij. Jeg har forstått at det har skjedd noe i løpet av natten.»

Erika forklarte hva som hadde skjedd, og spurte om Milton Security kunne overta for Nacka Integrated Protection.

«Vi kan i hvert fall installere en alarm som fungerer,» sa Armanskij sarkastisk. «Problemet er at den nærmeste bilen vi har nattestid, er i Nacka sentrum. Utrykningstiden blir omkring en halvtime. Hvis vi tar jobben, må jeg legge huset ditt ut på anbud. Vi har en samarbeidsavtale med et lokalt sikkerhetsfirma, Adam Säkerhet i Fisksätra, som har en utrykningstid på ti minutter dersom alt fungerer.»

«Det er bedre enn NIP, som ikke dukker opp i det hele tatt.»

«Jeg kan opplyse deg om at det er et gammelt familiefirma som består av far, to sønner og et par fettere. Grekere, skikkelig folk, jeg har kjent faren i mange år. De har dekning 320 dager i året. Dager hvor de ikke har mulighet på grunn av ferie eller andre ting, blir det gitt beskjed om på forhånd, og da er det vår bil i Nacka som er den nærmeste.»

«Det høres greit ut for meg.»

«Jeg kommer til å sende en person ut til deg nå i formiddag. Han heter David Rosin og er allerede på vei. Han kommer til å foreta en sikkerhetsanalyse. Han trenger nøklene dine dersom du ikke er hjemme, og han må ha din tillatelse til å gå igjennom huset fra kjeller til loft. Han kommer til å fotografere huset ditt, tomten og de nærmeste omgivelsene.»

«Jeg skjønner.»

«Rosin er meget erfaren, og vi kommer til å gi et forslag

til sikkerhetstiltak. Vi vil ha en plan klar om noen dager. Det omfatter overfallsalarm, brannsikring, rømning og innbrudds-beskyttelse.»

«Fint.»

«Hvis det skjer noe, vil vi også at du skal vite hva du skal gjøre i de ti minuttene det tar for bilen fra Fisksätra å nå frem til deg.»

«Ja.»

«Allerede i ettermiddag kommer vi til å installere alarmen. Deretter må vi undertegne en kontrakt.»

Umiddelbart etter samtalen med Dragan Armanskij gikk det opp for Erika at hun hadde forsovet seg. Hun grep mobilen og ringte redaksjonssekretær Peter Fredriksson og forklarte at hun hadde skadet seg, og ba ham å avlyse møtet klokken ti.

«Er du ikke bra?» spurte han.

«Jeg har skåret i stykker foten,» sa Erika. «Jeg halter inn så snart jeg har kommet i orden.»

Hun begynte med å gå på toalettet som lå i direkte tilknytning til soverommet. Deretter iførte hun seg svarte bukser og lånte en tøffel av sin mann, til den skadede foten. Hun valgte en svart bluse og hentet jakken. Før hun tok vekk gummitre-kanten fra soveromsdøren, bevæpnet hun seg med tåregass-patronen.

Hun gikk vaktsomt gjennom huset og satte på kaffetrakte-ren. Hun spiste frokost ved kjøkkenbordet, hele tiden oppmerk-som på lyder fra omgivelsene. Hun hadde nettopp skjenket opp påfyll i kaffekoppen da David Rosin fra Milton Security banket på døren.

Monica Figuerola spaserte til Bergsgatan og samlet sine fire medarbeidere til et tidlig morgenmøte.

«Nå har vi en deadine,» sa Monica Figuerola. «Arbeidet vårt må være ferdig til den 13. juli, da rettssaken mot Lisbeth Salander begynner. Det betyr at vi har en drøy måned på oss. La oss ta en gjennomgang og avgjøre hvilke saker som er viktigst akkurat nå. Hvem vil begynne?»

Berglund kremtet.

«Den blonde mannen som Mårtensson treffer. Hvem er han?»

Alle nikket. Samtalen kom i gang.

«Vi har bilder av ham, men aner ikke hvordan vi skal finne ham. Vi kan ikke godt gå ut med en etterlysning.»

«Gullberg, da? Der må det finnes en historie som det er mulig å spore. Vi har ham i det hemmelige politiet fra begynnelsen av 1950-årene til 1964, da RPS/Säk ble dannet. Deretter forsvinner han inn i bakgrunnen.»

Figuerola nikket.

«Skal vi trekke den slutningen at Zalatsjenko-klubben var noe som ble grunnlagt i 1964? Altså lenge før Zalatsjenko kom hit?»

«Hensikten må ha være en annen ... en hemmelig organisasjon innenfor organisasjonen.»

«Det var etter Wennerström. Alle var paranoide.»

«Et slags hemmelig spionpoliti?»

«Det finnes faktisk paralleller i utlandet. I USA ble det dannet en egen gruppe interne spionjegere i CIA i 1960-årene. Den ble ledet av James Jesus Angleton og holdt nesten på å sabotere hele CIA. Angletons gjeng var fanatikere og paranoide – de mistenkte alle innenfor CIA som kunne krype og gå for å være russiske agenter. Et resultat var at CIAs virksomhet for en stor del ble lammet.»

«Men dette er spekulasjoner ...»

«Hvor blir gamle personalmapper samlet?»

«Gullberg finnes ikke blant dem. Jeg har allerede sjekket.»

«Men budsjettet, da? En slik operasjon må jo finansieres på en eller annen måte ...»

Diskusjonen fortsatte frem til lunsj, da Monica Figuerola ba seg unnskyldt og trakk seg tilbake til treningslokalet for å få være i fred og tenke.

Erika Berger haltet inn i redaksjonen i SMP først ved lunsjtider. Hun hadde så vondt i foten at hun overhodet ikke kunne trå på fotsålen. Hun hinket bort til glassburet og sank lettet ned på kontorstolen. Peter Fredriksson fikk øye på henne fra plassen sin ved sentraldesken. Hun vinket på ham.

«Hva er det som har hendt?» spurte han.

«Jeg tråkket på et glasskår som brakk og ble sittende fast inne i hælen.»

«Det var ikke bra.»

«Nei. Det var ikke bra. Peter, har det kommet noen nye, merkelig e-poster til noen?»

«Ikke så vidt jeg har hørt.»

«Greit. Hold ørene åpne. Jeg vil ha beskjed hvis det skjer underlige ting i forbindelse med SMP.»

«Hva mener du?»

«Jeg er redd for at det er en eller annen skrulling som driver og sender giftige mailer og som har utpekt meg til sitt offer. Jeg vil altså vite om det hvis du får nyss om at det er noe som foregår.»

«Den typen mail som Eva Carlsson fikk?»

«Hva som helst som virker påfallende. Selv har jeg fått en hel drøss sinnssyke mailer som anklager meg for å være både det ene og det andre, og kommer med forslag om perverse ting som burde gjøres med meg.»

Peter Fredriksson fikk et dystert uttrykk i ansiktet.

«Hvor lenge har det foregått?»

«Et par uker. Men fortell nå. Hva skal det stå i avisen i morgen?»

«Hmm.»

«Hva for noe hmm?»

«Holm og sjefen for rettsredaksjonen er på krigsstien.»

«Jaha. Hvorfor det?»

«På grunn av Johannes Frisk. Du har forlenget vikariatet hans og gitt ham et reportasjeoppdrag, og han vil ikke fortelle hva det dreier seg om.»

«Han får ikke lov til å fortelle hva det dreier seg om. Mine ordrer.»

«Han sier det. Og det betyr at Holm og rettsredaksjonen er irritert på deg.»

425

«Jeg skjønner. Sett opp et møte med rettsredaksjonen klokken tre i ettermiddag, så skal jeg forklare situasjonen.»

«Holm er temmelig sur ...»

«Jeg er temmelig sur på Holm også, så det går opp i opp.»

«Han er så sur at han har klaget til styret.»

Erika så opp. *Faen. Jeg må ta tak i Borgsjö.*

«Borgsjö kommer i ettermiddag og vil ha et møte med deg. Jeg har en mistanke om at det er Holms fortjeneste.»

«Greit. Når?»

«Klokken to.»

Så begynte han å gå igjennom lunsj-memoet.

Doktor Anders Jonasson besøkte Lisbeth Salander i lunsjen. Hun skjøv fra seg en tallerken med fylkeskommunal grønnsaksstuing. Som alltid foretok han en rask undersøkelse av henne, men hun merket seg at han hadde sluttet å legge hele sin sjel i undersøkelsene.

«Du er frisk,» konstaterte han.

«Hmm. Du må gjøre noe med maten på dette stedet.»

«Maten?»

«Kan du ikke fikse en pizza eller noe?»

«Beklager. Budsjettet tåler ikke det.»

«Det var det jeg hadde mistanke om.»

«Lisbeth. Vi kommer til å ha en stor gjennomgang av helsetilstanden din i morgen ...»

«Jeg skjønner. Og jeg er frisk.»

«Du er frisk nok til å kunne flyttes til Kronobergs-arresten i Stockholm.»

Hun nikket.

«Jeg kunne muligens trekke ut tiden en ukes tid til, men da vil kollegene mine begynne å lure.»

«Ikke gjør det.»

«Sikkert?»

Hun nikket.

«Jeg er klar. Og det må jo skje før eller senere.»

Han nikket.

«Da så,» sa Anders Jonasson. «Da kommer jeg i morgen til

426

å gi grønt lys for at du kan flyttes. Det betyr at du antagelig kommer til å bli flyttet temmelig omgående.»

Hun nikket.

«Det er mulig at det blir aktuelt allerede i løpet av helgen. Sykehusledelsen vil ikke ha deg her.»

«Det skjønner jeg.»

«Eh ... altså, det leketøyet ditt ...»

«Det kommer til å ligge i hulrommet bak nattbordet.»

Hun pekte.

«Greit.»

De satt en liten stund uten å si noe før Anders Jonasson reiste seg.

«Jeg må gå og se til andre pasienter som har større behov for min hjelp.»

«Takk for alt. Jeg skylder deg en tjeneste.»

«Jeg har bare gjort jobben min.»

«Nei. Du har gjort adskillig mer. Det kommer jeg ikke til å glemme.»

Mikael Blomkvist gikk inn i politihuset på Kungsholmen via inngangen i Polhemsgatan. Monica Figuerola tok imot ham og fulgte ham opp til overvåkningstjenestens lokaler. De skottet taust på hverandre i heisen.

«Er det så lurt at jeg viser meg her i politihuset?» sa Mikael. «Noen kunne jo få øye på meg og begynne å lure.»

Monica Figuerola nikket.

«Dette blir det eneste møtet her. For fremtiden kommer vi til å møtes i et lite kontorlokale som vi har leid ved Fridhemsplan. Vi får tilgang til det i morgen. Men dette er greit. Overvåkningstjenesten er en liten og nesten selvforsørgende enhet som ingen andre i RPS/Säk bryr seg om. Og vi befinner oss i en helt annen etasje enn resten av Säpo.»

Han nikket til Torsten Edklinth uten å håndhilse, og hilste på to medarbeidere som åpenbart inngikk i Edklinths granskningsarbeid. De presenterte seg som Stefan og Anders. Mikael merket seg at de ikke nevnte noe etternavn.

«Hvor begynner vi?» spurte Mikael.

«Hva sier dere til å begynne med å skjenke opp litt kaffe ... Monica?»

«Ja takk,» sa Monica Figuerola.

Mikael registrerte at sjefen for overvåkningstjenesten nølte et øyeblikk før han reiste seg og hentet kaffekannen bort til møtebordet, hvor det allerede var dekket på. Torsten Edklinth hadde antagelig tenkt at Monica Figuerola skulle servere kaffe. Mikael konstaterte at også Edklinth smilte for seg selv, noe Mikael tolket som et godt tegn. Så ble han alvorlig.

«Jeg vet ærlig talt ikke hvordan jeg skal takle denne situasjonen. At en journalist deltar i et møte hos sikkerhetspolitiet, er formodentlig unikt. Det vi snakker om nå, er altså slikt som i mange henseender er hemmeligstemplede opplysninger.»

«Jeg er ikke interessert i militære hemmeligheter. Jeg er interessert i Zalatsjenko-klubben.»

«Men vi må finne en balanse. For det første skal medarbeiderne her ikke navngis i det du skriver.»

«Greit.»

Edklinth så forbauset på Mikael Blomkvist.

«For det andre skal du ikke snakke med andre medarbeidere enn meg og Monica Figuerola. Det er vi som avgjør hva vi kan fortelle deg.»

«Hvis du har en lang liste med krav, burde du ha nevnt den i går.»

«I går hadde jeg ikke rukket å tenke igjennom saken.»

«Da skal jeg avsløre noe for deg. Dette er formodentlig første og eneste gang i min yrkesaktive karriere at jeg kommer til å sitte og fortelle innholdet i en upublisert story til politifolk. Så for å sitere deg ... jeg vet ærlig talt ikke hvordan jeg skal takle denne situasjonen.»

En kort taushet la seg over bordet.

«Vi kan kanskje ...»

«Hva sier du om ...»

Edklinth og Monica Figuerola begynte å snakke i munnen på hverandre og tidde.

«Jeg er ute etter Zalatsjenko-klubben. Dere vil reise tiltale mot Zalatsjenko-klubben. La oss holde oss til det.»

Edklinth nikket.

«Hva har dere?»

Edklinth fortalte hva Monica Figuerola og medarbeiderne hennes hadde gravd frem. Han viste frem bildet av Evert Gullberg sammen med spionobersten Stig Wennerström.

«Fint. Jeg vil ha en kopi av det bildet.»

«Det finnes i arkivet hos Åhlén & Åkerlund,» sa Monica Figuerola.

«Det ligger på bordet foran meg. Med en tekst på baksiden,» sa Mikael.

«OK. Gi ham en kopi,» sa Edklinth.

«Det betyr at Zalatsjenko ble drept av Seksjonen.»

«Mord og selvmord av en mann som selv var døende av kreft. Gullberg lever ennå, men legene gir ham toppen noen uker. Han har så store hjerneskader etter selvmordsforsøket at han i prinsippet er en grønnsak.»

«Og han var den personen som var hovedansvarlig for Zalatsjenko da han hoppet av.»

«Hvordan vet du det?»

«Gullberg møtte statsminister Thorbjörn Fälldin seks uker etter Zalatsjenkos avhopp.»

«Kan du bevise det?»

«Jepp. Besøksjournalen ved statsministerens kontor. Gullberg kom sammen med den daværende sjefen for RPS/Säk.»

«Som nå er død.»

«Men Fälldin lever og er villig til å fortelle om saken.»

«Har du …?»

«Nei, jeg har ikke snakket med Fälldin. Men en annen har gjort det. Jeg kan ikke navngi vedkommende. Kildebeskyttelse.»

Mikael fortalte hvordan Thorbjörn Fälldin hadde reagert på opplysningen om Zalatsjenko, og at han hadde reist til Nederland og intervjuet Janeryd.

«Så Zalatsjenko-klubben finnes et sted her i huset,» sa Mikael og pekte på bildet.

«Delvis. Vi tror at det er en organisasjon innenfor organisasjonen. Zalatsjenko-klubben kan ikke eksistere uten bistand fra enkelte nøkkelpersoner her i huset. Men vi tror at den såkalte

Seksjonen for særskilte analyser etablerte seg et eller annet sted utenfor huset.»

«Så det fungerer altså slik at en person kan være ansatt av Säpo, få sin lønn av Säpo og så i virkeligheten rapportere til en annen arbeidsgiver.»

«Omtrent slik, ja.»

«Så hvem i huset er det som hjelper Zalatsjenko-klubben?»

«Det vet vi ikke ennå. Men vi har noen som vi mistenker.»

«Mårtensson,» foreslo Mikael.

Edklinth nikket.

«Mårtensson arbeider for Säpo, og når Zalatsjenko-klubben har behov for ham, blir han frikoblet fra den ordinære jobben,» sa Monica Figuerola.

«Hvordan kan det skje, rent praktisk?»

«Et meget godt spørsmål,» sa Edklinth med et svakt smil. «Du kunne ikke tenke deg å begynne å jobbe for oss?»

«Aldri i livet,» sa Mikael.

«Jeg bare spøkte. Men det er et naturlig spørsmål. Vi har en mistenkt, men vi kan ikke føre bevis for mistankene ennå.»

«La meg se ... det må være en med administrative fullmakter.»

«Vi mistenker administrasjonssjef Albert Shenke,» sa Monica Figuerola.

«Og nå kommer vi til den første anstøtssstenen,» sa Edklinth. «Vi har gitt deg et navn, men opplysningen er ikke dokumentert. Hvordan har du tenkt å gå videre med den saken?»

«Jeg har ikke tenkt å offentliggjøre noe navn som jeg ikke også kan dokumentere. Hvis Shenke skulle være uskyldig, kan han saksøke Millennium for ærekrenkelse.»

«Bra. Da er vi enige. Dette samarbeidet må handle om tillit oss imellom. Din tur. Hva har du?»

«Tre navn,» sa Mikael. «De to første var medlem av Zalatsjenko-klubben i 1980-årene.»

Edklinth og Figuerola spisset ørene umiddelbart.

«Hans von Rottinger og Fredrik Clinton. Rottinger er død. Clinton er pensjonist. Men begge inngikk i den nærmeste kretsen rundt Zalatsjenko.»

«Og det tredje navnet?» ba Edklinth.

«Teleborian har forbindelse med en person som heter *Jonas*. Vi vet ikke etternavnet, men vi vet faktisk at han var med i Zalatsjenko-klubben årgang 2005 ... Vi har faktisk spekulert litt på om det kan være han som er sammen med Mårtensson på bildene fra Copacabana.»

«Og i hvilken sammenheng har navnet Jonas dukket opp?»

«Lisbeth Salander har hacket Peter Teleborians datamaskin, og vi kan følge korrespondansen som viser hvordan Teleborian konspirerer med Jonas, på samme måte som han konspirerte med Björck i 1991. Han gir Teleborian instrukser. Og nå kommer jeg til den andre anstøtssteinen,» sa Mikael og smilte til Edklinth. «Jeg kan dokumentere disse påstandene, men jeg kan ikke gi dere dokumentasjonen uten å avsløre kilden. Dere må bare godta det jeg sier.»

Edklinth så ettertenksom ut.

«Kanskje en kollega av Teleborian i Uppsala?» sa han. «Greit. Vi begynner med Clinton og von Rottinger. Fortell det du vet.»

Styreformann Magnus Borgsjö tok imot Erika Berger på kontoret sitt ved siden av styrets møterom. Han så bekymret ut.

«Jeg hørte at du hadde skadet deg?» sa han og pekte på foten hennes.

«Det går over,» sa Erika og lente krykkene mot skrivebordet da hun satte seg i besøksstolen.

«Jaha. Det var jo godt. Erika, du har nå vært her i en måned, og jeg ville at vi skulle få en mulighet til å gjøre opp status. Hvordan føles det?»

Jeg må snakke med ham om Vitavara. Men hvordan? Når?

«Jeg har begynt å få grep om situasjonen. Det er to sider. På den ene siden har SMP økonomiske problemer, og budsjettet holder på å kvele avisen. På den annen side har SMP utrolig mye daukjøtt i redaksjonen.»

«Er det ingen positive sider?»

«Jo. En masse rutinerte, profesjonelle medarbeidere som vet

hvordan jobben skal gjøres. Problemet er at vi har andre som ikke lar dem gjøre jobben.»

«Holm har snakket med meg ...»

«Jeg vet det.»

Borgsjö hevet øyenbrynene.

«Han har en del synspunkter på deg. Så godt som alle negative.»

«Det er i orden. Jeg har en del synspunkter på ham også.»

«Negative? Det er ikke bra hvis dere ikke kan jobbe sammen ...»

«Jeg har ingen problemer med å arbeide sammen med ham. Derimot har han problemer med meg.»

Erika sukket.

«Han driver meg til vanvidd. Holm er rutinert og uten tvil en av de dyktigste nyhetssjefene jeg har sett. Samtidig er han en drittsekk. Han intrigerer og spiller folk ut mot hverandre. Jeg har jobbet i mediebransjen i femogtyve år, og har aldri støtt på et lignende menneske i en lederposisjon.»

«Han må være hard i klypa for å takle jobben. Han blir presset fra alle hold og kanter.»

«Hard i klypa – ja. Men det betyr ikke at han må være en idiot. Holm er dessverre en katastrofe og en av de viktigste grunnene til at det er så godt som umulig å få de ansatte til å drive med teamarbeid. Det ser ut til at han tror at det står i arbeidsinstruksen hans at han skal herske ved å splitte.»

«Harde ord.»

«Jeg gir Holm en måned til å komme på bedre tanker. Deretter fjerner jeg ham fra stillingen som nyhetssjef.»

«Det kan du ikke gjøre. Jobben din består ikke i å rive i stykker organisasjonen.»

Erika tidde og gransket styreformannen.

«Unnskyld at jeg påpeker det, men det var nøyaktig det du ansatte meg for. Vi har til og med utarbeidet en kontrakt som gir meg frie hender til å gjennomføre de redaksjonelle forandringene som jeg anser nødvendig. Min arbeidsinstruks går ut på å fornye avisen, og det kan jeg bare gjøre ved å forandre organisasjonen og arbeidsrutinene.»

«Holm har viet sitt liv til SMP.»

«Ja. Og han er 58 år gammel og skal gå av med pensjon om seks år, og jeg har ikke råd til å ha ham som en belastning hele den tiden. Ikke misforstå meg, Magnus. Fra og med det øyeblikket jeg satte meg i glassburet der nede, består min oppgave i livet i å heve kvaliteten på SMP og å øke salget. Holm må bare velge mellom å gjøre ting på min måte eller gjøre noe annet. Jeg kommer til å overkjøre absolutt hvem som helst som står i veien for denne målsettingen, eller som på noen annen måte skader SMP.»

Faen ... jeg må ta opp dette med Vitavara. Borgsjö kommer til å få sparken.

Plutselig smilte Borgsjö.

«Jeg tror sannelig du også er hard i klypa.»

«Ja, jeg er det, og i dette tilfellet er det beklagelig, siden det faktisk ikke burde være nødvendig. Jobben min er å lage en god avis, og det kan jeg bare gjøre hvis jeg har en ledelse som fungerer og medarbeidere som trives.»

Etter møtet med Borgsjö haltet Erika tilbake til glassburet. Hun følte seg ille til mote. Hun hadde snakket med Borgsjö i tre kvarter uten å bringe Vitavara på bane med et eneste ord. Hun hadde med andre ord ikke vært særlig rakrygget eller ærlig overfor ham.

Da Erika slo på datamaskinen, hadde hun fått en mail fra <MikBlom@millennium.nu>. Siden hun visste utmerket godt at noen slik e-postadresse ikke eksisterte i Millennium, hadde hun ingen vanskeligheter med å regne ut at det var et nytt livstegn fra cyberstalkeren. Hun åpnet mailen.

[TROR DU AT BORGSJÖ SKAL KUNNE REDDE DEG, DIN LILLE HORE? HVORDAN FØLES FOTEN?]

Hun løftet blikket og stirret spontant ut over redaksjonen. Blikket hennes falt på Holm. Han så på henne. Så nikket han til henne og smilte.

Det er noen i SMP som skriver mailene, tenkte Erika.

*

Møtet hos overvåkningstjenesten ble ikke avsluttet før klokken var over fem. De ble enige om å ha et nytt møte neste uke, og at Mikael Blomkvist skulle henvende seg til Monica Figuerola hvis han trengte å komme i kontakt med RPS/Säk før den tid. Mikael tok bagen sin og reiste seg.

«Hvordan finner jeg veien ut herfra?» spurte han.

«Du får nok ikke lov til å løpe rundt på egen hånd,» sa Edklinth.

«Jeg følger ham ut,» sa Monica Figuerola. «Vent noen minutter, så jeg får pakket sammen på kontoret.»

De tok følge gjennom Kronobergsparken mot Fridhemsplan.

«Så hva skjer nå?» spurte Mikael.

«Vi holder kontakt,» sa Monica Figuerola.

«Jeg begynner å like dette med å ha kontakt med Säpo,» sa Mikael og smilte til henne.

«Har du lyst til å spise middag senere i kveld?»

«Den bosniske restauranten igjen?»

«Niks, jeg har ikke råd til å spise ute hver kveld. Jeg tenkte mer på noe enkelt hjemme hos meg.»

Hun stoppet opp og smilte til ham.

«Vet du hva jeg har lyst til å gjøre akkurat nå?» sa Monica Figuerola.

«Nei.»

«Jeg har lyst til å ta deg med hjem og kle av deg.»

«Dette kan bli problematisk.»

«Jeg vet det. Jeg har ikke akkurat tenkt å fortelle det til sjefen min.»

«Vi vet ikke hvordan denne historien kommer til å utvikle seg. Vi kan havne på hver vår side av barrikaden.»

«Jeg tar risken. Kommer du frivillig, eller må jeg sette håndjern på deg?»

Han nikket. Hun stakk hånden under armen hans og satte kursen mot Pontonjärgatan. De var nakne i løpet av tredve sekunder etter at de hadde lukket døren til leiligheten hennes.

David Rosin, sikkerhetskonsulent hos Milton Security, ventet på Erika Berger da hun kom hjem ved syvtiden om kvelden.

Foten hennes verket kraftig, og hun hinket inn på kjøkkenet og sank ned på nærmeste stol. Han hadde laget kaffe og serverte henne.

«Takk. Inngår kaffekoking i Miltons serviceavtale?»

Han smilte høflig. David Rosin var en litt fyldig mann i 50-årsalderen med rødt hakeskjegg.

«Takk for at jeg fikk låne kjøkkenet i løpet av dagen.»

«Det var det minste jeg kunne tilby. Hvordan ligger det an?»

«Teknikerne våre har vært her i løpet av dagen og installert en skikkelig alarm. Jeg skal vise deg hvordan den fungerer om en liten stund. Jeg har også gått igjennom huset fra kjeller til loft og sett på omgivelsene. Det som skjer nå, er at jeg kommer til å diskutere situasjonen med mine kolleger hos Milton, og om noen dager kommer vi til å ha ferdig en analyse som vi vil gå igjennom med deg. Men i påvente av det er det et par ting vi bør diskutere.»

«Greit.»

«For det første må vi undertegne en del formalia. Den endelige kontrakten skal vi utarbeide senere – det kommer an på hvilke tjenester vi blir enige om – men her har vi dokumentasjon på at du gir Milton Security i oppdrag å installere den alarmen vi har lagt opp i løpet av dagen. Det er en gjensidig forpliktende standardkontrakt som innebærer at vi i Milton stiller visse krav til deg, og at vi pålegger oss selv en del ting, deriblant taushetsplikt og lignende.»

«Dere stiller krav til meg?»

«Ja. En alarm er en alarm og betyr ingenting hvis det står en gal person med automatvåpen i stuen din. Hvis dette med sikkerhet skal ha noen betydning, innebærer det at vi vil at du og din mann skal tenke på enkelte ting og iverksette visse rutinetiltak. Jeg skal gå igjennom punktene med deg.»

«Greit.»

«Jeg skal ikke foregripe den endelige analysen, men slik oppfatter jeg den generelle situasjonen: Du og din mann bor i en villa. Dere har en strand på baksiden av huset og noen få store villaer i de nærmeste omgivelsene. Så vidt jeg kan se, har naboene ikke særlig god utsikt til huset ditt, det ligger relativt isolert.»

«Det stemmer.»

«Det betyr at en inntrenger har gode muligheter til å nærme seg boligen uten å bli observert.»

«Naboene til høyre er bortreist store deler av året, og til venstre bor det et eldre par som legger seg ganske tidlig.»

«Nettopp. Dessuten ligger husene med gavlveggene mot hverandre. Der er det få vinduer og lignende. Hvis en inntrenger kommer inn på tomten din – det tar fem sekunder å svinge av fra veien og komme til baksiden av huset – opphører innsynet fullstendig. Baksiden er omsluttet av en stor hekk, garasje og en stor, frittstående bygning.»

«Det er min manns atelier.»

«Han er kunstner, har jeg forstått.»

«Det stemmer. Og så?»

«Den inntrengeren som knuste vinduet ditt og sprayet ned fasaden, kunne gjøre det helt uforstyrret. Han kunne muligens risikere at lyden av singlende glass ble hørt, og at noen ville reagere, men huset ligger slik at veggen skjermer for lyden.»

«Jaha.»

«Den andre delen er at du har et stort hus på cirka 250 kvadratmeter, og i tillegg kommer loft og kjeller. Det er elleve rom fordelt på to etasjer.»

«Huset er et monstrum. Det er Gregers barndomshjem som han fikk overta.»

«Det er også mange måter å komme seg inn i huset på. Gjennom inngangsdøren, via verandaen på baksiden, via balkongen i annen etasje og via garasjen. Dessuten er det flere vinduer i første etasje og seks kjellervinduer som er helt uten alarm. Og endelig kan jeg komme meg inn ved å bruke brannstigen på baksiden av huset og gå inn gjennom takluken på loftet, som bare er sikret med en haspe.»

«Det høres ut som om vi har svingdører inn i hjemmet vårt. Hva skal vi gjøre?»

«Den alarmen vi har installert i løpet av dagen, er helt provisorisk. Vi kommer tilbake i neste uke og utfører en ordentlig installasjon med alarm på alle vinduer i første etasje og i kjelleren. Det blir altså innbruddsbeskyttelsen når du og mannen din er bortreist.»

«Greit.»

«Men den aktuelle situasjonen har oppstått på bakgrunn av at du er blitt utsatt for en direkte trussel fra en konkret person. Det er adskillig mer alvorlig. Vi vet overhodet ingenting om hvem denne personen er, hvilke motiv han har og hvor langt han er villig til å gå, men vi kan trekke visse slutninger. Hvis det bare hadde dreid seg om anonym hatpost, ville vi foretatt en lavere trusselvurdering, men i dette tilfellet dreier det seg om en person som faktisk har tatt seg bryet med å dra hjem til deg – og det er ganske langt til Saltsjöbaden – og gjennomføre et anslag. Det er særdeles illevarslende.»

«Det er jeg enig i.»

«Jeg har snakket med Armanskij i løpet av dagen, og vi er enige om at det foreligger et klart og tydelig trusselbilde.»

«Jaha.»

«Inntil vi vet noe mer om personen som truer deg, må vi sørge for å være på den sikre siden.»

«Og det betyr ...»

«For det første: Den alarmen vi har installert i løpet av dagen, inneholder to komponenter. Dels en vanlig innbruddsalarm som er på når du ikke er hjemme, dels en bevegelsesdetektoralarm for første etasje, som du må sette på når du befinner deg i annen etasje om natten.»

«Greit.»

«Det medfører litt plunder, siden du må slå av alarmen hver gang du går ned i første etasje.»

«Jeg skjønner.»

«For det andre har vi skiftet ut soveromsdøren din i dag.»

«Skiftet ut soveromsdøren?»

«Ja. Vi har installert en sikkerhetsdør av stål. Ikke vær redd, den er hvitmalt og ser ut som en vanlig soveromsdør. Forskjellen er at den låser seg automatisk når du lukker den. For å åpne døren fra innsiden, behøver du bare trykke ned håndtaket, som på en hvilken som helst annen dør. Men for å åpne den utenfra, må du taste en tresifret kode på en plate som sitter direkte på håndtaket.»

«Greit.»

«Hvis du skulle bli antastet hjemme, har du altså et sikkert rom du kan barrikadere deg i. Veggene er solide, og det vil ta en god stund å bryte opp døren, selv om man skulle ha verktøy for hånden. For det tredje skal vi installere kameraovervåkning, som betyr at du kan se hva som foregår på baksiden av huset og i første etasje når du befinner deg på soverommet. Det skjer senere i denne uken, samtidig som vi installerer bevegelsesdetektorer utenfor huset.»

«Sukk. Det høres ut som om soverommet ikke kommer til å være like romantisk i fremtiden.»

«Det er en liten monitor. Vi kan bygge den inn i garderobeskapet eller et annet skap så du ikke behøver å ha den fremme.»

«Greit.»

«Senere i uken vil jeg også skifte ut døren til arbeidsrommet, og dessuten et annet rom her nede. Hvis det skjer noe, skal du raskt kunne søke dekning og låse døren mens du venter på assistanse.»

«Ja.»

«Hvis du skulle utløse innbruddsalarmen ved et uhell, må du umiddelbart ringe Miltons alarmsentral og kansellere utrykningen. For å kansellere må du oppgi et passord som er registrert hos oss. Hvis du har glemt passordet, skjer utrykningen likevel, og da vil du bli belastet for et visst beløp.»

«Jeg skjønner.»

«For det fjerde finnes det nå en overfallsalarm på fire steder i huset. Her nede på kjøkkenet, i hallen, i arbeidsrommet ditt i annen etasje og i soverommet. Overfallsalarmen består av to knapper som du trykker inn samtidig og holder inne i tre sekunder. Du kan gjøre det med én hånd, men du kan ikke gjøre det ved en feiltagelse.»

«Jaha.»

«Hvis overfallsalarmen går, skjer det tre ting. For det første rykker Milton ut hit med biler. Den nærmeste bilen kommer fra

Adam Säkerhet i Fisksätra. Det er to solide karer som er her i løpet av ti–tolv minutter. Det andre er at en bil fra Milton kommer fra Nacka. Der er utrykningstiden i beste fall tyve minutter, men mer sannsynlig femogtyve. For det tredje blir politiet automatisk varslet. Det kommer med andre ord utrykningsbiler fra flere kanter med noen minutters mellomrom.»

«Greit.»

«Overfallsalarmen kan ikke kanselleres på samme måte som innbruddsalarmen. Du kan altså ikke ringe og si at det var en feiltagelse. Selv om du skulle møte oss utenfor huset og si at det var en feiltagelse, vil politiet gå inn i huset. Vi vil være sikre på at ingen holder en pistol mot hodet på mannen din eller noe lignende. Overfallsalarmen skal kun brukes når det virkelig er fare på ferde.»

«Jeg skjønner.»

«Det behøver ikke være et fysisk overfall. Det kan være at noen forsøker å bryte seg inn eller dukker opp på baksiden av huset eller lignende. Hvis du føler deg det minste truet, skal du bruke alarmen, men du må gjøre det med et visst skjønn.»

«Jeg lover.»

«Jeg har notert meg at du har plassert golfkøller litt rundt omkring i huset.»

«Ja. Jeg sov alene i huset i går natt.»

«Selv ville jeg ha tatt inn på hotell. Jeg har ingen problemer med at du iverksetter sikkerhetstiltak på egen hånd, men jeg håper du er klar over at du lett kan slå i hjel en angriper med en golfkølle.»

«Hmm.»

«Og hvis du gjør det, kommer du høyst sannsynlig til å bli tiltalt for drap. Hvis du også oppgir at du har stilt køllene der i den hensikt å kunne forsvare deg, kan det til og med klassifiseres som overlagt drap.»

«Så jeg skal altså …»

«Ikke si noe. Jeg vet hva du har tenkt å si.»

«Hvis noen overfaller meg, har jeg tenkt å slå inn skallen på vedkommende.»

«Jeg forstår deg. Men hele poenget med å engasjere Milton

Security, er at du skal ha andre alternativer. Du skal kunne tilkalle hjelp, og fremfor alt skal du slippe å havne i en slik situasjon at du blir nødt til å slå inn skallen på noen.»

«Greit.»

«Og hva gjør du forresten med golfkøllene hvis han kommer med skytevåpen? Det sikkerhet dreier seg om, er å ligge et skritt foran den som vil skade deg.»

«Hva gjør jeg hvis jeg har en stalker etter meg?»

«Du sørger for at han aldri får noen mulighet til å komme deg inn på livet. På det nåværende stadium er det slik at vi ikke kommer til å være ferdig med installeringen før om et par dager, og deretter må vi også ha en samtale med din mann. Han må være like sikkerhetsbevisst som deg.»

«Jaha.»

«Frem til da vil jeg egentlig ikke at du skal bo her.»

«Jeg har ingen mulighet til å flytte noe annet sted. Mannen min er hjemme igjen om et par dager. Men både han og jeg reiser ganske mye og er alene her innimellom.»

«Jeg skjønner. Men dette dreier seg bare om noen dager, til vi har alle installasjoner på plass. Har du ingen kjente du kan bo hos?»

Erika tenkte et øyeblikk på leiligheten til Mikael Blomkvist, men kom på at det ikke var noen god idé.

«Takk ... men jeg vil nok helst bo her hjemme.»

«Jeg var redd for det. I så fall vil jeg at du skal ha selskap her resten av uken.»

«Hmm.»

«Har du noen du kjenner som kan komme og bo hos deg?»

«Sikkert. Men ikke halv åtte om kvelden og med en gal morder snikende rundt ute i hagen.»

David Rosin tenkte en stund.

«Greit. Har du noe imot å ha en av Miltons medarbeidere her? Jeg kan ta en telefon og høre om en dame ved navn Susanne Linder er ledig i kveld. Hun ville sikkert ikke ha noe imot å tjene noen hundrelapper på si.»

«Hva koster det?»

«Det får du avtale med henne. Det er altså utenfor alle formelle avtaler. Men jeg vil faktisk ikke at du skal være alene her.»

«Jeg er ikke mørkeredd.»

«Det tror jeg ikke heller. Da ville du ikke ha sovet her sist natt. Men Susanne Linder har dessuten jobbet i politiet tidligere. Og det er bare høyst midlertidig. Hvis vi skal ordne med livvaktbeskyttelse, blir det noe helt annet – og temmelig dyrt.»

Den alvorlige tonen til David Rosin påvirket henne. Det gikk plutselig opp for henne at han satt der og helt nøkternt drøftet muligheten for at hun var truet på livet. Var det overdrevet? Skulle hun avfeie hans profesjonelle bekymringer? Hvorfor hadde hun i så fall ringt Milton Security og bedt dem komme og installere et alarmsystem i det hele tatt?

«Greit. Ring henne. Jeg rer opp på gjesteværelset.»

Det var først ved titiden om kvelden at Monica Figuerola og Mikael Blomkvist svøpte laknene rundt seg og gikk ut på kjøkkenet hennes og laget i stand en kald pastasalat med tunfisk og bacon av rester fra kjøleskapet hennes. De drakk vann til middagen. Plutselig fniste Monica Figuerola.

«Hva?»

«Jeg har en mistanke om at Edklinth ville blitt litt satt ut hvis han hadde sett oss akkurat nå. Jeg tror ikke han mente at jeg skulle ha sex med deg da han sa at jeg skulle holde orden på deg.»

«Det var du som startet dette. Jeg hadde valget mellom å bli lagt i håndjern eller bli med frivillig.»

«Jeg vet det. Men du var ikke altfor vanskelig å overtale.»

«Du er muligens ikke klar over det, selv om jeg tror du er det, men hele du skriker ganske enkelt sex. Hvilken mann kan motstå det?»

«Takk. Men fullt så sexy er jeg ikke. Og fullt så ofte har jeg ikke sex.»

«Hmm.»

«Det er sant. Jeg pleier ikke havne i seng med særlig mange mannfolk. Jeg har vært sammen med en fyr litt til og fra denne våren. Men det ble slutt.»

«Hvorfor det?»

«Han var ganske søt, men det ble til en slags slitsom hånd-bakkonkurranse. Jeg var sterkere enn ham, og det tålte han ikke.»

«OK.»

«Er du av den typen som kommer til å ville bryte håndbak med meg?»

«Du mener om jeg er en sånn type som har problemer med at du er mer veltrent og fysisk sterkere enn meg? Nei.»

«Oppriktig talt. Jeg har merket at ganske mange menn er interessert, men så begynner de å utfordre meg og skal finne på forskjellige måter å dominere meg på. Særlig hvis de oppdager at jeg er purk.»

«Jeg har ikke tenkt å konkurrere med deg. Jeg er bedre enn deg på det jeg driver med. Og du er bedre enn meg på det du driver med.»

«Fint. Det er en holdning jeg kan leve med.»

«Hvorfor sjekket du meg opp?»

«Jeg pleier å gi etter for impulser. Og du var en slik impuls.»

«Greit. Men du jobber i sikkerhetspolitiet, av alle jævlige steder, og er midt inne i en etterforskning hvor jeg er en av aktørene ...»

«Du mener at det var uprofesjonelt av meg. Det har du rett i. Jeg burde ikke ha gjort det. Og jeg ville få store problemer hvis det ble alminnelig kjent. Edklinth ville bli rasende.»

«Jeg skal ikke sladre.»

«Takk.»

De satt tause en stund.

«Jeg vet ikke hva dette kommer til å bli til. Du er en fyr som pleier å rote temmelig mye rundt, har jeg forstått. Er det en riktig beskrivelse?»

«Ja. Dessverre. Og jeg er nok ikke ute etter noen fast forbindelse.»

«Greit. Da er jeg advart. Jeg er ikke ute etter noen fast forbindelse, jeg heller. Kan vi holde dette på et vennskapelig plan?»

«Helst. Monica, jeg skal ikke fortelle noen at vi har vært

sammen. Men hvis alt skulle gå helt på tverke, kan jeg komme til å havne i en jævlig konflikt med kollegene dine.»

«Det tror jeg faktisk ikke. Edklinth er renhårig. Og vi vil virkelig ta knekken på denne Zalatsjenko-klubben. Det virker jo helt vanvittig hvis teoriene dine stemmer.»

«Vi får se.»

«Du har vært sammen med Lisbeth Salander også.»

Mikael hevet blikket og så på Monica Figuerola.

«Du ... jeg er ingen åpen dagbok som alle kan lese. Mitt forhold til Lisbeth har ingen andre noe med.»

«Hun er Zalatsjenkos datter.»

«Ja. Og det må hun leve med. Men hun er ikke Zalatsjenko. Det er jævlig stor forskjell.»

«Jeg mente det ikke sånn. Jeg undret meg bare litt over ditt engasjement i denne saken.»

«Lisbeth er min venn. Det er forklaring nok.»

Susanne Linder fra Milton Security var iført olabukser, svart skinnjakke og joggesko. Hun kom til Saltsjöbaden ved nitiden om kvelden, fikk sine instrukser av David Rosin og gikk en runde i huset sammen med ham. Hun var bevæpnet med en bærbar PC, fjærbatong, tåregasspatron, håndjern og tannbørste i en grønn militærbag som hun pakket ut på Erika Bergers gjesteværelse. Deretter bød Erika henne på kaffe.

«Takk for kaffen. Du kommer til å føle at jeg er en gjest som du må underholde på alle slags vis. Men i virkeligheten er jeg ingen gjest. Jeg er bare et nødvendig onde som plutselig har dukket opp i tilværelsen din, selv om det bare er for et par dager. Jeg jobbet i politiet i seks år og har jobbet i Milton Security i fire. Jeg er utdannet livvakt.»

«Jaha.»

«Det foreligger et trusselbilde mot deg, og jeg er her som dørvakt for å passe på at du kan sove trygt og rolig eller arbeide eller lese en bok eller gjøre hva det måtte være du har lyst til. Hvis du trenger noen å snakke med, lytter jeg gjerne. Ellers har jeg med meg en bok som jeg kan sysselsette meg med.»

«Greit.»

«Det jeg mener, er at du skal fortsette med ditt vanlige liv og at du ikke behøver å føle at du må underholde meg. Da blir jeg bare et forstyrrende element i tilværelsen. Så det beste ville være om du kunne se meg som en midlertidig kollega.»

«Jeg må si at jeg er uvant med en situasjon som denne. Jeg er blitt utsatt for trusler før, da jeg var sjefredaktør for Millennium, men da var det på et yrkesmessig plan. Her er det et jævlig ubehagelig menneske ...»

«Som har fått en *hang up* på akkurat deg.»

«Noe i den retningen.»

«Hvis vi skal iverksette skikkelig livvaktsbeskyttelse av deg, kommer det til å koste veldig mye penger, og det er noe du må bli enig med Dragan Armanskij om. Og hvis det skal være noen vits i, må det foreligge et veldig klart og konkret trusselbilde. Dette er bare en liten ekstrajobb for meg. Jeg tar 500 kroner natten for å sove her ut uken istedenfor å sove hjemme hos meg selv. Det er billig, og langt under det du ville bli fakturert for hvis jeg tok denne jobben på oppdrag fra Milton. Er det greit for deg?»

«Det er helt i orden.»

«Hvis det skulle skje noe, vil jeg at du skal låse deg inne på soverommet og la meg ta meg av tumultene. Din jobb er å trykke på overfallsalarmen.»

«Jeg skjønner.»

«Jeg mener alvor. Jeg vil ikke ha deg rundt bena hvis det skulle bli noen form for bråk.»

Erika Berger gikk og la seg ved ellevetiden om kvelden. Hun hørte klikket fra låsen da hun lukket soveromsdøren. Hun kledde ettertenksomt av seg og krøp opp i sengen.

Til tross for at hun var blitt oppfordet til ikke å underholde gjesten, hadde hun tilbragt to timer ved kjøkkenbordet sammen med Susanne Linder. Hun hadde oppdaget at de kom svært godt ut av det med hverandre, og at samværet hadde vært uanstrengt. De hadde diskutert hva slags psykologisk fenomen det var som fikk enkelte menn til å forfølge kvinner. Susanne Linder hadde erklært at hun blåste i psykologisk abrakadabra. Hun mente at det viktigste var å stoppe gærningene, og at hun trivdes utmerket med jobben i Milton Security, siden arbeidsoppgavene i stor grad dreide seg om å beskytte folk mot gærninger.

«Hvorfor sluttet du i politiet?» spurte Erika Berger.

«Spør heller hvorfor jeg begynte der.»

«OK. Hvorfor begynte du i politiet?»

«Fordi da jeg var sytten år, ble en nær venninne av meg ranet og voldtatt av tre drittsekker i en bil. Jeg begynte i politiet fordi jeg hadde et romantisk bilde av at politiet var der for å forhindre den slags forbrytelser.»

«Ja ...»

«Jeg kunne ikke forhindre en jævla dritt. Som politi kom jeg alltid til åstedet etter at en forbrytelse var begått. Jeg orket ikke den dumme kjekkassjargongen i utrykningstjenesten. Og jeg lærte fort at visse forbrytelser ikke blir etterforsket. Du er et typisk eksempel på det. Har du forsøkt å ringe polititet om det som skjedde?»

«Ja.»

«Og rykket politiet ut?»

«Ikke akkurat. Jeg ble oppfordret til å anmelde saken til min lokale politistasjon.»

«Greit. Da vet du det. Nå jobber jeg for Armanskij, og der kommer jeg inn i bildet før forbrytelsen blir begått.»

«Kvinner som blir truet?»

«Jeg jobber med alt mulig. Sikkerhetsanalyser, livvaktsbeskyttelse, overvåkning og lignende. Men det dreier seg ofte om mennesker som blir truet, og jeg trives adskillig bedre der enn i politiet.»

«Jaha.»

«Det finnes naturligvis en ulempe.»

«Hva da?»

«Vi hjelper bare klienter som kan betale.»

Da hun hadde lagt seg, tenkte Erika Berger over det Susanne Linder hadde sagt. Ikke alle mennesker har råd til å skaffe seg trygghet. Selv hadde hun uten å blunke akseptert David Rosins forslag om utskifting av flere dører, håndverkere og dobbelt alarmsystem og alt mulig annet. Til sammen ville alle tiltakene kunne komme til å koste bortimot 50 000 kroner. Hun hadde råd til det.

Hun grublet en stund på følelsen av at den som truet henne, hadde noe med SMP å gjøre. Vedkommende hadde visst at hun hadde ødelagt foten. Hun tenkte på Anders Holm. Hun likte ham ikke, noe som bidro til å øke mistanken mot ham, men nyheten om at hun hadde skadet seg i foten, hadde spredt seg raskt fra det øyeblikket hun dukket opp i redaksjonen med krykker.

Og så måtte hun gå løs på problemet med Borgsjö.

Hun satte seg plutselig opp i sengen, rynket øyenbrynene og så seg rundt i soverommet. Hun lurte på hvor hun hadde lagt Henry Cortez' mappe om Borgsjö og Vitavara AB.

Erika sto opp, trakk på seg morgenkåpen og støttet seg på en av krykkene. Deretter åpnet hun soveromsdøren og gikk inn i arbeidsrommet og tente taklampen. Nei, hun hadde ikke vært inne i arbeidsrommet etter at hun ... hun hadde lest mappen i badekaret kvelden før. Hun hadde lagt den i vinduskarmen.

Hun gikk inn på badet. Mappen lå ikke i vinduskarmen.

Hun ble stående stille og gruble en lang stund.

Jeg sto opp av badekaret og gikk for å sette på kaffe og tråkket på glasskåret og fikk andre ting å tenke på.

Hun kunne ikke huske å ha sett mappen neste morgen. Hun hadde ikke flyttet den noe annet sted.

Plutselig ble hun helt iskald. De neste fem minuttene brukte hun til å lete systematisk igjennom hele badet og snu opp ned på papirbunker og avisbunker på kjøkkenet og på soverommet. Til slutt ble hun nødt til å konstatere at mappen var borte.

En eller annen gang etter at hun tråkket på glassbiten og før David Rosin dukket opp neste morgen, hadde noen gått inn på badet og tatt Millenniums materiale om Vitavara AB.

Deretter slo det henne at hun hadde andre hemmeligheter i huset. Hun haltet raskt tilbake til soverommet og åpnet den nederste kommodeskuffen ved sengen. Hjertet sank som en stein i brystet. Alle mennesker har hemmeligheter. Hun hadde samlet sine i kommoden på soverommet. Erika Berger skrev ikke dagbok regelmessig, men det var perioder da hun hadde gjort det. Hun hadde hatt gamle kjærlighetsbrev fra tenårene der.

Det samme gjaldt en konvolutt med bilder som hadde vært morsomme da de ble tatt, men som ikke egnet seg for publisering. Da Erika var i 25-årsalderen, hadde hun vært med i Club Xtreme, som arrangerte private festtreff for folk som likte skinn og lakk. Det fantes bilder fra fester hvor hun i edru tilstand ville sagt at hun ikke så riktig klok ut.

Og aller mest katastrofalt – det gjaldt en video som var blitt tatt opp på en ferie i begynnelsen av 1990-årene, da hun og hennes mann hadde vært gjester hos glasskunstneren Torkel Bollinger i sommerhuset hans på Costa del Sol. I løpet av ferien hadde Erika oppdaget at mannen hennes hadde en klar biseksuell legning, og de havnet i seng med Torkel begge to. Det hadde vært en vidunderlig ferie. Videokameraer var fremdeles et relativt nytt fenomen på den tiden, og den filmen som de hadde vært lekne nok til å lage, egnet seg ikke for barn.

Kommodeskuffen var tom.

Hvordan faen kunne jeg være så jævlig dum?

På bunnen av skuffen hadde noen sprayet de velkjente fire bokstavene.

KAPITTEL 19

Fredag 3. juni–lørdag 4. juni

Lisbeth Salander avsluttet sin selvbiografi ved firetiden fredag morgen og sendte en kopi til Mikael Blomkvist på yahoo-gruppen [Toskete_Bord]. Deretter lå hun stille i sengen og stirret opp i taket.

Hun konstaterte at hun hadde fylt 27 år på valborgsmesseaften, men at hun overhodet ikke hadde tenkt på at hun hadde fødselsdag. Hun hadde vært i fangenskap. Hun hadde opplevd det samme da hun lå på St. Stefans barnepsykiatriske klinikk, og hvis tingene ikke gikk i hennes favør, var det en risiko for at hun ville tilbringe adskillige fødselsdager fremover på galehus.

Hvilket hun ikke hadde tenkt å finne seg i.

Forrige gang hun hadde vært innesperret, hadde hun så vidt nådd tenårene. Nå var hun voksen og hadde andre kunnskaper og ferdigheter. Hun lurte på hvor lang tid det ville ta henne å klare å rømme og komme seg i sikkerhet et eller annet sted i utlandet og skaffe seg en ny identitet og et nytt liv.

Hun reiste seg fra sengen og gikk ut på toalettet, hvor hun så seg i speilet. Hun haltet ikke lenger. Hun kjente med hånden på utsiden av hoften der skuddsåret hadde grodd til et arr. Hun vred armene og tøyde skulderen frem og tilbake. Hun kakket seg i hodet. Hun gikk ut fra at hjernen hennes ikke hadde tatt noen større skade av å bli perforert av en helmantlet kule.

Hun hadde hatt en vanvittig flaks.

Inntil hun fikk tilgang til sin egen hånddatamaskin, hadde hun beskjeftiget seg med å finne ut hvordan hun skulle rømme fra det låste rommet på Sahlgrenska sjukhuset.

Deretter hadde doktor Anders Jonasson og Mikael Blomkvist forpurret planene hennes ved å smugle inn datamaskinen. Hun hadde lest det Mikael Blomkvist hadde skrevet, og grublet. Hun hadde utarbeidet en konsekvensanalyse og tenkt over planen hans og veid de forskjellige mulighetene hun hadde, opp mot hverandre. Hun hadde for én gangs skyld bestemt seg for å gjøre som han foreslo. Hun skulle teste systemet. Mikael Blomkvist hadde overbevist henne om at hun faktisk ikke hadde noe å tape, og han tilbød henne en mulighet til å rømme på en helt annen måte. Og hvis planen skulle mislykkes, ville hun ganske enkelt bli nødt til å planlegge å rømme fra St. Stefans eller et annet galehus.

Det som faktisk hadde fått henne til å bestemme seg for å spille Mikaels spill, var hevnlyst.

Hun tilga ingenting.

Zalatsjenko, Björck og Bjurman var døde.

Men Teleborian levde.

Og det gjorde også broren hennes, Ronald Niedermann. Selv om han i prinsippet ikke var hennes problem. Han hadde riktignok hjulpet til med å drepe og begrave henne, men han føltes perifer. *Hvis jeg skulle støte på ham en eller annen gang, får vi se, men i mellomtiden er han politiets problem.*

Men Mikael hadde rett i at det bak sammensvergelsen måtte befinne seg andre ukjente ansikter som hadde bidradd til å forme livet hennes. Hun måtte få tak i navn og personnummer på disse anonyme ansiktene.

Dermed hadde hun bestemt seg for å følge Mikaels plan. Og dermed hadde hun skrevet ned den nakne og usminkede sannheten om sitt liv i form av en knusktørr selvbiografi på førti sider. Hun hadde vært meget nøye med formuleringene. Innholdet i hver eneste setning var sant. Hun hadde godtatt Mikaels resonnement om at hun allerede var blitt hengt ut i svensk presse med så groteske påstander, at sann dårskap faktisk ikke ville skade anseelsen hennes.

Derimot var biografien et falsum i den forstand at hun på langt nær hadde fortalt *hele* sannheten om seg selv og sitt liv. Det hadde hun ingen grunn til å gjøre.

Hun gikk tilbake til sengen og krøp ned under teppet. Hun følte en irritasjon som hun ikke klarte å definere. Hun strakte seg etter notatblokken som hun hadde fått av Annika Giannini og som hun knapt hadde brukt. Hun slo opp på den første siden, hvor hun hadde skrevet én eneste linje.

$$(x^3+y^3=z^3)$$

Hun hadde tilbragt flere uker i Karibia sist vinter med å gruble seg nesten fordervet på Fermats teorem. Da hun kom tilbake til Sverige, og før hun ble trukket inn i jakten på Zalatsjenko, hadde hun fortsatt å leke med ligningene. Problemet var at hun hadde en irriterende følelse av at hun hadde sett en løsning ... *at hun hadde opplevd en løsning.*

Men hun klarte ikke å huske den.

Ikke å huske noe var et ukjent fenomen for Lisbeth Salander. Hun hadde testet seg ved å gå ut på nettet og hente frem noen tilfeldig utvalgte HTML-koder som hun hadde lest i ett sveip og memorert, og deretter gjengitt helt eksakt.

Hun hadde ikke mistet den fotografiske hukommelsen som hun opplevde som en forbannelse.

Alt var som vanlig i hodet.

Bortsett fra dette at hun mente å huske at hun hadde sett en løsning på Fermats teorem, men ikke kunne huske hvordan, når eller hvor.

Det verste var at hun ikke følte noen som helst interesse for gåten. Fermats teorem fascinerte henne ikke lenger. Det var illevarslende. Det var akkurat slik hun pleide å fungere. Hun ble fascinert av en gåte, men så snart hun hadde løst den, mistet hun interessen.

Og det var nettopp slik hun følte det overfor Fermat. Han var ikke lenger en djevel som satt oppe på skulderen hennes og forlangte å få oppmerksomhet og terget intellektet hennes. Det var en helt uinteressant formel, noen kruseduller på et papir, og hun følte ingen som helst lyst til å gå løs på gåten.

Det bekymret henne. Hun la fra seg notatblokken.

Hun burde sove.

Isteden fant hun frem hånddatamaskinen og gikk ut på nettet. Hun tenkte seg om en stund og gikk deretter inn på Dragan Armanskijs harddisk, som hun ikke hadde vært innom siden hun fikk maskinen. Armanskij samarbeidet med Mikael Blomkvist, men hun hadde ikke følt noe umiddelbart behov for å finne ut hva han holdt på med.

Hun leste e-posten hans litt åndsfraværende.

Deretter fant hun en sikkerhetsanalyse som David Rosin hadde utarbeidet om boligen til Erika Berger. Hun hevet øyenbrynene.

Erika Berger har en stalker etter seg.

Hun fant et notat fra Susanne Linder, som tydeligvis hadde bodd hos Erika Berger foregående natt, og som hadde mailet inn en rapport sent på natten. Hun så på tidsangivelsen. Mailen var blitt sendt litt før tre om morgenen, og meddelte at Berger hadde oppdaget at private dagbøker, brev og fotografier samt en video av høyst privat karakter var blitt stjålet fra en kommode på soverommet hennes.

[Etter å ha diskutert saken med fru Berger konstaterte vi at tyveriet måtte ha funnet sted mens hun var på Nacka sykehus etter å ha tråkket på glasskåret. Det gir en periode på 2,5 timer da huset sto ubevoktet, og den mangelfulle alarmen fra NIP ikke var tilkoblet. På alle øvrige tidspunkter har enten Berger eller David Rosin oppholdt seg i huset frem til tyveriet ble oppdaget.

Det tyder på at fru Bergers forfølger oppholdt seg i hennes umiddelbare nærhet og kunne observere at hun ble hentet i drosje, og muligens også at hun haltet og var skadet i foten. Han benyttet da anledningen til å gå inn i boligen.]

Lisbeth gikk ut av Armanskijs harddisk og slo hånddatamaskinen ettertenksomt av. Følelsene var motstridende.

Hun hadde ingen grunn til å elske Erika Berger. Hun husket ennå den ydmykelsen hun hadde opplevd da hun så henne forsvinne bortover Hornsgatan sammen med Mikael Blomkvist dagen før nyttårsaften for halvannet år siden.

Det hadde vært hennes livs mest enfoldige øyeblikk, og hun ville aldri mer tillate seg å ha den slags følelser.

Hun mintes det uforsonlige hatet hun hadde følt, og lysten til å løpe etter dem og skade Erika Berger.

Pinlig.

Hun var kurert.

Men hun hadde som sagt ingen grunn til å elske Erika Berger.

Etter en stund begynte hun å lure på hva Bergers video av *høyst privat karakter* inneholdt. Hun hadde selv en video av høyst privat karakter som viste hvordan Nils Gubbeklyse Bjurman forgrep seg på henne. Og den befant seg nå i hendene på Mikael Blomkvist. Hun lurte på hvordan hun ville ha reagert hvis noen hadde brutt seg inn hos henne og stjålet filmen. Noe Mikael Blomkvist per definisjon faktisk hadde gjort, selv om hensikten fra hans side ikke hadde vært å skade henne.

Hmm.

Vrient.

Det hadde vært umulig for Erika Berger å få sove natten til fredag. Hun hadde haltet rastløst frem og tilbake gjennom huset mens Susanne Linder holdt et våkent øye med henne. Engstelsen hennes lå som en tung tåkesky over huset.

Ved halv tretiden om morgenen hadde Susanne Linder klart å overtale henne til om ikke å sove, så i hvert fall å legge seg i sengen og hvile. Hun hadde trukket et lettelsens sukk da Berger lukket soveromsdøren. Så hadde hun åpnet den bærbare PC-en og sendt Dragan Armanskij en mail med en oppsummering av det som hadde hendt. Hun hadde knapt rukket å sende den før Erika Berger var oppe og rørte på seg igjen.

Ved syvtiden om morgenen hadde hun endelig fått Erika Berger til å ringe SMP og sykmelde seg den dagen. Erika Berger hadde motvillig innrømmet at hun ikke ville være til noen særlig nytte på jobben siden øynene hennes gikk i kryss. Deretter hadde hun sovnet på sofaen i stuen foran vinduet dekket av finérplater. Susanne Linder hadde hentet et pledd og bredd over henne. Deretter hadde hun laget kaffe til seg selv og ringt og snakket med Dragan Armanskij og forklart hvorfor hun var der og hvordan hun var blitt tilkalt av David Rosin.

«Jeg har heller ikke fått blund på øynene i natt,» sa Susanne Linder.

«Greit. Bli ute hos Berger. Gå og legg deg og sov et par timer,» sa Armanskij.

«Jeg vet ikke hvordan vi skal fakturere ...»

«Det ordner vi senere.»

Erika Berger sov til halv tre om ettermiddagen. Hun våknet og fant Susanne Linder sovende i en lenestol i den andre enden av stuen.

Monica Figuerola forsov seg fredag morgen og fikk ikke tid til å ta morgenløpeturen før hun måtte stille på jobben. Hun ga Mikael Blomkvist skylden for dette, dusjet og sparket ham opp av sengen.

Mikael Blomkvist dro ned til Millennium, hvor alle ble overrasket over å se ham så tidlig. Han mumlet et eller annet, hentet kaffe og samlet Malin Eriksson og Henry Cortez på kontoret sitt. De brukte tre timer på å gjennomgå artikler til det kommende temanummeret og orientere hverandre om hvordan det gikk med bokproduksjonen.

«Dag Svenssons bok gikk til trykkeriet i går,» sa Malin. «Vi lager den i pocketformat.»

«Greit.»

«Magasinet kommer til å bli *The Lisbeth Salander Story*,» sa Henry Cortez. «De holder på med å endre datoen, men rettssaken er nå fastsatt til onsdag den 13. juli. Vi kommer til å ha bladet trykket på forhånd, men venter med distribusjonen til midten av uken. Du avgjør når det skal gå ut.»

«Fint. Da gjenstår bare boken om Zalatsjenko, som for øyeblikket er et mareritt. Den første halvparten av boken blir i praksis det vi offentliggjør i Millennium. Drapet på Dag Svensson og Mia Bergman er utgangspunkt, og deretter jakten på Lisbeth Salander, Zalatsjenko og Niedermann. Den andre halvparten blir det vi vet om Seksjonen.»

«Mikael, selv om trykkeriet gjør alt for oss, må vi jo ha

trykkeklart manus til utgangen av juni,» sa Malin. «Christer trenger minst et par dager på formgivningen. Vi har drøyt to uker på oss. Jeg begriper ikke hvordan vi skal rekke det.»

«Vi rekker ikke å grave frem den fullstendige historien,» medga Mikael. «Men det tror jeg ikke vi ville klart selv om vi hadde et halvt år på oss. Det vi skal gjøre i denne boken, er å påstå hva som har skjedd. Hvis vi mangler kilder til noe, skriver vi det. Hvis vi kommer med spekulasjoner, skal det fremgå klart og tydelig. Vi skriver altså det som har skjedd og som vi kan dokumentere, og så skriver vi hva vi tror kan ha skjedd.»

«Jævlig risikabelt,» sa Henry Cortez.

Mikael ristet på hodet.

«Hvis jeg sier at en Säpo-aktivist bryter seg inn i leiligheten min og at jeg kan dokumentere det med en video, så er det dokumentert. Hvis jeg sier at han gjør det på oppdrag fra Seksjonen, er det spekulasjoner, men i lys av alle de avsløringene vi gjør, er det en rimelig spekulasjon. Skjønner du?»

«OK.»

«Jeg kommer ikke til å rekke å skrive all teksten selv. Henry, jeg har en liste her over avsnitt som du må snekre sammen. Det tilsvarer drøyt femti boksider. Malin, du er backup for Henry, akkurat som da vi redigerte Dag Svenssons bok. Alle tre navnene står som forfattere på omslaget. Er det i orden for dere?»

«Selvfølgelig,» sa Malin. «Men vi har en del andre problemer.»

«Hva da?»

«Mens du har strevd med Zalatsjenko-historien, har vi hatt en jævlig masse arbeid å gjøre her ...»

«Og du mener at jeg er for lite tilgjengelig?»

Malin Eriksson nikket.

«Du har rett. Jeg er lei for det.»

«Det skal du ikke være. Vi vet alle at når du blir besatt av en story, så eksisterer det ingenting annet. Men det funker ikke for oss andre. Det funker ikke for meg. Erika Berger hadde meg å støtte seg til. Jeg har Henry, og han er super, men han jobber like mye med historien din som du gjør. Selv om vi tar med deg, er vi ganske enkelt to for lite i redaksjonen.»

«Greit.»

«Og jeg er ikke Erika Berger. Hun hadde en rutine som jeg mangler. Jeg holder på å lære meg jobben. Monica Nilsson sliter ræva av seg. Det gjør Lottie Karim også. Men ingen har tid til å stoppe opp og tenke.»

«Dette er bare midlertidig. Så snart rettssaken starter ...»

«Nei, Mikael. Det er ikke over da. Når rettssaken starter, kommer det til å bli det reneste helvete. Du husker hvordan det var under Wennerström-saken. Det betyr at vi ikke kommer til å se deg på omkring tre måneder mens du farer fra det ene TV-studioet til det andre.»

Mikael sukket. Han nikket langsomt.

«Hva foreslår du?»

«Hvis vi skal klare å få Millennium gjennom høsten, må vi ansette flere folk. Minst to personer, kanskje flere. Vi har ikke kapasitet til det vi prøver å gjøre, og ...»

«Og?»

«Og jeg er ikke sikker på om jeg vil gjøre det.»

«Jeg skjønner.»

«Jeg mener det. Jeg er en jævlig god redaksjonssekretær, og det var *a piece of cake* med Erika Berger som sjef. Vi sa at vi skulle prøve til over sommeren ... greit, vi har prøvd. Jeg er ingen god sjefredaktør.»

«Sludder,» sa Henry Cortez.

Malin ristet på hodet.

«Greit,» sa Mikael. «Jeg hører hva du sier. Men tenk på at det har vært en ekstrem situasjon.»

Malin smilte til ham.

«Du kan anse dette som en klage fra personalet,» sa hun.

Overvåkningstjenestens operative enhet brukte fredagen til å forsøke å finne ut og inn av de opplysningene de hadde fått av Mikael Blomkvist. To av medarbeiderne hadde flyttet til et midlertidig kontorlokale ved Fridhemsplan, hvor all dokumentasjon ble samlet. Det var ubeleilig, siden det interne datasystemet befant seg i politihuset, noe som innebar at medarbeiderne måtte vandre frem og tilbake flere ganger om dagen. Selv om det bare tok ti minutter, var det et irritasjonsmoment. Allerede ved lunsjtider hadde de en omfattende dokumentasjon på at både Fredrik Clinton og Hans von Rottinger hadde vært tilknyttet sikkerhetspolitiet i 1960-årene og begynnelsen av 1970-årene.

Von Rottinger kom opprinnelig fra den militære etterretningstjenesten og arbeidet i flere år på kontoret som koordinerte forbindelsen mellom forsvaret og sikkerhetspolitiet. Fredrik Clinton hadde bakgrunn fra flyvåpenet og hadde begynt å arbeide for sikkerhetspolitiets personalkontroll i 1967.

Begge hadde imidlertid forlatt RPS/Säk i begynnelsen av 1970-årene; Clinton i 1971 og von Rottinger i 1973. Clinton hadde gått til det private næringslivet som konsulent, og von Rottinger hadde fått en sivil stilling for å utføre granskninger for det internasjonale atomenergibyrået. Han ble stasjonert i London.

Det var ikke før langt ut på ettermiddagen at Monica Figuerola banket på hos Edklinth og kunne fortelle at Clintons og von Rottingers karriere etter at de hadde forlatt RPS/Säk, høyst sannsynlig var oppdiktet. Clintons karriere var vanskelig å spore. Å være konsulent for det private næringslivet kan bety stort sett hva som helst, og som sådan har man ingen plikt til å dokumentere sin praktiske virksomhet overfor staten. Av skatteopplysningene gikk det frem at han hadde tjent gode penger; dessverre så det imidlertid ut til at klientene hans hovedsakelig besto av anonyme selskaper basert i Sveits eller lignende land. Dermed var det ikke mulig å bevise at det var en bløff.

Von Rottinger hadde derimot aldri satt sine ben på det kontoret i London hvor det var meningen at han skulle arbeide. I 1973 ble nemlig kontorbygget hvor han ble antatt å arbeide, revet og erstattet med en utvidelse av King's Cross Station. Det var sannsynligvis en eller annen som hadde begått en bommert da legenden ble etablert. I løpet av dagen hadde Figuerolas team intervjuet flere pensjonerte medarbeidere ved det internasjonale atomenergibyrået. Ingen av dem hadde noensinne hørt om Hans von Rottinger.

«Da vet vi det,» sa Edklinth. «Da må vi bare finne ut hva de i virkeligheten gjorde.»

Monica Figuerola nikket.

«Hva gjør vi med Blomkvist?»

«Hvordan mener du?»

«Vi lovet å oppdatere ham om hva vi fant om Clinton og Rottinger.»

Edklinth tenkte seg om.

«Greit. Han kommer til å klare å grave det frem, selv om han muligens må holde på en stund. Men bruk din egen dømmekraft.»

Det lovet Monica Figuerola. Så brukte de noen minutter til å diskutere helgen. Monica hadde to medarbeidere som skulle fortsette å jobbe. Selv skulle hun ha fri.

Deretter stemplet hun ut og gikk til treningsstudioet ved St. Eriksplan og tilbragte to hektiske timer med å ta igjen tapt treningstid. Hun var hjemme ved syvtiden om kvelden, dusjet, laget en enkel middag og satte på TV-en for å høre på nyhetene. Ved halv åttetiden var hun allerede rastløs og tok på seg joggeutstyr. Hun stoppet ved ytterdøren og kjente etter. *Jævla Blomkvist.* Hun åpnet mobilen og ringte hans T10.

«Vi har fått frem noen opplysninger om Rottinger og Clinton.»

«Fortell,» sa Mikael.

«Hvis du stikker innom, kan jeg fortelle deg om det.»

«Hmm,» sa Mikael.

«Jeg har nettopp tatt på meg joggeutstyr for å kvitte meg med litt overskuddsenergi,» sa Monica Figuerola. «Skal jeg stikke ut, eller skal jeg vente på deg?»

«Er det greit om jeg kommer etter ni?»

«Det passer helt utmerket.»

Ved åttetiden fredag kveld fikk Lisbeth Salander besøk av doktor Anders Jonasson. Han satte seg på besøksstolen og lente seg bakover.

«Skal du undersøke meg?» spurte Lisbeth Salander.

«Nei. Ikke i kveld.»

«OK.»

«Du var oppe til vurdering i dag, og vi har gitt statsadvokaten beskjed om at vi er klar til å slippe deg.»

«Jeg skjønner.»

«De ville flytte deg over til arresten i Göteborg allerede i kveld.»

«Så fort?»

Han nikket.

«Stockholm presser tydeligvis hardt på. Jeg sa at jeg hadde igjen en del avsluttende prøver som skulle gjøres på deg i morgen, og at jeg ikke slipper deg før søndag.»

«Hvorfor ikke?»

«Vet ikke. Jeg ble temmelig irritert på at de er så pågående.»

Lisbeth Salander smilte faktisk. Hun kunne nok gjort en god anarkist av doktor Anders Jonasson hvis hun fikk noen år på seg. Han hadde i hvert fall anlegg for sivil ulydighet på det personlige plan.

«Fredrik Clinton,» sa Mikael Blomkvist og stirret opp i taket over sengen til Monica Figuerola.

«Hvis du tenner den sigaretten, kommer jeg til å stumpe den i navlen på deg,» sa Monica Figuerola.

Mikael kikket overrasket på sigaretten som han hadde hentet frem fra jakkelommen.

«Beklager,» sa han. «Kan jeg låne balkongen?»

«Hvis du pusser tennene etterpå.»

Han nikket og svøpte lakenet rundt seg. Hun fulgte etter ham ut på kjøkkenet og hentet seg et stort glass vann. Hun lente seg mot dørkarmen til balkongen.

«Fredrik Clinton?»

«Han er fortsatt i live. Han er forbindelsen til det gamle.»

«Han er døende. Han trenger en ny nyre, og tilbringer meste-parten av tiden i dialyse eller noen annen slags behandling.»

«Men han er i live. Kanskje vi burde kontakte ham og stille ham spørsmålet direkte. Det er mulig han vil snakke.»

«Nei,» sa Monica Figuerola. «For det første er dette en kri-minaletterforskning, og den tar politiet seg av. I den forstand finnes det ikke noe 'vi' i denne saken. For det andre mottar du opplysninger i henhold til din avtale med Edklinth, men du har forpliktet deg til ikke å handle slik at du ødelegger for etterforskningen.»

Mikael så på henne og smilte. Han stumpet sigaretten.

«Au da,» sa han. «Sikkerhetspolitiet rykker i kobbelet.»

Hun så plutselig tankefull ut.

«Dette er ikke noen spøk, Mikael.»

Lørdag morgen dro Erika Berger til Svenska Morgon-Posten med en klump i magen. Hun følte at hun hadde begynt å få en viss kontroll på selve avismakeriet, og hadde egentlig tenkt å spandere på seg en frihelg – den første siden hun begynte i SMP – men oppdagelsen av at hennes mest private og intime minner hadde forsvunnet sammen med Borgsjö-rapporten, gjorde det umulig for henne å slappe av.

I løpet av en søvnløs natt som for en stor del var blitt tilbragt i kjøkkenet sammen med Susanne Linder, satt Erika og ventet på at *Giftpennen* skulle slå til, og at alt annet enn smigrende bilder av henne snart ville bli spredt. Internett er et suverent redskap for kjeltringer. *Herregud, en jævla video som viser at jeg knuller med mannen min og med en annen mann – jeg kommer til å havne i hver eneste tabloidavis over hele verden. Det mest private.*

Hun følte både panikk og angst den natten.

Susanne Linder hadde etter hvert klart å tvinge henne til å gå og legge seg.

Klokken åtte om morgenen sto hun opp og dro inn til SMP. Hun klarte ikke å holde seg borte. Hvis en storm var i vente, ville hun møte den først av alle.

Men i den halvbemannede lørdagsredaksjonen var alt som vanlig. Personalet hilste vennlig da hun gikk forbi sentraldesken. Anders Holm hadde fri. Peter Fredriksson var nyhetssjef.

«Morn, jeg trodde du skulle ha fri i dag,» hilste han.

«Jeg også. Men jeg var jo ikke bra i går og har litt å gjøre. Skjer det noe?»

«Nei, det er en tynn nyhetsmorgen. Det heteste vi har, er at treindustrien i Dalarna kan vise til en oppgang, og at det har vært et ran i Norrköping hvor en person ble skadet.»

«Greit. Jeg setter meg i glassburet og jobber en stund.»

Hun satte seg, stilte krykkene opp mot bokhyllen og logget seg inn på nettet. Hun begynte med å sjekke posten. Hun hadde fått flere mailer, men ingen fra Giftpennen. Hun rynket øyenbrynene. Det var nå to døgn siden innbruddet, og ennå hadde han ikke gjort bruk av det som måtte være den reneste skattkiste av muligheter. *Hvorfor ikke? Har han tenkt å skifte taktikk? Utpresning? Vil han bare holde meg på pinebenken?*

Hun hadde ikke noe spesielt å jobbe med, og åpnet det strategidokumentet for SMP som hun holdt på å utarbeide. Hun satt og stirret på skjermen i et kvarter uten å se bokstavene.

Hun hadde forsøkt å ringe Greger, men hadde ikke fått kontakt med ham. Hun visste ikke engang om mobilen hans virket i utlandet. Hun hadde naturligvis kunnet klare å oppspore ham hvis hun hadde gått inn for det, men hun følte seg bare helt matt. Feil, hun følte seg fortvilet og paralysert.

Hun forsøkte å ringe Mikael Blomkvist for å informere ham om at Borgsjö-mappen var blitt stjålet. Han svarte ikke på mobilen.

Klokken ti hadde hun ennå ikke fått gjort noe fornuftig og bestemte seg for å dra hjem. Hun skulle akkurat til å strekke ut hånden for å slå av PC-en da det sa pling i ICQ-funksjonen hennes. Hun stirret forbløffet på menyraden. Hun visste hva ICQ var, men pleide sjelden å chatte og hadde ikke brukt programmet siden hun begynte i SMP.

Hun klikket nølende på Svar.

<Hei Erika>

<Hei. Hvem der?>

<Privat. Er du alene?>

Et triks? Giftpennen?

<Ja. Hvem er du?>

<Vi møttes hjemme hos Kalle Blomkvist da han kom tilbake fra Sandhamn>

Erika Berger stirret på skjermen. Det tok henne flere sekunder å foreta koblingen. *Lisbeth Salander. Umulig.*

460

<Er du der ennå?>
<Ja>
<Ingen navn. Vet du hvem jeg er?>
<Hvordan kan jeg vite at det ikke er en bløff?>
<Jeg vet hvordan Mikael fikk det arret på halsen>
Erika svelget. Det var fire personer i hele verden som visste hvordan det hadde oppstått. Lisbeth Salander var en av dem.
<Greit. Men hvordan kan du chatte med meg?>
<Jeg er bare ganske god på datamaskiner>
Lisbeth Salander er en jævel på datamaskiner. Men hvordan faen hun klarer å kommunisere fra Sahlgrenska hvor hun har ligget innesperret siden april, fatter jeg ikke.
<OK>
<Kan jeg stole på deg?>
<Hva mener du?>
<Denne samtalen må ikke lekke ut>
Hun vil ikke at politiet skal få vite at hun har tilgang til nettet. Selvfølgelig ikke. Så derfor chatter hun med sjefredaktøren i en av Sveriges største aviser.
<Ikke noe problem. Hva vil du?>
<Betale>
<Hva mener du?>
<Millennium har backet meg opp>
<Vi har gjort jobben vår>
<Det har ikke andre blader og aviser>
<Du er ikke skyldig i det du blir anklaget for>
<Du har en stalker etter deg>
Erika Berger fikk plutselig hjerteklapp. Hun nølte en lang stund.
<Hva vet du?>
<Stjålet video. Innbrudd>
<Ja. Kan du hjelpe?>
Erika Berger trodde ikke selv at det var hun som skrev spørsmålet. Det var fullstendig fornuftsstridig. Lisbeth Salander lå på rehabilitering på Sahlgrenska og hadde selv problemer til opp over ørene. Hun var det mest usannsynlige menneske Erika kunne henvende seg til med noen slags forhåpning om hjelp.

461

\<Vet ikke. La meg prøve>
\<Hvordan?>
\<Spørsmål. Tror du kjeltringen er i SMP?>
\<Jeg kan ikke bevise det>
\<Hvorfor tror du det?>
Erika tenkte seg om en lang stund før hun svarte.
\<En følelse. Det begynte da jeg startet i SMP. Andre i SMP har fått ubehagelige mailer fra Giftpennen som ser ut som om de kommer fra meg.>
\<Giftpennen?>
\<Mitt navn på kjeltringen>
\<OK. Hvorfor har akkurat du blitt gjenstand for Giftpennens oppmerksomhet?>
\<Vet ikke>
\<Er det noe som tyder på at det er personlig?>
\<Hva mener du?>
\<Hvor mange ansatte er det i SMP?>
\<Drøyt 230 med forlaget>
\<Hvor mange kjenner du personlig?>
\<Vet ikke riktig. Har truffet flere journalister og medarbeidere gjennom årene i forskjellige sammenhenger>
\<Noen du har kranglet med tidligere?>
\<Nei. Ikke spesielt>
\<Noen som kanskje vil hevne seg på deg?>
\<Hevn? For hva?>
\<Hevn er en sterk drivkraft>
Erika stirret på skjermen mens hun prøvde å forstå hva Lisbeth Salander tenkte på.
\<Er du der?>
\<Ja. Hvorfor spør du om hevn?>
\<Jeg har lest Rosins liste over alle hendelsene du knytter til Giftpennen>
Hvorfor forbauser det meg ikke?
\<Jaha???>
\<Virker ikke som en stalker>
\<Hva mener du?>
\<En stalker er en person som drives av seksuell besettelse.

462

Dette føles mer som en som imiterer en stalker. Skiftenøkkel i fitta ... hallo, ren parodi>

<Jaså?>

<Jeg har sett eksempler på ekte stalkere. De er adskillig mer perverse, vulgære og groteske. De uttrykker kjærlighet og hat på en og samme gang. Dette føles ikke riktig>

<Du synes ikke det er vulgært nok?>

<Nei. Mailen til Eva Carlsson er helt feil. Noen som vil lage trøbbel>

<Jeg skjønner. Har ikke tenkt på den måten>

<Ikke stalker. Personlig mot deg>

<Greit. Hva foreslår du?>

<Stoler du på meg?>

<Kanskje>

<Jeg trenger tilgang til SMPs datanett>

<Vent nå litt>

<Nå. Jeg blir snart forflyttet og mister Internett>

Erika nølte i ti sekunder. Utlevere SMP til ... hva? En komplett skrulling? Lisbeth var muligens ikke skyldig i draps-anklagene, men hun var definitivt ikke som normale menneske-ker.

Men hva hadde hun å tape?

<Hvordan?>

<Jeg må få lagt inn et program i maskinen din>

<Vi har brannmurer>

<Du må hjelpe til. Start Internett>

<Allerede på>

<Explorer?>

<Ja>

<Jeg skriver ut en adresse. Kopier og lim den inn i Explorer>

<Gjort>

<Nå ser du et antall programmer i en liste. Klikk på *Asphyxia Server* og last ned>

Erika fulgte instruksen.

<Klart>

<Start Asphyxia Server. Klikk på installer og velg Explorer>

Det tok tre minutter.

<Klart. OK. Nå må du starte maskinen på nytt. Vi mister kontakten en stund>

<Greit>

<Når vi kommer i gang igjen, kommer jeg til å overføre harddisken din til en server på nettet>

<OK>

<Ta omstart. Vi snakkes straks>

Erika Berger stirret fascinert på skjermen mens maskinen langsomt startet på nytt. Hun lurte på om hun var riktig vel bevart. Deretter sa det pling i ICQ.

<Hei igjen>

<Hei>

<Det går fortere hvis du gjør det. Start Internett og kopier inn den adressen jeg mailer>

<OK>

<Nå får du opp et spørsmål. Klikk på Start>

<OK>

<Nå får du opp et spørsmål om å døpe om harddisken. Kall den SMP-2>

<OK>

<Gå og hent deg kaffe. Dette kommer til å ta en stund>

Monica Figuerola våknet ved åttetiden lørdag morgen, drøyt to timer senere enn hun vanligvis sto opp. Hun satte seg opp i sengen og så på Mikael Blomkvist. Han snorket. *Well. Nobody is perfect.*

Hun lurte på hvor affæren med Mikael Blomkvist ville føre hen. Han var ikke av den trofaste typen som man kunne planlegge et mer langsiktig forhold med – så pass hadde hun skjønt av biografien hans. På den annen side var hun ikke helt sikker på om hun virkelig var ute etter et stabilt forhold med samboer og kjøleskap og barn. Etter et dusin mislykkede forsøk siden tenårene hadde hun begynt å helle stadig mer til den teorien at stabile forhold var overvurdert. Hennes lengste forhold hadde vært et toårig samboerskap med en kollega i Uppsala.

Men hun var heller ikke av dem som drev med *one night*

stands, selv om hun mente at sex var et undervurdert botemiddel mot stort sett alle slags plager. Og sex med Mikael Blomkvist var helt greit. Mer enn greit, faktisk. Han var et utmerket menneske. Han ga mersmak.

Sommerromanse? Forelskelse? Var hun forelsket?

Hun gikk ut på badet, slo vann i ansiktet, pusset tennene og tok deretter på seg løpeshorts og en tynn jakke og listet seg ut av leiligheten. Hun tøyde ut og tok en tre kvarters løpetur forbi Rålambshov sykehus, rundt Fredhäll og tilbake via Smedsudden. Hun var tilbake klokken ni og konstaterte at Blomkvist sov fremdeles. Hun bøyde seg ned og bet ham i øret til han slo øynene forvirret opp.

«God morgen, elskling. Jeg trenger noen til å skrubbe meg på ryggen.»

«Hva sa du? Du er allerede søkkvåt.»

«Jeg har tatt en løpetur. Du burde bli med.»

«Jeg har en mistanke om at hvis jeg forsøkte å holde ditt tempo, ville du bli nødt til å ringe etter en ambulanse. Hjertestans på Norr Mälarstrand.»

«Sludder. Kom nå. På tide å våkne.»

Han skrubbet henne på ryggen og såpet inn skuldrene. Og hoftene. Og magen. Og brystene. Og etter en stund hadde Monica Figuerola helt mistet interessen for dusjingen og halte ham med tilbake til sengen igjen. De drakk kaffe på en kafé ved Norr Mälarstrand først ved ellevetiden.

«Du kunne bli en uvane,» sa Monica Figuerola. «Vi har kjent hverandre i bare noen dager.»

«Jeg er veldig tiltrukket av deg. Men det tror jeg du vet allerede.»

Hun nikket.

«Hvorfor er du det?»

«Sorry. Det spørsmålet kan jeg ikke svare på. Jeg har aldri helt skjønt hvorfor jeg plutselig blir tiltrukket av en spesiell kvinne, men er helt uinteressert i en annen.»

Hun smilte ettertenksomt.

«Jeg har fri i dag,» sa hun.

«Ikke jeg. Jeg har et berg av arbeid helt til rettssaken starter, og jeg har tilbragt de siste tre nettene hos deg istedenfor å jobbe.»

«Synd.»

Han nikket og reiste seg og ga henne et kyss på kinnet. Hun grep tak i skjorten hans.

«Blomkvist, jeg vil gjerne fortsette å treffe deg.»

«Samme her,» nikket han. «Men det kommer til å gå litt opp og ned til vi er i havn med denne historien.»

Han forsvant oppover mot Hantverkargatan.

Erika Berger hadde hentet kaffe og satt og betraktet skjermen. På treogfemti minutter skjedde det absolutt ikke noe som helst annet enn at skjermspareren hennes slo seg på med jevne mellomrom. Deretter sa det pling på ICQ igjen.

<Ferdig. Du har veldig mye dritt på harddisken din, deriblant to virus>

<Sorry. Hva er neste skritt?>

<Hvem er administrator for SMPs datanett?>

<Vet ikke. Sannsynligvis Peter Fleming som er IT-sjef>

<OK>

<Hva skal jeg gjøre?>

<Ingenting. Gå hjem>

<Bare sånn uten videre?>

<Jeg gir lyd fra meg>

<Skal jeg la maskinen stå på?>

Men Lisbeth Salander hadde allerede forsvunnet fra ICQ. Erika Berger stirret frustrert på skjermen. Til slutt slo hun av maskinen og gikk for å finne seg en kafé hvor hun kunne sitte og gruble i fred og ro.

KAPITTEL 20

Lørdag 4. juni

Mikael Blomkvist gikk av bussen ved Slussen, tok Katarinahissen opp til Mosebacke og spaserte opp til Fiskargatan 9. Han hadde kjøpt inn brød, melk og ost i kolonialbutikken foran Landstingshuset og begynte med å sette varene i kjøleskapet. Deretter slo han på Lisbeth Salanders datamaskin.

Etter å ha tenkt seg om en stund slo han også på sin blå Ericsson T10. Han blåste i den vanlige mobilen siden han uansett ikke ville snakke med noen som ikke hadde med Zalatsjenko-historien å gjøre. Han konstaterte at han hadde fått seks anrop i løpet av det siste døgnet, hvorav tre var fra Henry Cortez, to fra Malin Eriksson og ett fra Erika Berger.

Han begynte med å ringe Henry Cortez, som befant seg på en kafé i Vasastan og som hadde en del småplukk å meddele, men ingenting som var akutt.

Malin Eriksson hadde bare gitt lyd fra seg for å gi lyd fra seg.

Deretter ringte han Erika Berger og fikk opptattsignal.

Han åpnet yahoo-gruppen [Toskete_Bord] og fant sluttversjonen av Lisbeth Salanders biografi. Han nikket smilende, skrev ut dokumentet og begynte umiddelbart å lese.

Lisbeth Salander slo på sin Palm Tungsten T3. Hun hadde brukt en time på å penetrere og kartlegge datanettet i SMP ved hjelp av Erika Bergers område. Hun hadde ikke gitt seg i kast med Peter Flemings konto, siden det ikke var nødvendig å skaffe seg fulle administratorrettigheter. Det hun var interessert i, var tilgang til SMPs administrasjon av personalfiler. Og der hadde Erika Berger allerede full tilgang.

Hun skulle inderlig ønske at Mikael Blomkvist kunne vært så vennlig å smugle inn PowerBooken hennes med et skikkelig tastatur og 17 tommers skjerm istedenfor bare hånddatamaskinen. Hun lastet ned en fortegnelse over alle som jobbet i SMP, og begynte å arbeide seg igjennom listen. Det var 223 personer, hvorav 82 var kvinner.

Hun begynte med å stryke alle kvinnene. Hun unntok ikke kvinner fra syke handlinger, men statistikken påsto at det absolutte flertallet av personer som trakasserte kvinner, var menn. Da gjensto det 141 personer.

Statistikken talte også for at de fleste anonyme brevskrivere enten befant seg i tenårene eller var middelaldrende. Siden SMP ikke hadde noen tenåringer blant sine ansatte, laget hun en alderskurve og strøk alle over 55 og under 25. Da gjensto det 103 personer.

Hun grublet en stund. Hun hadde dårlig tid. Kanskje mindre enn fireogtyve timer. Hun tok en rask beslutning. Med et sverdslag strøk hun alle ansatte innenfor distribusjon, annonseavdeling, billedavdeling, driftsavdeling og IT. Hun konsentrerte seg om gruppen av journalister og redaksjonelle medarbeidere og fikk frem en liste på 48 personer som var menn mellom 26 og 54 år.

Deretter hørte hun raslingen fra et nøkkelknippe. Hun slo umiddelbart av maskinen og puttet den under teppet, mellom lårene. Den siste søndagslunsjen på Sahlgrenska hadde ankommet. Hun stirret oppgitt på kålstuingen. Etter lunsjen visste hun at hun ikke ville få arbeide uforstyrret på en stund. Hun la hånddatamaskinen i hulrommet bak nattbordet og ventet mens to kvinner fra Eritrea støvsugde og redde sengen hennes.

En av jentene het Sara og hadde regelmessig stukket til Lisbeth en og annen Marlboro Light den siste måneden. Hun hadde også fått en lighter som hun hadde gjemt bak nattbordet. Lisbeth tok takknemlig imot to sigaretter som hun hadde tenkt å røyke ut gjennom luftevinduet til natten.

Først ved totiden var alt rolig igjen. Hun fant frem datamaskinen og koblet seg opp. Hun hadde tenkt å gå direkte tilbake til SMPs administrasjon, men det gikk opp for henne at hun også hadde egne problemer å ta seg av. Hun tok den daglige runden og begynte med å gå inn på yahoo-gruppen [Toskete_Bord]. Hun konstaterte at Mikael Blomkvist ikke hadde lagt inn noe nytt på tre døgn, og lurte på hva han holdt på med. *Faenskapet er sikkert ute og roter med en eller annen bimbo med store pupper.*

Hun gikk videre til yahoo-gruppen [Ridderne] og undersøkte om Plague hadde lagt inn noe bidrag. Det hadde han ikke.

Deretter sjekket hun harddisken til statsadvokat Richard Ekström (mindre interessant korrespondanse om den kommende rettssaken) og Peter Teleborian.

Hver gang hun gikk inn på Peter Teleborians harddisk, kjentes det som om kroppstemperaturen hennes sank noen grader.

Hun fant den rettspsykiatriske rapporten om henne, som han allerede hadde skrevet, men som offisielt ikke skulle skrives før han hadde muligheten til å undersøke henne. Han hadde forbedret prosaen på flere punkter, men i det store og hele var det ikke noe nytt. Hun lastet ned rapporten og sendte den videre til [Toskete_Bord]. Hun sjekket Teleborians e-post for de siste fireogtyve timene ved å klikke seg fra mail til mail. Hun holdt nesten på å overse betydningen av den kortfattede mailen.

[Lørdag, 15.00 ved ringen på sentralstasjonen./Jonas]

Fuck. Jonas. Han har forekommet i en masse mailer til Teleborian. Har brukt en hotmailkonto. Uidentifiserbar.

Lisbeth Salander kastet et blikk på den digitale klokken på nattbordet. 14.28. Hun plinget umiddelbart på Mikael Blomkvists ICQ. Hun fikk ingen respons.

Mikael Blomkvist hadde skrevet ut de 220 sidene som var ferdige av manuskriptet. Deretter hadde han slått av datamaskinen og satt seg ved Lisbeth Salanders kjøkkenbord med en korrekturpenn.

Han var fornøyd med storyen. Men det største hullet gapte.

Hvordan skulle han finne resten av Seksjonen? Malin Eriksson hadde rett. Det var umulig. Han var i tidsnød.

Lisbeth Salander bannet frustrert og forsøke å plinge på Plague på ICQ. Han svarte ikke. Hun skottet bort på klokken. 14.30.

Hun satte seg på sengekanten og hentet frem ICQ-kontoer fra hukommelsen. Hun forsøkte først Henry Cortez og deretter Malin Eriksson. Ingen svarte. *Lørdag. Alle har fri.* Hun kikket på klokken igjen. 14.32.

Deretter forsøkte hun å få tak i Erika Berger. Uten å lykkes. *Jeg sa til henne at hun skulle gå hjem. Faen.* 14.33.

Hun kunne sende en sms til Mikael Blomkvists mobil, men den var avlyttet. Hun bet seg i underleppen.

Til slutt snudde hun seg desperat mot nattbordet og ringte på en sykepleier. Klokken var 14.35 da hun hørte nøkkelen i døren og en søster Agneta, som var i 50-årsalderen, kikket inn til henne.

«Hei. Har du problemer?»

«Er doktor Anders Jonasson på avdelingen?»

«Er du ikke bra?»

«Jeg er bra. Men jeg ville gjerne vekslet noen ord med ham. Hvis det var mulig.»

«Jeg så ham for en liten stund siden. Hva gjelder det?»

«Jeg må få snakke med ham.»

Søster Agneta rynket øyenbrynene. Det var sjelden at pasient Lisbeth Salander ringte på pleierne hvis hun ikke hadde kraftig hodepine eller et annet akutt problem. Hun hadde aldri vært masete og hadde aldri før bedt om å få snakke med en navngitt lege. Søster Agneta hadde imidlertid merket seg at Anders Jonasson hadde tatt seg tid med den arresterte pasienten som ellers pleide å være fullstendig lukket overfor omverdenen. Det var mulig at han hadde klart å etablere en form for kontakt.

«Greit. Jeg skal høre om han har tid,» sa søster Agneta vennlig og lukket døren. Og låste. Klokken var 14.36 og slo akkurat over til 14.37.

470

Lisbeth reiste seg fra sengekanten og gikk bort til vinduet. Men jevne mellomrom skottet hun bort på klokken. 14.39. 14.40.

Klokken 14.44 hørte hun fottrinn i korridoren og raslingen fra Securitas-vaktens nøkkelknippe. Anders Jonasson sendte henne et spørrende øyekast og stoppet opp da han fikk se Lisbeth Salanders desperate blikk.

«Har det skjedd noe?»

«Det skjer noe akkurat nå. Har du en mobiltelefon på deg?»

«Hva?»

«En mobil. Jeg må ringe noen.»

Anders Jonasson skottet usikkert bort mot døren.

«Anders ... Jeg trenger en mobil. Nå!»

Han hørte desperasjonen i stemmen og stakk hånden i innerlommen og rakte henne sin Motorola. Lisbeth formelig rev den ut av hendene på ham. Hun kunne ikke ringe Mikael Blomkvist siden han sannsynligvis var avlyttet av fienden. Problemet var at han aldri hadde gitt henne nummeret til sin anonyme blå Ericsson T10. Det hadde aldri vært aktuelt, siden han ikke hadde regnet med at hun skulle kunne ringe ham fra isolatet sitt. Hun nølte et tiendels sekund og slo Erika Bergers mobilnummer. Hun hørte at det ringte tre ganger før hun svarte.

Erika Berger befant seg i BMW-en sin en kilometer fra hjemmet i Saltsjöbaden da hun fikk en telefon hun ikke hadde ventet. Men Lisbeth Salander hadde på den annen side overrasket henne samme morgen.

«*Berger.*»

«Salander. Rekker ikke forklare. Har du nummeret til Mikaels anonyme telefon? Den som ikke er avlyttet.»

«Ja.»

«Ring ham. *Nå!* Teleborian møter Jonas ved ringen på sentralstasjonen klokken 15.00.»

«Hva er ...»

«Skynd deg. Teleborian. Jonas. Ringen på sentralstasjonen. 15.00. Han har et kvarter på seg.»

Lisbeth slo av mobilen for at Erika ikke skulle forsøke å sløse bort dyrebare sekunder på unødvendige spørsmål. Hun kikket på klokken, som akkurat skiftet til 14.46.

Erika Berger bremset og parkerte ved veikanten. Hun strakte seg etter telefonboken i vesken og bladde frem til nummeret han hadde gitt henne den kvelden på Samirs gryta.

Mikael Blomkvist hørte pipelyden fra telefonen. Han reiste seg fra kjøkkenbordet, gikk tilbake til Lisbeth Salanders arbeidsrom og tok mobilen opp fra skrivebordet.

«Ja?»

«Erika.»

«Hei.»

«Teleborian møter Jonas ved ringen på sentralstasjonen klokken 15.00. Du har noen minutter på deg.»

«Hva? Hv...?»

«Teleborian ...»

«Jeg hørte det. Hvordan vet du noe om det?»

«Slutt å diskutere og få opp farten.»

Mikael kikket på klokken.14.47.

«Takk. Ha det.»

Han grep databagen og tok trappen istedenfor å vente på heisen. Samtidig som han løp, slo han nummeret til Henry Cortez' blå T10.

«Cortez.»

«Hvor er du?»

«I Akademibokhandeln.»

«Teleborian møter Jonas ved ringen på sentralstasjonen klokken 15.00. Jeg er på vei, men du er nærmere.»

«Å faen. Jeg drar.»

Mikael jogget ned mot Götagatan og løp så fort han kunne mot Slussen. Han kikket på klokken da han andpusten var fremme ved Slussen. Monica Figuerola hadde kanskje et poeng når hun snakket om at han burde begynne å løpe. 14.56. Han kom ikke til å rekke det. Han speidet etter en drosje.

Lisbeth Salander ga mobilen tilbake til Anders Jonasson.

«Takk,» sa hun.

«Teleborian?» spurte Anders Jonasson. Han hadde ikke kunnet unngå å høre navnet.

Hun nikket og møtte blikket hans.

«Teleborian er en skikkelig ekkel fisk. Du aner ikke.»

«Nei. Men jeg går ut fra at det foregår noe akkurat nå, som har gjort deg mer opphisset enn du har vært på hele den tiden du har vært min pasient. Jeg håper du vet hva du gjør.»

Lisbeth smilte skjevt til Anders Jonasson.

«Det kommer du nok til å få svar på i den nærmeste fremtid,» sa hun.

Henry Cortez løp som en gal ut fra Akademibokhandeln. Han krysset Sveavägen på broen ved Mäster Samuelsgatan og fortsatte rett ned til Klara Norra hvor han svingte opp på Klarabergsviadukten og over Vasagatan. Han krysset Klarabergsgatan mellom en buss og to biler som tutet frenetisk på ham, og smatt inn gjennom dørene på sentralstasjonen da klokken var nøyaktig 15.00.

Han tok rulletrappen ned til stasjonshallen i tre trinn av gangen og jogget forbi Pocketshop før han saktnet farten for ikke å vekke oppmerksomhet. Han stirret inngående på menneskene i nærheten av ringen.

Han kunne ikke se Teleborian eller den mannen som Christer Malm hadde fotografert utenfor Copacabana, og som de trodde var Jonas. Han så på klokken. 15.01. Han pustet som om han skulle ha løpt Stockholm maraton.

Han tok en sjanse, skyndte seg gjennom hallen og ut gjennom dørene mot Vasagatan. Han stoppet opp og så seg rundt og stirret på person etter person så langt han kunne se. Ingen Peter Teleborian. Ingen Jonas.

Han snudde og skyndte seg inn på sentralstasjonen igjen. 15.03. Det var tomt ved ringen.

Så løftet han blikket og fikk et lynraskt glimt av Peter Teleborians rufsete profil og skjegg da han kom ut fra inngangen til Pressbyrån på den andre siden av hallen. I neste øyeblikk materialiserte mannen fra Christer Malms bilder seg ved siden av

473

ham. *Jonas.* De krysset stasjonen og forsvant ut på Vasagatan ved den nordre utgangen.

Henry Cortez pustet ut. Han tørket svetten av pannen med håndflaten og begynte å følge etter de to mennene.

Mikael Blomkvist ankom Stockholms sentralstasjon i drosje klokken 15.07. Han skyndte seg inn i hallen, men kunne ikke se hverken Teleborian eller Jonas. Eller Henry Cortez for den saks skyld.

Han løftet sin T10 for å ringe Henry Cortez i samme øyeblikk som mobilen ringte i hånden hans.

«Jeg har dem. De sitter på puben Tre Remmare i Vasagatan ved nedgangen til Akallalinjen.»

«Takk, Henry. Hvor er du?»

«Jeg står ved baren. Drikker øl. Har fortjent det.»

«Greit. Meg kan de kjenne igjen, så jeg holder meg utenfor. Du har ingen mulighet til å høre hva som blir sagt, går jeg ut fra.»

«Ikke en sjanse. Jeg ser ryggen på Jonas, og han jævla Teleborian bare mumler når han snakker, så jeg kan ikke se leppebevegelsene.»

«Jeg skjønner.»

«Men vi kan ha et problem.»

«Hva da?»

«Denne Jonas har lagt lommeboken og mobilen sin på bordet. Og han la et par bilnøkler oppå lommeboken.»

«OK. Jeg skal ta meg av det.»

Monica Figuerolas mobil satte i gang med et polyfont signal som utgjorde ledemotivet fra *Ondt blod i vesten.* Hun la fra seg boken om antikkens gudsoppfatning, som det virket som om hun aldri klarte å bli ferdig med.

«Hei. Det er Mikael. Hva gjør du?»

«Jeg sitter hjemme og sorterer billedsamlingen med gamle elskere. Jeg ble forsmedelig forlatt tidligere i dag.»

«Beklager. Har du bilen din i nærheten?»

«Sist jeg sjekket, sto den på parkeringsplassen utenfor.»

«Fint. Har du lyst til å ta en tur på byen?»

«Ikke spesielt. Hva skjer?»

«Peter Teleborian sitter og drikker øl sammen med Jonas nede i Vasagatan. Og siden jeg samarbeider med Stasi-avdelingen i Säpo, tenkte jeg du kanskje kunne være interessert i å henge deg på.»

Monica Figuerola var allerede oppe av sofaen og strakte seg etter bilnøklene.

«Du tuller ikke?»

«På ingen måte. Og Jonas har lagt et par bilnøkler på bordet foran seg.»

«Jeg er på vei.»

Malin Eriksson svarte ikke i telefonen, men Mikael Blomkvist hadde flaks og fikk tak i Lottie Karim, som akkurat da befant seg på Åhléns for å kjøpe fødselsdagspresang til mannen sin. Mikael beordret overtid og ba henne begi seg til puben så raskt som mulig som forsterkning for Henry Cortez. Deretter ringte han tilbake til Cortez.

«Her er planen. Jeg har en bil på plass utenfor i gaten om fem minutter. Vi parkerer i Järnvägsgatan nedenfor puben.»

«Greit.»

«Lottie Karim dukker opp hos deg om noen minutter som forsterkning.»

«Bra.»

«Når de går fra puben, henger du deg på Jonas. Du følger ham til fots og gir beskjed på mobilen hvor dere befinner dere. Så snart du ser ham nærme seg en bil, må vi få vite om det. Lottie tar Teleborian. Hvis vi ikke rekker frem, må du ta bilnummeret hans.»

«OK.»

Monica Figuerola parkerte ved Nordic Light Hotel utenfor Arlanda Express. Mikael Blomkvist åpnet døren på førersiden ett minutt etter at hun hadde stanset.

«Hvilken pub sitter de på?»

Mikael forklarte.

«Jeg må bestille forsterkninger.»

«Du behøver ikke bekymre deg. Vi har dem under oppsikt. Flere kokker kan bare risikere å rote til det hele.»

Monica Figuerola så mistroisk på ham.

«Og hvordan fikk du vite at dette møtet skulle finne sted?»

«Sorry. Kildebeskyttelse.»

«Har dere en eller annen egen etterretningstjeneste i Millennium?» utbrøt hun.

Mikael så fornøyd ut. Det var alltid morsomt å slå Säpo på hjemmebane.

I virkeligheten hadde han ikke den fjerneste anelse om hvordan det kunne ha seg at Erika Berger hadde ringt ham som lyn fra klar himmel og fortalt at Teleborian og Jonas skulle møtes. Hun hadde ikke hatt innsyn i det redaksjonelle arbeidet i Millennium siden 10. april. Hun visste naturligvis om Teleborian, men Jonas hadde ikke dukket opp i handlingen før i mai, og så vidt Mikael visste, hadde Erika overhodet ingen anelse om at han i det hele tatt eksisterte, og enda mindre at han var gjenstand for grublerier både i Millennium og Säpo.

Han måtte ta en skikkelig samtale med Erika Berger i den aller nærmeste fremtid.

Lisbeth Salander snurpet munnen sammen og studerte skjermen på hånddatamaskinen sin. Etter samtalen på doktor Anders Jonassons mobil hadde hun skjøvet alle på Seksjonen til side og konsentrert seg om Erika Bergers problem. Etter moden overveielse hadde hun strøket samtlig menn i gruppen 26–54 år som var gift. Hun visste at hun jobbet med veldig bred pensel, og at det neppe var noe rasjonelt statistisk, vitenskapelig resonnement som lå til grunn for beslutningen. Giftpennen kunne utvilsomt være en ektemann med fem barn og hund. Det kunne være en som arbeidet i driftsavdelingen. Det kunne til og med være en kvinne, selv om hun ikke trodde det.

Hun ville ganske enkelt få ned antall navn på listen, og med den siste avgjørelsen hadde gruppen minsket fra 48 til 18 personer. Hun konstaterte at utvalget for en stor del besto av mer betydningsfulle journalister, ledere eller mellomledere i alderen

35 pluss. Hvis hun ikke fant noe interessant blant dem, kunne hun utvide nettet igjen.

Klokken fire om ettermiddagen gikk hun inn på Hacker Republics hjemmeside og la ut listen til Plague. Han plinget på henne noen minutter senere.

<18 navn. Hva?>

<Lite biprosjekt. Se det som en treningsoppgave>

<Jaha?>

<Et av navnene tilhører en kjeltring. Finn ham>

<Hvilke kriterier?>

<Må jobbe fort. I morgen trekker de ut kontakten for meg. Må finne ham før det>

Hun forklarte situasjonen med Erika Bergers anonyme forfølger.

<Greit. Er det noen profitt i dette?>

Lisbeth Salander tenkte seg om et øyeblikk.

<Ja. Jeg kommer ikke hjem til deg og tenner på huset ditt>

<Hadde du tenkt det?>

<Jeg betaler deg hver gang jeg ber deg om å gjøre noe for meg. Dette er ikke for meg. Se det som skatteinnkreving>

<Du begynner å vise en viss sosial kompetanse>

<Nå?>

<Greit>

Hun sendte ham tilgangskoden til SMPs redaksjon og gikk ut av ICQ.

Klokken hadde rukket å bli 16.20 før Henry Cortez ringte.

«De viser tegn til å begynne å røre på seg.»

«OK. Vi er klar.»

Taushet.

«De går hver til sitt utenfor puben. Jonas går nordover. Lottie henger seg på Teleborian sørover.»

Mikael løftet en finger og pekte da han så et glimt av Jonas som passerte dem i Vasagatan. Monica Figuerola nikket. Noen sekunder senere fikk Mikael også øye på Henry Cortez. Monica Figuerola startet motoren.

«Han krysser Vasagatan og fortsetter mot Kungsgatan,» sa Henry Cortez i mobilen.

«Hold avstand så han ikke oppdager deg.»

«Ganske mye folk ute.»

Taushet.

«Han går nordover Kungsgatan.»

«Nordover Kungsgatan,» sa Mikael.

Monica Figuerola giret og svingte inn på Vasagatan. De ble sittende en stund ved rødt lys.

«Hvor er dere?» spurte Mikael da de svingte inn i Kungsgatan.

«Utenfor PUB. Han går fort. Hallo, han går inn på Drottninggatan og fortsetter nordover.»

«Drottninggatan nordover,» sa Mikael.

«OK,» sa Monica Figuerola og tok en ulovlig sving over til Klara Norra og kjørte frem til Olof Palmes gata. Hun svingte inn og bremset opp foran SIF-huset. Jonas krysset Olof Palmes gata og gikk opp mot Sveavägen. Henry Cortez fulgte etter på den andre siden av gaten.

«Han svinger østover ...»

«Det er greit. Vi ser dere, begge to.»

«Han svinger inn i Holländargatan ... *Hallo* ... Bil. Rød Audi.»

«Bil,» sa Mikael og noterte nummeret som Cortez ramset opp i full fart.

«I hvilken retning står den parkert?» spurte Monica Figuerola.

«Fronten mot sør,» rapporterte Cortez. «Han kommer ut foran dere i Olof Palmes gata ... nå.»

Monica Figuerola var allerede i bevegelse. Hun tutet og viftet unna et par fotgjengere som forsøkte å gå på rødt.

«Takk, Henry. Vi tar ham herfra.»

Den røde Audien kjørte sørover på Sveavägen. Monica Figuerola fulgte etter samtidig som hun åpnet mobilen med venstre hånd og slo et nummer.

«Kan jeg få sjekket et bilnummer, rød Audi,» sa hun og ramset opp nummeret som Henry Cortez hadde gitt dem.

«Jonas Sandberg, født -71. Hva sa du ... Helsingörsgatan, Kista. Takk.»

Mikael noterte opplysningene som Monica Figuerola fikk.

De fulgte den røde Audien via Hamngatan til Strandvägen og deretter rett opp på Artillerigatan. Jonas Sandberg parkerte et kvartal fra Armémuseum. Han krysset gaten og forsvant inn i en gård fra århundreskiftet.

«Hmm,» sa Monica Figuerola og skottet bort på Mikael.

Han nikket. Jonas Sandberg hadde kjørt til et hus som lå et kvartal fra den leiligheten som statsministeren hadde lånt til et privat møte.

«Bra jobba,» sa Monica Figuerola.

I samme øyeblikk ringte Lottie Karim og fortalte at doktor Peter Teleborian hadde spasert opp til Klarabergsgatan via rulletrappene på sentralstasjonen og deretter fortsatt til politihuset på Kungsholmen.

«Politihuset. Klokken 17.00 en lørdag kveld?» sa Mikael undrende.

Monica Figuerola og Mikael Blomkvist så på hverandre. Monica tenkte intenst i noen sekunder. Så tok hun mobilen og ringte kriminalbetjent Jan Bublanski.

«Hei. Monica, RPS/Säk. Det var meg du møtte på Norr Mälarstrand for en tid tilbake.»

«Hva vil du?» sa Bublanski.

«Har du noen på vakt i helgen?»

«Sonja Modig,» sa Bublanski.

«Jeg trenger å få utført en tjeneste. Vet du om hun oppholder seg i politihuset?»

«Det tviler jeg på. Det er lørdag kveld og strålende vær.»

«OK. Kan du forsøke å få tak i henne eller en annen tilknyttet saken som kan gjøre seg et ærend til den korridoren hvor statsadvokat Richard Ekström har kontoret sitt? Jeg lurer på om det er et møte hos ham akkurat nå.»

«Møte?»

«Jeg har ikke tid til å forklare. Jeg skulle gjerne fått vite om han har et møte med noen akkurat nå. Og i så fall med hvem.»

«Du vil at jeg skal spionere på en statsadvokat som er min overordnede?»

Monica Figuerola hevet øyenbrynene. Deretter trakk hun på skuldrene.

«Ja,» sa hun.

«Greit,» sa han og la på røret.

Sonja Modig befant seg faktisk nærmere politihuset enn Bublanski hadde trodd. Hun satt sammen med mannen sin og drakk kaffe på balkongen hos en venninne som bodde i Vasagatan. De hadde barnefri, siden Sonjas foreldre hadde tatt med seg ungene på en ukes ferie, og hadde tenkt å gjøre noe så gammelmodig som å gå ut og spise litt og så gå på kino.

Bublanski forklarte hva det gjaldt.

«Og hva slags påskudd skal jeg ha for å komme snublende inn til Ekström?»

«Jeg hadde lovet å sende ham en oppdatering om Niedermann i går, men jeg glemte faktisk å legge den inn til ham før jeg gikk. Den ligger på skrivebordet mitt.»

«Greit,» sa Sonja Modig.

Hun så på mannen og sin venninne.

«Jeg må innom *Huset*. Jeg låner bilen, og med litt flaks er jeg tilbake om en time.»

Mannen hennes sukket. Venninnen sukket.

«Jeg har faktisk vakt denne helgen,» unnskyldte hun seg.

Hun parkerte bilen i Bergsgatan og dro opp til Bublanskis kontor og hentet de tre A4-arkene som utgjorde det magre resultatet av spaningene etter den etterlyste politimorderen Ronald Niedermann. *Ikke stort å henge på juletreet*, tenkte hun.

Deretter gikk hun ut i trappeoppgangen og en etasje opp. Hun stoppet ved døren inn til korridoren. Politihuset var nesten ødslig tomt denne sommerkvelden. Hun listet seg ikke. Hun gikk bare veldig stille. Hun stanset utenfor den lukkede døren til Ekström. Hun hørte stemmer og bet seg i underleppen.

Plutselig holdt motet på å svikte henne, og hun følte seg tåpelig. I alle normale situasjoner ville hun ha banket på døren, åpnet den og sagt overrasket: *Hallo, jaså du er her ennå,* og seilt inn. Nå føltes det feil.

Hun så seg rundt.

Hvorfor hadde Bublanski ringt henne? Hva dreide møtet seg om?

Hun skottet over på den andre siden av gangen. Rett overfor Ekströms kontor var det et lite møterom med plass til ti personer. Hun hadde selv sittet der i diverse rapportmøter.

Hun gikk på møterommet og lukket døren forsiktig. Persiennene var for, og glassveggen ut mot korridoren var dekket av gardiner. Det var halvmørkt i rommet. Hun trakk frem en stol og satte seg og brettet opp gardinen så hun fikk en smal glipe ut mot korridoren.

Hun følte seg nokså beklemt. Hvis noen åpnet døren, ville hun få store problemer med å forklare hva hun gjorde der. Hun tok frem mobilen og så på klokken på displayet. Litt på seks. Hun satte den på lydløs, lente seg tilbake mot stolryggen og betraktet den lukkede døren til Ekströms kontor.

Klokken syv plinget Plague på Lisbeth Salander.

<Greit. Jeg er admin for SMP>

<Hvor?>

Han sendte over en http-adresse.

<Vi kommer ikke til å rekke dette på 24 timer. Selv om vi har e-post-området til alle 18, kommer det til å ta flere dager å hacke hjemmemaskinene deres. De er antagelig ikke engang inne på nettet en lørdagskveld>

<Plague, du konsentrerer deg om hjemmemaskinene, så tar jeg SMP-maskinene>

<Jeg tenkte vel det. Håndmaskinen din er litt begrenset. Noen du vil jeg skal konsentrere meg om?>

<Nei. Hvem som helst av dem.>

<OK>

<Plague>

<Ja>

<Hvis vi ikke har funnet noen til i morgen, vil jeg at du skal fortsette>

<Greit>
<I så fall skal jeg betale deg>
<Blås. Dette er bare gøy>

Hun koblet ut ICQ og gikk til den http-adressen hvor Plague hadde lastet ned alle administratorrettigheter for SMP. Hun begynte med å sjekke om Peter Fleming var logget på og til stede i SMP. Det var han ikke. Dermed lånte hun rettighetene hans og gikk inn på SMPs mailserver. Der kunne hun lese alle aktiviteter som noensinne hadde foregått på e-post, også mailer som for lengst var slettet fra de personlige områdene.

Hun begynte med Ernst Teodor Billing, 43 år, en av nattsjefene i SMP. Hun åpnet e-posten hans og begynte å klikke seg bakover i tid. Hun brukte cirka to sekunder på hver mail, tilstrekkelig til at hun skulle få en forståelse av hvem som hadde sendt den og hva den inneholdt. Etter noen minutter hadde hun lært seg hva som var rutinepost i form av dag-memoer, tidsplaner og annet uinteressant. Hun begynte å skrolle forbi disse.

Hun gjennomgikk mail for mail tre måneder bakover i tid. Deretter hoppet hun måned for måned, leste bare overskriftene og åpnet bare de mailene hvor det var noe hun reagerte på. Hun fant ut at Ernst Billing pleide omgang med en kvinne som het Sofia og som han brukte en lite hyggelig tone overfor. Hun konstaterte at dette ikke var noe særlig å legge vekt på, siden Billing brukte en lite hyggelig tone mot de fleste han skrev noe personlig til – journalister, designere og andre. Hun syntes likevel det var besynderlig at en mann brukte ord som *jævla fleskeberg, jævla hønsehjerne* eller *jævla fitte* med så stor selvfølgelighet på sin venninne.

Da hun hadde gått et år tilbake i tid, avbrøt hun letingen. Isteden gikk hun inn på Explorer og begynte å kartlegge hva han surfet på på nettet. Hun noterte seg at han, som flertallet av menn i hans aldersgruppe, med jevne mellomrom var innom pornosider, men at mesteparten av surfingen så ut til å være jobbrelatert. Hun konstaterte også at han hadde en viss interesse for biler og ofte besøkte nettsteder hvor det ble vist nye bilmodeller.

Etter å ha rotet en drøy time lukket hun Billings område og strøk ham fra listen. Hun gikk videre til Lars Örjan Wollberg, 51 år og veteranjournalist i rettsredaksjonen.

Torsten Edklinth kom inn til politihuset på Kungsholmen ved halv åttetiden lørdag kveld. Monica Figuerola og Mikael Blomkvist ventet på ham. De satt ved det samme møtebordet som Blomkvist hadde sittet ved dagen før.

Edklinth konstaterte at han var ute på meget tynn is, og at diverse interne regler var blitt brutt ved at Blomkvist hadde fått tilgang til lokalene. Monica Figuerola hadde definitivt ikke anledning til å invitere ham inn på egen hånd. Vanligvis fikk ikke engang koner eller ektemenn lov til å komme inn i de hemmelige korridorene i RPS/Säk – de måtte pent vente ute i oppgangen hvis de skulle møte sin ektefelle. Og Blomkvist var til alt overmål journalist. For fremtiden ville ikke Blomkvist få adgang til annet enn de midlertidige lokalene ved Fridhemsplan.

Men på den annen side fikk jo utenforstående lov til å farte rundt i korridorene etter spesiell invitasjon. Utenlandske gjester, forskere, akademikere, midlertidige konsulenter ... han plasserte Blomkvist i kategorien midlertidige konsulenter. Alt dette maset med sikkerhetsklarering var tross alt bare ord. Én person avgjorde at en annen person skulle tildeles et visst klareringsnivå. Og Edklinth hadde bestemt seg for at hvis det oppsto kritikk, ville han hevde at han personlig hadde gitt Blomkvist sikkerhetsklarering.

Hvis ikke alt skar seg, da. Edklinth satte seg og så på Figuerola.

«Hvordan fikk du rede på møtet?»

«Blomkvist ringte meg ved firetiden,» svarte hun med et smil.

«Og hvordan fikk du rede på møtet?»

«Tips fra en kilde,» sa Mikael Blomkvist.

«Skal jeg trekke den slutningen at du driver med en eller annen form for overvåkning av Teleborian?»

Monica Figuerola ristet på hodet.

«Det var det første som slo meg også,» sa hun muntert, som om Mikael Blomkvist overhodet ikke befant seg i rommet. «Men det holder ikke. Selv om noen skygger Teleborian på oppdrag fra Blomkvist, ville ikke denne personen kunnet vite på forhånd at han skulle møte nettopp Jonas Sandberg.»

Edklinth nikket langsomt.

«Så ... hva gjenstår? Ulovlig avlytting eller noe?»

«Jeg kan forsikre deg at jeg ikke driver med ulovlig avlytting av noen, og overhodet ikke har hørt snakk om at det skulle foregå noe slikt,» sa Mikael Blomkvist for å minne om at han faktisk var til stede i rommet. «Vær realistisk. Ulovlig avlytting er slikt som statlige myndigheter driver med.»

Edklinth snurpet munnen sammen.

«Du vil altså ikke fortelle hvor du fikk tak i opplysningen om møtet.»

«Jo. Jeg har allerede fortalt det. Tips fra en kilde. Kilden har krav på beskyttelse. Hva om vi konsentrerer oss om fruktene av tipset?»

«Jeg liker ikke løse tråder,» sa Edklinth. «Men OK. Hva vet vi?»

«Han heter Jonas Sandberg,» sa Monica Figuerola. «Utdannet som marinejeger og gikk på politiskolen i begynnelsen av 1990-årene. Jobbet først i Uppsala og deretter i Södertälje.»

«Du kommer fra Uppsala.»

«Ja, men det er et år eller to mellom oss. Jeg begynte der omtrent samtidig som han dro til Södertälje.»

«Greit.»

«Han ble rekruttert til RPS/Säk, kontraspionasjen, i 1998. Ble omplassert til et hemmelig oppdrag i utlandet i 2000. Han befinner seg ifølge våre egne papirer ved ambassaden i Madrid. De aner imidlertid ikke hvem Jonas Sandberg er.»

«Akkurat som med Mårtensson. Offisielt overflyttet til et sted hvor han ikke er.»

«Det er bare administrasjonssjefen som har mulighet til gjøre sånt som dette systematisk og få det til å fungere.»

«Og vanligvis ville det bare bli avfeid som slurv i papirarbeidet. Vi oppdager det fordi vi ser spesielt på det. Og hvis noen skulle begynne å mase, sier man bare *Hemmelig,* eller at det har noe med terrorisme å gjøre.»

«Det er fremdeles en god del budsjettarbeid å gå løs på.»

«Budsjettsjefen?»

«Kanskje.»

«Greit. Mer?»

«Jonas Sandberg er bosatt i Sollentuna. Han er ugift, men har barn med en lærerinne i Södertälje. Ingen anmerkninger i protokollen. Våpenlisens for to håndvåpen. Skikkelig og ordentlig og avholdsmann. Det eneste litt pussige er at han ser ut til å være troende, og var med i Livets Ord i 1990-årene.»

«Hvor har du fått det fra?»

«Jeg har pratet med den gamle sjefen min i Uppsala. Han husker Sandberg meget godt.»

«OK. En kristen marinejeger med to skytevåpen og en unge i Södertälje. Mer?»

«Vi identifiserte ham for drøyt tre timer siden. Dette er faktisk ganske mye på så kort tid.»

«Unnskyld. Hva vet vi om huset i Artillerigatan?»

«Ikke så mye ennå. Stefan måtte få tak i en eller annen fra byplankontoret. Vi har tegninger av huset. Leiegård fra forrige århundreskifte. Seks etasjer med til sammen toogtyve leiligheter pluss åtte leiligheter i et lite hus i den indre gården. Jeg har slått opp leieboerne, men finner ikke noe bemerkelsesverdig. To av dem som bor i huset er straffedømt.»

«Hvem?»

«En Lindström i første etasje. 63 år. Dømt for forsikringssvindel i 1970-årene. En Wittfelt i tredje etasje. 47 år. Dømt to ganger for vold mot sin tidligere kone.»

«Hmm.»

«De som bor der, representerer et bredt utvalg av middelklassen. Det er bare én leilighet man kan sette spørsmålstegn ved.»

«Hva?»

«Leiligheten på toppen. Elleve rom og litt av en praktleilighet. Den eies av et firma som heter Bellona AB.»

«Og hva driver de med?»

485

«Gudene vet. De utfører markedsanalyser og har en omsetning på drøyt tredve millioner kroner årlig. Alle eierne i Bellona er bosatt i utlandet.»

«Aha.»

«Hva for noe aha?»

«Bare aha. Gå videre med Bellona.»

I samme øyeblikk kom den tjenestemannen som Mikael bare kjente som Stefan, inn gjennom døren.

«Hei, sjef,» hilste han på Torsten Edklinth. «Dette er gøy. Jeg har sjekket historien til Bellonas leilighet.»

«Og?» sa Monica Figuerola.

«Selskapet Bellona ble stiftet i 1970-årene og kjøpte leiligheten fra dødsboet til den tidligere eieren, en kvinne ved navn Kristina Cederholm, født 1917.»

«Jaha?»

«Hun var gift med Hans Wilhelm Francke, cowboyen som kranglet med P.G. Vinge da RPS/Säk ble grunnlagt.»

«Bra,» sa Torsten Edklinth. «Meget bra. Monica, jeg vil ha full overvåkning av leiligheten døgnet rundt. Finn ut hvilke telefoner som befinner seg der. Jeg vil vite hvem som går ut og inn av huset, hvilke biler som skal til adressen. Det vanlige.»

Edklinth skottet bort på Mikael Blomkvist. Han så ut som om han hadde tenkt å si noe, men tok seg i det. Mikael hevet øyenbrynene.

«Er du tilfreds med informasjonsutvekslingen?» spurte Edklinth til slutt.

«Helt i orden. Er du tilfreds med Millenniums bidrag?»

Edklinth nikket langsomt.

«Du er klar over at jeg kan få et helvete på grunn av dette?» sa han.

«Ikke fra min side. Jeg betrakter de opplysningene jeg får her, som underlagt kildebeskyttelse. Jeg kommer til å gjengi fakta, men ikke fortelle hvor jeg har dem fra. Før jeg går i trykken, kommer jeg til å ha et formelt intervju med deg. Hvis du ikke vil svare, sier du bare *Ingen kommentar.* Eller så kan du gå ut og fortelle hva du synes om Seksjonen for særskilte analyser. Det avgjør du selv.»

Edklinth nikket.

Mikael var fornøyd. I løpet av noen timer hadde Seksjonen plutselig fått fysisk form. Det var et virkelig gjennombrudd.

Sonja Modig måtte frustrert konstatere at møtet på statsadvokat Ekströms kontor trakk ut i tid. Hun hadde funnet en igjenglemt flaske Loka mineralvann på møtebordet. Hun hadde ringt mannen sin to ganger og meldt at hun ble forsinket, og lovet å gjøre det godt igjen med en hyggelig kveld så fort hun kom hjem. Hun begynte å bli rastløs og følte seg som en inntrenger.

Først omkring halv åtte var møtet over. Hun var helt uforberedt da døren gikk opp og Hans Faste kom ut i korridoren. Han ble umiddelbart etterfulgt av doktor Peter Teleborian. Deretter kom en eldre gråhåret mann som Sonja Modig aldri hadde sett før. Til slutt kom statsadvokat Ekström, som tok på seg jakken samtidig som han slukket taklampen og låste døren.

Sonja Modig løftet mobilen opp til glipen i gardinen og tok to lavoppløselige bilder av forsamlingen utenfor kontoret til Ekström. Det gikk noen sekunder før de satte seg i bevegelse bortover korridoren.

Hun holdt pusten da de gikk forbi møterommet hvor hun hadde huket seg sammen. Hun oppdaget at hun kaldsvettet da hun endelig hørte døren ut til oppgangen slå igjen. Hun reiste seg, matt i knærne.

Bublanski ringte Monica Figuerola litt over klokken åtte om kvelden.

«Du ville vite om Ekström hadde noe møte.»

«Ja,» sa Monica Figuerola.

«Det ble nettopp avsluttet. Ekström hadde møte med doktor Peter Teleborian og min tidligere medarbeider kriminalbetjent Hans Faste, samt en eldre person som vi ikke kjenner igjen.»

«Et øyeblikk,» sa Monica Figuerola, la hånden over telefonen og snudde seg mot de andre. «Innskytelsen har båret frukter. Teleborian dro direkte til statsadvokat Ekström.»

«Er du der?»

«Unnskyld. Har vi noe signalement på den ukjente tredje mannen?»

«Bedre enn som så. Jeg sender over et bilde av ham.»

«Bilde. Flott, jeg skylder deg en stor tjeneste.»

«Det ville hjelpe litt hvis vi fikk vite hva det er som foregår.»

«Jeg kommer tilbake.»

De satt tause rundt møtebordet et minutt eller to.

«Jaha,» sa Edklinth til slutt. «Teleborian møter Seksjonen og drar deretter direkte til statsadvokat Ekström. Jeg skulle gitt en god del for å få vite hva som var oppe til diskusjon.»

«Du kan jo spørre meg,» foreslo Mikael Blomkvist.

Edklinth og Figuerola stirret på ham.

«De møttes for å finslipe detaljene i strategien for hvordan de skal få tatt knekken på Lisbeth Salander i rettssaken mot henne om en måned.»

Monica Figuerola så på ham. Så nikket hun langsomt.

«Det er en antagelse,» sa Edklinth. «Med mindre du har paranormale evner.»

«Det er ingen antagelse,» sa Mikael. «De møttes for å gå igjennom detaljene i den rettspsykiatriske granskningsrapporten om Salander. Teleborian har nettopp skrevet den ferdig.»

«Tøv. Salander er ikke engang blitt undersøkt.»

Mikael Blomkvist trakk på skuldrene og åpnet databagen sin.

«Den slags har ikke hindret Teleborian tidligere. Her er den siste versjonen av den rettspsykiatriske rapporten. Som dere kan se, er den datert samme uken som rettssaken skal begynne.»

Edklinth og Figuerola stirret på papirene foran seg. Til slutt kikket de langsomt på hverandre og deretter på Mikael Blomkvist.

«Og hvor har du fått tak i den der?» spurte Edklinth.

«Sorry. Kildebeskyttelse,» sa Mikael Blomkvist.

«Blomkvist ... vi må kunne stole på hverandre. Du holder tilbake informasjon. Har du flere overraskelser av dette slaget?»

«Ja. Selvfølgelig har jeg hemmeligheter. Akkurat som jeg er

overbevist om at du ikke har gitt meg carte blanche til å se på alt dere har her inne på Säpo. Eller hva?»

«Det er ikke det samme.»

«Jo. Det er nøyaktig det samme. Denne ordningen innebærer et samarbeid. Akkurat som du sier, må vi stole på hverandre. Jeg skjuler ingenting som kan bidra til din etterforskning for å kartlegge Seksjonen eller identifisere forskjellige lovbrudd som er blitt begått. Jeg har allerede overlevert materiale som viser at Teleborian begikk lovbrudd sammen med Björck i 1991, og jeg har sagt at han ville bli kontaktet for å gjøre det samme nå. Og her er dokumentasjonen som viser at det forholder seg slik.»

«Men du har hemmeligheter.»

«Selvfølgelig. Enten får du avbryte samarbeidet eller leve med det.»

Monica Figuerola stakk en diplomatisk finger i været.

«Unnskyld meg, men betyr dette at statsadvokat Ekström arbeider for Seksjonen?»

Mikael rynket øyenbrynene.

«Det vet jeg ikke. Jeg har mer en følelse av at han er en nyttig idiot som Seksjonen bruker. Han er karrierejeger, men jeg oppfatter ham som hederlig, men litt dum. Derimot har en kilde fortalt at han svelget det meste som Teleborian fortalte om Lisbeth Salander under en gjennomgang som ble holdt på den tiden da hun var ettersøkt.»

«Det skal ikke mye til for å manipulere ham, mener du?»

«Nettopp. Og Hans Faste er en idiot som tror at Lisbeth Salander er en lesbisk satanist.»

Erika Berger satt alene hjemme i villaen i Saltsjöbaden. Hun følte seg paralysert og ute av stand til å konsentrere seg om noe fornuftig arbeid. Hele tiden satt hun og ventet på at noen skulle ringe og fortelle at bilder av henne lå ute på et eller annet nettsted.

Hun tok seg gang på gang i å tenke på Lisbeth Salander, og innså at hun nok hadde overdrevne forhåpninger til henne. Salander var innesperret på Sahlgrenska. Hun hadde besøks-forbud og fikk ikke engang lese aviser. Men hun var en merkverdig ressurssterk dame. Til tross for isoleringen hadde hun klart å kontakte Erika på ICQ og deretter på telefon. Og hun hadde egenhendig tilintetgjort Wennerströms imperium og reddet Millennium to år tidligere.

Klokken halv åtte om kvelden banket Susanne Linder på døren. Erika rykket til som om noen skulle ha avfyrt et pistolskudd inne i rommet.

«Hallo, Berger. Her sitter du i mørket og ser dyster ut.»

Erika nikket og tente lampene.

«Hei. Jeg skal sette på litt kaffe ...»

«Nei. La meg gjøre det. Har det skjedd noe nytt?»

Jada. Lisbeth Salander har gitt lyd fra seg og tatt kontroll over PC-en min. Og ringt om at Teleborian og en som heter Jonas skulle møtes på sentralstasjonen i ettermiddag.

«Nei. Ikke noe nytt,» sa hun. «Men jeg har noe jeg gjerne skulle prøve ut på deg.»

«OK.»

«Hva tror du om at det muligens ikke er en stalker, men en eller annen i min bekjentskapskrets som vil lage problemer for meg?»

«Hva er forskjellen?»

«En stalker er for meg en ukjent person som er blitt sykelig opptatt av meg. Den andre varianten er en person som vil hevne seg på meg eller sabotere tilværelsen for meg av personlige grunner.»

«Interessant tanke. Hvordan har den oppstått?»

«Jeg ... diskuterte situasjonen med en person i dag. Jeg kan ikke navngi henne, men hun påsto at trusler fra en ekte stalker ville vært annerledes. Og fremfor alt at en stalker aldri ville ha skrevet de mailene til Eva Carlsson på kulturavdelingen. Det er en helt irrelevant handling.»

Susanne Linder nikket langsomt.

«Det ligger noe der. Vet du, jeg har faktisk ikke lest de mailene det dreier seg om. Kan jeg få se dem?»

Erika hentet frem laptopen sin og satte den på kjøkkenbordet.

*

Monica Figuerola eskorterte Mikael Blomkvist ut fra politihuset ved titiden om kvelden. De stoppet opp på samme sted i Kronobergsparken som dagen før.

«Så var vi her igjen. Har du tenkt å stikke av for å jobbe, eller vil du bli med meg hjem og ha sex?»

«Tja ...»

«Mikael, du trenger ikke føle deg presset av meg. Hvis du har behov for å jobbe, så gjør det.»

«Jeg skal si deg en ting, Figuerola, du er jævlig avhengighetsskapende.»

«Og du vil ikke være avhengig av noe. Er det det du mener?»

«Nei. Ikke på den måten. Men jeg har en person jeg er nødt til å snakke med i natt, og det kommer til å ta en stund. Så før jeg er ferdig, har du helt sikkert sovnet.»

Hun nikket.

«Vi sees.»

Han kysset henne på kinnet og gikk opp til bussholdeplassen på Fridhemsplan.

«Blomkvist,» ropte hun.

«Hva?»

«Jeg har fri i morgen tidlig også. Kom innom og spis frokost hvis du får tid.»

KAPITTEL 21

Lørdag 4. juni–mandag 6. juni

Lisbeth Salander fikk en masse illevarslende vibrasjoner da hun gikk løs på nyhetssjef Anders Holm. Han var 58 år og falt dermed egentlig utenfor gruppen, men Lisbeth hadde tatt ham med likevel, siden han og Erika Berger hadde vært i tottene på hverandre. Han var en intrigemaker som skrev mail til forskjellige personer og fortalte at en eller annen hadde gjort en elendig jobb.

Lisbeth konstaterte at Holm ikke likte Erika Berger og at han brukte adskillig plass til å komme med kommentarer om at nå har *kvinnfolket* sagt dette eller gjort hint. På nettet surfet han utelukkende på jobbrelaterte sider. Hvis han hadde andre interesser, syslet han med dem på fritiden og på en annen maskin.

Hun beholdt ham som kandidat til rollen som giftpenn, men han var ikke særlig sannsynlig. Lisbeth grublet en stund på hvorfor hun ikke trodde på ham, og kom frem til at Holm var så jævla bøllete at han ikke behøvde å gå omveien om anonyme mailer. Hvis han hadde lyst til å kalle Erika Berger hore, ville han gjøre det åpenlyst. Og han føltes ikke som den typen som ville ta seg bryet med å snike seg inn i huset hennes midt på natten.

Ved titiden tok hun en pause og gikk inn på [Toskete_Bord] og konstaterte at Mikael Blomkvist ennå ikke hadde dukket opp. Hun følte en svak irritasjon og lurte på hva han holdt på med og om han hadde rukket frem til Teleborians møte.

Deretter gikk hun tilbake til SMPs server.

Hun gikk til neste navn på listen, som var redaksjonssekretær i sporten, Claes Lundin, 29. Hun hadde nettopp åpnet e-post-området hans da hun stoppet opp og bet seg i underleppen. Hun lukket Lundin og gikk isteden til Erika Bergers e-post.

Hun skrollet bakover i tiden. Det var en forholdsvis kort innholdsliste, siden e-postkontoen hennes ble åpnet den 2. mai. Den aller første mailen var et morgen-memo som var sendt ut av redaksjonssekretær Peter Fredriksson. I løpet av den første dagen hadde flere personer sendt henne mailer og ønsket henne velkomme til SMP.

Lisbeth leste grundig gjennom hver eneste mail som hadde kommet til Erika Berger. Hun kunne se at det allerede fra dag én hadde vært en fiendtlig undertone i korrespondansen med nyhetssjef Anders Holm. Det virket ikke som om de kunne samarbeide på ett eneste område, og Lisbeth konstaterte at Holm gjorde situasjonen vanskeligere for henne ved å sende to–tre mailer om selv de minste bagateller.

Hun hoppet over reklame, spam og rene nyhetsmemoer. Hun konsentrerte seg om alle former for personlig korrespondanse. Hun leste interne budsjettkalkyler, resultater fra annonse- og markedsavdelingen, en mail-utveksling med økonomidirektør Christer Sellberg, som strakte seg over en uke og som nærmest måtte betegnes som en kjempekrangel om nedskjæringer i staben. Hun fikk irriterte mailer fra sjefen for rettsredaksjonen om en eller annen vikar ved navn Johannes Frisk, som han mislikte at Erika Berger åpenbart hadde satt til å jobbe på en eller annen sak. Bortsett fra de første velkomstmailene, virket det ikke som om en eneste av medarbeiderne på ledernivå så noe som helst positivt i noen av Erikas forslag.

Etter en stund skrollet hun tilbake til starten og foretok en statistisk beregning i hodet. Hun konstaterte at av alle høyere ledere i SMP som hadde nærmere kontakt med Erika, var det bare fire personer som ikke var opptatt med å underminere stillingen hennes. Det var styreformann Borgsjö, redaksjonssekretær Peter Fredriksson, sjefen for ledersiden, Gunnar Magnusson, og sjefen for kultursiden, Sebastian Strandlund.

Hadde de ikke hørt om kvinner i SMP? Alle lederne var jo menn.

Den personen som Erika Berger hadde minst med å gjøre,

var sjefen for kultursiden. I løpet av hele den tiden Erika hadde arbeidet der, hadde hun bare utvekslet to mailer med Sebastian Strandlund. De vennligste og klart mest sympatiske mailene kom fra lederredaktør Magnusson. Borgsjö var knapp og kontant. Alle de andre lederne drev åpenlyst med krypskyttervirksomhet.

Hvorfor i helvete har denne gruppen ansatt Erika Berger, når det eneste de driver med, er å slite henne i filler?

Den personen hun så ut til å ha mest med å gjøre, var redaksjonssekretær Peter Fredriksson. Han var oppført som skygge for å delta på alle møtene. Han forberedte notater, briefet Erika om forskjellige artikler og problemer og fikk fart i arbeidet.

Han utvekslet mailer med Erika et dusin ganger om dagen.

Lisbeth samlet sammen alle Peter Fredrikssons mailer til Erika og leste dem én etter én. Flere ganger hadde han innvendinger mot en eller annen beslutning som Erika hadde fattet. Han redegjorde for bakgrunnen. Det virket som om Erika hadde tillit til ham, siden hun ofte endret beslutninger eller aksepterte resonnementene hans. Han var aldri fiendtlig. Derimot fantes det ikke den minste antydning til noe personlig forhold til Erika.

Lisbeth lukket Erika Bergers e-postkonto og tenkte seg om en liten stund.

Så åpnet hun Peter Fredrikssons konto.

Plague hadde uten større hell fiklet med hjemmemaskinene til diverse medarbeidere i SMP hele kvelden. Han klarte å komme seg inn hos nyhetssjef Anders Holm, siden han hadde en åpen linje til skrivebordet på jobben, slik at han når som helst på døgnet kunne gå inn og styre arbeidet. Holms hjemmemaskin var en av de kjedeligste Plague noensinne hadde hacket. Derimot hadde han mislyktes med resten av de atten navnene på den listen som Lisbeth Salander hadde gitt ham. En medvirkende årsak var at ingen av de personene han forsøkte seg hos, var online på lørdagskvelden. Han hadde vagt begynt å gå lei av den umulige oppgaven da Lisbeth Salander plinget på ham halv elleve om kvelden.

<Hva?>

<Peter Fredriksson>

<Greit>

<Blås i de andre. Konsentrer deg om ham>

<Hvorfor?>

<En følelse>

<Det kommer til å ta tid>

<Det finnes en snarvei. Fredriksson er redaksjonssekretær og jobber med et program som heter Integrator for å kunne holde oversikt over hva som skjer i maskinen hans hjemmefra>

<Jeg vet ingenting om Integrator>

<Lite program som kom for et par år siden. Helt ute igjen nå. Integrator har et virus. Finnes i arkivet til Hacker Republic. Teoretisk kan du snu programmet og gå inn i hjemmemaskinen hans fra jobben>

Plague sukket. Hun som en gang hadde vært eleven hans, hadde nå bedre oversikt enn ham.

<OK. Skal prøve>

<Hvis du finner noe – gi det til Kalle Blomkvist hvis jeg ikke er online lenger>

Mikael Blomkvist var tilbake i Lisbeth Salanders leilighet i Mosebacke litt før tolv. Han var trett og begynte med å dusje og sette på kaffetrakteren. Deretter åpnet han Lisbeth Salanders datamaskin og plinget på henne på ICQ.

<Det var på tide>

<Sorry>

<Hvor har du vært de siste døgnene>

<Hatt sex med en hemmelig agent. Og jaktet på Jonas>

<Rakk du frem til møtet?>

<Ja. Du tipset Erika???>

<Eneste måten å nå deg på>

<Smart>

<Jeg blir flyttet til arresten i morgen>

<Jeg vet det>

<Plague kommer til å hjelpe til med nettet>

<Utmerket>

<Da gjenstår bare finalen>
Mikael nikket for seg selv.
<Sally … vi kommer til å gjøre det vi skal>
<Jeg vet det. Du er forutsigbar>
<Du er som alltid et sjarmtroll>
<Er det noe mer jeg bør vite?>
<Nei>
<I så fall har jeg en del siste oppgaver på nettet>
<Greit. Ha det bra>

Susanne Linder våknet med et rykk av at det pep i øreproppen hennes. Noen hadde utløst bevegelsesalarmen som hun hadde plassert i første etasje i Erika Bergers villa. Hun reiste seg opp på albuen og så at klokken var 05.23 søndag morgen. Hun gled lydløst ut av sengen, dro på seg olabukser og T-skjorte og joggesko. Hun puttet tåregasspatronen i baklommen og tok med seg fjærbatongen.

Hun gled stille forbi døren til Erika Bergers soverom og konstaterte at den var lukket, og dermed låst.

Deretter stoppet hun opp ved trappen og lyttet. Plutselig hørte hun et svakt klikk og noe som beveget seg i først etasje. Hun gikk langsomt nedover trappen, stoppet opp igjen i hallen og lyttet.

Det skrapte i stolben på kjøkkenet. Hun holdt batongen i et fast grep, gikk lydløst bort til kjøkkendøren og fikk øye på en skallet, ubarbert mann som satt ved kjøkkenbordet med et glass appelsinjuice og leste SMP. Han oppfattet at det var noen i nærheten og hevet blikket.

«Og hvem faen er du?» spurte han.

Susanne Linder slappet av og lente seg mot dørkarmen.

«Greger Backman, formoder jeg. Hei. Jeg heter Susanne Linder.»

«Jaha. Skal du slå meg i huet med batongen, eller vil du ha et glass juice?»

«Gjerne,» sa Susanne og la fra seg batongen. «Juice, altså.»

Greger Backman strakte seg etter et glass fra oppvaskstativet og skjenket opp til henne fra en juicekartong.

«Jeg jobber for Milton Security,» sa Susanne Linder. «Jeg tror det er best at din kone forklarer hvorfor jeg er her.»

Greger Backman reiste seg.

«Har det skjedd noe med Erika?»

«Din kone har det bra. Men det har vært litt ubehageligheter. Vi har forsøkt å få tak i deg i Paris.»

«Paris? Jeg har da for faen vært i Helsingfors.»

«Jaså. Beklager. Din kone trodde det var Paris.»

«Det er neste måned.»

Greger gikk mot døren.

«Soveromsdøren er låst. Du må ha en kode hvis du skal åpne den,» sa Susanne Linder.

«Kode?»

Hun ga ham de tre sifrene han skulle taste inn for å åpne soveromsdøren. Han løp opp trappen til annen etasje. Susanne Linder strakte seg over bordet og tok avisen som han hadde lagt igjen.

Klokken ti søndag morgen kom doktor Anders Jonasson inn til Lisbeth Salander.

«Hei, Lisbeth.»

«Hei.»

«Ville bare forberede deg på at politiet kommer ved lunsjtider.

«Greit.»

«Du virker ikke særlig bekymret.»

«Nei.»

«Jeg har en gave til deg.»

«Gave? Hvorfor det?»

«Du har vært en av mine mest underholdende pasienter på lenge.»

«Jaså,» sa Lisbeth Salander mistenksomt.

«Jeg har skjønt at du er opptatt av DNA og genetikk.»

«Hvem har sladret ... psykologdama, går jeg ut fra.»

Anders Jonasson nikket.

«Hvis du får det kjedelig i arresten ... her er siste skrik innenfor DNA-forskningen.»

497

Han ga henne en murstein med tittelen *Spirals – Mysteries of DNA*, forfattet av en professor Yoshito Takamura ved universitetet i Tokyo. Lisbeth Salander åpnet boken og studerte innholdsfortegnelsen.

«Stilig,» sa hun.

«En eller annen gang skulle det være interessant å få høre hvordan det har seg at du leser forskningslitteratur som jeg selv ikke skjønner.»

Så snart Anders Jonasson var ute av rommet, fant Lisbeth frem hånddatamaskinen. Siste innsats. Fra SMPs personalarkiv hadde hun funnet ut at Peter Fredriksson hadde jobbet i avisen i seks år. I løpet av den tiden hadde han vært sykmeldt i to lange perioder. To måneder i 2003 og tre måneder i 2004. Ut fra personalmappen kunne Lisbeth trekke den slutningen at det i begge tilfeller hadde vært snakk om utbrenthet. Erika Bergers forgjenger, Håkan Morander, hadde ved en anledning stilt spørsmål om hvorvidt Fredriksson virkelig kunne bli sittende som redaksjonssekretær.

Prat. Prat. Prat. Ikke noe konkret å gå på.

Kvart på tolv plinget Plague på henne.

<Hva?>

<Er du fortsatt på Sahlgrenska?>

<Gjett>

<Det er han>

<Er du sikker?>

<Han gikk inn i maskinen på jobben hjemmefra for en halvtime siden. Jeg benyttet anledningen til å gå inn i hjemmemaskinen hans. Han har bilder av Erika Berger skannet inn på harddisken.>

<Takk>

<Hun ser ganske lekker ut>

<Plague>

<Jeg vet det. Hva skal jeg gjøre?>

<Har han lagt bilder ut på nettet?>

<Ikke så vidt jeg kan se>

<Kan du minelegge maskinen hans?>

<Allerede gjort. Hvis han forsøker å maile bilder eller legge

ut noe på nettet som er større enn tjue kilobyte, kommer harddisken til å krasje.>

<Flott>

<Jeg har tenkt å sove. Passer du på deg selv nå?>

<Som alltid>

Lisbeth koblet ned ICQ. Hun kastet et blikk på klokken og innså at det snart var lunsj. Hun forfattet en rask melding som hun adresserte til yahoo-gruppen [Toskete_Bord].

[Mikael. Viktig. Ring Erika Berger umiddelbart og gi henne beskjed om at Peter Fredriksson er Giftpennen]

I samme øyeblikk som hun sendte mailen, hørte hun bevegelser ute i korridoren. Hun løftet sin Palm Tungsten T3 og kysset skjermen. Deretter slo hun den av og la den i hulrommet bak nattbordet.

«Hei, Lisbeth,» sa hennes advokat Annika Giannini fra døråpningen.

«Hei.»

«Politiet kommer og henter deg om en stund. Jeg har med klær til deg. Håper det er riktig størrelse.»

Lisbeth stirret mistenksomt på et utvalg av pene, mørke bukser og lyse bluser.

Det var to uniformerte kvinner fra göteborgpolitiet som hentet Lisbeth Salander. Advokaten hennes ble med til arresten.

Da de gikk bortover korridoren fra rommet hennes, la Lisbeth merke til at flere av personalet stirret nysgjerrig på henne. Hun nikket vennlig til dem, og noen vinket tilbake. Tilfeldigvis sto Anders Jonasson ved resepsjonen. De så på hverandre og nikket. Allerede før de hadde rukket å svinge rundt hjørnet, merket Lisbeth seg at Anders Jonasson satte seg i bevegelse mot rommet hennes.

Gjennom hele hentingen og transporten sa ikke Lisbeth Salander et eneste ord til politifolkene.

*

Mikael Blomkvist hadde slått av iBooken og sluttet og arbeide klokken syv søndag morgen. Han ble sittende en stund ved Lisbeth Salanders skrivebord og stirre tomt fremfor seg.

Deretter gikk han inn på soverommet hennes og så på den gigantiske dobbeltsengen. Etter en stund gikk han tilbake til arbeidsrommet, åpnet mobilen og ringte Monica Figuerola.

«Hei. Det er Mikael.»

«Hallo. Er du oppe allerede?»

«Jeg har nettopp sluttet å jobbe og skal gå og legge meg. Ville bare ringe og si hei.»

«Mannfolk som ringer for å si hei, har baktanker.»

Han lo.

«Blomkvist, du kan komme bort hit og sove hvis du vil.»

«Jeg kommer til å være kjedelig selskap.»

«Det venner jeg meg nok til.»

Han tok en drosje til Pontonjärgatan.

Erika Berger tilbragte søndagen i sengen sammen med Greger Backman. De lå og snakket eller halvsov. Utpå ettermiddagen kledde de på seg og gikk en lang tur ned til dampbåtbrygga og rundt tettstedet.

«SMP var et feilgrep,» sa Erika Berger da de kom hjem.

«Ikke si det. Det er tøft nå, men det visste du. Det kommer til å rette seg når du er blitt varm i trøya.»

«Det er ikke jobben. Den kan jeg takle. Det er holdningene.»

«Hmm.»

«Jeg trives ikke. Men jeg kan ikke hoppe av etter bare noen uker.»

Hun satte seg nedtrykt ved kjøkkenbordet og stirret dystert fremfor seg. Greger Backman hadde aldri før sett sin kone så motløs.

Kriminalbetjent Hans Faste møtte Lisbeth Salander for første gang ved halv etttiden på søndag da en politikvinne fra Göteborg førte henne inn på Marcus Erlanders kontor.

«Du var en vanskelig jævel å få tak i,» sa Hans Faste.

Lisbeth Salander gransket ham med et langt blikk og

500

avgjorde at han var en idiot og at hun ikke hadde tenkt å kaste bort særlig mange sekunder på hans eksistens.

«Politibetjent Gunilla Wäring blir med på transporten til Stockholm,» sa Erlander.

«Jaha,» sa Faste. «Da drar vi med en gang. Det er en god del personer som vil snakke alvor med deg, Salander.»

Erlander sa adjø til Lisbeth Salander. Hun ignorerte ham.

De hadde avgjort at de for enkelhets skyld skulle gjennomføre fangetransporten til Stockholm med bil. Gunilla Wäring kjørte. I begynnelsen av turen satt Hans Faste i passasjersetet med hodet vendt mot baksetet og forsøkte å snakke med Lisbeth Salander. Utenfor Alingsås hadde han begynt å få nakkesperre og ga opp.

Lisbeth Salander betraktet landskapet utenfor sidevinduet. Det virket som om Faste ikke eksisterte i hennes sanseverden.

Teleborian har rett. Hun er jo faen meg tilbakestående, tenkte Faste. *Det skal vi nok få forandret på i Stockholm.*

Han skottet bakover på Lisbeth Salander med jevne mellomrom og forsøkte å danne seg en oppfatning av den kvinnen han hadde jaktet på i så lang tid. Selv Hans Faste begynte å tvile da han så den spinkle jenta. Han lurte på hvor mye hun egentlig veide. Han minnet seg selv på at hun var lesbisk, og dermed ikke en ekte kvinne.

Derimot var det vel en mulighet for at det med satanismen var litt overdrevet. Hun så ikke særlig satanistisk ut.

Ironisk nok innså han at han mye heller ville ha pågrepet henne for de tre drapene som hun opprinnelig var mistenkt for, men hvor virkeligheten nå hadde innhentet etterforskningen hans. En pistol kan selv en spinkel jentunge håndtere. Nå var hun derimot pågrepet for grov legemsbeskadigelse av den øverste lederen for Svavelsjö MC, noe hun utvilsomt var skyldig i, og hvor det dessuten forelå tekniske bevis, i tilfelle hun hadde tenkt å erklære seg ikke skyldig.

Monica Figuerola vekket Mikael Blomkvist ved ettiden. Hun hadde sittet på balkongen og lest ferdig boken om antikkens gudsoppfatning mens hun hørte på Mikaels snorking fra soverommet. Det hadde vært fredelig. Da hun gikk inn og så på ham, ble hun klar over at hun var mer tiltrukket av Mikael enn hun hadde vært av noen mann på flere år.

Det var en behagelig, men urovekkende følelse. Mikael Blomkvist føltes ikke som noe stabilt innslag i tilværelsen.

Etter at han hadde våknet, gikk de ned til Norr Mälarstrand og drakk kaffe. Deretter dro hun ham med seg hjem og hadde sex med ham i det som var igjen av ettermiddagen. Han forlot henne ved syvtiden om kvelden. Hun følte savnet i samme øyeblikk som han kysset henne på kinnet og lukket ytterdøren bak seg.

Ved åttetiden søndag kveld banket Susanne Linder på hos Erika Berger. Hun skulle ikke sove hos Berger, siden Greger Backman hadde kommet hjem, så besøket var helt på siden av jobben. De få døgnene hun hadde overnattet hos Erika, hadde de kommet nær hverandre under de lange samtalene på kjøkkenet. Hun hadde oppdaget at hun likte Erika Berger veldig godt, og hun så en fortvilet kvinne som maskerte seg og dro på jobben, men som i virkeligheten var en vandrende angstklump.

Susanne Linder hadde en mistanke om at angsten ikke bare hadde med Giftpennen å gjøre. Men hun var ingen sosialarbeider, så Erika Bergers eksistensielle problemer var ikke hennes sak. Isteden kjørte hun ut til Berger bare for å hilse på og spørre om alt sto bra til. Hun fant Erika og mannen hennes i dempet og lavmælt samtale på kjøkkenet. Det virket som om de hadde tilbragt søndagen med å snakke om alvorlige ting.

Greger Backman satte på kaffe. Susanne Linder hadde vært hjemme hos dem i bare noen minutter da Erikas mobil begynte å ringe.

Erika Berger hadde svart på hver eneste telefonoppringning i løpet av dagen med en følelse av nær forestående undergang.

«Berger.»

«Hei, Ricky.»

Mikael Blomkvist. Helvete. Jeg har ikke fortalt at Borgsjö-mappen har forsvunnet.

«Hei, Micke.»

«Salander er overført fra Göteborg til arresten i Stockholm.»

«Jeg skjønner.»

«Hun har sendt en ... melding til deg.»

«Jaså?»

«Den er meget kryptisk.»

«Hva?»

«Hun sier at Giftpennen er Peter Fredriksson.»

Erika Berger ble sittende i ti sekunder uten å si noe, mens tankene raste gjennom hodet. *Umulig. Peter er ikke sånn. Salander må ta feil.*

«Noe mer?»

«Nei. Det er hele meldingen. Skjønner du hva det dreier seg om?»

«Ja.»

«Ricky, hva er det egentlig du og Lisbeth holder på med sammen? Hun ringte deg for å tipse meg om Teleborian og ...»

«Takk, Micke. Vi snakkes senere.»

Hun slo av mobilen og så på Susanne Linder med øyne som var fullstendig ville.

«Fortell,» sa Susanne Linder.

Susanne Linder opplevde motstridende følelser. Erika Berger hadde plutselig fått beskjed om at hennes redaksjonssekretær Peter Fredriksson var Giftpennen. Ordene hadde nærmest fosset ut av henne da hun fortalte det. Deretter hadde Susanne Linder spurt *hvordan* hun visste at Fredriksson var stalkeren.

Da hadde Erika Berger plutselig blitt fullstendig taus. Susanne hadde studert øynene hennes og sett hvordan noe forandret seg i sjefredaktørens holdning. Erika Berger hadde plutselig sett helt forvirret ut.

«Jeg kan ikke fortelle ...»

«Hva mener du?»

«Susanne, jeg vet at Fredriksson er Giftpennen. Men jeg kan ikke fortelle hvordan jeg har fått tak i den opplysningen. Hva skal jeg gjøre?»

«Du må fortelle meg det hvis jeg skal kunne hjelpe deg.»

«Jeg ... jeg kan ikke. Du skjønner ikke.»

Erika Berger reiste seg og stilte seg ved kjøkkenvinduet med ryggen mot Susanne Linder. Til slutt snudde hun seg igjen.

«Jeg drar hjem til den jævelen.»

«Ikke faen. Du skal ikke dra noe sted, aller minst hjem til en person som vi tror drives av et voldsomt hat mot deg.»

Erika Berger så usikker ut.

«Sett deg. Fortell hva som har skjedd. Det var Mikael Blomkvist som ringte.»

Erika nikket.

«Jeg ... har i løpet av dagen bedt en hacker gå igjennom personalets hjemme-PC-er.»

«Aha. Du har dermed formodentlig gjort deg skyldig i grov datakriminalitet. Og du vil ikke fortelle hvem hackeren er.»

«Jeg har lovet ikke å fortelle ... Det dreier seg om andre mennesker. Noen som Mikael jobber med.»

«Kjenner Blomkvist Giftpennen?»

«Nei, han bare formidlet beskjeden.»

Susanne Linder la hodet på skakke og gransket Erika Berger. Plutselig dannet det seg en assosiasjonsrekke i hodet hennes.

Erika Berger. Mikael Blomkvist. Millennium. Skumle politifolk som brøt seg inn og avlyttet Blomkvists leilighet. Susanne Linder overvåket overvåkerne. Blomkvist jobbet som besatt med en story om Lisbeth Salander.

At Lisbeth Salander var en jævel på datamaskiner, var allment kjent i Milton Security. Ingen skjønte hvor hun hadde fått kunnskapene fra, og Susanne hadde aldri hørt noe rykte om at Salander skulle være hacker. Men Dragan Armanskij hadde en gang sagt noe om at Salander leverte helt forbløffende rapporter når hun drev med personundersøkelser. En hacker ...

Men Salander ligger jo for faen på isolat i Göteborg.

Det var helt sykt.

«Er det Salander vi snakker om?» sa Susanne Linder.

Erika Berger så ut som om hun var blitt truffet av lynet.

«Jeg kan ikke diskutere hvor opplysningen kommer fra. Ikke med ett eneste ord.»

Susanne Linder fniste plutselig.

Det var Salander. Bergers bekreftelse kunne ikke ha vært tydeligere. Hun er helt ute av balanse.

Men det er jo umulig.

Hva faen er det egentlig som foregår?

Lisbeth Salander skulle altså ha påtatt seg å finne ut hvem Giftpennen var mens hun satt i fangenskap. Fullstendig galskap.

Susanne Linder tenkte intenst.

Hun ante ikke hva som var hva i historien om Lisbeth Salander. Hun hadde truffet henne kanskje fem ganger i løpet av de årene hun arbeidet i Milton Security, og hadde aldri vekslet så mye som ett personlig ord med henne. Hun oppfattet Salander som en mutt og sosialt avvisende person med et så hardt skall at ikke engang et slagbor ville kommet igjennom. Men siden Susanne Linder hadde respekt for Armanskij, gikk hun ut fra at han hadde sine gode grunner for sin holdning overfor den mutte jenta.

Giftpennen er Peter Fredriksson.

Kunne hun ha rett? Fantes det noen bevis?

Susanne Linder brukte deretter to timer på å avhøre Erika Berger om alt hun visste om Peter Fredriksson, hvilken rolle han hadde i SMP og hvordan forholdet mellom dem hadde vært under hennes ledelse. Hun ble ikke noe klokere av svarene.

Erika Berger hadde vært frustrert og usikker. Hun hadde vekslet mellom lyst til å dra hjem til Fredriksson og konfrontere ham, og tvil om at det virkelig kunne være riktig. Til slutt hadde Susanne Linder overbevist henne om at hun ikke kunne styrte inn hos Peter Fredriksson og slynge ut anklager – hvis han var uskyldig, ville Berger fremstå som komplett idiot.

Dermed hadde Susanne Linder lovet å se nærmere på saken. Det var et løfte hun angret i samme øyeblikk som hun uttalte det, siden hun ikke hadde den fjerneste anelse om hvordan hun skulle gå frem.

Men nå parkerte hun sin brukte Fiat Strada så nær Peter Fredrikssons leiegård i Fisksätra som hun kunne komme. Hun låste bildørene og så seg rundt. Hun var ikke helt sikker på hva hun holdt på med, men gikk ut fra at hun var nødt til å banke på hos ham og på en eller annen måte få ham til å svare på en del spørsmål. Hun var pinlig klar over at dette var gjøremål som lå langt utenfor arbeidet hennes i Milton Security, og at Dragan Armanskij ville blitt rasende på henne hvis han hadde visst hva hun drev med.

Det var ingen god plan. Og uansett så sprakk den før hun overhodet hadde fått satt den ut i livet.

I samme øyeblikk som hun kom inn på gårdsplassen og nærmet seg inngangsdøren til huset, gikk den opp. Susanne Linder kjente ham umiddelbart igjen fra byline-bildet hun hadde sett i personalmappen hans da hun gikk igjennom datamaskinen til Erika Berger. Hun fortsatte fremover til de passerte hverandre. Han forsvant mot garasjeanlegget. Susanne Linder ble stående og stirre usikkert etter ham. Deretter så hun på klokken og konstaterte at den var litt på elleve, og at Peter Fredriksson var på vei ut eller annet sted. Hun lurte på hvor han skulle, og løp tilbake til bilen sin.

Mikael Blomkvist ble sittende lenge og se på mobiltelefonen etter at Erika Berger hadde lagt på. Han lurte på hva det var som foregikk. Han stirret frustrert på Lisbeth Salanders datamaskin, men på dette tidspunktet var hun blitt flyttet til arresten i Göteborg, og han hadde ingen mulighet til å spørre henne.

Han åpnet den blå T10-mobilen og ringte Idris Ghidi i Angered.

«Hei. Mikael Blomkvist.»

«Hei,» sa Idris Ghidi.

«Jeg ville bare ringe og gi beskjed om at du kan avslutte jobben du har gjort for meg.»

Idris Ghidi nikket taus. Han hadde regnet med at Mikael Blomkvist kom til å ringe, siden Lisbeth Salander var blitt overført til arresten.

«Jeg skjønner,» sa han.

«Du kan beholde mobilen, slik vi ble enige om. Jeg sender deg sluttoppgjør til uken.»

«Takk.»

«Det er jeg som skal takke deg for hjelpen.»

Han åpnet iBooken sin og begynte å arbeide. Utviklingen de

siste døgnene innebar at en vesentlig del av manuskriptet måtte omarbeides, og at en helt ny story sannsynligvis måtte føyes til.

Han sukket.

Kvart over elleve satte Peter Fredriksson fra seg bilen tre kvartaler fra huset til Erika Berger. Susanne Linder visste allerede hvor han var på vei, og hadde sluppet ham fra seg for at han ikke skulle bli oppmerksom på henne. Hun passerte bilen hans over to minutter etter at han hadde parkert. Hun konstaterte at bilen var tom. Hun kjørte forbi huset til Erika Berger, fortsatte et lite stykke til og parkerte ute av syne. Hun var svett i hendene.

Hun åpnet en boks Catch Dry og la inn en porsjon snus.

Deretter åpnet hun bildøren og så seg rundt. Så snart hun hadde innsett at Fredriksson var på vei mot Saltsjöbaden, hadde hun skjønt at Salanders opplysning var korrekt. Hvordan Salander hadde klart å finne ut dette, visste hun ikke, men hun tvilte ikke lenger på at Peter Fredriksson var Giftpennen. Hun gikk ut fra at han ikke hadde dradd ut til Saltsjöbaden for moro skyld, men at noe var i gjære.

Noe som var helt utmerket hvis hun kunne ta ham på fersk gjerning.

Hun fant frem teleskopbatongen fra siderommet i bildøren og veide den i hånden en liten stund. Hun trykket på sperren i håndtaket og skjøt ut den tunge, fjærende stålkabelen. Hun bet tennene sammen.

Det var derfor hun hadde sluttet i utrykningsenheten på Södermalm.

Hun hadde fått ett eneste vanvittig raseriutbrudd en gang da utrykningspatruljen for tredje gang på like mange dager hadde dradd til en adresse i Hägersten etter at en kvinne hadde ringt politiet og ropt om hjelp fordi mannen hennes mishandlet henne. Og akkurat som de to foregående gangene hadde situasjonen roet seg før de kom frem.

De hadde rutinemessig hentet mannen ut i oppgangen mens kvinnen ble avhørt. *Nei, hun ville ikke anmelde saken. Nei, det hadde vært en misforståelse. Nei, han var snill …*

507

det var i virkeligheten hennes feil. Hun hadde provosert ham ...

Og hele tiden hadde kjeltringen stått og glist og sett Susanne Linder rett inn i øynene.

Hun kunne ikke forklare hvorfor hun hadde gjort det. Men plutselig var det noe som brast, og hun tok frem batongen og slo ham over munnen. Det første slaget hadde ikke hatt noen kraft. Hun hadde gitt ham en verandaleppe, og han hadde huket seg sammen. I løpet av de neste ti sekundene – til noen kolleger hadde grepet tak i henne og fraktet henne med makt ut av oppgangen – hadde hun latt batongslagene hagle over ryggen, nyrene, hoftene og skuldrene hans.

Det var aldri blitt reist noen tiltale. Hun hadde sagt opp samme kveld og gått hjem og grått i en uke. Deretter hadde hun tatt seg sammen og gått og banket på hos Dragan Armanskij. Hun hadde fortalt hva hun hadde gjort og hvorfor hun hadde sluttet i politiet. Hun hadde søkt om jobb. Armanskij hadde vært nokså usikker og bedt om å få tenke på saken. Hun hadde gitt opp håpet da han ringte henne seks uker senere og sa at han var villig til å prøve henne.

Susanne Linder skar en bister grimase og puttet teleskopbatongen inn under beltet i korsryggen. Hun sjekket at hun hadde boksen med tåregass i høyre jakkelomme og at lissene på joggeskoene var skikkelig knyttet. Hun gikk tilbake til Erika Bergers hus og smøg seg inn på tomten.

Hun visse at bevegelsesalarmen bak huset ennå ikke var installert, og beveget seg lydløst over gressplenen langs hekken rundt tomten. Hun kunne ikke se ham. Hun gikk rundt huset og sto stille. Plutselig så hun ham som en skygge i mørket ved Greger Backmans atelier.

Han skjønner ikke hvor dumt det er av ham å komme ut hit. Han klarer ikke å holde seg borte.

Han satt på huk og forsøkte å kikke inn gjennom en glipe i gardinene i en salong i tilknytning til dagligstuen. Deretter forflyttet han seg opp på verandaen og kikket gjennom en sprekk i de nedfelte persiennene ved siden av det store panoramavinduet som fremdeles var dekket av finérplater.

Susanne Linder smilte plutselig.

Hun snek seg gjennom hagen og frem til hushjørnet mens han hadde ryggen mot henne. Hun gjemte seg bak et par solbærbusker ved gavlveggen og ventet. Hun kunne så vidt skimte ham gjennom grenene. Fra der han sto, burde Fredriksson kunne se gjennom hallen og inn i en del av kjøkkenet. Han hadde funnet noe interessant å se på, og det tok ti minutter før han beveget seg igjen. Han nærmet seg Susanne Linder.

Da han svingte rundt hjørnet og passerte henne, reiste Susanne Linder seg og sa lavt.

«Hallo der, Fredriksson.»

Han bråstoppet og hvirvlet rundt mot henne.

Hun så øynene glimte i mørket. Hun kunne ikke se ansiktsuttrykket hans, men hørte at han holdt pusten av sjokk.

«Vi kan gjøre dette på en enkel eller på en vanskelig måte,» sa hun. «Vi går til bilen din og ...»

Han snudde seg og begynte å løpe.

Susanne Linder løftet teleskopbatongen og slo et knusende, smertefullt slag mot utsiden av den venstre kneskålen hans.

Han falt med en halvkvalt lyd.

Hun løftet batongen for å slå en gang til, men tok seg i det. Hun følte Dragan Armanskijs øyne i nakken.

Hun bøyde seg ned, veltet ham over på magen og plasserte det ene kneet i korsryggen hans. Hun tok tak i den høyre hånden hans, tvang den bak på ryggen og satte håndjern på ham. Han var svak og gjorde ingen motstand.

Erika Berger slukket lyset i dagligstuen og haltet opp til annen etasje. Hun trengte ikke krykkene lenger, men fotsålen verket fremdeles når hun la vekt på den. Greger Backman slukket på kjøkkenet og fulgte etter sin kone. Han hadde aldri før sett Erika Berger så ulykkelig. Ingenting han sa så ut til å kunne berolige henne eller lindre den angsten hun følte.

Hun kledde av seg og krøp ned i sengen med ryggen til ham.

«Det er ikke din skyld, Greger,» sa hun da hun hørte ham legge seg i sengen.

«Du er ikke bra,» sa han. «Jeg vil at du skal være hjemme noen dager.»

Han la armen rundt skuldrene hennes. Hun prøvde ikke å skyve ham vekk, men hun var helt passiv. Han bøyde seg frem og kysset henne forsiktig på halsen og holdt rundt henne.

«Det er ingenting du kan si eller gjøre for å bedre situasjonen. Jeg vet at jeg trenger en pause. Jeg føler meg som om jeg har gått om bord på et hurtigtog og har funnet ut at jeg er på feil spor.»

«Vi kan dra og seile noen dager. Komme unna alt sammen.»

«Nei. Jeg kan ikke komme unna alt sammen.»

Hun snudde seg mot ham.

«Det verste jeg kan gjøre nå, er å flykte. Jeg må løse problemene. Så kan vi dra.»

«OK,» sa Greger. «Jeg er visst ikke til noen særlig hjelp.»

Hun smilte svakt.

«Nei. Det er du ikke. Men takk for at du er her. Jeg elsker deg vanvittig, det vet du.»

Han nikket.

«Jeg kan ikke tro at det er Peter Fredriksson,» sa Erika Berger. «Jeg har aldri oppfattet det minste tegn til fiendtlighet hos ham.»

Susanne Linder lurte på om hun skulle ringe på hos Erika Berger da hun så at lyset ble slukket i første etasje. Hun så bort på Peter Fredriksson. Han hadde ikke sagt et ord. Han var helt passiv. Hun tenkte seg om en lang stund før hun bestemte seg.

Hun bøyde seg ned, tok tak i håndjernene, trakk ham opp på bena og støttet ham mot veggen.

«Kan du stå?» spurte hun.

Han svarte ikke.

«Greit. Da gjør vi det enkelt for oss. Hvis du gjør den minste motstand, får du nøyaktig samme behandling på høyrebenet. Og gjør du mer motstand, knekker jeg armene dine. Skjønner du hva jeg sier?»

Hun oppfattet at han pustet fort. Redsel?

Hun dyttet ham foran seg og førte ham ut mot veien og bilen

hans tre kvartaler bortenfor. Han haltet. Hun støttet ham. Da de kom frem til bilen, ble de møtt av en nattevandrer med en hund som stoppet opp og stirret på Fredriksson og håndjernene.

«Dette er en politisak,» sa Susanne Linder bryskt. «Gå hjem.»

Hun satte ham i baksetet og kjørte ham hjem til Fisksätra. Klokken var halv ett om natten, og de møtte ikke et menneske da de gikk mot inngangsdøren. Susanne Linder fisket opp nøklene hans og førte ham oppover trappen til leiligheten i tredje etasje.

«Du kan ikke gå inn i leiligheten min,» sa Peter Fredriksson.

Det var det første han hadde sagt siden hun satte håndjern på ham.

Hun åpnet døren og dyttet ham inn.

«Du har ingen rett. Du må ha tillatelse for å foreta husransakelse ...»

«Jeg er ikke fra politiet,» sa hun lavt.

Han stirret mistroisk på henne.

Hun tok tak i skjorten hans og dyttet ham foran seg inn i stuen og ned på en sofa. Han hadde en pen og ryddig treromsleilighet. Soverommet til venstre for stuen, kjøkken på den andre siden av entreen, et lite arbeidsrom i flukt med stuen.

Hun kikket inn i arbeidsrommet og trakk et lettelsens sukk. *The smoking gun.* Det første hun så, var bilder fra Erika Bergers fotoalbum spredt utover på et arbeidsbord ved siden av en datamaskin. Han hadde festet et tredvetall bilder med nåler på veggen rundt maskinen. Hun betraktet vernissasjen med hevede øyenbryn. Erika Berger var en fordømt vakker kvinne. Og hun hadde et festligere sexliv enn Susanne Linder.

Hun hørte at Peter Fredriksson beveget seg, og gikk tilbake til stuen og fikk tak i ham. Hun ga ham et rapp, trakk ham inn på arbeidsrommet og satte ham på gulvet.

«Sitt stille,» sa hun.

Hun gikk ut på kjøkkenet og fant en bærepose fra Konsum. Hun tok bilde etter bilde ned fra veggen. Hun fant det slaktede fotoalbumet og Erika Bergers dagbøker.

«Hvor er videoen?» spurte hun.

Peter Fredriksson svarte ikke. Susanne Linder gikk inn i stuen og satte på TV-en. Det sto en kassett i videospilleren, men det tok en stund før hun fant videokanalen på fjernkontrollen. Hun tok ut videoen og brukte en god stund på å sjekke at han ikke hadde laget noen kopier.

Hun fant tenåringen Bergers kjærlighetsbrev og rapporten om Borgsjö. Deretter vendte hun interessen mot Peter Fredrikssons datamaskin. Hun konstaterte at han hadde en Microtek skanner koblet til en IBM PC. Hun løftet lokket på skanneren og fant et gjenglemt bilde av Erika Berger på fest i Club Xtreme nyttårsaften 1986 ifølge banneret på veggen.

Hun startet maskinen og oppdaget at den var passordbeskyttet.

«Hvilket passord bruker du?» spurte hun.

Peter Fredriksson satt mutt på gulvet og nektet å si noe.

Susanne Linder følte seg plutselig helt rolig. Hun visste at hun teknisk sett hadde begått det ene lovbruddet etter det andre i løpet av kvelden, deriblant noe som kunne karakteriseres som ulovlig tvang og til og med bortføring. Hun brydde seg ikke noe om det. Hun følte seg tvert imot nærmest opprømt.

Etter en stund trakk hun på skuldrene, gravde i lommene og fant frem en sveitsisk lommekniv. Hun fjernet alle kabler fra maskinen, vendte bakstykket mot seg og brukte stjerneskrutrekkeren på kniven til å åpne det. Det tok et kvarter å plukke maskinen fra hverandre og ta ut harddisken.

Hun så seg rundt. Hun hadde fått med seg alt, men tok for sikkerhets skyld en grundig gjennomgang av skrivebordsskuffer og papirbunker og hyller. Plutselig falt blikket hennes på en gammel skolekatalog som lå i vinduskarmen. Hun konstaterte at den var fra Djursholm gymnas 1978. *Kom ikke Erika Berger fra overklassen i Djursholm* ... Hun åpnet katalogen og begynte å gå igjennom avgangsklasse etter avgangsklasse.

Hun fant Erika Berger, 18 år gammel, iført studenterlue, et strålende smil og smilehull. Hun hadde på seg en tynn, hvit bomullskjole og hadde en blomsterbukett i hånden. Hun så ut som selve sinnbildet på en uskyldig tenåring med toppkarakterer.

Susanne Linder holdt på å overse forbindelsen, men den

var på neste side. Hun ville aldri ha kjent ham igjen på bildet, men teksten ga ikke rom for tvil. Peter Fredriksson. Han hadde gått i parallellklassen til Erika Berger. Hun så en tynn gutt med et alvorlig ansikt som stirret rett inn i kameraet under studenterluen.

Hun løftet blikket og så Peter Fredriksson inn i øynene.

«Hun var en hore allerede da.»

«Fascinerende,» sa Susanne Linder.

«Hun knullet med alle guttene på skolen.»

«Det tviler jeg på.»

«Hun var en jævla ...»

«Ikke si det. Hva skjedde? Fikk du ikke komme innenfor trusene hennes?»

«Hun behandlet meg som luft. Hun lo av meg. Og da hun begynte i SMP, kjente hun meg ikke igjen engang.»

«Ja, ja,» sa Susanne Linder oppgitt. «Du hadde sikkert en lei oppvekst. Skal vi snakke alvor nå?»

«Hva vil du?»

«Jeg er ikke fra politiet,» sa Susanne Linder. «Jeg er en av dem som tar meg av sånne som deg.»

Hun ventet og lot fantasien hans gjøre jobben.

«Jeg vil vite om du har lagt ut bilder av henne noe sted på Internett.»

Han ristet på hodet.

«Er det sikkert?»

Han nikket.

«Erika Berger får selv avgjøre om hun vil politianmelde deg for trakassering, trusler og innbrudd, eller om hun vil gjøre opp i minnelighet.»

Han sa ingenting.

«Hvis hun bestemmer seg for å blåse i deg – og det synes jeg er omtrent det eneste du er verdt – kommer jeg til å holde et øye med deg.»

Hun løftet teleskopbatongen.

«Hvis du noensinne går i nærheten av Erika Bergers hjem eller sender mail til henne eller forstyrrer henne på noen annen måte, kommer jeg tilbake. Jeg kommer til å slå deg sønder og

513

sammen så ikke engang moren din vil kjenne deg igjen. Skjønner du?»

Han sa ingenting.

«Du har altså en mulighet til å påvirke hvordan denne historien skal ende. Er du interessert?»

Han nikket langsomt.

«I så fall kommer jeg til å anbefale Erika Berger at hun lar deg gå. Du behøver ikke ta deg bryet med å møte opp på jobben mer. Du er oppsagt med umiddelbar virkning.»

Han nikket.

«Du forsvinner ut av livet hennes og fra Stockholm. Jeg driter i hva du gjør og hvor du havner. Søk jobb i Göteborg eller Malmö. Sykmeld deg igjen. Gjør hva du vil. Men la Erika Berger være i fred.»

Han nikket.

«Er vi enige?»

Peter Fredriksson begynte plutselig å gråte.

«Jeg mente ikke noe galt,» sa han. «Jeg ville bare ...»

«Du ville bare forvandle livet hennes til et helvete, og det har du klart. Har jeg ditt æresord?»

Han nikket.

Hun bøyde seg frem, snudde ham over på magen og låste opp håndjernene. Så tok hun Konsum-posen med Erika Bergers liv og lot ham ligge igjen på gulvet.

Klokken var halv tre mandag morgen da Susanne Linder gikk ut av Fredrikssons utgangdør. Hun vurderte om hun skulle la saken bero til dagen etter, men innså at hvis det hadde vært henne det hadde handlet om, ville hun helst ha fått vite det i løpet av natten. Dessuten sto bilen hennes fremdeles parkert ute i Saltsjöbaden. Hun ringte etter en drosje.

Greger Backman åpnet allerede før hun hadde rukket å ringe på. Han hadde olabukse på seg og så ikke spesielt søvndrukken ut.

«Er Erika våken?» spurte Susanne Linder.

Han nikket.

«Har det skjedd noe nytt?» spurte han.

514

Hun nikket og smilte til ham

«Kom inn. Vi sitter på kjøkkenet og prater.»

De gikk inn.

«Hallo, Berger,» sa Susanne Linder. «Du må lære deg til å sove litt av og til.»

«Hva har skjedd?»

Hun rakte frem bæreposen.

«Peter Fredriksson lover å la deg være i fred for fremtiden. Jeg vet da faen om jeg ville stolt på det, men hvis han holder ord, er det mer smertefritt enn å gå i gang med politianmeldelse og rettssak. Du må bestemme selv.»

«Det *er* han?»

Susanne Linder nikket. Greger Backman serverte kaffe, men Susanne ville ikke ha. Hun hadde drukket altfor mye kaffe de siste døgnene. Hun satte seg og fortalte hva som hadde skjedd utenfor huset deres i løpet av natten.

Erika Berger satt en lang stund uten å si noe. Så reiste hun seg og gikk opp i annen etasje og hentet sitt eget eksemplar av skolekatalogen. Hun betraktet Peter Fredrikssons ansikt lenge.

«Jeg husker ham,» sa hun til slutt. «Men jeg hadde ingen anelse om at den Peter Fredriksson som jobbet i SMP, var den samme. Jeg husket ikke navnet hans engang før jeg så her i katalogen.»

«Hva skjedde?» spurte Susanne Linder.

«Ingenting. Absolutt ingenting. Han var en stille og helt uinteressant gutt i en parallellklasse. Jeg tror vi hadde et eller annen fag sammen. Fransk, hvis jeg ikke husker feil.»

«Han sa at du behandlet ham som luft.»

Erika nikket.

«Det gjorde jeg antagelig. Han var ikke en av dem jeg kjente, og han var ikke med i gjengen vår.»

«Mobbet dere ham eller noe sånt?»

«Nei, for Guds skyld. Jeg har aldri hatt noen sans for mobbing. Vi hadde kampanjer mot mobbing på gymnaset, og jeg var elevrådsformann. Jeg kan bare ikke huske at han noen gang snakket til meg, eller at jeg vekslet ett eneste ord med ham.»

«OK,» sa Susanne Linder. «Han har åpenbart et horn i siden

til deg uansett. Han har vært sykmeldt i to lange perioder for stress og for å ha møtt veggen. Det fantes kanskje også andre grunner til sykmeldingene som vi ikke vet om.»

Hun reiste seg og tok på seg skinnjakken.

«Jeg beholder harddisken hans. Den er teknisk sett tyvegods og bør ikke befinne seg hos deg. Du behøver ikke være engstelig, jeg skal destruere den så snart jeg kommer hjem.»

«Vent, Susanne ... Hvordan skal jeg noensinne kunne få takket deg?»

«Tja, du kan forsvare meg hvis Armanskijs vrede skulle ramme meg som en tordenkile fra oven.»

Erika så alvorlig på henne.

«Kommer du ut å kjøre for dette?»

«Jeg vet ikke ... jeg vet faktisk ikke.»

«Kan vi betale deg for ...»

«Nei. Men det er mulig Armanskij kommer til å sende en faktura for denne natten. Jeg håper han gjør det, for det betyr at han har godkjent det jeg har gjort, og at han dermed ikke kommer til å gi meg sparken.»

«Jeg skal sørge for at han sender en faktura.»

Erika Berger reiste seg og ga Susanne Linder en lang klem.

«Takk, Susanne. Hvis du noensinne skulle trenge hjelp, har du en venn i meg. Uansett hva det gjelder.»

«Takk. La ikke de bildene ligge og flyte. Apropos det, Milton Security kan tilby installering av en mye bedre safe.»

Erika Berger smilte.

KAPITTEL 22

Mandag 6. juni

Erika Berger våknet klokken seks mandag morgen. Til tross for at hun ikke hadde sovet mer enn en time eller to, følte hun seg merkverdig uthvilt. Hun gikk ut fra at det måtte være en fysisk reaksjon av et eller annet slag. For første gang på flere måneder tok hun på seg joggeutstyr og la ut på en intens løperunde ned til dampbåtbrygga. Den var imidlertid intens bare de første hundre meterne, før den skadede hælen begynte å verke så hun måtte sette ned farten og løpe videre i bedagelig tempo. Hun nøt å kjenne smertene i foten for hvert skritt hun tok.

Hun følte seg som om hun skulle være født på ny. Det var som om mannen med ljåen hadde kommet utenfor døren hennes, men ombestemt seg i siste øyeblikk og gått videre. Hun kunne ikke fatte at hun hadde vært så heldig at Peter Fredriksson hadde sittet på bildene av henne i fire døgn uten å gjøre noe. Skanningen antydet at han hadde planlagt et eller annet, men ennå ikke fått gjort det.

Uansett hva som skjedde, skulle hun gi Susanne Linder en dyr og overraskende julegave i år. Hun skulle finne på noe spesielt.

Klokken halv åtte lot hun Greger sove videre, satte seg i BMW-en og kjørte inn til SMPs redaksjonslokaler ved Norrtull. Hun satte bilen i garasjen, tok heisen opp til redaksjonen og satte seg i glassburet. Det første hun gjorde var å ringe driftsavdelingen.

«Peter Fredriksson har sagt opp sin stilling i SMP med umiddelbar virkning,» sa hun. «Så finn frem kartonger og tøm skrivebordet hans for personlige eiendeler og sørg for at det blir sendt hjem til ham med bud allerede i løpet av formiddagen.»

517

Hun så ut på nyhetsdesken. Anders Holm hadde akkurat kommet inn. Han møtte blikket hennes og nikket.

Hun nikket tilbake.

Holm var en drittsekk, men etter sammenstøtet deres for noen uker siden, hadde han sluttet å lage bråk. Hvis han fortsatte å vise den samme positive innstillingen, ville han kanskje overleve som nyhetssjef. Kanskje.

Hun følte at hun skulle kunne klare å snu skuta.

Klokken 08.45 fikk hun et glimt av Borgsjö idet han kom ut av heisen og forsvant opp trappen til kontoret sitt i etasjen over. *Jeg må ta en prat med ham allerede i dag.*

Hun hentet kaffe og brukte en stund på å lese igjennom morgen-memoet. Det var en begivenhetsfattig nyhetsmorgen. Det eneste av interesse var en notis som saklig meddelte at Lisbeth Salander i løpet av søndagen var blitt overflyttet til arresten i Göteborg. Hun ga artikkelen klarsignal og mailet den til Anders Holm.

Klokken 08.59 ringte Borgsjö.

«Berger, kom opp på mitt kontor med en gang.»

Deretter la han på.

Magnus Borgsjö var hvit i ansiktet da Erika Berger åpnet døren til kontoret hans. Han reiste seg, snudde seg mot henne og smelte en papirbunke i skrivebordet

«Hva i helvete er dette for noe?» brølte han til henne.

Hjertet til Erika Berger sank som en stein i brystet. Hun behøvde bare kaste et blikk på omslaget for å skjønne hva Borgsjö hadde fått med morgenposten.

Fredriksson hadde ikke rukket å gjøre noe med bildene. Men han hadde rukket å sende Henry Cortez' story til Borgsjö.

Hun satte seg rolig foran ham.

«Det er en artikkel som journalisten Henry Cortez har skrevet, og som tidsskriftet Millennium hadde planlagt å offentliggjøre i det nummeret som kom ut for en uke siden.»

Borgsjö så helt desperat ut.

«Hvordan i helvete våger du. Her henter jeg deg til SMP, og det første du gjør, er å begynne å intrigere. Hva slags mediehore er du?»

Erika Berger knep øynene sammen og ble iskald. Hun hadde fått nok av ordet hore.

«Tror du virkelig at noen kommer til å bry seg om dette? Tror du at du kan felle meg ved hjelp av drittprat? Og hvorfor i helvete sende den anonymt til meg?»

«Det er ikke slik det forholder seg, Borgsjö.»

«Fortell hvordan det forholder seg, da.»

«Den som sendte deg denne artikkelen anonymt, er Peter Fredriksson. Han fikk sparken fra SMP i går.»

«Hva faen er det du snakker om?»

«Lang historie. Men jeg har sittet på artikkelen i over to uker og forsøkt å finne ut hvordan jeg skulle ta den opp med deg.»

«Du står bak denne artikkelen.»

«Nei, det gjør jeg ikke. Det var Henry Cortez som gjorde researchen og skrev den. Jeg ante ingenting om den.»

«Og det vil du at jeg skal tro på?»

«Så snart det gikk opp for mine kolleger i Millennium at du dukket opp i artikkelen, stanset Mikael Blomkvist offentliggjøringen. Han ringte meg og ga meg en kopi. Det var av hensyn til meg. Den ble stjålet fra meg, og har nå havnet hos deg. Millennium ville at jeg skulle få en sjanse til å snakke med deg før de offentliggjorde den. Og det har de tenkt å gjøre i augustnummeret.»

«Jeg har aldri noensinne møtt en så samvittighetsløs journalist. Du tar prisen.»

«Greit. Nå da du har lest artikkelen, har du kanskje tatt en titt på researchmaterialet også. Cortez har en story som er tvers igjennom holdbar. Det vet du.»

«Hva faen skal det bety?»

«Hvis du fortsatt sitter som styreformann når Millennium går i trykken, kommer det til å skade SMP. Jeg har grublet meg fordervet og forsøkt å finne en utvei, men jeg finner ingen.»

«Hva mener du?»

«Du må gå av.»

«Spøker du? Jeg har ikke gjort noe som strider mot loven.»

«Magnus, innser du virkelig ikke rekkevidden av denne

519

avsløringen? La meg slippe å innkalle styret. Det blir bare pinlig.»

«Du skal ikke kalle inn noe som helst. Du er ferdig i SMP.»

«Beklager. Det er bare styret som kan sparke meg. Du må nok innkalle dem til et ekstraordinært møte. Jeg vil foreslå allerede i ettermiddag.»

Borgsjö gikk rundt skrivebordet og stilte seg så nær Erika Berger at hun kunne kjenne ånden hans.

«Berger ... du har én mulighet til å overleve dette. Du skal gå til de fordømte kompisene dine i Millennium og sørge for at denne storyen aldri noensinne kommer på trykk. Hvis du ordner det, kan jeg muligens glemme det du har gjort.»

Erika Berger sukket.

«Magnus, du skjønner rett og slett ikke alvoret. Jeg har ingen som helst innflytelse over hva Millennium kommer til å publisere. Denne storyen kommer til å bli offentliggjort uansett hva jeg sier. Det eneste jeg er interessert i, er hvordan den vil påvirke SMP. Derfor må du gå av.»

Borgsjö la hendene på stolryggen og bøyde seg ned mot henne.

«Det er vel mulig at kompisene dine i Millennium vil tenke seg om hvis de får vite at du får sparken i samme øyeblikk som de sprer dette drittpratet.»

Han reiste seg igjen.

«Jeg skal av gårde til et møte i Norrköping i dag.» Han så på henne og tilføyde ett ord med stort ettertrykk. «SveaBygg.»

«Jaha.»

«Når jeg kommer tilbake i morgen, skal du rapportere til meg at denne saken er ordnet. Har du forstått?»

Han tok på seg jakken. Erika Berger betraktet ham med halvlukkede øyne.

«Hvis du ordner dette pent, så kanskje du overlever i SMP. Kom deg ut av kontoret mitt nå.»

Hun reiste seg, gikk tilbake til glassburet og ble sittende helt stille på stolen i tyve minutter. Deretter løftet hun telefonrøret og ba Anders Holm komme inn på kontoret hennes. Han hadde lært av tidligere feil og dukket opp i løpet av et minutt.

«Sett deg.»

Anders Holm hevet det ene øyenbrynet og satte seg.

«Jaha, hva har jeg gjort for noe galt nå, da?» spurte han ironisk.

«Anders, dette er min siste arbeidsdag i SMP. Jeg sier opp med øyeblikkelig virkning. Jeg kommer til å innkalle styrets nestleder og resten av styret til et lunsjmøte.»

Han stirret på henne med uforstilt forundring.

«Jeg kommer til å anbefale at du blir konstituert sjefredaktør.»

«Hva?»

«Er det i orden for deg?»

Anders Holm lente seg tilbake i stolen og så på Erika Berger.

«Jeg har da for helvete aldri villet bli sjefredaktør,» sa han.

«Jeg vet det. Men du er tilstrekkelig hard i klypa. Og du går over lik for å kunne publisere en story. Jeg skulle bare ønske at du hadde mer vett i skallen enn du har.»

«Hva er det egentlig som har skjedd?»

«Jeg har en annen stil enn deg. Du og jeg har hele tiden kranglet om hvordan ting skal vinkles, og vi kommer aldri til å bli enige.»

«Nei,» sa han. «Det gjør vi nok aldri. Men det er mulig at min stil er alderdommelig.»

«Jeg vet ikke om alderdommelig er det rette ordet. Du er en jævlig god nyhetsperson, men du opptrer som en drittsekk. Det er helt unødvendig. Men det vi har vært mest uenige om, er at du hele tiden har hevdet at du som nyhetssjef ikke kan la personlige hensyn påvirke nyhetsvurderingen.»

Erika Berger smilte plutselig ondskapfullt til Anders Holm. Hun åpnet bagen sin og fant frem originalen til Borgsjö-storyen.

«Nå skal vi teste hva slags følelser du har for nyhetsvurderinger. Jeg har en story her som vi har fått av Henry Cortez, medarbeider i magasinet Millennium. Jeg har nå i morges tatt den beslutningen at vi kjører denne artikkelen som dagens topp-story.»

Hun kastet mappen i fanget på Anders Holm.

«Du er nyhetssjef. Det skal bli interessant å se om du deler min vurdering.»

Anders Holm åpnet mappen og begynte å lese. Allerede ved ingressen sperret han øynene opp. Han satte seg rett opp og ned på stolen og stirret på Erika Berger. Deretter senket han blikket og leste igjennom hele artikkelen fra begynnelse til slutt. Han åpnet dokumentasjonen og leste den grundig. Det tok ti minutter. Deretter la han mappen langsomt fra seg.

«Dette kommer til å bli et salig helvete.»

«Jeg vet det. Det er derfor dette er min siste arbeidsdag her. Millennium hadde tenkt å trykke historien i juninummeret, men Mikael Blomkvist sa stopp. Han ga meg teksten for at jeg skulle kunne snakke med Borgsjö før de offentliggjorde den.»

«Og?»

«Borgsjö har gitt meg ordre om å dysse ned historien.»

«Jeg skjønner. Så da vil du i ren trass kjøre den i SMP?»

«Nei. Ikke i trass. Det finnes ingen annen utvei. Hvis SMP kjører saken, har vi en sjanse til å komme ut av det med æren i behold. Borgsjö må gå. Men det betyr også at jeg ikke kan fortsette her.»

Holm satt taus i to minutter.

«Faen, Berger … Jeg trodde ikke du var så tøff. Jeg trodde aldri jeg skulle komme til å si det, men du har så mye bein i nesa at jeg faktisk beklager at du slutter.»

«Du har mulighet til å stanse publiseringen, men hvis både du og jeg gir den klarsignal … Har du tenkt å kjøre den?»

«Visst faen tar vi den. Den kommer til å lekke ut uansett.»

«Nettopp.»

Anders Holm reiste seg og ble stående usikker ved skrivebordet hennes.

«Gå og jobb,» sa Erika Berger.

Hun ventet fem minutter etter at Holm hadde forlatt kontoret før hun løftet telefonrøret og ringte Malin Eriksson i Millennium.

«Hei, Malin. Har du Henry Cortez i nærheten?»

«Ja. Ved skrivebordet sitt.»

«Kan du hente ham inn på kontoret ditt og sette på høyttaleren på telefonen. Vi må konferere.»

Henry Cortez var på plass i løpet av femten sekunder.

«Hva skjer?»

«Henry, jeg har gjort noe umoralsk i dag.»

«Jaså?»

«Jeg har gitt din story om Vitavara til Anders Holm, nyhetssjefen her i SMP.»

«Jaså ...»

«Jeg har gitt ham ordre om å kjøre den i SMP i morgen. Du skal selvsagt få erstatning. Du kan bestemme prisen selv.»

«Erika ... hva faen er det som foregår?»

Hun ga en oppsummering av det som hadde skjedd de siste ukene, og fortalte hvordan Peter Fredriksson hadde holdt på å knekke henne.

«Fy faen,» sa Henry Cortez.

«Jeg vet at det er din story, Henry. Jeg hadde bare ikke noe valg. Kan du gå med på dette?»

Henry Cortez satt taus i noen sekunder.

«Takk for at ringte, Erika. Det er i orden hvis dere kjører den med min byline. Det vil si, hvis det er greit for Malin.»

«Det er greit for meg,» sa Malin.

«Bra,» sa Erika. «Kan dere gi beskjed til Mikael, jeg går fra at han ikke har kommet ennå.»

«Jeg skal snakke med Mikael,» sa Malin Eriksson. «Men Erika, betyr dette at du er arbeidsløs fra og med i dag?»

Erika lo. «Jeg har bestemt meg for å ta ferie resten av året. Tro meg, noen uker i SMP er mer enn nok.»

«Jeg synes ikke du skal begynne å legge ferieplaner,» sa Malin.

«Hvorfor ikke?»

«Kan du komme ned til Millennium i ettermiddag?»

«Hvorfor?»

«Jeg trenger hjelp. Hvis du vil komme tilbake som sjefredaktør her, kan du begynne i morgen tidlig.»

«Malin, det er du som er Millenniums sjefredaktør. Noe annet kommer ikke på tale.»

«Greit. Da kan du begynne som redaksjonssekretær,» lo Malin.

«Mener du alvor?»

«Helvete heller, Erika, jeg savner deg så fryktelig at jeg holder på å dø. Jeg tok jobben i Millennium blant annet fordi jeg ville få muligheten til å jobbe sammen med deg. Og nå er du plutselig i feil avis.»

Erika Berger var taus i et minutt. Hun hadde overhodet ikke rukket å tenke på om det ville være mulig å gjøre comeback i Millennium.

«Ville jeg være velkommen tilbake?» spurte hun langsomt.

«Hva tror du? Jeg har en mistanke om at vi ville sette i gang med en kjempefeiring, og jeg ville være hovedarrangør. Og du kommer tilbake akkurat i tide til at vi skal publisere det du vet.»

Erika så på klokken på skrivebordet. Fem på ti. I løpet av en time var hele tilværelsen hennes blitt snudd på hodet. Hun kjente plutselig hvor utrolig sterkt hun lengtet etter å få gå opp trappene til Millennium igjen.

«Jeg har litt å stå i med her i SMP de nærmeste timene. Er det greit om jeg stikker innom ved firetiden?»

Susanne Linder så Dragan Armanskij like inn i øyne mens hun fortalte nøyaktig hva som hadde skjedd i løpet av natten. Det eneste hun utelot var den plutselige overbevisningen om at Lisbeth Salander hadde noe med innbruddet i Peter Fredrikssons datamaskin å gjøre. Det var to grunner til det. Dels syntes hun at det lød litt for uvirkelig. Dels fordi hun visste at Dragan Armanskij var dypt involvert i Salander-saken sammen med Mikael Blomkvist.

Armanskij lyttet oppmerksomt. Da Susanne Linder hadde avsluttet beretningen, ble hun sittende taus og vente på hans reaksjon.

«Greger Backman ringte for en times tid siden,» sa han.

«Jaha.»

«Han og Erika Berger kommer innom senere i uken for å undertegne kontrakten. De vil takke Milton for innsatsen, og fremfor alt for din innsats.»

«Jeg skjønner. Godt med fornøyde kunder.»

«Han vil også bestille en safe å ha hjemme. Vi skal installere den og gjøre alarmpakken ferdig senere denne uken.»

«Bra.»

«Han vil at vi skal fakturere dem for din innsats denne helgen.»

«Hmm.»

«Det blir med andre ord en solid regning vi sender dem.»

«Jaha.»

Armanskij sukket.

«Susanne, du er klar over at Fredriksson kan gå til politiet og anmelde deg for en hel mengde ting.»

Hun nikket.

«Han havner selv ettertrykkelig i klisteret i så fall, men kanskje han synes det er verdt det.»

«Jeg tror ikke han er tøff nok til å gå til politiet.»

«Det kan så være, men du har handlet helt utenfor alle instrukser jeg har gitt deg.»

«Jeg vet det,» sa Susanne Linder.

«Så hvordan synes du jeg bør reagere på det?»

«Det er det bare du som kan avgjøre.»

«Men hvordan synes du jeg burde reagere?»

«Hva jeg synes har ingenting med saken å gjøre. Du kan jo alltids gi meg sparken.»

«Neppe. Jeg har ikke råd til å miste en medarbeider av ditt kaliber.»

«Takk.»

«Men hvis du gjør slike ting i fremtiden, kommer jeg til å bli rasende.»

Susanne Linder nikket.

«Hvor har du gjort av harddisken?»

«Den er ødelagt. Jeg satte den fast i en skruestikke i morges og presset den til smuler.»

«Greit. Da setter vi en strek over dette.»

Erika Berger tilbragte formiddagen med å ringe rundt til alle styremedlemmene i SMP. Nestformannen fikk hun tak i på sommerstedet i Vaxholm, og fikk ham til å sette seg i bilen og komme inn til redaksjonen i full fart. Etter lunsj møtte et sterkt desimert styre. Erika Berger brukte en time til å redegjøre for hvordan Cortez-mappen hadde kommet til, og hvilke konsekvenser den hadde fått.

Da hun var ferdig med å snakke, kom de forventede forslagene om at det kanskje var mulig å finne alternative løsninger. Men Erika forklarte at SMP kom til å kjøre historien i morgendagens utgave. Hun forklarte også at det var hennes siste arbeidsdag, og at beslutningen var ugjenkallelig.

Erika fikk styret til å godkjenne og protokollføre to beslutninger. At Magnus Borgsjö ville bli bedt om å stille sin plass til disposisjon med umiddelbar virkning, og at Anders Holm skulle bli utnevnt til konstituert sjefredaktør. Deretter ba hun dem ha henne unnskyldt og overlot til styret å diskutere situasjonen videre på egen hånd.

Klokken 14.00 gikk hun ned til personalavdelingen og opprettet en kontrakt. Deretter gikk hun opp til kulturredaktøren og ba om å få snakke med kultursjef Sebastian Strandlund og journalist Eva Carlsson.

«Så vidt jeg har oppfattet, mener dere på kulturen at Eva Carlsson er en dyktig og begavet journalist.»

«Det stemmer,» sa kultursjef Strandlund.

«Og dere har de siste to årene anmodet om at det avsettes midler i budsjettet slik at redaksjonen kan bli forsterket med minst to personer.»

«Ja.»

«Eva. Med tanke på den korrespondansen som du ble utsatt for, er det mulig at det kan oppstå ubehagelige rykter hvis jeg gir deg en fast stilling. Er du fremdeles interessert?»

«Selvfølgelig.»

«I så fall blir min siste beslutning i SMP å undertegne denne ansettelsesavtalen.»

«Siste?»

«Det er en lang historie. Jeg slutter i dag. Kan dere to være så snille å holde det for dere selv en times tid?»

«Hva …»

«Det kommer en orientering om en stund.»

Erika Berger undertegnet kontrakten og skjøv den over bordet til Eva Carlsson.

«Lykke til,» sa hun og smilte.

«Den ukjente eldre mannen som deltok på møtet hos Ekström, heter Georg Nyström og er politiførstebetjent,» sa Monica Figuerola og plasserte overvåkningsbildene på skrivebordet foran Torsten Edklinth.

«Førstebetjent,» mumlet Edklinth.

«Stefan identifiserte ham i går kveld. Han var innom leiligheten i Artilerigatan og kjørte bil.»

«Hva vet vi om ham?»

«Han kommer fra det vanlige politiet og har jobbet i RPS/Säk siden 1983. Siden 1996 har han tjenestegjort som etterforsker med eget ansvar. Han foretar internkontroller og granskninger av saker som Säk har avsluttet.»

«Jaha.»

«Siden lørdag har til sammen seks personer av interesse gått ut eller inn av huset. Bortsett fra Jonas Sandberg og Georg Nyström oppholder Fredrik Clinton seg i leiligheten. Han ble kjørt til dialyse med ambulanse i morges.»

«Hvem er de tre andre?»

«En herre ved navn Otto Hallberg. Han arbeidet i RPS/Säk i 1980-årene, men er egentlig tilknyttet forsvarsstaben. Han tilhører marinen og den militære etterretningstjenesten.»

«Jaha. Hvorfor blir jeg ikke overrasket?»

Monica Figuerola la frem et nytt overvåkningsbilde.

«Denne mannen har vi ikke identifisert. Han gikk og spiste lunsj sammen med Hallberg. Vi får se om vi kan identifisere ham når han går hjem i kveld.»

«Greit.»

«Den mest interessante er imidlertid denne personen.»

Hun la enda et bilde på skrivebordet.

«Ham kjenner jeg igjen,» sa Edklinth.

«Han heter Wadensjöö.»

«Nettopp. Han jobbet på terroristavsnittet for omkring femten år siden. Skrivebordsgeneral. Han var en av kandidatene til stillingen som toppsjef her i Firmaet. Jeg vet ikke hva som skjedde med ham.»

«Han sa opp i 1991. Gjett hvem han spiste lunsj med for en times tid siden?»

Hun la det siste bildet på skrivebordet.

«Administrasjonssjef Albert Shenke og budsjettsjef Gustav Atterbom. Jeg vil ha disse overvåket døgnet rundt. Jeg vil vite nøyaktig hvem de treffer.»

«Det er urimelig. Jeg har bare fire mann til disposisjon. Og noen av dem må jobbe med dokumentasjonen.»

Edklinth nikket og kløp seg ettertenksomt i underleppen. Etter en stund så han opp på Monica Figuerola.

«Vi trenger mer folk,» sa han. «Tror du at du kan kontakte kriminalbetjent Jan Bublanski litt diskré og spørre om han kunne tenke seg å spise middag med meg etter jobben i dag? Si ved syvtiden.»

Edklinth strakte seg etter telefonen og slo et nummer som han hadde i hodet.

«Hei, Armanskij. Det er Edklinth. Kan jeg få lov til å gjøre gjengjeld for den hyggelig middagen du spanderte for ikke så lenge siden … nei, jeg insisterer. Skal vi si ved syvtiden?»

Lisbeth Salander hadde tilbragt natten i Kronobergs-arresten i en celle som var omtrent to ganger fire meter. Møblementet var ikke stort å skryte av. Hun hadde sovnet i løpet av fem minutter etter at hun ble låst inne, våknet tidlig om morgenen og lydig utført de tøynings- og strekningsøvelsene som fysioterapeuten på Sahlgrenska hadde ordinert. Deretter hadde hun fått frokost og sittet taus og stirret rett fremfor seg.

Klokken halv ti ble hun ført til et avhørsrom i den andre enden av korridoren. Vakten var en eldre, kortvokst, skallet herre med rundt ansikt og hornbriller. Han behandlet henne korrekt og godmodig.

Annika Giannini hilste vennlig på henne. Lisbeth ignorerte Hans Faste. Deretter hadde hun for første gang fått møte statsadvokat Richard Ekström og tilbragt den neste halvtimen med å sitte på en stol og stirre stivt i veggen på et punkt litt ovenfor Ekströms hode. Hun sa ikke et ord og beveget ikke en muskel.

Klokken ti avbrøt Ekström det mislykkede avhøret. Han var irritert over at han ikke hadde klart å lokke den aller minste respons ut av henne. For første gang ble han usikker da han betraktet denne tynne, dukkeaktige jenta. Hvordan var det mulig at hun kunne ha mishandlet Magge Lundin og Sonny Nieminen i Stallarholmen? Ville retten overhodet tro på den historien, selv om de hadde tungtveiende bevismateriale?

Klokken tolv fikk Lisbeth en enkel lunsj og brukte den påfølgende timen til å løse ligninger i hodet. Hun konsentrerte seg om et avsnitt om sfærisk astronomi som hun hadde lest to år tidligere.

Klokken 14.30 ble hun ført tilbake til avhørsrommet. Vakten som fulgte henne denne gangen, var en yngre kvinne. Avhørsrommet var tomt. Hun satte seg på en stol og fortsatte å meditere over en særdeles intrikat ligning.

Etter ti minutter gikk døren opp.

«Hei, Lisbeth,» hilste Peter Teleborian vennlig.

Han smilte. Lisbeth Salander frøs til is. Bestanddelene i den ligningen hun hadde konstruert i luften foran seg, falt i gulvet. Hun kunne høre hvordan tall og tegn spratt og klirret som om de skulle hatt fysisk form.

Peter Teleborian sto stille et minutts tid og betraktet henne før han satte seg rett overfor henne. Hun fortsatte å stirre i veggen.

Etter en stund flyttet hun blikket og så ham inn i øynene.

«Jeg er lei for at du har havnet i denne situasjonen,» sa Peter Teleborian. «Jeg skal forsøke å hjelpe deg på alle mulige måter. Jeg håper at vi skal kunne etablere et tillitsforhold oss imellom.»

Lisbeth gransket hver centimeter av ham. Det tovete håret. Skjegget. Den lille glipen mellom fortennene. De smale leppene. Den brune jakken. Skjorten som var åpen i halsen. Hun hørte den milde og forrædersk vennlige stemmen hans.

«Jeg håper også at jeg skal kunne hjelpe deg bedre enn forrige gang vi møttes.»

Han la en liten notatblokk og en penn foran seg på bordet.

Lisbeth senket blikket og betraktet pennen. Den var et spisst, sølvfarget rør.

Konsekvensanalyse.

Hun undertrykket en impuls til å strekke ut hånden og rive til seg pennen.

Blikket hennes søkte seg mot lillefingeren hans. Hun så en svak, hvit strek på det stedet hvor hun for femten år siden hadde hugget tennene inn og låst kjevene så hardt at hun nesten hadde bitt av ham fingeren. Tre pleiere hadde måttet hjelpe til for å holde henne fast og bende opp kjevene.

Den gangen var jeg en redd liten jente som bare så vidt var kommet opp i tenårene. Nå er jeg voksen. Jeg kan drepe deg hvis jeg vil.

Hun festet blikket på et punkt på veggen bak Teleborian og hentet opp igjen de tall og matematiske tegn som hadde falt i gulvet, og begynte å stille opp ligningen på nytt.

Doktor Peter Teleborian betraktet Lisbeth Salander med et nøytralt uttrykk i ansiktet. Han var ikke blitt en internasjonalt anerkjent psykiater fordi han manglet kunnskap om mennesker. Han var dyktig til å lese følelser og sinnsstemninger. Han opplevde at en kjølig skygge dro gjennom rommet, men tolket det som et tegn på at pasienten følte redsel og skam under den ubevegelige overflaten. Han tok det som et positivt tegn på at hun tross alt reagerte på hans tilstedeværelse. Han var også tilfreds med at hun ikke hadde endret adferd. Hun kom til å henge seg selv i tingretten.

Det siste Erika Berger gjorde i SMP, var å sette seg i glassburet og skrive et notat til medarbeiderne. Hun var temmelig irritert da hun begynte å skrive, og mot bedre vitende ble det to hele A4-sider hvor hun forklarte hvorfor hun sluttet i SMP, og opplyste hva hun mente om en del personer. Hun slettet hele teksten og begynte på nytt i en litt sakligere tone.

Hun nevnte ikke Peter Fredriksson. Hvis hun gjorde det, ville all interessen konsentrere seg om ham, og de virkelige årsakene ville drukne i overskriftene om sextrakassering.

Hun oppga to grunner. Den viktigste var at hun hadde møtt

en massiv motstand i ledelsen for forslaget om at ledere og eiere skulle skjære ned på sine egne lønninger og bonuser. Isteden ville hun vært tvunget til å begynne sin tid i SMP med kraftige nedskjæringer i personalet, noe hun mente ikke bare var et brudd på det hun var blitt forespeilet da hun sa ja til jobben, men også ville umuliggjøre alle forsøk på langsiktige forandringer og forbedringer av avisen.

Den andre grunnen var avsløringen av Borgsjö. Hun forklarte at hun var blitt beordret til å legge lokk på historien, og at dette ikke var noe som inngikk i hennes arbeidsinstruks. Det innebar imidlertid at hun ikke hadde noe valg, men så seg tvunget til å forlate redaksjonen. Hun avsluttet med å fastslå at SMPs problem ikke var et personalproblem, men et ledelsesproblem.

Hun leste igjennom notatet en gang, rettet en skrivefeil og mailet det til samtlige medarbeidere i konsernet. Hun tok en kopi, som hun sendte til Pressens tidning og fagorganet Journalisten. Deretter pakket hun ned laptopen og gikk ut til Anders Holm.

«Ha det,» sa hun.

«Ha det, Berger. Det har vært en pest å jobbe sammen med deg.»

De smilte til hverandre.

«Jeg har en siste sak,» sa hun.

«Hva da?»

«Johannes Frisk har jobbet med en story for min regning.»

«Og ikke en jævel vet hva han driver med.»

«Gi ham oppbacking. Han har kommet ganske langt allerede, og jeg kommer til å holde kontakt med ham. La ham avslutte jobben. Jeg kan love deg at du kommer til å vinne på det.»

Han så betenkt ut. Så nikket han.

De tok hverandre ikke i hånden. Hun la igjen inngangskortet til redaksjonen på Holms skrivebord, dro ned til garasjen og hentet BMW-en sin. Like etter klokken fire parkerte hun i nærheten av Millenniums redaksjonslokaler.

DEL 4

REBOOTING SYSTEM

1. juli–7. oktober

Til tross for den rikholdige floraen av amasonelegender fra antikkens Hellas, Sør-Amerika, Afrika og andre steder, finnes det bare ett eneste historisk dokumentert eksempel på kvinnelige krigere. Det er den kvinnehæren som eksisterte blant folkegruppen fon i det vestafrikanske Dahomey, det nåværende Benin.

Disse kvinnelige krigerne nevnes aldri i den offentlige militærhistorien, det er ikke laget noen romantiserende filmer om dem, og i våre dager dukker de i beste fall opp som utviskede, historiske fotnoter. Ett eneste vitenskapelig arbeid er blitt skrevet om disse kvinnene: *Amazones of Black Sparta* av historikeren Stanley B. Alpern (Hurst & Co Ltd, London 1998). Likevel var det en hær som kunne måle seg med hvilken som helst hær av mannlige elitesoldater fra den tidens okkupasjonsmakter.

Det er uklart nøyaktig når denne kvinnehæren ble dannet, men visse kilder daterer den til 1600-tallet. Den var opprinnelig en kongelig livgarde, men utviklet seg til et militært kollektiv bestående av 6000 soldater med halvt guddommelig status. Hensikten med dem var ikke å være til pynt. I drøyt 200 år utgjorde de fon-folkets spydspiss mot innvandrende europeiske kolonisatorer. De var fryktet av det franske militæret, som ble beseiret i flere slag. Først i 1892 ble kvinnehæren slått ned etter at Frankrike hadde sendt over moderne tropper med artilleri, fremmedlegionærer, et marineinfanteriregiment og kavaleri.

Det er ukjent hvor mange av de kvinnelige krigerne som falt. Overlevende fortsatte i flere år med å drive geriljakrig, og veteraner fra hæren var i live, ble intervjuet og fotografert så sent som i 1940-årene.

KAPITTEL 23

Fredag 1. juli–søndag 10. juli

To uker før rettssaken mot Lisbeth Salander avsluttet Christer Malm formgivningen av den 364 sider tykke boken som hadde den knappe tittelen *Seksjonen.* Omslaget gikk i blått. Teksten var gul. Christer Malm hadde plassert syv frimerkestore svarthvitt-portretter av svenske statsministere nederst på siden. Over dem svevde et bilde av Zalatsjenko. Han hadde brukt Zalatsjenkos passfoto som illustrasjon, og skjerpet kontrastene så bare de mørkeste partiene fremsto som et skyggebilde over hele omslaget. Det var ingen sofistikert design, men den var virkningsfull. Mikael Blomkvist, Henry Cortez og Malin Eriksson sto oppført som forfattere.

Klokken var halv seks om morgenen, og Christer Malm hadde jobbet hele natten. Han følte seg småkvalm og hadde et desperat behov for å få gå hjem og sove. Malin Eriksson hadde sittet sammen med ham hele natten og tatt siste korrektur på side etter side som Christer godkjente og skrev ut. Hun hadde allerede sovnet på sofaen i redaksjonen.

Christer Malm samlet sammen billeddokumentene og typesnitt i en mappe. Han startet programmet Toast og brente to CD-er. Den ene la han i redaksjonens safe. Den andre kom en søvndrukken Mikael Blomkvist inn og hentet like før klokken syv.

«Gå hjem og sov,» sa han.

«Jeg er på vei,» svarte Christer.

De lot Malin Eriksson sove videre og koblet på døralarmen. Henry Cortez skulle komme klokken åtte for å ta neste skift. De ga hverandre *high five* og skiltes ute på gaten.

*

535

Mikael Blomkvist spaserte til Lundagatan, hvor han nok en gang tyvlånte Lisbeth Salanders bortgjemte Honda. Han kjørte personlig CD-en opp til Jan Köbin, sjefen for Halvigs Reklamtryckeri, som lå i en uanselig mursteinsbygning ved siden av jernbanen i Morgongåva utenfor Sala. Denne leveransen ville han ikke overlate til postverket.

Han kjørte langsomt, uten å stresse, og ble der en stund mens trykkeriet sjekket at CD-en fungerte. Han forsikret seg om at boken virkelig ville foreligge ferdig den dagen rettssaken startet. Problemet var ikke trykkingen, men innbindingen, som kunne ta litt tid. Men Jan Köbin lovet at minst 500 eksemplarer av førsteopplaget på 10 000 ville bli levert på avtalt dato. Boken skulle lages i storpocketformat.

Mikael forsikret seg også om at alle var innforstått med at alt måtte foregå i størst mulige hemmelighet. Det var sannsynligvis helt unødvendig. Hallvigs hadde to år tidligere trykket Mikaels bok om finansmannen Hans-Erik Wennerström under lignende omstendigheter. Og de visste at bøker som kom fra det lille forlaget Millennium, bar på løfter om noe ekstra.

Deretter dro Mikael tilbake til Stockholm i bedagelig tempo. Han parkerte utenfor huset i Bellmansgatan og avla et kort besøk i leiligheten sin for å hente en bag, hvor han pakket ned et klesskift, barberhøvel og tannbørste. Han fortsatte ut til Stavsnäs brygga i Värmdö, hvor han parkerte og tok fergen ut til Sandhamn.

Det var første gang siden jul at han var ute på hytta. Han åpnet vinduslemmene og slapp inn frisk luft og drakk en Ramlösa. Som alltid når han var ferdig med en jobb og teksten hadde gått til trykkeriet og ingenting kunne forandres, følte han seg tom.

Deretter tilbragte han en time med å feie, tørke støv, vaske dusjrommet, få i gang kjøleskapet, sjekke at vanntilførselen fungerte, og skifte sengetøy oppe på hemsen. Han gikk til ICA-butikken og handlet inn alt som trengtes for et helgeopphold. Så startet han kaffetrakteren og satte seg på verandaen, røkte en sigarett og tenkte ikke på noe spesielt.

Litt før fem gikk han ned til dampbåtbrygga og møtte Monica Figuerola.

«Jeg trodde ikke du kunne klare å ta deg fri,» sa han og kysset henne på kinnet.

«Det trodde ikke jeg heller. Men jeg sa det som det var til Edklinth. Jeg har jobbet hvert våkent øyeblikk de siste ukene og begynner å bli ineffektiv. Jeg trenger et par dager fri for å lade batteriene.»

«I Sandhamn?»

«Jeg sa ikke hvor jeg hadde tenkt å dra,» sa hun og smilte.

Monica Figuerola brukte en stund på å snuse rundt i den femogtyve kvadratmeter store hytta til Mikael. Hun gransket kjøkkenkroken, vaskerommet og hemsen kritisk før hun nikket godkjennende. Hun vasket seg og skiftet til en tynn sommerkjole mens Mikael stekte lammekoteletter i rødvinssaus og dekket på ute på verandaen. De spiste i taushet mens de betraktet strømmen av seilbåter på vei til eller fra gjestehavnen i Sandhamn. De delte en flaske vin.

«Dette er en herlig hytte. Er det hit du tar med deg alle dine damebekjentskaper?» spurte Monica Figuerola plutselig.

«Ikke alle. Bare de viktigste.»

«Erika Berger har vært her?»

«Flere ganger.»

«Og Lisbeth Salander?»

«Hun bodde her ute i noen uker da jeg skrev boken om Wennerström. Og vi tilbragte julen sammen her for to år siden.»

«Så både Berger og Salander er viktige i ditt liv?»

«Erika er min beste venn. Vi har vært venner i over femogtyve år. Lisbeth er en helt annen historie. Hun er veldig spesiell og det mest asosiale menneske jeg noensinne har truffet. Man kan si at hun gjorde et stort inntrykk på meg da vi først møttes. Jeg liker henne. Hun er en god venn.»

«Du synes synd på henne?»

«Nei. Hun har selv valgt en god del av den dritten hun er blitt rammet av. Men jeg føler stor sympati og samhørighet med henne.»

«Men du er ikke forelsket i hverken henne eller Berger?»

Han trakk på skuldrene. Monica Figuerola betraktet en sen Amigo 23 med tente lanterner som putret forbi med påhengsmotor, på vei inn mot gjestehavnen.

«Hvis kjærlighet er å synes veldig godt om noen, går jeg ut fra at jeg er forelsket i flere personer,» sa han.

«Og nå i meg?»

Mikael nikket. Monica Figuerola rynket øyenbrynene og betraktet ham.

«Plager det deg?» spurte han.

«At du har hatt andre kvinner tidligere? Nei. Men det plager meg at jeg ikke helt vet hva som skjer mellom oss. Og jeg tror ikke jeg kan ha et forhold til en mann som går til sengs med både den ene og den andre etter som det passer ham …»

«Jeg har ikke tenkt å be om unnskyldning for det livet jeg lever.»

«Og jeg går ut fra at jeg på en eller annen måte har falt for deg nettopp fordi du er den du er. Du er lett å ha sex med fordi det ikke er noe tull med deg, og jeg føler meg trygg sammen med deg. Men dette startet fordi jeg ga etter for en sprø impuls. Det skjer ikke særlig ofte, og det var ikke noe jeg hadde planlagt. Og nå har vi kommet dit da jeg er en av damene som blir invitert hit.»

Mikael satt en stund uten å si noe.

«Du var ikke nødt til å komme.»

«Jo. Det var jeg. Faen, Mikael …»

«Jeg vet det.»

«Jeg er ulykkelig. Jeg vil ikke bli forelsket i deg. Det kommer til å gjøre altfor vondt når det blir slutt.»

«Jeg fikk denne hytta da far døde og mor flyttet hjem til Norrland. Vi delte slik at søsteren min fikk leiligheten og jeg fikk hytta. Jeg har hatt den i snart femogtyve år.»

«Jaha.»

«Bortsett fra noen tilfeldige bekjente i begynnelsen av 1980-årene, er det nøyaktig fem damer som har vært her før deg. Erika, Lisbeth og min forhenværende kone som jeg var sammen med i 1980-årene. En dame som jeg hadde et nokså seriøst forhold til i slutten av 1990-årene, og en litt eldre kvinne som jeg ble kjent med for to år siden, og som jeg treffer litt nå og da. Det er litt spesielle omstendigheter ...»

«Jaså.»

«Jeg har denne hytta for å komme vekk fra byen og få være i fred. Jeg er nesten alltid her alene. Jeg leser bøker, skriver og slapper av og sitter på brygga og ser på båtene. Dette er ikke ungkarens hemmelige kjærlighetsrede.»

Han reiste seg og hentet vinflasken som han hadde plassert i skyggen på gulvet utenfor verandadøren.

«Jeg har ikke tenkt å love noe,» sa han. «Ekteskapet mitt sprakk fordi jeg og Erika ikke klarte å holde oss borte fra hverandre. *Been there, done that, got the T-shirt.*»

Han fylte på vinglassene.

«Men du er det mest interessante menneske jeg har truffet på veldig lenge. Det er som om forholdet vårt har gått på høygir fra første dag. Jeg tror jeg falt for deg allerede da du hentet meg hjemme i trappen hos meg. De få nettene jeg har sovet hjemme siden det, våkner jeg midt på natten og vil ha deg. Jeg vet ikke om jeg vil ha noe fast forhold, men jeg er livredd for å miste deg.»

Han så på henne.

«Så hva synes du vi skal gjøre?»

«Vi får tenke på saken,» sa Monica Figuerola. «Jeg er også jævlig tiltrukket av deg.»

«Dette begynner å bli alvorlig,» sa Mikael.

Hun nikket og følte plutselig et stort vemod. Så sa de ikke noe særlig på en lang stund. Da det begynte å mørkne, ryddet de av bordet og gikk inn og lukket døren.

Fredagen i uken før rettssaken stoppet Mikael utenfor Pressbyrå-kiosken ved Slussen og så på morgenavisenes salgsplakater. Svenska Morgon-Postens administrerende direktør og styreformann Magnus Borgsjö hadde kapitulert og kunngjort sin avgang. Han kjøpte avisene og gikk til Java i Hornsgatan og spiste en sen frokost. Borgsjö oppga at det var familiære årsaker som lå til grunn for at han plutselig trakk seg. Han ville ikke kommentere påstander om at avgangen hadde noe å gjøre med det faktum at Erika Berger hadde sett seg nødt til å gå av fordi han hadde beordret henne til å legge lokk på historien om hans engasjement i grossistfirmaet Vitavara AB. I en kommenterende spalte ble det imidlertid rapportert at lederen for organisasjonen Svensk Næringsliv hadde bestemt seg for å nedsette et etikkutvalg som skulle granske hvordan svenske firmaer forholdt seg til selskaper i Sørøst-Asia som benyttet seg av barnearbeid.

Mikael Blomkvist begynte plutselig å skoggerle.

Deretter brettet han sammen morgenavisene, åpnet sin Ericsson T10, ringte Hun i TV4 og avbrøt henne midt i lunsjen.

«Hei, elskling,» sa Mikael Blomkvist. «Jeg går ut fra at du fremdeles ikke er interessert i en date med meg en kveld?»

«Hei, Mikael,» lo Hun i TV4. «Beklager, men du er omtrent så langt fra min type som det går an å komme. Men du er ganske morsom likevel.»

«Kunne du i det minste tenke deg å spise middag med meg for å diskutere en jobb i kveld?»

«Hva er det du har på gang?»

«Erika Berger gjorde en deal med deg for to år siden om Wennerström-saken. Det fungerte bra. Jeg vil gjerne gjøre en lignende deal med deg.»

«Fortell.»

«Ikke før vi er blitt enige om vilkårene. Akkurat som med Wennerström, kommer vi til å utgi en bok sammen med et temanummer av magasinet. Og denne storyen kommer til å bli stor. Jeg tilbyr deg eksklusiv forhåndsorientering mot at du ikke lekker noe før vi går ut. Publiseringen er ekstra komplisert i dette tilfellet, siden den må skje på en spesiell dag.»

«Hvor stor er saken?»

«Større enn Wennerström,» sa Mikael Blomkvist. «Er du interessert?»

«Fleiper du? Hvor skal vi treffes?»

«Hva sier du til Samirs gryta? Erika Berger kommer også til å være til stede på møtet.»

«Hva er storyen om Berger? Er hun tilbake i Millennium etter at hun fikk sparken i SMP?»

«Hun fikk ikke sparken. Hun sa opp med øyeblikkelig virkning etter en meningsutveksling med Borgsjö.»

«Han virker jo som en skikkelig dust.»

«Ja,» sa Mikael Blomkvist.

Fredrik Clinton lyttet til Verdi i øretelefonene. Musikken var stort sett det eneste gjenværende innslaget i tilværelsen som førte ham bort fra dialyseapparater og stadig sterkere smerter i korsryggen. Han nynnet ikke. Han lukket øynene og fulgte tonene med den høyre hånden som svevde og så ut til å leve sitt eget liv ved siden av den stadig mer nedbrutte kroppen.

Det er slik det er. Vi fødes. Vi lever. Vi blir gamle. Vi dør. Han hadde gjort sitt. Det eneste som gjensto, var nedbrytingen.

Han følte seg merkverdig tilfreds med tilværelsen.

Han spilte for sin venn Evert Gullberg.

Det var lørdag den 9. juli. Det var mindre enn en uke igjen til rettssaken skulle begynne og Seksjonen kunne begynne å legge denne elendige historien bak seg. Han hadde fått beskjed samme morgen. Gullberg hadde vært seig som få. Når man fyrer av en ni millimeters helmantlet kule mot sin egen tinning, forventer man å dø. Likevel hadde det gått tre måneder før Gullbergs kropp hadde gitt opp, noe som kanskje mer skyldtes tilfeldigheter enn at doktor Anders Jonasson trassig hadde nektet å se slaget som tapt. Det var kreften, ikke kulen, som til slutt hadde avgjort utgangen.

Døden hadde imidlertid vært forbundet med smerter, noe som gjorde Clinton sørgmodig. Gullberg hadde ikke vært i stand til å kommunisere med omverdenen, men hadde innimellom vært ved en slags bevissthet. Han kunne fornemme omverdenen. Personalet registrerte at han smilte når de strøk ham over kinnet, og gryntet når det virket som om han opplevde ubehag. Av og til forsøkte han å kommunisere med personalet ved å prøve å formulere ord som ingen helt skjønte.

Han hadde ingen slektninger, og ingen av vennene hans besøkte ham ved sykesengen. Hans siste fornemmelse av livet var en eritreiskfødt nattevakt ved navn Sara Kitama, som våket ved sengen hans og holdt ham i hånden da han sovnet inn.

541

Fredrik Clinton innså at han snart skulle følge etter sin tidligere våpenbror. Det var ingen tvil om det. Sannsynligheten for at han skulle kunne gjennomgå en transplantasjon av den nyren som han hadde så desperat behov for, minsket for hver dag som kroppen hans ble stadig mer nedbrutt. Lever- og tarmfunksjonene ble dårligere for hver undersøkelse.

Han håpet på å overleve julen.

Men han var fornøyd. Han opplevde en nesten oversanselig kriblende tilfredsstillelse ved at hans siste tid så overraskende og plutselig hadde ført til gjeninntreden i tjenesten.

Det var en glede som han aldri hadde forventet.

De siste tonene fra Verdi døde hen akkurat idet Birger Wadensjöö åpnet døren inn til Clintons lille hvilerom i Seksjonens hovedkvarter i Artillerigatan.

Clinton åpnet øynene.

Det hadde gått opp for ham at Wadensjöö var en belastning. Han var direkte uegnet som leder for det svenske totalforsvarets viktigste spydspiss. Han kunne ikke fatte at han og Hans von Rottinger i sin tid hadde begått en så total feilvurdering at de anså Wadensjöö som en selvsagt arvtager.

Wadensjöö var en kriger som trengte medvind. I en krise var han svak og ute av stand til å ta beslutninger. En bidevindsseiler. En lettskremt belastning som manglet stål i ryggraden, og som ville ha blitt sittende handlingslammet og latt Seksjonen gå under, hvis han hadde fått bestemme.

Så enkelt var det.

Noen hadde det. Andre ville alltid svikte i sannhetens øyeblikk.

«Du ville snakke med meg?» sa Wadensjöö.

«Sett deg,» sa Clinton.

Wadensjöö satte seg.

«Jeg er kommet i den alderen da jeg ikke lenger har tid til å trekke ting i langdrag. Jeg skal gå rett på sak. Når dette er over, vil jeg at du skal frasi deg ledelsen av Seksjonen.»

«Jaså.»

Clinton ble mildere i tonen.

«Du er et utmerket menneske, Wadensjöö. Men du er dessverre helt uegnet for å overta ansvaret etter Gullberg. Du burde aldri ha fått det. Det var min og Rottingers feil at vi ikke tok spørsmålet om tronfølgen opp til en alvorligere vurdering da jeg ble syk.»

«Du har aldri likt meg.»

«Der tar du feil. Du var en utmerket administrator da jeg og Rottinger ledet Seksjonen. Vi ville vært hjelpeløse uten deg, og jeg har stor tiltro til din patriotisme. Det er din evne til å ta beslutninger som jeg ikke har tiltro til.»

Wadensjöö smilte plutselig bittert.

«Etter dette vet jeg ikke om jeg vil bli værende i Seksjonen.»

«Nå da Gullberg og Rottinger er borte, må jeg ta de avgjørende beslutningene alene. Du har konsekvent obstruert hver eneste avgjørelse jeg har tatt de siste månedene.»

«Og jeg gjentar at du har fattet vanvittige beslutninger. Det kommer til å ende med katastrofe.»

«Det er mulig. Men din mangel på besluttsomhet ville garantert undergangen. Nå har vi i det minste en sjanse, og det ser ut som om det kan gå bra. Millennium er handlingslammet. De har kanskje en mistanke om at vi er et eller annet sted her ute, men de kan ikke dokumentere det, og de har ingen mulighet til å finne hverken dokumentasjon eller oss. Vi har full kontroll over det de foretar seg.»

Wadensjöö så ut gjennom vinduet. Han så takryggene på noen hus i nabolaget.

«Det eneste som gjenstår, er Zalatsjenkos datter. Hvis noen begynner å rote i historien hennes og høre på det hun har å si, kan hva som helst skje. Men rettssaken begynner om noen dager, og deretter er det over. Denne gangen må vi begrave henne så dypt at hun aldri noensinne kan komme tilbake og spøke for oss.»

Wadensjöö ristet på hodet.

«Jeg forstår ikke den holdningen din,» sa Clinton.

«Nei. Jeg skjønner at du ikke gjør det. Du har nettopp fylt 68 år. Du er døende. Beslutningene dine er ikke rasjonelle, men likevel ser det ut til at du har klart å forhekse Georg Nyström

543

og Jonas Sandberg. De adlyder deg som om du skulle vært Gud fader.»

«Jeg *er* Gud fader i alt som har med Seksjonen å gjøre. Vi arbeider etter en plan. Vår beslutningsevne har gitt Seksjonen en sjanse. Og det er med stor besluttsomhet jeg sier at Seksjonen aldri noensinne skal havne i en så utsatt situasjon igjen. Når dette er over, skal vi ha en total gjennomgang av virksomheten.»

«Jeg skjønner.»

«Georg Nyström blir ny sjef. Han er egentlig for gammel, men han er den eneste som kan komme på tale, og han har lovet å bli i minst seks år til. Sandberg er for ung og, på grunn av din ledelse, for uerfaren. Han burde ha vært fullt utlært på dette tidspunktet.»

«Clinton, du fatter ikke hva du har gjort. Du har drept et menneske. Björck arbeidet for Seksjonen i femogtredve år, og du beordret ham tatt av dage. Skjønner du ikke ...»

«Du vet utmerket godt at det var nødvendig. Han hadde forrådt oss, og han ville aldri ha klart å motstå presset når politiet begynte å snøre nettet sammen rundt ham.»

Wadensjöö reiste seg.

«Jeg er ikke ferdig ennå.»

«Da får vi ta det senere. Jeg har en jobb å gjøre mens du ligger her og fantaserer om at du er Den allmektige.»

Wadensjöö gikk mot døren.

«Hvis du er så moralsk opprørt, hvorfor går du da ikke til Bublanski og tilstår din brøde?»

Wadensjöö snudde seg mot den syke.

«Tanken har slått meg. Men uansett hva du tror, så verner jeg om Seksjonen alt jeg kan.»

Akkurat idet han åpnet døren, møtte han Georg Nyström og Jonas Sandberg.

«Hei, Clinton,» sa Nyström. «Det er et par ting vi må snakke om»

«Kom inn. Wadensjöö skulle nettopp til å gå.»

Nyström ventet til døren var lukket.

«Fredrik, jeg er alvorlig bekymret,» sa Nyström.

«Hvorfor det?»

«Sandberg og jeg har tenkt litt. Det skjer ting som vi ikke skjønner. Nå på morgenen har Salanders advokat overlevert selvbiografien hennes til statsadvokaten.»

«*Hva?*»

Kriminalbetjent Hans Faste betraktet Annika Giannini mens statsadvokat Richard Ekström skjenket kaffe fra en termokanne. Ekström var forbløffet over det dokumentet han hadde fått på bordet da han kom på arbeidet samme morgen. Sammen med Faste hadde han lest de førti sidene som utgjorde Lisbeth Salanders redegjørelse. De hadde diskutert det merkverdige dokumentet en lang stund. Til slutt hadde han følt seg nødt til å be Annika Giannini komme til kontoret hans for en uformell samtale.

De satte seg ved et lite møtebord på Ekströms kontor.

«Takk for at du ville komme innom,» begynte Ekström. «Jeg har lest denne ... hmm, redegjørelsen som du leverte inn i morges, og jeg føler behov for å få besvart noen spørsmål ...»

«Ja?» sa Annika Giannini hjelpsomt.

«Jeg vet faktisk ikke i hvilken ende jeg skal begynne. Jeg burde kanskje begynne med å forklare at både jeg og kriminalbetjent Faste er dypt forbløffet.»

«Jaså?»

«Jeg forsøker å forstå hvilke intensjoner du har.»

«Hva mener du?»

«Denne selvbiografien, eller hva man skal kalle den. Hva er hensikten med den?»

«Det burde vel være åpenbart. Min klient vil redegjøre for sin versjon av hendelsesforløpet.»

Ekström lo godmodig. Han strøk seg over skjegget med en velkjent gest som Annika av en eller annen grunn begynte å bli irritert over.

«Ja, men klienten din har hatt flere måneder til å forklare seg. Hun har ikke sagt ett ord i de avhørene som Faste har forsøkt å ha med henne.»

«Så vidt jeg vet finnes det ingen lovbestemmelse som tvinger henne til å snakke når det passer kriminalbetjent Faste.»

«Nei, men jeg mener ... om to dager begynner rettssaken mot Salander, og i ellevte time kommer hun med dette. Jeg føler på en måte et ansvar her, som strekker seg litt ut over min plikt som aktor.»

«Jaha?»

«Jeg vil på ingen måte uttrykke meg på en måte som du kan tolke som støtende. Det er ikke min mening. Vi har en rettergangsordning her i landet. Men fru Giannini, du er kvinnerettsadvokat og har aldri representert noen klient i en straffesak tidligere. Jeg har ikke reist tiltale mot Lisbeth Salander fordi hun er kvinne, men fordi hun har begått grove voldsforbrytelser. Jeg tror at selv du må ha forstått at hun er alvorlig psykisk syk og trenger hjelp og omsorg fra samfunnet.»

«La meg hjelpe deg,» sa Annika Giannini vennlig. «Du er redd for at jeg ikke vil gi Lisbeth Salander et fullgodt forsvar.»

«Det er ikke noe nedsettende i dette,» sa Ekström. «Jeg setter ikke spørsmålstegn ved din kompetanse. Jeg påpeker bare at du er uerfaren.»

«Jeg skjønner. La meg da si at jeg helt enig med deg. Jeg er har svært liten erfaring med strafferettssaker.»

«Og likevel har du konsekvent avslått den hjelp som er blitt tilbudt fra adskillig mer erfarne advokater ...»

«I tråd med min klients ønske. Lisbeth Salander vil ha meg som sin advokat, og jeg kommer til å møte som hennes forsvarer i retten om to dager.»

Hun smilte høflig.

«Greit. Men jeg lurer på om du i fullt alvor har tenkt å presentere dette materialet for retten?»

«Selvfølgelig. Det er Lisbeth Salanders historie.»

Ekström og Faste skottet på hverandre. Faste hevet øyenbrynene. Han kunne ikke begripe hva det egentlig var Ekström maste om. Hvis Giannini ikke skjønte at hun var på vei til å torpedere klienten sin fullstendig, så var det da for svarte ikke påtalemyndighetens sak. Det var bare å takke og ta imot og legge saken bak seg.

At Salander var spik spenna gæren, næret Hans Faste ingen tvil om. Han hadde mobilisert alle sine ferdigheter for å forsøke å få henne til i hvert fall å fortelle hvor hun bodde. Men i avhør etter avhør hadde den jævla jenta sittet helt taus og stirret på veggen bak ham. Hun hadde ikke beveget seg en millimeter. Hun hadde nektet å ta imot sigaretter som han bød henne, eller kaffe eller noe kaldt å drikke. Hun hadde ikke reagert når han bønnfalt henne, eller når han enkelte ganger hevet stemmen i stor irritasjon.

Det var sannsynligvis de mest frustrerende avhør kriminalbetjent Hans Faste noensinne hadde holdt.

Han sukket.

«Fru Giannini,» sa Ekström til slutt. «Jeg mener at din klient burde få slippe denne rettssaken. Hun er syk. Jeg har en meget kvalifisert rettspsykiatrisk vurdering å støtte meg til. Hun burde få den psykiatriske omsorgen som hun har hatt behov for i mange år.»

«I så fall formoder jeg at du vil fremlegge dette i tingretten.»

«Det kommer jeg til å gjøre. Det er ikke min oppgave å fortelle deg hvordan du bør legge opp forsvaret av henne. Men hvis dette er en linje du for alvor kommer til å legge deg på, så er situasjonen helt absurd. Denne selvbiografien inneholder helt vanvittige og udokumenterte anklager mot en rekke personer ... ikke minst mot hennes tidligere verge, advokat Bjurman, og doktor Peter Teleborian. Jeg håper ikke du for alvor tror at retten kommer til å godta påstander som mistenkeliggjør Teleborian uten fnugg av bevis. Dette dokumentet kommer til å utgjøre den siste spikeren i din klients likkiste, om du unnskylder sammenligningen.»

«Jeg skjønner.»

«Du kan i retten benekte at hun er syk og kreve en kompletterende rettspsykiatrisk granskning, og saken kan bli overlatt til Rättsmedicinalverket. Men ærlig talt, med denne redegjørelsen fra Salander råder det ingen tvil om at alle andre rettspsykiatere vil komme frem til samme konklusjon som Peter Teleborian. Hennes egen beretning styrker jo all dokumentasjon om at hun er schizofren og paranoid.»

Annika Giannini smilte høflig.

«Det finnes jo et alternativ,» sa hun.

«Hva da?» sa Ekström.

«Tja. At redegjørelsen hennes er helt sann, og at retten kommer til å velge å tro på den.»

Statsadvokat Ekström så forbløffet ut. Så smilte han høflig og strøk seg over skjegget.

Fredrik Clinton hadde satt seg ved det lille bordet foran vinduet på værelset sitt. Han lyttet oppmerksomt til Georg Nyström og Jonas Sandberg. Ansiktet var furete, men øynene var et par våkne og fokuserte pepperkorn.

«Vi har hatt oversikt over telefontrafikk og e-post for de viktigste medarbeiderne i Millennium siden april,» sa Clinton. «Vi har konstatert at Blomkvist og Malin Eriksson og denne Cortez nærmest har gitt opp. Vi har lest layoutversjonen av neste nummer av Millennium. Det virker som om selv Blomkvist har trukket seg tilbake til en posisjon hvor han mener at Salander tross alt er gal. Det finnes et sosialt begrunnet forsvar for Lisbeth Salander – han argumenterer for at hun ikke har fått den støtten fra samfunnet som hun egentlig burde hatt, og at det derfor på en eller annen måte ikke er hennes feil at hun forsøkte å ta livet av sin far ... men det er jo synspunkter som ikke betyr det aller minste. Det står ikke et ord om innbruddet i leiligheten hans eller om overfallet på søsteren hans i Göteborg eller om de forsvunne rapportene. Han vet at han ikke kan bevise noe.»

«Det er det som er problemet,» sa Jonas Sandberg. «Blomkvist må rimeligvis vite at det er noe som ikke er som det skal. Men han ignorerer fullstendig alle slike spørsmålstegn. Jeg beklager, men det er ikke Millenniums stil. Dessuten er Erika Berger tilbake i redaksjonen. Hele dette nummeret av Millennium er så tomt og innholdsløst at det virker som en vits.»

«Så hva mener du ... at det er et falsum?»

Jonas Sandberg nikket.

«Millenniums sommernummer skulle egentlig ha kommet ut den siste uken i juni. Ut fra det vi kan lese av Malin Erikssons e-post til Mikael Blomkvist, skal dette nummeret trykkes hos et firma i Södertälje. Men da jeg sjekket med firmaet tidligere i dag, hadde de ikke engang fått noen trykkoriginal. Alt de har fått, er en forspørsel om priser for en måned siden.»

«Hmm,» sa Fredrik Clinton.

«Hvor har de trykket tidligere?»

«Hos noe som heter Hallvigs Reklamtryckeri i Morgongåva. Jeg ringte og spurte hvor langt de var kommet med trykkingen – jeg lot som om jeg jobbet i Millennium. Sjefen hos Hallvigs ville ikke si et ord. Jeg har tenkt å dra opp dit i kveld og ta en titt.»

«Jeg skjønner. Georg?»

«Jeg har gjennomgått all tilgjengelig telefontrafikk fra den siste uken,» sa Georg Nyström. «Det er merkelig, men ingen av de ansatte i Millennium har diskutert noe som har med rettssaken eller Zalatsjenko-affæren å gjøre.»

«Ingenting?»

«Nei. De blir nevnt når noen av de ansatte snakker med folk utenfor Millennium. Hør på dette, for eksempel. Mikael Blomkvist blir oppringt av en journalist fra Aftonbladet som lurer på om han har noen kommentar til den tilstundende rettssaken.»

Han tok frem en kassettspiller.

«Sorry, men jeg har ingen kommentarer.»

«Du har jo vært med på denne historien helt fra starten. Det var jo du som fant Salander nede i Gosseberga. Og du har ikke offentliggjort et eneste ord ennå. Når har du tenkt å gå ut?»

«Når det passer. Forutsatt at jeg har noe å gå ut med.»

«Har du det?»

«Tja, du får vel kjøpe Millennium og finne det ut.»

Han slo av kassettspilleren.

«Vi har egentlig ikke tenkt noe på dette tidligere, men jeg gikk tilbake og lyttet litt her og der. Det har vært sånn hele tiden. Han diskuterer nesten aldri Zalatsjenko-saken, bortsett fra i høyst generelle vendinger. Han diskuterer den ikke engang med sin søster, som er Salanders advokat.»

«Det er jo faktisk mulig at han ikke har noe å si.»

«Han nekter konsekvent å spekulere rundt dette. Det virker som om han bor i redaksjonen døgnet rundt, og er nesten aldri hjemme i leiligheten i Bellmansgatan. Hvis han jobber døgnet rundt, burde han ha klart å prestere noe bedre enn det som finnes i neste nummer av Millennium.»

«Og vi har fortsatt ingen muligheter til å avlytte redaksjonen?»

«Nei,» innskjøt Jonas Sandberg. «Det er noen i redaksjonen døgnet rundt. Også det er signifikant.»

«Hmm?»

«Fra det øyeblikket vi brøt oss inn i Blomkvists leilighet og fremover, har det vært noen til stede i redaksjonen, og det lyser stadig på kontoret hans. Hvis det ikke er han som er der, så er det Cortez eller Malin Eriksson eller denne soperen ... øh, Christer Malm.»

Clinton strøk seg over haken. Han tenkte en stund.

«OK. Konklusjoner?»

Georg Nyström nølte litt.

«Nja ... hvis jeg ikke hadde visst bedre, ville jeg trodd at de spilte teater for oss.»

Clinton kjente at det gikk kaldt nedover nakken på ham.

«Hvorfor har vi ikke lagt merke til dette tidligere?»

«Vi har hørt på det som er blitt sagt, ikke det som ikke er blitt sagt. Vi har vært fornøyd når vi har hørt hvor forvirret de er, eller lest det i e-posten. Blomkvist har skjønt at noen stjal Salander-rapporten fra 1991 både fra ham og søsteren. Men hva faen skal han gjøre med det?»

«De har ikke politianmeldt overfallet?»

Nyström ristet på hodet.

«Giannini har vært med på alle avhørene av Salander. Hun er høflig, men sier ingenting av betydning. Og Salander sier absolutt ingenting.»

«Men da spiller de jo alt rett i hendene på oss. Jo mer hun holder kjeft, desto bedre. Hva sier Ekström?»

«Jeg traff ham for to timer siden. Det var da han hadde fått denne redegjørelsen fra Salander.»

Han pekte på kopien som lå på fanget til Clinton.

«Ekström er forvirret. Det er flaks at Salander ikke har evnen til å uttrykke seg skriftlig. For en uinnvidd fremstår redegjørelsen som en fullstendig sinnssyk konspirasjonsteori med pornografiske innslag. Men hun skyter veldig nær målet. Hun forteller nøyaktig hvordan det gikk for seg da hun ble sperret inne på St. Stefans, hun hevder at Zalatsjenko jobbet for Säpo og lignende. Hun nevner at hun tror det finnes en liten sekt innenfor Säpo, hvilket antyder at hun har mistanke om at det eksisterer noe i likhet med Seksjonen. I det hele tatt er det en veldig grundig beskrivelse av oss. Men den er som sagt ikke troverdig. Ekström er forvirret, siden dette også ser ut til å være Gianninis forsvarsstrategi i rettssaken.»

«Faen,» utbrøt Clinton.

Han bøyde hodet fremover og tenkte intenst i flere minutter. Til slutt så han opp.

«Jonas, dra opp til Morgongåva i kveld og undersøk om det er noe som foregår der. Hvis de trykker Millennium, vil jeg ha en kopi.»

«Jeg tar med meg Falun.»

«Bra. Georg, jeg vil at du skal oppsøke Ekström og føle ham på pulsen i ettermiddag. Alt har gått som på skinner til nå, men jeg kan ikke avfeie det dere sier.»

«Greit.»

Clinton satt taus en stund til.

«Det beste ville vært om det ikke ble noen rettssak ...» sa han til slutt.

Han hevet blikket og så Nyström inn i øynene. Nyström nikket. Sandberg nikket. Det forelå en stilltiende enighet.

«Nyström, kan du undersøke hvilke muligheter som finnes?»

Jonas Sandberg og låsesmeden Lars Faulsson, mer kjent som Falun, parkerte et stykke fra jernbanen og vandret gjennom Morgongåva. Klokken var halv ni om kvelden. Det var for lyst og for tidlig til å gjøre noe, men de ville rekognosere og skaffe seg et overblikk.

«Hvis de har alarm, tar jeg det ikke,» sa Falun.

Sandberg nikket.

«Da er det bedre å sjekke gjennom vinduene. Hvis det ligger

551

noe fremme, hiver du en stein gjennom ruta og tar det du skal ha og løper som faen.»

«Det går bra,» sa Sandberg.

«Hvis det bare er ett eksemplar av bladet du trenger, kan vi sjekke om det står en søppelcontainer på baksiden. Det må jo finnes mislykkede forsøk og prøvetrykk og den slags.»

Hallvigs trykkeri lå i en lav mursteinsbygning. De nærmet seg den sørfra, på motsatt side av gaten. Sandberg skulle akkurat til å krysse gaten da Falun grep ham i albuen.

«Fortsett fremover,» sa han.

«Hva?»

«Vi fortsetter fremover som om vi er ute på en aftentur.»

De passerte Hallvigs og gikk en runde rundt kvartalet.

«Hva var det det dreide seg om?» spurte Sandberg.

«Du må ha øynene med deg. Stedet har ikke bare alarm. Det sto en bil parkert ved siden av bygningen.»

«Du mener at det er noen her?»

«Det var en bil fra Milton Security. Trykkeriet er jo faen meg tungt bevoktet.»

«Milton Security,» utbrøt Fredrik Clinton. Han kjente sjokket i mellomgulvet.

«Hvis det ikke hadde vært for Falun, ville jeg gått rett i armene på dem,» sa Jonas Sandberg.

«Det er noe faenskap på gang,» sa Georg Nyström. «Det er ingen som helst rimelig grunn til at et lite trykkeri ute på landsbygda skulle engasjere Milton Security til fast vakthold.»

Clinton nikket. Munnen hans var en stram strek. Klokken var elleve om kvelden, og han trengte hvile.

«Og det betyr at Millennium har noe på gang,» sa Sandberg.

«Jeg har skjønt det,» sa Clinton. «OK. La oss analysere situasjonen. Hva er det verst tenkelige scenario? Hva kan de vite?»

Han så oppfordrende på Nyström.

«Det må være Salander-rapporten fra 1991,» sa han. «De forsterket sikkerhetstiltakene etter at vi hadde stjålet kopiene. De må ha gjettet at de er overvåket. I verste fall har de enda et eksemplar av rapporten.»

«Men Blomkvist har jo vært fortvilet over at de har mistet den.»

«Jeg vet det. Men vi kan ha latt oss bondefange. Vi kan ikke lukke øynene for den muligheten.»

Clinton nikket.

«Vi går ut fra det. Sandberg?»

«Vi kjenner faktisk Salanders forsvarsstrategi. Hun forteller sannheten slik hun opplever den. Jeg har lest denne såkalte selvbiografien en gang til. Den spiller faktisk kortene rett opp i hendene på oss. Den inneholder så grove anklager om voldtekt og justismord at det ganske enkelt kommer til å fremstå som hjernespinn fra en lystløgner.»

Nyström nikket.

«Dessuten kan hun ikke bevise et fnugg av påstandene. Ekström kommer til å bruke redegjørelsen mot henne. Han kommer til å tilintetgjøre all hennes troverdighet.»

«Greit. Teleborians nye rapport er utmerket. Så finnes det selvsagt en mulighet for at Giannini vil hente frem en egen ekspert som påstår at Salander ikke er gal, og at det hele havner hos Rättsmedicinalverket. Men igjen – hvis Salander ikke endrer taktikk, kommer hun til å nekte å snakke med dem også, og da kommer de til å trekke den slutningen at Teleborian har rett, og at hun er sprø. Hun er sin egen verste fiende.»

«Det ville fortsatt vært best om det aldri ble noen rettssak,» sa Clinton.

Nyström ristet på hodet.

«Det er nesten umulig. Hun sitter i Kronobergs-arresten og har ingen kontakt med andre fanger. Hun får en times mosjon hver dag i luftegården på taket, men der har vi ingen muligheter. Og vi har ingen kontakter blant personalet i arresten.»

«Jeg skjønner.»

«Hvis vi skulle gått til aksjon mot henne, burde vi gjort det da hun lå på Sahlgrenska. Nå må det skje åpenlyst. Sannsynligheten for at drapsmannen blir tatt, er nesten hundre prosent. Og hvor finner vi en *shooter* som går med på det? På så kort varsel er det ikke mulig å arrangere et selvmord eller en ulykke.»

«Jeg var redd for det. Og uventede dødsfall har en tendens

til å skape spørsmål. Greit, vi får se hvordan det går i rettssaken. Saklig sett er jo ingenting forandret. Vi har hele tiden ventet at de ville komme med et mottrekk, og det er åpenbart denne selvbiografien.»

«Problemet er Millennium,» sa Jonas Sandberg.

Alle nikket.

«Millennium og Milton Security,» sa Clinton ettertenksomt. «Salander har arbeidet for Armanskij, og Blomkvist har vært sammen med henne. Skal vi trekke den slutningen at de har slått sine pjalter sammen?»

«Det virker ikke urimelig hvis Milton Security bevokter det trykkeriet hvor Millennium blir trykket. Det kan ikke være noen tilfeldighet.»

«Greit. Når har de tenkt å gå ut? Sandberg, du sa at de snart er to uker forsinket. Hvis vi går ut fra at Milton Security bevokter trykkeriet for å passe på at ingen får tak i Millennium i forkant, betyr det dels at de har tenkt å offentliggjøre noe som de ikke vil avsløre på forhånd, dels at bladet sannsynligvis allerede er trykket.»

«I forbindelse med rettssaken,» sa Jonas Sandberg. «Det er det eneste rimelige.»

Clinton nikket.

«Hva kommer det til å stå i bladet? Hva er verste scenario?»

Alle tre grublet en lang stund. Det var Nyström som brøt tausheten.

«I verste fall har de, som sagt, en kopi av rapporten fra 1991.»

Clinton og Sandberg nikket. De hadde kommet til samme konklusjon.

«Spørsmålet er hvor mye de kan gjøre med den,» sa Sandberg. «Rapporten impliserer Björck og Teleborian. Björck er død. De kommer til å gå hardt løs på Teleborian, men han kan påstå at han bare foretok en helt vanlig rettspsykiatrisk vurdering. Det kommer til å bli påstand mot påstand, og han kommer naturligvis til å stille seg helt uforstående til alle anklager.»

«Hva skal vi gjøre hvis de offentliggjør rapporten?» undret Nyström.

«Jeg tror at vi har en trumf på hånden,» sa Clinton. «Hvis det blir bråk om rapporten, kommer all oppmerksomhet til å rette seg mot Säpo, ikke mot Seksjonen. Og når journalistene begynner å stille spørsmål, kan Säpo hente den frem fra arkivet ...»

«Og der ligger naturligvis ikke samme rapport,» sa Sandberg.

«Shenke har lagt den modifiserte versjonen i arkivet, altså den versjonen som statsadvokat Ekström har fått lese. Den har fått et journalnummer. Her kan vi ganske raskt legge ut en mengde desinformasjon til mediene ... Vi har jo originalen som Bjurman fikk tak i, og Millennium har bare en kopi. Vi kan til og med spre opplysninger som antyder at det er Blomkvist selv som har forfalsket originalrapporten.»

«Bra. Hva mer kan Millennium vite om?»

«De kan ikke vite noe om Seksjonen. Det er umulig. De kommer altså til å rette oppmerksomheten mot Säpo, noe som betyr at Blomkvist kommer til å fremstå som en konspirasjonsteoretiker, og at Säpo kommer til å hevde at han er sprø.»

«Han er temmelig godt kjent,» sa Clinton langsomt. «Etter Wennerström-saken har han høy troverdighet.»

Nyström nikket.

«Er det mulig å senke den troverdigheten på noen måte?» sa Jonas Sandberg.

Nyström og Clinton vekslet blikk. Så nikket begge to. Clinton så på Nyström.

«Tror du at du kunne klare å få tak i ... la oss si femti gram kokain?»

«Kanskje fra jugoslavene.»

«OK. Gjør et forsøk. Men det haster. Rettssaken begynner om to dager.»

«Jeg skjønner ikke ...» sa Jonas Sandberg.

«Det er et triks som er like gammelt som yrket. Men fremdeles meget effektivt.»

«Morgongåva?» sa Torsten Edklinth og rynket øyenbrynene. Han satt i slåbrok hjemme i sofaen og holdt på å lese igjennom

Salanders biografi for tredje gang da Monica Figuerola ringte. Siden det var ganske langt over midnatt, gikk han ut fra at det var noe faenskap under utvikling.

«Morgongåva,» gjentok Monica Figuerola. «Sandberg og Lars Faulsson kjørte opp dit ved syvtiden i kveld. Curt Svensson fra gjengen til Bublanski skygget dem hele veien, noe som også ble en del enklere ved at vi har en sporsender i Sandbergs bil. De parkerte i nærheten av den gamle jernbanestasjonen og spaserte deretter noen kvartaler før de gikk tilbake til bilen og kjørte ned til Stockholm igjen.»

«Jeg skjønner. Møtte de noen, eller ...»

«Nei. Det var det som var det rare. De gikk ut av bilen og spaserte en runde før de gikk tilbake til bilen og kjørte hjem til Stockholm.»

«Jaha. Hvorfor ringer du meg halv ett om natten for å fortelle det?»

«Det tok litt tid før vi kom på det. De gikk forbi en bygning hvor Hallvigs Reklamtryckeri holder til. Jeg har snakket med Mikael Blomkvist om saken. Det er der Millennium trykkes.»

«Å faen,» sa Edklinth.

Han innså umiddelbart implikasjonene.

«Siden Falun var med, går jeg ut fra at de hadde tenkt å avlegge et sent besøk på trykkeriet, men avbrøt ekspedisjonen,» sa Monica Figuerola.

«Hvorfor det?»

«Fordi Blomkvist har bedt Dragan Armanskij om å bevokte trykkeriet til bladet skal distribueres. De så sannsynligvis bilen fra Milton Security. Jeg gikk ut fra at du ville ha denne informasjonen umiddelbart.»

«Du har rett. Det betyr at de har begynt å ane ugler i mosen ...»

«Om ikke annet, så må varselklokkene ha begynt å ringe da de fikk se bilen. Sandberg satte Faulsson av i sentrum og dro deretter tilbake til adressen i Artillerigatan. Vi vet at Fredrik Clinton befinner seg der. Georg Nyström dukket opp omtrent samtidig. Spørsmålet er hva de kommer til å foreta seg.»

«Rettssaken begynner på tirsdag ... Kan du ringe Blomkvist

og be ham skjerpe sikkerheten i Millennium. For alle tilfelles skyld.»

«De har allerede ganske god sikkerhet. Og måten de har blåst røykringer rundt de avlyttede telefonene sine på, er i proffklasse. Faktum er at Blomkvist er så pass paranoid at han har utviklet metoder for avledende manøvre som vi kunne ha nytte av.»

«Greit. Men ring ham uansett.»

Monica Figuerola slo av mobiltelefonen og la den på nattbordet. Hun løftet blikket og så på Mikael Blomkvist, som lå naken og lente seg mot gjerdet ved fotenden av sengen.

«Jeg skal ringe deg og foreslå at du øker sikkerheten i Millennium,» sa hun.

«Takk for tipset,» sa han tørt.

«Jeg mener alvor. Hvis de begynner å ane ugler i mosen, er det en viss risiko for at de kan handle ugjennomtenkt. Og da kan det være et innbrudd underveis.»

«Henry Cortez sover der i natt. Og vi har en overfallsalarm direkte tilknyttet Milton Security, som er tre minutter unna.»

Han ble sittende taus et øyeblikk.

«Paranoid,» mumlet han.

KAPITTEL 24

Mandag 11. juli

Klokken var seks mandag morgen da Susanne Linder fra Milton Security ringte på Mikael Blomkvists blå T10.

«Sover du aldri?» spurte Mikael søvndrukkent.

Han kikket bort på Monica Figuerola, som allerede var oppe og hadde fått på seg joggeshortsen, men ikke T-skjorten ennå.

«Jo. Men jeg ble vekket av nattevakten. Den tause alarmen vi installerte i leiligheten din, ble utløst klokken tre i morges.»

«Jaha?»

«Så jeg måtte dra ned og se hva som hadde skjedd. Dette er komplisert. Kan du komme innom Milton Security nå på morgenen? Temmelig omgående.»

«Dette er alvorlig,» sa Dragan Armanskij.

Klokken var litt over åtte da de møttes foran en TV-monitor i et møterom i Milton Security. Deltagere på møtet var Armanskij, Mikael Blomkvist og Susanne Linder. Armanskij hadde også innkalt Johan Fräklund, 62 år og forhenværende kriminalbetjent ved Solna-politiet, som nå var leder for Miltons operative enhet, og forhenværende kriminalbetjent Sonny Bohman, 48 år, som hadde fulgt Salander-saken helt fra starten. Alle sammen satt og funderte over den overvåkningsfilmen som Susanne Linder nettopp hadde vist dem.

«Det vi ser, er at Jonas Sandberg åpner døren til Mikael Blomkvists leilighet klokken 03.17 nå i natt. Han har skaffet seg egne nøkler ... Dere husker at denne låsesmeden Faulsson tok avtrykk av Blomkvists reservenøkler for flere uker siden da han og Göran Mårtensson brøt seg inn i leiligheten.»

Armanskij nikket bistert.

«Sandberg oppholder seg i leiligheten i drøyt åtte minutter. I løpet av den tiden iverksetter han følgende tiltak: Dels henter han en liten plastpose fra kjøkkenet som han fyller. Deretter skrur han løs bakstykket på en høyttaler du har i stuen, Mikael. Det er der han plasserer posen.»

«Hmm,» sa Mikael Blomkvist.

«Det at han henter en pose fra kjøkkenet ditt, er signifikant.»

«Det er en pose fra Konsum som det har vært små bagetter i,» sa Mikael. «Jeg bruker dem til å legge ost og lignende i.»

«Jeg gjør det samme hjemme hos meg. Og det signifikante er naturligvis at posen har dine fingeravtrykk. Deretter henter han en gammel SMP fra søppelposen din i entren. Han bruker en side av avisen til å pakke inn en gjenstand som han plasserer øverst i klesskapet ditt.»

«Hmm,» sa Mikael Blomkvist igjen.

«Det er det samme her. Avisen har dine fingeravtrykk.»

«Jeg skjønner,» sa Mikael Blomkvist.

«Jeg dro bort til leiligheten din ved femtiden. Jeg fant følgende: I høyttaleren din ligger nå omkring 180 gram kokain. Jeg tok en prøve på ett gram som jeg har her.»

Hun la en liten bevispose på møtebordet.

«Hva er det i klesskapet?» spurte Mikael.

«Omtrent 120 000 kroner i kontanter.»

Armanskij ga tegn til at Susanne Linder skulle slå av monitoren. Han så bort på Fräklund.

«Mikael Blomkvist er altså innblandet i kokainhandel,» sa Fräklund godmodig. «De har åpenbart begynt å bli urolige for hva Blomkvist holder på med.»

«Dette er et mottrekk,» sa Mikael Blomkvist.

«Mottrekk?»

«De oppdaget Miltons sikkerhetsvakter i Morgongåva i går kveld.»

Han fortalte hva han hadde fått vite av Monica Figuerola om Sandbergs utflukt til Morgongåva.

«En flittig jævel,» sa Sonny Bohman.

«Men hvorfor akkurat nå?»

«De er åpenbart bekymret for hva Millennium kan komme til å stelle i stand når rettssaken begynner,» sa Fräklund. «Hvis Blomkvist blir tatt for kokainhandel, kommer troverdigheten hans til å synke dramatisk.»

Susanne Linder nikket. Mikael Blomkvist så tvilende ut.

«Så hvordan skal vi håndtere dette?» spurte Armanskij.

«Vi gjør ingenting for øyeblikket,» foreslo Fräklund. «Vi sitter med et trumfkort på hånden. Vi har en utmerket dokumentasjon på hvordan Sandberg plasserer bevismateriale i leiligheten din, Mikael. La fellen klappe igjen. Vi kommer umiddelbart til å kunne bevise at du er uskyldig, og dessuten blir det ytterligere et bevis for Seksjonens kriminelle adferd. Jeg skulle gjerne vært aktor når de typene der skal stilles for retten.»

«Jeg vet ikke,» sa Mikael Blomkvist langsomt. «Rettssaken begynner i overmorgen. Millennium kommer ut på fredag, rettssakens tredje dag. Hvis de har tenkt å ta meg for kokainhandel, bør det skje før den tid … og jeg vil ikke kunne forklare hvordan det har gått til før magasinet kommer ut. Det betyr at jeg risikerer å bli pågrepet og gå glipp av starten på rettssaken.»

«Det er med andre ord gode grunner til at du skal holde deg usynlig denne uken,» foreslo Armanskij.

«Nja … jeg må jobbe litt med TV4 og gjøre en del andre forberedelser. Det ville være ubeleilig …»

«Hvorfor akkurat nå?» spurte Susanne Linder plutselig.

«Hva mener du?» spurte Armanskij.

«De har hatt tre måneder på seg til å kaste dritt på Blomkvist. Hvorfor går de til aksjon akkurat nå? Uansett hva de gjør, kan de ikke forhindre publiseringen.»

De satt tause rundt bordet en stund.

«Det kan komme av at de ikke har skjønt hva du kommer til å gå ut med, Mikael,» sa Armanskij langsomt. «De vet at du har noe i ermet … men de tror muligens at du bare har Björcks rapport fra 1991.»

Mikael nikket tvilende.

«De har ikke skjønt at du har tenkt å rulle opp hele Seksjonen. Hvis det bare dreier seg om Björcks rapport, holder det å skape mistillit til deg. Dine eventuelle avsløringer vil komme til å drukne i at du blir pågrepet og arrestert. Stor skandale. Den kjente journalisten Mikael Blomkvist tatt for alvorlig narkotikaforbrytelse. Seks til åtte års fengsel.»

«Kan jeg få to kopier av overvåkningsfilmen?» ba Mikael.

«Hva vil du gjøre?»

«En kopi til Edklinth. Og så skal jeg møte TV4 om tre timer. Jeg tror det er bra om vi forbereder oss på å kjøre dette i TV når alt braker løs.»

Monica Figuerola slo av DVD-spilleren og la fjernkontrollen på bordet. De hadde møttes i det midlertidige kontoret ved Fridhemsplan.

«Kokain,» sa Edklinth. «De bruker tøffe metoder.»

Monica Figuerola så betenkt ut. Hun skottet bort på Mikael.

«Jeg syntes det var best at dere ble informert,» sa han med et skuldertrekk.

«Jeg liker ikke dette,» sa hun. «Det vitner om en desperasjon som ikke er helt gjennomtenkt. De må da vel skjønne at du ikke bare kommer til å la deg bure stille og rolig inne i bunkersen i Kumla hvis du blir tatt for en narkotikaforbrytelse.»

«Ja,» sa Mikael.

«Selv om du skulle bli dømt, er det en overhengende risiko for at folk faktisk vil tro på det du sier. Og dine kolleger i Millennium kommer ikke til å holde munn.»

«Dessuten koster dette en god del,» sa Edklinth. «De har altså et budsjett som betyr at de uten å blunke kan legge ut 120 000 kroner pluss det kokainen er verdt.»

«Jeg vet det,» sa Mikael. «Men planen er faktisk riktig god. De regner med at Lisbeth Salander vil havne på mentalsykehus, og at jeg skal forsvinne i en sky av mistenkeliggjøring. Dessuten tror de at all oppmerksomhet kommer til å rette seg mot Säpo – ikke mot Seksjonen. De har en ganske god utgangsposisjon.»

«Men hvordan skal de overtale narkotikaavsnittet til å foreta en husransakelse hjemme hos deg? Jeg mener, det er vel ikke nok med et anonymt tips for at noen skal sparke inn døren hos en kjendisjournalist. Og hvis dette skal fungere, må du mistenkeliggjøres i løpet av de nærmeste dagene.»

«Tja, vi vet jo ikke noe om hvilke tidsplaner de har,» sa Mikael.

Han følte seg trett og skulle ønske at alt var over. Han reiste seg.

«Hvor skal du?» spurte Monica Figuerola. «Jeg vil gjerne vite hvor du befinner deg den nærmeste tiden.»

«Skal treffe TV4 ved lunsjtider. Og deretter Erika Berger over en lammegryte på Samirs gryta klokken seks. Vi skal finslipe pressemeldingen vi går ut med. Resten av kvelden kommer jeg til å befinne meg i redaksjonen, går jeg ut fra.»

Øynene til Monica Figuerola smalnet litt da han nevnte Erika Berger.

«Jeg vil at du skal holde kontakt i løpet av dagen. Helst ville jeg at du holdt nær kontakt til rettssaken har kommet i gang.»

«Greit. Kanskje jeg kan flytte hjem til deg et par dager,» sa Mikael og smilte som om det var en spøk.

Monica Figuerola mørknet. Hun skottet fort bort på Edklinth.

«Monica har rett,» sa Edklinth. «Jeg tror det ville være best om du holdt deg relativt usynlig til dette er over. Hvis du blir tatt av narkotikapolitiet, må du holde munn til rettssaken har kommet i gang.»

«Slapp av,» sa Mikael. «Jeg har ikke tenkt å bli grepet av panikk og avsløre noe på dette stadiet. Jeg gjør mitt hvis dere gjør deres.»

Hun i TV4 kunne knapt skjule sin opphisselse over det nye billedmaterialet som Mikael Blomkvist ga henne. Mikael smilte av den glupske iveren hennes. I en uke hadde de slitt som dyr for å få satt sammen et begripelig materiale om Seksjonen til TV-bruk. Både produsenten hennes og nyhetssjefen i TV4 hadde innsett hvilket skup historien ville bli. Den ble produsert i største hemmelighet med bare noen få involverte medarbeidere. De hadde akseptert Mikaels krav om at innslaget skulle komme først i kveldsnyhetene på rettssakens tredje dag. De hadde besluttet å lage en timelang ekstrainnsatt versjon av *Nyheterna*.

Mikael hadde gitt henne et stort antall stillbilder å leke med, men på TV er det ingenting som kan måle seg med levende bilder. En video med knivskarp billedkvalitet som viser hvordan en navngitt politimann planter kokain i Mikael Blomkvists leilighet, fikk henne nesten til å gå ned i spagaten.

«Dette er strålende TV,» sa hun. «Vignettbilde – Her planter Säpo kokain i journalistens leilighet.»

«Ikke Säpo ... Seksjonen,» korrigerte Mikael. «Gjør ikke den feilen å blande sammen de to.»

«Sandberg jobber jo for faen i Säpo,» protesterte hun.

«Ja, men i praksis er han å betrakte som en infiltratør. Hold grenseoppgangene sylskarpe.»

«Greit. Det er Seksjonen som er storyen her. Ikke Säpo. Mikael, kan du forklare meg hvordan det har seg at du stadig blir innblandet i sånne kioskveltere? Du har rett. Dette kommer til å bli større enn Wennerström-saken.»

«Ren og skjær begavelse, går jeg ut fra. Ironisk nok begynte også denne historien med en Wennerström-sak. Spionsaken i 1960-årene, altså.»

Klokken fire om ettermiddagen ringte Erika Berger. Hun satt i et møte med avisutgivernes organisasjon for å legge frem sitt syn på de planlagte nedskjæringene i SMP, noe som hadde ført til en skarp faglig konflikt etter at hun hadde sagt opp. Hun forklarte at hun var forsinket til den avtalte middagen på Samirs gryta og ikke ville dukke opp før halv syv.

Jonas Sandberg assisterte Fredrik Clinton da han flyttet seg over fra rullestolen til sengen i hvilerommet som utgjorde Clintons kommandosentral i Seksjonens hovedkvarter i Artillerigatan. Clinton hadde nettopp kommet tilbake etter å ha vært til dialyse hele formiddagen. Han følte seg eldgammel og uendelig trett. Han hadde nesten ikke sovet de siste døgnene og skulle ønske at alt var over. Han hadde knapt rukket å sette seg til rette i sengen før Georg Nyström også dukket opp.

Clinton konsentrerte seg av alle krefter.

«Er alt klart?» spurte han.

Georg Nyström nikket.

«Jeg har nettopp truffet brødrene Nikoliç,» sa han. «Det kommer til å koste femti tusen.»

«Det har vi råd til,» sa Clinton.

Faen. Den som bare hadde vært ung igjen.

Han dreide på hodet og studerte Georg Nyström og Jonas Sandberg i tur og orden.

«Ingen samvittighetskvaler?» spurte han.

Begge ristet på hodet.

«Når?» spurte Clinton.

«I løpet av fireogtyve timer,» sa Nyström. «Det er faen så vanskelig å holde rede på hvor Blomkvist befinner seg, men i verste fall gjør de det utenfor redaksjonen.»

Clinton nikket.

«Vi har en mulig åpning allerede i kveld, om to timer,» sa Jonas Sandberg.

«Jaså?»

«Erika Berger ringte ham for en stund siden. De skal spise middag sammen på Samirs gryta i kveld. Det er en restaurant i nærheten av Bellmansgatan.»

«Berger …» sa Clinton dvelende.

«Jeg håper for Guds skyld at hun ikke …» sa Georg Nyström.

«Det ville ikke vært så helt galt,» avbrøt Jonas Sandberg.

Både Clinton og Nyström så på ham.

«Vi er enig om at Blomkvist er den personen som utgjør den største trusselen mot oss, og at det er sannsynlig at han kommer til å offentliggjøre noe i neste nummer av Millennium. Vi kan ikke hindre offentliggjøringen. Altså må vi tilintetgjøre troverdigheten hans. Hvis han blir drept i noe som ser ut til å være et oppgjør i den kriminelle underverdenen, og politiet deretter finner narkotika og penger i leiligheten hans, kommer etterforskerne til å trekke sine slutninger. Og da kommer de ikke i første omgang til å lete etter konspirasjoner med tilknytning til sikkerhetspolitiet.»

Clinton nikket.

«Erika Berger er faktisk Blomkvists elskerinne,» sa Sandberg med ettertrykk. «Hun er gift og utro. Hvis hun også plutselig blir drept, kommer det til å føre til en mengde andre spekulasjoner i tillegg.»

Clinton og Nyström vekslet blikk. Sandberg var en naturbegavelse når det gjaldt å lage røyktepper. Han lærte fort. Men både Clinton og Nyström følte et lite stikk av tvil. Sandberg var altfor ubekymret overfor det å ta beslutninger om liv og død. Det var ikke bra. Det ekstreme tiltaket som et drap utgjorde, var ikke noe man kunne benytte seg av bare fordi muligheten åpenbarte seg. Det var ingen patentløsning, men et tiltak man bare kunne gripe til når det ikke fantes andre alternativer.

Clinton ristet på hodet.

Collateral damage, tenkte han. Han følte plutselig avsmak for hele operasjonen.

Etter et liv i nasjonens tjeneste sitter vi her som simple snikmordere. Zalatsjenko var nødvendig. Björck var … beklagelig, men Gullberg hadde rett. Björck ville ha gitt etter. Blomkvist er … formodentlig nødvendig. Men Erika Berger er bare en uskyldig tilskuer.

Han skottet bort på Jonas Sandberg. Han håpet at den unge mannen ikke kom til å utvikle seg til en psykopat.

«Hvor mye vet brødrene Nikolić?»

«Ingenting. Det vil si ingenting om oss. Jeg er den eneste de har truffet. Jeg har benyttet meg av en annen identitet, og de kan ikke oppspore meg. De tror drapet har noe med trafficking å gjøre.»

«Hva skjer med brødrene Nikolić etter drapet?»

«De forlater Sverige umiddelbart,» sa Nyström. «Akkurat som etter Björck. Hvis så politietterforskningen ikke gir noen resultater, kan de komme ubemerket tilbake om noen uker.»

«Og planen?»

«Siciliansk modell. De går frem til Blomkvist, tømmer magasinet og går igjen.»

«Våpen?»

«De har et automatvåpen. Jeg vet ikke hvilken type.»

«Jeg håper ikke de har tenkt å pepre hele restauranten …»

«Ingen fare. De er kalde og vet hva de skal gjøre. Men hvis Berger sitter ved samme bord som Blomkvist ...»

Collateral damage.

«Hør etter nå,» sa Clinton. «Det er viktig at Wadensjöö ikke får rede på at vi er innblandet i dette. Særlig hvis Erika Berger blir et av ofrene. Han er allerede spent til bristepunktet. Jeg er redd for at vi må pensjonere ham når dette er over.»

Nyström nikket.

«Det betyr at når vi får meldingen om at Blomkvist er blitt drept, må vi spille teater. Vi skal innkalle til et krisemøte og virke fullstendig overrasket over utviklingen. Vi skal spekulere over hvem som kan stå bak drapet, men ikke si noe om narkotika og den slags før politiet finner bevismaterialet.»

Mikael Blomkvist skiltes fra Hun i TV4 like før klokken fem. De hadde brukt hele ettermiddagen på å gå igjennom uklare punkter i materialet, og deretter var Mikael blitt sminket og utsatt for et langt intervjuopptak.

Han hadde fått et spørsmål som han hadde hatt problemer med å besvare på en forståelig måte, og de hadde tatt opp replikken flere ganger.

Hvordan kan det ha seg at tjenestemenn i den svenske forvaltningen går så langt som til å begå drap?

Mikael hadde grublet over spørsmålet lenge før Hun i TV4 stilte det. Seksjonen måtte ha oppfattet Zalatsjenko som en enestående trussel, men det var ikke noe tilfredsstillende svar. Det svaret han til slutt ga, var heller ikke tilfredsstillende.

«Den eneste rimelige forklaringen jeg kan gi, er at Seksjonen i årenes løp har utviklet seg til en sekt i ordets rette betydning. De er blitt som Knutby eller pastor Jim Jones eller noe lignende. De skriver sine egne lover hvor begreper som rett og galt har opphørt å være relevante, og de ser ut til å være helt isolert fra det normale samfunnet.»

«Det høres ut som en slags sinnssykdom?»

«Det er ingen helt gal beskrivelse.»

Han tok umiddelbart T-banen til Slussen og konstaterte at det var for tidlig å gå til Samirs gryta. Han ble stående en liten stund på Södermalmstorg. Han følte seg bekymret, men samtidig føltes det som om livet plutselig var på rett spor igjen. Det var først etter at Erika Berger hadde kommet tilbake til Millennium at han innså hvor katastrofalt han hadde savnet henne. Dessuten hadde det at hun igjen overtok roret, ikke ført til noen intern konflikt da Malin Eriksson gikk tilbake til stillingen som redaksjonssekretær. Tvert imot, Malin var nærmest overlykkelig over at livet (som hun uttrykte det) kunne komme i gjenge igjen.

Erikas tilbakekomst hadde også ført til at alle hadde oppdaget hvor uhyggelig underbemannet de hadde vært de siste tre månedene. Erika måtte sette i gang for full maskin fra første øyeblikk, og sammen hadde hun og Malin Eriksson klart å takle den delen av den organisatoriske arbeidsbyrden som hadde hopet seg opp. De hadde også hatt et redaksjonsmøte hvor de besluttet at Millennium måtte utvide og ansette minst én og sannsynligvis to nye medarbeidere. Hvordan de skulle finne penger til dette i budsjettet, hadde de imidlertid ingen anelse om.

Til slutt gikk Mikael og kjøpte ettermiddagsavisene og drakk kaffe på Java i Hornsgatan for å slå i hjel tiden til han skulle møte Erika.

Statsadvokat Ragnhild Gustavsson fra riksadvokatembetet la fra seg brillene på møtebordet og betraktet forsamlingen. Hun var 58 år gammel og hadde et furet, men rundkinnet ansikt og grånende kortklippet hår. Hun hadde vært statsadvokat i femogtyve år, og hadde arbeidet hos riksadvokaten siden begynnelsen av 1990-årene.

Det hadde gått bare tre uker siden hun plutselig var blitt innkalt til riksadvokatens kontor for å møte Torsten Edklinth. Den dagen hadde hun vært i ferd med å avslutte noen rutinesaker og deretter begynne en seks uker lang ferie på hytta ute på Husarö. Isteden hadde hun fått i oppdrag å lede etterforskningen mot en gruppe offentlig ansatte personer som gikk under navnet Seksjonen. Alle ferieplanene var raskt blitt lagt på is. Hun hadde fått vite at det ville bli hennes viktigste arbeidsoppgave i overskuelig fremtid, og hun hadde fått nærmest frie hender til selv å utforme arbeidsorganisasjonen og ta de nødvendige beslutninger.

«Dette kommer til å bli en av de mest oppsiktsvekkende kriminalsakene i svensk historie,» hadde riksadvokaten sagt.

Hun var tilbøyelig til å si seg enig.

Hun hadde med stigende forbløffelse lyttet til Torsten Edklinths oppsummering av saken og den granskningen han hadde gjennomført på oppdrag av statsministeren. Granskningen var ikke ferdig, men han mente han hadde kommet så langt at han måtte legge frem saken for en representant for påtalemyndigheten.

Først hadde hun skaffet seg oversikt over materialet som Torsten Edklinth overleverte. Da omfanget av lovbruddene begynte å tre klarere frem, hadde det gått opp for henne at alt hun gjorde, og alle beslutninger hun fattet, ville bli saumfart i fremtidens historiebøker. Fra da av hadde hun brukt hvert minutt av sin våkne tid til å forsøke å få oversikt over det nesten ufattelige forbrytelsesregisteret hun måtte håndtere. Saken var unik i svensk rettshistorie, og siden det dreide seg om å kartlegge lovbrudd som hadde foregått i minst tredve år, innså hun at hun trengte en helt spesiell arbeidsorganisasjon. Tankene gikk til de statlige mafiaetterforskerne i Italia, som hadde vært nødt til å arbeide nærmest under jorden for å overleve i 1970- og 1980-årene. Hun forsto hvorfor Edklinth hadde vært tvunget til å arbeide i hemmelighet. Han visste ikke hvem han kunne stole på.

Det første hun gjorde, var å innkalle tre medarbeidere fra riksadvokatembetet. Hun valgte personer som hun hadde kjent i mange år. Deretter engasjerte hun en kjent historiker som arbeidet i det kriminalforebyggende rådet, til å bistå med kunnskaper om de sikkerhetspolitimessige styrkenes fremvekst gjennom tiårene. Til slutt utnevnte hun formelt Monica Figuerola til politiets etterforskningsleder.

Dermed hadde etterforskningen av Seksjonen fått en konstitusjonelt gyldig form. Den var nå å betrakte som enhver annen politietterforskning, selv om det rådet gjennomført taushetsplikt.

I løpet av de to siste ukene hadde statsadvokat Gustavsson innkalt et stort antall personer til formelle, men meget diskré avhør. De avhørte omfattet i tillegg til Edklinth og Figuerola også kriminalbetjentene Bublanski, Sonja Modig, Curt Svensson og Jerker Holmberg. Deretter hadde hun innkalt Mikael Blomkvist, Malin Eriksson, Henry Cortez, Christer Malm, Annika Giannini, Dragan Armanskij, Susanne Linder og Holger Palmgren. Bortsett fra representantene for Millennium, som av prinsipp ikke svarte på spørsmål som kunne avsløre kilder, hadde alle beredvillig avgitt utførlige redegjørelser og dokumentasjon.

Ragnhild Gustavsson hadde ikke vært det minste glad for det faktum at hun var blitt presentert for en tidstabell som var fastsatt av Millennium og som innebar at hun ville være nødt til å anholde et antall personer på en gitt dato. Hun mente at hun ville hatt behov for flere måneders forberedelser før etterforskningen kom til det stadiet, men i dette tilfellet hadde hun ikke hatt noe valg. Mikael Blomkvist fra magasinet Millennium hadde vært urokkelig. Han var ikke bundet av statlige forordninger eller reglementer, og han hadde til hensikt å offentliggjøre historien på den tredje dagen av rettssaken mot Lisbeth Salander. Dermed var Ragnhild Gustavsson nødt til å tilpasse seg og slå til samtidig for at mistenkte personer og mulig bevismateriale ikke skulle rekke å forsvinne. Blomkvist fikk imidlertid en besynderlig støtte fra Edklinth og Figuerola, og etter hvert hadde statsadvokaten begynt å innse at Blomkvist-modellen hadde sine fordeler. Som statsadvokat ville hun få akkurat den velregisserte medie-oppbackingen som hun trengte for å få reist tiltale. Dessuten ville prosessen gå så raskt at den problematiske etterforskningen ikke ville ha tid til å lekke ut i byråkratiets korridorer, med automatisk fare for å havne hos Seksjonen.

«For Blomkvist dreier dette seg om å gi Lisbeth Salander oppreisning. Å knekke Seksjonen er bare en konsekvens av det,» fastslo Monica Figuerola.

Rettssaken mot Lisbeth Salander skulle innledes på onsdag, altså om to dager, og møtet denne mandagen hadde dreid seg om å foreta en omfattende gjennomgang av tilgjengelig materiale og fordele arbeidsoppgaver.

Tretten personer hadde deltatt på møtet. Fra riksadvokaten hadde Ragnhild Gustavsson tatt med seg sine to nærmeste medarbeidere. Fra overvåkningstjenesten hadde etterforskningsleder Monica Figuerola deltatt sammen med medarbeiderne Stefan Bladh og Anders Berglund. Overvåkningstjenestens leder, Torsten Edklinth, hadde deltatt som observatør.

Ragnhild Gustavsson hadde imidlertid besluttet at en sak av denne størrelsesorden ikke med troverdighet kunne begrenses til RPS/Säk. Hun hadde derfor innkalt kriminalbetjent Jan Bublanski og hans gruppe bestående av Sonja Modig, Jerker Holmberg og Curt Svensson fra det ordinære politiet. Disse politifolkene hadde jo arbeidet med Salander-saken siden påske, og var godt inne i saken. Dessuten hadde hun tilkalt statsadvokat Agneta Jervas og kriminalbetjent Marcus Erlander fra Göteborg. Etterforskningen av Seksjonen hadde direkte tilknytning til etterforskningen av drapet på Aleksandr Zalatsjenko.

Da Monica Figuerola nevnte at tidligere statsminister Thorbjörn Fälldin muligens måtte avhøres, vred politibetjentene Jerker Holmberg og Sonja Modig urolig på seg.

I løpet av fem timer hadde de saumfart navn etter navn på personer som var blitt identifisert som aktivister i Seksjonen, hvoretter det ble konstatert at lovbrudd var blitt begått, og en beslutning om pågripelse ble tatt. Til sammen syv personer var identifisert og knyttet til leiligheten i Artillerigatan. I tillegg var det identifisert hele ni personer som ble antatt å ha tilknytning til Seksjonen, men som aldri hadde vært å se i Artillerigatan. De arbeidet hovedsakelig i RPS/Säk på Kungsholmen, men hadde møtt noen av aktivistene i Seksjonen.

«Det er fortsatt umulig å si hvor omfattende denne sammensvergelsen er. Vi vet ikke under hvilke omstendigheter disse personene treffer Wadensjöö eller andre. De kan være informanter eller ha fått inntrykk av at de arbeider for en intern etterforskning eller lignende. Det knytter seg altså en viss usikkerhet til hvor involvert de er, noe vi bare kan få klarhet i når vi får mulighet til å avhøre disse personene. Dette er dessuten bare de personene vi har registrert i løpet av de ukene spaningen har pågått; det kan altså finnes flere personer som vi ennå ikke vet om.»

«Men administrasjonssjefen og budsjettsjefen ...»

«De vet vi med sikkerhet arbeider for Seksjonen.»

Klokken var seks mandag kveld da Ragnhild Gustavsson besluttet å ta en times middagspause, men at gjennomgangen deretter skulle fortsette.

Det var i det øyeblikket da alle reiste seg og begynte å røre på seg, at Monica Figuerolas medarbeider Jesper Thoms fra overvåkningstjenesten fikk grepet tak i henne for å avlegge rapport om hva som hadde fremkommet i løpet av de siste timenes spaning.

«Clinton har vært til dialyse en stor del av dagen og kom tilbake til Artillerigatan ved femtiden. Den eneste som har gjort noe av interesse, er Georg Nyström, men vi er ikke helt sikre på hva han gjorde.»

«Jaha,» sa Monica Figuerola.

«Klokken 13.30 i dag dro Nyström ned til sentralstasjonen og møtte to personer. De spaserte til hotell Sheraton og drakk kaffe i baren. Møtet varte i drøyt tyve minutter, hvoretter Nyström vendte tilbake til Artillerigatan.»

«Jaha. Hvem var det han møtte?»

«Det vet vi ikke. Det er nye ansikter. To menn i 35-åralderen som etter utseendet å dømme ser ut til å være av østeuropeisk opprinnelse. Men spaneren vår mistet dem dessverre da de gikk til T-banen.»

«Jaha,» sa Monica Figuerola trett.

«Her er portrettene,» sa Jesper Thoms og ga henne en serie med spaningsbilder.

Hun så på forstørrelsene av ansikter hun aldri hadde sett før.

«Greit, takk,» sa hun og la bildene på møtebordet og reiste seg for å gå og finne seg noe å spise.

Curt Svensson sto like i nærheten og så på bildene.

«Å faen,» sa han. «Har brødrene Nikoliç noe med dette å gjøre?»

Monica Figuerola stoppet opp.

«Hvem?»

«Det er to skikkelig sleipe fisker,» sa Curt Svensson. «Tomi og Miro Nikoliç.»

«Hvem er de?»

«De er to brødre fra Huddinge. Serbere. Vi spanet på dem adskillige ganger da de var i 20-årene og jeg jobbet i gjeng-avsnittet. Miro Nikoliç er den farligste av dem. Han har forresten vært etterlyst et års tid for grov voldsutøvelse. Men jeg trodde at begge hadde forsvunnet til Serbia og var blitt politikere eller noe.»

«Politikere?»

«Ja. De dro ned til Jugoslavia i første halvdel av 1990-årene og hjalp til med å bedrive etnisk rensing. De jobbet for mafia-lederen Arkan, som drev en slags privat fascistmilits. De fikk rykte på seg for å være *shooters.*»

«*Shooters?*»

«Ja, altså leiemordere. De har flakset litt frem og tilbake mel-lom Beograd og Stockholm. Onkelen deres har en restaurant på Norrmalm som de offisielt arbeider i litt av og til. Vi har fått flere opplysninger om at de har vært delaktige i minst to drap i forbindelse med interne oppgjør i den såkalte sigarettkrigen mellom jugoslavene, men vi har aldri klart å ta dem for noe.»

Monica Figuerola stirret stumt på spaningsbildene. Så ble hun plutselig likblek. Hun stirret på Torsten Edklinth.

«Blomkvist,» ropte hun med panikk i stemmen. «De har ikke tenkt å nøye seg med å bringe ham i vanry. De har tenkt å drepe ham og la politiet finne kokainet i løpet av etterforskningen og trekke sine egne slutninger.»

Edklinth stirret tilbake på henne.

«Han skulle møte Erika Berger på Samirs gryta,» sa Monica Figuerola. Hun grep Curt Svensson i skulderen.

«Er du bevæpnet?»

«Ja ...»

«Følg meg.»

Monica Figuerola forsvant ut av møterommet i toppfart. Kontoret hennes lå tre dører lenger nede i korridoren. Hun låste opp døren og hentet tjenestevåpenet sitt fra skrivebordsskuffen. I strid med alle regler lot hun døren til kontoret bli stående ulåst og på vidt gap da hun løp i full fart mot heisen. Curt Svensson ble stående ubesluttsom noen sekunder.

«Gå,» sa Bublanski til Curt Svensson. «Sonja ... bli med dem.»

Mikael Blomkvist ankom Samirs gryta ti på halv syv. Erika Berger hadde akkurat kommet og funnet et ledig bord like ved bardisken i nærheten av inngangen. Han kysset henne på kinnet. De bestilte lammegryte og hver sin halvliter og fikk ølet på bordet umiddelbart.

«Hvordan var Hun i TV4?» spurte Erika Berger.

«Like kjølig som alltid.»

Erika Berger lo.

«Hvis du ikke passer deg, kommer du til å bli besatt av henne. Tenk, det finnes en dame som ikke faller for Blomkvists sjarm.»

«Det har faktisk vært flere damer som ikke har falt i årenes løp,» sa Mikael Blomkvist. «Hvordan har din dag vært?»

«Bortkastet. Men jeg har sagt ja til å delta i en debatt om SMP i Publicistklubben. Det får bli mitt siste innlegg i saken.»

«Herlig.»

«Det er bare så jævlig deilig å være tilbake i Millennium,» sa hun.

«Du aner ikke hvor deilig jeg synes det er at du er tilbake. Følelsen har ennå ikke lagt seg.»

«Det er morsomt å gå på jobben igjen.»

«Mmm.»

«Jeg er lykkelig.»

«Og jeg må en tur på do,» sa Mikael og reiste seg.

Han tok noen skritt og holdt på å kollidere med en mann i 35-årsalderen som akkurat kom inn gjennom døren. Mikael la merke til at han hadde et østeuropeisk utseende, og at han stirret på ham. Deretter fikk han øye på automatvåpenet.

Da de passerte Riddarholmen ringte Torsten Edklinth og fortalte at hverken Mikael Blomkvist eller Erika Berger svarte på mobiltelefonene sine. Det var mulig at de hadde slått dem av i forbindelse med middagen.

Monica Figuerola bannet og passerte Södermalmstorg i en hastighet på nærmere åtti kilometer i timen. Hun holdt hornet inne og tok en skarp sving inn i Hornsgatan. Curt Svensson var nødt til å ta spenntak mot bildøren. Han hadde funnet frem tjenestevåpenet og kontrollerte at det var ladd. Sonja Modig gjorde det samme i baksetet.

«Vi må be om forsterkninger,» sa Curt Svensson. «Brødrene Nikoliç er ikke til å leke med.»

Monica Figuerola nikket.

«Vi gjør det slik,» sa hun. «Sonja og jeg går rett inn på Samirs gryta og håper at de sitter der. Du, Curt, kjenner igjen brødrene Nikoliç og holder vakt fra utsiden.»

«Greit.»

«Hvis alt er rolig, tar vi Blomkvist og Berger med oss ut i bilen og kjører dem ned til Kungsholmen. Hvis vi aner det minste uråd, blir vi inne i restauranten og ber om forsterkning.»

«OK,» sa Sonja Modig.

Monica Figuerola var fremdeles i Hornsgatan da det sprakte i politiradioen under dashbordet.

Samtlige enheter. Melding om skyting i Tavastgatan på Södermalm. Meldingen gjelder restauranten Samirs gryta.

Monica Figuerola kjente plutselig at det knøt seg i mellomgulvet.

Erika Berger så Mikael Blomkvist støte sammen med en mann i 35-årsalderen da han gikk mot toalettet ved inngangen. Hun rynket øyenbrynene uten helt å vite hvorfor. Hun opplevde at den ukjente mannen stirret på Mikael med et forbløffet uttrykk i ansiktet. Hun lurte på om det var en Mikael kjente.

Deretter så hun mannen ta et skritt bakover og slippe en veske i gulvet. Hun skjønte først ikke hva det var hun så. Hun satt helt paralysert da han hevet et automatvåpen mot Mikael Blomkvist.

Mikael Blomkvist reagerte uten å tenke. Han slengte frem venstre hånd og grep pistolløpet og vred det opp mot taket. I et mikrosekund passerte løpet foran ansiktet hans.

Smatringen fra automatvåpenet var øredøvende i det trange lokalet. Murpuss og glass fra takbelysningen regnet over Mikael da Miro Nikolic avfyrte elleve skudd. Et kort øyeblikk så Mikael Blomkvist attentatmannen rett inn i øynene.

Deretter tok Miro Nikolic ett skritt bakover og rykket til seg våpenet. Mikael var helt uforberedt og mistet taket i løpet. Det gikk plutselig opp for ham at han befant seg i livsfare. Uten å tenke kastet han seg frem mot attentatmannen istedenfor å prøve å søke dekning. Senere innså han at hvis han hadde reagert annerledes, hvis han hadde huket seg ned eller rygget, ville han blitt skutt på flekken. Han fikk tak i løpet på automatvåpenet igjen. Han brukte kroppstyngden for å presse attentatmannen opp mot veggen. Han hørte at seks eller syv skudd til ble avfyrt, og rev desperat i våpenet for å rette munningen mot gulvet.

Erika Berger huket seg instinktivt ned da den andre skuddsalven ble avfyrt. Hun falt og slo hodet i en stol. Deretter krøp hun sammen på gulvet, løftet blikket og fikk øye på tre kulehull som hadde dukket opp i veggen akkurat der hun nettopp hadde sittet.

Sjokkert vendte hun hodet og så Mikael Blomkvist slåss med mannen ved inngangen. Han hadde sklidd ned på kne, tatt tak i våpenet med begge hender og forsøkt å rive det til seg. Hun så attentatmannen kjempe for å komme løs. Gang på gang slo han knyttneven mot Mikaels ansikt og tinning.

Monica Figuerola bråbremset rett overfor Samirs gryta, rev opp bildøren og løp mot restauranten i full fart. Hun hadde Sig Sauer-en i hånden og holdt på å løsne sikringen da hun ble oppmerksom på bilen som sto parkert like utenfor restauranten.

Hun så Tomi Nikolic bak rattet og rettet våpenet mot ansiktet hans fra den andre siden av frontruten.

«Politi. Hold hendene synlig,» skrek hun.

Tomi Nikolic løftet hendene.

«Kom ut av bilen og legg deg på gaten!» brølte hun rasende. Hun snudde på hodet og sendte Curt Svensson et raskt blikk.

«Restauranten,» sa hun.

Curt Svensson og Sonja Modig løp i full fart over gaten.

Sonja Modig tenkte på barna sine. Det var imot alle politi-instrukser å brase inn i en bygning med trukne våpen uten først å ha forsterkninger på plass og uten skuddsikre vester og uten å ha ordentlig overblikk over situasjonen ...

Så hørte hun lyden av et smell da et skudd ble avfyrt inne i restauranten.

Mikael Blomkvist hadde fått langfingeren inn mellom avtrek-keren og bøylen da Miro Nikolić begynte å skyte igjen. Han hørte at det singlet i glass bak ham. Han kjente en forferde-lig smerte i fingeren da attentatmannen trykket på avtrekkeren gang på gang og klemte fingeren sammen, men så lenge finge-ren var der, kunne ikke våpenet avfyres. Knyttneveslagene hag-let mot den ene siden av hodet, og han merket plutselig at han var 45 år og i altfor dårlig form.

Klarer ikke dette. Må bli en avslutning, tenkte han.

Det var hans første rasjonelle tanke siden han oppdaget mannen med automatpistolen.

Han bet tennene sammen og kjørte fingeren enda lenger inn bak avtrekkeren.

Så tok han spenntak med føttene, presset skuldrene mot kroppen til attentatmannen og presset seg opp på bena igjen. Han slapp taket om automatpistolen med høyre hånd og pres-set albuen opp for å beskytte seg mot knyttneveslagene. Miro Nikolić slo ham isteden i armhulen og mot ribbena. I et sekund sto de ansikt til ansikt igjen.

I neste øyeblikk merket Mikael at attentatmannen ble revet bort fra ham. Han kjente en uhyggelig smerte i fingeren og fikk øye på Curt Svenssons enorme skikkelse. Svensson løftet Miro Nikolić bokstavelig talt opp i luften med et solid tak rundt nak-ken, og dundret hodet hans inn i veggen ved dørkarmen. Miro Nikolić falt sammen som et korthus.

«Bli liggende,» hørte han Sonja Modig brøle. «Dette er politiet. Ligg stille!»

Han snudde på hodet å så henne stå bredbent med våpe-net i dobbeltgrep mens hun forsøkte å få et overblikk over den kaotiske situasjonen. Til slutt rettet hun våpenet mot taket og vendte blikket mot Mikael Blomkvist.

«Er du skadet?» spurte hun.

Mikael stirret fortumlet på henne. Han blødde fra øyenbrynene og nesen.

«Jeg tror jeg har brukket fingeren,» sa han og satte seg på gulvet.

Monica Figuerola fikk assistanse fra stockholmspolitiets utrykningsenhet mindre enn et minutt etter at hun hadde tvunget Tomi Nikoliç ned på fortauet. Hun identifiserte seg og overlot til de uniformerte politifolkene å ta seg av fangen og løp så inn i restauranten. Hun stanset i døren og forsøkte å få et overblikk over situasjonen.

Mikael Blomkvist og Erika Berger satt på gulvet. Han var blodig i ansiktet og så ut til å være i sjokktilstand. Monica pustet ut. Han levde i hvert fall. Deretter rynket hun øyenbrynene da Erika Berger la armen rundt skuldrene til Mikael.

Sonja Modig satt på huk og gransket Blomkvists hånd. Curt Svensson holdt på med å sette håndjern på Miro Nikoliç, som så ut som om han var blitt truffet av et ekspresstog. Hun så en automatpistol av svensk militærmodell på gulvet.

Hun løftet blikket og så et sjokkskadet restaurantpersonale og skrekkslagne gjester og registrerte knust servise, veltede stoler og bord og ødeleggelser etter diverse skudd. Hun kjente lukten av kruttrøyk. Men hun kunne ikke se noen døde eller skadede i restauranten. Politifolk fra utrykningsenheten begynte å trenge inn i lokalet med hevede våpen. Hun strakte frem hånden og la den på skulderen til Curt Svensson. Han reiste seg.

«Du sa jo at Miro Nikoliç var etterlyst?»

«Stemmer. Grov voldsutøvelse for omtrent et år siden. En slåsskamp nede i Hallunda.»

«Greit. Vi gjør det slik: Jeg forsvinner med Blomkvist og Berger fort som faen. Du blir. Historien er at du og Sonja Modig gikk hit for å spise middag sammen, og at du kjente igjen Nikoliç fra den tiden du jobbet i gjengavsnittet. Da du forsøkte å pågripe ham, trakk han våpen og skjøt i vei. Du buntet ham sammen.»

Curt Svensson så helt forbløffet ut.

«Det kommer ikke til holde ... det er vitner.»

«Vitnene kommer til å fortelle at noen sloss og skjøt. Det behøver ikke holde lenger enn til løssalgsavisene i morgen. Historien er altså at brødrene Nikolić ble pågrepet ved en ren tilfeldighet fordi du kjente dem igjen.»

Curt Svensson så seg rundt i kaoset. Så nikket han kort.

Monica Figuerola banet seg vei gjennom politioppbudet ute i gaten og plasserte Mikael Blomkvist og Erika Berger i baksetet på bilen sin. Hun snudde seg til operasjonslederen for utrykningsstyrken og snakket lavmælt med ham i et halvt minutt. Hun nikket mot bilen hvor Mikael og Erika satt. Operasjonslederen så forvirret ut, men nikket til slutt. Hun kjørte bort til Zinkensdamm, stanset bilen og snudde seg.

«Hvor hardt skadet er du?»

«Jeg fikk meg noen slag i trynet. Tennene sitter på plass. Jeg har skadet langfingeren.»

«Vi drar til legevakten på St. Göran.»

«Hva skjedde?» sa Erika Berger. «Og hvem er du?»

«Beklager,» sa Mikael. «Erika, dette er Monica Figuerola. Hun jobber i Säpo. Monica, dette er Erika Berger.»

«Det har jeg skjønt,» sa Monica Figuerola nøytralt. Hun så ikke på Erika Berger.

«Monica og jeg har truffet hverandre i løpet av etterforskningen. Hun er min kontakt i sikkerhetspolitiet.»

«Jeg skjønner,» sa Erika Berger og begynte plutselig å skjelve da sjokket satte inn.

Monica Figuerola stirret stivt på Erika Berger.

«Hva skjedde?» spurte Mikael.

«Vi feiltolket hensikten med kokainet,» sa Monica Figuerola. «Vi trodde at de hadde satt opp en felle for å diskreditere deg. I virkeligheten hadde de tenkt å ta livet av deg og la politiet finne kokainet når de gjennomgikk leiligheten din.»

«Hvilket kokain?» spurte Erika Berger.

Mikael lukket øynene en stund.

«Kjør meg til St. Göran,» sa han.

«Pågrepet?» utbrøt Fredrik Clinton. Han kjente et sommerfugllett press i hjerteregionen.

«Vi tror det er greit,» sa Georg Nyström. «Det ser ut til å ha vært et rent slumpetreff.»

«Slumpetreff?»

«Miro Nikolic var etterlyst for en gammel voldshistorie. En purk fra gatevolden kjente ham tilfeldigvis igjen og pågrep ham da han kom inn på Samirs gryta. Nikolic ble grepet av panikk og forsøkte å skyte seg fri.»

«Blomkvist?»

«Han ble aldri innblandet. Vi vet ikke engang om han befant seg på Samirs gryta da pågripelsen fant sted.»

«Dette kan faen meg ikke være sant,» sa Fredrik Clinton. «Hva vet brødrene Nikolic?»

«Om oss? Ingenting. De tror at både Björck og Blomkvist var oppdrag som hadde med trafficking å gjøre.»

«Men de vet at Blomkvist var målet?»

«Selvsagt, men de kommer neppe til å begynne å plapre om at de hadde påtatt seg et bestillingsdrap. De kommer nok til å holde kjeft hele veien frem til tingretten. De blir dømt for ulovlig våpenbesittelse og, vil jeg tro, vold mot offentlig tjenestemann.»

«Jævla kløner,» sa Clinton.

«Ja, de dummet seg ut. Vi får la Blomkvist gå for øyeblikket, men det er egentlig ingen skade skjedd.»

Klokken var elleve om kvelden da Susanne Linder og to kraftige karer fra Milton Securitys livvakttjeneste hentet Mikael Blomkvist og Erika Berger på Kungsholmen.

«Jeg skal si du er ute og rører på deg,» sa Susanne Linder til Erika Berger.

«Sorry,» sa Erika Berger dystert.

Erika var blitt rammet av et påtagelig sjokk i bilen på vei til St. Görans sjukhus. Plutselig hadde det gått opp for henne at både hun og Mikael Blomkvist nesten var blitt drept.

579

Mikael tilbragte en time på legevakten med å bli plastret i ansiktet og få pakket inn venstre langfinger. Han hadde kraftige klemningsskader på det ytterste leddet og ville sannsynligvis miste neglen. Den alvorligste skaden hadde ironisk nok inntruffet da Curt Svensson kom til unnsetning og rev Miro Nikoliç vekk fra ham. Mikaels langfinger hadde sittet fast i bøylen på automatpistolen, og fingeren var blitt brukket rett av. Det gjorde noe inn i helvete vondt, men var neppe livstruende.

For Mikael satte ikke sjokket inn før nesten to timer senere, da han ankom overvåkningsavdelingen i RPS/Säk og ga kriminalbetjent Bublanski og statsadvokat Ragnhild Gustavsson en redegjørelse. Han fikk plutselig frostrier og følte seg så trett at han holdt på å sovne mellom spørsmålene. Deretter var det blitt en viss parlamentering.

«Vi vet ikke hvilke planer de har,» sa Monica Figuerola. «Vi vet ikke om det bare var Blomkvist som var utpekt som offer, eller om det var meningen at Berger også skulle dø. Vi vet ikke om de har tenkt å prøve igjen, eller om noen andre i Millennium også er truet ... Og hvorfor ikke ta livet av Salander, som er den virkelige trusselen mot Seksjonen?»

«Jeg har allerede ringt rundt og informert alle medarbeiderne i Millennium mens Mikael ble plastret,» sa Erika Berger. «Alle kommer til å ligge svært lavt til bladet kommer ut. Redaksjonen kommer til å være ubemannet.»

Torsten Edklinths første innskytelse hadde vært å gi Mikael Blomkvist og Erika Berger livvaktbeskyttelse. Deretter innså både han og Monica Figuerola at det kanskje ikke var det aller smarteste å tiltrekke seg oppmerksomhet ved å kontakte sikkerhetspolitiets livvaktavsnitt.

Erika Berger løste problemet ved å avslå politibeskyttelse. Hun løftet telefonen og ringte Dragan Armanskij og forklarte situasjonen. Noe som førte til at Susanne Linder ble innkalt til tjenestegjøring sent på kvelden.

Mikael Blomkvist og Erika Berger ble innkvartert i annen etasje i et *safe house* like bortenfor Drottningholm, på veien mot Ekerö sentrum. Det var en stor villa fra 1930-årene med utsikt mot sjøen, en imponerende hage og tilhørende uthus og annet tilbehør. Eiendommen tilhørte Milton Security, men var bebodd av Martina Sjögren, 68 år og enke etter den mangeårige medarbeideren Hans Sjögren, som forulykket femten år tidligere, da han i forbindelse med et tjenesteoppdrag trådte igjennom et morkent gulv i et fraflyttet hus utenfor Sala. Etter begravelsen hadde Dragan Armanskij snakket med Martina Sjögren og ansatt henne som husholderske og for å ivareta eiendommen generelt. Hun bodde gratis i et tilbygg i første etasje og holdt annen etasje i orden for de anledningene, noen ganger hvert år, når Milton Security på kort varsel hadde behov for å gjemme bort en eller annen person som av reelle eller innbilte grunner fryktet for sin sikkerhet.

Monica Figuerola ble med. Hun sank ned på en stol på kjøkkenet og lot Martina Sjögren servere kaffe mens Erika Berger og Mikael Blomkvist installerte seg i annen etasje, og Susanne Linder sjekket alarmer og elektronisk overvåkningsutstyr rundt eiendommen.

«Det er tannbørster og andre nødvendighetsartikler i kommoden utenfor badet,» ropte Martina Sjögren oppover trappen.

Susanne Linder og de to livvaktene fra Milton Security installerte seg i første etasje.

«Jeg har vært i full sving siden jeg ble vekket klokken fire i morges,» sa Susanne Linder. «Dere kan sette opp vaktlisten, men la meg i hvert fall få sove til fem i morgen tidlig.»

«Du kan sove hele natten, så tar vi dette her,» sa en av livvaktene.

«Takk,» sa Susanne Linder og gikk og la seg.

Monica Figuerola lyttet åndsfraværende til samtalen mens de to livvaktene koblet opp bevegelsesalarmen ute i hagen og trakk lodd om hvem som skulle ha den første vakten. Den som tapte, laget i stand smørbrød og satte seg i TV-rommet ved siden av kjøkkenet. Monica Figuerola studerte de blomstrete kaffekoppene. Hun hadde også vært i full sving siden tidlig om morgenen og følte seg passelig mør. Hun lurte på om hun skulle dra hjem da Erika Berger kom ned og skjenket seg en kopp kaffe. Hun satte seg på den andre siden av bordet.

«Mikael sluknet som et utblåst lys så fort han kom i seng.»

«Reaksjon på adrenalinet,» sa Monica Figuerola.

«Hva skjer nå?»

«Dere får holde dere unna noen dager. I løpet av en uke er det over, uansett hvordan det ender. Hvordan har du det?»

«Jo da. Fortsatt litt skjelven. Det er ikke hver dag det skjer noe sånt. Jeg har nettopp ringt hjem og fortalt mannen min hvorfor jeg ikke kommer hjem i kveld.»

«Hmm.»

«Jeg er gift med …»

«Jeg vet hvem du er gift med.»

Taushet. Monica Figuerola gned seg i øynene og gjespet.

«Jeg må dra hjem og sove,» sa hun.

«For Guds skyld. Slutt å tulle og gå og legg deg hos Mikael,» sa Erika.

Monica Figuerola så på henne.

«Er det så tydelig?» sa hun.

Erika nikket.

«Har Mikael sagt noe …»

«Ikke et ord. Han pleier å være nokså diskré med hensyn til sine damebekjentskaper. Men enkelte ganger er han som en åpen bok. Og du er åpenbart fiendtlig innstilt når du ser på meg. Dere forsøker å skjule noe.»

«Det er sjefen min,» sa Monica Figuerola.

«Sjefen din?»

«Ja. Edklinth ville bli rasende hvis han visste at Mikael og jeg har …»

«Jeg skjønner.»

Taushet.

«Jeg vet ikke hva som foregår mellom deg og Mikael, men jeg er ikke din rival,» sa Erika.

«Ikke?»

«Mikael er elskeren min av og til. Men jeg er ikke gift med ham.»

«Jeg har skjønt at dere har et spesielt forhold. Han fortalte om det da vi var ute i Sandhamn.»

«Har du vært i Sandhamn med ham? Da er det alvor.»

«Ikke driv gjøn med meg.»

«Monica ... jeg håper at du og Mikael ... jeg skal forsøke å holde meg unna.»

«Og hvis du ikke klarer det?»

Erika Berger trakk på skuldrene.

«Hans tidligere kone fikk helt hetta da Mikael var utro med meg. Hun kastet ham ut. Det var min feil. Så lenge Mikael er singel og tilgjengelig, har jeg ikke tenkt å ha noen samvittighetskvaler. Men jeg har lovet meg selv at hvis han slår seg sammen med noen for alvor, skal jeg holde meg på avstand.»

«Jeg vet ikke om jeg tør å satse på ham.»

«Mikael er spesiell. Er du forelsket i ham?»

«Jeg tror det.»

«Da så. Ikke avskriv ham på forhånd. Gå og legg deg nå.»

Monica tenkte seg om en stund. Så gikk hun opp i annen etasje, kledde av seg og krøp opp i sengen til Mikael. Han mumlet et eller annet og la armen rundt livet hennes.

Erika Berger ble sittende alene igjen på kjøkkenet og gruble en lang stund. Hun følte seg plutselig dypt ulykkelig.

KAPITTEL 25

Onsdag 13. juli–torsdag 14. juli

Mikael Blomkvist hadde alltid lurt på hvorfor høyttalerne i ting-
retten var så lavmælte og diskré. Han hadde problemer med å
høre at det ble meddelt at hovedforhandling i saken mot Lis-
beth Salander skulle begynne i sal 5 klokken 10.00. Han hadde
imidlertid vært ute i god tid og plassert seg ved inngangen til
rettssalen. Han var en av de første som ble sluppet inn. Han
satte seg på tilhørerbenken på venstre side av salen, hvor han
ville ha best utsikt til tiltaltes bord. Tilhørerplassene ble raskt
fylt opp. Medienes interesse hadde økt gradvis i tiden før retts-
saken, og den siste uken var statsadvokat Richard Ekström blitt
intervjuet hver eneste dag.

Ekström hadde vært flittig.

Lisbeth Salander sto tiltalt for legemsbeskadigelse og grov
legemsbeskadigelse mot Carl-Magnus Lundin; for trusler,
drapsforsøk og grov legemsbeskadigelse mot avdøde Karl Axel
Bodin, alias Aleksandr Zalatsjenko; for to tilfeller av innbrudd
– dels i avdøde advokat Nils Bjurmans sommerhus i Stallar-
holmen, dels i boligen hans ved Odenplan; for ulovlig tileg-
nelse av kjøretøy – en Harley-Davidson eid av en viss Sonny
Nieminen, medlem av Svavelsjö MC; for tre tilfeller av ulov-
lig våpenbesittelse – en tåregasspatron, en elektrosjokkpistol
og en polsk P-83 Wanad som var blitt funnet i Gosseberga;
for tyveri eller ulovlig tilbakeholdelse av bevismateriale – for-
muleringen var uklar, men viste til den dokumentasjonen hun
hadde funnet i sommerhuset til Bjurman, samt for et antall min-
dre forseelser. Til sammen sto Lisbeth Salander overfor seksten
tiltalepunkter.

Ekström hadde også lekket opplysninger om at Lisbeth

Salanders mentale tilstand lot en del tilbake å ønske. Han påberopte seg dels den rettspsykiatriske granskningsrapporten av doktor Jesper H. Löderman, som ble fremlagt til hennes 18-årsdag, dels en granskning som etter tingrettens avgjørelse ved et forberedende rettsmøte, var blitt forfattet av doktor Peter Teleborian. Siden den sinnssyke jenta sin vane tro kategorisk hadde nektet å snakke med psykiatere, var analysen blitt foretatt på grunnlag av «observasjoner» som var blitt utført etter at hun ble innkvartert i Kronobergs-arresten i Stockholm i måneden forut for rettssaken. Teleborian, som hadde mange års erfaring med pasienten, fastslo at Lisbeth Salander led av alvorlige psykiske forstyrrelser, og brukte ord som psykopati, patologisk narcissisme og paranoid schizofreni.

Mediene hadde også meldt om at det var blitt holdt syv politiavhør av henne. Ved samtlige hadde hun nektet å si ett eneste ord, ikke engang god morgen, til avhørslederne. De første avhørene var blitt holdt av göteborgpolitiet, mens de resterende hadde funnet sted på politihuset i Stockholm. Opptakene fra avhørsprotokollen avslørte null og niks; vanlige overtalelsesforsøk og gjentatte, innstendige spørsmål, men ikke ett eneste svar.

Ikke så mye som et kremt.

Ved enkelte anledninger kunne man høre Annika Gianninis stemme på opptaket når hun konstaterte at hennes klient åpenbart ikke hadde til hensikt å svare på spørsmålene. Tiltalen mot Lisbeth Salander hvilte dermed utelukkende på teknisk bevismateriale og de fakta som politietterforskningen hadde klart å fastslå.

Lisbeths taushet hadde satt forsvareren hennes i en tidvis pinlig situasjon, siden hun ble nødt til å være like fåmælt som sin klient. Hva Annika Giannini og Lisbeth Salander eventuelt snakket om i enerom, var konfidensielt.

Ekström gjorde heller ingen hemmelighet av at han primært ville forlange lukket psykiatrisk behandling for Lisbeth Salander, subsidiært en betydelig fengselsstraff. Det normale var det stikk motsatte, men han mente at det i hennes tilfelle forelå så klare psykiske forstyrrelser og en så tydelig rettspsykiatrisk vurdering at han ikke hadde noe alternativ. Det var ytterst uvanlig at en domstol gikk på tvers av en rettspsykiatrisk uttalelse.

Han mente også at umyndiggjøringen av Salander ikke burde oppheves. I et intervju hadde han med bekymret mine erklært at det i Sverige fantes et visst antall sosiopatiske personer med så alvorlige psykiske forstyrrelser at de utgjorde en fare for seg selv og andre, og at vitenskapen ikke hadde noe annet alternativ enn å holde disse personene innesperret. Han nevnte tilfellet med den voldelige jenta Anette, som i 1970-årene hadde vært en føljetong i massemediene og som ennå tredve år senere ble behandlet på lukket institusjon. Ethvert forsøk på å lette på restriksjonene hadde resultert i at hun hadde gått til sanseløse og voldelige angrep på slektninger og pleiepersonale, eller forsøkt å skade seg selv. Ekström mente at Lisbeth Salander led av en lignende form for psykopatisk forstyrrelse.

Medienes interesse hadde også vokst av den enkle grunn at Lisbeth Salanders forsvarer, Annika Giannini, ikke hadde uttalt seg i mediene. Hun hadde konsekvent nektet å la seg intervjue og dermed få en mulighet til å legge frem den andre sidens synspunkter. Mediene befant seg dermed i en problematisk situasjon hvor påtalemyndigheten gjødslet offentligheten med informasjon, mens forsvarersiden for en gangs skyld ikke ga den minste antydning om hvordan Salander stilte seg til tiltalen og hvilken strategi forsvaret kom til å bruke.

Dette forholdet ble kommentert av en juridisk ekspert som ble engasjert for å følge saken for en av løssalgsavisenes regning. Eksperten hadde i en kronikk konstatert at Annika Giannini var en respektert kvinnerettsadvokat, men at hun helt manglet erfaring fra straffesaker utenfor dette området, og trukket den konklusjon at hun var uegnet til å forsvare Lisbeth Salander. Fra sin søster hadde Mikael også fått vite at flere kjente advokater hadde kontaktet henne og tilbudt sine tjenester. Annika Giannini hadde på oppdrag fra sin klient vennlig avslått alle slike tilbud.

*

I påvente av at rettssaken skulle begynne, skottet Mikael rundt på de andre tilhørerne. Han oppdaget plutselig Dragan Armanskij på benken nærmest utgangen.

Øynene deres møttes en ørliten stund.

Ekström hadde en solid bunke papirer på bordet sitt. Han nikket gjenkjennende til noen av journalistene.

Annika Giannini satt ved bordet sitt vis-à-vis Ekström. Hun sorterte papirer og kastet ikke et blikk i noen annen retning. Mikael syntes at søsteren virket litt nervøs. En snev av lampefeber, tenkte han.

Så kom rettens formann, bisitteren og meddommerne inn i salen. Rettens formann var dommer Jörgen Iversen, en 57 år gammel, hvithåret mann med magert ansikt og et spenstig ganglag. Mikael hadde søkt opp Iversens bakgrunn og konstatert at han var kjent som en meget erfaren og korrekt dommer som tidligere hadde dømt i flere omtalte rettssaker.

Til slutt ble Lisbeth Salander ført inn i rettssalen.

Til tross for at Mikael var vant til Lisbeth Salanders evne til å kle seg provoserende, var han forbløffet over at Annika Giannini hadde tillatt henne å dukke opp i rettssalen iført et kort, svart skinnskjørt som var frynsete i kanten, og en svart singlet med teksten *I am irritated,* som ikke skjulte særlig mye av tatoveringene hennes. Hun hadde på seg støvler, naglebelte og stripete knestrømper i svart og lilla. I ørene hadde hun et titall piercinger, og ringer gjennom leppe og øyenbryn. Hun hadde en tre måneder lang strittende, svart frisyre etter hjerneoperasjonen. Dessuten var hun usedvanlig kraftig sminket. Hun hadde grå leppestift, malte øyenbryn og mer kullsvart maskara enn Mikael noensinne hadde sett henne med. I den tiden han hadde omgåttes henne, hadde hun vært fullstendig uinteressert i sminke.

Hun så en smule vulgær ut, for å uttrykke det diplomatisk. Nærmest som en gother. Hun minnet om en vampyr fra en kunstnerisk pop art-film fra 1960-årene. Mikael merket at noen av journalistene blant publikum snappet forbløffet etter pusten, og smilte humoristisk da hun åpenbarte seg. Da de endelig fikk se den skandaleombruste jenta som de

587

hadde skrevet så mye om, levde hun opp til alles forventninger.

Deretter gikk det opp for ham at Lisbeth Salander var utkledd. Vanligvis pleide hun å kle seg slurvete og tilsynelatende uten smak. Mikael hadde alltid trodd at hun ikke kledde seg på den måten av moteriktige grunner, men for å markere sin identitet. Lisbeth Salander markerte sitt eget revir som fiendtlig territorium. Han hadde alltid oppfattet naglene i skinnjakken hennes som samme slags forsvarsmekanisme som pinnsvinets pigger. Det var et signal til omgivelsene. *Ikke prøv å ta på meg. Det kommer til å gjøre vondt.*

Da hun kom inn i rettssalen, hadde hun imidlertid understreket denne klesstilen så den nærmest fremsto som en parodisk overdrivelse.

Han skjønte plutselig at det ikke var noen tilfeldighet, men en del av Annikas strategi.

Hvis Lisbeth Salander hadde kommet vannkjemmet og med knytebluse og pyntelige spasersko, ville hun ha sett ut som en bedrager som forsøkte å selge en historie til retten. Det var et spørsmål om troverdighet. Nå kom hun som seg selv og ingen annen. Noe overdrevet for tydelighetens skyld. Hun lot ikke som om hun var noen annen enn den hun var. Hennes budskap til retten var at hun ikke hadde noen grunn til å skamme seg eller gjøre seg til for dem. Hvis retten hadde problemer med utseendet hennes, var det ikke hennes problem. Samfunnet hadde anklaget henne for diverse ting, og påtalemyndigheten hadde trukket henne for retten. Ved å åpenbare seg på den måten hadde hun allerede markert at hun hadde til hensikt å avfeie påtalemyndighetens resonnement som sludder.

Hun beveget seg selvsikkert og satte seg på den anviste plassen ved siden av forsvarsadvokaten sin. Hun lot blikket gli over tilhørerne. Det var ingen nysgjerrighet i blikket. Det så snarere ut som om hun trossig registrerte og bokførte de personene som allerede hadde dømt henne på medienes nyhetssider.

Det var første gang Mikael hadde sett henne siden hun lå som en blodig filledokke på slagbenken på kjøkkenet i Gosseberga, og mer en halvannet år siden han sist traff henne under normale omstendigheter. Om nå uttrykket «normale omstendigheter» overhodet kunne brukes i forbindelse med Lisbeth Salander. Blikket deres møttes i noen sekunder. Hun holdt det fast bare en liten stund og viste ingen tegn til gjenkjennelse. Derimot studerte hun de kraftige blåmerkene som dekket Mikaels kinn og tinning, og den kirurgiske teipen som satt over det høyre øyenbrynet. Et lite øyeblikk syntes Mikael han kunne se en antydning til et smil i øynene hennes. Han var ikke sikker på om det var noe han innbilte seg eller ikke. Deretter banket dommer Iversen i bordet og begynte hovedforhandlingen.

Tilhørerne fikk være til stede i rettssalen i til sammen en halvtime. De fikk høre statsadvokat Ekströms innledningsforedrag, hvor han fremførte de punktene som tiltalen gjaldt.

Alle journalistene bortsett fra Mikael noterte flittig, til tross for at de allerede visste hva Ekström ville tiltale henne for. Mikael hadde allerede skrevet storyen sin og hadde gått i tingretten bare for å markere sin tilstedeværelse og møte blikket til Lisbeth Salander.

Ekströms innledning tok drøyt toogtyve minutter. Deretter var det Annika Gianninis tur. Hennes replikk tok tredve sekunder. Stemmen var stø.

«Fra forsvarets side avviser vi samtlige tiltalepunkter bortsett fra ett. Min klient innrømmer å ha vært i besittelse av ulovlig våpen i form av en tåregasspray. På samtlige øvrige tiltalepunkter bestrider min klient skyld eller kriminelle hensikter. Vi kommer til å vise at aktors påstander er feilaktige, og at min klient er blitt utsatt for grove rettslige overgrep. Jeg kommer til å be om at min klient blir kjent ikke skyldig, at umyndiggjøringen av henne blir opphevet og at hun blir løslatt.»

Det raslet i reporterblokkene. Endelig var advokat Gianninis strategi avslørt. Den var ikke slik journalistene hadde forventet. Den vanligste antagelsen gikk ut på at Annika Giannini ville påberope klientens psykiske sykdom og utnytte den til sin fordel. Mikael smilte plutselig.

«Jaha,» sa dommer Iversen og noterte noe. Han så på Annika Giannini. «Er du ferdig?»

«Det er min fremstilling.»

«Har aktor noe å tilføye?» spurte Iversen.

Det var på det tidspunktet at statsadvokat Ekström ba om at rettssaken måtte bli ført for lukkede dører. Han påberopte seg at det dreide seg om en utsatt persons psykiske tilstand og velbefinnende, og om detaljer som kunne være til skade for rikets sikkerhet.

«Jeg går ut fra at du sikter til Zalatsjenko-historien,» sa dommer Iversen.

«Det er riktig. Aleksandr Zalatsjenko kom til Sverige som politisk flyktning og søkte asyl fra et grusomt diktatur. Det forekommer innslag i denne saken, personforbindelser og lignende, som fortsatt er hemmeligstemplet, selv om herr Zalatsjenko ikke lenger er i live. Jeg ber derfor om at saken blir ført for lukkede dører, og at det blir pålagt taushetsplikt for de avsnittene i forhandlingen som er særlig følsomme.»

«Jeg skjønner,» sa Iversen og la pannen i dype rynker.

«Dessuten vil en stor del av saken omhandle tiltaltes umyndiggjøring. Det dreier seg om spørsmål som vanligvis nærmest automatisk blir underlagt taushetsplikt, og det er av medfølelse med tiltalte at jeg ber om lukkede dører.»

«Hvordan stiller advokat Giannini seg til aktors anmodning?»

«For vårt vedkommende spiller det ingen rolle.»

Dommer Iversen tenkte seg om en liten stund. Han konsulterte meddommeren og meddelte deretter til de tilstedeværende journalistenes irritasjon at han etterkom statsadvokatens anmodning. Dermed forlot Mikael Blomkvist salen.

Dragan Armanskij ventet på Mikael Blomkvist nedenfor trappen til tinghuset. Det var stekende hett i julisolen, og Mikael merket at to svetteskjolder umiddelbart begynte å danne seg i armhulene. De to livvaktene sluttet seg til ham da han kom ut av tinghuset. De nikket til Dragan Armanskij og ga seg til å studere omgivelsene.

«Det føles merkelig å gå rundt med livvakter,» sa Mikael. «Hva kommer alt dette til å koste?»

«Firmaet spanderer,» sa Armanskij. «Jeg har personlig interesse av å holde deg i live. Men vi har hatt utlegg tilsvarende 250 000 kroner *pro bono* de siste månedene.»

Mikael nikket.

«Kaffe?» spurte han og pekte mot den italienske kafeen i Bergsgatan.

Armanskij nikket. Mikael bestilte en caffe latte mens Armanskij valgte en dobbel espresso med en teskje melk. De satte seg i skyggen på fortauet utenfor kafeen. Livvaktene satt ved et bord i nærheten. De drakk cola.

«Lukkede dører,» konstaterte Armanskij.

«Det var ventet. Og det er bra, siden vi da kan styre nyhetsstrømmen bedre.»

«Ja, det spiller ingen rolle, men jeg begynner å få stadig mindre sans for statsadvokat Richard Ekström.»

Mikael samtykket. De drakk kaffe og kikket bort på tinghuset, hvor Lisbeth Salanders fremtid skulle avgjøres.

«*Custer's last stand,*» sa Mikael.

«Hun er godt forberedt,» trøstet Armanskij. «Og jeg må si at jeg er imponert over søsteren din. Da hun begynte å legge opp strategien, trodde jeg at hun spøkte, men jo mer jeg tenker på det, desto mer fornuftig virker den.»

«Denne rettssaken kommer ikke til å bli avgjort der inne,» sa Mikael.

Han hadde gjentatt de ordene som et mantra i flere måneder.

«Du kommer til å bli innkalt som vitne,» sa Armanskij.

«Jeg vet det. Jeg er forberedt. Men det kommer ikke til å skje før i morgen. Vi satser i hvert fall på det.»

Statsadvokat Richard Ekström hadde glemt de bifokale brillene sine hjemme og var nødt til å skyve brillene opp i pannen for å kunne lese noe med liten skrift i papirene sine. Han strøk seg fort over det blonde skjegget før han satte brillene på plass igjen og så seg rundt i rommet.

Lisbeth Salander satt rak i ryggen og betraktet statsadvokaten med et uutgrunnelig blikk. Ansiktet og øynene var ubevegelige. Hun så ikke ut til å være helt til stede. Tiden var kommet for aktor til å innlede vitneavhøret av henne.

«Jeg vil minne frøken Salander på at hun forklarer seg under eds ansvar,» sa Ekström til slutt.

Lisbeth Salander fortrakk ikke en mine. Statsadvokat Ekström så ut til å vente seg en eller annen respons og drøyde noen sekunder.

«Du uttaler deg under eds ansvar,» gjentok han.

Lisbeth Salander la hodet litt på skakke. Annika Giannini var opptatt med å lese noe i etterforskningsprotokollen og virket uinteressert i det statsadvokat Ekström holdt på med. Ekström samlet sammen papirene sine. Etter en stunds pinlig taushet kremtet han.

«Jaha,» sa Ekström konverserende. «Skal vi gå direkte til hendelsen i avdøde advokat Bjurmans sommerhus utenfor Stallarholmen den 6. april i år, som var utgangspunktet for min saksfremstilling nå i morges. Vi skal forsøke å få klarhet i hvordan det hadde seg at du dro ned til Stallarholmen og skjøt Carl-Magnus Lundin.»

Ekström så oppfordrende på Lisbeth Salander. Hun fortrakk fremdeles ikke en mine. Aktor så plutselig oppgitt ut. Han slo ut med hendene og vendte blikket mot rettens formann. Dommer Jörgen Iversen så betenkt ut. Han kikket bort på Annika Giannini, som fremdeles satt hensunket i et eller annet dokument og helt ignorerte omgivelsene.

Dommer Iversen kremtet. Han flyttet blikket til Lisbeth Salander.

«Skal vi oppfatte din taushet som at du ikke vil svare på spørsmål?» spurte han.

Lisbeth Salander snudde på hodet og møtte dommer Iversens blikk.

«Jeg svarer gjerne på spørsmål,» svarte hun.

Dommer Iversen nikket.

«Da kan du kanskje svare på spørsmålet,» innskjøt statsadvokat Ekström.

Lisbeth Salander vendte blikket mot Ekström igjen. Hun forble taus.

«Kan du være så vennlig å svare på spørsmålet?» sa dommer Iversen.

Lisbeth dreide hodet mot rettens formann og hevet øyenbrynene. Stemmen var klar og tydelig.

«Hvilket spørsmål? Hittil har han der» – hun nikket mot Ekström – «kommet med et antall ubegrunnede påstander. Jeg har ikke oppfattet noe spørsmål.»

Annika Giannini hevet blikket. Hun støttet albuen i bordet og hvilte ansiktet mot håndflaten med plutselig interesse i blikket.

Statsadvokat Ekström mistet tråden i noen sekunder.

«Kan du være så vennlig å gjenta spørsmålet?» foreslo dommer Iversen.

«Jeg spurte om ... du dro ned til advokat Bjurmans sommerhus i Stallarholmen i den hensikt å skyte Carl-Magnus Lundin?»

«Nei, du sa at du ville forsøke å få klarhet i hvordan det hadde seg at jeg dro ned til Stallarholmen og skjøt Carl-Magnus Lundin. Det var ikke noe spørsmål. Det var en generell påstand hvor du foregrep svaret mitt. Jeg er ikke ansvarlig for påstander du fremsetter.»

«Ikke driv med ordkløyveri. Svar på spørsmålet.»

«Nei.»

Taushet.

«Nei hva da?»

«Er svaret på spørsmålet.»

Statsadvokat Richard Ekström sukket. Det kom til å bli en lang dag. Lisbeth Salander så forventningsfullt på ham.

«Det er kanskje best vi tar det fra begynnelsen,» sa han. «Befant du deg i avdøde advokat Bjurmans sommerhus i Stallarholmen om ettermiddagen den 6. april?»

«Ja.»

«Hvordan kom du deg dit?»

«Jeg tok lokaltoget til Södertälje og bussen i retning Strängnäs.»

«Av hvilken grunn dro du til Stallarholmen? Hadde du avtalt å møte Carl-Magnus Lundin og hans venn Sonny Nieminen der?»

«Nei.»

«Hvordan hadde det seg da at de dukket opp der?»

«Det må du spørre dem om.»

«Nå spør jeg deg.»

Lisbeth Salander svarte ikke.

Dommer Iversen kremtet.

«Jeg går ut fra at frøken Salander ikke svarer fordi du rent semantisk fremsatte en påstand igjen,» sa Iversen hjelpsomt.

Annika Giannini kniste plutselig så høyt at det hørtes. Hun tidde umiddelbart og så ned i papirene igjen. Ekström så irritert på henne.

«Hvorfor tror du Lundin og Nieminen dukket opp ved sommerhuset til Bjurman?»

«Det vet jeg ikke. Jeg gjetter på at de dro dit for å anstifte en mordbrann. Lundin hadde en liter bensin i en plastflaske i sadelvesken på motorsykkelen sin.»

Ekström snurpet munnen sammen.

«Hvorfor dro du ned til advokat Bjurmans sommerhus?»

«Jeg lette etter informasjon.»

«Hva slags informasjon?»

«Den informasjonen som jeg har mistanke om at Lundin og Nieminen var der for å ødelegge, og som altså kunne ha bidradd til å bringe klarhet i hvem som myrdet kjeltringen.»

«Du mener at advokat Bjurman var en kjeltring? Er det riktig oppfattet?»

«Ja.»

«Og hvorfor mener du det?»

«Han var et sadistisk svin, et krek og en voldtektsmann, altså en kjeltring.»

Hun siterte den teksten som hadde vært tatovert på avdøde advokat Bjurmans mage, og tilsto dermed indirekte at det var hun som var ansvarlig for den. Dette inngikk imidlertid ikke i tiltalen mot Lisbeth Salander. Bjurman hadde aldri gått til anmeldelse for legemsbeskadigelse, og det var umulig å føre bevis for om han hadde latt seg tatovere frivillig eller om det hadde skjedd under tvang.

«Du hevder med andre ord at din hjelpeverge skal ha forgrepet seg på deg. Kan du fortelle når disse overgrepene fant sted?»

«De skjedde tirsdag den 18. februar 2003 og igjen fredag 7. mars samme år.»

«Du har nektet å svare på alle spørsmål fra avhørslederne som har forsøkt å snakke med deg. Hvorfor?»

«Jeg hadde ingenting å si til dem.»

«Jeg har lest den såkalte selvbiografien som din advokat plutselig overleverte meg for noen dager siden. Jeg må si at den er et merkverdig dokument, men det skal vi komme tilbake til. Men i denne hevder du at advokat Bjurman ved den første anledningen skal ha tiltvunget seg oralsex, og ved den andre anledningen ha utsatt deg for gjentatte fullbyrdede voldtekter og grov tortur en hel natt.»

Lisbeth svarte ikke.

«Er dette korrekt?»

«Ja.»

«Politianmeldte du voldtektene?»

«Nei.»

«Hvorfor ikke?»

«Politiet har aldri hørt på meg når jeg har forsøkt å fortelle dem noe før. Altså var det ikke noe poeng i å anmelde noe til dem.»

«Diskuterte du overgrepene med noen bekjente? En venninne?»

«Nei.»

«Hvorfor ikke?»

«Fordi ingen hadde noe med det.»

«Nei vel. Tok du kontakt med en advokat?»

«Nei.»

«Henvendte du deg til noen lege for å få behandling for de skadene du påstår du var blitt påført?»

«Nei.»

«Og du henvendte deg ikke til noe krisesenter.»

«Når kommer du med en påstand igjen.»

«Unnskyld. Henvendte du deg til et krisesenter?»

«Nei.»

Ekström snudde seg mot rettens formann.

«Jeg vil gjøre retten oppmerksom på at tiltalte har oppgitt at hun ble utsatt for to seksuelle overgrep, hvorav det andre er å betrakte som usedvanlig grovt. Hun hevder at den som gjorde seg skyldig i disse voldtektene, var hennes hjelpeverge, avdøde advokat Nils Bjurman. Samtidig bør følgende fakta tas med i betraktning ...»

Ekström fingret med papirene sine.

«I den etterforskningen som er utført av voldsavsnittet, frem-kommer det ingenting fra advokat Bjurmans fortid som styrker troverdigheten i Lisbeth Salanders forklaring. Bjurman har aldri vært dømt for noe lovbrudd. Han har aldri vært politianmeldt eller vært gjenstand for etterforskning. Han har tidligere vært verge og hjelpeverge for flere ungdommer, og ingen av disse vil hevde at de skal ha vært utsatt for noen form for overgrep. Tvert imot. De hevder bestemt at Bjurman alltid opptrådte korrekt og vennlig overfor dem.»

Ekström bladde om.

«Det er også min oppgave å minne om at Lisbeth Salander er blitt diagnostisert som paranoid schizofren. Hun er en ung kvinne med dokumentert voldelig legning, som helt siden de tid-ligste tenårene har hatt alvorlige problemer med sitt forhold til samfunnet. Hun har tilbragt flere år på barnepsykiatrisk insti-tusjon, og har stått under vergemål siden hun var 18 år. Hvor beklagelig dette enn måtte være, har det sine årsaker. Lisbeth Salander er farlig for seg selv og for sine omgivelser. Det er min overbevisning at hun ikke trenger fengselsstraff, hun trenger behandling.»

Han gjorde en kunstpause.

«Å diskutere et ungt menneskes mentale tilstand er en meget lite tiltalende oppgave. Så mye er integritetskrenkende, og hen-nes sinnstilstand blir gjenstand for tolkninger. I denne saken har vi imidlertid Lisbeth Salanders eget forvirrede verdensbilde å ta stilling til. Det fremkommer med all mulig tydelighet i den såkalte selvbiografien. Ikke noe sted fremstår hennes sviktende virkelighetsforankring så tydelig som her. I denne saken tren-ger vi ingen vitner eller tolkninger hvor ord står mot ord. Vi har hennes egne ord. Vi kan selv vurdere sannheten i hennes påstander.»

Blikket hans falt på Lisbeth Salander. Øynene deres møttes. Plutselig smilte hun. Hun så ondskapsfull ut. Ekström rynket pannen.

«Har fru Giannini noe å si?» spurte dommer Iversen.

«Nei,» svarte Annika Giannini. «Bortsett fra at statsadvokat Ekströms slutninger er sludder.»

Ettermiddagssesjonen ble innledet med vitneavhør av Ulrika von Liebenstaahl fra overformynderiet, som Ekström hadde innkalt for å forsøke å klarlegge om det hadde fremkommet noen klager på advokat Bjurman. Dette ble på det sterkeste benektet av von Liebenstaahl. Hun anså slike påstander for å være krenkende.

«Det er meget streng kontroll med vergemålssaker. Advokat Bjurman har utført oppdrag for overformynderiet i nesten tyve år før han så skammelig ble myrdet.»

Hun sendte Lisbeth Salander et knusende blikk, til tross for at Lisbeth ikke var tiltalt for drap, og at det allerede var klarlagt at Bjurman var blitt drept av Ronald Niedermann.

«I alle disse årene har det ikke forekommet en eneste klage på advokat Bjurman. Han var et samvittighetsfullt menneske som ofte viste et dypt engasjement for sine klienter.»

«Så du tror ikke det er sannsynlig at han skulle ha utsatt Lisbeth Salander for grov seksuell vold?»

«Jeg oppfatter påstanden som absurd. Vi har månedlige rapporter fra advokat Bjurman, og jeg møtte ham personlig flere ganger for å gå igjennom saken.»

«Advokat Giannini har fremlagt krav om at Lisbeth Salanders umyndighetserklæring skal oppheves med umiddelbar virkning.»

«Ingen blir gladere enn oss i overformynderiet hvis et vergemål kan oppheves. Dessverre har vi et ansvar som innebærer at vi må følge gjeldende regler. Fra vår side har vi stilt krav om at Lisbeth Salander på vanlig måte må erklæres frisk av psykiatrisk ekspertise før det kan bli snakk om endringer i vergemålet.»

«Jeg skjønner.»

«Det betyr at hun må underkaste seg psykiatriske undersøkelser. Noe hun som kjent nekter å gjøre.»

Vitneavhøret av Ulrika von Liebenstaahl varte i drøyt førti minutter mens Bjurmans månedsrapporter ble gransket.

Annika Giannini stilte ett eneste spørsmål like før vitneavhøret skulle avsluttes.

«Oppholdt du deg i advokat Bjurmans soverom natten mellom den 7. og 8. mars 2003?»

«Selvfølgelig ikke.»

«Så du har med andre ord ikke den fjerneste anelse om hvorvidt min klients opplysninger er sanne eller ikke.»

«Anklagene mot advokat Bjurman er vanvittige.»

«Det er din mening. Kan du gi ham alibi eller på noen måte dokumentere at han ikke begikk overgrep mot min klient?»

«Det er naturligvis umulig. Men sannsynligheten ...»

«Takk. Det var alt,» sa Annika Giannini.

Mikael Blomkvist møtte sin søster i Milton Securitys kontor ved Slussen ved syvtiden for å oppsummere dagen.

«Det var omtrent som ventet,» sa Annika. «Ekström har kjøpt Salanders selvbiografi.»

«Bra. Hvordan oppfører hun seg?»

Annika lo plutselig.

«Hun oppfører seg utmerket og fremstår som en komplett psykopat. Hun opptrer bare naturlig.»

«Hmm.»

«I dag har det hovedsakelig dreid seg om Stallarholmen. I morgen blir det Gosseberga, avhør med folk fra den tekniske avdelingen og lignende. Ekström kommer til å forsøke å bevise at Salander dro dit for å ta livet av sin far.»

«OK.»

«Men vi kan få et teknisk problem. I ettermiddag hadde Ekström innkalt en Ulrika von Liebenstaahl fra overformynderiet. Hun begynte å pukke på at jeg ikke hadde rett til å representere Lisbeth.»

«Hvordan det?»

«Hun mener at Lisbeth står under vergemål, og at hun ikke har rett til selv å velge advokat.»

«Jaha?»

«Altså kan jeg rent teknisk sett ikke være forsvareren hennes dersom ikke overformynderiet har godkjent det.»

«Og?»

«Dommer Iversen skal ta stilling til det i morgen tidlig. Jeg vekslet noen få ord med ham etter at dagens forhandlinger var over. Men jeg tror han kommer til å avgjøre at jeg skal fortsette som forsvareren hennes. Mitt argument er at overformynderiet har hatt tre måneder på seg til å protestere, og at det er litt drøyt å komme med en slik beskjed etter at rettssaken faktisk har startet.»

«Fredag skal Teleborian vitne. Du må være den som avhører ham.»

Etter å ha studert kart og fotografier og lyttet til ordrike, tekniske konklusjoner om hva som hadde utspilt seg i Gosseberga, hadde statsadvokat Ekström torsdag fastslått at alt bevismateriale tydet på at Lisbeth Salander hadde oppsøkt sin far i den hensikt å ta livet av ham. Det sterkeste leddet i beviskjeden var at hun hadde bragt med seg et skytevåpen, en polsk P-83 Wanad, til Gosseberga.

Det faktum at Aleksandr Zalatsjenko (ifølge Lisbeth Salanders forklaring) eller muligens politimorderen Ronald Niedermann (ifølge det vitneutsagn Zalatsjenko hadde avlagt før han ble drept på Sahlgrenska sjukhuset) i sin tur hadde forsøkt å ta livet av Lisbeth Salander, og at hun var blitt gravd ned i en grop i skogen, svekket på ingen måte det faktum at hun hadde oppsporet sin far i Gosseberga i den hensikt å ta livet av ham. Hun hadde dessuten nesten lyktes i sitt forsett da hun hadde kjørt en øks i ansiktet på ham. Ekström forlangte at Lisbeth Salander skulle dømmes for forsøk på overlagt drap, subsidiært planlegging av overlagt drap, samt, uansett, grov legemsbeskadigelse.

Lisbeth Salanders egen historie var at hun hadde dradd til Gosseberga for å konfrontere sin far og få ham til å tilstå drapet på Dag Svensson og Mia Bergman. Denne opplysningen var av avgjørende betydning for spørsmålet om overlegg.

Da Ekström hadde avsluttet avhøret av vitnet Melker Hansson fra göteborgpolitiets tekniske avdeling, hadde advokat Annika Giannini stilt noen korte spørsmål.

«Herr Hansson, finnes det noe i hele din etterforskning og i alt det tekniske bevismaterialet du har samlet, som på noen måte kan avgjøre om Lisbeth Salander lyver om hvilken hensikt hun hadde med besøket i Gosseberga? Kan du bevise at hun dro dit i den hensikt å ta livet av sin far?»

Melker Hansson tenkte etter en stund.

«Nei,» svarte han til slutt.

«Du kan altså ikke si noe om hvilke forsett hun hadde?»

«Nei.»

«Statsadvokat Ekströms konklusjon, om enn veltalende og ordrik, er altså spekulasjon?»

«Jeg antar det.»

«Finnes det noe i det tekniske bevismaterialet som motsier Lisbeth Salanders opplysninger om at hun tok med seg det polske våpenet, en P-83 Wanad, ved en tilfeldighet, ganske enkelt fordi den befant seg i vesken hennes og hun ikke visste hvor hun skulle gjøre av våpenet etter at hun hadde tatt det fra Sonny Nieminen i Stallarholmen?»

«Nei.»

«Takk,» sa Annika Giannini og satte seg. Det var hennes eneste ytringer i løpet av den timen Hansson hadde vitnet.

Birger Wadensjöö forlot Seksjonens lokaler i Artillerigatan ved sekstiden torsdag kveld med en følelse av å være omringet av truende uværsskyer og en nær forestående undergang. Han hadde i flere uker innsett at hans tittel som direktør, altså leder for Seksjonen for særskilte analyser, bare var en meningsløs formalitet. Hans synspunkter, protester og anmodninger spilte ingen rolle. Fredrik Clinton hadde overtatt all beslutningsmyndighet. Hvis Seksjonen hadde vært en åpen og offentlig institusjon, ville dette ikke ha spilt noen rolle – han ville bare ha henvendt seg til sin nærmeste overordnede og lagt frem sine protester.

Som situasjonen nå var, fantes det ingen å klage til. Han var alene, og på nåde og unåde utlevert til et menneske som han oppfattet som sinnssyk. Og det verste var at Clintons autoritet var absolutt. En snørrvalp som Jonas Sandberg og en gammel traver som Georg Nyström – alle så ut til å stille seg på geledd og adlyde den dødssyke gærningens minste vink.

Han måtte innrømme at Clinton var en lavmælt autoritet som ikke arbeidet for egen vinning. Han kunne til og med innrømme at Clinton arbeidet med Seksjonens beste for øye, i hvert fall det han oppfattet som Seksjonens beste. Det var som om hele organisasjonen befant seg i fritt fall, i en tilstand av kollektiv suggesjon hvor garvede medarbeidere nektet å innse at hver bevegelse de foretok seg, hver beslutning som ble tatt og gjennomført, bare førte dem nærmere avgrunnen.

Wadensjöö kjente et trykk over brystet da han spaserte inn i Linnégatan, hvor han hadde funnet en parkeringsplass den dagen. Han slo av bilalarmen, fisket opp nøklene og skulle akkurat til å åpne bildøren da han hørte lyden av en bevegelse bak seg og snudde seg. Han myste i motlyset. Det tok noen sekunder før han kjente igjen mannen på fortauet.

«God kveld, herr Wadensjöö,» sa Torsten Edklinth, leder for overvåkningstjenesten. «Jeg har ikke vært ute i felten på ti år, men i dag følte jeg at min tilstedeværelse kunne være påkrevet.»

Wadensjöö så forvirret på de to sivilkledde politifolkene som flankerte Edklinth. Det var Jan Bublanski og Marcus Erlander.

Plutselig gikk det opp for ham hva som kom til å skje.

«Jeg har den sørgelige plikt å meddele at riksadvokaten har besluttet at du skal anholdes for en så lang rekke lovbrudd at det sikkert kommer til å ta uker å sette opp en fullstendig fortegnelse.»

«Hva er dette?» sa Wadensjöö opprørt.

«Dette er det øyeblikket da du blir pågrepet, med skjellig grunn mistenkt for medvirkning til drap. Du er også mistenkt for utpresning, ulovlige bestikkelser, ulovlig avlytting, flere tilfeller av grov dokumentforfalskning og grovt underslag, medvirkning til innbrudd, misbruk av myndighet, spionasje og en hel del andre småtterier. Nå skal vi to kjøre til Kungsholmen og ha en riktig alvorlig samtale i fred og ro i kveld.»

«Jeg har ikke begått noe drap,» sa Wadensjöö åndeløst.

«Det får etterforskningen avgjøre.»

«Det var Clinton. Det var hele tiden Clinton,» sa Wadensjöö.

Torsten Edklinth nikket tilfreds.

Alle polititjenestemenn er meget fortrolig med det faktum at det finnes to klassiske måter å avhøre en mistenkt på: den slemme politimannen og den snille politimannen. Den slemme politimannen truer, banner, slår knyttneven i bordet og opptrer generelt bøllete for å skremme en anholdt til underkastelse. Den snille politimannen, gjerne en litt gråhåret onkeltype, byr på sigaretter og kaffe og nikker sympatisk og snakker i en vennlig tone.

De fleste politifolk – men ikke alle – vet også at det er den snille politimannens avhørsteknikk som er den overlegent beste når det gjelder å oppnå resultater. Den hardføre veterantyven blir ikke det minste imponert av den slemme politimannen. Og den usikre amatøren som eventuelt lar seg skremme til å tilstå av en slem politimann, ville høyst sannsynlig ha tilstått uansett avhørsteknikk.

Mikael Blomkvist overhørte avhøret med Birger Wadensjöö fra et tilstøtende rom. Hans tilstedeværelse hadde vært gjenstand for en del interne disputter før Edklinth avgjorde at han antagelig kunne ha nytte av Mikaels iakttagelser.

Mikael konstaterte at Torsten Edklinth benyttet seg av en tredje variant av forhørsteknikk, den uinteresserte politimannen, som i akkurat dette tilfellet så ut til å fungere enda bedre. Edklinth kom inn i avhørsrommet, serverte kaffe i porselenskrus, slo på kassettspilleren og lente seg tilbake i stolen.

«Nå er det slik at vi allerede har alle tenkelige tekniske bevis mot deg. Vi har overhodet ingen interesse av å høre din historie, bortsett fra som en bekreftelse på det vi allerede vet. Og det spørsmålet vi muligens vil ha svar på, er: hvorfor? Hvordan kunne dere være så dumme at dere bestemte dere for å begynne å likvidere mennesker i Sverige, akkurat som om vi skulle ha befunnet oss i Chile under Pinochets diktatur? Båndopptageren går. Hvis du vil si noe, har du anledningen nå. Hvis du ikke vil snakke, slår jeg av spilleren, og deretter plukker vi av deg slips og skolisser og innkvarterer deg oppe i arresten i påvente av advokat, rettssak og dom.»

Edklinth tok deretter en slurk kaffe og ble sittende fullstendig taus. Da ingenting var blitt sagt på to minutter, bøyde han seg frem og slo av kassettspilleren. Han reiste seg.

«Jeg skal sørge for at du blir hentet om et par minutter. God kveld.»

«Jeg har ikke drept noen,» sa Wadensjöö da Edklinth allerede hadde åpnet døren. Edklinth stoppet opp på terskelen.

«Jeg er ikke interessert i å føre en generell samtale med deg. Hvis du vil forklare deg, setter jeg meg og slår på kassettspilleren. Hele det offisielle Sverige – ikke minst statsministeren – venter spent på å få høre hva du har å si. Hvis du forklarer deg, kan jeg dra bort til statsministeren allerede i kveld og gi din versjon av hendelsesforløpet. Hvis du ikke forklarer deg, vil du uansett bli tiltalt og dømt.»

«Sett deg,» sa Wadensjöö.

Det unngikk ingen at han hadde resignert. Mikael pustet ut. Han hadde selskap av Monica Figuerola, statsadvokat Ragnhild Gustavsson, den anonyme Säpo-medarbeideren Stefan samt to helt anonyme personer til. Mikael hadde en mistanke om at minst én av disse anonyme personene representerte justisministeren.

«Jeg hadde ingenting med drapene å gjøre,» sa Wadensjöö da Edklinth startet kassettspilleren igjen.

«Drapene,» sa Mikael Blomkvist til Monica Figuerola.

«Hysssj,» svarte hun.

«Det var Clinton og Gullberg. Jeg hadde ingen anelse om hva de hadde tenkt å gjøre. Det sverger jeg på. Jeg ble fullstendig sjokkert da jeg fikk høre at Gullberg hadde skutt Zalatsjenko. Jeg kunne ikke tro at det var sant ... jeg nektet å tro det. Og da jeg fikk høre om Björck, var det som om jeg skulle få hjerteinfarkt.»

«Fortell om drapet på Björck,» sa Edklinth uten å endre tonefall. «Hvordan foregikk det?»

«Clinton engasjerte noen. Jeg vet ikke engang hvordan det foregikk, men det var to jugoslaver, serbere, hvis jeg ikke tar feil. Det var Georg Nyström som ga dem oppdraget og betalte dem. Da jeg endelig fikk vite det, skjønte jeg at det ville ende med katastrofe.»

«Skal vi ta dette fra begynnelsen,» sa Edklinth. «Når begynte du å arbeide for Seksjonen?»

Da Wadensjöö først hadde begynt å snakke, var han ikke til å stanse. Avhøret varte i nesten fem timer.

KAPITTEL 26

Fredag 15. juli

Doktor Peter Teleborian opptrådte tillitvekkende i vitneboksen i tingretten fredag formiddag. Han ble avhørt av statsadvokat Ekström i drøyt nitti minutter og svarte på alle spørsmål med sindig autoritet. Han hadde av og til et bekymret, og av og til et humoristisk uttrykk i ansiktet.

«For å oppsummere ...» sa Ekström og bladde i manuskriptet sitt. «Det er din vurdering som mangeårig psykiater at Lisbeth Salander lider av paranoid schizofreni?»

«Jeg har hele tiden sagt at det er ytterst komplisert å foreta en eksakt vurdering av hennes tilstand. Pasienten er som kjent nærmest autistisk i sitt forhold til leger og autoriteter. Min vurdering er at hun lider av en alvorlig psykisk sykdom, men i den nåværende situasjon kan jeg ikke gi noen eksakt diagnose. Jeg kan heller ikke avgjøre i hvilket stadium av psykose hun befinner seg, uten adskillig mer omfattende studier.»

«Du mener uansett at hun ikke er psykisk frisk.»

«Hele hennes historie gir jo meget talende belegg for at så ikke er tilfellet.»

«Du har fått tilgang til den såkalte *selvbiografien* som Lisbeth Salander har forfattet, og som hun har overlevert tingretten som forklaring. Hvordan vil du kommentere den?»

Peter Teleborian slo ut med hendene og trakk på skuldrene.

«Men hvordan bedømmer du troverdigheten i historien?»

«Det finnes ingen troverdighet. Det foreligger en rekke påstander om forskjellige personer, den ene historien mer fantastisk enn den andre. I det hele tatt styrker hennes skriftlige forklaring mistankene om at hun lider av paranoid schizofreni.»

«Kan du nevne noe eksempel?»

«Det mest åpenbare er jo skildringen av den såkalte vold-tekten som hun hevder at hennes verge, Bjurman, gjorde seg skyldig i.»

«Kan du forklare dette nærmere?»

«Hele skildringen er usedvanlig detaljert. Den er et klassisk eksempel på den typen groteske fantasier som barn kan frem-vise. Det finnes mange lignende tilfeller fra såkalte incestsaker hvor barnet har gitt skildringer som faller på sin egen urime-lighet, og hvor det helt mangler teknisk bevismateriale. Det er altså erotiske fantasier som selv barn i meget lav alder kan hengi seg til ... Omtrent som om de så på en skrekkfilm på TV.»

«Nå er jo Lisbeth Salander ikke et barn, men en voksen kvinne,» sa Ekström.

«Ja, og det gjenstår vel å avgjøre på hvilket mentalt nivå hun befinner seg. Men formelt sett har du rett. Hun er voksen, og formodentlig tror hun på den skildringen hun har gitt.»

«Du mener at det er løgn.»

«Nei, hvis hun tror på det hun sier, er det ikke løgn. Det er en historie som viser at hun ikke kan skille mellom fantasi og virkelighet.»

«Hun er altså ikke blitt voldtatt av advokat Bjurman?»

«Nei. Sannsynligheten for det må betraktes som nærmest ikke-eksisterende. Hun trenger kvalifisert behandling.»

«Du forekommer selv i Lisbeth Salanders historie ...»

«Ja, det er jo litt pikant. Men det er igjen den fantasien hun gir uttrykk for. Hvis vi skal tro den stakkars jenta, er jeg nærmest pedofil ...»

Han smilte og fortsatte:

«Men det er uttrykk for nettopp det jeg har snakket om hele tiden. I Salanders biografi får vi vite at hun ble mishandlet ved å måtte ligge i remmer store deler av tiden på St. Stefans, og at jeg kom inn på rommet hennes om natten. Dette er et nesten klas-sisk tilfelle av hennes manglende evne til å tolke virkeligheten, eller rettere sagt, det er slik hun *tolker* virkeligheten.»

«Takk. Da overlater jeg ordet til forsvareren, hvis frøken Giannini har noen spørsmål.»

Siden Annika Giannini nesten ikke hadde hatt spørsmål eller innvendinger i løpet av de to første dagene av rettssaken, forventet alle igjen at hun pliktskyldigst skulle stille noen få spørsmål og deretter avslutte vitneavhøret. *Det er jo en pinlig dårlig innsats fra forsvareren,* tenkte Ekström.

«Ja. Det har jeg,» sa Annika Giannini. «Jeg har faktisk en god del spørsmål, og det er mulig at de kommer til å ta litt tid. Klokken er halv tolv. Jeg foreslår at vi avbryter for lunsjpause, så jeg kan gjennomføre mitt vitneavhør uten avbrudd etter lunsj.»

Dommer Iversen besluttet at retten skulle ta lunsjpause.

Curt Svensson hadde med seg to uniformerte politifolk da han på slaget tolv la sin enorme neve på skulderen til førstebetjent Georg Nyström utenfor restaurant Mäster Anders i Hantverkargatan. Nyström kikket forbløffet opp på Curt Svensson, som plasserte politilegitimasjonen sin like under nesen på ham.

«God dag. Du er pågrepet mistenkt for medvirkning til drap og drapsforsøk. Tiltalepunktene vil bli meddelt av riksadvokaten ved fengslingsmøtet nå i formiddag. Jeg foreslår at du blir med frivillig,» sa Curt Svensson.

Georg Nyström så ut som om han ikke forsto hvilket språk Curt Svensson snakket. Men han konstaterte at Curt Svensson var en person man burde bli med uten å protestere.

Kriminalbetjent Jan Bublanski hadde med seg Sonja Modig og syv uniformerte politifolk da overvåkningstjenestens medarbeider Stefan Bladh på slaget tolv slapp dem inn i den lukkede avdelingen som utgjorde sikkerhetspolitiets domener på Kungsholmen. De vandret gjennom korridorene til Stefan stoppet opp og pekte på et kontor. Administrasjonssjefens sekretær så fullstendig perpleks ut da Bublanski viste frem politilegitimasjonen sin.

«Vær så vennlig å sitte stille. Dette er en politiaksjon.»

Han gikk frem til den indre døren og avbrøt administrasjonssjef Albert Shenke midt i en telefonsamtale.

«Hva er dette?» sa Shenke forskrekket.

«Jeg er kriminalbetjent Jan Bublanski. Du er pågrepet for forbrytelser mot Sveriges grunnlov. Du vil bli meddelt en rekke separate tiltalepunkter i løpet av ettermiddagen.»

«Dette er jo uhørt,» sa Shenke.

«Ja visst er det det,» sa Bublanski.

Han sørget for at Shenkes kontor ble forseglet, og plasserte to uniformerte politifolk som vakter utenfor døren, med formaninger om ikke å slippe noen inn over dørterskelen. De hadde tillatelse til å bruke batong og til og med trekke tjenestevåpenet hvis noen forsøkte å trenge seg inn med vold.

De fortsatte prosesjonen gjennom korridoren til Stefan pekte på nok en dør, og deretter gjentok de prosessen med budsjettsjef Gustav Atterbom.

Jerker Holmberg hadde utrykningspatruljen fra Södermalm som oppbacking da han på slaget tolv banket på døren til et tilfeldig innleid kontorlokale i tredje etasje vis-à-vis tidsskriftet Millenniums redaksjon i Götagatan.

Siden ingen åpnet døren, beordret Jerker Holmberg at södermalmspolitiet skulle bryte den opp, men før brekkjernet var blitt tatt i bruk, åpnet det seg en glipe i døren.

«Politi,» sa Jerker Holmberg. «Kom ut med hendene godt synlig.»

«Jeg er politi,» sa politibetjent Göran Mårtensson.

«Jeg vet det. Og du har bæretillatelse for en jævlig masse skytevåpen.»

«Ja, men jeg er her på tjenesteoppdrag for politiet.»

«Ikke faen,» sa Jerker Holmberg.

Han fikk hjelp til å dytte Mårtensson opp mot veggen og ta fra ham tjenestevåpenet.

«Du er pågrepet for ulovlig avlytting, grov uforstand i tjenesten, gjentatte innbrudd hos journalist Mikael Blomkvist i Bellmansgatan og antagelig ytterligere tiltalepunkter. Sett på ham håndjern.»

Jerker Holmberg tok en rask inspeksjonsrunde i kontorlokalet og konstaterte at det var elektronikk nok der til å kunne starte et innspillingsstudio. Han plasserte en politimann som vakt i lokalet, med beskjed om å sitte stille på en stol og ikke etterlate seg fingeravtrykk.

Da Mårtensson ble ført ut av bygningen, hevet Henry Cortez sitt digitale Nikon-kamera og tok en serie på toogtyve bilder. Han var riktignok ingen pressefotograf, og bildene lot en del tilbake å ønske med hensyn til kvalitet. Men neste dag ble bildene solgt til en løssalgsavis for en nærmest svimlende sum.

Monica Figuerola var den eneste av politifolkene som deltok i dagens razziaer som ble rammet av en hendelse som ikke hørte med til planen. Hun hadde oppbacking fra Norrmalms utrykningspatrulje og tre kolleger fra RPS/Säk da hun på slaget tolv gikk inn i bygningen i Artillerigatan og tok trappene opp til den leiligheten på toppen som etter sigende var eid av firmaet Bellona.

Operasjonen var blitt planlagt på kort varsel. Så snart styrken var samlet utenfor døren til leiligheten, ga hun klarsignal. To solide, uniformerte politimenn fra Norrmalms utryknings-patrulje løftet en fire kilos rambukk i stål og åpnet døren med to velrettede dunk. Utrykningspatruljen, utstyrt med skuddsikre vester og forsterkningsvåpen, okkuperte leiligheten i løpet av cirka ti sekunder etter at døren var forsert.

Ifølge spaningene som hadde pågått siden daggry, hadde fem personer identifisert som medarbeidere i Seksjonen, gått inn i bygningen i løpet av morgenen. Samtlige fem ble oppbragt i løpet av noen sekunder og iført håndjern.

Monica Figuerola var iført beskyttelsesvest. Hun gikk gjennom den leiligheten som hadde vært Seksjonens hovedkvarter siden 1960-årene, og slengte opp den ene døren etter den andre. Hun konstaterte at hun ville komme til å trenge hjelp fra en arkeolog for å sortere papirmengden som fylte rommene.

Ennå bare noen sekunder etter at hun hadde kommet inn gjennom inngangsdøren, åpnet hun døren til et mindre rom langt inne i leiligheten, og oppdaget at det var et overnattings-rom. Hun sto plutselig ansikt til ansikt med Jonas Sandberg. Han hadde utgjort et spørsmålstegn ved dagens fordeling av

609

arbeidsoppgaver. Kvelden før hadde den spaneren som var blitt satt til å overvåke Sandberg, mistet ham. Bilen hans hadde stått parkert på Kungsholmen, og han hadde ikke vært å se i boligen sin i løpet av natten. Om morgenen hadde de ikke visst hvordan han skulle kunne lokaliseres og pågripes.

De hadde nattbemanning av sikkerhetsmessige grunner. Selvfølgelig. Og Sandberg hadde hatt nattskiftet og overnattet.

Jonas Sandberg hadde bare underbukser på seg og virket søvndrukken. Han strakte seg etter et tjenestevåpen på nattbordet. Monica Figuerola bøyde seg frem og feide våpenet ned på gulvet, vekk fra Sandberg.

«Jonas Sandberg, du er pågrepet mistenkt for medvirkning til drap på Gunnar Björck og Aleksandr Zalatsjenko, samt medvirkning til drapsforsøk på Mikael Blomkvist og Erika Berger. Få på deg buksene.»

Jonas Sandberg rettet et knyttneveslag mot Monica Figuerola. Hun parerte nærmest i en ettertenksom refleks.

«Spøker du?» sa hun. Hun grep tak i armen hans og vred håndleddet så kraftig at Sandberg ble tvunget baklengs ned på gulvet. Hun veltet ham rundt på magen og plasserte kneet i korsryggen hans. Hun satte selv håndjern på ham. Det var første gang siden hun begynte i RPS/Säk at hun faktisk hadde gjort bruk av håndjern i tjenestesammenheng.

Hun overlot Sandberg til en av de uniformerte og gikk videre. Til slutt åpnet hun den siste døren i leiligheten. Ifølge tegningene som de hadde innhentet fra kommunens bygningskontor, var det et lite krypinn mot gården. Hun stanset på dørterskelen og så på det mest utmagrede fugleskremselet hun noensinne hadde sett. At hun sto foran en dødssyk mann, tvilte hun ikke på et sekund.

«Fredrik Clinton, du er pågrepet for medvirkning til drap, drapsforsøk og en hel rekke andre forbrytelser,» sa hun. «Ligg stille i sengen. Vi har tilkalt ambulansetransport for å frakte deg til Kungsholmen.»

Christer Malm hadde stilt seg opp like utenfor inngangsdøren i Artillerigatan. I motsetning til Henry Cortez kunne han håndtere sitt digitale Nikon-kamera. Han brukte en kort telelinse, og bildene var av profesjonell klasse.

De viste hvordan medlemmene av Seksjonen én etter én ble ført ut gjennom døren og inn i politibiler, og hvordan en ambulanse til slutt hentet Fredrik Clinton. Øynene hans møtte kameralinsen akkurat idet Christer Malm trykket av. Han så engstelig og forvirret ut.

Fotografiet vant senere prisen som Årets Bilde.

KAPITTEL 27

Fredag 15. juli

Dommer Iversen banket klubben i bordet klokken 12.30 og erklærte at rettsforhandlingene var gjenopptatt. Han kunne ikke unngå å legge merke til at en tredje person plutselig hadde dukket opp ved Annika Gianninis bord. Holger Palmgren satt der i rullestol.

«Hei, Holger,» sa dommer Iversen. «Det var sannelig lenge siden sist jeg så deg i en rettssal.»

«God dag, dommer Iversen. Enkelte saker er jo så kompliserte at juniorene trenger en viss assistanse.»

«Jeg trodde du hadde sluttet som praktiserende advokat?»

«Jeg har vært syk, men advokat Giannini har engasjert meg som medforsvarer i denne saken.»

«Jeg skjønner.»

Annika Giannini kremtet.

«Det hører også med til saken at Holger Palmgren i mange år bisto Lisbeth Salander.»

«Jeg har ikke tenkt å protestere på det,» sa dommer Iversen.

Han nikket til Annika Giannini at hun kunne begynne. Hun reiste seg. Hun hadde alltid mislikt den svenske uvanen med å bedrive rettsforhandlinger i en uformell tone, sittende rundt et intimt bord, nesten som om det skulle være et middagsselskap. Hun følte seg mye mer vel når hun kunne snakke stående.

«Jeg tror at vi kanskje skal begynne med de avsluttende kommentarene fra i formiddag. Herr Teleborian, hvorfor avviser du så konsekvent alle utsagn som kommer fra Lisbeth Salander?»

«Fordi de er åpenbart usanne,» svarte Peter Teleborian.

Han var rolig og avslappet. Annika Giannini nikket og henvendte seg til dommer Iversen.

«Herr dommer, Peter Teleborian påstår at Lisbeth Salander lyver og fantaserer. Nå vil forsvaret vise at hvert eneste ord som står i Lisbeth Salanders selvbiografi, er sant. Vi kommer til å legge frem dokumentasjon på dette. Grafisk, skriftlig og gjennom vitneutsagn. Vi har nå kommet til det punkt i denne rettssaken da aktor har fremlagt hovedpunktene i sin tiltale. Vi har lyttet, og vet nå nøyaktig hvordan anklagene mot Lisbeth Salander ser ut.»

Annika Giannini følte seg plutselig tørr i munnen og kjente at hun skalv på hånden. Hun trakk pusten dypt og drakk en slurk Ramlösa. Deretter plasserte hun hendene i et stødig grep på stolryggen så de ikke skulle avsløre hvor nervøs hun var.

«Av aktors fremstilling kan vi trekke den slutningen at han har adskillige påstander, men forferdelig lite bevis. Han tror at Lisbeth Salander skjøt Carl-Magnus Lundin i Stallarholmen. Han påstår at min klient dro til Gosseberga for å ta livet av sin far. Han formoder at min klient er paranoid schizofren og på alle måter sinnssyk. Og han bygger denne formodningen på opplysninger fra én eneste kilde, nemlig doktor Peter Teleborian.»

Hun tok en pause og trakk pusten.

«Bevissituasjonen er nå slik at aktors sak hviler utelukkende på Peter Teleborian. Hvis han har rett, er alt vel og bra; da vil det nok være best for min klient å få den kvalifiserte psykiatriske behandlingen som både han og aktor etterlyser.»

Pause.

«Men hvis doktor Teleborian tar feil, kommer saken i et helt annet lys. Hvis han i tillegg bevisst lyver, betyr det at min klient i dette øyeblikk er utsatt for et rettslig overgrep, et overgrep som har pågått i mange år.»

Hun snudde seg mot Ekström.

«Det vi skal gjøre i ettermiddag, er å vise at vitnet ditt tar feil, og at du som aktor er blitt lurt til å svelge disse falske konklusjonene.»

Peter Teleborian smilte humoristisk. Han slo ut med hendene og nikket inviterende til Annika Giannini. Hun vendte seg igjen til Iversen.

«Herr dommer. Jeg kommer til å påvise at Peter Teleborians

613

såkalte rettspsykiatriske granskningsrapport er bløff fra ende til annen. Jeg kommer til å påvise at han bevisst lyver om Lisbeth Salander. Jeg kommer til å påvise at min klient er blitt utsatt for grove rettslige overgrep. Og jeg kommer til å påvise at hun er like klok og forstandig som en hvilken som helst annen person i dette rommet.»

«Unnskyld, men ...» begynte Ekström.

«Et øyeblikk.» Hun løftet fingeren. «Jeg har latt deg snakke uforstyrret i to dager. Nå er det min tur.»

Hun snudde seg mot dommer Iversen igjen.

«Jeg ville ikke fremført en så alvorlig anklage overfor domstolen hvis jeg ikke hadde sterkt belegg.»

«Bevares, bare fortsett,» sa Iversen. «Men jeg vil ikke ha noe av noen vidløftige konspirasjonsteorier. Husk at du kan bli tiltalt for ærekrenkelser også for påstander som fremsettes i retten.»

«Takk. Jeg skal huske det.»

Hun snudde seg mot Teleborian. Han så fortsatt ut til å more seg over situasjonen.

«Forsvaret har gjentatte ganger bedt om å få innsyn i Lisbeth Salanders journal fra den tiden da hun tidlig i tenårene ble sperret inne på St. Stefans av deg. Hvorfor har vi ikke fått den journalen?»

«Fordi den er hemmeligstemplet av tingretten. Det er en beslutning som ble fattet av hensyn til Lisbeth Salander, men hvis en høyere rettsinstans skulle oppheve beslutningen, vil jeg naturligvis overlevere journalen.»

«Takk. Hvor mange netter i løpet av de to årene som Lisbeth Salander tilbragte på St. Stefans, lå hun i remmer?»

«Det kan jeg ikke si på stående fot.»

«Hun hevder selv at det dreier seg om 380 av de til samme 786 døgnene hun tilbragte på St. Stefans.»

«Jeg kan ikke svare på nøyaktig antall dager, men det er en fantastisk overdrivelse. Hvor kommer tallene fra?»

«Fra selvbiografien hennes.»

«Og du mener at hun i dag skulle kunne huske det nøyktige antall dager i remmer? Det er helt urimelig.»

«Er det? Hvor mange netter husker du?»

«Lisbeth Salander var en meget aggressiv pasient med sterke voldelige trekk, og hun måtte unektelig legges i et stimulifritt rom ved en del anledninger. Jeg skal forklare hva hensikten med et stimulifritt rom er …»

«Takk, men det er ikke nødvendig. Det er ifølge teorien et rom hvor en pasient ikke skal få noen sanseinntrykk som kan skape uro. Hvor mange døgn lå den 13 år gamle Lisbeth Salander fastspent i et slikt rom?»

«Det dreide seg om … kanskje tredve ganger på den tiden hun var innlagt på sykehuset.»

«Tredve. Det er jo bare en brøkdel av de 380 tilfellene hun selv påstår.»

«Unektelig.»

«Mindre enn ti prosent av det tallet hun oppgir.»

«Ja.»

«Ville journalen hennes gi en mer nøyaktig beskjed?»

«Det er mulig.»

«Utmerket,» sa Annika Giannini og hentet frem en solid papirbunke fra dokumentmappen. «Da skal jeg be om å få overlevere retten en kopi av Lisbeth Salanders journal fra St. Stefans. Jeg har talt opp notatene om remmer, og finner at antallet er 381, altså til og med mer enn det min klient påstår.»

Peter Teleborian sperret øynene opp.

«Stopp … det der er hemmeligstemplet informasjon. Hvor har du fått tak i den?»

«Jeg har fått den fra en journalist i tidsskriftet Millennium. Den er altså ikke mer hemmelig enn at den ligger og slenger i en tidsskriftredaksjon. Jeg bør kanskje nevne at utdrag av journalen også blir publisert av Millennium i dag. Derfor mener jeg altså at også tingretten bør få en mulighet til å se på den.»

«Dette er ulovlig …»

«Nei. Lisbeth Salander har gitt tillatelse til at utdragene kan publiseres. Min klient har nemlig ingenting å skjule.»

«Din klient er erklært umyndig og har ikke rett til å ta noen slik beslutning på egen hånd.»

«Vi skal komme tilbake til umyndighetserklæringen. Men først skal vi studere det som skjedde på St. Stefans.»

Dommer Iversen rynket øyenbrynene og tok imot journalen som Annika Giannini overleverte.

«Jeg har ikke laget noen kopi til aktor. Han fikk på den annen side disse integritetskrenkende dokumentene for en måned siden.»

«Hva behager?» sa Iversen.

«Statsadvokat Ekström fikk en kopi av denne hemmeligstemplede journalen av Teleborian under et møte på hans kontor klokken 17.00 den 4. juni i år.»

«Er dette riktig?» spurte Iversen.

Statsadvokat Richard Ekströms første impuls var å nekte. Deretter gikk det opp for ham at Annika Giannini kanskje hadde materiale som kunne dokumentere det.

«Jeg ba om å få lese journalen under pålagt taushetsplikt,» tilsto Ekström. «Jeg var nødt til å forvisse meg om at Salander hadde den forhistorien som hun oppgis å ha.»

«Takk,» sa Annika Giannini. «Det betyr at vi har fått en bekreftelse på at doktor Teleborian ikke bare farer med usannhet, men også har begått et lovbrudd ved å utlevere en journal som han selv hevder er hemmeligstemplet.»

«Vi noterer oss dette,» sa Iversen.

Dommer Iversen var plutselig meget våken. Annika Giannini hadde nettopp på meget uvanlig vis gjennomført et hardt angrep på et vitne og allerede smuldret opp en viktig del av vitneforklaringen hans. *Og hun påstår at hun kan dokumentere alt hun sier.* Iversen rettet på brillene.

«Doktor Teleborian, ut fra denne journalen som du selv har skrevet, kan du nå fortelle meg hvor mange døgn Lisbeth Salander lå i remmer?»

«Jeg kan ikke huske at det skulle ha vært så omfattende, men hvis det er det journalen oppgir, må jeg tro på den.»

«381 døgn. Er ikke det eksepsjonelt mye?»

«Det er uvanlig mye, ja.»

«Hvordan ville du oppfatte det om du var 13 år og noen

bandt deg fast i en lærsele i en seng med stålrammer i over ett år? Som tortur?»

«Du må forstå at pasienten var farlig for seg selv og andre ...»

«Jaha. Farlig for seg selv – har Lisbeth Salander noensinne skadet seg selv?»

«Det var fare for ...»

«Jeg gjentar spørsmålet: Har Lisbeth Salander noensinne skadet seg selv? Ja eller nei?»

«Som psykiater må man lære seg å tolke helhetsbildet. Når det gjelder Lisbeth Salander, kan du for eksempel se en mengde tatoveringer og piercinger, noe som også er selvdestruktiv adferd og en måte å skade sin egen kropp på. Det kan tolkes som et utslag av selvhat.»

Annika Giannini vendte seg mot Lisbeth Salander.

«Er tatoveringene dine et utslag av selvhat?» spurte hun.

«Nei,» sa Lisbeth Salander.

Annika Giannini snudde seg mot Teleborian igjen.

«Så du mener at jeg som bruker øreringer og faktisk også har en tatovering på et meget privat sted, er farlig for meg selv?»

Holger Palmgren kniste litt, men forvandlet knisingen til et kremt.

«Nei, ikke på den måten ... tatoveringer kan også være en del av et sosialt ritual.»

«Du mener altså at Lisbeth Salander ikke omfattes av dette sosiale ritualet?»

«Du kan selv se at tatoveringene hennes er groteske og dekker store deler av kroppen. Det er ingen normal skjønnhetsfetisjisme eller kroppsdekorering.»

«Hvor mange prosent?»

«Unnskyld?»

«Ved hvor mange prosent tatovert kroppsoverflate slutter tatovering å være skjønnhetsfetisjisme og går over til å være sinnssykdom?»

«Du forvrenger det jeg sier.»

«Gjør jeg det? Hvordan kan det ha seg at det etter din mening er et fullt akseptabelt sosialt ritual når det gjelder meg eller andre unge mennesker, men at det legges din klient til last når det gjelder å vurdere hennes psykiske tilstand?»

«Som psykiater må jeg som sagt vurdere helhetsbildet. Tatoveringene er bare en markør, en av mange markører som jeg må ta hensyn til når jeg skal vurdere tilstanden hennes.»

Annika Giannini tidde noen sekunder og holdt blikket festet på Peter Teleborian. Hun snakket langsomt.

«Men doktor Teleborian, du begynte med å legge min klient i remmer da hun var 12 og nærmet seg 13 år. På den tiden hadde hun ikke en eneste tatovering, hadde hun vel?»

Peter Teleborian nølte noen sekunder. Annika tok ordet igjen.

«Jeg går ut fra at du ikke la henne i remmer fordi du var redd for at hun skulle begynne å tatovere seg en gang i fremtiden?»

«Nei, selvfølgelig ikke. Tatoveringene hennes hadde ingenting med hennes tilstand i 1991 å gjøre.»

«Dermed er vi tilbake ved mitt opprinnelige spørsmål. Har Lisbeth Salander noensinne skadet seg selv på en måte som kan begrunne at du lot henne ligge fastspent i sengen i over et år? Har hun for eksempel skåret seg med kniv eller barberblad eller noe lignende?»

Peter Teleborian så usikker ut et øyeblikk.

«Nei, men vi hadde grunn til å tro at hun var farlig for seg selv.»

«Grunn til å tro. Så du mener at du la henne i remmer fordi du gjettet på noe ...»

«Vi foretar vurderinger.»

«Jeg har nå stilt samme spørsmål i omtrent fem minutter. Du hevder at min klients selvdestruktive adferd var en av grunnene til at du la henne i remmer i mer enn ett år til sammen i løpet av de to årene hun var under din behandling. Kan du være så vennlig å endelig gi meg noen eksempler på den selvdestruktive adferden hun hadde i 12-årsalderen.»

«Hun var for eksempel ekstremt underernært. Dette skyldtes blant annet spisevegring. Vi hadde mistanke om anoreksi. Vi var ved flere anledninger nødt til å tvangsfôre henne.»

«Hva skyldtes det?»

«Det skyldtes naturligvis at hun nektet å spise.»

Annika Giannini snudde seg mot klienten sin.

«Lisbeth, er det riktig at du nektet å spise på St. Stefans?»

«Ja.»

«Hvorfor det?»

«Fordi den kjeltringen blandet psykofarmaka i maten min.»

«Jaha. Doktor Teleborian ville altså gi deg medisin. Hvorfor ville du ikke ha den?»

«Jeg likte ikke den medisinen jeg fikk. Den gjorde meg sløv. Jeg klarte ikke å tenke og var helt nummen store deler av den tiden jeg var våken. Det var ubehagelig. Og kjeltringen nektet å fortelle meg hva legemidlene inneholdt.»

«Altså nektet du å ta medisinen?»

«Ja. Da begynte han å legge dritten i maten min isteden. Altså sluttet jeg å spise. Hver gang noe ble plassert i maten min, nektet jeg å spise på fem dager.»

«Så du gikk altså sulten?»

«Ikke alltid. Flere av pleierne stakk til meg noen brødskiver innimellom. Særlig en av pleierne ga meg mat om natten. Det skjedde flere ganger.»

«Så du mener at pleiepersonalet ved St. Stefans forsto at du var sulten og ga deg mat så du skulle slippe å sulte?»

«Det var i den perioden da jeg kriget med kjeltringen om psykofarmaka.»

«Så det fantes en helt rasjonell grunn til at du nektet å spise?»

«Ja.»

«Det skyldtes altså ikke at du ikke ville ha mat?»

«Nei. Jeg var ofte sulten.»

«Er det riktig å påstå at det oppsto en konflikt mellom deg og doktor Teleborian?»

«Det kan man si.»

«Du havnet på St. Stefans fordi du hadde kastet bensin på din far og tent på?»

«Ja.»

«Hvorfor gjorde du det?»

«Fordi han mishandlet moren min.»

«Forklarte du noen gang dette for noen?»

«Ja.»

«Hvem da?»

«Jeg fortalte det til de politifolkene som avhørte meg, til sosial-
etaten, barnevernsnemnda, leger, en prest og til kjeltringen.»

«Med kjeltringen mener du ...?»

«Han der.»

Hun pekte på doktor Peter Teleborian.

«Hvorfor kaller du ham kjeltring?»

«Da jeg først kom til St. Stefans, forsøkte jeg å forklare ham
hva som hadde skjedd.»

«Og hva sa doktor Teleborian?»

«Han ville ikke høre på meg. Han påsto at jeg fantaserte. Og
som straff skulle jeg legges i remmer til jeg sluttet å fantasere.
Og etterpå prøvde han å presse i meg psykofarmaka.»

«Dette er sludder,» sa Peter Teleborian.

«Er det derfor du ikke vil snakke med ham?»

«Jeg har ikke sagt et ord til ham siden den natten jeg fylte
13 år. Da lå jeg også i remmer. Det var fødselsdagspresangen
min til meg selv.»

Annika Giannini snudde seg mot Teleborian igjen.

«Doktor Teleborian, det høres ut som om grunnen til at min
klient nektet å spise, var at hun ikke aksepterte at du ga henne
psykofarmaka.»

«Det er mulig det er slik hun oppfatter det.»

«Og hvordan oppfatter du det?»

«Jeg hadde en pasient som var eksepsjonelt vanskelig. Jeg
hevder at adferden hennes viste at hun var farlig for seg selv,
men det er muligens et tolkningsspørsmål. Derimot var hun vol-
delig og opptrådte psykotisk. Det råder ingen tvil om at hun
var farlig for andre. Hun kom faktisk til St. Stefans fordi hun
hadde forsøkt å myrde sin far.»

«Vi kommer til det. Du var ansvarlig for behandlingen av
henne i to år. I 381 av disse døgnene holdt du henne fastspent
i remmer. Kan det ha vært slik at du brukte remmene som
straffemetode når min klient ikke gjorde som du sa?»

«Det er det reneste tøv.»

«Er det? Jeg har notert at ifølge din pasientjournal skjedde
absolutt mesteparten av bruken av remmer i løpet av det

første året ... 320 av 381 tilfeller. Hvorfor opphørte bruken av remmer?»

«Pasienten utviklet seg og ble mer harmonisk.»

«Er det ikke slik at tiltakene dine ble vurdert som unødig brutale av annet pleiepersonell?»

«Hva mener du?»

«Er det ikke slik at personalet fremsatte klager på blant annet tvangsmatingen av Lisbeth Salander?»

«Det er selvsagt mulig å vurdere ting forskjellig. Det er ikke uvanlig. Men det ble en belastning å tvangsfôre henne fordi hun gjorde så voldsom motstand ...»

«Fordi hun nektet å spise psykofarmaka som gjorde henne sløv og passiv. Hun hadde ingen problemer med å spise når hun ikke ble dopet. Ville det ikke vært en mer rimelig behandlingsmetode å vente med tvangstiltak?»

«Unnskyld at jeg sier det, fru Giannini. Men jeg er faktisk lege. Jeg har en viss mistanke om at min medisinske kompetanse er en smule større enn din. Det er min oppgave å vurdere hvilke medisinske tiltak som skal iverksettes.»

«Det er riktig at jeg ikke er lege, doktor Teleborian. Derimot er jeg ikke helt uten kompetanse. Ved siden av tittelen som advokat, er jeg nemlig også utdannet psykolog ved universitetet i Stockholm. Det er nødvendige kunnskaper i mitt yrke.»

Det ble musestille i rettssalen. Både Ekström og Teleborian stirret forbløffet på Annika Giannini. Hun fortsatte ubønnhørlig.

«Er det ikke riktig at de metodene du brukte for å behandle min klient, etter hvert førte til store motsetninger mellom deg og din sjef, daværende overlege Johannes Caldin?»

«Nei ... det er ikke korrekt.»

«Johannes Caldin har vært død i flere år og kan ikke vitne her i dag. Men vi har i tingretten i dag en person som møtte overlege Caldin ved flere anledninger. Nemlig min medforsvarer Holger Palmgren.»

Hun vendte seg mot ham.

«Kan du fortelle hvordan det hadde seg?»

Holger Palmgren kremtet. Han var fortsatt plaget av virkningene etter hjerneblødningen, og var nødt til å konsentrere seg for å uttale ordene uten å begynne å snøvle.

«Jeg ble utpekt som verge for Lisbeth Salander da moren hennes var blitt så alvorlig mishandlet av faren at hun ble handikappet og ikke lenger kunne ta seg av datteren. Hun fikk varige hjerneskader og gjentatte hjerneblødninger.»

«Du snakker nå om Aleksandr Zalatsjenko?»

Statsadvokat Ekström lente seg oppmerksomt fremover.

«Det stemmer,» sa Palmgren.

Ekström kremtet.

«Jeg ber om å få nevne at vi nå er inne på et emne hvor det foreligger høy grad av hemmeligstempling.»

«Det kan knapt være noen hemmelighet at Aleksandr Zalatsjenko gjennom en lang rekke år mishandlet Lisbeth Salanders mor,» sa Annika Giannini.

Peter Teleborian løftet hånden.

«Saken er nok ikke fullt så innlysende som fru Giannini fremstiller den.»

«Hva mener du?»

«Det er ingen tvil om at Lisbeth Salander var vitne til en familietragedie, at det var noe som utløste et tilfelle av alvorlig mishandling i 1991. Men det foreligger faktisk ingen dokumentasjon som underbygger at dette skulle være en situasjon som hadde pågått i mange år, slik fru Giannini hevder. Det kan ha vært et enkelttilfelle eller en krangel som gikk helt over styr. Hvis sannheten skal frem, foreligger det ikke engang noen dokumentasjon på at det var herr Zalatsjenko som mishandlet moren. Vi har opplysninger om at hun var prostituert, og det kan finnes andre mulige gjerningsmenn.»

Annika Giannini stirret forbløffet på Peter Teleborian. En liten stund virket hun helt målløs. Deretter ble blikket konsentrert igjen.

«Kan du utdype det?» ba hun.

«Det jeg mener, er at vi i praksis bare har Lisbeth Salander påstander å bygge på.»

«Og?»

«For det første var det to søsken. Lisbeths søster, Camilla Salander, har aldri fremført den slags påstander. Hun benektet at det forgikk noe slikt. I tillegg er det jo slik at hvis det virkelig hadde forekommet mishandling i det omfang som din klient påstår, ville det naturligvis ha blitt fanget opp i sosialetatens rapporter og lignende.»

«Finnes det noe avhør av Camilla Salander tilgjengelig som vi kan få ta del i?»

«Avhør?»

«Har du noen dokumentasjon som viser at Camilla Salander overhodet har fått spørsmål om hva som foregikk i hjemmet?»

Lisbeth Salander begynte plutselig å vri urolig på seg da søsteren kom på tale. Hun kikket bort på Annika Giannini.

«Jeg forutsetter at sosialetaten foretok undersøkelser ...»

«Du påsto nettopp at Camilla Salander aldri hadde fremført noen påstand om at Aleksandr Zalatsjenko mishandlet moren, at hun tvert imot benektet det. Det var et kategorisk utsagn. Hvor har du den opplysningen fra?»

Peter Teleborian ble plutselig sittende taus noen sekunder. Annika Giannini så at øynene hans forandret seg da det plutselig gikk opp for ham at han hadde begått en feil. Han skjønte hva hun ville inn på, men det fantes ingen mulighet til å unngå spørsmålet.

«Jeg mener å huske at det fremkom i politirapporten,» sa han til slutt.

«Du mener å huske ... Selv har jeg lett med lys og lykte etter en etterforskningsrapport om hendelsen i Lundagatan da Aleksandr Zalatsjenko ble alvorlig forbrent. Det eneste som finnes tilgjengelig, er de meget ordknappe rapportene som ble skrevet av politifolkene på stedet.»

«Det er mulig ...»

«Så jeg skulle gjerne vite hvordan det kan ha seg at du har lest en etterforskningsrapport som ikke er tilgjengelig for forsvaret.»

«Det kan jeg ikke svare på,» sa Teleborian. «Jeg fikk adgang til rapporten i forbindelse med at jeg i 1991 foretok en rettspsykiatrisk vurdering av henne i forbindelse med drapsforsøket på faren.»

«Har denne rapporten vært tilgjengelig for statsadvokat Ekström?»

Ekström vred på seg og strøk seg over skjegget. Det hadde allerede gått opp for ham at han hadde undervurdert Annika Giannini. Derimot hadde han ingen lyst til å lyve.

«Ja, jeg har hatt tilgang til den.»

«Hvorfor har ikke forsvaret fått tilgang til dette materialet?»

«Jeg vurderte den ikke som interessant for rettssaken.»

«Kan du være så vennlig å fortelle meg hvordan du fikk tilgang til denne rapporten. Da jeg henvendte meg til politiet, fikk jeg beskjed om at det ikke fantes noen slik rapport.»

«Rapporten ble utarbeidet av sikkerhetspolitiet. Den er hemmeligstemplet.»

«Säpo har altså etterforsket grov kvinnemishandling og besluttet å hemmeligstemple rapporten?»

«Det skyldtes gjerningsmannen ... Aleksandr Zalatsjenko. Han var politisk flyktning.»

«Hvem utarbeidet rapporten?»

Taushet.

«Jeg hørte ikke? Hvilket navn sto det på forsiden?»

«Den ble utarbeidet av Gunnar Björck ved utlendingsavdelingen i RPS/Säk.»

«Takk. Er det den samme Gunnar Björck som min klient påstår har samarbeidet med Peter Teleborian for å forfalske den rettspsykiatriske rapporten om henne fra 1991?»

«Jeg går ut fra det.»

Annika Giannini vendte oppmerksomheten mot Peter Teleborian igjen.

«I 1991 traff tingretten en kjennelse om å sperre Lisbeth Salander inne på en barnepsykiatrisk klinikk. Hvorfor fattet tingretten denne beslutningen?»

«Tingretten foretok en grundig vurdering av din klients handlinger og psykiske tilstand – hun hadde tross alt forsøkt å ta livet av sin far med en brannbombe. Det er ikke en beskjeftigelse som normale tenåringer driver med, uansett om de er tatovert eller ikke.»

Peter Teleborian smilte høflig.

«Og hva baserte tingretten sin vurdering på? Hvis jeg har forstått saken riktig, hadde de én eneste rettsmedisinsk uttalelse å legge til grunn. Den ble forfattet av deg og en politimann ved navn Gunnar Björck.»

«Dette handler om frøken Salanders konspirasjonsteorier, fru Giannini. Her må jeg ...»

«Unnskyld meg, men jeg har ikke stilt noe spørsmål ennå,» sa Annika Giannini og vendte seg på nytt mot Holger Palmgren. «Holger, vi snakket om at du møtte doktor Teleborians sjef, overlege Caldin.»

«Ja. Jeg var jo blitt utpekt som verge for Lisbeth Salander. Jeg hadde da ikke møtt henne mer enn i forbifarten. Jeg hadde som alle andre inntrykk av at hun var alvorlig psykisk syk. Men siden jeg hadde fått oppdraget, forhørte jeg meg om hennes generelle helsetilstand.»

«Og hva sa overlege Caldin?»

«Hun var jo doktor Teleborians pasient, og doktor Caldin hadde ikke ofret noen spesiell oppmerksomhet på henne, bortsett fra det som er vanlig ved rapportgjennomganger og lignende. Det var først etter over et år at jeg begynte å drøfte hvordan hun skulle rehabiliteres tilbake til samfunnet. Jeg foreslo en fosterfamilie. Jeg vet ikke nøyaktig hva som hadde skjedd internt på St. Stefans, men en eller annen gang etter at Lisbeth hadde ligget på St. Stefans et år, begynte doktor Caldin å interessere seg for henne.»

«Hvordan ga det seg utslag?»

«Jeg opplevde at han vurderte henne annerledes enn doktor Teleborian. Han fortalte ved en anledning at han hadde besluttet å endre rutinene i behandlingen av henne. Jeg skjønte ikke før senere at det dreide seg om bruken av de såkalte remmene. Caldin besluttet ganske enkelt at hun ikke skulle legges i remmer. Han mente det ikke fantes noen grunn til å gjøre det.»

«Han gikk altså imot doktor Teleborian?»

«Beklager, men dette er annenhåndsopplysninger,» innvendte Ekström.

«Nei,» sa Holger Palmgren. «Ikke bare. Jeg forlangte å få en erklæring om hvordan Lisbeth Salander skulle føres tilbake til samfunnet. Doktor Caldin skrev den erklæringen. Jeg har den ennå.»

Han ga et papir til Annika Giannini.

«Kan du fortelle hva som står her?»

«Det er et brev fra doktor Caldin til meg. Det er datert oktober 1992, altså da Lisbeth Salander hadde oppholdt seg på St. Stefans i tyve måneder. Her skriver doktor Caldin uttrykkelig, sitat: 'min beslutning om at pasienten ikke skal legges i remmer eller tvangsfôres har også gitt som synlig effekt at hun er rolig. Det foreligger ikke behov for psykofarmaka. Pasienten er imidlertid ekstremt lukket og innesluttet og trenger fortsatt støttetiltak'. Sitat slutt.»

«Han skriver altså uttrykkelig at det var hans beslutning.»

«Det er riktig. Det var også doktor Caldin personlig som tok beslutningen om at Lisbeth skulle tilbakeføres til samfunnet via en fosterfamilie.»

Lisbeth nikket. Hun husket doktor Caldin på samme måte som hun husket hver eneste detalj fra oppholdet på St. Stefans. Hun hadde nektet å snakke med doktor Caldin, han var skrullinglege, enda en i rekken av hvite frakker som ville rote i følelsene hennes. Men han hadde vært vennlig og godmodig. Hun hadde sittet på kontoret hans og hørt på ham da han forklarte sitt syn på henne.

Han hadde virket såret over at hun ikke ville snakke med ham. Til slutt hadde hun sett ham inn i øynene og forklart sin beslutning for ham. «Jeg kommer aldri noensinne til å snakke med deg eller noen annen skrullinglege. Dere hører ikke på det jeg sier. Dere kan holde meg innesperret her til jeg dør. Det forandrer ikke saken. Jeg kommer ikke til å snakke med dere.» Han hadde sett på henne med forundring i blikket. Så hadde han nikket, som om han skjønte noe.

«Doktor Teleborian ... Jeg har konstatert at du sperret Lisbeth Salander inne på en barnepsykiatrisk klinikk. Det var du som fremskaffet den rapporten som var tingrettens eneste beslutningsgrunnlag. Er dette korrekt?»

«Det er korrekt i og for seg. Men jeg mener ...»

«Du skal få god tid til å forklare hva du mener. Da Lisbeth Salander skulle fylle 18 år, grep du igjen inn i tilværelsen hennes og forsøkte nok en gang å få henne sperret inne på institusjon.»

«Den gangen var det ikke jeg som utarbeidet den rettsmedisinske rapporten ...»

«Nei, den ble utarbeidet av en doktor Jesper H. Löderman. Som tilfeldigvis var doktorgradsstipendiat med deg som veileder. Det var altså dine vurderinger som gjorde at rapporten ble godkjent.»

«Det finnes intet uetisk eller ukorrekt i disse rapportene. De er utarbeidet etter alle kunstens regler.»

«Nå er Lisbeth Salander 27 år, og for tredje gang befinner vi oss i en situasjon hvor du forsøker å overbevise tingretten om at hun er sinnssyk og må innlegges til lukket psykiatrisk behandling.»

Doktor Peter Teleborian trakk pusten dypt. Annika Giannini var godt forberedt. Hun hadde overrumplet ham med en del kinkige spørsmål hvor hun hadde klart å fordreie svarene hans. Hun bet ikke på sjarmen hans, og hun overså hans autoritet fullstendig. Han var vant til at folk nikket samtykkende når han snakket.

Hvor mye vet hun?

Han skottet bort på statsadvokat Ekström, men innså at han ikke kunne vente seg noen hjelp fra den kanten. Han måtte selv ri stormen av.

Han minnet seg selv på at han faktisk var en autoritet.

Det spiller ingen rolle hva hun sier. Det er min vurdering som er avgjørende.

Annika Giannini løftet den rettspsykiatriske rapporten hans opp fra bordet.

«La oss se nærmere på den siste rapporten din. Du bruker en hel del krefter på å analysere Lisbeth Salanders sjelsliv. En god del dreier seg om dine tolkninger av hennes person, hennes adferd og hennes seksualvaner.»

«Jeg har i denne rapporten forsøkt å gi et helhetsbilde.»

«Bra. Og ut fra dette helhetsbildet kommer du frem til at Lisbeth Salander lider av paranoid schizofreni.»

«Jeg vil ikke binde meg til en nøyaktig diagnose.»

«Men denne konklusjonen har du altså ikke kommet frem til gjennom samtaler med Lisbeth Salander, eller hva?»

«Du vet utmerket godt at din klient konsekvent nekter å svare på spørsmål når jeg eller en eller annen myndighetsperson prøver å snakke med henne. Allerede denne oppførselen er jo meget talende. Det kan tolkes som om pasientens paranoide trekk fremtrer i så sterk grad at hun bokstavelig talt ikke er i stand til å føre en samtale med en myndighetsperson. Hun tror at alle er ute etter å skade henne, og opererer med et så stort trusselbilde at hun lukker seg inne i et ugjennomtrengelig skall og bokstavelig talt blir stum.»

«Jeg registerer at du uttrykker deg meget forsiktig. Du sier at det kan tolkes som ...»

«Ja, det er riktig. Jeg uttrykker meg forsiktig. Psykiatri er ingen eksakt vitenskap, og jeg må være forsiktig med mine konklusjoner. Samtidig er det ikke slik at det vi psykiatere fremlegger, bare er løse antagelser.»

«Du er meget omhyggelig med å gardere deg. I virkeligheten er det jo slik at du ikke har vekslet et ord med min klient siden den natten da hun fylte 13, siden hun konsekvent har nektet å snakke med deg.»

«Ikke bare med meg. Hun klarer ikke å føre en samtale med noen psykiater.»

«Det betyr at, som du skriver, dine konklusjoner bygger på erfaring og observasjoner av min klient.»

«Det stemmer.»

«Hva kan man lære av å studere en jente som sitter på en stol med armene i kors og nekter å snakke?»

Peter Teleborian sukket og så ut som om han syntes det var slitsomt å være nødt til å forklare selvfølgeligheter. Han smilte.

«Av en pasient som sitter fullstendig taus, kan man bare lære at dette er en pasient som er fullstendig taus. Allerede det er en avvikende adferd, men jeg baserer altså ikke mine konklusjoner på dette.»

«Jeg kommer i ettermiddag til å innkalle en annen psykiater. Han heter Svante Brandén og er overlege i Rättsmedicinalverket og spesialist i rettspsykiatri. Kjenner du ham?»

Peter Teleborian følte seg sikker igjen. Han smilte. Han hadde forutsett at Giannini ville komme trekkende med en annen psykiater for å forsøke å sette spørsmålstegn ved konklusjonene hans. Det var en situasjon han var forberedt på, og hvor han uten problemer kunne imøtegå hver eneste innvending ord for ord. Det ville snarere være lettere å takle en akademisk kollega i vennskapelig munnhuggeri enn en som advokat Giannini, som ikke hadde noen hemninger og var villig til å raljere med det han sa.

«Ja. Han er en anerkjent dyktig rettspsykiater. Men du forstår, fru Giannini, at å foreta en vurdering av denne typen er en akademisk og vitenskapelig prosess. Du kan være uenig med meg i mine slutninger, og en annen psykiater kan tolke en handling eller en hendelse på en annen måte enn det jeg gjør. Da dreier det seg om ulike synsmåter, eller kanskje til og med om hvor godt en lege kjenner sin pasient. Han vil kanskje komme til en helt annen konklusjon med hensyn til Lisbeth Salander. Det er overhodet ikke uvanlig innen psykiatrien.»

«Det er ikke derfor jeg har innkalt ham. Han har ikke møtt eller undersøkt Lisbeth Salander og kommer overhodet ikke til å trekke noen konklusjoner angående hennes psykiske tilstand.»

«Jaha ...»

«Jeg har bedt ham lese din rapport og all den dokumentasjonen du har utarbeidet om Lisbeth Salander, og se på journalen hennes fra de årene hun lå på St. Stefans. Jeg har bedt ham foreta en vurdering – ikke av min klients helsetilstand, men om det fra en rent vitenskapelig synsvinkel er dekning for konklusjonene dine i det materialet du fremlegger.»

Peter Teleborian trakk på skuldrene.

«Med all mulig respekt ... jeg tror jeg har bedre kunnskaper

629

om Lisbeth Salander enn noen annen psykiater her i landet. Jeg har fulgt utviklingen hennes siden hun var 12 år gammel, og det er jo dessverre slik at mine konklusjoner hele tiden er blitt bekreftet av adferden hennes.»

«Så bra,» sa Annika Giannini. «Da skal vi se på konklusjonene dine. I erklæringen din skriver du at behandlingen ble avbrutt da hun var 15 år gammel og ble plassert i en fosterfamilie.»

«Det stemmer. Det var et alvorlig feilgrep. Hvis vi hadde fått avslutte behandlingen, ville vi ikke ha sittet her i dag.»

«Du mener at hvis du hadde fått muligheten til å legge henne i remmer i ett år til, ville hun vært mer føyelig?»

«Det der var en temmelig billig kommentar.»

«Jeg beklager. Du siterer utførlig den rapporten som din doktorgradsstipendiat Jesper H. Löderman utarbeidet da Lisbeth Salander skulle fylle 18 år. Du skriver at 'hennes selvdestruktive og antisosiale adferd bekreftes gjennom den rusmisbruk og promiskuitet hun har lagt for dagen siden hun ble skrevet ut fra St. Stefans.' Hva mener du med dette?»

Peter Teleborian satt taus i noen sekunder.

«Ja ... nå må jeg gå litt tilbake i tid. Etter at Lisbeth Salander ble utskrevet fra St. Stefans, fikk hun – som jeg hadde forutsagt – problemer med misbruk av alkohol og narkotika. Hun ble anholdt av politiet gjentatte ganger. En granskningsrapport fra sosialetaten fastslo også at hun hadde en ukontrollert seksuell omgang med eldre menn, og at hun sannsynligvis drev med prostitusjon.»

«La oss rydde opp litt i dette her. Du sier at hun begynte å misbruke alkohol. Hvor ofte var hun beruset?»

«Unnskyld?»

«Var hun full hver dag etter at hun ble utskrevet og frem til hun fylte 18 år? Var hun full en gang i uken?»

«Det kan jeg selvfølgelig ikke svare på.»

«Men du har jo fastslått at hun misbrukte alkohol?»

«Hun var mindreårig og ble gjentatte ganger anholdt av politiet for fyll.»

«Dette er annen gang du bruker uttrykket at hun ble anholdt

gjentatte ganger. Hvor ofte skjedde det? Var det en gang i uken eller en gang annenhver uke ...?»

«Nei, så mange enkelttilfeller var det ikke snakk om ...»

«Lisbeth Salander ble anholdt for fyll to ganger da hun var henholdsvis 16 og 17 år. Ved én av disse anledningene var hun så sanseløst beruset at hun ble sendt til sykehus. Dette er altså de gjentatte gangene du henviser til. Var hun beruset ved flere anledninger enn disse?»

«Det vet jeg ikke, men man kan frykte at adferden hennes var ...»

«Unnskyld, hørte jeg riktig? Du vet altså ikke om hun var beruset mer enn to ganger i tenårene, men du frykter at det var tilfellet? Likevel fastslår du at Lisbeth Salander befinner seg i en ond sirkel av alkohol- og narkotikamisbruk?»

«Dette er jo sosialetatens opplysninger. Ikke mine. Det dreide seg om den samlede livssituasjon Lisbeth Salander befant seg i. Hun hadde, ikke uventet, en dårlig prognose siden behandlingen ble avbrutt, og tilværelsen hennes ble en ond sirkel av alkohol, politipågripelser og ukontrollert promiskuitet.»

«Du bruker uttrykket ukontrollert promiskuitet.»

«Ja ... det er et uttrykk som antyder at hun ikke hadde kontroll over sitt eget liv. Hun hadde seksuell omgang med eldre menn.»

«Det er ikke forbudt.»

«Nei, men det er en abnorm adferd hos en 16 år gammel jente. Man kan altså stille spørsmål ved om hun deltok i denne omgangen av fri vilje, eller om hun befant seg i en tvangssituasjon.»

«Men du hevdet at hun var prostituert.»

«Det var kanskje en naturlig konsekvens av at hun manglet utdannelse, ikke var i stand til å motta undervisning og studere videre for å få seg et ordentlig arbeid. Det er mulig at hun så eldre menn som en farsfigur, og at økonomisk vederlag for seksuelle tjenester bare var en bonus. Uansett opplever jeg det som nevrotisk adferd.»

«Du mener at en 16 år gammel jente som har sex, er nevrotisk?»

«Du fordreier uttalelsene mine.»

«Men du vet ikke om hun noensinne fikk økonomisk vederlag for seksuelle tjenester?»

«Hun er aldri blitt anholdt for prostitusjon.»

«Noe hun neppe kan bli anholdt for heller, siden det ikke er ulovlig.»

«Eh, det er riktig. Det det dreier seg om i hennes tilfelle, er en tvangsmessig nevrotisk adferd.»

«Og du nøler ikke med å trekke den konklusjon at Lisbeth Salander er sinnssyk ut fra dette tynne materialet. Da jeg var 16 år, drakk jeg meg sanseløst beruset på en halvflaske vodka som jeg stjal fra faren min. Mener du dermed at jeg er sinnssyk?»

«Nei. Selvfølgelig ikke.»

«Stemmer det ikke at da du selv var 17 år, var du på en fest der dere ble så fryktelig beruset at dere bega dere ut på byen og knuste ruter nede på torget i Uppsala? Du ble tatt av politiet og måtte bli i arresten til du var edru, og deretter fikk du et forelegg.»

Peter Teleborian så forbløffet ut.

«Eller hva?»

«Jo ... man gjør mye dumt når man er 17 år. Men ...»

«Men det får deg ikke til å trekke noen konklusjoner om at du er alvorlig psykisk syk?»

Peter Teleborian var irritert. Den fordømte ... advokaten vred hele tiden på det han sa og hengte seg opp i enkeltdetaljer. Hun nektet å se helhetsbildet. Hun bragte inn uvedkommende resonnementer om at han selv hadde vært beruset ... *hvordan faen hadde hun fått tak i den opplysningen?*

Han kremtet og hevet stemmen.

«Sosialetatens rapporter var entydige og bekreftet i det alt vesentlige at Lisbeth Salander hadde en livsførsel som kretset rundt alkohol, stoff og promiskuitet. Sosialetaten fastslo også at Lisbeth Salander var prostituert.»

«Nei. Sosialetaten har aldri påstått at hun var prostituert.»

«Hun ble anholdt ved ...»

«Nei. Hun ble ikke anholdt. Hun ble visitert i Tantolunden

da hun var 17 år og oppholdt seg sammen med en vesentlig eldre mann. Det var samme år som hun ble anholdt for fyll. Også da i selskap med en vesentlig eldre mann. Sosialetaten fryktet at hun muligens bedrev prostitusjon. Men det har aldri fremkommet noe belegg for denne mistanken.»

«Hun hadde en meget vidløftig seksuell omgang med et stort antall personer, både gutter og jenter.»

«I din egen rapport, jeg siterer fra side fire, oppholder du deg ved Lisbeth Salanders seksualvaner. Du hevder at hennes forhold til venninnen Miriam Wu bekrefter frykten for seksuell psykopati. Hvordan da?»

Peter Teleborian ble plutselig taus.

«Jeg håper inderlig ikke at du har tenkt å hevde at homofili er en sinnssykdom. Det kan nemlig være straffbart å fremsette en slik påstand.»

«Nei, naturligvis ikke. Jeg sikter til innslagene av seksuell sadisme i forholdet.»

«Du mener at hun er sadist?»

«Jeg ...»

«Vi har Miriam Wus vitneutsagn fra politiet. Det forekommer ingen vold i forholdet mellom dem.»

«De bedrev SM-sex og ...»

«Nå tror jeg jammen du har forlest deg på tabloidavisene. Lisbeth Salander og hennes venninne Miriam Wu beskjeftiget seg enkelte ganger med seksuelle leker som innebar at Miriam Wu bandt min klient og tilfredsstilte henne seksuelt. Det er hverken spesielt uvanlig eller forbudt. Er det derfor du vil sperre klienten min inne?»

Peter Teleborian viftet avvergende med hånden.

«Om jeg må få være litt personlig. Da jeg var 16 år, drakk jeg meg sanseløst full. Jeg var full flere ganger i løpet av den tiden jeg gikk på gymnaset. Jeg har prøvd dop. Jeg har røkt marihuana, og jeg har til og med prøvd kokain en gang for omkring tyve år siden. Jeg hadde min seksuelle debut med en klassekamerat da jeg var 15 år, og hadde et forhold til en mann som bandt hendene mine til hodegjerdet da jeg var i 20-årsalderen. Da jeg var 22 år, hadde jeg et flere måneder langt forhold til en mann som var 47 år gammel. Er jeg med andre ord sinnssyk?»

«Fru Giannini ... du raljerer over dette, men dine seksuelle erfaringer er uvedkommende i denne saken.»

«Hvorfor det? Da jeg leste din psykiatriske evaluering av Lisbeth Salander, fant jeg punkt etter punkt som, løsrevet fra sammenhengen, stemte på meg selv. Hvorfor er jeg sunn og frisk og Lisbeth Salander en sadist som er farlig for allmennheten?»

«Det er ikke disse detaljene som er avgjørende. Du har ikke forsøkt å ta livet av din far to gang ...»

«Doktor Teleborian, virkeligheten er at det ikke angår deg hvem Lisbeth Salander vil ha sex med. Det angår ikke deg hvilket kjønn hennes partner har, eller i hvilke former de bedriver sin seksuelle omgang. Men likevel river du disse detaljene løs fra sammenhengen og bruker dem som belegg for at hun er syk.»

«Hele Lisbeth Salanders liv fra hun gikk i barneskolen er en serie med journalnotater om umotiverte, voldelige raseriutbrudd mot lærere og klassekamerater.»

«Et øyeblikk ...»

Annika Gianninis stemme var plutselig som en isskrape på en bilrute.

«Se på min klient.»

Alle så på Lisbeth Salander.

«Min klient har vokst opp i en situasjon med forferdelig familieforhold, med en far som konsekvent og gjennom en årrekke mishandlet hennes mor på det groveste.»

«Det er ...»

«La meg snakke ferdig. Lisbeth Salanders mor var livredd for Aleksandr Zalatsjenko. Hun torde ikke protestere. Hun torde ikke gå til lege. Hun torde ikke dra til et krisesenter. Hun ble kvernet i stykker og mishandlet så grovt at hun fikk varige hjerneskader. Den personen som måtte ta ansvar, den eneste personen som forsøkte å ta ansvar for familien lenge før hun var kommet i tenårene, var Lisbeth Salander. Det ansvaret måtte hun bære alene, siden spionen Zalatsjenko var viktigere enn Lisbeths mor.»

«Jeg kan ikke …»

«Vi fikk en situasjon hvor samfunnet sviktet Lisbeths mor og barna. Er du forbauset over at Lisbeth hadde problemer på skolen? Se på henne. Hun er liten og spinkel. Hun var alltid den minste jenta i klassen. Hun var innesluttet og underlig og manglet venner. Vet du hvordan barn behandler klassekamerater som er annerledes?»

Peter Teleborian sukket.

«Jeg kan gå tilbake til skolejournalene og se på situasjon etter situasjon hvor Lisbeth ble voldelig,» sa Annika Giannini. «De var alltid foranlediget av provokasjoner. Jeg kjenner utmerket godt igjen tegnene på mobbing. Vet du hva?»

«Hva?»

«Jeg beundrer Lisbeth Salander. Hun er tøffere enn meg. Hvis jeg var blitt lagt i remmer i et års tid da jeg var 13, ville jeg nok ha brutt sammen fullstendig. Hun slo tilbake med det eneste våpen hun hadde til disposisjon. Nemlig sin forakt for deg. Hun nekter å snakke med deg.»

Annika Giannini hevet plutselig stemmen. All nervøsitet var borte for lengst. Hun kjente at hun hadde kontroll.

«I ditt vitneutsagn tidligere i dag snakket du om en god del fantasier, du slo for eksempel fast at hennes beskrivelse av advokat Bjurmans voldtekt er fantasi.»

«Det stemmer.»

«Hva baserer du den konklusjonen på?»

«Min erfaring med hvordan hun pleier å fantasere.»

«Din erfaring med hvordan hun pleier å fantasere … Hvordan kan du avgjøre når hun fantaserer? Når hun sier at hun har ligget i remmer i 380 døgn, er det etter din mening fantasi, til tross for at din egen journal viser at det var tilfellet.»

«Dette er noe helt annet. Det finnes ikke fnugg av tekniske bevis for at Bjurman begikk voldtekt av Lisbeth Salander. Jeg mener, nåler gjennom brystvorten og så grov vold at hun utvilsomt burde ha blitt fraktet til sykehus med ambulanse … Det sier seg selv at dette ikke kan ha funnet sted.»

Annika Giannini snudde seg mot dommer Iversen. «Jeg ba

635

om å få ha en prosjektor for datapresentasjon av en CD tilgjengelig idag ...»

«Den er på plass,» sa Iversen.

«Kan vi trekke for gardinene.»

Annika Giannini åpnet PowerBooken sin og plugget inn kabelen til billedkanonen. Hun vendte seg mot klienten sin.

«Lisbeth. Vi skal se på en film. Er du klar til det?»

«Jeg har allerede opplevd den,» svarte Lisbeth Salander tørt.

«Og jeg har din tillatelse til å vise den her?»

Lisbeth Salander nikket. Hun hadde hele tiden blikket festet på Peter Teleborian.

«Kan du fortelle når opptaket ble gjort?»

«Den 7. mars 2003.»

«Hvem gjorde opptaket?»

«Det gjorde jeg. Jeg brukte et skjult kamera som er standardutstyr hos Milton Security.»

«Et øyeblikk!» ropte statsadvokat Ekström. «Dette begynner å minne om sirkuskunster.»

«Hva er det vi skal se på?» spurte dommer Iversen med skarp stemme.

«Peter Teleborian hevder at Lisbeth Salanders historie er fantasi. Jeg kommer til å vise dokumentasjon på at den tvert imot er sann, ord for ord. Filmen er nitti minutter lang, og jeg kommer til å vise noen avsnitt. Jeg vil advare om at den inneholder en del ubehagelige scener.»

«Er dette noe slags triks?» spurte Ekström.

«Det er bare én måte å finne ut det på,» sa Annika Giannini og startet CD-en i maskinen.

«Kan du ikke klokken engang?» lød det skarpt fra advokat Bjurman. Kameraet kom inn i leiligheten hans.

Etter ni minutter slo dommer Iversen klubben i bordet da advokat Nils Bjurman ble foreviget idet han presset en dildo inn i Lisbeth Salanders analåpning. Annika Giannini hadde satt på høyt volum. Lisbeths halvkvalte skrik gjennom teipen som dekket munnen hennes, kunne høres i hele rettssalen.

«Slå av filmen,» sa Iversen med meget sterk og bestemt røst.

Annika Giannini trykket på stoppknappen. Takbelysningen ble tent. Dommer Iversen var rød i ansiktet. Statsadvokat Ekström satt som forstenet. Peter Teleborian var likblek.

«Advokat Giannini, hvor lang sa du denne filmen var?» sa dommer Iversen.

«Nitti minutter. Selve voldtekten pågikk i flere omganger i fem–seks timer, men min klient har bare en vag tidsoppfatning av de siste timenes vold.» Annika Giannini vendte seg mot Teleborian. «Derimot er det en scene hvor Bjurman trykker en knappenål gjennom min klients brystvorte, noe som doktor Teleborian hevder er uttrykk for Lisbeth Salanders vidløftige fantasi. Det skjer i det toogsyttiende minuttet, og jeg kan godt vise episoden her og nå.»

«Takk, men det er ikke nødvendig,» sa Iversen. «Frøken Salander ...»

Han gikk i stå et øyeblikk og visste ikke hvordan han skulle fortsette.

«Frøken Salander, hvorfor gjorde du dette opptaket?»

«Bjurman hadde allerede utsatt meg for én voldtekt og forlangte mer. Ved den første voldtekten måtte jeg suge gubbeklysa. Jeg trodde dette skulle bli en reprise, og at jeg dermed ville ha en så god dokumentasjon på hva han gjorde med meg, at jeg ville kunne presse ham til å holde seg unna meg. Jeg hadde feilvurdert ham.»

«Men hvorfor gikk du ikke til politianmeldelse av en grov voldtekt hvor du har en så ... overbevisende dokumentasjon?»

«Jeg snakker ikke med politifolk,» sa Lisbeth Salander monotont.

Plutselig reiste Holger Palmgren seg fra rullestolen. Han støttet seg mot bordkanten. Stemmen hans var svært tydelig.

«Vår klient snakker av prinsipp ikke med politifolk eller andre myndighetspersoner, og aller minst med psykiatere. Årsaken er enkel. Helt fra hun var barn har hun gang på gang forsøkt å snakke med politifolk og kuratorer og myndigheter og fortelle at moren ble mishandlet av Aleksandr Zalatsjenko. Resultatet var at hun hver gang ble straffet fordi statlige tjenestemenn hadde bestemt at Zalatsjenko var viktigere enn Salander.»

Han kremtet og fortsatte.

«Og da hun til slutt innså at ingen hørte på henne, var den eneste utveien for å forsøke å redde moren, å gripe til vold mot Zalatsjenko. Og da skrev denne kjeltringen som kaller seg lege» – han pekte på Teleborian – «en falsk rettspsykiatrisk diagose som erklærte henne sinnssyk og ga ham mulighet til å holde henne i remmer på St. Stefans i 380 døgn. Fy faen.»

Palmgren satte seg. Iversen virket overrasket over Palmgrens utbrudd. Han vendte seg mot Lisbeth Salander.

«Vil du kanskje ha en pause …?»

«Hvorfor det?» spurte Lisbeth.

«Jaha, da fortsetter vi. Advokat Giannini, videoen skal granskes, og jeg vil ha en teknisk bekreftelse på at den er autentisk. Men nå går vi videre i forhandlingene.»

«Gjerne. Jeg synes også dette er ubehagelig. Men sannheten er at min klient har vært utsatt for fysiske, psykiske og rettslige overgrep. Og den personen som mest av alt kan klandres for det, er Peter Teleborian. Han sviktet legeeden, og han sviktet pasienten sin. Sammen med Gunnar Björck, en medarbeider i en illegal gruppe innenfor sikkerhetspolitiet, kokte han sammen en rettspsykiatrisk uttalelse i den hensikt å sperre et vanskelig vitne inne. Jeg tror at denne saken må være unik i svensk rettshistorie.»

«Dette er uhørte anklager,» sa Peter Teleborian. «Jeg har gjort mitt beste for å prøve å hjelpe Lisbeth Salander. Hun forsøkte å myrde sin far. Det er jo selvsagt at det er noe i veien med henne …»

Annika Giannini avbrøt ham.

«Jeg vil nå henlede rettens oppmerksomhet på doktor Teleborians andre rettspsykiatriske uttalelse om min klient. Den uttalelsen som er blitt fremlagt her i retten i dag. Jeg hevder at den er en løgn, akkurat som forfalskningen fra 1991.»

«Ja, men dette er jo …»

«Dommer Iversen, kan du anmode vitnet om å slutte å avbryte meg?»

«Herr Teleborian ...»

«Jeg skal tie stille. Men dette er uhørte anklager. Det er ikke så rart at jeg blir opprørt ...»

«Herr Teleborian, vær stille til du får et spørsmål. Fortsett, advokat Giannini.»

«Dette er den rettspsykiatriske uttalelsen som doktor Teleborian har lagt frem for retten. Den bygger på såkalte observasjoner av min klient som skal ha funnet sted etter at hun ble flyttet til Kronobergs-arresten den 6. juni, og undersøkelsene skal ha blitt avsluttet den 5. juli.»

«Ja, det er slik jeg har forstått det,» sa dommer Iversen.

«Doktor Teleborian, er det korrekt at du ikke har hatt anledning til å foreta noen tester eller observasjoner av min klient før den 6. juni? Før den tiden lå hun som kjent isolert på Sahlgrenska sjukhuset.»

«Ja,» sa Teleborian.

«Du forsøkte ved to anledninger å få tilgang til min klient på Sahlgrenska. Ved begge anledninger ble du nektet adgang. Er det riktig?»

«Ja.»

Annika Giannini åpnet dokumentmappen igjen og hentet frem et dokument. Hun gikk rundt bordet og leverte det til dommer Iversen.

«Jaha,» sa Iversen. «Dette er en kopi av doktor Teleborians erklæring. Hva skal den bevise?»

«Jeg vil innkalle to vitner som venter utenfor døren til rettssalen.»

«Hvilke vitner er det?»

«Det er Mikael Blomkvist fra tidsskriftet Millennium og førstebetjent Torsten Edklinth, leder for sikkerhetspolitiets overvåkningstjeneste.»

«Og de venter her utenfor?»

«Ja.»

«Vis dem inn,» sa dommer Iversen.

«Dette er ureglementert,» sa statsadvokat Ekström, som hadde vært veldig stille en lang stund.

*

Sjokkert hadde Ekström innsett at Annika Giannini holdt på å smuldre nøkkelvitnet hans sønder og sammen. Filmen var knusende. Iversen ignorerte Ekström og vinket til vakten at han skulle åpne døren. Mikael Blomkvist og Torsten Edklinth kom inn.

«Jeg vil først innkalle Mikael Blomkvist.»

«Da må jeg be Peter Teleborian om å sette seg en stund.»

«Er dere ferdig med meg?» spurte Teleborian.

«Nei, ikke på langt nær,» sa Annika Giannini.

Mikael Blomkvist erstattet Peter Teleborian i vitneboksen. Dommer Iversen gikk raskt igjennom formalitetene, og Mikael avla ed på at han skulle snakke sant.

Annika Giannini gikk til Iversen og ba om å få tilbake den rettspsykiatriske rapporten som hun nettopp hadde overlevert ham. Hun ga kopien til Mikael.

«Har du sett dette dokumentet før?»

«Ja, det har jeg. Jeg har tre versjoner i min besittelse. Den første fikk jeg omkring den 12. mai, den andre den 19. mai, og den tredje – som er denne – den 3. juni.»

«Kan du fortelle hvordan du fikk tak i denne kopien?»

«Jeg fikk den i egenskap av journalist, fra en kilde som jeg ikke vil navngi.»

Lisbeth Salander boret øynene i Peter Teleborian. Han var plutselig blitt likblek.

«Hva gjorde du med rapporten?»

«Jeg ga den til Torsten Edklinth i overvåkningstjenesten.»

«Takk, Mikael. Jeg vil dermed innkalle Torsten Edklinth,» sa Annika Giannini og tok rapporten tilbake. Hun ga den til Iversen, som løftet den tankefullt opp.

Prosedyren med edsavleggelsen ble gjentatt.

«Førstebetjent Edklinth, er det korrekt at du fikk en rettspsykiatrisk rapport om Lisbeth Salander fra Mikael Blomkvist?»

«Ja.»

«Når fikk du den?»

«Den er journalført hos RPS/Säk den 4. juni.»

«Og det er den samme rapporten som jeg nettopp overleverte til dommer Iversen?»

«Dersom min signatur står på baksiden av rapporten, er det den samme.»

Iversen snudde dokumentet og konstaterte at Torsten Edklinths navnetrekk sto der.

«Førstebetjent Edklinth, kan du forklare meg hvordan det kunne ha seg at du fikk en rapport i hånden som omhandler en person som på det tidspunktet fortsatt lå isolert på Sahlgrenska sjukhuset.»

«Ja, det kan jeg.»

«Fortell.»

«Peter Teleborians rettspsykiatriske granskningsrapport er et falsum som han utarbeidet sammen med en person ved navn Jonas Sandberg, akkurat som han i 1991 utarbeidet en lignende forfalskning sammen med Gunnar Björck.»

«Det er løgn,» sa Peter Teleborian svakt.

«Er det løgn?» spurte Annika Giannini.

«Nei, overhodet ikke. Jeg bør kanskje opplyse at Jonas Sandberg er en av et titall personer som på riksadvokatens anmodning er blitt anholdt i dag. Han er anholdt for medvirkning til drapet på Gunnar Björck. Han tilhører en illegal gruppe som har operert innenfor sikkerhetspolitiet og som har beskyttet Aleksandr Zalatsjenko siden 1970-årene. Det var den samme gruppen som sto bak beslutningen om å sperre Lisbeth Salander inne i 1991. Vi har et godt bevismateriale samt en tilståelse fra lederen for denne gruppen.»

Det ble dødsstille i rettssalen.

«Vil Peter Teleborian kommentere det som er blitt sagt?» spurte dommer Iversen.

Teleborian ristet på hodet.

«I så fall må jeg meddele at du risikerer å bli anmeldt for mened og eventuelle andre tiltalepunkter,» sa dommer Iversen.

«Om dere unnskylder ...» sa Mikael Blomkvist.

«Ja?» sa Iversen.

«Peter Teleborian har større problemer enn som så. Utenfor døren står det to politifolk som vil hente ham inn til avhør.»

«Skal jeg be dem komme inn, mener du?» sa Iversen.

«Det ville nok være en god idé.»

Iversen vinket til vakten, som slapp inn kriminalbetjent Sonja Modig og en kvinne som statsadvokat Ekström kjente igjen umiddelbart. Hun het Lisa Collsjö og var kriminalbetjent ved avsnittet for særskilte saker, den enheten innenfor Rikspolisstyrelsen som blant annet hadde til oppgave å arbeide spesielt med seksuelle overgrep mot barn og barnepornografi.

«Og hvilket ærend har dere?» spurte Iversen.

«Vi er her for å pågripe Peter Teleborian så snart vi har anledning uten at det er til hinder for rettsforhandlingen.»

Iversen kikket bort på Annika Giannini.

«Jeg er ikke helt ferdig med ham ennå, men la gå.»

«Vær så god,» sa Iversen.

Lisa Collsjö gikk frem til Peter Teleborian.

«Du er anholdt for grove brudd på loven om barnepornografi.»

Peter Teleborian satt der målløs. Annika Giannini konstaterte at alt lys så ut til å være slukket i øynene hans.

«Nærmere bestemt for besittelse av drøyt 8000 barnepornografiske bilder som finnes i din datamaskin.»

Hun bøyde seg ned og løftet opp databagen som han hadde med seg.

«Denne er herved beslaglagt,» sa hun.

Hele tiden mens han ble ført ut gjennom døren til rettssalen brant Lisbeth Salanders blikk som ild i ryggen på Peter Teleborian.

KAPITTEL 28

Fredag 15. juli–lørdag 16. juli

Dommer Iversen banket med pennen i bordkanten for å få slutt
på mumlingen som hadde oppstått i kjølvannet av at Peter Tele-
borian ble ført ut. Deretter satt han en lang stund uten å si noe,
åpenbart usikker på hvordan prosedyren skulle gå videre. Han
snudde seg mot statsadvokat Ekström.

«Har du noe å tillegge til det som har skjedd den siste
timen?»

Richard Ekström ante ikke hva han skulle si. Han reiste seg
og så på Iversen, og deretter på Torsten Edklinth, før han snudde
på hodet og møtte Lisbeth Salanders ubarmhjertige blikk. Han
forsto at slaget allerede var tapt. Han flyttet blikket til Mikael
Blomkvist og innså plutselig til sin forferdelse at han selv kunne
risikere å havne i tidsskriftet Millennium ... noe som ville være
en ødeleggende katastrofe.

Derimot skjønte han ikke hva som hadde skjedd. Han hadde
innledet rettssaken i full forvissning om at han visste hva som
var hva i denne saken.

Han hadde forstått den delikate balansegangen som var nød-
vendig på grunn av rikets sikkerhet, etter de mange åpenhjer-
tige samtalene med førstebetjent Georg Nyström. Han hadde
jo fått forsikringer om at Salander-rapporten fra 1991 var for-
falsket. Han hadde fått den innsideinformasjonen han trengte.
Han hadde stilt spørsmål – hundrevis av spørsmål – og fått svar
på alle. En bløff. Og nå var Nyström pågrepet, ifølge advokat
Giannini. Han hadde stolt på Peter Teleborian som hadde virket
så ... så kompetent og så kunnskapsrik. Så overbevisende.

Herregud. Hva er det for slags suppe jeg har havnet i?

Og deretter.

Hvordan faen skal jeg komme ut av denne suppa?

«Jeg beklager, men det ser ut for meg som om jeg er blitt feilinformert på en rekke vesentlige punkter i denne saken.»

Han lurte på om han kunne skylde på politietterforskerne, og så plutselig for seg kriminalbetjent Bublanski. Bublanski ville aldri backe ham opp. Hvis Ekström trådte feil nå, ville Bublanski innkalle til pressekonferanse. Han ville senke ham.

Ekström møtte blikket til Lisbeth Salander. Hun satt tålmodig avventende med et blikk som avslørte både nysgjerrighet og hevnlyst.

Ingen kompromisser.

Han kunne fremdeles få henne dømt for grov legemsbeskadigelse i Stallarholmen. Han kunne sannsynligvis få henne dømt for drapsforsøk på faren i Gosseberga. Det innebar at han måtte endre hele strategien og på stående fot gi slipp på alt som hadde med Peter Teleborian å gjøre. Det innebar at alle forklaringer som hevdet at hun var en forskrudd psykopat måtte falle, men det innebar også at historien hennes ble styrket helt tilbake til 1991. Hele umyndighetserklæringen ville falle, og dermed ...

Og hun hadde denne fordømte filmen som ...

Deretter gikk det opp for ham.

Herregud. Hun er uskyldig.

«Herr dommer ... jeg vet ikke hva som har skjedd, men jeg innser at jeg ikke lenger kan stole på de papirene jeg har i hånden.»

«Nei vel, nei,» sa Iversen tørt.

«Jeg tror jeg må be om en pause eller at rettssaken blir avbrutt til jeg har fått anledning til å undersøke nøyaktig hva som har skjedd.»

«Fru Giannini?» sa Iversen.

«Jeg krever at min klient blir frikjent på samtlige tiltalepunkter og umiddelbart blir satt på frifot. Jeg krever også at tingretten tar stilling til spørsmålet om umyndiggjøringen av frøken Salander. Jeg anser at hun bør få oppreisning for de krenkelser hun er blitt utsatt for.»

Lisbeth Salander vendte blikket mot dommer Iversen.

Ingen kompromisser.

Dommer Iversen så på Lisbeth Salanders selvbiografi. Så flyttet han blikket til statsadvokat Ekström.

«Jeg tror også at det er en god idé å undersøke nøyaktig hva som har skjedd. Men jeg er redd for at du nok ikke er rette person til å foreta den undersøkelsen.»

Han tenkte seg om en stund.

«I løpet av alle mine år som jurist og dommer har jeg aldri vært med på noe som overhodet kan minne om den rettslige situasjonen i denne saken. Jeg må innrømme at jeg er i villrede. Jeg har aldri noensinne hørt tale om at aktoratets hovedvitne blir pågrepet i sittende rett, og at det som fremsto som temmelig overbevisende bevismateriale, viser seg å være forfalskninger. Jeg vet ærlig talt ikke hva som gjenstår av aktors tiltalepunkter i denne situasjonen.»

Holger Palmgren kremtet.

«Ja?» sa Iversen.

«Som representant for forsvaret kan jeg ikke annet enn å dele dine følelser. Enkelte ganger må man ta et skritt tilbake og la klokskapen overstyre formalitetene. Jeg vil fremholde at du som dommer bare har sett begynnelsen på en sak som kommer til å ryste det offisielle Sverige. I løpet av dagen er et titall politifolk fra Säpo blitt pågrepet. De vil bli tiltalt for drap og en så lang rekke lovbrudd at det kommer til å ta adskillig tid å sluttføre etterforskningen.»

«Jeg går ut fra at jeg må ta beslutning om en pause i rettssaken.»

«Om du unnskylder, mener jeg det ville være en uheldig beslutning.»

«Jeg lytter.»

Palmgren hadde åpenbart problemer med å formulere ordene. Men han snakket langsomt og stotret ikke.

«Lisbeth Salander er uskyldig. Den fantasifulle selvbiografien hennes, som herr Ekström så foraktelig avfeide historien hennes som, er faktisk sann. Og den kan dokumenteres. Hun har vært utsatt for et skandaløst justismord. Som domstol kan vi nå enten holde på det formelle og fortsette rettsaken en stund til før frikjennelsen kommer. Alternativet er åpenbart. Å la en helt ny etterforskning overta alt som har med Lisbeth Salander å gjøre. Den etterforskningen er allerede i gang som en del av de uhumskhetene riksadvokaten må undersøke.»

«Jeg skjønner hva du mener.»

«Som dommer kan du nå foreta et valg. Det klokeste vil i dette tilfelle være å underkjenne hele aktoratets rettslige forarbeid og oppfordre aktor til å gjøre hjemmeleksene sine på nytt.»

Dommer Iversen betraktet Ekström tankefullt.

«Det rettferdige vil være å sette vår klient på frifot umiddelbart. Dessuten fortjener hun en unnskyldning, men spørsmålet om oppreisning vil ta tid og være avhengig av den øvrige etterforskningen.»

«Jeg forstår synspunktene dine, advokat Palmgren. Men før jeg kan erklære klienten din uskyldig, må jeg få hele historien klart for meg. Det kommer nok til å ta litt tid ...»

Han nølte og så på Annika Giannini.

«Hvis jeg beslutter at rettssaken tar pause til mandag og imøtekommer dere så langt at jeg avgjør at det ikke finnes noen grunn til å holde klienten din fengslet lenger, hvilket betyr at dere kan forvente at hun i hvert fall ikke kommer til å bli dømt til fengselsstraff, kan du da garantere at hun innfinner seg til videre forhandlinger når hun blir innkalt?»

«Selvsagt,» sa Holger Palmgren raskt.

«Nei,» sa Lisbeth Salander skarpt.

Alle rettet blikket mot den personen som dramaet handlet om.

«Hva mener du?» sa dommer Iversen.

«I det øyeblikk du setter meg på frifot, kommer jeg til å reise bort. Jeg har ikke tenkt å tilbringe ett minutt til av min tid på denne rettssaken.»

Dommer Iversen stirret forbløffet på Lisbeth Salander.

«Du nekter å innfinne deg?»

«Det stemmer. Hvis du vil at jeg skal svare på flere spørsmål, får du beholde meg i arresten. I det øyeblikk du løslater meg, er denne historien over for min del. Og det inkluderer å ikke være tilgjengelig for deg, eller Ekström eller noen politifolk i en uspesifisert tidsperiode.»

Dommer Iversen sukket. Holger Palmgren så fortumlet ut.

«Jeg er enig med min klient,» sa Annika Giannini. «Det er staten og myndighetene som har forbrutt seg mot Lisbeth Salander, ikke omvendt. Hun fortjener å få gå ut denne døren med en frifinnelse i bagasjen og kunne legge denne historien bak seg.»

Ingen kompromisser.

Dommer Iversen skottet på klokken.

«Klokken er litt over tre. Det betyr at du tvinger meg til å beholde klienten din i arresten.»

«Hvis det er din beslutning, aksepterer vi den. Som Lisbeth Salanders advokat krever jeg at hun blir frifunnet for de grove forbrytelsene som statsadvokat Ekström anklager henne for. Jeg krever at du setter min klient på frifot uten restriksjoner og med umiddelbar virkning. Og jeg krever at den tidligere umyndiggjøringen blir opphevet, og at hun umiddelbart får tilbake alle sine borgerlige rettigheter.»

«Spørsmålet om umyndiggjøringen er en adskillig lengre prosess. Jeg må få uttalelser fra psykiatrisk ekspertise som kan undersøke henne. Det er ingen beslutning jeg kan ta i en håndvending.»

«Nei,» sa Annika Giannini. «Det godtar vi ikke.»

«Hva behager?»

«Lisbeth Salander skal ha samme rettigheter som alle andre svenske borgere. Hun er blitt utsatt for en forbrytelse. Hun er blitt umyndiggjort på falskt grunnlag. Falskneriet kan bevises. Beslutningen om å sette henne under vergemål savner dermed juridisk grunnlag og skal oppheves uten vilkår. Det finnes ingen som helst grunn til at min klient skal underkaste seg en rettspsykiatrisk vurdering. Ingen skal behøve å bevise at de ikke er gale når de er offer for en forbrytelse.»

Iversen overveide saken en kort stund.

«Fru Giannini,» sa han. «Jeg innser at dette er en eksepsjonell situasjon. Retten vil nå ta en pause på et kvarter, så vi kan få strekke på bena og samle oss litt. Jeg har intet ønske om å beholde din klient i arresten over natten hvis hun er uskyldig, men det betyr at dagens rettsforhandlinger må fortsette til vi er ferdig.»

«Det høres bra ut,» sa Annika Giannini.

Mikael Blomkvist kysset søsteren sin på kinnet i pausen.

«Hvordan gikk det?»

«Jeg var strålende mot Teleborian, Mikael. Jeg tilintetgjorde ham fullstendig.»

«Jeg sa jo at du kom til å være uslåelig i denne rettssaken. Når alt kommer til alt, dreier denne historien seg ikke først og fremst om spioner og statlige sekter, men om vanlig vold mot kvinner og de mennene som gjør det mulig. Av det lille jeg så, var du fantastisk. Hun kommer til å bli frifunnet.»

«Ja, det er det ingen tvil om lenger.»

Etter pausen banket dommer Iversen i bordet.

«Kan du være så snille å gå igjennom denne historien fra begynnelse til slutt, så jeg kan få klart for meg hva som egentlig har skjedd.»

«Så gjerne,» sa Annika Giannini. «Skal vi begynne med den forbløffende historien om en gruppe sikkerhetspolitifolk som kaller seg Seksjonen og som fikk ansvar for en sovjetisk avhopper i midten av 1970-årene? Hele historien er publisert i tidsskriftet Millennium, som kom ut i dag. Jeg vil gjette på at den kommer til å være hovedoppslag i alle nyhetssendinger i kveld.»

Ved sekstiden om kvelden besluttet dommer Iversen å sette Lisbeth Salander på frifot og oppheve umyndighetserklæringen.

Beslutningen ble imidlertid tatt på ett vilkår. Dommer Jörgen Iversen forlangte at Lisbeth skulle underkaste seg et avhør hvor hun formelt vitnet om sine kunnskaper om Zalatsjenko-saken. Først nektet Lisbeth tvert. Denne vegringen førte til litt munnhuggeri en stund, inntil dommer Iversen hevet stemmen. Han lente seg frem og boret blikket i henne.

«Frøken Salander, dersom jeg opphever umyndiggjøringen av deg, betyr det at du har nøyaktig samme rettigheter som alle andre svenske borgere. Men det betyr også at du har de samme forpliktelser. Dermed er det din fordømte plikt å ta hånd om din økonomi, betale skatt, være lovlydig og bistå politiet i etterforskningen av grove forbrytelser. Du blir altså innkalt til avhør som en hvilken som helst annen borger som har opplysninger å komme med i forbindelse med en etterforskning.»

Logikken i argumentasjonen så ut til å bite på Lisbeth Salander. Hun skjøv underleppen frem og så misfornøyd ut, men sluttet å argumentere.

«Når politiet har fått ditt vitneutsagn, skal etterforskningsledelsen – i dette tilfellet riksadvokaten – avgjøre om du vil bli innkalt som vitne i en fremtidig rettssak. Som alle andre svenske borgere kan du nekte å etterkomme en slik innkalling. Hvordan du handler angår ikke meg, men du har intet frikort. Hvis du nekter å møte, kan du i likhet med andre myndige personer bli dømt for ringeakt for retten eller mened. Det finnes ingen unntak.»

Lisbeth Salander ble enda mer misfornøyd.

«Hvordan vil du ha det?» spurte Iversen.

Etter et minutts betenkningstid nikket hun kort.

Greit. Et lite kompromiss.

I løpet av kveldens gjennomgang av Zalatsjenko-saken gikk Annika Giannini hardt ut mot statsadvokat Ekström. Etter hvert måtte Ekström innrømme at det hadde foregått omtrent slik Annika Giannini beskrev. Han hadde fått bistand i etterforskningsarbeidet av førstebetjent Georg Nyström, og tatt imot opplysninger fra Peter Teleborian. I Ekströms tilfelle forelå det ingen konspirasjon. Han hadde gått Seksjonens ærend i god tro, i egenskap av påtalemyndighetens etterforskningsansvarlige. Da rekkevidden av det som hadde skjedd for alvor gikk opp for ham, besluttet han å henlegge saken mot Lisbeth Salander. Beslutningen innebar at en god del byråkratiske formaliteter kunne legges til side. Iversen så lettet ut.

Holger Palmgren var utmattet etter sin første dag i retten på flere år. Han var nødt til å vende tilbake til sengen på Ersta rehabiliteringshjem. Han ble kjørt av uniformerte vektere fra Milton Security. Før han skulle gå, la han hånden på skulderen til Lisbeth Salander. De så på hverandre. Etter en stund nikket hun og smilte litt.

Klokken syv om kvelden tok Annika Giannini en kort telefonsamtale til Mikael Blomkvist og fortalte at Lisbeth Salander var frifunnet på alle punkter, men at hun måtte bli værende for avhør i politihuset i noen timer til.

Beskjeden kom da alle medarbeiderne var samlet i Millenniums redaksjon. Telefonen hadde ringt uavbrutt siden de første eksemplarene av bladet begynte å bli distribuert med bud til de andre avisredaksjonene i Stockholm ved lunsjtider. Om ettermiddagen hadde TV4 gått ut med de første ekstrasendingene om Zalatsjenko og Seksjonen. Mediemessig var det rene julaften.

Mikael stilte seg midt på gulvet, stakk fingrene i munnen og plystret kort og skjærende.

«Jeg har nettopp fått beskjed om at Lisbeth ble frifunnet på alle punkter.»

Dette førte til en spontan applaus. Deretter fortsatte alle å snakke i sine respektive telefoner som om ingenting hadde hendt.

Mikael løftet blikket og studerte den påslåtte TV-skjermen som sto midt i lokalet. Nyhetene på TV4 begynte akkurat. Innannonseringen var et kort klipp fra filmen som viste Jonas Sandberg da han plantet kokain i leiligheten i Bellmansgatan.

«Her planter en Säpo-ansatt kokain hos journalisten Mikael Blomkvist i tidsskriftet Millennium.»

Så kom programlederen til syne på skjermen.

«Et titall ansatte i sikkerhetspolitiet er i løpet av dagen blitt pågrepet for grov kriminell virksomhet som blant annet omfatter drap. Velkommen til denne forlengede nyhetssendingen.»

Mikael slo av da Hun i TV4 dukket opp i bildet, og han så seg selv sittende i en stol i studio. Han visste allerede hva han hadde sagt. Han flyttet blikket til det skrivebordet Dag Svensson hadde lånt og arbeidet ved. Sporene etter reportasjen hans om trafficking hadde forsvunnet, og skrivebordet hadde igjen begynt å bli et avlastningsbord for aviser og usorterte papirbunker som ingen riktig ville vedkjenne seg.

Det var ved det skrivebordet Zalatsjenko-saken hadde startet for Mikaels vedkommende. Han skulle plutselig ønske at Dag Svensson hadde fått oppleve slutten. Noen eksemplarer av den nylig utgitte boken hans om trafficking sto oppstilt sammen med boken om Seksjonen.

Dette ville du ha likt.

Han hørte at telefonen på kontoret hans ringte, men orket ikke å ta den. Han skjøv døren igjen og gikk inn til Erika Berger og sank ned i den behagelige lenestolen ved det lille vindusbordet. Erika snakket i telefonen. Han så seg rundt. Hun hadde vært tilbake en måned, men ennå hadde hun ikke rukket å belemre kontoret med alle de personlige gjenstandene som hun hadde ryddet bort da hun sluttet i april. Bokhyllen var fortsatt synlig, og hun hadde ikke rukket å henge opp noen bilder.

«Hvordan føles det?» spurte hun da hun la på røret.

«Jeg tror jeg er lykkelig,» sa han.

Hun lo.

«*Seksjonen* blir en kioskvelter. De er helt sprø i alle redaksjonene. Har du lyst til å dra opp og snakke i Aktuellt klokken ni?»

«Niks.»

«Jeg hadde en mistanke om det.»

«Vi kommer til å måtte snakke om dette i flere måneder. Det haster ikke.»

Hun nikket.

«Hva skal du gjøre senere i kveld?»

«Jeg vet ikke.»

Han bet seg i underleppen.

«Erika ... jeg ...»

«Figuerola,» sa Erika Berger og smilte.

Han nikket.

«Det er alvor?»

«Jeg vet ikke.»

«Hun er jævlig forelsket i deg.»

«Jeg tror at jeg er forelsket i henne også,» sa han.

«Jeg skal holde meg på avstand til du har fått klarhet i det.»

Han nikket.

«Kanskje,» sa hun.

Klokken åtte banket Dragan Armanskij og Susanne Linder på døren til redaksjonen. De syntes anledningen krevde champagne og hadde med seg en bærepose med flasker. Erika Berger ga Susanne Linder en klem og viste henne rundt i redaksjonen mens Armanskij slo seg ned på Mikaels kontor.

De drakk. Ingen av dem sa noe på en god stund. Det var Armanskij som brøt tausheten.

«Vet du hva, Blomkvist? Da vi møttes første gang i forbindelse med den historien i Hedestad, mislikte jeg deg hjertelig.»

«Jaså.»

«Dere kom opp for å skrive kontrakt da du engasjerte Lisbeth som researcher.»

«Jeg husker det.»

«Jeg tror at jeg ble sjalu på deg. Du hadde kjent henne i et par timer. Hun lo sammen med deg. Jeg har forsøkt å være Lisbeths venn i flere år, men jeg har ikke engang fått henne til å trekke på smilebåndet.»

«Tja ... jeg har heller ikke hatt så veldig stort hell med meg.»

De satt en stund uten å si noe.

«Deilig at dette er over,» sa Armanskij.

«Amen,» sa Mikael.

Det var kriminalbetjentene Jan Bublanski og Sonja Modig som gjennomførte det formelle vitneavhøret av Lisbeth Salander. Begge hadde nettopp kommet hjem til sine respektive familier etter en særdeles lang arbeidsdag, da de nesten omgående ble nødt til å dra tilbake til politihuset.

Salander hadde bistand av Annika Giannini, som imidlertid ikke hadde noen grunn til å komme med særlig mange kommentarer. Lisbeth Salander hadde klare og presise svar på alle de spørsmålene Bublanski og Modig stilte.

Hun løy konsekvent på to sentrale punkter. I beskrivelsen av det som hadde skjedd under tumultene i Stallarholmen, påsto hun urokkelig at det var Sonny Nieminen som hadde kommet til å skyte Carl-Magnus «Magge» Lundin i foten i samme øyeblikk som hun skjøt ham med elektrosjokkpistolen. Hvor hadde hun fått elektrosjokkpistolen fra? Den hadde hun konfiskert fra Magge Lundin, forklarte hun.

Både Bublanski og Modig så tvilende ut. Men det forelå ingen bevis og ingen vitner som kunne motsi forklaringen hennes. Sonny Nieminen kunne muligens ha protestert, men han nektet å uttale seg om episoden. Faktum var at han ikke hadde den fjerneste anelse om hva som hadde skjedd i sekundene etter at han ble slått ut av elektrosjokkpistolen.

Når det gjaldt turen til Gosseberga, forklarte hun at hensikten hadde vært å konfrontere faren og overtale ham til å melde seg for politiet.

Lisbeth Salander så troskyldig ut.

Ingen kunne avgjøre om hun snakket sant eller ikke. Annika Giannini hadde ingen oppfatning i saken.

Den eneste som visste med sikkerhet at Lisbeth Salander hadde dradd til Gosseberga i den hensikt å gjøre opp sitt mellomværende med faren en gang for alle, var Mikael Blomkvist. Men han var blitt vist ut fra rettssaken like etter at forhandlingene var blitt gjenopptatt. Ingen visste at han og Lisbeth Salander hadde ført lange nattlige samtaler via nettet i den tiden hun lå isolert på Sahlgrenska.

Mediene gikk fullstendig glipp av løslatelsen. Hadde tidspunktet vært kjent, ville nok et større oppbud av mediefolk ha okkupert politihuset. Men journalistene var utmattet etter det kaoset som hadde brutt ut i løpet av dagen, etter at Millennium var kommet ut og en del sikkerhetspolitifolk var blitt arrestert av andre sikkerhetspolitifolk.

Hun i TV4 var den eneste journalisten som, som vanlig, visste hva historien dreide seg om. Det timelange innslaget hennes ble en klassiker som noen måneder senere resulterte i en pris for årets beste nyhetsinnslag i TV.

Sonja Modig loset Lisbeth Salander ut av politihuset ved ganske enkelt å ta henne og Annika Giannini med ned til garasjen og kjøre dem til advokatens kontor ved Kungsholms Kyrkoplan. Der byttet de over til Annika Gianninis bil. Annika ventet til Sonja Modig hadde forsvunnet før hun startet motoren. Hun kjørte mot Södermalm. Da de passerte riksdagsbygningen, brøt hun tausheten.

«Hvor?» spurte hun.

Lisbeth tenkte noen sekunder.

«Du kan sette meg av et eller annet sted i Lundagatan.»

«Miriam Wu er ikke der.»

Lisbeth kikket bort på Annika Giannini.

«Hun dro til Frankrike like etter at hun kom ut fra sykehuset. Hun bor hos foreldrene sine, hvis du vil ha kontakt med henne.»

«Hvorfor har du ikke fortalt det?»

«Du spurte aldri.»

«Hmm.»

«Hun måtte få litt avstand. Mikael ga meg disse i morges og sa at du antagelig ville ha dem tilbake.»

Hun ga henne et nøkkelknippe. Lisbeth tok imot uten et ord.

«Takk. Kan du sette meg av et eller annet sted i Folkungagatan isteden?»

«Du vil ikke engang fortelle meg hvor du bor?»

«Senere. Jeg vil være i fred.»

«Greit.»

Annika hadde slått på mobilen da de forlot politihuset etter avhøret. Den begynte å pipe da hun passerte Slussen. Hun så på displayet.

«Det er Mikael. Han har ringt omtrent hvert tiende minutt de siste timene.»

«Jeg vil ikke snakke med ham.»

«Greit. Men kan jeg få stille deg et personlig spørsmål?»

«Ja?»

«Hva er det egentlig Mikael har gjort deg siden du hater ham så intenst. Jeg mener, hvis det ikke hadde vært for ham, ville du formodentlig ha blitt sperret inne på mentalinstitusjon i kveld.»

«Jeg hater ikke Mikael. Han har ikke gjort meg noe. Jeg vil bare ikke treffe ham akkurat nå.»

Annika Giannini skottet bort på klienten sin.

«Jeg har ikke tenkt å legge meg opp i dine private saker, men du falt for ham, ikke sant?»

Lisbeth stirret ut gjennom sidevinduet uten å svare.

«Broren min er fullstendig uansvarlig når det gjelder forhold. Han knuller seg gjennom livet og skjønner ikke hvor vondt det kan være for de kvinnene som ser ham som noe mer enn et høyst tilfeldig nummer.»

Lisbeth møtte blikket hennes.

«Jeg vil ikke diskutere Mikael med deg.»

«Greit,» sa Annika. Hun parkerte ved fortauskanten like før Erstagatan. «Er dette bra nok?»

«Ja.»

De satt tause en stund. Lisbeth gjorde ikke mine til å åpne bildøren. Etter en stund slo Annika av motoren.

«Hva skjer nå?» spurte Lisbeth til slutt.

«Det som skjer nå, er at du fra og med i dag ikke er underlagt noen verge. Du kan gjøre som du vil. Men selv om vi vant frem i tingretten i dag, gjenstår det faktisk en god del byråkratiske detaljer. Det kommer til å bli foretatt en ansvarsutredning i overformynderiet, og det kommer til å bli spørsmål om erstatning og lignende ting. Og kriminaletterforskningen kommer til å gå videre.»

«Jeg vil ikke ha noen erstatning. Jeg vil få være i fred.»

«Jeg skjønner. Men det spiller ikke noen særlig rolle hva du synes. Denne prosessen når langt ut over deg. Jeg vil foreslå at du skaffer deg en advokat som kan føre ordet for deg.»

«Vil du ikke fortsette som advokaten min?»

Annika gned seg i øynene. Etter dagens utladning følte hun seg fullstendig tom. Hun ville dra hjem og dusje og få mannen sin til å massere henne på ryggen.

«Jeg vet ikke. Du stoler ikke på meg. Og jeg stoler ikke på deg. Jeg har ikke lyst til å bli trukket inn i en lang prosess hvor jeg bare blir møtt med frustrerende taushet når jeg kommer med forslag eller vil diskutere noe.»

Lisbeth satt en lang stund uten å si noe.

«Jeg ... jeg er ikke noe særlig god med forhold til andre mennesker. Men jeg stoler faktisk på deg.»

Det lød nesten som en unnskyldning.

«Det er mulig. Men det er ikke mitt problem om du er dårlig på mellommenneskelige forhold. Det blir imidlertid mitt problem hvis jeg må representere deg.»

Taushet.

«Vil du at jeg skal fortsette som advokaten din?»

Lisbeth nikket. Annika sukket.

«Jeg bor i Fiskargatan 9. Ovenfor Mosebacke torg. Kan du kjøre meg dit?»

Annika skottet bort på klienten sin. Til slutt startet hun motoren. Hun lot Lisbeth dirigere seg til riktig adresse. De stoppet et lite stykke fra huset.

«OK,» sa Annika. «Vi gjør et forsøk. Her er mine vilkår: Jeg skal representere deg. Når jeg vil ha tak i deg, vil jeg at du skal svare. Når jeg trenger å få vite hvordan jeg skal forholde meg, vil jeg ha tydelige svar. Hvis jeg ringer deg og sier at du må møte noen fra politiet eller påtalemyndigheten eller et eller annet annet som har med kriminaletterforskningen å gjøre, så har jeg vurdert det dit hen at det er nødvendig. Da forlanger jeg at du møter opp på avtalt sted til avtalt tid og ikke finner på noe tull. Kan du leve med det?»

«OK.»

«Og hvis du begynner å protestere, slutter jeg som advokaten din. Har du forstått?»

Lisbeth nikket.

«Én ting til. Jeg vil ikke havne i noe drama mellom deg og broren min. Hvis du har problemer med ham, får du rydde opp i dem. Men han er faktisk ikke din fiende.»

«Jeg vet det. Jeg skal rydde opp. Men jeg trenger tid.»

«Hva har du tenkt å gjøre nå?»

«Jeg vet ikke. Du kan få tak i meg via mailen. Jeg lover å svare så fort jeg kan, men det er ikke sikkert jeg sjekker den hver dag …»

«Du blir ikke livegen selv om du har fått deg advokat. Vi nøyer oss med det foreløpig. Ut av bilen min nå. Jeg er dødstrett og vil hjem og sove.»

Lisbeth skjøv døren opp og gikk ut på fortauet. Hun stoppet opp idet hun skulle til å lukke bildøren. Hun så ut som om hun forsøkte å si noe, men ikke kunne finne ordene. Et øyeblikk syntes Annika hun så nesten sårbar ut.

«Det er greit,» sa Annika. «Gå hjem og legg deg. Og ikke lag noen problemer med det første.»

Lisbeth ble stående på fortauskanten og se etter Annika Giannini til baklysene forsvant rundt hjørnet.

«Takk,» sa hun til slutt.

KAPITTEL 29

Lørdag 16. juli–fredag 7. oktober

Hun fant sin Palm Tungsten T3 på kommoden i entreen. Der lå også bilnøklene hennes og skuldervesken som hun hadde mistet da Magge Lundin kastet seg over henne utenfor inngangen i Lundagatan. Der lå åpnet og uåpnet post som var blitt hentet i postboksen i Hornsgatan. *Mikael Blomkvist.*

Hun gikk langsomt gjennom den møblerte delen av leiligheten. Overalt fant hun spor etter ham. Han hadde sovet i sengen hennes og arbeidet ved skrivebordet hennes. Han hadde brukt skriveren hennes, og i papirkurven fant hun utkast til tekstene om Seksjonen og kasserte notater og skriblerier.

Han har kjøpt en liter melk, brød, ost, kaviar og ti pakker Billys Pan Pizza som han har lagt i kjøleskapet.

På kjøkkenbordet fant hun en hvit konvolutt med navnet sitt på. Det var en lapp fra ham. Budskapet var kort. Mobilnummeret hans. Ingenting annet.

Lisbeth Salander innså plutselig at ballen lå hos henne. Han hadde ikke tenkt å kontakte henne. Han hadde avsluttet historien, levert tilbake nøklene til leiligheten og hadde ikke tenkt å la høre fra seg. Hvis det var noe hun ville, kunne hun ringe. *Jævla stabeis.*

Hun satte på en kanne kaffe, smurte fire brødskiver og satte seg i vindusnisjen og så ut over Djurgården. Hun tente en sigarett og grublet.

Alt var over, og likevel føltes livet hennes plutselig mer innestengt enn noensinne.

Miriam Wu hadde reist til Frankrike. *Det var min skyld at du nesten døde.* Hun hadde grudd seg til det øyeblikket hun ville bli nødt til å møte Miriam Wu, og hun hadde bestemt seg for at det skulle bli det aller første stedet hun dro når hun ble løslatt. *Og så hadde hun reist til Frankrike.*

Hun sto plutselig i gjeld til andre mennesker.

Holger Palmgren. Dragan Armanskij. Hun burde kontakte dem og takke. Paolo Roberto. Og Plague og Trinity. Til og med de jævla politifolkene Bublanski og Modig hadde rent objektivt tatt hennes parti. Hun likte ikke å stå i gjeld til noen. Hun følte seg som en brikke i et spill hun ikke kunne kontrollere.

Kalle Jævla Blomkvist. Og kanskje til og med Erika Jævla Berger med smilehullene og de lekre klærne og det selvsikre vesenet.

Det var over, hadde Annika Giannini sagt da de forlot politihuset. Ja. Rettssaken var over. Det var over for Annika Giannini. Og det var over for Mikael Blomkvist, som hadde publisert historien sin og kom til å komme i TV og sikkert innkassere en eller annen jævla pris også.

Men det var ikke over for Lisbeth Salander. Det var bare den første dagen av resten av livet hennes.

Klokken fire om morgenen sluttet hun å tenke. Hun slengte fra seg punkeutstyret sitt på gulvet i soverommet og gikk på badet og dusjet. Hun vasket av seg all sminken som hun hadde hatt i retten, og tok på seg et par mørke, vide linbukser, en hvit singlet og en tynn jakke. Hun pakket en overnattingsbag med et klesskift, undertøy og et par singleter og tok på seg et par enkle spasersko.

Hun tok med seg sin Palm Tungsten og bestilte en drosje til Mosebacke torg. Hun dro til Arlanda og var fremme litt før klokken seks. Hun studerte tavlen med avganger og bestilte billett til det første stedet som falt henne inn. Hun brukte sitt eget pass i sitt eget navn. Hun ble helt forbløffet da ingen i billettskranken eller innsjekkingen så ut til å kjenne henne igjen eller reagere på navnet.

Hun fikk plass på morgenflyet til Malaga og landet midt på dagen i stekende varme. Hun ble stående usikker en stund ved terminalen. Til slutt gikk hun og så på et kart og grublet på hva hun skulle gjøre i Spania. Etter et minutts tid bestemte hun seg.

Hun orket ikke bruke tid til å finne ut av bussruter eller andre reisemåter. Hun kjøpte et par solbriller i en butikk på flyplassen, gikk ut til drosjeterminalen og satte seg i baksetet på den første ledige bilen.

«Gibraltar. Jeg betaler med kredittkort.»

Turen tok tre timer på den nye motorveien langs sørkysten. Drosjen satte henne av ved passkontrollen på grensen til britisk territorium, og hun spaserte opp til The Rock Hotel i Europa Road et stykke oppe i skråningen på den 425 meter høye klippen, hvor hun spurte om de hadde et ledig rom. Hun bestilte rommet for to uker og ga dem kredittkortet.

Hun dusjet og satte seg på balkongen innhyllet i et badehåndkle og så ut over Gibraltarstredet. Hun så lastebåter og en og annen seilbåt. Hun kunne så vidt skimte Marokko ute i disen på den andre siden av sundet. Det var fredfullt.

Etter en stund gikk hun inn og la seg og sovnet.

Neste morgen våknet Lisbeth Salander halv seks. Hun sto opp, dusjet og drakk kaffe i hotellbaren i første etasje. Klokken syv forlot hun hotellet og gikk ut og kjøpte en bærepose med mango og epler og tok en drosje opp til The Peak og spaserte bort til apene. Hun var så tidlig ute at det var få turister som hadde rukket å dukke opp, og hun var nesten alene med dyrene.

Hun likte Gibraltar. Det var hennes tredje besøk på denne besynderlige klippen med en absurd tettbefolket engelsk by ved Middelhavet. Gibraltar var et sted som ikke helt lignet noe annet. Byen hadde vært isolert i flere tiår, en koloni som standhaftig nektet å la seg innlemme i Spania. Spanjolene protesterte naturligvis mot okkupasjonen. (Lisbeth Salander mente imidlertid at spanjolene burde holde kjeft så lenge de besatte enklaven Ceuta på marokkansk territorium på den andre siden av Gibraltarstredet.) Det var et sted som var pussig avsondret fra resten av verden, en by som besto av en bisarr klippe, drøyt to kvadratkilometer byområde og en flyplass som begynte og endte i havet. Kolonien var så liten at hver kvadratcentimeter var utnyttet, og ekspansjonen måtte foregå utover i havet.

For overhodet å komme inn i byen måtte besøkende gå over landingsbanen på flyplassen.

Gibraltar ga begrepet *compact living* nytt innhold.

Lisbeth så en kraftig hannape slenge seg opp på en mur ved siden av gangveien. Han skulte morskt på henne. Han var en *Barbary Ape*. Hun visste bedre enn å forsøke å klappe noen av dyrene.

«Hei, kompis,» sa hun. «Jeg er tilbake igjen.»

Den første gangen hun besøkte Gibraltar hadde hun ikke engang hørt om disse apene. Hun hadde bare dradd opp til toppen for å se på utsikten, og ble fullstendig overrasket da hun fulgte etter en turistgruppe og plutselig befant seg midt i en flokk aper som hang og klatret på begge sider av veien.

Det var en spesiell følelse å vandre bortover en sti og plutselig ha to dusin aper rundt seg. Hun betraktet dem med stor mistenksomhet. De var ikke farlige eller aggressive. Derimot var de sterke nok til å forårsake stygge bittskader hvis de ble terget eller følte seg truet.

Hun fant en av dyrepasserne og viste ham posen sin og spurte om hun fikk lov til å gi frukten til apene. Han sa at det var i orden.

Hun fant frem en mango og la den på muren et lite stykke unna hannen.

«Frokost,» sa hun, lente seg mot muren og tok en bit av et eple.

Apehannen stirret på henne, viste noen tenner og plukket fornøyd opp mangoen.

Ved firetiden om ettermiddagen fem dager senere, falt Lisbeth Salander av stolen i Harry's Bar i en sidegate til Main Street, to kvartaler fra hotellet. Hun hadde vært konstant beruset siden hun forlot apeberget, og mesteparten av drikkingen hadde skjedd hos Harry O'Connell, som eide baren og snakket med tillært irsk aksent, til tross for at han aldri hadde satt sine ben i Irland. Han hadde iakttatt henne med et bekymret uttrykk i ansiktet.

Da hun hadde bestilt den første drinken om ettermiddagen

fire dager tidligere, hadde han forlangt å få se legitimasjon, siden hun så ut til å være adskillig yngre enn det passet anga. Han visste at hun het Lisbeth, og kalte henne Liz. Hun pleide å komme inn etter lunsj, sette seg på en av de høye krakkene innerst i baren og lene seg mot veggen. Deretter beskjeftiget hun seg med å tylle i seg betydelige mengder øl eller whisky.

Når hun drakk øl, brydde hun seg ikke om merke eller type, hun tok imot det han tappet. Når hun bestilte whisky, valgte hun alltid Tullamore Dew, bortsett fra én gang da hun hadde studert flaskene bak disken og foreslått Lagavulin. Da hun fikk glasset, luktet hun på det. Hun hevet øyenbrynene og tok deretter en Meget Liten Slurk. Hun satte fra seg glasset og stirret på det et minutt med et ansiktsuttrykk som antydet at hun betraktet innholdet som en truende fiende.

Til slutt skjøv hun glasset fra seg og ba Harry gi henne noe som hun ikke kunne bruke til å tjærebre båter med. Han skjenket opp Tullamore Dew igjen, og hun fortsatte å drikke. I løpet av de siste fire døgnene hadde hun alene konsumert over en flaske. Ølet hadde han ikke holdt telling på. Harry var mildest talt forbløffet over at en jente med hennes beskjedne kroppsvolum kunne helle i seg så mye, men han gikk ut fra at hvis hun ville drikke sprit, kom hun til å gjøre det, enten det skjedde i baren hans eller et annet sted.

Hun drakk langsomt, snakket ikke med noen og laget ikke bråk. Det eneste hun beskjeftiget seg med, bortsett fra inntaket av alkohol, så ut til å være å sitte og leke med en hånddatamaskin som hun av og til koblet til en mobiltelefon. Han hadde forsøkt å innlede en samtale med henne noen ganger, men var blitt møtt med mutt taushet. Hun så ut til å unngå andre mennesker. Enkelte ganger, når det ble for mye folk i baren, flyttet hun seg ut på fortausserveringen, og av og til hadde hun gått ned til en italiensk restaurant to hus bortenfor og spist middag, hvorpå hun hadde kommet tilbake til Harry og bestilt mer Tullamore Dew. Hun pleide å forlate baren ved titiden om kvelden og rusle nordover.

Akkurat denne dagen hadde hun drukket mer og fortere en de foregående dagene, og Harry hadde begynt å holde et våkent øye med henne. Da hun hadde helt i seg syv glass Tullamore Dew på drøyt to timer, hadde han bestemt seg for å nekte henne mer alkohol. Før han rakk å sette beslutningen ut i livet, hørte han imidlertid braket da hun falt av stolen.

Han satte fra seg glasset som han akkurat holdt på å tørke, og gikk rundt bardisken og løftet henne opp. Hun så fornærmet ut.

«Jeg tror du har fått nok,» sa han.

Hun stirret ufokusert på ham.

«Jeg tror du har rett,» svarte hun forbausende tydelig.

Hun holdt seg i bardisken med den ene hånden, gravde frem noen sedler fra brystlommen og sjanglet av gårde mot utgangen. Han grep henne forsiktig i skulderen.

«Vent litt. Hva sier du om å gå inn på toalettet og spy opp den siste drinken og bli sittende i baren en stund. Jeg har ikke lyst til å slippe deg av gårde i den tilstanden.»

Hun protesterte ikke da han ledet henne inn på toalettet. Hun stakk fingeren i halsen og gjorde som han foreslo. Da hun kom ut i baren igjen, hadde han skjenket opp et stort glass mineralvann til henne. Hun drakk opp hele glasset og rapte. Han skjenket opp et glass til.

«Du kommer til å ha det jævlig i morgen,» sa Harry.

Hun nikket.

«Det er ikke min sak, men hvis jeg var deg, ville jeg holdt meg edru et par dager.»

Hun nikket igjen. Så gikk hun tilbake til toalettet og spydde.

Hun ble i Harry's Bar en times tid til før blikket hadde klarnet så pass at Harry torde å slippe henne av gårde. Hun gikk sin vei på ustø ben, vandret ned til flyplassen og fulgte stranden bortover langs marinaen. Hun gikk til klokken var halv ni og bakken hadde sluttet å gynge. Først da gikk hun tilbake til hotellet. Hun gikk opp på rommet sitt, pusset tennene og skylte seg i ansiktet, skiftet klær og gikk ned til hotellbaren i lobbyen og bestilte en kopp svart kaffe og en flaske mineralvann.

Hun satt ubemerket og taus ved en søyle og studerte menneskene i baren. Hun så et par i 30-årsalderen engasjert i en lavmælt samtale. Kvinnen var kledd i lys sommerkjole. Mannen holdt hånden hennes under bordet. To bord lenger borte satt en svart familie, han med begynnende grå tinninger, hun med en vakker, fargesprakende kjole i gult, svart og rødt. De hadde to barn som var like i underkant av tenårene. Hun studerte en gruppe forretningsmenn i hvite skjorter og slips med jakkene over stolryggen. De drakk øl. Hun så en gruppe med pensjonister som utvilsomt var amerikanske turister. Mennene var iført baseballuer, tennisskjorter og vide bukser. Kvinnene hadde designerjeans, røde topper og solbriller i snor. Hun så en mann i lys linjakke og grå skjorte og mørkt slips som kom inn fra gaten og hentet nøklene i resepsjonen før han satte kursen bort til baren og bestilte en øl. Hun satt tre meter fra ham og fokuserte blikket da han tok opp mobiltelefonen og begynte å snakke tysk.

«Hei, det er meg ... er alt bra? ... det går fint, vi har neste møte i morgen ettermiddag ... nei, jeg tror det ordner seg ... jeg blir her i minst fem–seks dager og reiser så til Madrid ... nei, jeg er ikke hjemme før i slutten av neste uke ... jeg også ... jeg elsker deg ... ja, selvfølgelig ... jeg ringer senere i uken ... kyss.»

Han var 185 centimeter høy, drøyt 50, kanskje 55 år, blond med gråsprengt hår som var litt lengre enn kortklippet, en vek hake og litt for mye vekt rundt livet. Likevel så han ut til å være i ganske god form. Han leste *Financial Times*. Da han hadde drukket opp ølet og gikk mot heisen, reiste Lisbeth Salander seg og fulgte etter.

Han trykket på knappen til sjette etasje. Lisbeth stilte seg ved siden av ham og lente bakhodet mot heisveggen.

«Jeg er full,» sa hun.

Han så på henne.

«Jaså?»

«Ja, det har vært en sånn uke. La meg gjette. Du er forretningsmann av et eller annet slag, kommer fra Hannover eller et annet sted i Nord-Tyskland. Du er gift. Du elsker din kone. Og du må bli her i Gibraltar noen dager til. Så pass forsto jeg av telefonsamtalen din i baren.»

Han stirret forbløffet på henne.

«Selv er jeg fra Sverige. Jeg føler et uimotståelig behov for å ha sex med noen. Jeg driter i om du er gift, og jeg vil ikke ha telefonnummeret ditt.»

Han hevet øyenbrynene.

«Jeg bor på rom 711, i etasjen over deg. Jeg har tenkt å gå opp på rommet, kle av meg, bade og legge meg i sengen. Hvis du vil holde meg med selskap, kan du banke på innen en halvtime. Ellers kommer jeg til å sovne.»

«Er dette en form for spøk?» spurte han da heisen stanset.

«Nei. Jeg gidder ikke mase med å gå på et eller annet utested og sjekke. Enten banker du på hos meg, ellers får det være.»

Femogtyve minutter senere banket det på døren til Lisbeths hotellrom. Hun hadde et badehåndkle rundt seg da hun åpnet.

«Kom inn,» sa hun.

Han gikk inn og så seg mistenksomt rundt i rommet.

«Det er bare meg her,» sa hun.

«Hvor gammel er du egentlig?»

Hun strakte ut hånden og tok opp passet som lå på en kommode, og ga det til ham.

«Du ser yngre ut.»

«Jeg vet det,» sa hun, åpnet badehåndkleet og slengte det på en stol. Hun gikk bort til sengen og dro av sengeteppet.

Han stirret på tatoveringene hennes. Hun kastet et blikk over skulderen.

«Dette er ikke noen felle. Jeg er jente, singel og skal være her noen dager. Jeg har ikke hatt sex på flere måneder.»

«Hvorfor valgte du akkurat meg?»

«Fordi du var den eneste i baren som ikke så ut til å være sammen med noen.»

«Jeg er gift ...»

«Og jeg vil ikke vite hvem hun er, ikke hvem du er engang. Og jeg vil ikke diskutere sosiologi. Jeg vil knulle. Kle av deg eller gå ned til rommet ditt igjen.»

«Bare sånn uten videre?»

«Hvorfor ikke? Du er voksen, og du vet hva man skal gjøre.»

Han tenkte seg om i et halvt minutt. Han så ut som om han hadde tenkt å gå. Hun satte seg på sengekanten og ventet. Han bet seg i underleppen. Så tok han av seg buksen og skjorten og ble stående usikker i underbuksene.

«Alt,» sa Lisbeth Salander. «Jeg har ikke tenkt å knulle med en som har på seg underbuksa. Og du skal bruke kondom. Jeg vet hvor jeg har vært, men jeg vet ikke hvor du har vært.»

Han dro av seg underbuksene og gikk bort og la hånden på skulderen hennes. Lisbeth lukket øynene da han bøyde seg ned og kysset henne. Han smakte godt. Hun lot ham skyve henne ned på sengen. Han var tung over henne.

Jeremy Stuart MacMillan, advokat, kjente at nakkehårene reiste seg i samme øyeblikk som han åpnet døren til kontoret sitt i Buchanan House på Queensway Quay ovenfor marinaen. Han kjente lukten av tobakksrøyk og hørte at det knirket i en stol. Klokken var litt på syv om morgenen, og hans første tanke var at han hadde overrasket en innbruddstyv.

Deretter kjente han duften av kaffe fra trakteren på tekjøkkenet. Etter noen sekunder gikk han nølende inn over terskelen, gjennom entreen og tittet inn på sitt romslige og elegant møblerte kontor. Lisbeth Salander satt i kontorstolen hans med ryggen mot ham og bena i vinduskarmen. Den stasjonære datamaskinen hans var slått på, og hun hadde åpenbart ikke hatt noe problem med å takle passordet. Hun hadde heller ikke hatt noe problem med å åpne safen hans. Hun hadde en mappe med hans høyst private korrespondanse og regnskap på fanget.

«God morgen, frøken Salander,» sa han til slutt.

«Mmm,» svarte hun. «Det står nytraktet kaffe og croissanter på kjøkkenet.»

«Takk,» sa han og sukket oppgitt.

Riktignok hadde han kjøpt kontoret for hennes penger og på hennes oppfordring, men han hadde ikke regnet med at hun skulle dukke opp uten forvarsel. Dessuten hadde hun funnet og åpenbart lest et homsepornoblad som han hadde hatt gjemt i en av skrivebordsskuffene.

Noe så pinlig.

Eller kanskje ikke.

Når det gjaldt Lisbeth Salander, opplevde han at hun var det mest dømmende mennesket han noensinne hadde truffet hvis det dreide seg om personer som irriterte henne, men hun hadde aldri hevet øyenbrynene det aller minste over menneskers svakheter. Hun visste at han offisielt var heteroseksuell, men at hans mørke hemmelighet var at han ble tiltrukket av menn og at han etter skilsmissen for femten år siden hadde gått inn for å realisere sine mest private fantasier.

Så pussig. Jeg føler meg trygg på henne.

Siden hun likevel var i Gibraltar, hadde Lisbeth bestemt seg for å avlegge et besøk hos advokat Jeremy MacMillan, som tok seg av økonomien hennes. Hun hadde ikke vært i kontakt med ham siden like over nyttår, og ville vite om han hadde benyttet anledningen til å ruinere henne mens hun var borte.

Men det hadde ikke hatt noen hast, og det var heller ikke årsaken til at hun dro rett til Gibraltar da hun ble løslatt. Hun gjorde det fordi hun følte et intenst behov for å komme vekk fra alt, i den forstand var Gibraltar utmerket. Hun hadde tilbragt nesten en uke med å være beruset, og deretter noen dager til med å ha sex med en tysk forretningsmann, som smått om senn presenterte seg som Dieter. Hun tvilte på at det var det virkelige navnet hans, men undersøkte det ikke nærmere. Han tilbragte dagene med å sitte i møter og kveldene med å spise midag med henne før de trakk seg tilbake til hans eller hennes rom.

Han var slett ikke dårlig i sengen, konstaterte Lisbeth. Han var muligens litt urutinert og av og til unødvendig hardhendt.

Dieter hadde vært oppriktig forbløffet over at hun på en ren impuls hadde sjekket opp en overvektig tysk forretningsmann som ikke engang hadde vært ute for å sjekke. Han var ganske riktig gift, og pleide ikke å være utro eller oppsøke dameselskap når han var på forretningsreise. Men da muligheten ble servert ham på et fat i form av en spinkel, tatovert jente, hadde han ikke klart å motstå fristelsen. Sa han.

Lisbeth Salander brydde seg ikke særlig mye om hva han sa. Hun hadde ikke vært ute etter annet enn rekreasjonssex, men ble overrasket over at han faktisk anstrengte seg for å tilfredsstille henne. Det var først den fjerde natten, deres siste sammen, at han fikk et anfall av panikkangst og begynte å gruble over hva hans kone ville si. Lisbeth Salander mente han burde holde munn og ikke fortelle noe til sin kone.

Men hun sa ikke hva hun tenkte.

Han var voksen, og kunne sagt nei til invitten hennes. Det var ikke hennes problem om han ble rammet av skyldfølelse eller tilsto noe for sin kone. Hun hadde ligget med ryggen til og hørt på ham i et kvarter, til hun himlet irritert med øynene, snudde seg og satte seg over skrevs på ham.

«Tror du du kan ta en pause fra angsten en stund og tilfredsstille meg igjen?» sa hun.

Jeremy MacMillan var en helt annen historie. Han hadde null erotisk tiltrekningkraft på Lisbeth Salander. Han var en kjeltring. Han var pussig nok ikke helt ulik Dieter av utseende. Han var 48 år gammel, sjarmerende, litt overvektig, med grånende mørkeblondt, krøllet hår som ble kjemmet bakover over en høy isse. Han hadde smale, gullinnfattede briller.

En gang i tiden hadde han vært en Oxbridge-utdannet forretningsadvokat og finansmegler i London. Han hadde hatt en lovende fremtid og vært medeier i et advokatkontor som ble brukt av store selskaper og nyrike japper som syslet med eiendomshandel og skatteplanlegging. Han hadde tilbragt de glade 1980-årene med å omgås nyrike kjendiser. Han hadde drukket tett og snortet kokain sammen med mennesker som han egentlig ikke ville våkne sammen med neste morgen. Han var aldri blitt stilt for retten, men han hadde mistet sin kone og sine to barn og fått sparken etter å ha vanskjøttet forretningene og kommet beruset og ravende inn på et forliksmøte.

Uten noen større ettertanke hadde han edru og skamfull flyttet fra London. Hvorfor han hadde valgt nettopp Gibraltar, visste han ikke, men i 1991 hadde han slått seg sammen med en lokal jurist og åpnet et beskjedent bakgatekontor som offisielt syslet med lite glamorøse booppgjør og testamenter. Litt mindre offisielt drev MacMillan & Marks med å etablere postboksselskaper og fungere som stråmenn for diverse obskure typer i Europa. Virksomheten humpet seg frem til den dagen Lisbeth

Salander hadde valgt Jeremy MacMillan til å forvalte de 2,4 milliarder dollar som hun hadde stjålet fra finansmannen Hans-Erik Wennerströms sammenraste imperium.

MacMillan var utvilsomt en kjeltring. Men hun betraktet ham som *sin* kjeltring, og han hadde overrasket seg selv med å forbli uklanderlig hederlig mot henne. Hun hadde først engasjert ham til en enkel oppgave. Mot et beskjedent beløp hadde han opprettet diverse postboksselskaper som hun kunne benytte seg av, og som hun plasserte en million dollar i. Hun hadde kontaktet ham via telefon og bare vært en stemme i det fjerne. Han hadde aldri spurt hvor pengene kom fra. Han hadde gjort som hun ba om, og debitert henne fem prosent av summen. Kort tid etter hadde hun loset inn et større beløp som han skulle bruke til å etablere et firma, Wasp Enterprises, som kjøpte en leilighet i Stockholm. Kontakten med Lisbeth Salander var dermed blitt lukrativ, selv om det for hans vedkommende dreide seg om småpenger.

To måneder senere hadde hun plutselig kommet på besøk i Gibraltar. Hun hadde ringt ham og foreslått en privat middag på rommet hennes på The Rock, som var om ikke det største, så i hvert fall det mest ærverdige hotellet på Klippen. Han var ikke sikker på hva han hadde ventet seg, men han hadde ikke trodd at klienten hans skulle være en dukkeaktig jente som så ut til å være et sted i de tidlige tenårene. Han trodde han var utsatt for en eller annen bisarr spøk.

Han hadde raskt endret oppfatning. Den merkverdige jenta snakket ubekymret med ham uten noensinne å smile eller vise noen personlig varme. Eller kulde for den saks skyld. Han hadde sittet lamslått da hun i løpet av noen minutter fullstendig hadde rasert den yrkesmessige fasaden av verdensvant respektabilitet som han var så opptatt av å opprettholde.

«Hva vil du?» spurte han.

«Jeg har stjålet en sum penger,» svarte hun med stort alvor. «Jeg trenger en kjeltring som kan forvalte dem.»

Han hadde lurt på om hun var riktig vel bevart, men spilte høflig med. Hun var et potensielt offer for en rask dribling som kunne medføre en liten gevinst. Deretter hadde han blitt sittende som rammet av lynet da hun fortalte hvem hun hadde stjålet pengene fra, hvordan det hadde foregått og hvor stor summen var. Wennerström-saken var det heteste samtaleemnet i den internasjonale finansverdenen.

«Jeg skjønner.»

Diverse muligheter gled gjennom hjernen hans.

«Du er en dyktig forretningsadvokat og finansmegler. Hvis du hadde vært idiot, ville du aldri fått de oppdragene du fikk i 1980-årene. Derimot oppførte du deg som en idiot og klarte å få sparken.»

Han hevet øyenbrynene.

«For fremtiden kommer jeg til å være din eneste klient.»

Hun hadde sett på ham med de mest troskyldige øynene han noensinne hadde sett.

«Jeg har to krav. Det ene er at du aldri noensinne begår en forbrytelse eller blir innblandet i noe som kan skape problemer for oss og få myndighetene til å interessere seg for mine firmaer og mine konti. Det andre er at du aldri skal ljuge for meg. Aldri noensinne. Ikke én eneste gang. Og ikke av noen som helst grunn. Hvis du ljuger, avsluttes vår forretningsforbindelse umiddelbart, og hvis du irriterer meg tilstrekkelig, kommer jeg til å ruinere deg.»

Hun skjenket et glass vin til ham.

«Det finnes ingen grunn til å ljuge for meg. Jeg vet allerede alt som er verdt å vite om ditt liv. Jeg vet hvor mye du tjener en god måned og en dårlig måned. Jeg vet hvor mye du bruker. Jeg vet at du aldri helt får pengene til å strekke til. Jeg vet at du har 120 000 pund i gjeld, både kortsiktig og langsiktig, og at du stadig må ta sjanser og svindle til deg penger for å klare avdragene. Du kler deg elegant og forsøker å holde fasaden, men du er på knærne og har ikke kjøpt en ny jakke på flere måneder. Derimot leverte du inn en gammel jakke for å få lappet fôret i den for to uker siden. Du pleide å samle på sjeldne bøker, men har solgt dem litt etter litt. I forrige måned solgte du en tidlig utgave av *Oliver Twist* for 760 pund.»

Hun tidde og stirret rett på ham. Han svelget.

«I forrige uke gjorde du faktisk et kupp. Et ganske fiffig

670

bedrageri fra den gamle enken du har som klient. Du rasket til deg 6000 pund som hun neppe kommer til å savne.»

«Hvordan faen vet du det?»

«Jeg vet at du har vært gift, at du har to barn i England som ikke vil treffe deg, og at du har tatt skrittet fullt ut siden skilsmissen og nå hovedsakelig har homoseksuelle forhold. Du skammer deg formodentlig over dette, siden du unngår homseklubber og å bli sett ute på byen med dine mannlige venner, og siden du ofte drar over grensen til Spania for å treffe menn.»

Jeremy MacMillan ble sittende stum av sjokk. Han var plutselig skrekkslagen. Han hadde ingen anelse om hvordan hun hadde fått tak i alle disse opplysningene, men hun hadde nok til å tilintetgjøre ham.

«Og dette sier jeg bare én gang. Jeg driter fullstendig i hvem du har sex med. Det angår ikke meg. Jeg vil vite hvem du er, men jeg kommer aldri til å utnytte denne kunnskapen. Jeg kommer aldri til å true deg eller presse deg.»

MacMillan var ingen idiot. Han innså selvsagt at den kunnskapen hun hadde om ham, innebar en trussel. Hun hadde kontroll. Et kort øyeblikk vurderte han å løfte henne opp og kaste henne over balkongkanten, men behersket seg. Han hadde aldri før vært så redd.

«Hva vil du?» fikk han presset frem.

«Jeg vil gå i kompaniskap med deg. Du skal slutte med all annen virksomhet som du driver med, og arbeide utelukkende for meg. Du kommer til å tjene mer enn du noensinne har kunnet drømme om.»

Hun forklarte hva hun ville at han skulle gjøre, og hvordan hun ville at opplegget skulle se ut.

«Jeg vil være usynlig,» forklarte hun. «Du tar deg av forretningene mine. Alt skal være legitimt. Det jeg eventuelt roter til på egen hånd, kommer aldri til å berøre deg eller bli knyttet til våre forretninger.»

«Jeg skjønner.»

«Jeg kommer altså til å være din eneste klient. Du har en uke på deg til å avvikle alle dine andre klienter og slutte med all småsvindel.»

Han innså at han hadde fått et tilbud som aldri ville dukke opp igjen. Han hadde tenkt seg om i seksti sekunder og deretter akseptert. Han hadde bare ett spørmål.

«Hvordan kan du vite at jeg ikke kommer til å svindle deg?»

«Ikke gjør det. Du kommer til å angre på det resten av ditt miserable liv.»

Det fantes ingen grunn til å svindle. Lisbeth Salander hadde tilbudt ham et oppdrag som potensielt var så gullkantet at det ville vært absurd å risikere noe for småpenger. Så lenge han var noenlunde beskjeden og ikke kom i vanskeligheter, var fremtiden trygget.

Han hadde derfor ingen planer om å svindle Lisbeth Salander.

Altså ble han hederlig, eller i hvert fall så hederlig som en utbrent advokat kan sies å være når han forvalter tyvegods av astronomiske proporsjoner.

Lisbeth var fullstendig uinteressert i å styre sin egen økonomi. MacMillans oppgave var å plassere pengene hennes og sørge for at det var dekning på de kredittkortene hun brukte. De hadde diskutert i flere timer. Hun hadde forklart hvordan hun ville at økonomien hennes skulle fungere. Hans jobb var å sørge for at den gjorde det.

En stor del av tyvegodset var blitt plassert i sikre fond som gjorde henne økonomisk uavhengig for resten av livet, selv om hun skulle finne på å leve et ekstremt utsvevende og råflott liv. Det var fra disse fondene kredittkortene hennes fikk påfyll.

Resten av pengene kunne han leke med og investere etter eget hode, forutsatt at han ikke investerte i noe som kunne innebære noen form for problemer med politiet. Hun forbød ham å drive med idiotisk småkriminalitet og dusinbedrageri som – hvis uhellet var ute – kunne resultere i granskninger som i sin tur ville rette søkelyset mot henne.

Det som gjensto, var å fastslå hva han skulle tjene på forretningene.

«Jeg betaler 500 000 pund som inngangshonorar. Dermed kan du kvitte deg med all gjeld og likevel få en god slump til overs. Deretter tjener du pengene dine selv. Du starter et selskap med oss to som eiere. Du får tyve prosent av all fortjeneste selskapet genererer. Jeg vil at du skal være rik nok til ikke å la deg friste til noe tull, men ikke så rik at du ikke anstrenger deg.»

Han begynte den nye jobben den 1. februar. I slutten av mars hadde han betalt all sin private gjeld og stabilisert privatøkonomien. Lisbeth hadde insistert på at han skulle prioritere å sanere sin egen økonomi, slik at han var solvent. I mai brøt han ut av partnerskapet med sin alkoholiserte kollega George Marks, den andre halvparten av MacMillan & Marks. Han følte et stikk av dårlig samvittighet, men det var utelukket å blande Marks inn i Lisbeth Salanders forretninger.

Han drøftet saken med Lisbeth Salander da hun kom tilbake til Gibraltar på en spontanvisitt i begynnelsen av juli, og oppdaget at MacMillan arbeidet hjemme i leiligheten sin istedenfor i bakgatekontoret som han tidligere hadde holdt til i.

«Partneren min er alkoholiker og vil ikke kunne takle dette. Han ville tvert imot blitt en enorm risikofaktor. Men for femten år siden reddet han livet mitt da jeg kom til Gibraltar og han tok meg inn i virksomheten.»

Hun tenkte i to minutter mens hun studerte ansiktet til MacMillan.

«Jeg skjønner. Du er en kjeltring med lojalitet. Det er antagelig en prisverdig egenskap. Jeg foreslår at du oppretter en liten konto som han kan få leke med. Sørg for at han tjener noen tusenlapper i måneden så han klarer seg.»

«Er det i orden for deg?»

Hun hadde nikket og sett seg rundt i ungkarsleiligheten hans. Han bodde i en av smågatene i nærheten av sykehuset, i en ettromsleilighet med kjøkkenkrok. Det eneste trivelige var utsikten. Det var på den annen side en utsikt som det var vanskelig å unngå i Gibraltar.

«Du trenger et kontor og en bedre bolig,» sa hun.

«Jeg har ikke hatt tid,» svarte han.

«Greit,» sa hun.

Deretter gikk hun ut og handlet kontor til ham, og valgte 130 kvadratmeter med en liten veranda mot havet i Buchanan House på Queensway Quay, noe som definitivt var *upmarket* i Gibraltar. Hun engasjerte også en innredningsekspert som pusset opp og møblerte.

MacMillan husket at mens han hadde vært opptatt med papirarbeidet, hadde Lisbeth personlig overvåket installering av alarmsystem, datautstyr og den safen som hun overraskende hadde sittet og rotet i da han kom inn i morges.

«Er jeg i unåde?» spurte han.

Hun la fra seg permen med korrespondansen som hun hadde fordypet seg i.

«Nei, Jeremy. Du er ikke i unåde.»

«Bra,» sa han og gikk og hentet kaffe. «Du har en egen evne til å dukke opp når man minst venter det.»

«Jeg har vært opptatt i det siste. Jeg ville bare oppdatere meg om det som har hendt.»

«Hvis jeg har forstått det riktig, så har du vært etterlyst for trippeldrap, blitt skutt i hodet og tiltalt for en rekke forbrytelser. Jeg var temmelig bekymret en stund. Jeg trodde du fortsatt satt inne. Har du rømt?»

«Nei. Jeg ble frifunnet på alle punkter og er løslatt. Hvor mye har du hørt?»

Han nølte et øyeblikk.

«OK. Ingen hvite løgner. Da jeg skjønte at du satt midt i klisteret, leide jeg et oversetterbyrå til å finkjemme svenske aviser og gi meg fortløpende oppdatering. Jeg er ganske godt orientert.»

«Hvis du baserer kunnskapene dine på det som har stått i avisene, er du ikke det minste orientert. Men jeg går ut fra at du oppdaget en god del hemmeligheter om meg.»

Han nikket.

«Hva skjer nå?»

Hun så forbauset på ham.

«Ingenting. Vi fortsetter som før. Forholdet mellom oss har ingenting med mine problemer i Sverige å gjøre. Fortell hva som har skjedd mens jeg har vært borte. Har du oppført deg ordentlig?»

«Jeg drikker ikke,» sa han. «Hvis det er det du mener.»

«Nei. Privatlivet ditt angår ikke meg så lenge det ikke forstyrrer forretningene. Jeg mener om jeg er rikere eller fattigere enn for et år siden?»

Han trakk ut besøksstolen og satte seg. På en eller annen måte spilte det ikke noen rolle at hun hadde okkupert *hans* plass. Det var ingen grunn til å drive prestisjekamp overfor henne.

«Du leverte meg 2,4 milliarder dollar. Vi satte inn 200 millioner i fond til deg. Resten ga du meg til å leke med.»

«Ja.»

«Dine personlige fond har ikke forandret seg med stort mer enn rentene. Jeg kan øke fortjenesten hvis ...»

«Jeg er ikke interessert i å øke fortjenesten.»

«Greit. Du har brukt et fillebeløp. De største enkeltutgiftene har vært den leiligheten jeg kjøpte til deg, og det veldedighetsfondet du opprettet for denne advokat Palmgren. For øvrig har du bare hatt et normalt forbruk og ikke noe særlig vidløftig sådant. Rentene har vært gunstige. Du ligger på omtrent pluss minus null.»

«Bra.»

«Resten har jeg investert. I fjor fikk vi ikke noen større avkastning. Jeg var litt rusten og brukte tiden til å lære meg markedet igjen. Vi har hatt utgifter. Det er først i år at vi har begynt å generere inntekter. Mens du har sittet inne, har vi fått inn drøyt syv millioner. Dollar, altså.»

«Hvorav tyve prosent tilfaller deg.»

«Hvorav tyve prosent tilfaller meg.»

«Er du fornøyd med det?»

«Jeg har tjent over en million dollar på et halvt år. Jeg er fornøyd.»

«Du vet ... ikke gap etter for mye. Du kan trekke deg tilbake når du føler deg fornøyd. Men fortsett å ta deg av forretningene mine en time nå og da.»

«Ti millioner dollar,» sa han.

«Hva?»

«Når jeg har tjent ti millioner dollar, gir jeg meg. Det var fint du dukket opp. Vi har en del ting å diskutere.»

«Snakk i vei.»

Han slo ut med hånden.

«Dette er så mye penger at det skremmer vannet av meg. Jeg vet ikke hvordan jeg skal håndtere dem. Jeg vet ikke hva målet med virksomheten er, bortsett fra å tjene penger. Hva skal pengene brukes til?»

«Jeg vet ikke.»

«Ikke jeg heller. Men penger kan bli et mål i seg selv. Det er sykt. Det er derfor jeg har bestemt meg for å gi meg når jeg har tjent sammen ti millioner. Jeg vil ikke ha ansvaret lenger.»

«Greit.»

«Før jeg trekker meg, vil jeg at du skal ha bestemt hvordan du vil at denne formuen skal forvaltes i fremtiden. Det må finnes en hensikt og retningslinjer og en organisasjon å overlate det til.»

«Mmm.»

«Det er umulig for én person å drive forretninger på denne måten. Jeg har delt opp summen i langsiktige, faste investeringer – eiendommer, verdipapirer og den slags. Du finner en komplett oversikt i maskinen.»

«Jeg har lest den.»

«Den andre halvparten bruker jeg til å spekulere, men det er så mye penger å holde styr på at jeg ikke rekker det. Jeg har derfor startet et investeringsselskap på Jersey. Du har for øyeblikket seks ansatte i London. To dyktige unge meglere og kontorpersonale.»

«Yellow Ballroom Ltd? Jeg lurte akkurat på hva det var for noe.»

«Vårt selskap. Her i Gibraltar har jeg ansatt en sekretær og en ung, lovende jurist ... de dukker forresten opp om en halvtime.»

«Jaha. Molly Flint, 41 år, og Brian Delaney, 26.»

«Vil du hilse på dem?»

«Nei. Er Brian elskeren din?»

«Hva? Nei.»

Han så sjokkert ut.

«Jeg blander ikke ...»

«Bra.»

«Forresten ... så er jeg ikke interessert i unge gutter ... uerfarne, mener jeg.»

«Nei, du er mer tiltrukket av mannfolk med en litt tøffere

stil enn det en snørrunge kan tilby. Det er fortsatt ikke noe som angår meg, men Jeremy ...»

«Ja?»

«Vær forsiktig.»

Hun hadde egentlig ikke tenkt å bli i Gibraltar mer enn et par uker for å finne kompassretningen igjen. Hun oppdaget plutselig at hun ikke ante hva hun skulle ta seg til eller hvor hun burde dra. Hun ble værende i tolv uker. Hun sjekket e-posten en gang om dagen og svarte lydig på mail fra Annika Giannini de få gangene hun lot høre fra seg. Hun fortalte ikke hvor hun var. Hun svarte ikke på noen annen e-post.

Hun fortsatte å besøke Harry's Bar, men nå kom hun bare innom for å ta en øl om kvelden. Hun tilbragte mesteparten av dagen på The Rock, enten på balkongen eller i sengen. Hun la bak seg enda en tilfeldig forbindelse, med en 30-årig offiser i den britiske marinen, men det ble med en *one night stand,* og det var i det hele tatt en uinteressant opplevelse.

Det gikk opp for henne at hun kjedet vettet av seg.

I begynnelsen av oktober spiste hun middag med Jeremy MacMillan. De hadde møttes bare noen få ganger i løpet av den tiden hun var der. Det hadde mørknet, og de drakk en fruktig vin og hadde diskutert hva de skulle bruke Lisbeths milliarder til. Plutselig overrasket han henne med å spørre hva det var som plaget henne.

Hun hadde betraktet ham og tenkt seg om. Så hadde hun like overraskende fortalt om sitt forhold til Miriam Wu, og hvordan Miriam var blitt mishandlet og nesten drept av Ronald Niedermann. Det hadde vært hennes skyld. Bortsett fra en hilsen via Annika Giannini hadde Lisbeth ikke hørt et ord fra Miriam Wu. Og nå hadde hun flyttet til Frankrike.

Jeremy MacMillan hadde sittet taus en lang stund.

«Er du forelsket i henne?» spurte han plutslig.

Lisbeth Salander grublet over svaret. Til slutt ristet hun på hodet.

«Nei. Jeg tror ikke jeg er den typen som blir forelsket. Hun var en god venn. Og hun var bra sex.»

«Intet menneske kan unngå å bli forelsket,» sa han. «Man vil kanskje fornekte det, men vennskap er nok den vanligste formen for kjærlighet.»

Hun så forbløffet på ham.

«Blir du sint hvis jeg blir personlig?»

«Nei.»

«Dra til Paris, for guds skyld,» sa han.

Hun landet på de Gaulle-flyplassen halv tre om ettermiddagen, tok flybussen til Triumfbuen og brukte to timer på å vandre rundt i de nærmeste kvartalene på jakt etter et hotellrom. Hun gikk sørover, mot Seinen, og fikk til slutt plass på det lille Hotel Victor Hugo i rue Copernic.

Hun dusjet og ringte Miriam Wu. De møttes ved nitiden om kvelden på en bar i nærheten av Notre Dame. Miriam Wu var kledd i hvit skjorte og jakke. Hun så strålende ut. Lisbeth følte seg plutselig brydd. De kysset hverandre på kinnet.

«Jeg er lei for at jeg ikke har gitt lyd fra meg og ikke kom til rettssaken,» sa Miriam Wu.

«Det er greit. Rettssaken gikk uansett for lukkede dører.»

«Jeg lå på sykehus i tre uker, og da jeg kom hjem til Lundagatan igjen, var alt bare kaos. Jeg fikk ikke sove. Jeg hadde mareritt om den jævla Niedermann. Jeg ringte til mamma og sa at jeg ville komme.»

Lisbeth nikket.

«Tilgi meg.»

«Ikke vær en jævla idiot. Det er jeg som har kommet hit for å be deg om tilgivelse.»

«Hvorfor det?»

«Jeg tenkte ikke. Det falt meg aldri inn at jeg utsatte deg for livsfare ved å overlate leiligheten til deg, men fortsette å stå oppført der selv. Det er min skyld at du nesten ble drept. Jeg skjønner det hvis du hater meg.»

Miriam Wu så helt forbløffet ut.

«Jeg har ikke tenkt tanken engang. Det var Ronald Niedermann som prøvde å drepe meg. Ikke du.»

De satt en stund uten å si noe.

«Jaha,» sa Lisbeth til slutt.

«Ja,» sa Miriam Wu.

«Jeg har ikke fulgt etter deg hit fordi jeg er forelsket i deg,» sa Lisbeth.

Miriam nikket.

«Du var innmari bra sex, men jeg er ikke forelsket i deg,» understreket hun.

«Lisbeth ... jeg tror ...»

«Det jeg ville si, var at jeg håper at ... faen.»

«Hva?»

«Jeg har ikke mange venner ...»

Miriam Wu nikket.

«Jeg blir boende i Paris en stund. Studiene hjemme gikk til helvete, og jeg begynte på universitetet her isteden. Jeg kommer til å bli minst et år.»

Lisbeth nikket.

«Etterpå vet jeg ikke. Men jeg kommer tilbake til Stockholm. Jeg betaler leien for Lundagatan, og jeg har tenkt å beholde leiligheten. Hvis det er i orden for deg.»

«Det er din leilighet. Gjør hva du vil med den.»

«Lisbeth, du er veldig spesiell,» sa hun. «Jeg vil gjerne fortsette å være din venn.»

De pratet i to timer. Lisbeth hadde ingen grunn til å skjule fortiden for Miriam Wu. Zalatsjenko-saken var kjent av alle som hadde tilgang til en svensk avis, og Miriam Wu hadde fulgt saken med stor interesse. Hun fortalte detaljert om hva som hadde skjedd i Nykvarn den natten da Paolo Roberto reddet livet hennes.

Deretter dro de hjem til Miriams studenthybel i nærheten av universitetet.

EPILOG

BOOPPGJØR

Fredag 2. desember–søndag 18. desember

Annika Giannini møtte Lisbeth Salander i baren på Södra tea-
tern ved nitiden om kvelden. Lisbeth drakk sterkøl og var i ferd
med å avslutte sitt andre glass.

«Beklager at jeg er sen,» sa Annika og kikket på klokken.
«Jeg fikk problemer med en annen klient.»

«Jaha,» sa Lisbeth.

«Hva feirer du?»

«Ingenting. Jeg har bare lyst til å bli full.»

Annika så skeptisk på henne mens hun satte seg.

«Har du ofte den lysten?»

«Jeg drakk meg sanseløs da jeg ble løslatt, men jeg har ikke
anlegg for å bli alkoholiker, hvis det er det du tror. Det slo meg
bare at jeg for første gang i mitt liv er myndig og har lovlig rett
til å drikke meg full her hjemme i Sverige.»

Annika bestilte en campari.

«Greit,» sa hun. «Vil du drikke alene, eller vil du ha
selskap?»

«Helst alene. Men hvis du ikke snakker altfor mye, kan du
godt sitte her. Jeg går ut fra at du ikke har lyst til å bli med
hjem til meg og ha sex?»

«Unnskyld?» sa Annika Giannini.

«Nei, jeg tenkte vel det. Du er en sånn vanvittig heterofil
person.»

Annika Giannini så plutselig ut som om hun moret seg.

«Det er første gang en av klientene mine har kommet med
forslag om sex.»

«Er du interessert?»

«Sorry. Absolutt ikke. Men takk for tilbudet.»

«Hva var det du ville, advokat?»

«To ting. Enten sier jeg fra meg jobben som din advokat her og nå, eller så begynner du å ta telefonen når jeg ringer. Vi hadde denne diskusjonen da du ble løslatt.»

Lisbeth Salander så på Annika Giannini.

«Jeg har forsøkt å få tak i deg i en uke. Jeg har ringt, skrevet og mailet.»

«Jeg har vært bortreist.»

«Du har vært umulig å få tak i mesteparten av høsten. Dette fungerer ikke. Jeg har akseptert å være din juridiske representant i alt som har med ditt mellomværende med staten å gjøre. Det betyr at det må ordnes med formaliteter og dokumenter. Papirer må undertegnes. Spørsmål må besvares. Jeg må kunne få tak i deg, og jeg har ikke lyst til å sitte der som en idiot og ikke vite hvor du har gjort av deg.»

«Jeg skjønner. Jeg har vært utenlands i to uker. Jeg kom hjem i går og ringte deg så snart jeg hørte at du hadde forsøkt å få tak i meg.»

«Det holder ikke. Du må holde meg underrettet om hvor du befinner deg og gi lyd fra deg minst en gang i uken til alle spørsmål om erstatning og lignende er avklart.»

«Jeg driter i erstatning. Jeg vil at staten skal la meg være i fred.»

«Men staten kommer ikke til å la deg være i fred, uansett hvor mye du vil det. Frifinnelsen i tingretten får en lang rekke konsekvenser. Det dreier seg ikke bare om deg. Peter Teleborian kommer til å bli tiltalt for det han har gjort mot deg. Det betyr at du må vitne. Statsadvokat Ekström er gjenstand for etterforskning for uforstand i tjenesten, og kan dessuten komme til å bli tiltalt hvis det viser seg at han bevisst har satt tjenesteplikten til side på oppdrag av Seksjonen.»

Lisbeth hevet øyenbrynene. En liten stund så hun nesten interessert ut.

«Jeg tror ikke det kommer til å bli reist tiltale. Han falt for en bløff og har egentlig ingenting med Seksjonen å gjøre. Men så

sent som i forrige uke innledet påtalemyndigheten rettslig for-
undersøkelse av overformynderiet. Det foreligger anmeldelse til
justisombudsmannen og til justitiekansleren.»

«Jeg har ikke anmeldt noen.»

«Nei. Men det er åpenbart at det er blitt begått grov ufor-
stand i tjenesten, og alt sammen må etterforskes. Du er ikke
den eneste personen overformynderiet har ansvar for.»

Lisbeth trakk på skuldrene.

«Det angår ikke meg. Men jeg lover å holde bedre kontakt
med deg enn før. Disse to siste ukene har vært et unntak. Jeg
har jobbet.»

Annika Giannini så mistenksomt på klienten sin.

«Hva jobber du med?»

«Konsulentvirksomhet.»

«Greit,» sa hun til slutt. «Det andre er at booppgjøret er
klart.»

«Hvilket booppgjør?»

«Etter din far. Statens advokat tok kontakt med meg siden
ingen så ut til å vite hvordan de skulle få kontakt med deg. Du
og din søster er eneste arvinger.»

Lisbeth Salander så på Annika Giannini uten å fortrekke en
mine. Deretter fanget hun blikket til servitrisen og pekte på
glasset sitt.

«Jeg vil ikke ha noen arv etter faren min. Gjør hva faen du
vil med det.»

«Feil. *Du* kan gjøre hva du vil med arven. Min jobb er å
sørge for at du får mulighet til å gjøre det.»

«Jeg vil ikke ha et øre etter det svinet.»

«Greit. Gi pengene til Greenpeace eller noe.»

«Jeg driter i hvalene.»

Annikas stemme ble plutselig fornuftig.

«Lisbeth, hvis du nå skal være myndig, må du faktisk
begynne å oppføre deg sånn. Jeg gir blaffen i hva du gjør med
pengene dine. Skriv under her på at du har tatt imot, så kan du
drikke i fred etterpå.»

Lisbeth skottet bort på Annika under luggen og stirret der-
etter ned i bordet. Annika gikk ut fra at det var en slags unn-

683

skyldende gest som muligens tilsvarte en beklagelse i Lisbeth Salanders begrensede mimikkregister.

«OK. Hva er det?»

«Ganske pent. Faren din hadde drøyt 300 000 i verdipapirer. Eiendommen i Gosseberga kommer sannsynligvis til å gi rundt 1,5 millioner ved salg – det hører til litt skog. Dessuten hadde faren din tre eiendommer til.»

«Eiendommer?»

«Ja. Det ser ut til at han har investert en del penger. Det dreier seg ikke om noen store verdier. Han hadde en mindre leiegård i Uddevalla med til sammen seks leiligheter som innbragte en del leieinntekter. Men eiendommen er i dårlig stand, og han ga blaffen i å pusse opp. Huset har til og med vært oppe hos husleienemnda. Du blir ikke rik, men den kommer til å innbringe noen kroner ved salg. Han hadde også et sommersted i Småland som er taksert til drøyt 250 000 kroner.»

«Jaha.»

«Dessuten eide han et falleferdig industrilokale utenfor Norrtälje.»

«Hvorfor i all verdens navn har han skaffet seg den dritten?»

«Det aner jeg ikke. Anslagsvis kan arven innbringe noe over fire millioner ved salg og etter skatt og den slags, men …»

«Ja?»

«Deretter skal arven deles likt mellom deg og din søster. Problemet er at ingen ser ut til å vite hvor hun befinner seg.»

Lisbeth betraktet Annika Giannini taus og uttrykksløst.

«Nå?»

«Nå, hva da?»

«Hvor er søsteren din?»

«Jeg har ikke peiling. Jeg har ikke sett henne på ti år.»

«Personopplysningene hennes er hemmeligstemplet, men jeg har fått vite at det er registrert at hun ikke befinner seg i landet.»

«Jaså,» sa Lisbeth med behersket interesse.

Annika sukket oppgitt.

«Greit. Da vil jeg foreslå at vi realiserer alle aktiva og setter halve summen i banken til søsteren din kan lokaliseres. Jeg kan gå i gang med forhandlingene hvis du gir meg klarsignal.»

Lisbeth trakk på skuldrene.

«Jeg vil ikke ha noe med pengene hans å gjøre.»

«Jeg skjønner det. Men oppgjøret må uansett fullføres. Det er en del av ditt ansvar som myndig.»

«Selg dritten, da. Sett halvparten i banken og gi resten til det du har lyst til.»

Annika Giannini rynket det ene øyenbrynet. Hun hadde skjønt at Lisbeth Salander faktisk hadde penger stukket unna, men ikke vært klar over at klienten hennes var så pass godt stilt at hun kunne ignorere en arv som dreide seg om nærmere en million, kanskje mer. Hun hadde heller ingen anelse om hvor Lisbeth hadde fått pengene sine fra eller hvor mye det dreide seg om. Derimot var hun interessert i å bli ferdig med den byråkratiske prosedyren.

«Snille deg, Lisbeth ... Kan du lese igjennom booppgjøret og gi meg klarsignal, så vi får saken ut av verden?»

Lisbeth mumlet en stund, men ga til slutt etter og puttet mappen i vesken. Hun lovte å lese igjennom den og gi instrukser om hva hun ville at Annika skulle gjøre. Deretter konsentrerte hun seg om ølen sin. Annika Giannini holdt henne med selskap en time og drakk hovdsakelig mineralvann.

Det var først flere dager senere, da Annika Giannini hadde ringt og minnet Lisbeth Salander på booppgjøret, at hun fant det frem og glattet ut de krøllete papirene. Hun satte seg ved kjøkkenbordet hjemme i leiligheten i Mosebacke og leste igjennom dokumentene.

Bofortegnelsen omfattet adskillige sider og inneholdt opplysninger om alt mulig skrot – hva slags servise som hadde stått i kjøkkenskapet i Gosseberga, etterlatte klær, verdien av kameraer og andre personlige eiendeler. Aleksandr Zalatsjenko hadde ikke etterlatt seg mye av verdi, og ingen av gjenstandene hadde noen som helst affeksjonsverdi for Lisbeth Salander. Hun tenkte en stund og avgjorde deretter at hun ikke hadde forandret mening siden hun traff Annika Giannini på byen. Selg dritten og brenn pengene. Eller noe. Hun var fullstendig overbevist om at hun ikke ville ha et øre etter faren, men hadde også med gode grunner mistanke om at Zalatsjenkos virkelige formue var pløyd ned et eller annet sted hvor bobestyreren ikke hadde lett.

Deretter åpnet hun papirene på industrieiendommen i Norrtälje.

Eiendommen var et industrianlegg som besto av tre bygninger på til sammen 20 000 kvadratmeter i nærheten av Skederid mellom Norrtälje og Rimbo.

Bobestyreren hadde avlagt et raskt besøk på stedet og konstatert at det var et nedlagt teglverk som hadde stått mer eller mindre forlatt siden virksomheten opphørte i 1960-årene, og som var blitt brukt som trevarelager i 1970-årene. Han hadde konstatert at lokalene var i *ytterst dårlig forfatning* og ikke egnet til rehabilitering eller noen annen virksomhet. Den dårlige forfatningen innebar blant annet at det som var beskrevet som «den nordre bygningen», hadde vært herjet av brann og hadde rast sammen. Enkelte reparasjoner var imidlertid blitt utført i «hovedbygningen».

Det som fikk Lisbeth Salander til å stoppe opp, var historikken. Aleksandr Zalatsjenko hadde skaffet seg eiendommen for en slikk og ingenting den 12. mars 1984, men den som sto for kjøpekontrakten, var Agneta Sofia Salander.

Lisbeth Salanders mor hadde altså eid stedet. Allerede i 1987 hadde hennes eierforhold imidlertid opphørt. Zalatsjenko hadde kjøpt henne ut for en sum av 2000 kroner. Deretter så det ut til at eiendommen hadde stått ubrukt i drøyt femten år. Bofortegnelsen viste at den 17. september 2003 hadde firmaet KAB engasjert byggefirmaet NorrBygg AB til å utføre renoveringsarbeid som blant annet omfattet reparasjoner av gulv og tak og forbedringer av rør- og elektrisitetsopplegg. Reparasjonene hadde pågått i drøyt to måneder, til slutten av november, og var deretter avbrutt. NorrBygg hadde sendt en regning som var blitt betalt.

Av alt blant farens etterlatenskaper var dette det eneste overraskende innslaget. Lisbeth Salander rynket øyenbrynene. Anskaffelsen av industrilokalet var forståelig dersom faren hadde villet antyde at hans legitime firma KAB drev noen form

686

for virksomhet eller satt på visse ressurser. Det var også forståelig at han hadde brukt Lisbeths mor som stråmann eller frontfigur ved kjøpet og deretter selv lagt beslag på kontrakten.

Men hvorfor i herrens navn hadde han i 2003 betalt nærmere 440 000 kroner for å pusse opp et falleferdig rukkel som ifølge bobestyreren fremdeles ikke ble brukt til noe som helst i 2005?

Lisbeth Salander var forvirret, men ikke overveldende interessert. Hun lukket mappen og ringte Annika Giannini.

«Jeg har lest bofortegnelsen. Beskjeden er den samme. Selg dritten og gjør hva du vil med pengene. Jeg vil ikke ha noe etter ham.»

«Greit. Da skal jeg sørge for at halve summen blir avsatt til din søster. Deretter gir jeg deg noen forslag til forskjellige formål du kan donere pengene til.»

«Jaha,» sa Lisbeth og la på røret uten å si noe mer.

Hun satte seg i vindusnisjen og tente en sigarett og så ut på Saltsjön.

Lisbeth Salander tilbragte den neste uken med å bistå Dragan Armanskij i en hastesak. Det dreide seg om å oppspore og identifisere en person som var mistenkt for å være innleid for å bortføre et barn i en omsorgstvist mellom en svensk kvinne og hennes fraskilte mann, som var libanesisk statsborger. Lisbeth Salanders innsats innskrenket seg til å sjekke e-posten til personen som ble antatt å være oppdragsgiver. Oppdraget ble avbrutt da partene kom frem til en minnelig ordning og ble enige.

Den 18. desember var søndagen før jul. Lisbeth våknet klokken halv syv om morgenen og konstaterte at hun måtte kjøpe en julepresang til Holger Palmgren. Hun lurte en stund på om hun burde kjøpe julepresanger til noen andre – muligens Annika Giannini. Hun tok det temmelig med ro da hun sto opp og dusjet og spiste frokost bestående av kaffe og ristet brød med ost og appelsinmarmelade.

Hun hadde ingen spesielle planer for dagen og brukte en stund på å rydde bort papirer og aviser fra skrivebordet. Deretter falt blikket på mappen med bofortegnelsen. Hun åpnet den og leste om igjen dokumentene om industrieiendommen i Norrtälje. Til slutt sukket hun. *Ja vel. Jeg må få vite hva fanken det var han drev med.*

Hun tok på seg varme klær og støvler. Klokken var halv ni om morgenen da hun svingte den vinrøde Hondaen ut fra garasjen under Fiskargatan 9. Det var iskaldt, men pent vær med sol og pastellblå himmel. Hun la veien over Slussen og Klarabergsleden og snodde seg opp på E18 i retning Norrtälje. Hun hadde god tid. Klokken var nærmere ti om formiddagen da hun svingte inn på en OK-bensinstasjon noen kilometer utenfor Skederid for å spørre om veien til det gamle teglverket. I samme øyeblikk som hun stanset bilen, gikk det opp for henne at hun ikke behøvde å spørre.

Hun befant seg på en liten høyde med god utsikt over et lavereliggende område på den andre siden av veien. Til venstre på veien mot Norrtälje merket hun seg et malinglager og noe som hadde med bygningsmaterialer å gjøre, samt en oppstillingsplass for gruvemaskiner. Til høyre, i utkanten av industriområdet, drøyt 400 meter fra hovedveien, lå en dyster teglsteinsbygning med en sammenrast pipe. Teglverket lå som en siste utpost i industriområdet, litt isolert på den andre siden av en vei og en smal elv. Hun betraktet bygningen ettertenksomt og lurte på hva som hadde fått henne til å bruke dagen til å dra til Norrtälje kommune.

Hun snudde på hodet og så bort på OK-stasjonen hvor en trailer med TIR-skilter akkurat hadde stoppet. Det gikk plutselig opp for henne at hun befant seg på hovedveien fra fergehavnen i Kappelskär, hvor en stor del av godstrafikken mellom Sverige og de baltiske statene gikk.

Hun startet bilen igjen, kjørte ut på veien og svingte inn på det forlatte teglverket. Hun parkerte midt på tomten og gikk ut av bilen. Det var kuldegrader i luften, så hun tok på seg en svart lue og svarte skinnhansker.

Hovedbygningen var i to etasjer. I første etasje var alle vinduene stengt med finérplater. I annen etasje la hun merke til en hel del knuste vinduer. Teglverket var en betydelig større bygning enn hun hadde forestilt seg. Den virket utrolig forfallen. Noen spor etter reparasjoner kunne hun ikke se. Hun så ikke en levende sjel, men merket seg at noen hadde kastet et brukt kondom midt på parkeringsplassen, og at en del av fasaden hadde vært gjenstand for angrep fra graffitikunstnere.

Hvorfor i helvete hadde Zalatsjenko eid denne bygningen?

Hun gikk rundt anlegget og fant den raserte fløyen på baksiden. Hun konstaterte at alle dørene til hovedbygningen var låst med hengelås og kjetting. Til slutt undersøkte hun frustrert en dør i gavlveggen. På alle dørene var hengelåsen festet med kraftige jernbolter og innbruddssikring. Låsen på gavlveggen virket noe dårligere og var faktisk bare festet med en grov spiker. *Nå, hva faen, jeg eier jo bygningen.* Hun så seg rundt og fant et smalt jernrør i en skrothaug, og brukte det som brekkstang for å bryte opp festet til hengelåsen.

Hun kom inn i en trappegang med en åpning inn til lokalet i første etasje. De gjenspikrede vinduene gjorde det nesten bekmørkt, med unntak av en og annen lysstrime som fant veien inn ved kanten av finérplatene. Hun sto stille i flere minutter mens øynene vente seg til mørket, og kunne skimte et hav av skrot, etterlatte trepaller, gamle maskindeler og materialer i en hall som var femogførti meter lang og kanskje tyve meter bred og ble holdt på plass av massive pilarer. De gamle ovnene fra teglverket så ut til å ha blitt nedmontert og fjernet. Fundamentene var blitt til bassenger fulle av vann, og det var store dammer med vann og mugg på gulvet. Det luktet innestengt og råttent. Hun rynket på nesen.

Lisbeth snudde og gikk oppover trappen. Annen etasje var tørr og besto av to haller på rad, drøyt tyve ganger tyve meter og minst åtte meter under taket. Oppe under taket var det høye, utilgjengelige vinduer. De ga ikke noen utsikt, men bidro til en vakker belysning der oppe. Akkurat som i første etasje var det fullt av skrot. Hun gikk forbi dusinvis av meterhøye stabler med kasser. Hun kjente på en av dem. Den var ikke til å rikke. Hun leste det som sto på den. *Machine parts* 0-A77. Under sto en lignende tekst på russisk. Hun merket seg en åpen vareheis midt på langsiden av den ytterste hallen.

Et maskinlager av et eller annet slag, som neppe kunne omsettes i noen større formue så lenge det sto og rustet ned i det gamle teglverket.

Hun gikk forbi inngangen til den innerste hallen og skjønte at hun befant seg der hvor reparasjonsarbeidene var blitt utført. Hallen var full av skrot, kasser og gamle kontormøbler plassert i en eller annen slags labyrintisk orden. En seksjon av gulvet var ryddet og nye gulvplanker lagt inn. Lisbeth noterte seg at bygningsarbeidene så ut til være avbrutt plutselig. Verktøy, en kappsag og benkesag, spikerpistol, kubein, jernspett og verktøykasser lå der fremdeles. Hun rynket øyenbrynene. *Selv om arbeidet ble avbrutt, burde vel bygningsfirmaet ha samlet sammen utstyret sitt.* Men også dette spørsmålet ble besvart da hun løftet opp en skiftenøkkel og kunne konstatere at teksten på håndtaket var på russisk. Zalatsjenko hadde importert verktøyet, muligens også arbeidskraften.

Hun gikk bort til kappsagen og skrudde på strømbryteren. En grønn lampe lyste. Det var strøm der. Hun skrudde av bryteren igjen.

Innerst i hallen var det tre dører til noen mindre rom, muligens gamle kontorer. Hun kjente på håndtaket på den nordligste av dørene. Låst. Hun så seg rundt, gikk tilbake til verktøyet og hentet et kubein. Det tok henne litt tid å bryte opp døren.

Det var bekmørkt i rommet og luktet kvalmt. Hun famlet med hånden og fant en strømbryter som tente en naken lyspære i taket. Lisbeth så seg forundret rundt.

Møblementet i rommet besto av tre senger med skitne madrasser og ytterligere tre madrasser som var plassert rett på gulvet. Skittent sengetøy lå strødd omkring. Til høyre var det en kokeplate og noen kasseroller ved siden av en rusten vannkran. I hjørnet sto det en sinkbøtte og en rull toalettpapir.

Noen hadde bodd der. Flere personer.

Hun la plutselig merke til at det ikke var håndtak på innsiden av døren. Hun kjente et iskaldt grøss langsetter ryggraden.

Innerst i rommet sto det et stort lintøyskap. Hun gikk inn og åpnet skapdøren og fant to kofferter. Hun dro ut den øverste.

Den inneholdt klær. Hun rotet i kofferten og halte opp et skjørt med russisk tekst på merkelappen. Hun fant en håndveske og helte innholdet ut på gulvet. Blant sminke og annet skrot fant hun et pass tilhørende en mørkhåret kvinne i 20-årsalderen. Teksten var på russisk. Hun tolket navnet til Valentina.

Lisbeth Salander gikk langsomt ut av rommet. Hun fikk en følelse av déjà vu. Hun hadde foretatt en lignende åstedsgransk-ning i en kjeller i Hedeby to og et halvt år tidligere. Kvinneklær. Et fengsel. Hun sto stille og grublet en lang stund. Det bekym-ret henne at pass og klær var blitt liggende igjen. Det føltes ikke riktig.

Deretter gikk hun tilbake til samlingen med verktøy og rotet rundt til hun fant en kraftig lommelykt. Hun sjekket at det var batterier i den, og gikk ned i første etasje og inn i den store hallen. Vannet fra dammene trengte inn gjennom støvlene.

Det luktet mer og mer ufyselig råttent jo lenger inn i hallen hun kom. Det virket som om stanken var verst midt i hallen. Hun stoppet ved et av fundamentene til de gamle teglsteins-ovnene. Fundamentet var nesten breddfullt av vann. Hun lyste med lommelykten mot den kullsvarte vannflaten, men kunne ikke skjelne noe. Overflaten var delvis dekket av alger som dan-net et grønt slim. Hun så seg rundt og fant et cirka tre meter langt armeringsjern. Hun stakk det ned i bassenget og rørte rundt. Vannet var bare omkring en halvmeter dypt. Nesten umiddel-bart støtte hun på motstand. Hun bendte til i noen sekunder før liket kom opp til overflaten, med ansiktet først, en grinende maske av død og forråtnelse. Hun pustet gjennom munnen og betraktet ansiktet i lyset fra lommelykten og konstaterte at det tilhørte en kvinne, muligens kvinnen på passet i etasjen over. Hun hadde ingen kunnskaper om hvor raskt forråtnelsespro-sessen foregikk i kaldt, stillestående vann, men liket så ut til å ha ligget i bassenget i lengre tid.

Hun så plutselig at noe beveget seg i vannflaten. Larver av et eller annet slag.

Hun lot liket synke ned under vannflaten igjen og famlet videre med armeringsjernet. I kanten av bassenget støtte hun på noe som ga inntrykk av å være enda et lik. Hun lot det ligge, trakk opp armeringsjernet, slapp det fra seg på gulvet og ble stående stille og tankefull ved bassengkanten.

Lisbeth Salander gikk opp til annen etasje igjen. Hun brukte kubeinet og brøt opp døren i midten. Rommet var tomt og så ikke ut til å ha vært i bruk.

Hun gikk til den siste døren og satte kubeinet på plass, men før hun rakk å bende til, gled døren opp på gløtt. Den var ulåst. Hun lirket opp døren med kubeinet og så seg rundt.

Rommet var omtrent tredve kvadratmeter stort. Det hadde vindu i normal høyde med utsikt mot plassen foran teglverket. Hun kunne skimte OK-stasjonen på høyden over veien. Det var en seng, et bord og en oppvaskbenk med kopper og kar der inne. Deretter fikk hun øye på en åpen bag på gulvet. Hun så sedler. Hun tok forundret to skritt fremover før det gikk opp for henne at det var varmt i rommet. Blikket ble trukket mot en elektrisk ovn midt på gulvet. Hun så en kaffetrakter. Den røde lampen lyste.

Rommet var bebodd. Hun var ikke alene i teglverket.

Hun bråsnudde og løp i full fart gjennom den indre hallen, ut gjennom mellomdørene og mot utgangen i den ytre hallen. Hun bråstoppet fem skritt fra trappen da det gikk opp for henne at utgangsdøren var blitt stengt og forseglet med en hengelås. Hun var innelåst. Hun snudde seg langsomt rundt og så seg omkring. Hun kunne ikke se noen.

«Hei, søster.» Hun hørte en lys stemme fra siden.

Hun dreide på hodet og fikk se Ronald Niedermanns enorme skikkelse komme til syne ved siden av noen kasser med maskindeler.

Han hadde en bajonett i hånden.

«Jeg hadde håpet at jeg skulle få treffe deg igjen,» sa Niedermann. «Det gikk jo litt fort forrige gang.»

Lisbeth så seg rundt.

«Det nytter ikke,» sa Niedermann. «Det er bare du og jeg her, og ingen vei ut, bortsett fra den låste døren bak deg.»

Lisbeth vendte blikket mot halvbroren.

«Hvordan går det med hånden?» spurte hun.

Niedermann smilte fortsatt til henne. Han løftet høyrehånden og viste den frem. Lillefingeren var borte.

«Den ble betent. Jeg ble nødt til å kappe den av.»

Ronald Niedermann led av congenital analgesia og kunne ikke føle smerte. Lisbeth hadde kløyvd hånden hans med en spade utenfor Gosseberga, noen sekunder før Zalatsjenko hadde skutt henne i hodet.

«Jeg burde ha siktet på hodet,» sa Lisbeth Salander i en nøytral tone. «Hva faen gjør du her? Jeg trodde du hadde forsvunnet utenlands for flere måneder siden.»

Han smilte til henne.

Hvis Ronald Niedermann skulle ha forsøkt å svare på Lisbeth Salanders spørsmål om hva han gjorde i det forfalne teglverket, ville han sannsynligvis blitt henne svar skyldig. Han kunne ikke engang forklare det for seg selv.

Han hadde lagt Gosseberga bak seg med en følelse av befrielse. Han regnet med at Zalatsjenko var død, og at han skulle overta virksomheten. Han visste at han var en utmerket organisator.

Han hadde byttet bil i Alingsås og stuet den skrekkslagne tannpleieren Anita Kaspersson inn i bagasjerommet og kjørt mot Borås. Det angikk ikke ham om hun levde eller døde, og han gikk ut fra at han ville bli nødt til å kvitte seg med et problematisk vitne. Et sted i utkanten av Borås hadde det imidlertid plutselig gått opp for ham at han kunne bruke henne på en annen måte. Han kjørte sørover og fant et ødslig skogområde utenfor Seglora. Han hadde bundet henne i en låve og reist. Han regnet med at hun ville klare å komme seg løs i løpet av noen timer, og dermed lede politiet sørover i jakten. Og hvis hun ikke klarte å komme seg løs, men sultet eller frøs i hjel, var det ikke hans problem.

I virkeligheten hadde han kjørt tilbake til Borås og satt kursen østover mot Stockholm. Han hadde kjørt strake veien til Svavelsjö MC, men vært omhyggelig med å unngå selve klubbhuset. Isteden hadde han oppsøkt klubbens Sergeant-at-Arms, Hans-Åke Waltari, hjemme. Han forlangte hjelp og et skjulested, noe Waltari hadde ordnet ved å sende ham til Viktor Göransson, klubbens kasserer og økonomisjef. Der hadde han imidlertid blitt bare noen timer.

Ronald Niedermann hadde i teorien ingen større økonomiske bekymringer. Riktignok hadde han reist fra nesten 200 000 kroner i Gosseberga, men han hadde tilgang til adskillig større beløp plassert i fond i utlandet. Problemet var bare at han hadde fryktelig dårlig med kontanter. Göransson hadde kontrollen med Svavelsjö MCs penger, og Niedermann hadde innsett at et lykketreff hadde dukket opp. Det hadde vært en smal sak å overtale Göransson til å vise veien til pengeskapet i låven og forsyne seg med drøyt 800 000 i kontanter.

Niedermann mente å huske at det også hadde vært en kvinne i huset, men han var ikke sikker på hva han hadde gjort med henne.

Göransson bidro også med et kjøretøy som ennå ikke var etterlyst av politiet. Han kjørte nordover. Han hadde en vag plan om å komme seg til en av Tallinks ferger som gikk fra Kappelskär.

Han dro til Kappelskär og slo av motoren på parkeringsplassen. Han satt og studerte omgivelsene i en halvtime. Det myldret av politifolk.

Han startet motoren og kjørte planløst videre. Han trengte et skjulested hvor han kunne ligge lavt en stund. Like utenfor Norrtälje kom han til å tenke på det gamle teglverket. Han hadde ikke ofret bygningen en tanke på over et år, ikke siden de holdt på med reparasjonene. Det var brødrene Harry og Atho Ranta som brukte teglverket som mellomlager for varer til og fra Baltikum, men brødrene Ranta hadde vært i utlandet i flere uker, helt siden journalisten Dag Svensson i Millennium hadde begynte å snoke i horetrafikken. Teglverket var tomt.

Han hadde gjemt Göranssons Saab i et skjul bak teglverket og tatt seg inn. Han hadde vært nødt til å bryte opp en dør i første etasje, men noe av det første han hadde gjort, var å ordne en reserveutgang gjennom en løs finérplate på gavlveggen i første etasje. Deretter hadde han slått seg til i det lune rommet i annen etasje.

Det hadde gått en hel formiddag før han begynte å høre lyder fra veggene. Først hadde han trodd det var vanlige spøkelser. Han hadde sittet og lyttet i helspenn en times tid før han plutselig reiste seg og gikk ut i den store hallen og lyttet. Han hørte ingenting, men ble tålmodig stående til han hørte en skrapelyd. Han fant nøkkelen på kjøkkenbenken.

Ronald Niedermann hadde sjelden blitt så overrasket som da han åpnet døren og fant de to russiske horene. De var radmagre og hadde vært uten mat i flere uker, forsto han, etter at en kartong ris hadde tatt slutt. De hadde levd på te og vann.

En av horene var så utmattet at hun ikke orket å reise seg fra sengen. Den andre hadde vært i bedre form. Hun snakket bare russisk, men han hadde gode nok språkkunnskaper til å forstå at hun takket Gud og ham for at de var blitt reddet. Hun hadde falt på kne og slått armene rundt bena hans. Forskrekket hadde han skjøvet henne fra seg, trukket seg ut og låst døren.

Han hadde ikke visst hva han skulle gjøre med horene. Han hadde kokt en suppe på hermetikk som han hadde funnet på kjøkkenet, og servert dem den mens han grublet. Den mest utmattede av kvinnene så ut til å få tilbake litt av kreftene. Han hadde tilbragt kvelden med å avhøre dem. Det hadde gått en stund før det gikk opp for ham at de to kvinnene ikke var horer, men studenter som hadde betalt brødrene Ranta for å få komme til Sverige. De var blitt lovet arbeids- og oppholdstillatelse. De hadde kommet fra Kapplskär i februar og var blitt ført rett til bygningen, hvor de var blitt sperret inne.

Niedermann var blitt morsk. De fordømte brødrene Ranta hadde hatt en biinntekt som de ikke hadde oppgitt til Zalatsjenko. Deretter hadde de rett og slett glemt kvinnene, eller kanskje med fullt overlegg overlatt dem til sin skjebne de da forlot Sverige i full fart.

Spørsmålet var bare hva han skulle gjøre med dem. Han hadde ingen grunn til å skade dem. Men han kunne ikke bare slippe dem fri, med tanke på at de høyst sannsynlig ville føre politiet til teglverket. Så enkelt var det. Han kunne ikke sende dem tilbake til Russland, siden det betydde at han måtte dra til Kappelskär med dem. Det ble for vanskelig. Den mørkhårede jenta, som het Valentina, hadde tilbudt ham sex mot at han hjalp dem. Han var ikke det minste interessert i å ha sex med jentene, men tilbudet forvandlet henne til en hore. Alle kvinner var horer. Så enkelt var det.

Etter tre dager var han blitt lei av den stadige bønnfallingen, masingen og bankingen i veggen fra dem. Han innså at han ikke hadde noen annen utvei. Han ville bare være i fred. Dermed hadde han låst opp døren en siste gang og gjort en rask slutt på problemet. Han hadde bedt Valentina om unnskyldning før han strakte frem hendene og med ett eneste grep vred nakken om på henne mellom annen og tredje nakkehvirvel. Deretter haddde han gått bort til den blonde jenta i sengen, som han ikke visste navnet på. Hun hadde ligget passiv og ikke gjort noen motstand. Han hadde båret likene ned i første etasje og skjult dem i et vannfylt basseng. Endelig kunne han føle en slags fred.

Hensikten hadde ikke vært å bli værende i teglverket. Han hadde bare tenkt å bli der til det verste politioppbudet hadde lagt seg. Han barberte av seg håret og lot skjegget vokse en centimeter. Utseendet hans forandret seg. Han fant en overall som hadde tilhørt en av arbeiderne fra NorrBygg og som var nesten i hans størrelse. Han tok på seg overallen og en gjenglemt skyggelue fra Beckers Färg, puttet en tommestokk i lommen på buksebenet og kjørte opp til OK-stasjonen ovenfor veien og handlet. Han hadde bra med kontanter etter byttet fra Svavelsjö MC. Han handlet i kveldingen. Han så ut som en vanlig arbeidskar som kom innom på hjemveien. Ingen så ut til å legge merke til ham. Han fikk for vane å dra og handle en eller to ganger i uken. På OK-stasjonen hilste de alltid vennlig og begynte snart å kjenne ham igjen.

Fra starten av hadde han brukt adskillig tid på å forsvare seg mot de vesenene som befolket bygningen. De var i veggene og kom ut om natten. Han hørte dem vandre rundt i hallen.

Han barrikaderte seg på rommet sitt. Etter flere dager fikk han nok. Han bevæpnet seg med en bajonett som han fant i en kjøkkenskuff, og gikk ut for endelig å konfrontere monstrene. Det måtte bli en slutt på dette.

Og plutselig oppdaget han at de vek unna. For første gang i sitt liv kunne han bestemme over deres tilstedeværelse. De flyktet når han nærmet seg. Han kunne se halene og de deformerte kroppene smette unna bak kasser og skap. Han brølte etter dem. De flyktet.

Han gikk forbløffet tilbake til det lune rommet sitt og satt våken hele natten og ventet på at de skulle komme tilbake. De gjorde et nytt forsøk ved daggry, og han konfronterte dem en gang til. De flyktet.

Han balanserte mellom panikk og eufori.

I hele sitt liv hadde disse vesenene jaget ham i mørke, og for første gang følte han at han var herre over situasjonen. Han gjorde ingenting. Han spiste. Han sov. Han grublet. Det var fredelig.

Dagene ble til uker, og det ble sommer. Fra transistorradioen og løssalgsavisene kunne han følge hvordan jakten på Ronald Niedermann døde hen. Han merket seg med interesse nyheten om drapet på Aleksandr Zalatsjenko. *Så kostelig. En gærning satte punktum for Zalatsjenkos liv.* I juli ble interessen vekket på nytt i og med rettssaken mot Lisbeth Salander. Han ble fullstendig forbløffet da hun plutselig ble frifunnet. Det føltes ikke bra. Hun var fri, mens han var nødt til å holde seg skjult.

Han kjøpte Millennium på OK-stasjonen og leste temanummeret om Lisbeth Salander og Aleksandr Zalatsjenko og Ronald Niedermann. En journalist ved navn Mikael Blomkvist hadde tegnet et portrett av Ronald Niedermann som en patologisk syk morder og psykopat. Niedermann rynket øyenbrynene.

Plutselig var det høst, og han hadde ennå ikke kommet seg av gårde. Da det ble kaldere, kjøpte han den elektriske varmeovnen på OK-stasjonen. Han kunne ikke forklare hvorfor han ikke forlot fabrikken.

Enkelte ganger hadde noen ungdommer kjørt inn på plassen foran teglverket og parkert der, men ingen hadde forstyrret tilværelsen hans eller brutt seg inn i bygningen. I september hadde en bil stoppet på plassen utenfor, og en mann i blå vindjakke hadde kjent på dørene og vandret rundt på tomten og snoket. Niedermann hadde betraktet ham fra vinduet i annen etasje. Med jevne mellomrom hadde mannen gjort notater i en blokk. Han hadde vært der i tyve minutter før han hadde sett seg rundt en siste gang, satt seg i bilen og kjørt vekk. Niedermann pustet ut. Han hadde ikke peiling på hvem mannen var og hvilket ærend han hadde vært ute i, men det virket som om han hadde foretatt en inspeksjon av eiendommen. Han tenkte ikke på at Zalatsjenkos død ville innebære et booppgjør.

Han grublet mye over Lisbeth Salander. Han hadde ikke regnet med noensinne å møte henne igjen, men hun fascinerte og skremte ham. Ronald Niedermann var ikke redd for levende mennesker. Men søsteren hans – halvsøsteren – hadde gjort et forunderlig inntrykk på ham. Ingen annen hadde beseiret ham på den måten hun hadde gjort. Hun hadde kommet tilbake til tross for at han hadde begravd henne. Hun hadde kommet tilbake og jaget ham. Han drømte om henne hver eneste natt. Han våknet kaldsvett og innså at hun hadde erstattet de vanlige spøkelsene hans.

I oktober bestemte han seg. Han ville ikke forlate Sverige før han hadde oppsøkt søsteren og utslettet henne. Han manglet en plan, men livet hans fikk et mål igjen. Han visste ikke hvor hun var eller hvordan han skulle oppspore henne. Han ble sittende i rommet i annen etasje på teglverket og stirre ut gjennom vinduet, dag etter dag, uke etter uke.

Helt til den vinrøde Hondaen plutselig hadde parkert utenfor bygningen og han til sin umåtelige forbauselse hadde sett Lisbeth Salander stige ut av bilen. *Gud er nådig,* tenkte han. Lisbeth Salander skulle slå følge med de to kvinnene som han ikke lenger husket navnet på, nede i bassenget i første etasje. Ventetiden var over, og han ville endelig kunne gå videre i livet.

Lisbeth Salander vurderte situasjonen og fant ut at den var alt annet enn under kontroll. Hjernen jobbet på høygir. *Klikk, klikk, klikk.* Hun hadde fremdeles kubeinet i hånden, men innså at det var et skrøpelig våpen mot en mann som ikke kunne føle smerte. Hun var innestengt på drøyt tusen kvadratmeter sammen med en drapsrobot fra helvete.

Da Niedermann plutselig beveget seg mot henne, kastet hun kubeinet mot ham. Han vek rolig unna. Lisbeth Salander tok sats. Hun satte foten på en pall, svingte seg opp på en kasse og klatret som en edderkopp videre oppover to kasser til. Hun stoppet og så ned på Niedermann, drøyt fire meter under henne. Han hadde stoppet opp og sto og ventet.

«Kom ned,» sa han rolig. «Du kommer ikke unna. Slutten er uunngåelig.»

Hun lurte på om han hadde noe skytevåpen. *Det* ville være et problem.

Han bøyde seg ned og løftet en stol som han kastet. Hun dukket.

Niedermann så plutselig irritert ut. Han satte foten på pallen og begynte å klatre etter henne. Hun ventet til han var nesten oppe før hun tok sats med to raske steg, hoppet over midtgangen og landet på toppen av en kasse noen meter bortenfor. Hun svingte seg ned på gulvet og hentet kubeinet.

Niedermann var egentlig ikke klossete. Men han visste at han ikke kunne ta sjansen på å hoppe ned fra kassene og kanskje brekke benet. Han var nødt til å klatre forsiktig ned og sette føttene på gulvet. Han var ganske enkelt nødt til å bevege seg langsomt og metodisk, og han hadde brukt et helt liv på å få kontroll over kroppen. Han var nesten nede på gulvet da han hørte skritt bak seg, og rakk akkurat å vri kroppen rundt så han kunne parere slaget fra kubeinet med skulderen. Han mistet bajonetten.

Lisbeth slapp kubeinet i samme øyeblikk som hun slo. Hun hadde ikke tid til å plukke opp bajonetten, men sparket den vekk fra ham bortover langs pallene, unnvek et backhandslag fra den enorme neven hans og trakk seg tilbake oppover på kassene på den andre siden av midtgangen. Fra øyenkroken så hun Niedermann strekke seg etter henne. Hun trakk føttene lynraskt opp. Kassene sto i to rekker, stablet i tre etasjer nærmest midtgangen og to etasjer på baksiden. Hun svingte seg ned på toetasjesstabelen, tok spenntak med ryggen og brukte all den styrken hun hadde i bena. Kassen må ha veid minst 200 kilo. Hun kjente at den beveget seg og veltet nedover mot midtgangen.

Niedermann så kassen komme og rakk akkurat å kaste seg til side. Et hjørne av kassen slo inn i brystet på ham, men han kom unna uten skader. Han stoppet opp. *Hun gjorde virkelig motstand.* Han klatret opp etter henne. Han hadde akkurat fått hodet opp på den tredje kassen da hun sparket ham. Støvelen traff ham i pannen. Han gryntet og løftet seg opp på toppen av kassene. Lisbeth Salander kom unna ved å hoppe tilbake til kassene på den andre siden av midtgangen. Hun veltet seg umiddelbart over kanten og forsvant ut av syne for ham. Han hørte fottrinnene hennes og fikk et glimt av henne du hun passerte døren til den innerste hallen.

Lisbeth Salander så seg vurderende rundt. *Klikk.* Hun visste at hun var sjanseløs. Så lenge hun klarte å unnvike Niedermanns enorme never og holde seg på avstand, kunne hun overleve, men så fort hun begikk en feil – hvilket ville skje før eller senere – var hun død. Hun måtte unnvike ham. Han behøvde bare få tak i henne én eneste gang for at kampen skulle være over.

Hun trengte et våpen.

En pistol. En automatpistol. En sprenggranat. En landmine. Hva faen som helst.

Men noe slikt fantes ikke tilgjengelig.

Hun så seg rundt.

Det fantes ingen våpen.

Bare verktøy. *Klikk.* Blikket hennes falt på kappsagen, men det skulle nok mye til før hun kunne klare å få ham til å legge seg på sagbenken. *Klikk.* Hun så et jernspett som kunne fungere som spyd, men det var for tungt til at hun kunne håndtere det effektivt. *Klikk.* Hun kastet et blikk gjennom døren og så at Niedermann hadde kommet seg ned fra kassene femten meter unna. Han var på vei mot henne igjen. Hun begynte å bevege seg bort fra døren. Hun hadde kanskje fem sekunder på seg før Niedermann ville være fremme. Hun kastet et siste blikk på verktøyet.

Et våpen ... eller et gjemmested. Plutselig stoppet hun opp.

*

Niedermann skyndte seg ikke. Han visste at det ikke fantes noen utvei og at han før eller senere ville få tak i søsteren. Men hun var uten tvil farlig. Hun var tross alt Zalatsjenkos datter. Og han ville ikke bli skadet. Det var bedre å la henne bruke opp kreftene.

Han stanset på terskelen inn til den indre hallen og så seg rundt i rotet av verktøy, halvlagte gulvplanker og møbler. Hun var usynlig.

«Jeg vet at du er her inne. Jeg kommer til å finne deg.»

Ronald Niedermann sto stille og lyttet. Det eneste han hørte var sitt eget åndedrett. Hun gjemte seg. Han smilte. Hun utfordret ham. Besøket hennes hadde utviklet seg til en lek mellom bror og søster.

Så hørte han en uforsiktig kraslende lyd fra et ubestemt sted midt inne i den gamle hallen. Han snudde på hodet, men kunne først ikke avgjøre hvor lyden kom fra. Så smilte han igjen. Midt på gulvet, et stykke fra det andre skrotet, sto en fem meter lang arbeidsbenk i tre med en rekke skuffer øverst og skyvedører til skapene under.

Han nærmet seg benkeskapet fra siden og kastet et blikk bak skapet for å forsikre seg om at hun ikke forsøkte å lure ham. Tomt.

Hun hadde gjemt seg inne i skapet. Så dumt.

Han rev opp den første skapdøren i seksjonen lengst til venstre.

Han hørte umiddelbart at noen flyttet seg inne i skapet. Lyden kom fra midtseksjonen. Han tok to raske skritt og rev døren opp med et triumferende uttrykk i ansiktet.

Tomt.

Så hørte han en rekke skarpe smell som hørtes ut som pistolskudd. Lyden var så plutselig at han hadde vanskelig for å oppfatte hvor den kom fra. Han snudde på hodet. Deretter kjente han et besynderlig press mot den venstre foten. Han følte ingen smerte. Han kikket ned på gulvet akkurat i tide til å se Lisbeth Salanders hånd flytte spikerpistolen til den høyre foten.

Hun var under skapet.

Han sto som lammet de sekundene det tok henne å sette

701

munningen mot støvlen hans og avfyre ytterligere fem syvtoms spiker rett gjennom foten hans.

Han forsøkte å bevege seg.

Det tok ham noen dyrebare sekunder å oppdage at føttene var spikret fast i det nylagte plankegulvet. Hånden til Lisbeth Salander flyttet spikerpistolen tilbake til den venstre foten. Det lød som et automatvåpen som avfyrte enkeltskudd i rask rekkefølge. Hun rakk å fyre av fire syvtoms spikere til før han klarte å reagere.

Han bøyde seg ned for å gripe tak i hånden hennes, men mistet umiddelbart balansen og klarte å få den tilbake ved å støtte seg mot benkeskapet mens han hørte at spikerpistolen ble avfyrt gang på gang, *ka-blam, ka-blam, ka-blam.* Hun var tilbake ved den høyre foten. Han så at hun fyrte av spikerne skrått gjennom hælen og ned i gulvet.

Ronald Niedermann brølte plutselig av raseri. Han strakte seg mot hånden hennes igjen.

Fra plassen sin under skapet så Lisbeth Salander at buksebenet hans gled opp, som tegn på at han holdt på å bøye seg. Hun slapp spikerpistolen. Ronald Niedermann så hånden hennes forsvinne inn under skapet, raskt som et reptil, like før han nådde frem.

Han strakte seg etter spikerpistolen, men i samme øyeblikk som han nådde den med fingerspissene, halte Lisbeth Salander ledningen inn under skapet.

Mellomrommet mellom gulvet og skapet var drøyt tyve centimeter. Med all den kraft han kunne mobilisere, dyttet han benkeskapet over ende. Lisbeth Salander så opp på ham med store øyne og et forurettet ansiktsuttrykk. Hun dreide spikerpistolen og fyrte den av fra en halvmeters avstand. Spikeren traff midt i skinnebenet.

I neste øyeblikk slapp hun spikerpistolen, rullet seg lynraskt vekk fra ham og kom seg på bena utenfor hans rekkevidde. Hun rygget to meter og stoppet opp.

Ronald Niedermann forsøkte å flytte seg, men mistet balansen igjen og svaiet frem og tilbake med armene fektende i luften. Han gjenvant balansen og bøyde seg ned, fra seg av raseri.

702

Denne gangen nådde han spikerpistolen. Han løftet den og rettet munningen mot Lisbeth Salander. Han trykket på avtrekkeren.

Ingenting skjedde. Han stirret forundret på spikerpistolen. Så hevet han blikket mot Lisbeth Salander igjen. Hun holdt kontakten uttrykksløst i været. I vilt raseri kastet han spikerpistolen mot henne. Hun vek lynraskt til siden.

Deretter satte hun i kontakten igjen og halte til seg spikerpistolen.

Han møtte Lisbeth Salanders uttrykksløse øyne og følte plutselig forundring. Han visste at hun allerede hadde beseiret ham. *Hun er overnaturlig.* Instinktivt forsøkte han å rive foten løs fra gulvet. *Hun er et monster.* Han klarte å løfte foten noen millimeter før spikerhodene stoppet ham. Spikrene hadde boret seg inn i føttene hans fra alle slags vinkler, og for å komme løs, måtte han bokstavelig talt slite føttene sine i stykker. Selv ikke med sin nærmest overmenneskelige styrke klarte han å komme seg løs fra gulvet. Han svaiet noen sekunder frem og tilbake som om han holdt på å besvime. Han kom ikke løs. Han så en blodpøl som langsomt vokste frem mellom skoene hans.

Lisbeth Salander satte seg rett foran ham på en stol uten ryggstø mens hun forsøkte å oppdage tegn til at han skulle klare å rive seg løs fra gulvet. Siden han ikke kunne føle smerte, var det bare et spørsmål om styrke om han skulle klare å dra spikerhodene gjennom foten. Hun satt stille og betraktet ham mens han kjempet i ti minutter. Øynene var hele tiden fullstendig uttrykksløse.

Etter en stund reiste hun seg, gikk rundt ham og satte spikerpistolen mot ryggraden hans, like nedenfor nakken.

Lisbeth Salander tenkte intenst. Mannen foran henne hadde importert, dopet, mishandlet og solgt kvinner både en gros og enkeltvis. Han hadde myrdet minst åtte mennesker, deriblant en politimann i Gosseberga og et medlem av Svavelsjö MC. Hun ante ikke hvor mange andre liv halvbroren hadde på samvittigheten, men takket være ham var hun blitt jaktet på gjennom hele Sverige som en gal hund, anklaget for tre av mordene hans.

Fingeren hvilte tungt på avtrekkeren.

Han hadde myrdet Dag Svensson og Mia Bergman.

Sammen med Zalatsjenko hadde han også myrdet *henne* og begravd *henne* i Gosseberga. Og nå hadde han dukket opp for å myrde henne igjen.

Man kunne bli irritert av mindre.

Hun så ingen grunn til å la ham leve videre. Han hatet henne med en lidenskap hun ikke forsto. Hva ville skje hvis hun overlot ham til politiet? Rettssak? Livsvarig fengsel? Når ville han få permisjon? Hvor raskt ville han klare å rømme? Og nå da faren hennes endelig var borte – i hvor mange år ville hun være nødt til å se seg over skulderen og vente på den dagen broren hennes plutselig dukket opp igjen? Hun kjente vekten av spikerpistolen. Hun kunne avslutte saken en gang for alle.

Konsekvensanalyse.

Hun bet seg i underleppen.

Lisbeth Salander var ikke redd for hverken mennesker eller ting. Hun skjønte at hun manglet den fantasien som skulle til – det var et bevis så godt som noe på at det var noe galt i hjernen hennes.

Ronald Niedermann hatet henne, og hun svarte med et like uforsonlig hat mot ham. Han ble en i rekken av menn som Magge Lundin og Martin Vanger og Aleksandr Zalatsjenko og dusinvis av andre kjeltringer som etter hennes mening ikke hadde noen grunn til å befinne seg blant de levende. Hvis hun kunne samlet alle sammen på en ubebodd øy og avfyrt en atombombe, ville hun vært tilfreds.

Men drap? Var det verdt det? Hva ville skje med henne hvis hun drepte ham? Hvilke sjanser hadde hun for å unngå å bli oppdaget? Hva var hun villig til å ofre for den tilfredsstillelsen det ville være å få avfyre spikerpistolen en siste gang?

Hun kunne påberope seg selvforsvar og nødvergeretten … nei, neppe med føttene hans spikret fast i gulvet.

Hun tenkte plutselig på Harriet Vanger, som også var blitt plaget av sin far og sin bror. Hun husket replikkvekslingen hun hadde hatt med Mikael Blomkvist, hvor hun fordømte Harriet

Vanger i skarpe ordelag. Det var Harriet Vangers feil at broren Martin Vanger fikk fortsette å myrde år etter år.

«Hva ville du ha gjort?» hadde Mikael spurt.

«Slått i hjel faenskapet,» hadde hun svart med en overbevisning som kom fra dypet av hennes kalde sjel.

Og nå sto hun i nøyaktig samme situasjon som Harriet Vanger hadde gjort. Hvor mange flere kvinner ville Ronald Niedermann komme til å drepe hvis hun lot ham gå? Hun var myndig og sosialt ansvarlig for sine handlinger. Hvor mange år av sitt liv ville hun ofre? Hvor mange år hadde Harriet Vanger villet ofre?

Deretter ble spikerpistolen for tung til at hun orket å holde den mot ryggraden hans, selv med begge hender.

Hun senket våpenet og følte det som om hun vendte tilbake til virkeligheten. Hun oppdaget at Ronald Niedermann mumlet usammenhengende. Han snakket tysk. Han snakket om djevelen som hadde kommet for å hente ham.

Hun ble plutselig klar over at han ikke snakket til henne. Det virket som om han så noe i den andre enden av rommet. Hun snudde på hodet og fulgte blikket hans. Det var ingen der. Hun kjente nakkehårene reise seg.

Hun snudde på hælen, hentet jernspettet og gikk ut til den ytre hallen og lette til hun fant skuldervesken sin. Da hun bøyde seg ned for å ta opp vesken, så hun bajonetten på gulvet. Hun hadde fremdeles hansker på seg og løftet våpenet.

Hun nølte en stund før hun plasserte bajonetten godt synlig i midtgangen mellom kassene. Hun brukte jernspettet og jobbet i tre minutter med å hakke løs hengelåsen som sperret utgangsdøren.

Hun satt stille i bilen og tenkte en lang stund. Til slutt åpnet hun mobiltelefonen. Det tok henne to minutter å få tak i telefonnummeret til klubbhuset til Svavelsjö MC.

«Ja,» hørte hun en stemme i den andre enden.

«Nieminen,» sa hun.

«Vent litt.»

Hun ventet i tre minutter før Sonny Nieminen, *acting president* i Svavelsjö MC, svarte.

«Hvem er det?»

«Det skal du gi faen i,» sa Lisbeth med så lav stemme at han knapt kunne skjelne ordene. Han kunne ikke engang avgjøre om det var en mann eller en kvinne som ringte.

«Jaha. Hva vil du, da?»

«Du vil ha tips om Ronald Niedermann.»

«Vil jeg?»

«Ikke prat piss. Vil du vite hvor han er, eller ikke?»

«Jeg hører.»

Lisbeth ga en beskrivelse av veien til den nedlagte teglsteinsfabrikken utenfor Norrtälje. Hun sa at han kom til å være der lenge nok til at Nieminen ville rekke frem hvis han skyndte seg.

Hun slo av mobilen, startet motoren og kjørte opp til OK-stasjonen på den andre siden av veien. Hun parkerte bilen slik at hun hadde teglverket rett foran seg.

Hun måtte vente i mer enn to timer. Klokken var litt på halv to om ettermiddagen da hun registrerte en varebil som kjørte langsomt forbi på veien nedenfor henne. Den stoppet ved en parkeringslomme, ventet i fem minutter, snudde og svingte opp på innkjørselen til teglverket. Det begynte å mørkne.

Hun åpnet hanskerommet og fant frem en Minolta 2x8-kikkert og så varebilen parkere. Hun identifiserte Sonny Nieminen og Hans-Åke Waltari og tre personer som hun ikke kjente igjen. *Aspiranter. De må bygge opp virksomheten igjen.*

Da Sonny Nieminen og kompisene hans fant den åpne døren i gavlveggen, åpnet hun mobilen igjen. Hun skrev en tekstmelding og sendte den til politiets operasjonssentral i Norrtälje.

[POLITIMORDEREN R. NIEDERMANN ER I GML TEGLVERKET VED OK-STASJONEN UTENFOR SKEDERID. HAN HOLDER AKKURAT PÅ Å BLI DREPT AV S. NIEMINEN & MEDL. AV SVAVELSJÖ MC. DØD KVINNE I BASSENG I 1. ETG.]

Hun kunne ikke se noen bevegelser fra fabrikken.

Hun tok tiden.

Mens hun ventet, tok hun ut SIM-kortet fra telefonen og makulerte det ved å klippe det i stykker med en neglesaks. Hun sveivet ned sidevinduet og kastet bitene. Deretter tok hun frem et nytt SIM-kort fra lommeboken og satte det i mobilen. Hun brukte Comviq kontantkort, som var nesten umulig å spore og kartlegge. Hun ringte Comviq og lastet opp det nye kortet med 500 kroner.

Det tok elleve minutter før en utrykningsbil uten sirener, men med blålyset på, kom kjørende i retning fra Norrtälje og nedover mot fabrikken. Utrykningsbilen parkerte ved innkjørselen. Den ble noen minutter senere etterfulgt av to politibiler. De konfererte, rykket frem mot teglverket i samlet tropp og parkerte ved Nieminens varebil. Hun løftet kikkerten. Hun så en av politifolkene løfte en radio og rapportere bilnummeret på varebilen. Politifolkene så seg rundt, men ventet. To minutter senere så hun enda en utrykningsbil nærme seg i full fart.

Plutselig gikk det opp for henne at det endelig var over.

Den historien som hadde startet den dagen hun ble født, sluttet på teglverket.

Hun var fri.

Da politifolkene hentet frem forsterkningsvåpen fra utrykningsbilene og tok på seg skuddsikre vester og begynte å spre seg utover på fabrikkområdet, gikk Lisbeth Salander inn på bensinstasjonen og kjøpte en *coffee to go* og et plastinnpakket smørbrød. Hun spiste stående ved et lite barbord inne på stasjonen.

Det var mørkt da hun gikk tilbake til bilen. Akkurat idet hun åpnet døren, hørte hun to fjerne smell fra noe hun trodde var håndskytevåpen på den andre siden av veien. Hun så flere svarte skikkelser, som var politifolk, stå og trykke seg inntil veggen like ved inngangen på gavlveggen. Hun hørte sirener da enda en utrykningsbil nærmet seg fra Uppsala-kanten. Noen personbiler hadde stoppet i veikanten nedenfor henne og betraktet skuespillet.

Hun startet den vinrøde Hondaen og svingte ned på E18 og kjørte hjemover mot Stockholm.

*

Klokken var syv om kvelden da Lisbeth Salander til sin grense-løse irritasjon hørte at det ringte på døren. Hun lå i badekaret, i vann som det fremdeles dampet av. Det var stort sett bare én person som kunne ha noen grunn til å ringe på hos henne.

Først hadde hun tenkt å ignorere ringeklokken, men da det ringte på for tredje gang, sukket hun og svøpte et badehåndkle rundt seg. Hun skjøv underleppen frem og dryppet vann på entrégulvet.

«Hei,» sa Mikael Blomkvist da hun åpnet.

Hun svarte ikke.

«Har du hørt på nyhetene?»

Hun ristet på hodet.

«Jeg tenkte du kanskje ville vite at Ronald Niedermann er død. Han ble drept av en gjeng fra Svavelsjö MC oppe i Norrtälje i dag.»

«Jaså,» sa Lisbeth Salander behersket.

«Jeg snakket med vakthavende i Norrtälje. Det ser ut som om det har vært et slags internt oppgjør. Niedermann var tyde-ligvis blitt torturert og sprettet opp med en bajonett. De fant en bag med flere hundre tusen kroner der.»

«Jaså.»

«Gjengen fra Svavelsjö MC ble pågrepet på stedet. De gjorde dessuten motstand. Det kom til skuddveksling, og politiet måtte tilkalle den nasjonale beredskapstroppen fra Stockholm. Svavelsjö kapitulerte ved sekstiden i kveld.»

«Jaha.

«Din gamle venn Sonny Nieminen fra Stallarholmen måtte bite i gresset. Han gikk helt av skaftet og forsøkte å skyte seg fri.»

«Bra.»

Mikael Blomkvist ble stående taus i noen sekunder. De kikket på hverandre gjennom dørsprekken.

«Forstyrrer jeg?» spurte han.

Hun trakk på skuldrene.

«Jeg lå i badekaret.»

«Jeg ser det. Har du lyst på selskap?»

Hun sendte ham et skarpt blikk.

«Jeg mente ikke i badekaret. Jeg har med meg bagels,» sa han og holdt opp en pose. «Dessuten har jeg kjøpt espressokaffe. Hvis du først har en Jura Impressa X7 på kjøkkenet, bør du i det minste lære deg å bruke den.»

Hun hevet øyenbrynene. Hun visste ikke om hun skulle være skuffet eller lettet.

«Bare selskap?» spurte hun.

«Bare selskap,» bekreftet han. «Jeg er en god venn som besøker en annen god venn. Det vil si, hvis jeg er velkommen.»

Hun nølte noen sekunder. I to år hadde hun holdt seg på så lang avstand som mulig fra Mikael Blomkvist. Likevel var det som om han satt fast i livet hennes som tyggegummi under skosålen, enten på nettet eller i det virkelige liv. På nettet var det greit. Der var han bare elektroner og bokstaver. I det virkelige livet, utenfor døren hennes, var han fortsatt den samme jævlig attraktive mannen. Og han kjente hemmelighetene hennes på samme måte som hun kjente hemmelighetene hans.

Hun betraktet ham og konstaterte at hun ikke lenger hadde noen følelser for ham. I hvert fall ikke sånne følelser.

Han hadde faktisk vært hennes venn i året som var gått.

Hun stolte på ham. Kanskje. Det irriterte henne at ett av de få menneskene hun stolte på, var en mann hun hele tiden unngikk å treffe.

Plutselig bestemte hun seg. Det var tåpelig å late som om han ikke eksisterte. Det gjorde ikke vondt å se ham lenger.

Hun skjøv døren opp og slapp ham inn i livet sitt igjen.